U0239811

尚志钧 本草文献全集

本草古籍
辑注丛书 · 第二辑

尚志钧 / 辑注
尚元胜 尚云飞
尚元藕 任 何 / 整理

2020 年度国家古籍整理出版专项经费资助项目

尚志钧百年诞辰典藏

《诗 经》药物考释
尚志钧 编著

《山 海 经》植物药考释
尚志钧 编著

《五十二病方》药物注释
尚志钧 编著

北京科学技术出版社

图书在版编目（CIP）数据

本草古籍辑注丛书. 第二辑.《诗经》药物考释、《山海经》植物药考释、《五十二病方》药物注释／尚志钧编著. —北京 ：北京科学技术出版社，2021.10
ISBN 978-7-5714-1293-7

Ⅰ．①本… Ⅱ．①尚… Ⅲ．①本草－中医典籍－注释 Ⅳ．①R281.3

中国版本图书馆 CIP 数据核字（2020）第263469号

策划编辑：侍 伟 段 瑶
责任编辑：杨朝晖 董桂红
文字编辑：孙 硕 刘雪怡
责任校对：贾 荣
图文制作：北京艺海正印广告有限公司
责任印制：李 茗
出 版 人：曾庆宇
出版发行：北京科学技术出版社
社　　址：北京西直门南大街16号
邮政编码：100035
电　　话：0086-10-66135495（总编室） 0086-10-66113227（发行部）
网　　址：www.bkydw.cn
印　　刷：北京捷迅佳彩印刷有限公司
开　　本：787 mm × 1092 mm 1/16
字　　数：1485 千字
印　　张：55.5
版　　次：2021 年 10 月第 1 版
印　　次：2021 年 10 月第 1 次印刷
ISBN 978-7-5714-1293-7

定　　价：980.00 元

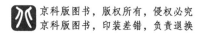

总前言

把工作放在日后做，是空的。一日不死，工作不止。

——尚志钧

　　千年中医，巨变振兴。真正的学者是将学术与生命紧密地联系在一起的，尚公直面人生的艰辛，以理性的思维、冷性的文字、激越的情怀著书立说，将一生奉献给了中医药学。站在中医药学发展的角度，纵观纷繁的沧桑医事，也许更可以使人获得理性的通明，使今天的中医药学术更加繁荣。

一

　　辑佚，在北宋已成为一门独立的学科。南宋·郑樵说："书有亡者，有虽亡而不亡者。"近代余嘉锡也说："东部藏书者书虽亡，而天下之书不必与之俱亡。"对于亡书，或原书已亡佚，但部分内容保存在史书、类书、方志、金石、古书注解、杂纂散抄之中的书，可以通过搜集诸书所征引的章句，窥其原貌，甚至可以通过类书总集，恢复原书旧貌。

　　孟子说："不专心致志，则不得也。"尚公下苦功数十年，终成本草大家，他辑复的《新修本草》填补了本草文献整复工作的空白。范行准先生早年指出："我们知道从事重辑《新修本草》者，中外不止一家，而俱未能问世。今尚先生竟能着其失鞭，使1300年前世界上第一部国家药典的原貌，灿然复见于世，是值得我们庆幸的一件事。"

对《吴氏本草经》《名医别录》《雷公炮炙论》《新修本草》《食疗本草》《日华子本草》《开宝本草》《本草图经》等主要的19部本草名著的辑复，是尚公最重要的学术成果。其中，《新修本草》是中国最早也是世界上最早的国家药典，文献价值极高，原书在国内久佚。清末，日本人发现其传抄卷子本10卷，尚缺10卷。清人李梦莹、近人范行准，及日本的小岛宝素、中尾万三、冈西为人等都曾试图对其进行辑复，但均未成功。尚公自1948年开始辑复《新修本草》，于1958年完成初稿，后又重辑，以油印本发行；后尚公再修改、补充之，并于1981年正式出版该书。尚公辑复《新修本草》，历时33年，援引各种参考书91种，做详细校记6319条。他先选定底本、主校本、旁校本和其他资料，再把各种古书中所载《新修本草》药物条文全部录出，加以比较互勘。他以最早的敦煌出土的《新修本草》残卷，及武田本《新修本草》、傅氏影刻本《新修本草》和罗振玉收藏的抄本《新修本草》为底本；《新修本草》所缺，即以《千金翼方》为底本；《千金翼方》亦缺，再以人民卫生出版社影印的《重修政和经史证类备用本草》为底本；最后以其他后出本为核校本核校之。尚公不仅校误字，还校书中有关错引、脱漏、增衍以及《神农本草经》文与《名医别录》文的混淆等。此外，他还对避讳字、通假字进行了解释，对全书进行了断句标点。他所辑复的《新修本草》还原了该书本来面貌，对找回后世本草脱漏佚失的资料有重要价值，如蒲公英治乳痈、蚤休解蛇毒、乌贼骨疗目翳等药物功效，在《新修本草》中即已有记述。此外，对《新修本草》进行辑复还有助于鉴别后世本草中资料的真伪，有助于校正后世本草的舛错，如《本草纲目》卷一"历代诸家本草"项"《名医别录》"条和"陶隐居《名医别录》合药分剂法则"项下所节录的注文，实为《本草经集注》的内容，并非《名医别录》的内容。

二

在驾驭大量本草文献史料上，尚公表现出极强的能力。他自觉地摆脱历史上不同时期本草文献资料谬误对遗佚本草辑复的干扰，力求通过目录学、版本学、校勘学、辑佚学、避讳学等多种学科的知识，结合具体对象和内容，手抄笔录，全面、系统地核实诸多文献记载，建立本草书籍、本草人物及单味药物3个系统的卡片档案，由源及流，追根问底，查清药物运用的概貌。在此基础上，他旁征博引，上下贯通，建成了一张辑佚医药方书的联合网图，进入了左右逢源、得心应手的学术研究佳境。32 部本草文献的辑复本、校点本、注释集纂编写本，见证了其学术功底的深厚广博。

《神农本草经》原书已佚，尚公在校注该书时，首先理顺了其文献源流。尚公认为《汉书·艺文志》没有记载《神农本草经》，故可以推测《神农本草经》成书于东汉。《隋书·经籍志》记载《神农本草经》有 6 种，《本草经》有 9 种。其中有的《本草经》既含有最早的《神农本草经》文，亦含有名医增补的《名医名录》文。陶弘景将诸经中《神农本草经》文加以总结，收入《本草经集注》中，以朱笔书写，定为《神农本草经》文。尚公以《本草经集注》为分界点，把在《本草经集注》以前的多种《本草经》称为"陶弘景以前的《本草经》"，其存于宋以前类书和文、史、哲古文献的注文中；把收载于《本草经集注》中的《本草经》称为"陶弘景总结的《本草经》"，其存于历代主流本草专著中。经过勘比考订可知，"陶弘景以前的《本草经》"在内容上有产地、生境、药物性状、形态、生态、采收时月、剂型、七情畏恶等，并且含有名医增补的内容。"陶弘景总结的《本草经》"有产地但无药物性状、形态、生态和七情畏恶等内容。所以，尚公得出结论：现存的《证类本草》中的白字内容，向上推溯，是由陶弘景综合当时流行的多种《本草经》的本子而成的。明清时期国内外学者，又从《证类本草》白字内容辑成多种单行本《神农本草经》，这些文字实际上是陶弘景整理的，并不是原始古本《神农本草经》。尚公校点的《神农本草经》将文献源流系统、条理地展现出来，对不同时代、不同版本的《本草经》药物条文、内容、取材论断均甚得法，资料搜集甚广，并务求其本源。

三

就尚公具体的学术成就与贡献而言，《〈唐·新修本草〉（辑复本）》和《神农本草经校点》这 2 部传世之作，打通了一道长期令人望而生畏的难关。但仅靠对本草辑复的贡献和成就，还难以窥见尚公学问之全貌。下面就尚公学术思想之一端，进一步证实其学问之博大精深。

"药性趋向分类"是尚公提出的一种新的药性分类方法。尚公根据药物作用趋势将药物分为行、守两大类。行类又分为上行、下行、通行、化行 4 类。上行类药物功用以升散为主，如升举下陷、发散外邪；下行类药物功用以降下为主，如平喘止咳、泻下利水；通行类药物功用以通畅为主，如使气血通畅以止痛；化行类药物功用以转化为主，如将食积、痰饮通过转化，成为无害物质。守即固守，不固守即出现虚损，凡虚损宜补。守类又分为补益和收敛2类。各类再分若干小类，每小类先述概要、举药名，次述共同作用、用途，再次述各药其他作用。尚公积50多年研究本草之经验，使药物分类更科学，药性更清晰。他对300多种常用中药的药性作用直说引述，正说反证，浅说深论，描述得淋漓尽致，十分切合临床，这是尚公对本草学研究的一项创新。

尚公不仅在本草学领域有颇多建树，在临床领域也有所创新。如尚公在《脏腑病因条辨》一书中，以中医五脏、六腑和病因（风、寒、暑、湿、燥、火、气、血、痰、饮）为单元，对临床症状进行归类。例如，患者胃脘隐隐作痛，喜暖喜按，泛吐清水，四肢不温，舌质淡白，脉虚软。从症状分析，胃脘痛和吐清水说明病在胃；四肢不温是脾寒；脉软表示虚；舌质淡白为虚寒。辨证应是脾胃虚寒证。此证是由3个单元——脾、胃、寒组成，脾属脏，胃属腑，寒属病因。从上个例子可以看出，五脏、六腑和病因3个单元是组成多种证的基础。

综上可以看出尚公之博学多思，勤于实践、总结。

四

尚公集毕生精力和情感于本草文献，在古本草史料的世界寻寻觅觅，始终如一地刻苦钻研而终于成为本草文献的知音。《尚志钧本草文献研究集》"论文题录"部分收录了尚公268篇学术论文。这些论文的内容广博而深入，不仅有对古本草史料的广搜精求，也有对纸上遗文的爬梳考订和辨证精释，还有对新发掘的地下实物的阐释（如对马王堆出土《五十二病方》、敦煌出土残卷等的整理和运用）。在268篇学术论文中，关于李时珍和《本草纲目》的论文有《〈本草纲目〉版本简介》《〈本草纲目〉断句误例二则》《〈本草纲目·序例〉辨误两则》《〈本草纲目〉标注〈本经〉药物总数的讨论》《金陵版〈本草纲目〉引〈日华子本草〉误注例》等。

在学术思想方面，《本草文献研究的意义及作用》《本草文献研究的目的》等是"熔铸古今，学以致用"的实践，亦相当引人入胜。一方面，尚公自觉脱除旧染与时弊，融目录、版本、校勘、考据、章句、修辞之法于本草学之中；另一方面，其继承并发展中国学术传统中的优秀方法，并赋予它们新的时代内涵，使之超胜前人。这既彰显出尚公的本草学思想和风格，亦彰显出其著述之功力。

五

客观地讲，除分散在各综合本草著作的矿物药外，自唐以来，矿物药专著寥若晨星。唐·梅彪撰写的《石药尔雅》疏注了唐以前道家炼丹书所用的药物。王嘉荫编著的《本草纲目的矿物史料》仅收录了《本草纲目》正文及集解中所列有关矿物、岩石等137种；李焕编写的《矿物药浅谈》、谢崇源等主编的《药用矿物》分别介绍了70种和50种矿物药的性味功用等；郭兰忠主编的《矿物本草》收载了108种矿物药。尚公的《中国矿物药集纂》一书独树一帜，对矿物药进行了详尽而深入的论述。该书分上、下两篇，上篇为总论，分述历代主要矿物药发展概况、矿物药的分类、矿物药化学成分概述、矿物药化学成分与药效关系、矿物药的物理性状、矿物药有关中药的药性、有毒矿物药毒性、矿物药配伍宜忌、矿物药炮制加工和煎煮。下篇收载单味矿物药1200余种，几乎将矿物药搜罗殆尽。书末附珍贵的矿物药研究资料10篇。从尚公对历代本草专著矿物药文献的排检和整理，可见其编纂工作之认真及对矿物药资料学术别择之广博与细致。《中国矿物药集纂》一书不仅在文献整理方面有很大价值，而且在集纂方面亦有很大价值，其体大思精的特点，反映了尚公学术的创新，更能为中医药学术发展指出一条道路。

《中国矿物药集纂》展现的是尚公精彩而寂寞的本草人生。自1977年以来，尚公闭户不交人事，甘坐冷板凳，独得东坡"万人如海一身藏"的状态。诚如熊十力所云"不孤冷到极度，不堪与世谐和"。尚公堂堂巍巍做人，独立不苟为学，一生出版著作近3000万言，这些冷性文字蕴含着他激越的情怀及集毕生精力和情感于本草文献的决心。尚公在古本草史料的世界里寻寻觅觅，搜剔爬梳，终于成为本草文献的拓荒者和耕耘者。

六

写到这里，我需要交代一下关于本丛书的一些情况。立意编纂本丛书始于2008年冬日追悼尚公的余绪；形成具体计划，确定出版，是在2017年春月，其间经历了8个春秋。尚元藕学妹、尚元胜学弟全力支持和参与这项工作，谨在此，深致谢忱。北京科学技术出版社与我们不约而同地意识到"文章千古事",出版尚公本草文献,利在当代,功在千秋。在合作过程中,北京科学技术出版社的工作人员精勤慎细,审校书稿,为本丛书的编校质量提供了有力保障。

一个时代有一个时代的学术观念,一个时代的学者有其处身时代的思想烙印。愿本丛书能在追求本草学术的途中与你相遇。

任 何

于合肥倚云居,戊戌春日

目　录

《诗经》药物考释

前　言

　　《诗经》是中国古代第一部诗歌总集，在科举时代它是士子必读的书①。《诗经》中的资料真实，故它是现存古书中比较可靠的书②。《诗经》收集了西周初年（公元前 11 世纪）到春秋中叶（公元前 6 世纪）约 500 年的诗歌③。在孔子时代，《诗经》被称为《诗》或《诗三百》④，到汉武帝罢黜百家而尊孔，它才被称为

---

　　①　在科举时代，《诗经》是士子必读之书。我在幼年读私塾时，也念过《诗经》。那时老师要我们熟读，定期背诵。在背诵时，老师提一句，你接着就要背下去，背不出，就罚跪。我为了不被罚跪，几乎每天行走时、睡觉前都在默念。这样天长日久，也就能背出了，至今仍不忘。但那时的背诵纯粹是口腔肌肉习惯性运动，我对《诗经》各诗篇中的意思全无所知。

　　②　在先秦文献中，《诗经》是最可靠的。梁启超《要籍解题及其读法》云："现存先秦古籍，真赝杂糅，几乎无一书无问题；其精金美玉，字字可信可宝者，《诗经》其首也。"清代阮元《毛诗注疏校勘记》序云："自汉以后，转写滋异，莫能枚数……自唐后至今，镂版盛行，于经、于传笺、于疏，或有意妄改，或无意伪脱，于是缪盩莫可究诘。"

　　③　《诗经》是我国最早的诗篇，一般被认为是西周前期写成的。但从《诗经·商颂·长发》的"洪水芒芒，禹敷下土方"、《诗经·大雅·生民》的"时维姜嫄""后稷肇祀"等诗句中讲到大禹治水、周始祖后稷及其母亲姜嫄等资料来看，《诗经》的起源可以追溯到我国史前时代。《诗经》中创作最晚的诗篇为《诗经·秦风·无衣》，据王船山《诗经稗疏》卷 1 云，此篇是秦哀公为向秦廷乞师的楚人申包胥所作，该事发生在公元前 506 年，距离春秋的下限（公元前 481）仅 26 年。

　　④　孔子称述的《诗》三百篇和《汉书·艺文志》所载《诗》三百五篇，与现存本《诗经》正相符合。孔子曰："小子何莫学乎《诗》？《诗》可以兴，可以观……多识鸟兽草木之名。"

《诗经》。汉代研究《诗经》者有四家，即鲁人申培①、齐人辕固②、燕人韩婴③及赵人毛苌④。前三家所传诗已佚，今仅存毛苌所传的《毛诗》。《毛诗》共有305篇，分风⑤、雅⑥、颂⑦3个部分。郑樵《六经奥论》云："风土之音曰风，朝廷之音曰雅，宗庙之音曰颂。"

《毛诗》中的大部分诗篇采集于民间歌谣，小部分诗篇来自贵族创作。贵族所作的诗多为了歌颂典礼，或讽刺，或谏议，或表达情意。民间歌谣是人民为了歌唱自己的生活所作。所谓饥者歌其食，劳者歌其事。这些诗在一定程度上反映了社会

---

① 按《汉书·儒林传》所载：申公培鲁人，少事齐人浮邱伯受诗，为楚王太子戊傅，及戊立为王，胥靡申公；申公愧之，归鲁，以《诗经》为训，以教无传疑，是为《鲁诗》。传其学有藏代、赵绾、孔安国、周霸、夏宽等。

② 按《汉书·儒林传》所载：辕固生齐人，以治诗，景帝（公元前156—前141）时为博士。后帝以固廉，直拜为清河王太傅，固老罢归，已九十余矣。传其学有公孙宏、始昌，昌授后苍，苍授匡衡，匡授师丹，师授伏黯。伏改定章句，作解说九篇，以授嗣子恭，恭删黯章句，定为二十万言，年九十卒。

③ 按《汉书·儒林传》所载：韩婴燕人，景帝（公元前156—前141）时为常山太傅，婴推诗之意而作内外传，其言与齐、鲁间殊。传其学有贲生、赵子，赵授蔡谊，谊授食子公与王吉，吉授长孙顺，顺授发福。建武初薛汉传父业，其弟子杜抚定《韩诗章句》。

④ 按陆玑《毛诗草木虫鱼疏》云：孔子删诗授卜商，商为之序以授鲁人曾申，申授魏人李克，克授鲁人孟仲子，仲子授根牟子，根牟子授赵人荀卿，荀卿授鲁国毛亨，亨作《训诂传》以授赵国毛苌。时人谓亨为大毛公，苌为小毛公，以其所传故名，其诗曰《毛诗》。苌授长卿，卿授解延年，年授徐敖，敖授陈侠，侠为新莽（8—23）讲学大夫。由是言《毛诗》者本之徐敖。时九江谢曼卿亦善《毛诗》，乃为其训，东海卫宏从曼卿学，因作《毛诗序》。其后郑众、贾逵传《毛诗》，马融作《毛诗传》，郑玄作《毛诗笺》。

⑤ 风是指各地民歌的调子。国风即是各地土乐调。秦风、魏风、郑风等十五国风，即15个不同地方的乐调，犹如今日陕西调、河南调一样。这些民歌多反映西周到春秋中叶人民的生活和社会风貌，其中有的是人民内心情感的抒发或倾诉，有的反映劳动人民悲惨生活与反抗，有的揭露统治者的剥削和压迫，有的描写征夫思妇、小吏不幸和愤怨。

⑥ 雅是秦地的乐调，周秦同地，在今陕西。西周都于镐（西安的西南），此地的乐调被称为中原正音，故称周朝首都的乐调为雅。雅原是奏乐声中发出的特殊呜呜声。雅分为大雅、小雅。产生于西周的旧诗名大雅；兼有东周的新诗称为小雅。大雅、小雅多数是奴隶主贵族在享乐时作的诗歌，其中也有一些是讽刺诗。

⑦ 颂是奴隶主贵族们歌颂神灵和祖先庙堂的歌，即宗庙祭祀乐歌。颂诗多无韵，不分章，篇制短，奏的时间拖长，并且连歌带舞。

的真实矛盾和人民的思想感情①，例如：《诗经·豳风·七月》篇反映了劳动人民对统治者的愤恨，该诗篇通过对一年四季各种繁重劳役的描写，揭露了奴隶和贵族间在衣、食、住等方面的差距，反映了贵族对奴隶的剥削和压迫，因此，《诗经·豳风·七月》篇所描写的情况可视为当时社会的一个缩影；《诗经·魏风·硕鼠》篇把贪得无厌的统治者比作老鼠，反映了奴隶对贵族的愤恨②。

此外，《诗经》还记载了劳动人民在生产、生活、同疾病作斗争和获取食物过程中所发现的一些具有医疗实用价值的药物。这些药物都是天然的草、木、鸟、兽、虫、鱼等各类动植物③，其中有些动植物后来成为本草中正式记载的药物。

清乾隆二十七年（1762）雾阁邹梧冈先生辑《诗经补注》时提到《诗经》中可药用的动植物有40多种。陈邦贤在《中国医学史》（商务版36页）第3章第6节中谓《诗经》中记载的植物药品有88种。陈维养认为《诗经》中所载药物有100多种。

本书将历代本草药物条文下注文中所引用的《诗经》中的动植物的名字罗列在一起，按药物自然属性分为草类、木类、兽禽类、虫鱼类、果类、菜类、米类进行注释。

每个药名下先录《诗经》篇名，次录《诗经》中含有药名的诗句，然后用

---

① 《诗经》中有不少诗篇反映了当时的社会性质和面貌，也有不少诗篇和诗句反映了当时农业以及其他生产活动的情况。在西周前期，反映农作物生产的诗篇有《周颂·噫嘻》《臣工》《载芟》《良耜》等；在西周后期，反映农作物生产的诗篇有《小雅·信南山》《甫田》《大田》等；在春秋时期，反映农作物生产的诗篇有《豳风·七月》。

② 《诗经》中有关人民讽刺剥削的诗歌很多，代表性诗歌有《诗经·周南·螽斯》。《毛诗序》云："后妃子孙众多也。言若螽斯。不妒忌，则子孙众多也。"此诗以蝗虫纷飞吃尽庄稼比喻剥削者子孙众多也。

③ 《诗经》中所讲的动植物主要分布在黄河流域，包括今天的陕西、山西、河北、河南、山东及湖北的北部，因为在西周、东周时期，人们主要在黄河流域中下游活动。

《说文》《尔雅》等书解释药物名词含义，再选录历代比较合理的古注①，最后摘录本草注文中所引诗句的资料，并录本草记载的有关该药形态及其主治的内容。这样注释可以将诗句中出现的动植物名称与本草中记载的药物联系起来，为读者核实古今药名提供参考资料。

历代本草注文引用《诗经》诗句中动植物作为药物注释时也存在不少问题，这是因为《诗经》是公元前 11 世纪至公元前 6 世纪的作品，而现存的历代本草都是公元后著的，如陶弘景《本草经集注》是公元 6 世纪初著的，李时珍《本草纲目》是公元 16 世纪著的，同一个实物在不同时代的名称大都是不相同的，因为同物异名或同名异物现象在同一时代不同地区都会出现，那么在不同时代就更普遍了，所以历代本草中的药也存在同名异物或同物异名的现象，各家的考证也有出入。《诗经》的创作年代久远，书中的实物名称怎么会和后世本草药名暗合呢？各家在引用《诗经》的资料时，也是根据各家对于《诗经》诗意的理解而定的。因此，对于《诗经》中的同一物，由于各家理解不同，导致最后的解释也不尽相同。我们可以举一些例子来看。

1.《诗经》云"于以采藻"中的"藻"

苏颂的《本草图经》把这个诗句中的"藻"注释为"海藻"（见《证类本草》

---

① 历代对《诗经》作注释的，不下数百家。汉代研究《诗经》的有齐、鲁、韩、毛四家，《汉书·儒林传》云："赵人毛苌传诗，是为《毛诗》。"陆玑《草木虫鱼疏》云："孔子删诗授卜商，商为之序以授鲁人曾申，申授魏人李克，克授鲁人仲子，仲子授根牟子，根牟子授赵人荀卿，荀卿授鲁国毛亨，毛亨作《训诂传》以授赵国毛苌，时人谓亨为大毛公，苌为小毛公，其诗曰《毛诗》。"汉·郑玄《六艺论》云："注诗宗毛为主，毛义若隐则略，则更表明，如有不同，即下己意，使可识别。"郑玄所注称为《郑笺》，后人称之为《正义》。自《郑笺》行世，则齐、鲁、韩三家诗遂废。《郑笺》与《毛传》亦有异同。魏·王肃作《毛诗注》《毛诗义驳》《毛诗问难》等书，批评《郑笺》之不足，表彰毛亨原著之长。同时魏·王基作《毛诗驳》反对王肃之说。晋·孙毓作《毛诗异同评》支持王肃之说。但晋·陈统又作《难孙氏毛诗评》反对孙毓之说。

至唐代贞观十六年（642），孔颖达等尊《郑笺》为范本，参考隋·刘焯《毛诗义疏》、隋·刘炫《毛诗述义》对其进行疏注，其疏注本成为唐代注解《诗经》的权威性著作。

宋代学者对于《诗经》注释本的优劣时有争论，如欧阳修引其释《邶风·击鼓》5 章，谓《郑笺》不如王肃。王应麟《困学纪闻·经典释文》引其驳"荼苦"一条，谓王肃不如《郑笺》。宋南渡后，诸儒多以评毛郑为能事，尤以郑樵评论最激。朱熹《诗经传》亦从郑樵之说，对《诗小序》多所抨击。明代胡广等以刘瑾之书为蓝本，专宗朱传之说，从此形成汉、宋学派门户之争。千百年来，研究《诗经》的著作不下千种，由此而形成各家学派（今、古文派，汉、宋学派），各学派自成体系，众说纷纭，莫衷一是。

第221页）。李时珍把这个诗句中的"藻"注释为"水藻"（见《本草纲目》第1072页）。

2. 《诗经》云"常棣之华"中的"棣"

掌禹锡的《嘉祐本草》把这个诗句中的"棣"注释为"郁李仁"（见《证类本草》第345页）。陈藏器的《本草拾遗》把这个诗句中的"棣"注释为"扶栘木"（见《证类本草》第357页）。

3. 《诗经》云"隰有游龙"中的"游龙"

陶弘景的《本草经集注》把这个诗句中的"游龙"注释为"荭草"（见尚志钧辑《本草经集注》第71页）。李时珍的《本草纲目》把这个诗句中的"游龙"注释为"马蓼"（见《本草纲目》第931页）。孙星衍等辑的《神农本草经》把这个诗句中的"游龙"注释为"蓼实"（见《神农本草经》第93页）。

4. 《诗经》云"芄兰之支"中的"芄兰"

李时珍的《本草纲目》把这个诗句中的"芄兰"注释为"萝藦"（见《本草纲目》第1046页）。孙星衍等辑的《神农本草经》把这个诗句中的"芄"注释为"女青"（见《神农本草经》第111页）。

5. 《诗经》云"葛藟累之"中的"葛藟"

苏颂的《本草图经》和陈藏器的《本草拾遗》把这个诗句中的"葛藟"注释为"千岁藟"（见《证类本草》第187页）。孙星衍等辑的《神农本草经》把这个诗句中的"葛藟"注释为"蓬藟"（见《神农本草经》第52页）。

6. 《诗经》云"六月食薁"中的"薁"

掌禹锡的《嘉祐本草》及苏颂的《本草图经》把这个诗句中的"薁"注释为"韭"（见《证类本草》第511页）。李时珍的《本草纲目》把这个诗句中的"薁"注释为"蘡薁"（见《本草纲目》第1335页）。

7. 《诗经》云"得此戚施"中的"戚施"

李时珍的《本草纲目》把这个诗句中的"戚施"注释为"蟾蜍"（见《本草纲目》第1557页）。孙星衍等辑的《神农本草经》把这个诗句中"戚施"注释为"虾蟆"（见《神农本草经》第121页）。

下面再举一些例子，说明《诗经》中不同名称的动植物可注释为同一个药物。

1. 郁李仁

掌禹锡的《嘉祐本草》在"郁李仁"条下所引诗句是"常棣之华"（见《证类本草》第345页）。孙星衍等辑的《神农本草经》在"郁李仁"条下所引诗句是

"六月食郁"（见《神农本草经》第 116 页）。

2. 菟丝子

苏颂的《本草图经》在"菟丝子"条下所引诗句是"茑与女萝"（见《证类本草》第 151 页），可见苏颂视"女萝"为菟丝子。孙星衍等辑的《神农本草经》在"菟丝子"条下所引诗句是"爰采唐矣"（见《神农本草经》第 14 页），可见孙星衍等视"唐"为菟丝子。

3. 蒺藜

陶弘景的《本草经集注》在"蒺藜"条下所引诗句是"墙有茨"（见尚志钧辑本第 52 页），可见陶弘景视"茨"为蒺藜。陈邦贤的《中国医学史》在"蒺藜"条下所引诗句是"其甘如荠"（见 1957 年商务版《中国医学史》第 37 页），可见陈邦贤视"荠"为蒺藜。

此外，本草中有些本草药名下所引的诗句似乎文不对题。例如：孙星衍等辑的《神农本草经》在"䗪虫"条下所引诗句为"喓喓草虫"。草虫似蝗虫，并非䗪虫，孙氏所释似乎文不对题。按陆玑注云："草虫大小长短如蝗虫……青色，好在茅草中。"对于䗪虫，《唐本草》注云："此物好生鼠壤土中及屋壁下，状似鼠妇，而大者寸余，形小似鳖。"类似此例很多，详见本书注。

由于本人学术水平有限，错误和缺点恐难避免，敬请读者批评指正。

尚志钧

于芜湖

1985 年 11 月

目　录

卷六　鱼类 …………………………………… 157

卷一　草类

1 药	2 艾	3 茨（蒺藜）
4 果裸（栝楼）	5 蓬（羊蹄）	6 蓄（羊蹄）
7 莫（酸模）	8 葍（旋花）	9 虻（贝母）
10 葽（远志）	11 芄兰（萝摩）	12 茹藘（茜根）
13 苕（鼠尾草）	14 蕑（兰草）	15 苃（锦葵）
16 绿（王刍）	17 竹（萹蓄）	18 谖草（萱草）
19 唐（菟丝子）	20 女萝（松萝）	21 苓（甘草）
22 苦（苦荬）	23 荼（茶）	24 堇（堇菜）
25 芍药	26 葛（葛根）	27 麻
28 绹（绹根）	29 聚（苘实）	30 敛（白敛）
31 蓝（蓝实）	32 芩	33 薇
34 蕨	35 郁（郁金香）	36 台（莎草）
37 茅（茅根）	38 荑（茅针）	39 菅（茅的一种）
40 蓍（蓍草）	41 蒿（青蒿）	42 蘩（白蒿）
43 蒌（蒌蒿）	44 萧（艾蒿）	45 莪（蔄蒿）
46 蔚（马先蒿）	47 蓬（蓬蒿）	48 蓷（益母草）
49 卷耳（苍耳）	50 芣苢（车前）	51 藚（泽泻）
52 蓼（蓼实）	53 游龙（荭草）	54 苇（芦苇茎及根）
55 葭（芦苇苗）	56 蒹（荻苗）	57 萑（荻草）
58 蓷（荻）	59 藻（水藻）	60 蘋
61 苹（艾蒿）	62 茆（莼）	63 荇菜（凫葵）
64 莞（莞草）	65 蒲（香蒲）	66 荪（菖蒲）
67 甫草（麻黄）	68 莠（狗尾草）	69 稂（狼尾草）
70 鹝（绶草）		

1 药

《诗经·大雅·板》："多将熇熇，不可救药。"

《说文》："药，治病草也。"

《玉篇》："药，治疾病之草总名。"

《急就篇》："灸刺和药逐去邪。"颜师古注云："和药，合和众药也。草、木、金、石、鸟、兽、虫、鱼之类，堪愈疾者，总名为药。"

《尚书》："若药不瞑眩，厥疾弗瘳。"

《论语·乡党》："康子馈药，拜而受之。曰：丘未达，不敢尝。"

《世本》："神农和药济人。"

《汉书·艺文志》："本草石之寒温，量疾病之浅深，假药味之滋，因气感之宜，辨五苦六辛，致水火之齐，以通闭解结，反之于平。"

《周礼·天官·疾医》郑玄注："五药，草、木、虫、石、谷也。"又注："治合之齐（剂），存乎神农、子仪之术。"

《庄子·天地》："有虞氏之药疡也，秃而施髢，病而求医。"

《素问·四气调神大论》："夫病已成而后药之，乱已成而后治之……不亦晚乎？"

《诸病源候论·痈疽病诸候》："内药而呕。"此句中"药"字，引申指治疗。

《神农本草经》："上药一百二十种为君，主养命以应天；中药一百二十种为臣，主养性以应人；下药一百二十五种为佐使，主治病以应地，三品合三百六十五种。"

按："药"字从草，说明公元前 11 世纪—前 6 世纪，人们用草类为主的药物治病，但是古人除用草药治病外，对于外证脓肿不溃，亦用砭石刺之，使脓汁排出。因此，古时候砭石和草药一样被用来治病。在古代书籍里，药与石多并称，如《左传·襄公二十三年》云："臧孙曰：'季孙之爱我，疾疢也；孟孙之恶我，药石也。美疢不如恶石。'"可见在古代，药石也是药物的泛称。（疢音趁，热病。《诗经·小雅·小弁》："疢如疾首。"）

在古书中，"药"亦指敷药。《周礼·医师》："凡疗兽疡，灌而刮之，以发其恶，然后药（敷药）之、养之、食之。"在古书中，"药"亦为"白芷"的别名。《楚辞·九歌·湘夫人》："辛夷楣兮药房。"王逸注："药，白芷也。"《淮南子·修务训》："身若秋药被风。"高诱注："药，白芷。"《山海经·西山经》："号山，其草多药。"郭璞注："药，白芷。"

2　艾

《诗经·王风·采葛》："彼采艾兮。"《毛传》①："艾所以疗疾。"

艾在古代，是当药用的。《五十二病方》209 行用艾治癫。

《孟子》："七年之病，求三年之艾。"

《素问》："藏寒生满病，其治以艾焫。"

《尔雅》："艾，冰台。"郭注云："今艾蒿。"

《说文》："萧，艾蒿。"又云："艾，冰台也。"段玉裁注："见《释草》。张华《博物志》曰：削冰令圆，举以向日，以艾于后承其影，见得火。"

《急就篇》："半夏皂荚艾橐吾。"

朱熹《诗集传》云："艾，蒿属，干之可炙，故采之。"

郝懿行《尔雅义疏》云："《诗·采葛传》艾所以疗疾，盖医家灼艾灸病。故师旷谓艾为病草。《别录》谓之医草。"

《名医别录》："艾叶，味苦，微温，无毒。主灸百病，可作煎，止下痢，吐血，下部蜃疮，妇人漏血，利阴气，生肌肉，辟风寒，使人有子。一名冰台，一名医草。"

《本草图经》："艾叶，初春布地生苗，茎类蒿，而叶背白，以苗短者为佳。三月三日、三月五日采叶暴干，经陈久方可用。"

根据以上所述，"彼采艾兮"中的"艾"即《名医别录》中所说的"艾"。

又《诗经·小雅·南山有台》："保艾尔后。"此句中的"艾"指养育而言，非指治病的"艾"。

又《诗经·小雅·庭燎》："夜未艾。"此句中的"艾"，其义为止、尽，如方兴未艾。

艾，一名家艾、艾蒿。菊科，多年生草本，揉之有香气。叶 1～2 回羽状分裂，背面被白色丝状毛。秋季开花，头状花序小而数多，排成狭长的总状花丛。茎含芳香油，可作调香原料，叶性温，味苦，能和营血，暖子宫，主治月经不调、痛经、胎漏下血、带下等。干叶捣成绒，名"艾绒"，为灸法治病的材料。其枝叶熏烟能驱蚊、蝇。

3　茨

《诗经·鄘风·墙有茨》："墙有茨。"《毛传》①云："茨，蒺藜也。"

《诗经·小雅·楚茨》："楚楚者茨。"《郑笺》："茨，蒺藜也。"

《说文》云："薺，蒺藜也。《诗》曰：墙上有薺，以茨为茅苇，开屋宇。"段玉裁注："今《诗》鄘风、小雅皆作茨。《释草》《传》《笺》皆曰：茨，蒺藜也。"

---

① 《毛传》是指《毛诗》注解词句的部分。

《尔雅》云："茨,蒺藜。"郭注："布地蔓生,细叶,子有三角,刺人。见《诗》。"疏："郭云见《诗》者,按《诗·小雅》云'楚楚者茨'是也。"

《尔雅翼》云："茨,蒺藜也。布地蔓生,细叶,子有三角,状如菱而小,刺人。生道上,长安最饶,人行多著木履,故《易》以据于蒺藜,言所恃伤也。"

《楚辞·离骚》云："薋菉葹以盈室兮。"王逸注云："薋,蒺藜也。"按,薋同茨,皆借字。

《楚辞·七谏》云："江离弃于穷巷兮,蒺藜蔓乎东厢。"

《神农本草经》云："蒺藜,一名旁通,一名屈人,一名止行,一名豺羽,一名升推。"

《名医别录》云："蒺藜,一名即藜,一名茨。生冯翊平泽。"陶隐居注："多生道上,而叶布地,子有刺,状如菱而小。今军家乃铸铁作之,以布敌路,亦呼蒺藜。《易》云:据于蒺藜,言其凶伤。《诗》云'墙有茨',不可扫也。"

《本草图经》云："蒺藜子,七、八月采实,暴干。又冬采黄白色,类军家铁蒺藜,此《诗》所谓'墙有茨'者。又一种白蒺藜,今生同州沙苑,牧马草地最多。绿叶,细蔓,绵布沙上。七月开花,黄紫色,如豌豆花而小。九月结实作荚子,便可采。其实与蚕种子相类。"

按:"墙有茨"中的"茨"应释为《神农本草经》中的蒺藜子,即刺蒺藜,不是童蒺藜。刺蒺藜是一年生草本,茎平卧,夏季开黄色小花,果实有刺,可供药用。

又《诗经·小雅·甫田》:"如茨如梁。"《郑笺》云:"茨,屋盖也。"此处"茨"指茅草盖的屋顶。张衡《东京赋》云:"慕唐虞之茅茨。"

蒺藜,一名刺蒺藜、白蒺藜。蒺藜科,一年生草本。茎平卧有毛,偶数羽状复叶,一大一小,交互对生。夏季开花,花单生于叶腋,黄色。果实分为5个分果,被刺。蒺藜性温,味苦,能祛风、明目,主治头痛眩晕、目赤多泪、全身瘙痒等。

4 果裸

《诗经·豳风·东山》:"果裸之实,亦施于宇。"《毛传》云:"果裸,栝楼也。"疏引李巡云:"栝楼,子名也。"

《尔雅》云:"果裸之实,栝楼。"郭注云:"今齐人呼为天瓜。"

《名医别录》云:"栝楼,一名果裸,一名天瓜,一名泽姑。实名黄瓜。"《神农本草经》云:"栝楼,一名地楼。"

《说文》云:"苦,苦蒌,果裸也。"段玉裁注云:"果裸,宋铉本作果蓏。依锴本与《诗》合。"孙星衍等辑的《神农本草经》卷2"栝楼"条引《说文》作"苦,苦蒌,果蓏也"。

《吕氏春秋》云:"孟夏之月,王瓜生。"高诱注云:"菰瓜也。"

陶隐居云:"栝楼藤生,状如土瓜而叶有叉。"《毛诗》云:"果裸之实,亦施于宇。"

苏颂《本草图经》云:"栝楼,今所在有之,实名黄瓜,根亦名白药。皮黄肉白,三、四月内生苗,引藤蔓。叶如甜瓜叶作叉,有细毛,七月开花,似葫芦花,浅黄色。实在花下,大如拳,生青,至九月熟,赤黄色。其实有正圆者,有锐而长者。"

《救荒本草》云:"栝楼根,俗名天花粉。"

李时珍在《本草纲目》卷18"栝楼"条曰:"裸与蓏同。许慎云:木上曰果,地下曰蓏。此物蔓生附木，故得兼名。《诗》云'果裸之实，亦施于宇'，是矣。"

根据上述资料，"果裸之实"的"果裸"应释为《神农本草经》中的栝楼。另一种同音果蠃是蠮螉（细腰蜂）的别名，《诗经》云："螟蛉有子，果蠃负之。"

栝楼，一名瓜蒌。葫芦科，多年生攀缘草本。块根肥厚，富含淀粉。叶通常 5～7 掌状深裂，夏秋开白色花，雌雄异株。果实卵圆形，熟时黄褐色，果皮名栝楼皮，种子名栝楼仁，两者合称全栝楼。全栝楼性寒，味甘，可润肺宽胸，清热化痰，主治胸痹胁痛、咳嗽痰多、大便燥结。根名天花粉，可清热，生津止渴，主治热证及消渴。天花粉蛋白能堕胎及治绒毛膜上皮细胞癌。

5　蓫

《诗经·小雅·我行其野》："言采其蓫。"（陆德明本"蓫"作"蓄"）《毛传》云："蓫，恶菜也。"

《齐民要术》卷 10 引《诗义疏》云："今羊蹄似芦蒆，茎赤，煮为茹，滑而不美。多啖令人下痢。幽州谓之羊蹄，扬州谓之蓫，一名蓨。"

《尔雅》云："苖，蓨。"又云："蓧，蓨。"《说文》云："苖，蓨也。"《类篇》云："苖，羊蹄草也。"《广雅》云："董，羊蹄也。"

《神农本草经》云："羊蹄，味苦，寒。主头秃、疥瘙，除热，女子阴蚀。一名东方宿，一名连虫陆，一名鬼目。"

《名医别录》云："羊蹄，主浸淫疽痔，杀虫。一名蓄。"

《本草经集注》云："羊蹄，今人呼名秃菜，即是蓄音之讹。《诗》云：言采其蓄。"

《集韵》云："蓄，冬菜。"《正字通》云："蓄，羊蹄菜，俗呼秃菜，根似芦蒆，茎赤，瀹为茹滑美。"

《证类本草》卷 11 "羊蹄"条引《本草图经》曰："羊蹄，生下湿地。春生苗，高三四尺，叶狭长，颇似莴苣而色深，茎节间紫赤。花青白，成穗，子三棱有若茺蔚，夏中即枯。根似牛蒡而坚实。谨按《诗·小雅》：言采其蓫。陆玑云：蓫，今人谓之羊蹄。蓫字或作蓄。"

又《诗经·邶风·谷风》："我有旨蓄，亦以御冬。"此"蓄"指储藏、积蓄而言，非羊蹄之异名。

按：陆玑疏和《本草图经》所云"言采其蓫"的"蓫"，即《神农本草经》中的羊蹄。羊蹄，一名齿果酸模。蓼科，多年生草本。叶长椭圆形，全绿，基部有长柄。初夏开小型花，聚成小簇，排列在茎的上部，形成带叶的花穗。花被 6 片，排成 2 轮，黄绿色。果期内轮 3 片，增大成果被，两缘各 2～4 枚针状齿。根、茎叶浸出液可防治菜青虫、棉蚜、棉红蜘蛛。根性寒，味苦、酸，可止血，通大便。主治吐血、便血、紫癜、便闭，外治湿癣和疥疮。

6　蓄

《诗经·小雅·我行其野》："言采其蓄。"

陆德明本作蓄，今本作蓫。详见"蓫"条。

又《诗经·邶风·谷风》："我有旨蓄，亦以御冬。"此"蓄"指储藏、积蓄而言，非羊蹄之异名。

7 莫

《诗经·魏风·汾沮洳》："言采其莫。"

孔颖达疏引陆玑曰："莫，茎大如箸，赤节，节一叶，似柳叶，厚而长，有毛刺。今人缫以取茧绪。其味酢而滑。始生，可以为羹，又可生食。五方通谓之酸迷，冀州人谓之乾绛，河汾之间谓之莫。"

陆佃《埤雅》："河汾之间谓之莫，其子如楮实而红。冀人谓之乾绛。"

按陆玑所云，莫，其味酢（酸）而滑。莫或是酸莫。酸莫音转为酸模。酸模茎大如箸，赤节，节1叶，似柳叶厚而长，又似羊蹄而叶细，味酸可食。疑莫或即酸模也。

《本草经集注》"羊蹄"条下陶隐居注云："又有一种极相似而味酸，呼为酸模。"

《证类本草》卷11"羊蹄"条引《本草图经》云："又有一种极相类，而叶黄，味酢，名酸模。《尔雅》所谓'须，薞芜'。郭璞云：'薞芜似羊蹄，叶细，味酢，可食。'一名蓨是也。"

《本草纲目》卷19"酸模"条，李时珍在释名项下列"蓨"为酸模异名。

《集韵》云："菫，音蓨，草名。似冬蓝，蒸食之酢。"朱骏声云："《齐民要术》：菫，似冬蓝，蒸食之酢。按《尔雅》之'须，薞芜'也。与羊蹄菜同类异种。考《本草纲目》酸模乃薞芜之音转，花形并同羊蹄，但叶小味酸为异。"

酸模是蓼科，多年生草本。茎直立，有线纹。基出叶，具长柄，长圆形，先端钝或尖，基部箭形；茎出叶，无柄而抱茎。夏季开单性花，色淡绿带赤，雌雄异株，圆锥花序。喜生湿处。茎叶味酸，幼嫩时可食，或作饲料。全草和根有与羊蹄相似的功用。

又《诗经·大雅·皇矣》："求民之莫。""莫"通"瘼"，谓疾苦。

《诗经·小雅·巧言》："秩秩大猷，圣人莫（谋划）之。"

《诗经·周颂·臣工》："维莫（通暮）之春。"

《诗经·周南·葛覃》："维叶莫莫（茂盛貌）。"

《诗经·小雅·楚茨》："君妇莫莫（敬谨貌）。"

8 蕌

《诗经·小雅·我行其野》："言采其蕌。"《毛传》云："蕌，恶菜也。"

《说文》云："蕌，蓫也。"又云："蓫，蕌也。"

《齐民要术》引《义疏》云："河东、关内谓之蕌，幽、兖谓之燕蕌，一名爵弁，一名蔱，根正白，著热灰中，温啖之，饥荒可蒸以御饥。汉祭甘泉或用之。其华有两种：一种茎叶细而香；一种茎赤有臭气。"

《尔雅》云："蕌，蓫。"郭注云："大叶白华，根如指，正白可啖。"

《尔雅》又云："葍，藑茅。"郭璞注云："葍，华有赤者为藑。藑，葍一种耳。亦犹菱苕华黄白异名二种。赤者为藑茅。"

邢昺《尔雅疏》云："葍，一名葍。与藑茅一草也。华白者即名葍。华赤者，别名藑茅。"《楚辞·离骚》云："索藑茅以筳篿兮。"王逸注云："藑茅，灵草也。"《广雅》云："乌麮，葍也。"

对于葍有 3 种解释。

（1）段玉裁释葍为木堇。《说文》云："藑，藑茅，葍也。一名舜。"段玉裁注云："楚谓之葍，秦谓之藑是也。今本作一名舜。是以木堇为葍矣。"

（2）郝懿行释葍为旋花。《尔雅·释草》云："葍，藑茅。"郝懿行疏云："《广韵》云：'葍，蔔菜名。'蔔、藑声又相转。今蔔子莲华浅红，其蔓著地，旋复生根作花，连绵不断，叶似剑，攒根如筋挛，肥白可啖。本草旋花一名地筋。《蜀本草》注云：'旋葍花也。所在川泽皆有，蔓生，叶似薯蓣而狭长，花红白色，根无毛节，蒸煮堪啖，味甘美。'是旋即藑，音义同耳。"

笔者同意郝氏所释。"言采其葍"的"葍"应释为《神农本草经》中的旋花。《唐本草》注云："旋花生平泽，旋葍是也，其根似筋，故一名筋根。"陈藏器《本草拾遗》云："旋花，取其根食之不饥。"吴其濬《植物名实图考长编》卷 10 "旋花"条云："按旋花，苏恭以为即旋葍，其说极确，今北人仍呼为燕葍，河南呼为葍。"

按：葍，一名小旋花，田野间到处都有，地下茎可蒸食，有甘味。

（3）郑樵释葍为商陆。郑樵《通志略》云："商陆曰蓫薚，曰募根，曰夜呼，曰马尾，曰苋陆，曰章陆，曰章柳根，曰葍，曰葍，《诗》云：言采其葍。"

旋花，一名篱天剑、篱、打碗花。旋花科，多年生缠绕草本，全株光滑。叶互生，长卵形或三角状卵形，基部戟形，叶柄与叶片几等长。夏季开花，花单生于叶腋，漏斗状，浅红色，萼的基部有叶状苞片 2 枚，蒴果球形。根茎富含淀粉，可用来酿酒，具有补益作用，可治劳损。

9　虻

《诗经·鄘风·载驰》："陟彼阿丘，言采其虻。"《毛传》云："贝母也。"

《说文》云："莔，贝母也。"段玉裁注云："《诗》：'言采其虻。'《毛传》曰：'虻，贝母也。'《说文》作'莔'。'莔'，正字。'虻'，假借字也。根下如聚小贝。《韵会》引作贝母草，疗蛇毒。"

《尔雅》："莔，贝母。"郭注云："根如小贝，圆而白，华、叶似韭。"

陆玑疏："虻，今药草，贝母也。其叶如栝楼而细小。其子在根下如芋子，正白，四方连累相著，有分解也。"

陈承《别说》云："贝母，能散心胸郁结之气，殊有功。则《诗》所谓'言采其虻'者是也。盖作诗者本以不得志而言之。今用以治心中气不快、多愁郁者，殊有功，信矣。"

朱熹《诗集传》云："虻，贝母。主疗郁结之疾。"

《神农本草经》云："贝母，味辛，平。主伤寒烦热，淋沥，邪气，疝瘕，喉痹，乳难，金疮，风痉。一名空草。"

《名医别录》云："贝母，味苦，微寒。疗腹中结实，心下满，洗洗恶风寒，目眩项直，咳嗽上气，止烦热渴，出汗，安五脏，利骨髓。一名药实，一名苦花，一名苦菜，一名商草，一名勤母。"

陶隐居注云："形以聚贝子，故名贝母。"

《本草图经》云："贝母，生晋地。根有瓣子，黄白色，如聚贝子，故名贝母。二月生苗，茎细青色，叶亦青，似荞麦叶，随苗出，七月开花，碧绿色，形如鼓子花。八月采根，晒干。又云四月蒜熟时采之良。此有数种。《鄘诗》'言采其蝱'是也。"

贝母，一名浙贝母。百合科，多年生草本，春生夏萎。鳞茎扁球形。叶在茎的下部对生，在上部轮生，茎顶叶片呈线状披针形，先端卷曲如卷须。春季开花，花呈钟状，淡黄绿色，下垂。贝母种类很多，除浙贝母外，尚有川贝母、伊贝母。浙贝母能止咳化痰，清热散结。主治外感咳嗽、肺痈、乳痈、瘰疬痰核等。

10　蔓

《诗经·豳风·七月》："四月秀葽。"《毛传》云："不荣而实曰秀。葽，葽草也。"

对于葽有4种解释。

（1）释为草。《说文》云："葽，草也。《诗》曰：四月秀葽。刘向说此味苦，苦葽也。"《毛传》云："不荣而实曰秀。葽，葽草也。"

（2）释为王瓜（即王蕒）。《夏小正》："四月，王蕒秀葽。"《说文》云："蕒，王蕒也。"段玉裁注："《夏小正》：四月王蕒秀。《月令》：四月王瓜生。注云：今王蕒秀。《豳风》：四月秀葽。《笺》：疑葽即王蕒。"

（3）释为狗尾草。《说文解字系传·通释》引字书云："葽，狗尾草也。"

（4）释为远志。《尔雅》云："葽绕，棘蒬。"郭注："今远志也。似麻黄，赤华，叶锐而黄。"《说文》云："蒬，棘蒬也。"《广雅》云："棘苑，远志也。其上谓之小草。"《博物志》云："苗曰小草，根曰远志。"

《神农本草经》云："远志，叶名小草，一名棘蒬，一名葽绕，一名细草。"

《本草图经》云："远志，根黄色，形如蒿根，苗名小草，似麻黄而青，又如毕豆。叶亦有似大青而小者。三月开花，白色。根长及一尺。"

在上述资料中，葽被释为4种植物：一是草，二是王蕒，三是狗尾草，四是远志。郝懿行《尔雅义疏》云："葽绕，棘蒬，疑《尔雅》古本无绕字。"据郝氏所云"葽，棘蒬，远志也"，则"四月秀葽"的"葽"似可释为《神农本草经》中的远志。

远志是远志科，多年生草本。叶线形，夏秋开花，花紫色，短总状花序。果实扁薄，四周有翅。产于我国北部和中部。根含远志皂素。根味苦、辛，性温，能化痰安神，用于失眠、惊悸、咳嗽痰多等。

11　芄兰

《诗经·卫风·芄兰》："芄兰之支。"《郑笺》云："芄兰柔弱，恒蔓延于地，有所依缘则起。"

对于芄兰有 2 种解释。

（1）释为萝摩。《说文》云："芄，芄兰，莞也。《诗》曰：芄兰之支。"

《尔雅》云："蘿，芄兰。"释曰："蘿，一名芄兰。"郭注云："蘿，芄。蔓生，断之有白汁，可啖。"

陆玑云："芄兰，一名萝摩，幽州谓之雀瓢，蔓生叶青，绿色而厚，断之有白汁，粥为茹滑美。其子长数寸似瓢子。"

《本草经集注》"枸杞"条下陶弘景云："去家千里，勿食萝摩、枸杞。萝摩，一名苦丸。叶厚大，作藤生，摘之有白乳汁。人家多种之，可生啖，亦蒸食也。"

《唐本草》云："萝摩，陆玑云一名芄兰，幽州谓之雀瓢。"又注云："按，雀瓢是女青别名，叶盖相似，以叶似女青，故兼名雀瓢。"

萝摩是多年生蔓草，其茎、叶和种子都供药用。

（2）释为女青。孙星衍等辑的《神农本草经》"女青"条注云："按《广雅》云：'女青，乌葛也。'《尔雅》云：'蘿，芄兰。'郭璞云：'蘿，芄兰，蔓生，断之有白汁，可啖。'《毛诗》云：'芄兰之支。'《毛传》云：'芄兰，草也。'陆玑云：'一名萝摩，幽州人谓之雀瓢。'《别录》云：'雀瓢白汁，注虫蛇毒，即女青苗汁也。'《唐本草》别出萝摩条，非。"按孙星衍所注，萝摩、雀瓢都是女青的别名。孙氏认为《唐本草》别出"萝摩"条是错误的。

李时珍《本草纲目》曰："女青有二：一是藤生，乃苏恭所说似萝摩者；一种草生，则蛇衔根也……《别录》明说女青是蛇衔根，一言可据。"

按李时珍所云，女青、萝摩乃是二物。由于女青、萝摩同有雀瓢别名，孙星衍遂认为萝摩即是女青，并指责《唐本草》不应别立"萝摩"条。

萝摩，一名芄兰，一名婆婆针线包。萝摩科，多年生蔓草，折断后有乳白色汁流出。叶对生，心形。总状花序生于叶腋，夏季开花，花白色，有紫红色斑点。蓇葖呈角状，成对着生，内有多数种子；种子上端具白色丝状毛。茎、叶、果均可供药用。主治虚劳。捣烂敷肿毒。种子丝毛有外敷止血之功。茎、叶又可作农药用。

12 茹藘

《诗经·郑风·东门之墠》："茹藘在阪。"《毛传》云："茹藘，茅蒐也。"

《诗经·郑风·出其东门》："缟衣茹藘。"《毛传》云："茹藘，茅蒐之染如服也。"《郑笺》云："茅蒐，染巾也。"

《五十二病方》412 行干骚方："取茹藘本，膏之。"

《尔雅》云："茹藘，茅蒐。"郭璞注云："今之蒨也，可以染绛。"《广雅》云："地血，茹藘，蒨也。"

《山海经·中山经》："厘山，其阴多蒐。"郭璞注云："蒐，茅蒐，今之倩草也。"

《说文》云："蒐，茅蒐，茹藘。人血所生，可以染绛。"

陆玑云："茹藘，茅蒐，蒨草也。一名地血。齐人谓之茜，徐州人谓之牛蔓。今圃人或畦种莳。"

《说文》云："茜，茅蒐也。"《史记·货殖列传》云："枝茜千石（担），亦比千乘之家。"徐广注《史记》云："茜，一名红兰，其花染缯赤黄。"则徐广所云"茜"是红兰花，即今之红花，非茜根之"茜"也。

《神农本草经》云："茜根，味苦，寒。主寒湿风痹，黄疸，补中。"

《名医别录》云："茜根，止血内崩，下血，膀胱不足，踒跌，蛊毒。可以染绛。一名地血，一名茹藘，一名茅蒐，一名茜。"

《蜀本图经》云："茜根染绯草，叶似漆叶，头尖，下阔，茎叶俱涩，四五叶对生节间，蔓延草木上，根紫赤色。"

根据陆玑《诗疏》和《名医别录》所云，"茹藘在阪"中的"茹藘"即《神农本草经》中的茜根，其根可作绛红色染料。又"缟衣茹藘"中的"茹藘"用作绛红色佩巾的代称。

茜根即茜草科植物茜草，一名血茜草、血见愁。多年生攀缘草本。根黄红色。茎方形，有倒生刺。通常每节轮生4叶，叶片心状卵形。秋季开黄色小花，生于山野草丛中。根含茜素，可作红色染料，用于染动物或植物性纤维。根性寒，味苦、酸，可凉血止血，炒用可止各种出血，生用治经闭腹痛、跌仆损伤、瘀血肿痛等。

13　苕

《诗经·陈风·防有鹊巢》："防有鹊巢，邛有旨苕。"防，堤坝。邛（qióng），土丘。诗意为：那有鹊巢筑在堤坝上，那有土丘上生长美好的苕。

苕，释为鼠尾草。

《说文》云："苕，草也。"段氏注云："《诗》：苕之华。"

陆玑云："苕，一名陵时，一名鼠尾，似王刍。生下湿地，七、八月中花紫。似今紫草花，可染皂。煮以沐发即黑。叶青如蓝而多花。"

《尔雅·释草》云："葝，鼠尾。"郭注云："可以染皂。"陈藏器云："紫花，茎、叶堪染皂，一名乌草，一名水青。"

《太平御览》卷995引《吴普本草》云："鼠尾，一名葝，一名山陵翘，治痢也。"

《名医别录》云："鼠尾草，味苦，微寒，无毒。主鼠瘘寒热，下痢脓血不止。白花者主白下，赤花者主赤下。一名葝，一名陵翘。生平泽中，四月采叶，七月采花，阴干。"

《蜀本图经》云："鼠尾草所在下湿地有之，叶如蒿，茎端下生四五穗，穗若车前。有赤、白二种花。七月采苗，日干用之。"

《诗经·陈风·防有鹊巢》中的"邛有旨苕"意思是说那有苕生长在邛（音穷，土丘）上。则此句中的"苕"不是指鼠尾草。鼠尾草生长在下湿地，不是生长在山邛上。

《诗经·小雅·苕之华》："苕之华，芸其黄矣。"此句中的"苕"是指紫葳。紫葳别名陵苕，《尔雅》谓苕即陵苕，是苕即紫葳。紫葳花黄，与诗句"苕之华，芸其黄矣"义合。陶弘景亦引"苕之华"释紫葳。

14　蕑

《诗经·郑风·溱洧》云："方秉蕑兮。"《毛传》云："蕑，兰也。"《广雅》

云："蕑，兰也。"《太平御览》引《韩诗章句》云："蕑，兰也。"

兰是什么草呢？或释为兰草，或释为兰花。

（1）释为兰草。《说文》云："兰，香草也。"段氏注："《易》曰：'其臭如兰。'《左传》曰：'兰有国香。'说者谓似泽兰也。"

《汉书·司马相如传》："衡兰芷若。"注云："即今泽兰。"

谢翱《楚辞芳草谱》云："《离骚》云：滋兰九畹。又云：光风转蕙汜崇兰。兰草大都似泽兰，其香可著衣带者是。"

陆玑云："蕑即生，香草也。其茎叶似药草泽兰，但广而长，节节中赤，高四五尺。汉诸池苑及许昌宫中皆种之。可著粉中，故天子赐诸侯蘷兰，藏衣、著书中，辟白鱼也。《春秋传》曰'刈生而卒'，孔子曰'兰当为王者香草'，皆是也。"

《神农本草经》云："兰草，杀蛊毒，辟不祥。"此与陆玑所疏"兰辟白鱼"义合，故"方秉蕑兮"中的"蕑"应释为《神农本草经》中的兰草，即泽兰之兰草。《初学记》引《韩诗章句》云："郑国之俗，三月上已于溱、洧两水之上，招魂续魄，秉（执）兰（兰草）拂除不祥之故。"此正与"方秉蕑兮"义合。

兰草的同名异物者很多，历代本草对此论述较多。兹将历代本草有关兰草的记载摘录如下。

《唐本草》注云："兰草是兰泽香草也。八月花白，人间多种之，以饰庭池，溪水涧傍往往亦有。"

《开宝本草》云："兰草叶似马兰，故名兰草，俗呼为燕尾香。时人皆煮水以浴疗风，故又名香水兰。"

《蜀本图经》云："兰草叶似泽兰，尖长有歧，花红白色而香，生下湿地。"

《本草拾遗》云："兰草本功外，主恶气，香泽可作膏涂发。生泽畔，叶光润，阴小紫（阴指叶背），五月、六月采阴干，妇人和油泽头，故云兰泽，李云都梁香是也。泽兰叶尖，微有毛，不光润，方茎，紫节。初采微辛，干亦辛。"

《本草纲目》云："兰草、泽兰一类二种，俱生水傍下湿处。二月宿根生苗成丛，紫茎素枝，赤节绿叶，叶对节生，有细齿。但以茎圆节长，而叶光有歧者为兰草；茎微方，节短而叶有毛者，为泽兰。嫩时并可揉而佩之，八、九月后渐老，高者三四尺，开花成穗，如鸡苏花，红白色，中有细子。"

按《本草纲目》所云，兰草、泽兰"开花成穗，如鸡苏花"，从此特点来看很像是唇形科植物泽兰，即陆玑所谓"药草泽兰"。

另有菊科植物泽兰，是多年生草本。叶对生，有柄，叶片卵圆形或披针形，边缘有粗齿。秋季开花，花白色，头状花序在枝端排列成伞房状。叶背面及瘦果都有腺点。生于山坡草丛中。茎、叶含芳香油。

按陆玑所疏，"蕑即兰，其茎叶似药草泽兰，但广而长"，说明蕑与菊科植物泽兰极相似。疑"蕑"即今日菊科植物的泽兰。

（2）释为兰花。寇宗奭《本草衍义》云："兰草，多生阴地山谷。叶如麦门冬而阔且韧，长及一二尺，四时常青。花黄绿色，中间瓣上有细紫点。春芳者为春兰，色深；秋芳者为秋兰，色淡。开时满室尽香。"

寇氏云兰草叶如麦冬，这里的兰草实为兰花（幽兰）。兰花的花香而叶不香，且无枝茎。陆玑所云之兰似泽兰，其花与叶俱香，且有枝茎，叶广而长，不像麦冬叶，并能辟白鱼。

15 荍

《诗经·陈风·东门之枌》云："视尔如荍。"《毛传》曰："荍，芘芣。"《说文》云："荍，蚍虾也。"

《尔雅》云："荍，蚍衃。"郭注云："今荆葵也，似葵，紫色。"

《广雅》云："荆葵，荍也。"

陆玑云："荍，一名芘芣，一名荆葵。似芜菁，华紫绿色，可食，微苦。"

罗愿《尔雅翼》引崔豹《古今注》云："荆葵，一名戎葵，一名芘芣。华似木槿，而光色夺目，有红、有紫、有青、有白、有赤，茎叶不殊，但花色异耳。一曰罗葵。"

《尔雅》又云："菺，戎葵。"郭注云："蜀葵也，似葵，华如木槿。"

《嘉祐本草》云："蜀葵……小花者名锦葵，一名荍葵。"

《说文解字系传·通释》："荍，蚍虾也，从草，收声。臣锴按：荍，今注蜀葵也。《诗》曰：视尔如荍。"荍，亦是甜荞麦的异名。甜荞麦是一年生草本，子粒供食用，茎、叶青刈可作饲料或绿肥。

根据上述资料所云，"视尔如荍"中的"荍"应释为《嘉祐本草》中的锦葵，即蜀葵中小花者。

锦葵是锦葵科两年生草本，叶圆形或肾形，5~7浅裂，有圆锯齿。初夏开花，花簇生于叶腋，花冠浅紫色，有紫脉，美丽。

16 绿

《诗经·卫风·淇奥》云："瞻彼淇奥，绿竹猗猗。"《毛传》云："绿，王刍也。"

《诗经·小雅·采绿》云："终朝采绿，不盈一掬。"《郑笺》云："绿，易得之菜也。"

《上林赋》云："掩以绿蕙，被以江离。"

《楚辞·离骚》云："荟菉葹以盈室兮，削独离而不服。"王逸注用《尔雅》《诗正义》引舍人云："菉，一名王刍。"

《说文》云："菉，王刍也。"《诗经》曰："绿竹猗猗。"

《尔雅》云："菉，王刍。"郭注云："绿，蓐也。今呼鸱脚莎。"

《嘉祐本草》"荩草"条云："按《尔雅疏》云：绿，鹿蓐也。今呼鸱脚莎。《诗·卫风》云'瞻彼淇奥，绿竹猗猗'是也。"

《唐本草》"荩草"条云："此草叶似竹而细薄，茎亦圆小。生平泽溪涧之侧。荆襄人煮以染黄，色极鲜好，洗疮有效。俗名绿蓐草。《尔雅》云所谓王刍者也。"

《太平御览》引《吴普本草》云："荩草，一名黄草。"盖以其可染黄绿色。

《名医别录》云："荩草，可以染黄作金色。"

按："绿竹猗猗"中的"绿"，《尔雅》释为王刍，《尔雅疏》释为鹿蓐。《唐本草》注荩草俗名绿蓐草。荩草是《唐本草》中的下品药，故绿即是《神农本草经》中的荩草。《药性论》云："荩草，使，治一切恶疮。"

荩草能染黄，《说文》称之为菉草，《汉书·百官表》称之为盭绶。晋灼注盭绶为盭草，出琅玡，似艾，可染绿，故名绶。

荩草是禾本科一年生细弱草本。叶片卵状披针形，无毛。秋季开花，总状花序 2～10 枚在茎顶呈指状排列，紫褐色。荩草的液汁可作黄色染料。

17 竹

《诗经·卫风·淇奥》："瞻彼淇奥，绿竹猗猗。"

对于竹有 2 种解释。

（1）释为萹蓄。《尔雅》："竹，萹蓄。"郭璞注云："似小藜，赤茎节，好生道傍，可食，又杀虫。"

《楚辞·九章·思美人》："解萹薄与杂菜兮，备以为交佩。"朱熹注云："萹，萹蓄也，似小藜，赤茎节，好生道傍。薄，丛也。交佩，左右佩也。萹蓄、杂菜，皆非芳草，故言解去二物。"

陆玑疏云："绿竹一名草，其茎叶似竹，青绿色，高数尺。今淇、奥傍生此，人谓此为绿竹。淇、奥二水名。"

《水经·淇水注》引《诗经》及《毛传》云："竹，编竹也。"

《本草经集注》"萹蓄"条云："萹蓄布地生，花节间白，叶细绿，人亦呼为萹竹。"

《本草图经》云："《卫诗》：绿竹猗猗。说者曰：绿，王刍也；竹，萹竹也，即谓此萹蓄。方书亦单用治虫。"

萹蓄是《神农本草经》中的下品药。《名医别录》云："生东莱（今山东莱州）。"郝懿行《尔雅义疏》云："萹蓄，此草登莱尤多。《别录》云生东莱山谷，信不诬矣。"

萹蓄，一名萹竹。蓼科。一年生草本。叶长椭圆形或线状长椭圆形。夏季开花，花小，绿色或红色，簇生于叶腋内。全草性平，味苦，能清湿热，利小便，能治湿热黄疸及淋病。

（2）释为普通竹子。《淮南子》云："鸟号之弓，贯淇卫之箭。《毛诗》云'绿竹猗猗'是也。"

18 谖草

《诗经·卫风·伯兮》："焉得谖草？言树之背。"

《毛传》："谖草令人忘忧；背，北堂也。""谖"同"萱"。"言树之背"，谓在北堂种植萱草。旧日以"萱堂"指母亲的居室。

《说文》云："萱，令人忘忧之草也。《诗》曰：安得萱草。"段氏注云："卫风文，今《诗》作焉得谖草。萱之言谖也。谖，忘也。"

李石《续博物志》云："谖草，一名鹿葱花，一名宜男。"

《本草纲目》卷 16 "萱草"条曰："萱本作谖。谖，忘也。《诗》云：'焉得谖草？言树之背。'谓忧思不能自遣，故欲树此草，玩味以忘忧也。吴人谓之疗愁。董子云：'欲忘人之忧，则赠之丹棘，一名忘忧故也。'"又云："萱草宜下湿地，冬月丛生。叶如蒲、蒜辈而柔弱，新旧相代，四时清翠。五月抽茎开花，六月四垂，朝开暮蔫，至秋深乃尽，其花有红、黄、紫三色。结实三角，内有子大如梧子，黑而光泽。其根与麦门冬相似，最易繁衍。今东人采其花跗干而货之，名为黄花菜。"

《太平御览》卷996引《神农本草经》云："萱草，一名忘忧，一名宜男，一名歧女。"周处《风土记》云："萱草，怀妊妇人，佩其花则生男，故名宜男。"又引《博物志》曰："《神农经》曰：上药养性，谓合欢蠲忿，萱草忘忧。"

《太平御览》卷960引嵇康《养生论》曰："萱草忘忧，合欢蠲忿。"

苏颂《本草图经》云："萱草，俗名鹿葱。五月采花，八月采根。今人多采其嫩苗及花跗作菹食。"李九华《延寿书》云："嫩苗为蔬，食之动风，令人昏然如醉，因名忘忧。"

根据上述资料，"焉得谖草"中的"谖草"应释为萱草。萱草，百合科，多年生宿根草本。块根肥大，长纺锤形。叶丛生，狭长，背面有棱脊。花6～12朵生于茎的顶端；夏秋开漏斗状花，橘红或橘黄色，无香气。生于下湿地。花作蔬菜，称为金针菜。另有同属植物黄花菜，其花亦作蔬菜，也称为金针菜。两者植物形态极相似。黄花菜在开花时，其花色为淡黄色，有香气，花的朵数为3～6朵。

今日的萱草是百合科植物萱草（*Hemerocallis fulva*）。黄花菜是百合科植物北黄花菜（*Hemerocallis flava*）。据说今日的萱草原产于欧洲，则2500年前《诗经》中所讲的萱草应是今日的黄花菜。

19 唐

《诗经·鄘风·桑中》："爰采唐矣。"《毛传》云："唐蒙，菜名也。"

《尔雅》云："蒙，王女。"郭注云："蒙即唐也。女萝别名。"郝懿行疏云："《诗·桑中》《正义》引孙炎曰：'蒙，唐也。一名菟丝，一名王女。'钱大昕《养新录》云：'女萝之大者名王女。'"

《尔雅》又云："唐蒙，女萝。女萝，兔丝。"郭注云："别四名。《诗》云：爰采唐矣。"

《说文》云："蒙，王（或作玉）女也。"《名医别录》云："兔丝，一名唐蒙，一名玉女。"

《楚辞·九歌·山鬼》云："被薜荔兮带女萝。"王逸注云："女萝，兔丝也。无根，缘物而生。"高诱注《吕氏春秋》《淮南子》云："菟丝，一名女萝。"

陆玑疏："女萝，今菟丝，蔓连草上生，黄赤如金，今合药菟丝子是也。非松萝，松萝自蔓松上生，枝正青，与菟丝殊异。"

按《尔雅》、陆玑疏所云，唐、女萝即菟丝别名。

《淮南子》云："下有茯苓，上有菟丝。"又云："菟丝无根而生，蛇无足而行，鱼无耳而听，蝉无口而鸣。"

《神农本草经》云："菟丝子，味辛，平。主续绝伤，补不足，益气力，肥健。汁，去面皯。久服明目，轻身延年。一名菟芦。"

《名医别录》云："菟丝子，味甘，无毒。养肌，强阴，坚筋骨。主茎中寒，精自出，溺有余沥，口苦燥渴，寒血为积。一名菟缕，一名唐蒙，一名玉女，一名赤网，一名菟累。蔓延草木之上，色黄而细而赤网，色浅而大为菟累。"

菟丝子，旋花科，一年生寄生草本。茎细柔，呈丝状，橙黄色，随处生有吸盘附着寄主（如豆科、藜科植物）。叶退化或无。夏秋开花，花细小，白色，常簇生于茎侧。蒴果扁球形。种子细小，黑色。

20 女萝

《诗经·小雅·頍弁》："茑与女萝，施于松柏。"

女萝，即菟丝的别名，又是松萝的别名。

《广雅》云："女萝，松萝也。"

《毛诗》云："茑与女萝。"《毛传》云："女萝，菟丝，松萝也。"释文云："女萝在草曰菟丝，在木曰松萝。"

陆玑云："松萝自蔓松上生，与菟丝殊异。"

《神农本草经》云："松萝，一名女萝。"《名医别录》云："松萝，生熊耳山川谷松树上。"陶隐居注云："松萝，东山甚多，生杂树上，而以松上者为多。《毛诗》云：'茑与女萝，施于松上。'"

陆佃《埤雅》云："茑是松柏上寄生，女萝是松上浮蔓。"又云："在木为女萝，在草为菟丝。"

罗愿《尔雅翼》云："女萝色青而细长，无杂蔓。故《离骚》云：被薜荔兮带女萝。谓青长如带也。菟丝黄赤不相类（但王逸注女萝为菟丝）。"

孙星衍在《神农本草经》"松萝"条中亦注释女萝即松萝。

由于女萝既是菟丝别名，又是松萝别名，那么《毛诗》所说"茑与女萝"中的"女萝"究竟应该释为什么东西？《诗经·小雅·頍弁》："茑与女萝，施于松柏""茑与女萝，施于松上"。按：菟丝蔓生在草上，松萝蔓生在木上。而《诗经》中皆云施于松柏，或施于松上，松和柏皆属木。陆佃云："在木为松萝，在草为菟丝。"那么"茑与女萝"中的"女萝"释为松萝方合《诗经》的本义。

松萝是地衣门松萝科植物。植物体呈树枝状，直立或悬垂，长的可达 1 m 以上，灰白色或灰绿色。藻体分布在枝条形菌体的周边；子实体盘状，生于分枝末端。松萝常大片悬垂高山针叶林枝干间，少数生于石上。松萝含有松萝酸，有祛痰消炎作用，可治寒热、溃疡、头疮等。

21 苓

《诗经·唐风·采苓》："采苓采苓，首阳之颠。"

《诗经·邶风·简兮》："隰有苓。"《毛传》云："苓，大苦。"

对于大苦有 2 种解释。

（1）释为甘草。《尔雅》云："蘦，大苦。"郭注："今甘草也。蔓延生，叶似荷，青黄，茎赤，有节，节有枝相当，或云蘦似地黄。"

《说文》云："蘦，大苦。"又云："苦，大苦，苓也。"段玉裁注："见《邶风》《唐风》《毛传》。《释草》苓作蘦。孙炎注云：'今甘草也。'按《说文》苷字解云甘草矣。"

《广雅》云："美丹，甘草也。"

《淮南子·览冥训》："甘草主生肉之药。"《神农本草经》云："甘草长肌肉。"《名医别录》云："甘草，一名蜜甘，一名美草，一名蜜草，一名蕗草。"

《本草图经》云："甘草，生河西川谷积沙山及上郡，今陕西、河东州郡皆有之。春生青苗，高一二尺，叶如槐叶，七月开紫花，似柰，冬结实作角，子如荜豆。根长三四尺，粗细不定，皮赤，上有横梁，梁下皆细根也。《诗·唐风》云'采苓采苓，首阳之颠'是也。苓与蘦通用。首阳之山在河东蒲坂县，乃今甘草所生处相近。"

甘草，一名甜草。豆科，多年生草本。主根甚长，奇数羽状复叶。夏季开花，蝶形花冠，紫色，总状花序。荚果狭长椭圆形，弯曲成镰刀状或环状，有褐色腺状刺。根茎含甘草甜素。性平，味甘。有补气和中、泻火解毒、调和诸药之功。可治脾胃虚弱、咳嗽多痰、咽痛、痈疽肿毒、小儿胎毒等。

（2）释为黄药。沈括《梦溪笔谈·药议》云："本草注引《尔雅》云：'蘦，大苦。'注：甘草也。蔓延生，叶似荷，茎青赤，此乃黄药也。其味极苦，谓之大苦，非甘草也。甘草枝叶悉如槐，高五六尺，但叶端微尖而糙涩。似有白毛。实作角生，如相思角，作一本生。熟则角拆，子如小扁豆，极坚，齿啮不破。"

王念孙不同意沈括的说法。王氏云："按大苦者，大芐也。《尔雅》云：'芐，地黄。'芐、苦古字通。公食大夫礼羊苦，今文苦为芐是也。蘦似地黄，故一名大苦。苦乃芐之假借字，非以其味之苦也。据《图经》黄药叶似荞麦；而大苦叶乃似荷似地黄，形状亦不同。不审括何以知为黄药？"

22 苦

《诗经·唐风·采苓》："采苦采苦，首阳之下。"

对于苦有 2 种解释。

（1）释为苦菜。《毛传》云："苦，苦菜也。"《礼记·内则》："濡豚包苦。"郑玄注云："凡濡谓烹之以汁和也。苦，苦荼也。以包豚杀气。"孔颖达疏云："濡谓烹煮以其汁调和，言濡豚之时，包裹豚肉以苦菜，杀其恶气。"《神农本草经》云："苦菜，味苦，寒。主五脏邪气，厌谷，胃痹。久服安心益气，聪察少卧，轻身耐老。一名荼草，一名选。"

《名医别录》云："苦菜，主肠澼，渴热，中疾，恶疮，耐饥寒，高气不老。一名游冬。"《广雅》云："游冬，苦菜也。"

《颜氏家训》引《易统通卦验玄图》云："苦菜生于寒秋，更冬历春，得夏乃成。"

《本草衍义》云："苦菜，在北道则冬方凋敝，在南方则冬夏常青。此月令小满节后，所谓苦菜秀者是。此菜叶如苦苣更狭，其绿色差淡，折之白乳汁出，常常点瘊子自落，味苦，花与野菊相似。"

苦菜是什么菜呢？各家说法不一，兹讨论如下。

1）陶弘景认为苦菜是茗，即茶叶中的一种。《本草经集注》"苦菜"条云："疑此即是今茗。茗，一名荼，又令人不眠，亦凌冬不凋，而嫌其止生益州。益州乃有苦菜，正是苦藚尔。"孙星衍支持陶说。《神农本草经》云："苦菜，一名荼草，一名选。"选与荈音相近。《尔雅》云："槚，苦荼。"郭注云："树小似栀子，冬生叶，可煮作羹饮。今呼早采者为荼，晚取者为茗，一名荈，蜀人名之苦荼。"

2）《唐本草》注认为苦菜不是茗。苏敬注云："苦菜，《诗》云：'谁谓荼苦。'又云：'堇荼如饴。'皆苦菜异名也。陶谓之茗，茗乃木类，殊非菜流。按《尔雅·释草》云：'荼，苦菜。'《释木》云：'槚，苦荼。'二物全别，不得为例。又《颜氏家训》云：'苦菜，一名游冬，叶似苦苣而细，断之有白汁，花黄似菊。'"

3）陈藏器释苦菜为苦蘵。南方称苦蘵为苦菜。《颜氏家训》云：“江南别有苦菜，叶似酸浆，其花或紫或白，子大如珠，熟时或赤或黑。”陈藏器是四明（浙江宁波）人，故以苦蘵为苦菜。

4）李时珍在《本草纲目》“苦菜”条中释苦菜为苦荬。李时珍曰：“苦菜即苦荬也，家栽者呼为苦苣，实一物也。”并在正误标题下批评道：“陶弘景释苦菜为茗……陶说误矣。”程氏《易畴通艺录》云：“苦菜有二种，一种为苦荬，一种北方人呼为苣荬菜也。苦荬八、九月生者，叶皆从根出，不生茎，断之有白汁，其味苦，春生者四月中抽茎作花，《月令》‘孟夏苦菜秀’是也。花黄色如菊，其萼作苞，花英之本藏苞中，一英下一子，一花百余英，则百余子也。子末生白毛如丝，英落苞开，子末之白毛乃见，数以万计，形圆如球，所谓荼也。”高诱注《吕氏春秋》云：“孟夏纪，谓苦菜荣而不实。”

以上4家所释，以《本草纲目》所释最可信，今从《本草纲目》为正。

按：苦荬菜，菊科，多年生草本。基生叶长卵形或卵状披针形，边缘有不规的齿裂；茎上部的叶舌状而微抱于茎。头状花序顶生成伞房状花丛，春夏间开黄色花。嫩叶可作猪饲料，植株煮出液可防治农作物虫害。

（2）释为甘草。《说文》：“苦，大苦，苓也。”段玉裁注云：“见《邶风》《唐风》《毛传》。《释草》苓作蘦。孙炎注云：‘今甘草也。’”

按：《诗经·唐风·采苓》篇共有3段，第1段前两句为“采苓采苓，首阳之颠”，第2段前两句为“采苦采苦，首阳之下”，第3段前两句为“采葑采葑，首阳之东”。在第1段中，“采苓采苓”的“苓”已释为甘草，那么在第2段中，“采苦采苦”的“苦”就不好再释为甘草，应释为苦菜。

23　荼

《诗经·邶风·谷风》：“谁谓荼苦，其甘如荠。”《毛传》云：“荼，苦菜也。”

《诗经·大雅·绵》：“堇荼如饴。”

《诗经·豳风·七月》：“采荼薪樗，食我农夫。”

对于荼有2种解释。

（1）释为苦菜。段玉裁注《说文》云：“《释竹》《邶风》《毛传》皆云：荼，苦菜。《唐风》：采苦采苦。《传》云：苦，苦菜。然则苦与荼正一物也。”

《尔雅》云：“荼，苦菜。”郭注云：“《诗》曰：谁谓荼苦，叶可食。”

陆玑云：“荼，苦菜。生山田及泽中。得霜甜脆而美，所谓堇荼如饴。”

《埤雅》云：“荼，苦菜。此草凌冬不凋，故一名游冬。”《尔雅》云：“游冬，苦菜也。”

《颜氏家训》引《易通统卦验玄图》云：“苦菜生于寒秋，更冬历春，得夏乃成。”

《盐铁论》云：“秦法繁于秋荼，苦菜之荼生于秋者，一花之跌，多以万计，洵为繁矣。”

关于苦菜是什么，详见“苦”条。

（2）释为茶。《说文》云：“茶，苦荼也。”

《尔雅·释木》：“槚，苦荼。”郭注云：“树小似栀子，冬生叶，可煮作羹饮。今呼早采者为荼，晚取者为茗，一名荈，蜀人名之苦荼。”郝懿行《尔雅义疏》云：“《茶经》云：其名有五，一荼、二槚、三蔎、四茗、五荈。按今茶字，古作荼，至唐陆羽著《茶经》，始减一画作茶，今则知茶，不复如荼矣。"

《唐本草》云："茗，味甘、苦，微寒，无毒。主瘘疮，利小便，去痰热渴，令人少睡，春采之。又苦荼主下气，消宿食，作饮，加茱萸、葱、姜等，良。"《唐本草》注云："今呼早采者为茶，晚取者为茗。"

陆玑云："椒，蜀人作茶，吴人作茗。樗，吴人以其叶为茗。"是茗有同名异物现象。荼、椒、樗等异名皆称为茗。

茶，一名茗。山茶科，常绿灌木。叶革质，长椭圆状披针形或倒卵状披针形，有锯齿。秋末开花，花 1~3 朵腋生，白色，有花梗。蒴果扁球形，有 3 个钝棱。喜湿润气候。叶含咖啡碱、茶碱、鞣酸、挥发油等，可作饮料。

《诗经·周颂·良耜》："其镈斯赵，以薅荼蓼。"以镈（铲）铲土，以薅（除）荼和蓼。荼长老了，不能供食用，还防害庄稼，故把它当作野草铲掉。

24 堇

《诗经·大雅·绵》云："堇荼如饴。"《毛传》曰："堇，菜也。"

对于堇有 3 种解释。

（1）释为乌头。《说文》云："芨，堇草也。"《尔雅·释草》云："芨，堇草。"郭注云："即乌头也。江东呼为堇音斳。"《晋语》云："置堇于肉。"贾逵注："堇，乌头也。"《淮南子·说林训》云："蝮蛇螫人，傅以和堇则愈。"

乌头，毛茛科，多年生草本。有块根，茎直立。叶片轮廓五角形，3 全裂，侧裂片又 2 裂，各裂片再分裂，有粗锯齿。秋季开花，总状圆锥花序，被卷曲细毛。花瓣退化，萼片呈花瓣状，青紫色，美丽，上方 1 片盔状。主根称乌头或川乌，侧根名附子。乌头中含剧毒乌头碱，经过炮制后，毒性降低。乌头，性大热，味辛，能温经散寒止痛，主治风寒湿痹、寒疝腹痛等。

（2）释为灰藋。《说文》云："藋，堇草也。"段注云："拜，蒴藋，即今之灰藋，灰藋似藜。《左传》斩之蓬蒿藜藋。"

《尔雅》云："拜，蒴藋。"郭注："蒴藋亦似藜。"《说文解字系传·通释》云："蒴藋，俗所谓灰翟也。"

《嘉祐本草》引陈藏器云："灰藋叶心有白粉，似藜。而藜心赤，茎大，堪为杖。人食为药，不如白藋也。"

李时珍在《本草纲目》卷 27 "灰藋" 条中曰："灰藋，四月生苗，茎有紫红线棱。叶尖有刻，面青背白。茎心、嫩叶背面皆有白灰。五月渐老，高者数尺。七、八月开细白花。结实簇簇如球，中有细子，蒸暴取仁，可炊饭及磨粉食。"

灰藋，一名灰菜，即藜科植物的藜。一年生草本。叶菱状卵形，边缘有齿牙，下面被粉状物。夏秋开花，花小型，聚成小簇，再排列枝上成圆锥花序。果实包于花被内。产于我国各地。嫩叶可食，种子可榨油，全草入药。

（3）释为堇菜。《夏小正》云："二月荣堇，堇菜也。"

《礼记·内则》云："堇荁枌榆。"注曰："荁，堇类。冬用堇，夏用荁。"洪舜俞赋云："烈有椒、桂，滑有堇榆。"

《说文》云："堇，草也。根如荠，叶如细柳，蒸食之甘。"段氏注："《大雅》：堇荼如饴。《传》曰：堇，菜也。"

《尔雅》云："咭，苦堇。"郭注云："今堇葵也，叶似柳，子如米，沕食之，滑。"郝懿行疏云："《诗》云所谓'堇荼如饴'，然则此菜味苦也。牟应震曰：野菜也。叶如车前，茎端作紫华，子房微棱。叶长者甘，叶圆者苦。余按生下湿者，叶厚而光，细如柳叶，高尺许，茎紫色，味苦，瀹之则甘。"掌禹锡云："堇，本草言味甘，《尔雅》云苦堇，古人语倒，犹如甘草谓之大苦也。"

朱骏声《说文通训定声·屯部》："按堇菜野生，非人所种，作紫花，味苦，瀹之则甘滑。"

《唐本草》云："堇汁，堇菜也。此菜野生。叶似蕺，花紫色。"

按：《唐本草》所言堇，似罂粟科紫堇。一年生草本。叶 2 回羽状全裂。春夏开花，总状花序，苞全绿，花瓣 4 枚，淡紫色，外上方基脚有距。蒴果线形。产于我国中部。

在上述 3 种注释中，以第 3 种注释最可信。"堇荼如饴"中的"堇"应释为《唐本草》所说的堇菜。《毛传》："堇，菜也。"郝懿行云："堇菜，沕之则甘，与堇荼始饴合意。"

25 芍药

《诗经·郑风·溱洧》："惟士与女，伊其相谑，赠之以芍药。"《传》曰："芍药，离草也。"

《山海经》："条谷之山，其草多芍药，洞庭之上，多芍药。"又云："绣山，其草多芍药。"郭璞注云："芍药，一名辛夷，亦香草属。"

陆玑云："芍药，今药草芍药，无香气，非是也，未审今何草。"

《古今注》云："牛亨问曰，将离别，相赠以芍药者何？答曰，芍药，一名何离，故相赠犹相招，召赠之以文无，文无一名当归。"

司马相如《子虚赋》云："芍药之和，具而后御之。"伏俨注《子虚赋》云："芍药、兰桂调食。"文颖云："芍药五味之和也。"

扬雄《蜀都赋》云："有伊之徒，调夫五味，甘甜之和，芍药之美，七十食之。"

张衡《南都赋》云："归雁、鸣鵽、香稻、鲜鱼，以为芍药。酸恬滋味，百种千名。"枚乘《七发》云："芍药之酱。"《七命》云："味重九沸，和兼芍药。"

《广雅》云："挛夷，芍药也。"《埤雅》："芍药荣于仲春，华于孟夏。"

《艺文类聚》引《神农本草经》曰："芍药，一名白犬，生山谷及中岳。"

《神农本草经》云："芍药，味苦。主邪气腹痛，除血痹，破坚积寒热，疝瘕，止痛，利便，益气。"

《名医别录》云："芍药，味酸，微寒。通顺血脉，缓中，散恶血，逐贼血，去水气，利膀胱大小肠，消痈肿，时行寒热，中恶腹痛，腰痛。一名白木，一名余容，一名犁食，一名解仓，一名铤。"

芍药，毛茛科，多年生草本。高 60 ~ 80 cm，地下有圆柱形或纺锤形块根。二回三出复叶。初夏开花，与牡丹花相似，大型、美丽，有红、白等色，雌蕊常无毛。芍药有白芍和赤芍之分。白芍，性微寒，味苦、酸，能调肝脾，和营血，主治血虚腹痛、胁痛、痢疾、月经不调、崩漏等。赤芍，性微寒，味苦，能凉血散瘀，主治经闭、痈肿、跌仆损伤等。

26 葛

《诗经·周南·葛覃》："葛之覃兮，为绤为绤。"《诗经·邶风·旄丘》："旄丘之葛兮。"《诗经·王风·采葛》："彼采葛兮。"《诗经·齐风·南山》："葛履五两。"《诗经·魏风·葛履》："纠纠葛履。"《诗经·唐风·葛生》："葛生蒙楚。"

《说文》云："葛，绤绤草也。"段氏注云："《周南》：葛之覃兮，为绤为绤。"绤音痴，细葛布。绤音隙，粗葛。

《越绝书》："葛山者，勾践种葛，使越女织治葛布，献于吴王夫差。"

《神农本草经》："葛，一名鸡齐根。"《名医别录》云："葛，一名鹿藿，一名黄斤。"《本草图经》："葛根，春生苗，引藤蔓长一二丈，紫色。叶颇似秋叶而青。七月著花似豌豆花。根形如手臂，紫黑色。"

李时珍在《本草纲目》卷18"葛"条中曰："葛有野生，有家种。其蔓延长。取治可作绤绤。其根外紫内白，长者七八尺。其叶有三尖，如枫叶而长，面青背淡。其花成穗，累累相缀，红紫色。其荚如小黄豆荚，亦有毛。其子绿色，扁扁如盐梅子核，生嚼腥气，八、九月采之。"

按："葛之覃兮"中的"葛"及《诗经》中其他地方所说的"葛"皆是《神农本草经》中的葛根。葛是豆科，多年生藤本。蔓生，有块根。复叶，托叶盾形，小叶3片，背面有白霜，顶小叶菱形。夏季开花，蝶形花冠，紫色，总状花序。荚果带形，长达9 cm，宽9～10 mm，密生黄色粗毛。茎皮纤维可织葛布，或作造纸原料。块根含淀粉，供食用。根性平，味甘辛，可解热透疹，生津止渴，主治热病初起、麻疹初起、感冒口渴等。

27 麻

《诗经·王风·丘中有麻》："丘中有麻。"《诗经·齐风·南山》："艺麻如之何？衡从其亩。"《诗经·陈风·东门之池》："可以沤麻。"《诗经·大雅·生民》："麻麦幪幪。"《诗经·陈风·东门之枌》："不绩其麻。"

《说文》："麻，枲也。"段氏云："麻与枲互训。皆兼苴麻（雌株）、牡麻（雄株）言之。然则未治谓之枲，治之谓之麻。"东汉崔寔谓雄麻为"枲"或"牡麻"，雌麻为"苴"或"子麻"。

《尔雅》："枲，麻。"郭注："别二名。"《楚辞·九歌·大司命》："折疏麻兮瑶华。"《荀子·劝学》："蓬生麻中，不扶而直。"

麻的纤维可作纺织原料，但事先要经过处理。因麻的茎外皮是由一层纤维和胶质黏结起来的韧皮，要将其放在水中沤，任其自然发酵、脱胶，使其纤维分离出来，故《诗经·陈风》云："东门之池，可以沤麻""不绩其麻""小东大东，杼柚其空"。这说明在《诗经》创作时代，人们已掌握了一套麻的种植和加工流程。

用麻纺织的布名麻布。麻布是在一定宽度内，用所含经纱数目来打的。如在2.2尺（汉尺，合现今1.5尺）宽内，有80根经纱为1升布，有160根经纱为2升布……依此类推。升数越高，布越精细。奴隶和罪犯穿的粗布为7~9升，平民穿的布为10~14升，贵族穿的缌布为15升以上。义与丝绸同。《盐铁论·散不足》："古者庶人耋老而后衣丝，其余则麻枲而已，故名曰布衣。"布衣，指一般群众穿的衣服。

乱麻丝可以当作絮用。《论语·子罕》："衣敝缊袍。"《孔传》："缊，枲著也。"皇侃《义疏》："以碎麻著裹也。"

麻，一名大麻、火麻。桑科，一年生草本。茎稍及中部呈方形，基部圆形，皮粗糙有沟纹，被短腺毛，掌状全裂叶，小叶5~11片，披针形，边缘有锯齿。花单性，雌雄异株；雄花序圆锥状，雌花序球状或短穗状。瘦果卵形有棱。种子深绿色。雄株茎细长，韧皮纤维质量佳，产量多而早熟；雌株茎粗壮，韧皮纤维质量低，晚熟。不耐旱、涝。茎部韧皮纤维长而坚韧，可织麻布、帆布，或纺线制绳索，编渔网。种子榨油供制油漆、涂料等；油渣粕可作饲料。火麻仁，性平，味甘，可润燥滑肠，主治便闭。

28　纻

《诗经·陈风·东门之池》："可以沤纻。"

《说文》："纻，草也，可以为绳。"

陆玑云："纻亦麻也。科生，数十茎，宿根在地中。至春自生，不岁种也。荆、扬之间，一岁三收。今官园种之，岁再割，割便生，剥之，以铁若（或）竹刮其表，厚皮自脱。但得其里韧如筋者鬻（煮）之用缉，谓之徽纻。今南越纻布，皆用此麻。"《周礼》："典枲掌布丝缕纻之麻草之物。"陆德明曰："纻字又作苎，今简写为苎。"

《名医别录》云："苎根安胎，帖热丹毒肿。沤纻汁主消渴也。"

《本草图经》云："苎，其皮可以绩布，苗高七八尺，叶如楮叶，面青背白，有短毛。夏秋间著细穗，青花。其根黄白而轻虚，二月、八月采根。"

《救荒本草》云："苎根，苗高七八尺，一科十数茎。叶如楮叶而不花叉，面青背白，上有短毛；又似苏子叶，其间出细穗。花如白杨而长，每一朵凡十数穗，花青白色，子熟茶褐色。其根黄白色，如手指粗，宿根地中，至春自生，不须藏种。"

苎麻，荨麻科，多年生草本。地下部分由根和地下茎形成麻蔸，可活数十年。茎丛生，被有茸毛。花单性，雌雄同株，复穗状花序，雌花生在花序上端，黄绿色。瘦果，极小。耐旱。分根分株繁殖，一年可收获3次。其茎外皮有层纤维和胶质黏结起来的韧皮，将其放在水中沤，任其自然发酵，其中有些种类的细菌以分解苎麻皮的胶质为营养，故在客观上起了脱胶作用，可将纤维分离出来。纤维坚韧有光泽，可纺织夏布、麻袋，制绳子，织渔网或造纸。根名苎根，有止血安胎功用。

29 裘

《诗经·卫风·硕人》："硕人其颀，衣锦裘衣。"

对于裘有 2 种解释。

（1）释为檾，即苘麻。《说文》云："《春秋传》曰：衣有襘。裘，檾衣也。《诗》曰：衣锦裘衣。"又云："檾，枲属。《诗》曰：衣锦檾衣。"段玉裁注云："类枲而非枲。檾者草名也。《周礼·典枲》：掌布线缕纻之麻草之物。注云：草、葛、苘之属。可绩绤者。苘即檾字之异者。"

《唐本草》云："苘，一作茼字，人取皮为索者也。苘实，味苦，平，无毒。主赤白冷热痢，散服饮之。吞一枚破痈肿。"

《开宝本草》云："今人作布及索，苘麻也。实似大麻子。热结痈肿无头者，吞之则为头易穴。九月、十月采实阴干。"

《蜀本草》云："树生，高四尺，叶似苧，花黄，实壳如蜀葵。子黑。古方用根，八月采实。"

（2）释为由细绢制成的外罩衫。郑玄《诗笺》云："裘，禅也。"又云："裘，禅也，盖以禅縠为之。"《说文》裘字下，段玉裁注云："縠者，细绢也。以丝，非以枲矣。"

按《说文》所云，裘应释为苘。《说文》"檾"字下引《诗经》作"衣锦檾衣"，则裘通檾。檾麻即苘麻。《本草纲目》作白麻。李时珍曰："苘一作茼，又作檾。种必连顷，故谓之苘也。其实主生眼翳瘀肉，起倒睫拳毛。"

苘麻，亦作茼麻，一名青麻。锦葵科，一年生草本。茎被细短柔毛，青或红紫色。叶心形，被短毛。花单生叶腋，钟形，黄色。蒴果呈磨盘形。种子肾形，淡灰或黑色。茎部韧皮纤维，主要供制麻袋、绳索，编渔网或造纸。种子可榨油或制肥皂、油漆。

30 菣

《诗经·唐风·葛生》："菣蔓于野。"

《说文》："莶，或作菣，白菣也。"《说文解字系传·通释》云："本草白菣药也，一名菟荄。作藤生，根似天门冬，一株下有十许根。《诗》：菣蔓于野。"

《尔雅》云："蔹，菟荄。"注云："蔹与敛音同。兔荄与菟核音同。"

陆玑云："菣，似栝楼，叶盛而细，其子正黑如燕薁，不可食也。幽州人谓之乌服。其茎叶煮以啼牛除热。"

《神农本草经》云："白菣，味苦，平。主痈肿疽疮，散结气，止痛，除热，目中赤，小儿惊痫，温疟，女子阴中肿痛。一名菟核，一名白草。"

《名医别录》云："白菣，一名白根，一名昆仑。"陶隐居注云："白菣作藤生，根如白芷。"《唐本草》注云："此根似天门冬，一株下有十许根，皮赤黑，肉白如芍药，殊不似白芷。"《蜀本图经》云："白菣蔓生，枝端有五叶。"苏颂《本草图经》曰："白菣二月生苗，多在林中作蔓，赤黑，叶如小桑。五月开花，七月结实，根如鸡鸭卵，三五枚同窠。皮赤黑，肉白。"

按：白菣，一名鹅抱蛋、白葡萄秧。葡萄科，藤本，有纺锤形块根。叶掌状，3 ~ 5 全裂。叶形多变异，叶轴有翅。夏季开小型花，黄绿色，聚伞花序。浆果大如豌豆，初蓝色，后变白色。产于我国北部。根微寒，味辛、苦，能泻火，散结，生肌，止痛，主治痈肿疮毒、烫火伤、赤白带下、淋巴结结核等。

31 蓝

《诗经·小雅·采绿》："终朝采蓝。"《郑笺》云："蓝，染草也。"

《说文》云："蓝，染青草也。"段氏注云："《小雅》传曰：蓝，染草也。"

《尔雅》云："葴，马蓝。"郭注云："今大叶冬蓝也。"

《子虚赋》云："高燥则生葴菥苞荔。"张揖注葴曰马蓝。

《名医别录》云："蓝实，其茎叶可以染青。"陶隐居注云："此即今染缲碧所用者。"

《唐本草》云："蓝实有三种：一种叶围径二寸许，厚三四分者，堪染青，出岭南，太常名为木蓝；陶氏所说乃是菘蓝，其汁抨为淀甚青者；《本经》所用乃是蓼蓝实也，其苗似蓼而味不辛。"

《本草图经》云："木蓝出岭南，不入药；松蓝可为淀，一名马蓝，《尔雅》所谓'葴，马蓝'是也。又福州有一种马蓝，叶类苦荬菜，土人连根采服，治败血。江宁一种吴蓝，二月内生，如蒿，叶青花白。"

《本草纲目》云："蓝凡五种：蓼蓝，即蓝实，叶如蓼，五、六月开花，成穗细小，浅红色，子亦如蓼；菘蓝，叶如白菘；马蓝，叶如苦荬，即郭璞所谓大叶冬蓝，俗所谓板蓝者；吴蓝，长茎如蒿而花白，吴人种之；木蓝，长茎如决明，高者三四尺，分枝布叶，叶如槐叶，七月开淡红花，结角长寸许，其子如马蹄、决明子而微小，与诸蓝不同，而作淀则一也。"

《本草纲目》所言蓝有 5 种。而《毛诗》所说"终朝采蓝"中的"蓝"属哪一种呢？《说文》谓"蓝，染青"，《名医别录》谓蓝实的茎叶可以染青，《唐本草》谓《神农本草经》中所用的蓝是蓼蓝实。疑"终朝采蓝"中的"蓝"或是蓼蓝。木蓝出岭南，吴蓝产江南，它们未必是《诗经》创作时代人们所采的蓝。

以蓝为名的植物有很多，如蓼科的蓼蓝、十字花科的菘蓝、爵床科的马蓝、豆科的木蓝等，它们以堪作蓝靛、染青碧得名。此外十字花科的甘蓝、擘蓝、芥蓝等原是疏菜，由于叶作蓝绿色，故亦以"蓝"称。通常所讲的"蓝"是指蓼科的蓼蓝。蓼蓝，一年生草本。叶长椭圆形，干后有变蓝色的特性。秋季开红色花，穗状花序。叶可制蓝靛。十字花科植物菘蓝叶亦能制出蓝靛，用于染动物纤维（毛或丝）及植物纤维，为一种直接性染料。菘蓝根名板蓝根，其叶名大青叶，为清热凉血解毒药。

32 芩

《诗经·小雅·鹿鸣》："呦呦鹿鸣，食野之芩。"

对于芩有 2 种解释。

（1）释为芩草。陆玑云："芩草，茎如钗股，叶如竹，蔓生泽中下地咸处，为草真实，牛马皆喜食之。"

（2）释为黄芩，即药用黄芩，根可作染料。《说文》云："菳，黄菳也。"段玉裁注云："《本草经》《广雅》皆作黄芩。今药中黄芩也。"

《广雅》云："黄文，内虚，芩也。"

《吴普本草》云："黄芩，又名印头，一名内虚。二月生，赤黄，叶两两、四四相值。其茎空，中或方圆，高三四尺。花紫、红、赤，五月实黑，根黄。"

《本草图经》云："黄芩，苗长尺余，茎干粗如箸。叶从地四面作丝生，类紫草，高一尺许。亦有独茎者，叶细长，青色，两两相对。六月开紫花，根黄如知母粗细，长四五寸。二月、八月采根，暴干用之。"

黄芩，唇形科，多年生直立草本。根肥大，圆柱形。茎方形，基部分枝。叶对生，长卵圆形。夏季开花，花唇形，蓝色，聚生成顶总状花序。产于我国北部。根可制染料。其性寒，味苦，可泻肺火，清湿热，主治肺热咳嗽、湿热泻痢、胎动不安等。

33 薇

《诗经·召南·草虫》："陟彼南山，言采其薇。"

《诗经·小雅·采薇》："采薇采薇，薇亦柔止。"

《诗经·小雅·四月》："山有蕨薇，隰有杞桋。"

《尔雅》云："微，垂水。"郭注云："生于水边。"邢昺《尔雅疏》云："草生于水滨，而枝叶垂于水者曰薇。"《说文》："薇，菜也。似藿（小豆叶）。"

陆玑云："薇，山菜也。茎叶皆似小豆，蔓生。其味亦如小豆。藿可作羹，亦可生食。今官园种之，以供宗庙祭祀。"

《太平御览》引《广志》："薇叶似萍，可蒸食。"

陈藏器《本草拾遗》云："薇，味甘，寒，无毒。久食不饥，调中，利大小肠。生水傍。叶似萍。《尔雅》曰：'薇，垂也。'《三秦祀》曰：'夷齐食之，三年颜色不异，武王诫之，不食而死。'"（见《证类本草》169 页）

李珣《海药本草》云："《尔雅》注：薇，水菜。主利水道，下浮肿，润大肠。"（见《证类本草》169 页）

《本草纲目》云："薇生麦田中，原泽亦有，故《诗》云'山有蕨、薇'，非水草也。即今野豌豆，蜀人谓之巢菜。《诗》云：'采薇采薇，薇亦柔止。'"

按李时珍所云，薇即巢菜。薇，一名草藤。豆科，一年或二年生草本。偶数羽状复叶，小叶线状长椭圆形。夏秋开花。蝶形花冠，青紫色，总状花序。荚果光滑，有种子 5~8 粒。又同属中类似植物如野豌豆亦称巢菜，其嫩苗称巢芽，可作蔬菜，花紫红色，种子可吃。

此外，紫萁科的紫萁亦误称作薇。紫萁，多年生草本。根茎短，不被鳞片。叶丛生，幼叶向内拳曲，有营养叶和孢子叶之分，二回羽状复叶，小羽片三角状披针形。生于溪边。《尔雅》云："微，垂水。"郭注云："生于水边。"以上说法与紫萁生于溪边的特性相符。

34 蕨

《诗经·召南·草虫》："陟彼南山，言采其蕨。"

《说文》："蕨，鳖也。"《尔雅》："蕨，鳖。"郭注云："《广雅》云'紫蕨'，非也。初生无叶，可食，江西谓之鳖。"郝懿行《尔雅义疏》云："按今蕨菜，全似贯众而差小，初生如小儿拳，故名拳菜。其茎紫色，故名紫蕨。谢灵运诗云：'山桃发红萼，野蕨渐紫苞。'《广雅》以为紫蕨，不误。"又云："《诗》释文：俗云初生似鳖脚，故名蕨。《诗正义》引舍人曰：蕨，一名鳖。"

陆玑云："蕨，鳖也，山菜也。初生似蒜，茎紫黑色。二月中，高八九寸，老有叶。瀹为茹，滑美如葵。三月中，其端散为三枝，枝有数叶，叶似青蒿而粗，坚长，不可食。周秦曰蕨，齐鲁曰鳖。"

陆佃《埤雅》云："蕨初生无叶，状如雀足之拳，又如人足之蹶，故谓之蕨。"

陈藏器《本草拾遗》云："蕨叶似老蕨，根如紫草。按，蕨味甘，寒滑。去暴热，利水道，令人睡，弱阳。小儿食之，脚弱不行。生山间，人作茹食之。"

《本草纲目》云："蕨，二、三月生芽，卷曲状如小儿拳。长则展开如凤尾，高三四尺。其茎嫩时采取，以灰汤煮去涎滑，晒干作蔬，味甘滑，亦可醋食。其根紫色，皮有白粉。野人饥年掘取之。《诗》云：'陟彼南山，言采其蕨。'其根烧灰油调，傅蛇、虫伤。"

蕨，亦称蕨菜、乌糯。蕨类植物，凤尾蕨科。多年生草本，高 1 m 左右。根茎蔓生土中，被棕色细毛。多回羽状复叶。孢子囊群生在叶背边缘。幼叶可食，俗称蕨菜。根含淀粉，俗称山粉、蕨粉，可供食用或酿酒，也供药用，可利水退热。

35 鬯

《诗经·大雅·江汉》："秬鬯一卣。"

秬（jù），黑黍。鬯（chàng），郁金香。秬鬯，用黑黍和郁金香酿成的香酒。卣（yǒu），有柄的酒壶。

鬯在甲骨文中已有记载。罗振玉《殷墟书契》前编谓甲骨文上有"鬯其酒□于太甲□□于丁"的记载。

《白虎通义·考点》："鬯者以百草之香，郁金合而酿之成为鬯。"

《说文》云："鬯，以秬酿郁草，芬芳攸畅以降神也。"段玉裁注云："《周礼·郁人职》：'凡祭祀宾客之裸事，和郁鬯以实彝而陈之。'注云：'筑，郁金煮之以和鬯酒。'郑注《序官·郁人》云：'郁，郁金香草，宜以和鬯。'注《鬯人》云：'鬯，酿秬为酒，芬香条畅于上下也。'考《王度记》云：'天子以鬯，诸侯以薰，大夫以兰芝，士以萧，庶人以艾。'《礼纬》云：'鬯草生郊。'《中候》云：'鬯草生庭。'徐氏中论云：'煮鬯烧薰，以扬其芬。'"

《唐本草》载有郁金，陈藏器《本草拾遗》载有郁金香。郁金不香，郁金香有香味。疑鬯或即郁金香。但陈藏器云郁金香生大秦国。李时珍在《本草纲目》卷14"郁金"条中曰："昔人言是大秦国所产郁金花香……其大秦三代时未通中国，安得有此草。"

郁金香，百合科，多年生草本。地下具鳞茎。叶基出，3~4 枚，广披针形，带粉白色。春初抽花茎，顶开 1 朵花，杯状，大而美丽，花被 6 枚，2 列，有黄、白、红和紫红色，有的具条纹和斑点，或为重瓣。

36 台

《诗经·小雅·南山有台》："南山有台。"《毛传》云："台，一名夫须。"

《尔雅》云："台，夫须。"《郑笺》云："台可以为御雨笠。"舍人曰："台，一名夫须。"

陆玑云："台，夫须。旧说夫须，莎草也，可为蓑笠。都人士云：台笠缁撮。或云：台草有皮坚细滑致，可为簦笠，以雨御是也，南山多有。"

《名医别录》云："莎草根，味甘，微寒，无毒。主除胸中热，充皮毛。一名薃，一名侯莎，其实名缇。"

《说文》云："莎，镐侯也。"段玉裁注云："其根即今香附子。"

《尔雅》云："薃，侯莎，其实媞。"郭注云："《夏小正》曰：薃也者，莎随。媞者其实。"《广雅》："地毛，莎随也。"

《唐本草》注云："莎草，根名香附子，一名雀头香。大下气，除胸腹中热。茎叶都似三棱，根若附子，周币多毛。交州者最胜，大者如枣。荆襄人谓之莎草根。"

按陆玑疏，"南山有台"中的"台"即《名医别录》中的莎草，即今香附。香附子，莎草科，多年生草本。地下有纺锤形的块茎，茎直立，三棱形。叶片线形，排列成 3 行。穗状花序呈指状排列，夏季开花。块茎性平，味微苦、辛，能疏肝理气，调经，止痛，主治胁肋、脘腹胀痛，月经不调，痛经等。

37 茅

《诗经·召南·野有死麕》："白茅包之。"

《诗经·小雅·白华》："白茅束兮""露彼菅茅"。

《诗经·豳风·七月》："昼尔于茅。"

《说文》云："茅，菅也。可缩酒为藉。"又云："菅，茅也。"段玉裁注云："按统言则茅菅是一，析言则茅与菅殊。"

《尔雅》云："藐，牡茅。"郭注云："白茅属。"

陆玑云："白茅包之，茅之白者，古用包裹礼物，以充祭祀，缩酒用。"

《神农本草经》云："茅根，味甘，寒。主劳伤虚羸，补中益气，除瘀血、血闭、寒热，利小便。其苗主下水，一名兰根，一名茹根。"

《名医别录》云："茅根，下五淋，除寒热在肠胃，止渴，坚筋，妇人崩中，久服利人。一名地菅，一名地筋，一名兼杜，生楚地。"陶隐居注云："此即今日茅菅。《诗》云：露彼菅茅。其根如渣芹甜美。"

《药性论》云："白茅，臣，能破血，主消渴。根，治五淋，煎汁服之。"

《日华子本草》云："茅根，通血脉淋沥，是白花茅根也。"

《本草图经》云："茅根，春生苗，布地如针，俗间谓之茅针。夏月生白花，茸茸然，至秋而枯。其根至洁白，亦甚甘美。六月采根用。今人取茅针，挼以傅金疮，塞鼻洪。白茅花亦主金疮，止血。"

《本草纲目》云："茅有数种。夏花者为茅，秋花者为菅。叶皆相似。《诗》云'白华菅兮，白茅束兮'是也。白茅短小，三、四月开白花，成穗，结细实，其根甚长，白软如筋而有节，味甘，俗呼丝茅，可以苦盖及供祭祀苞苴之用，《本经》所用茅根是也。"

按《本草图经》《本草纲目》所云，白茅即《神农本草经》中的茅根。

白茅，俗称茅草。禾本科，多年生草本。地下有长的根茎。叶片线型，春夏抽花穗，花生有银白色丝状毛，小穗基部的柔毛比小穗长3~5倍；柱头黑紫色。其全草在古代用于盖茅屋，搓绳索，今用于造纸。嫩穗俗称茅针，有甜味，可生食。根茎名茅根，富含糖分，可制糖或酿酒。其根、叶甘，性寒，能凉血止血，清热利尿，可用于热病烦渴、小便不利、吐血、衄血、尿血等。

38 荑

《诗经·邶风·静女》："自牧归荑。"

《诗经·卫风·硕人》："手如柔荑。"

荑，《说文》作荑，草也。段氏注云："荑，见《诗》，茅之始生也。"荑是初生的柔嫩白茅。"自牧归荑"中的"荑"是用来赠送恋人的，"手如柔荑"中的"荑"用来形容女子手指纤纤，像初生的柔嫩白茅。本草称之为茅针。

《神农本草经》云："茅苗，主下水，一名兰根，一名茹根。"

陈藏器《本草拾遗》云："茅针，味甘，平，无毒。主恶疮肿未溃者。"《日华子本草》云："茅针，凉，通小肠，痈毒，软疖不作头，浓煎和酒服。"

《本草图经》云："茅根，春生苗，布地如针，俗间谓之茅针，亦可啖，甚益小儿。今人取茅针，挼以傅金疮，塞鼻洪，止暴下血，及溺血者，殊效。刘禹锡《传信方》：疗痈肿有头穴（穿孔）方：取茅锥一茎正尔，全煎十数沸，服之立溃。"

荑，即禾本科植物白茅的嫩穗。详见"茅"条。

39 菅

《诗经·小雅·白华》："白华菅兮""露彼菅茅"。

《诗经·陈风·东门之池》："可以沤菅。"

《说文》："菅，茅也。"又云："茅，菅也。"段玉裁注云："按统言则茅、菅是一，析言则菅与茅殊。《诗》曰：白华菅兮。《毛传》足之曰：已沤为菅。"

《尔雅》云："白华，野菅。"郭注云："菅，茅属。《诗》曰：白华菅兮。"郝懿行《尔雅义疏》云："《毛传》云：'已沤为菅。'明野菅是未沤者，已沤则成菅。"

陆玑云："菅以茅而滑泽，无毛。根下五寸，中有白粉者，柔韧宜为索，沤乃曝尤善也。"

《左传·成公九年》："虽有丝麻，无弃菅蒯。"菅、蒯可以作为麻、丝的代用品。

陶弘景在《本草经集注》"茅根"条中云："此即今白茅菅。《诗》云：'露彼菅茅。'其根如渣芹甜美。"

《唐本草》云："菅花，味甘，温，无毒。主衄血，吐血，灸疮。"

《本草图经》云："白茅花亦主金疮、止血，又有菅，亦茅类也。《诗》所谓'白茅菅兮'是此也。"

《本草纲目》云："茅有数种。夏花者为茅，秋花者为菅。《诗》云'白华菅兮，白茅束兮'是也。菅茅只生山上，似白茅而长。入秋抽茎，开花成穗如荻花，结实坚黑，长分许，粘衣刺人。其根短硬如细竹根，无节而微甘，亦可入药，功不及白茅，《尔雅》所谓'白华野菅'是也。"

按，菅的含义有二：一是指已沤的白茅，一是指白茅的同类物。前者出于《毛传》所云，后者出于《本草纲目》所说。

今日的菅是禾本科多年生草本植物。秆高达 3 m。叶片线形。夏秋抽出由许多总状花序组成的大型花序，总状花序下面有舟形苞片。多生于山坡草地。茎叶可作造纸原料。

40 蓍

《诗经·曹风·下泉》："浸彼苞蓍。"

《诗经·鲁颂·閟宫》："俾尔蓍而艾。"

《说文》："蓍，艾属。"段玉裁注云："谓似蒿而非蒿也。陆玑曰：似藕萧，青色。《尚书·大传》曰：蓍之谓言耆也，百年一本生百茎。"

《礼记·曲礼》："五十曰艾，六十曰耆。"

《史记·龟策列传》云："五者决定诸疑，参以卜筮，断以蓍龟……蓍百茎共一根。"徐广注："蓍百年而一本生百茎。"《博物志》云："蓍一千年而三百茎。"

《广雅》云："蓍，耆也。"陆佃《埤雅》云："草之多寿者，故字从耆。"

陆玑云："蓍，似藕萧，青色，科生，生千岁，三百茎。"

《神农本草经》云："蓍实，味苦，平。主益气，充肌肤，明目聪慧。"

苏颂《本草图经》云："蓍实，其生如蒿作丛，高五六尺，一本二十茎，至多者三五十茎，生便条直，所以异于众蒿也。秋后有花，出于枝端，红紫色，形如菊。八月、九月采其实，日干。"

在古代，蓍用以占卦。古代奴隶主贵族迷信，认为祭事、婚姻、筑城、任官、战争等大事俱出"天意"，故常用蓍草茎和龟甲以卜吉凶。《易·系辞上》："探赜索稳，钩深致远，以定天下之吉凶，成天下之亹亹者，莫大乎蓍龟。"

古代的蓍与今日菊科植物蓍草很相似。蓍草，又名蚰蜒草或锯齿草，多年生草本植物。茎直立，叶互生，长线状披针形，篦状羽裂，裂片缘有锐锯齿。头状花序，多数密集于枝顶成复伞房花丛，夏秋间开白色花。产于我国北部。民间用其治风湿痛。

41 蒿

《诗经·小雅·蓼莪》："食野之蒿。"《诗经·小雅·鹿鸣》："食野

之蒿。"

《说文》云："蒿，菣也。"又云："菣，香蒿也。"段玉裁注："《诗》：食野之蒿。"

《尔雅》云："蒿，菣。"郭璞注云："今人呼青蒿，香中炙啖者为菣。"孙炎注云："荆楚之间，谓蒿为菣。"郝懿行《尔雅义疏》云："菣即青蒿，青蒿即草蒿。按，黄蒿气臭，因名臭蒿。青蒿极香，故名香蒿。黄蒿不堪食，人家采以罨酱及黄酒曲。青蒿香美中啖也。"

陆玑云："蒿，青蒿也，香，中炙啖。荆豫之间、汝南、汝阴皆云菣也。"

《神农本草经》云："草蒿，一名方溃，一名青蒿。"陶隐居注云："草蒿，即今青蒿，人亦取杂香菜食之。"

《本草图经》云："草蒿即青蒿，春生苗，叶极细，嫩时人亦取杂诸香菜食之。至夏高四五尺，秋后开细淡黄花，花下便结子，如粟米大。"

青蒿有特殊的青香气味，又名香蒿。菊科，二年生草本植物。茎直立，具纵条纹，上部多分枝。叶互生，2 回羽状分裂，小裂片线形，夏季开小花，黄绿色，头状花序半球形，多数形成圆锥状，偏向花轴一侧着生，花后下垂。常生于河岸边。嫩时可作猪饲料，老则可烧熏灭蚊。其嫩茎性寒，味苦，能清热解暑，凉血，主治暑热、阴虚发热、疟疾等。子亦入药，与茎功用相似。青蒿治疟时宜捣汁冲服，煮则效减，久煮则无效。

42 蘩

《诗经·召南·采蘩》："于以采蘩，于沼于沚。"又云："于以采蘩，于涧之中。"《毛传》云："蘩，皤蒿也。"《诗笺》："执蘩菜者，以豆荐蘩菹。"

《诗经·豳风·七月》："春日迟迟，采蘩祁祁。"《毛传》云："蘩，白蒿也。采蘩所以生蚕也。"马瑞辰《毛诗传笺通释》引徐光启云，蚕未出时，煮蘩水浇洒，即易出。

《说文》作"蘇"，云："白蒿也。"

《尔雅》云："蘩，皤蒿。"郭注云："白蒿。"《尔雅》又云："蘩，由胡。"又云："蘩之丑，秋为蒿。"

《大戴礼记·夏小正》："蘩，游胡。游胡，旁勃也。"《左传·隐公三年（公元前720）》："蘋蘩蕴藻之菜，可荐于鬼神，可羞于王公。"

陆玑云："蘩，皤蒿，凡艾白色为皤蒿，今白蒿春始生，及秋香美，可生食，又可蒸食。一名游胡，北海人谓之旁勃。"

《广雅·释草》："繁母，旁勃也。"

《太平御览》引《神仙服食经》："十一月采彭勃。彭勃，白蒿也。"

《神农本草经》云："白蒿，味甘，平。主五脏邪气，风寒湿痹，补中益气，长毛发令黑，疗心悬，少食常饥。久服轻身，耳目聪明不老。"

《五十二病方》治癃方云："以疾黎，白蒿封之。"

苏颂《本草图经》云："白蒿，蓬蒿也。春初最先诸草而生，似青蒿而叶粗，上有白毛错涩，从初生至枯，白于众蒿，颇似细艾。《尔雅》所谓'蘩，皤蒿'是也。疏云蓬蒿可以为菹，故《诗笺》

云：以豆荐蘩菹。"

李时珍在《本草纲目》卷15"白蒿"条释名下曰："白蒿有水陆两种，《尔雅》通谓之蘩，以其易蘩衍也。曰：蘩，皤蒿。即今陆生艾蒿也，辛熏不美。曰：蘩，由胡，即今水生蒌蒿也，辛香而美。曰：蘩之丑，秋为蒿。则泛指水陆两种而言，谓其春时各有种名，至秋老则皆呼为蒿矣。"

按李时珍所云，蘩有2种，一种是陆生皤蒿，一种是水生蒌蒿。《诗经·召南》言：采蘩在沼、沚、涧等水湿处。则《诗经》中的"蘩"似指水生的蒌蒿。《左传》云："涧溪沼沚之毛，蘋蘩蕴藻之菜，可荐于鬼神，可羞于王公。"则"蘋蘩蕴藻"的"蘩"亦应指水生的"蘩"。

又李时珍云，蘩称皤蒿，即白蒿中陆生艾蒿。艾蒿疑是菊科家艾的一种，为多年生草本，揉之有香气，叶1~2回羽状分裂，背面被白色丝状毛，排成狭长的总状花丛。

43 蒌

《诗经·周南·汉广》："言刈其蒌。"

《说文》云："蒌，草也。可以烹鱼。"苏轼云："蒌蒿满地芦芽短，正是河豚欲上时。"因蒌蒿可以烹鱼。芦芽即芦根，可以解河豚毒。

《说文解字系传·通释》："蒌，今人所食蒌蒿也。《诗·汉广》传：蒌，草中之翘翘然。"

《尔雅》："购，蔏蒌。"郭璞注云："蒌，蒌蒿也。生下田，初出可啖，江东用羹鱼。"

《管子》云："叶下于苋，苋下于莞，莞下于蒲，蒲下于苇，苇下于蒌，蒌下于萑，萑下于萧，萧下于薜，薜下于萑，萑下于茅，凡彼草物，十有二衰。"

《楚辞·大招》云："吴酸蒿蒌，不沾薄只。"朱熹注云："蒿，白蒿，春生，秋乃香美可食。蒌，蒿也，叶似艾，生水中，脆美可食。沾，多汁也。薄，无味也。言吴人善调味，灼蒿，蒌以为齑，其味不浓不淡，适甘美也。"

陆玑云："蒌，蒌蒿也。其叶似艾，白色，长数寸，高丈余。好生水边及泽中，正月根芽生旁茎正白，生食之香而脆美。其叶又可蒸为茹。"

苏颂《本草图经》"白蒿"条云："孟诜亦云'生挼醋食'。今人但食蒌蒿，不复食此。或疑此蒿（指白蒿）即蒌蒿。而孟诜又别著蒌蒿条。所说不同，明是二物。"据此可知孟诜所著书原有"蒌蒿"条，今诸书未见引。

李时珍在《本草纲目》卷15"白蒿"条集解下曰："蒌蒿生陂泽中，二月发苗，叶似嫩艾而歧细，面青背白。其茎或赤或白，其根白脆。采其根茎，生熟菹曝皆可食。景差《大招》云：吴酸蒌蒿不沾薄。谓吴人善酸，瀹蒌蒿为齑，不沾不薄而味甘美。此正指水生者也。"李时珍谓白蒿有水陆两种。水生者为蒌蒿，即《尔雅·释草》所云"蘩，由胡"。

根据上述资料可知，"言刈其蒌"中的"蒌"即蒌蒿。春天人采蒌蒿嫩茎，去其叶作菜食，味甚佳美。

44 萧

《诗经·王风·采葛》："彼采萧兮。"《毛传》："萧所以供祭祀。"《诗

经·小雅·小明》："采萧获菽。"《诗经·小雅·蓼萧》："蓼彼萧斯。"《诗经·大雅》："取萧祭脂。"《诗经·曹风·下泉》："浸彼苞萧。"

对于萧有 2 种解释：一释为艾，二释为萩。

（1）释为艾蒿。《说文》云："萧，艾蒿也。"又"薜"字下，段玉裁注云："《子虚赋》：'蒿煠生薜。'张揖曰：'薜，赖蒿也。'按：赖蒿，盖即蘱萧。"则《说文》所谓"艾蒿"乃是蘱萧。

（2）释为萩。《尔雅》："萧，萩。"郭注："即蒿。"

陆玑云："萧，今人所谓萩蒿者是也。或云牛尾蒿，似白蒿。白叶，茎粗，科生，多者数十茎。可作烛有香气，故祭祀以脂爇之为香。"《毛传》："萧，所以供祭祀。"

郝懿行《尔雅义疏》云："《诗·采葛》《正义》引李巡曰：'萩，一名萧。'今萩蒿叶白似艾而多歧，茎尤高大如蒌蒿，可丈余。《左襄十八年传》'伐雍之萩'是也。萩之言楸，萧之言修，以其修长高大，异于诸蒿，故独被斯名矣。"

《本草纲目》卷 15 "白蒿"条注云："曰蘱，曰萧，曰萩，皆老蒿之通名，像秋气肃赖之气。"

按《毛传》、陆玑疏、李时珍所云，萧、萩皆老蒿之通名。老蒿作烛有香气，古时供祭祀燃烛用。萧可释为老蒿的一种。

45 莪

《诗经·小雅·青青者莪》："菁菁者莪，在彼中沚。"《毛传》云："莪，萝蒿也。"

《诗经·小雅·蓼莪》："蓼蓼者莪，匪莪伊蒿。"

《说文》云："莪，萝也。"段玉裁注云："《小雅》：菁菁者莪，蓼蓼者莪。《毛传》曰：莪，萝蒿也。陆玑亦云：莪蒿，一名萝蒿。"

《尔雅》："莪，萝。"郭注云："今莪蒿也。亦曰蘩蒿。"《广雅》云："莪蒿，蘩蒿也。"

陆玑云："莪，蒿也，一名萝蒿。生泽田渐洳之处。叶似邪蒿而细，科生，三月中，茎可生食，又可蒸食甜香，叶颇似蒌蒿。"

《证类本草》卷 11 "角蒿"条引陈藏器云："蘩蒿，味辛，温，无毒。生高岗，宿根先于白草，一名莪蒿。《诗·小雅》云：菁菁者莪。陆玑云：莪，蒿也，一名萝蒿。"

李时珍在《本草纲目》卷 15 "蘩蒿"条中曰："陆农师云：蘩之为言高也。莪，亦峨也，莪科高也。可以覆蚕，故谓之萝。抱根丛生，故曰抱娘蒿。"

根据上述资料可知，"菁菁者莪"的"莪"即莪蒿。陈藏器《本草拾遗》谓之蘩蒿。

又《嘉祐本草》引陈藏器所云蘩蒿以释角蒿，则莪蒿即成角蒿的异名了。

《唐本草》云："角蒿，味辛、苦，平，有小毒。主甘湿蟨诸恶疮有虫者。"苏敬注："叶似白蒿，花如瞿麦，红赤可爱，子似王不留行，黑色，作角。七月、八月采。"

《蜀本图经》云："叶似蛇床、青蒿等。子角似蔓青，实黑细，秋熟。"

今日的角蒿是紫葳科多年生草本植物，叶互生，二至三回羽状复叶，裂片线形，夏秋开花，花紫红色，花冠唇形，成顶生总状花序，蒴果呈长角状，先端渐尖，产于我国黄河流域。

但《本草纲目》卷15将角蒿、蘪蒿视为两物，分立为2条。

46 蔚

《诗经·小雅·蓼莪》："匪莪伊蔚。"

《说文》云："蔚，牡蒿也。"《尔雅》云："蔚，牡菣。"郭注："无子也。"《正义》引舍人曰："蔚，一名牡菣。"

陆玑云："蔚，牡蒿也。牡蒿，牡菣也。三月始生，七月华，华似胡麻而紫赤，八月为角，角似小豆角，锐而长，一名马新蒿。"

《神农本草经》云："马先蒿，一名马矢蒿。"《唐本草》注云："马先蒿，叶大如茺蔚，花红白色，实八、九月熟，俗谓之虎麻是也。一名马新蒿。"陶弘景《名医别录》云："一名烂石草，又云即马矢蒿。"

《嘉祐本草》云："按《尔雅》云：蔚，牡菣。释曰：蔚即蒿之无子者。又曰：蔚，一名牡菣。《诗·蓼莪》云：匪莪伊蔚。"

《证类本草》卷6"白蒿"条引《神农本草经》曰："中品有马先蒿，云生南阳川泽，叶如益母草，花红白，八、九月有实，俗谓之虎麻，亦名马新蒿。《诗·小雅》所谓'匪莪伊蔚'是也。"

对于蔚有2种解释：一释为牡蒿，一释为马先蒿。

《说文》将其释为牡蒿。今日的牡蒿是菊科多年生草本植物，茎直立，叶互生，茎中部以下的叶呈楔形，头状花序卵形，排成圆锥花丛，秋季开花，全草供药用，能清热，民间用叶代茶，或焚点以驱蚊。

陆玑疏释蔚为马先蒿。今日的马先蒿又名马新蒿、马矢蒿、马屎蒿，是玄参科多年生草本植物，叶互生，长椭圆状披针形，或近卵圆形，边缘具牙齿，不分裂，花于茎上部腋生和顶生，夏秋间开花，红色或紫红色，具苞叶，花冠转向后方，作反顾状，上唇有喙，生于山野，产于我国北方。

又《诗经·曹风·候人》："荟兮蔚兮。"此句中的"蔚"指云兴貌，不作牡蒿解。

47 蓬

《诗经·召南·驺虞》："彼茁者蓬。"

《诗经·卫风·伯兮》："自伯之东，首如飞蓬。"

《说文》云："蓬，蒿也。"《荀子》云："蓬生麻中，不扶而直。"

《本草纲目》卷23"蓬草子"条云："蓬类不一：有雕蓬，即菰草也；有黍蓬，即青科也；又有黄蓬草、飞蓬草。其飞蓬乃藜蒿之类，末大本小，风易拔之，故号飞蓬。子如灰藋菜子，亦可济荒。《魏略》云：'鲍出遇饥岁，采蓬实，日得数斗，为母作食。'"

李时珍谓飞蓬乃藜蒿之类。此与今日藜科植物沙蓬、碱蓬很相似，因其枯后根断，遇风飞旋，故称飞蓬。

碱蓬，藜科，一年生草本。叶线形，甚密。秋季开花，花小型。繁密如星，簇生于叶腋。果实包于多汁、有隆脊的花被内。产于我国北部。

沙蓬亦称东廧。藜科，一年生草本。茎由基部分枝，坚硬，具条纹，幼时被毛。叶如柳叶，由披针形至线形，具刺状尖头。花无花被，成腋生短穗状花序。果实近圆形，两面扁平。多生于流动或半流动的沙丘和沙地。陈藏器《本草拾遗》云："东廧，味甘，平，无毒。益气轻身，久服不饥，坚筋骨，能步行。生河西，苗似蓬，子似葵，可为饭。《魏书》曰：'东廧生焉，九月、十月熟。'《广志》曰：'东廧之子似葵，青色，并、凉间有之。'"按陈藏器所云，东廧苗似蓬。则古之东廧未必是今之沙蓬。

此外，《中华大字典》"蓬"字条下记有3种蓬：飞蓬、孤蓬、转蓬。

飞蓬：茎高尺许，叶形似柳，周有锯齿，茎梢叶腋分枝甚多，秋日开花，繁密如星，枯后根断。遇风飞旋，故称飞蓬。《管子·形势》："飞蓬之问。"尹知章注："飞蓬因风，动摇不定。"常用来比喻行踪的飘泊不定。

孤蓬：一茎直上，《荀子》所谓蓬生麻中，不扶而直者是也。高自三四尺至七八尺，叶如披针，少有锯齿，著茎甚密。茎叶具有白毛，夏日于茎梢抽枝，分歧再三，繁生淡褐色花。

转蓬：茎高于飞蓬，低于孤蓬，歧分小枝最多，叶周无齿锯，夏日开褐色花。

48　萑

《诗经·王风·中谷有蓷》："中谷有蓷。"

《说文》云："蓷，萑也。《诗》曰：中谷有蓷。"段玉裁注云："蓷，《韩诗》及《三苍》《说苑》云，益母。"

《尔雅》："萑，蓷。"郭璞云："今茺蔚也。叶似荏，方茎，白花，花生节间。"李巡曰："臭秽草也。"《广雅》："益母，茺蔚也。"

陆玑云："蓷似萑，方茎，白花，花生节间。旧说及魏博士济阴、周元明皆云：菴䕡是也。《韩诗》及《三苍》《说苑》悉云：蓷，益母也。故曾子见益母感恩。案本草云：茺蔚，一名益母。故刘歆云：蓷，臭秽，即茺蔚也。"

《神农本草经》云："茺蔚子，味辛，微温。主明目，益精，除水气。茎，主瘾疹痒。可作浴汤。一名益母，一名益明，一名大札。"

《名医别录》云："茺蔚子，味甘，微寒。疗血逆大热，头痛，必烦。一名贞蔚。"陶隐居注云："茺蔚叶如荏，方茎，子形细长，三棱。"

《唐本草》注："捣茺蔚子茎，敷丁肿，服汁使丁肿毒内消。又下子死腹中，主产后血胀闷。"

苏颂《本草图经》云："茺蔚，按《毛诗》云：中谷有蓷。《尔雅》云：萑，蓷。郭璞云：'今茺蔚也。叶似荏，方茎，白华，花生节间。'今园圃及田野见者极多，形色皆如郭说。而苗叶上节节生花，实似鸡冠子，黑色，茎作四方棱。"

根据以上所云，"中谷有蓷"的"蓷"应释为《神农本草经》中的茺蔚，即益母草。益母草，唇形科，一年生或二年生草本。茎直立，方形。叶对生，掌状多裂，茎端叶不裂，呈线型。夏季开唇形花，淡红色或白色，轮生在茎上部叶腋内。其近似种名大花益母草，花大，茎端的叶为3裂。此2种草通称益母草，果实名茺蔚子。益母草，味苦、辛，微寒，有活血、化瘀、调经作用，可治月经不调、产后瘀滞腹痛。茺蔚子，微寒，味甘，兼能明目。开白花的全草治带下较好。

49 卷耳

《诗经·周南·卷耳》："采采卷耳，不盈顷筐。"卷耳即苍耳。

《尔雅》云："卷耳，苓耳。"郭注云："《广雅》云枲耳也，亦云胡枲。江东呼为常枲，或曰苓耳。形似鼠耳，丛生如盘。"《广雅》云："苓耳、苍耳、葹、常枲、胡枲，枲耳也。"

《神农本草经》云："葈耳，一名胡葈，一名地葵。"

《名医别录》云："葈耳，一名葹，一名常思。"

《楚辞·离骚》云："薋菉葹以盈室兮。"王逸注云："葹，枲耳也。"

《淮南子·览冥训》云："夫瞽师庶女，位贱尚葈。"高诱注云："尚，主也。葈，葈耳，菜名也。幽冀谓之檀菜，洛下谓之胡葈。"

崔寔《四民月令》："伏后二十日为曲，至七月七日干之，覆以胡葈。"

陆玑云："卷耳，一名枲耳，一名胡枲，一名苓耳。叶青白色，似胡荽，白花，细茎，蔓生，可鬻为茹滑而少味。四月中生子，正如妇人耳中珰，今或谓之耳珰草，郑康成谓是白胡荽。幽州人呼为爵耳。"

《太平御览》引《博物志》云："洛中人有驱羊如蜀者，胡葸子箸羊毛。蜀人取种之，因名羊负来。"按，胡葸子即葈耳。《本草经集注》"葈耳实"条，陶弘景注云："此是常思菜，一名羊负来。"昔中国无此，言从外国逐羊毛中来。

卷耳即苍耳，一名葈耳。菊科，一年生草本。叶有长柄，叶片宽三角形，边缘有缺刻和不规则粗锯齿。春夏开花，头状花序顶生或腋生。果实倒卵形，有刺，易附着人衣、畜体毛上，到处传播。荒地野生。茎皮可制取纤维；植株可制农药；果实名苍耳子，可治鼻渊，亦可提制工业用的脂肪油。果实和嫩苗有毒，不可食用。鲜品卷耳捣烂敷乳痈，水煎外洗治荨麻疹。其根亦可治高血压。

50 芣苢

《诗经·周南·芣苢》："采采芣苢，薄言采之。"

《说文》云："苢，芣苢，一名马舄。其实如李，令人宜子，《周书》所说。"段玉裁注云："《王会篇》曰：康民以桴苢。桴苢者，其实如李，食之宜子。"《本草经集注》"车前子"条有陶隐居注云："《韩诗》乃言芣苢是木，似李，食其实，宜子孙。此为谬矣。"

《尔雅》："芣苢，马舄。马舄，车前。"郭璞注云："今车前草，大叶长穗，好生道边，江东呼为虾蟆衣。"《广雅》："当道，马舄也。"

陆玑疏："芣苢，一名马舄（舄，足履），一名车前，一名当道。喜在牛迹中生，故曰车前、当道也。今药中车前子是也。幽州人谓之牛舌草，可鬻（煮）作茹，大滑，其子治妇人难产。"

《神农本草经》云："车前，一名当道。"《名医别录》云："车前，一名芣苢，一名虾蟆衣，一名牛遗，一名胜舄。"

苏颂《本草图经》云："春初生苗，叶布地如匙面，累年者长及尺余，如鼠尾。花甚细，青色微赤，结实如葶苈，赤黑。《周南》诗云：采采芣苢。"

按陆玑、苏颂所云，芣苢应是车前。车前实细小如葶苈子。但《说文》所言芣苢，其实如李，恐是另一物。

《神农本草经》云："车前子，味甘，寒。主气癃，止痛，利水道小便，除湿痹。一名当道。"

《名医别录》云："车前子，味咸。主男子伤中，女子淋沥，不欲食，养肺，强阴，益精。令人有子，明目，疗赤痛。叶及根味甘、寒。主金疮，止血，衄鼻，瘀血，血瘕，下血，小便赤，止烦，下气，除小虫。"

车前，车前科，多年生草本。有须状根。叶丛生，广卵形或长椭圆状卵形，有长柄，穗状花序由叶丛中央生出，夏秋开花。种子可榨油。全草可作猪饲料。种子及全草性寒，味甘，能通淋利水，清热明目，治暑热泄泻、小便不利、目赤肿痛等。全草亦可用于痰稀咳嗽。

51 蕍

《诗经·魏风·汾沮洳》："彼汾一曲，言采其蕍。"《毛传》云："蕍，水泻也。"

《说文》云："蕍，水舄也。《诗》曰：言采其蕍。"

《尔雅》云："蕍，舄。"郭注云："今泽蕮。"

陆玑疏："蕍，今泽蕮也。其叶如车前草大，其味亦相似。徐州广陵人食之。"

《尔雅》云："蕍，牛唇。"郭璞注云："《毛诗传》曰：水舄也，如续断，寸寸有节，拔之可复。"

《神农本草经》云："泽泻，味甘，寒。主风寒湿痹，乳难，消水，养五脏，益气力，肥健。一名水泻，一名芒芋，一名鹄泻。"

《名医别录》云："泽泻，味咸，无毒。补虚损五劳，除五脏痞满，起阴气，止泄精、消渴，淋沥，逐膀胱、三焦停水。扁鹊：多服病人眼。一名及泻，生汝南。"

陶隐居注云："汝南郡属豫州。今近道亦有，不堪用，惟用汉中、南郑、青弋。形大而长，尾间有两歧为好。叶狭长，丛生诸浅水中。"

《本草纲目》云："泽泻，春生苗，多在浅水中，叶似牛舌草，独茎而长，秋时开白花，作丛，似谷精草。五月、六月、八月采根，阴干。"

《救荒本草》云："泽泻俗名水苲菜。丛生苗叶，其叶似牛舌草叶，纹脉坚直，叶丛中间撺葶，对分茎叉。茎有线楞，梢间开三瓣小白花，结实小，青细。"

根据上述资料可知，"言采其蕍"中的"蕍"应为《神农本草经》中的泽泻。泽泻，泽泻科，多年生草本。地下具短根茎。叶基生，长椭圆形。夏季开白花，排成大型轮状分枝的圆锥花序。生长在沼泽地。茎叶可作饲料。根茎性寒，味甘，有利水渗湿之功，主治小便不利、水肿、泄泻、淋浊等。

52 蓼

《诗经·周颂·良耜》："以薅荼蓼，荼蓼朽止。"（薅 hāo，除去田中杂草）

《说文》云："蓼,辛菜,蔷虞也。"又云："蔷虞,蓼也。"

《尔雅》:"蔷,虞蓼。"郭注云:"虞蓼,泽蓼也。"孙炎注曰:"虞蓼是泽之所生。"

《艺文类聚》卷82引《吴普本草》曰:"蓼实,一名天蓼,一名野蓼,一名泽蓼。"颜师古注《急就篇》云:"虞蓼,一名蔷。"

按:《神农本草经》中有蓼实,《吴普本草》谓蓼实即泽蓼,郭璞注《尔雅》谓泽蓼即虞蓼,《尔雅》谓虞蓼即蔷,《说文》谓"蔷,虞蓼也"。

《嘉祐本草》云:"《尔雅》云:'蔷,虞蓼。'释曰:'蔷,一名虞蓼。'即蓼之生水泽者也。《周颂·良耜》云:'以薅荼蓼。'《毛传》曰'蓼,水草'是也。"

《证类本草》卷26"蓼实"条引苏颂《本草图经》云:"苏恭以水蓼亦入药,水煮捋脚者,多生水泽中。《周颂》所谓'以薅荼蓼',《尔雅》所谓'蔷,虞蓼'是也。"

根据《说文》《尔雅》《吴普本草》所释,"以薅荼蓼"中的"蓼"即《神农本草经》蓼实中的水蓼。《本草衍义》云:"蓼实即《神农本草经》第十一卷中水蓼之子。彼言蓼则用茎,此言实即用子。"

一般单言"蓼",是指蓼科中部分植物的泛称。这些植物为草本,节常膨大,叶托鞘状,抱茎,花淡红或白色。蓼科植物种类很多,包括水蓼、荭草等。

又《诗经·小雅·蓼莪》:"蓼蓼者莪。"此"蓼蓼"指长大貌。

又《诗经·周颂·小毖》:"予又集于蓼。"此"蓼"比喻辛苦。

53 游龙

《诗经·郑风·山有扶苏》:"隰有游龙。"

对于游龙,又称游茏,有3种解释。

(1)释为荭草。《毛传》曰:"龙,红草也。"《说文》云:"茏,天蘥。"《尔雅》云:"茏,天蘥。"又云:"红,茏古。"郝懿行《尔雅义疏》:"疑是一物,即水荭。"

《名医别录》云:"荭草,味咸,微寒,无毒。主消渴,去热,明目益气。一名鸿蔼,如马蓼而大。生水傍,五月采实。"陶隐居注云:"此类甚多,今生下湿地,极似马蓼,甚长大。《诗》称'隰有游龙'。注云:荭草。郭景纯云即茏古也。"陶氏又在"蓼实"条下注:"马蓼生下湿地,茎斑叶大有黑点,亦有两三种,其最大者名茏古,即是荭草,已在上卷中品。"按陶氏所云,荭草即是马蓼中最大者。

《开宝本草》注云:"荭草,按别本注云,此即水红也。"苏颂《本草图经》云:"荭草,即水红也。生水傍,今所在下湿地皆有之,似蓼而叶大,赤白色,高丈余。《郑诗》云'隰有游龙'是也。"

《本草纲目》云:"荭草,其茎粗如拇指,有毛。其叶大如商陆,花色浅红,成穗。秋深子成,扁如酸枣仁而小,其色赤黑而肉白,不甚辛,炊炒可食。"

(2)释为马蓼。《郑笺》云:"龙,红草也。似蓼而高大多毛,故谓之马蓼。"

陆玑云:"游茏,一名马蓼,叶粗而大,赤白色,生水泽中,高丈余。"

《神农本草经》云:"马蓼,去肠中蛭虫,轻身。"陶弘景云:"马蓼,一名大蓼。高四五尺,有大小两种。但每叶中间有墨迹,如墨点记,故方士呼为墨记草。"

（3）释为蓼实。孙星衍等辑的《神农本草经》卷 2 "蓼实"条下引《毛诗》云："隰有游龙。"言外之意，游龙即蓼实。

上述 3 种解释，以《毛传》所释游龙即荭草最为可信。

荭草，一名水荭。蓼科，一年生草本。全株有毛。叶大，卵形。夏秋开花，花粉红色或白色，穗状花序长而下垂，其果实名水荭花子。味咸，微寒，能健脾利水，散结破血，治消化不良、腹胀胃痛、肝脾肿大、肝硬化腹水，亦可用于瘰疬、肿瘤等。

54 苇

《诗经·豳风·七月》："八月萑苇。"《诗经·小雅·小弁》："萑苇淠淠。"《诗经·大雅·行苇》："敦彼行苇。"

《说文》："苇，大葭也。"段玉裁注："《夏小正》曰：秀然后为萑苇。《毛传》曰：八月薍为萑，葭为苇。"

《说文》又云："葭，苇之未秀者。"《尔雅》："苇，醜芀。"

李时珍在《本草纲目》卷 15 "芦"条中曰："按毛苌《诗疏》云：苇之初生曰葭，未秀曰芦，长成曰苇。芦有数种：其长丈许中空皮薄色白者，葭也，芦也，苇也。"又："北人以苇与芦为二物，水旁下湿所生者皆名苇，其细不及指大，人家池圃所植者，皆名芦，其杆差人，深碧色者，亦难得。然则芦、苇皆可通用矣。"

按李时珍所云，苇即芦，其根名芦根。《名医别录》云："芦根：味甘、寒。主消渴客热，止小便利。"《本草图经》云："芦根生下湿陂泽中，其状都似竹，而叶抱茎生，无枝，花白作穗若茅花，根亦若竹根而节疏，二月、八月采。"

苇是禾本科植物芦苇的简称。多年生草本。地下有粗壮匍匐根茎。叶片广被针形，排列成 2 行。秋季开花，圆锥花序，长 10~40 cm，分枝稍伸展；小穗有 4~7 朵小花。生长于池沼、河岸水湿处。杆可造纸，造人造棉、人造丝，也可用来编席、帘。花序可作扫帚，花的丝状毛絮可填枕头。根茎名芦根，性寒，味甘，能清胃热、肺热，可治热病烦渴、胃热呕吐、肺痈等。

55 葭

《诗经·召南·驺虞》："彼茁者葭。"《诗经·秦风·蒹葭》："蒹葭苍苍。"《诗经·卫风·硕人》："葭菼揭揭。"

《说文》："葭，苇之未秀者。"《尔雅》："葭，华。"郭注："即今芦也。"

李时珍在《本草纲目》卷 15 "芦"条中曰："芦有数种：其长丈许中空皮薄色白者，葭也，芦也，苇也。按毛苌《诗疏》云：苇之初生曰葭，未秀曰芦，长成曰苇。"

《诗经·召南·驺虞》所说"彼茁者葭"中的"葭"，按毛苌《诗疏》云应是初生的芦苇。该句中的"茁"是指草初出地的样子。葭、苇是芦的老幼之分，芦苇初生曰"葭"。余详见"苇"条。

56 蒹

《诗经·秦风·蒹葭》："蒹葭苍苍，白露为霜。"

陆玑疏："蒹，水草也。坚实，牛食之，令牛肥强。青、徐州人谓之蒹，兖州、辽东通语也。"

《尔雅》："蒹，薕。"郭注："似萑而细，高数尺。江东呼为蒹蔽。"

《说文》："薕，蒹也。蒹，萑之未秀者。"段氏注云："蒹，今人所谓荻。萑，一名薍，一名雏，一名蒹。"《通训定声》："《诗》：蒹葭苍苍。陆疏：水草也。坚实，牛食之肥。青、徐州人谓之蒹。按今谓之荻，坚实，中有白瓤，可为帘薄。"《说文解字系传·通释》："蒹，今人以为帘薄。"郭注《子虚赋》云："蒹，荻也。"

李时珍在《本草纲目》卷15"芦"条中曰："芦有数种：其长丈许中空皮薄色白者，芦也，苇也，葭也。短小于苇而中空皮厚色青苍者，菼也，薍也。其最短小而中实者，蒹也。其身皆如竹，其叶皆长如箬叶，其根入药，性味皆同。"

按：段玉裁注《说文》谓蒹即荻，似芦苇而小，但茎坚实而不中空。

荻是禾本科多年生草本植物。根茎外有鳞片。茎直立。叶片线状披针形。秋季抽扇形圆锥花序，草黄色，小穗多数，无芒，着生基盘上的毛长超过小穗。生长于路旁和水边。产于我国北部、中部，有固沙护堤作用。秆可作造纸和人造丝原料。

57 菼

《诗经·卫风·硕人》："葭菼揭揭。"《诗经·王风·大车》："毳衣如菼。"

《说文》中菼作菼。《说文》云："菼，萑之初生，一曰薍，一曰雏。"段玉裁注："《王风》传云：菼，雏也。芦之初生者也。菼与雏皆言其青色，薍言其形，细茎稹密。"

《尔雅》云："菼，薍。"郭注云："似苇而小，实中。江东呼为乌蓲。"郝懿行《尔雅义疏》云："《诗·硕人》《正义》引陆玑云：薍或谓之荻，至秋坚成则谓之萑是也。《诗·硕人》《正义》引李巡曰：葭，芦是苇；菼、薍是萑。故《诗·大车》篇传以菼为芦之初生。戴震以芦当萑，辨其误是也。"

按《说文》所云，菼即萑之初生者。郭璞谓菼似苇而小，实中。

58 萑

《诗经·小雅·小弁》："萑苇淠淠。"《诗经·豳风·七月》："七月流火，八月萑苇。"

《说文》云："萑，薍也。"又云："薍，菼也。"又云："八月薍为萑。"又云："菼，萑之初生。蒹，萑之未秀者。"

《齐民要术》引陆玑疏云："薍或谓之荻，至秋坚成即刈谓之萑。三月生。初生，其心挺出，其下本大如箸，上锐而细，一名蒹蒡。扬州人谓之马尾。"

《广雅》云："蒤，萑也。"蒤音狄，或作荻。郝懿行《尔雅义疏》云："《诗·硕人》《正义》引陆玑云：蒤，或谓之荻，至秋坚成则谓之萑是也。又云：葭、芦是苇，菼、蒤是萑。"

按：萑是芦类植物，初生时名"菼"，幼时名"蒹"，长成后名"萑"。萑即狄。详见"蒹"条。

59 藻

《诗经·小雅·鱼藻》："鱼在在藻。"《诗经·鲁颂·泮水》："薄采其藻。"《诗经·召南·采蘋》："于以采藻，于彼行潦。"

《说文》："藻，水草也。《诗》曰：于以采藻。"段氏注云："今水中茎大如钗股，叶蒙茸深绿色，茎寸许有节者是。左氏谓之蕴藻。"

《楚辞》云："凫雁皆唼夫梁藻。"《埤雅》引《太平御览》云："菜之美者，昆仑之蘋藻。"又引《淮南子》云："容华生蕣，蕣生萍藻。"《左传·隐公三年》云："涧溪沼沚之毛，蘋蘩蕰藻之菜，可荐于鬼神，可羞于王公。"

陆玑云："藻，水草也。生水底，有两种：其一种，叶如鸡苏，茎大如箸，长四五尺；其一种，茎大如钗股，叶如蓬蒿，谓之聚藻，扶风人谓之藻聚，为发声也。此二藻皆可食，煮熟挼其腥气，米面糁蒸为茹，嘉美。扬州饥荒，可以当谷食也，饥时蒸而食之。"

藻是什么药呢？

苏颂《本草图经》释藻为海藻。《本草图经》曰："海藻，生东海池泽，今出登（山东蓬莱）、莱（山东莱州）诸州海中。凡水中皆有藻，《周南》诗云'于以采藻，于沼于沚'是也。"（见《证类本草》卷9）

李时珍《本草纲目》释藻为水藻。时珍曰："藻有二种，水中甚多。水藻，叶长二三寸，两两对生，即马藻也；聚藻，叶细如丝及鱼鳃状，节节连生，即水蕰也，俗名鳃草，又名牛尾蕰，是矣。"

从全文看，采藻是在沟水中采，不是在海滨采。海藻生在海滨，水藻生在水沟、池塘等处，故苏颂释藻为海藻不可信，李时珍释藻为水藻可信。又《诗经·小雅·鱼藻》云："鱼在在藻。"此藻亦指水藻，非指海藻也。此句赞美周王在镐京城一面饮酒，一面观看池内水藻中的鱼游。全句为：鱼在在藻，有颁其首。王在在镐（今陕西西安市西），岂乐饮酒。

又《诗经·鲁颂·泮水》是歌颂鲁僖公战胜淮夷以后，在泮宫祝捷庆功并宴请宾客的诗。该篇分8段，第1段首两句"思乐泮水，薄采其芹"，第2段首两句为"思乐泮水，薄采其藻"，第3段首两句为"思乐泮水，薄采其茆"。芹、藻、茆三者皆生在水中，分别称为水芹、水藻、凫葵。该篇中所言的藻生于泮水，不是生在海边，故应释为水藻，不应释为海藻。

水藻泛指沉水植物。该类植物的根着生于水底，叶、茎完全沉浸于水中，叶细裂，呈带状或线状。水藻包括金鱼藻、鞭子草等。

金鱼藻，金鱼藻科，多年生沉水草本。茎细长，分枝。叶轮生，一再分裂成线状。秋季开小型花，雌雄同株。瘦果。生于池沼中。可作鱼的饲料，亦可作猪的饲料。

鞭子草，水鳖科，沉水草本，有匍茎。叶片狭长，呈带形，绿色透明。花极小，浅绿色。生于池沼湖泊中。叶为猪和淡水鱼的饲料。

60　蘋

《诗经·召南·采蘋》："于以采蘋，南涧之滨。"《毛传》云："蘋，大萍也。"

对于蘋有 3 种解释。

（1）释为浮萍。《说文》云："苹，萍也。"郭注云："水中浮萍，江东谓之蘋。"

《广雅》云："蘋，萍也。"王念孙注云："蘋与藻同。萍与苹同。《说文》云：'漂，浮也。'蘋萍即浮萍。浮萍浅水所生，有青、紫两种，或背紫面青。俗谓杨花落水经宿为萍。其说始于陆佃《埤雅》。"

《楚辞》云："窃伤兮浮萍无根。"《淮南子》云："萍植根于水，水植根于地。盖萍以水为地，垂根于中，则所垂者乃是根，今或反根于上为日所暴即死，是与失土同也。"

按：萍是浮萍科植物，其种类很多，有青萍（浮萍）、紫萍（水萍）、无根萍（微萍、芜萍、藻砂）等。

（2）释为萍类中粗大者。《尔雅》云："苹，其大者蘋。"郭璞注云："《诗》曰：于以采蘋。"按：蘋本作宾。《说文》云："宾，大萍也。"

《唐本草》注云："水萍有三种：大者名蘋；水中又有荇菜，亦相似而叶圆；水上小浮萍主火疮。"

陈藏器《本草拾遗》云："水萍有三种。大者名蘋，叶圆，阔寸许，叶下有一点如水沫，一名芣菜。《本经》云水萍，应是小者。"

《证类本草》卷 9 "水萍" 条云："按《尔雅》云：萍，萍也。其大者曰蘋。陆玑《毛诗义疏》云：其粗大者谓之蘋。"又苏颂《本草图经》："《周南》诗云：'于以采蘋。'陆玑云：'水中浮萍，粗者谓之蘋。季者始生，可糁蒸以为茹，又可用苦酒淹以按酒。三月采，暴干。'"

（3）释为田字草。《尔雅翼》云："蘋叶正四方，中拆如十字，根生水底，叶敷水上，不若小浮萍之无根而漂浮也。故《诗·召南·采蘋》释文引《韩诗》云：'沉者曰蘋，浮者曰藻。'藻即小萍也。蘋亦不沉，但比萍则有根，不浮游耳。五月有花白色，故谓之白蘋。"

根据《尔雅翼》所云，蘋是大萍，有茎，根生水底。此与《吴普本草》所讲的水萍疑为一物。

《太平御览》卷 1000 引《吴普本草》云："水萍，一名水廉，生池泽水上。叶圆小，一茎一叶，根入水底，五月花白。"

《证类本草》卷 9 "水萍" 条下陶弘景注云："水萍是水中大萍尔，非今浮萍子。《药录》云：'五月有花白色，即非今沟渠所生者。'"

《吴普本草》《药录》言水萍根生水底，五月花白，此与《尔雅翼》所云 "蘋叶正四方，中拆如十字，根生水底，五月花白" 的内容基本相同。蘋俗称田字草（四叶菜）。

李时珍在《本草纲目》卷 19 "蘋" 条中曰："蘋乃四叶菜也。叶浮水面，根连水底。其茎细于蓴、荇。其叶大如指顶，面青背紫，有细纹，颇似马蹄决明之叶，四叶合成，中折十字。夏秋开小白花，故称曰蘋。其叶攒簇如萍。《吕氏春秋》云'菜之美者，有昆仑之蘋'即此。"《左传·隐公三年》云："涧溪沼沚之毛，蘋蘩蕰藻之菜，可荐于鬼神，可羞于王公。"

根据《吕氏春秋》《左传》所云，蘋可当菜食。《尔雅翼》《吴普本草》皆云蘋有根生水底，叶敷水面。李时珍根据《吴普本草》所说认为蘋为四叶菜是可信的。

蘋，一名田字草、四叶菜。蕨类植物，蘋科，多年生浅水草本。根茎匍匐泥中。叶柄长，顶端集生四小叶。夏秋叶柄基部生 2~4 枚孢子果。生于水田、池塘、沟渠中。全草能清热解毒，利小便，消水肿，民间用其治蛇咬伤，亦可作猪饲料。

61 苹

《诗经·小雅·鹿鸣》："呦呦鹿鸣，食野之苹。"

对于苹有 3 种解释：一释为浮萍，二释为藾蒿，三释为艾蒿。

（1）释为浮萍。《诗经·小雅》云："呦呦鹿鸣，食野之苹。"《传》曰："苹，萍也。"《大戴礼记·夏小正》："七月湟潦生苹。"《月令》云："萍，萍也。"《说文》云："苹，萍也。无根浮水而生者。"《尔雅》云："苹，萍。"郭注云："水中浮萍，江东谓之薸。"《唐本草》注云："水萍有三种：大者名蘋；水中又有荇菜，亦相似而叶圆；水上小浮萍主火疮。"

常见的浮萍有青萍、紫萍。

青萍，浮萍科。植物体叶状，倒卵形或长椭圆形，浮生在水面，下面有 1 条根。叶状体自下部生出，对生，夏季开花，花白色，着生在叶状体的侧面。其性寒，味辛，能发汗透疹，利水清热，主治表邪发热、麻疹、水肿等，亦可作家禽及猪饲料。

紫萍，一名水萍。浮萍科。植物体扁平，浮于水面，广倒卵形，表面绿色，背面紫色，着生多条根。夏季开花。生平静水面。功用同青萍。

（2）释为藾蒿。《尔雅·释草》云："苹，萍。"郭璞注云："水中浮萍。江东谓之薸。"

《尔雅·释草》又云："苹，藾萧。"郭璞注云："今藾蒿也，初生亦可食。"

苹有 2 种含义，即藾蒿与水中浮萍。鹿生在陆地，所食之苹当是藾蒿，而不会是水中浮萍。

陆玑云："藾蒿，叶青白色，茎似箸而轻脆，始生香可生食，又可蒸食。"

郑樵《通志略·昆虫草木略》云："苹，萎蒿也，即藾萧。《诗》所谓'呦呦鹿鸣，食野之苹'是也。"

（3）释为艾蒿。李时珍在《本草纲目》卷 15 "白蒿"条释名下曰："曰蘋，曰萧，曰荻，皆老蒿之通名。"又在集解下曰："白蒿有水、陆两种，但陆生辛熏，不及水生者香美尔。《诗》云：'呦呦鹿鸣，食野之苹。'苹即陆生皤蒿，俗呼艾蒿是矣。"

浮萍生于水上，当非鹿所食。萎蒿，李时珍认为是水生的白蒿。鹿乃山兽，不会食水生萎蒿，因此李时珍说："郑樵《通志》谓苹为萎蒿，非矣。"按李时珍所说，"食野之苹"的"苹"即陆生皤蒿，俗呼为艾蒿，今从李时珍为正。皤蒿详见"蘩"条。

62 茆

《诗经·鲁颂·泮水》："薄采其茆。"《说文》引作"言采其茆"。

对于茆有 2 种解释：一释为蓴（莼），一释为凫葵（荇）。

（1）释为蒪。李时珍曰："蒪字本作莼，从纯，纯乃丝名，其茎似之故也。"孔颖达疏："茆……江南人谓之莼菜。"

陆玑疏："茆与荇菜相似，叶大如手，赤圆，有肥者著手中，滑不得停。茎大如匕柄，叶可以生食，又可鬻（煮），滑美。南人谓之莼菜，或谓之水葵，诸陂泽水中皆有。"

《名医别录》云："蒪，味甘，寒，无毒。主消渴，热痹。"陶隐居云："蒪，性寒。"又云："冷，补下气。"《晋书》："张翰每临秋风，思鲈鱼蒪羹以下气。"

《唐本草》注云："蒪，久食大宜人，合鲋鱼为羹，食之，主胃气弱者，至效。又宜老人，此应在上品中。三、四月至七、八月，通名丝蒪，味甜，体软。霜降以后，至十二月，名瑰蒪，味苦，体涩。"

《蜀本图经》云："蒪生水中，叶似凫葵，浮水上。采茎堪啖。花黄白，子紫色。三月至八月茎细如钗股，黄赤色，短长随水深浅而名为丝蒪，味甜体软。九月、十月渐粗硬。十一月萌在泥中，粗短，名瑰蒪，味苦体涩。"

《齐民要术》云："莼，性纯而易生，种之浅深为候，水深则茎肥而叶少，水浅则茎瘦而叶多，其性逐水而滑，故谓之莼菜，并得葵名。"

《颜氏家训》云："蔡朗父讳纯，改莼为露葵，北人不知，以录葵为之。"

李时珍在《本草纲目》卷19"蒪（莼）"条释名下援引"薄采其茆"来释蒪（莼），说明李时珍释茆为蒪。

（2）释为凫葵。《毛传》云："茆，凫葵也。"

《说文》云："茆，凫葵也。《诗》曰：言采其茆。"又云："蘩，凫葵也。"段玉裁注云："后又云：茆，凫葵也。二字不同处者，以小篆、籀文别之也。蘩、茆双声。《广雅》云：蘩、茆，凫葵也。按蘩、蒪古今字。古作蘩，今作蒪、作莼。"

《山海经·西山经》云："阴山，其草多茆蕃。"郭注云："茆，凫葵。"

《周礼·醢人》云："朝事之豆用茆菹。"郑注云："茆，凫葵也。"

《齐民要术》："《南越志》：'石蒪似紫菜，色青。'《诗》曰：'思乐泮水，言采其茆。'《毛传》云：'茆，凫葵也。'"

按：凫葵（荇）与蒪（莼）形态极相似，古人将二者视为一物，故"薄采其茆"中的"茆"，或释为蒪（莼），或释为凫葵。陆玑疏和《本草纲目》释茆为蒪（莼），以二者所释为正。

莼，一名蒪，一名水葵。睡莲科，多年生水生草本。叶片椭圆形，深绿色，依细长的叶柄上升而浮于水面，叶背有胶状透明物质。夏季抽生花茎，花小，暗红色。生于水池中，夏季采嫩叶作蔬菜；秋季老时，叶小而微苦。全草嫩时可作猪饲料。

63 荇菜

《诗经·周南·关雎》："参差荇菜，左右流之。"（《毛诗正义》5页）《毛传》："后妃共荇菜，备庶物以事宗庙。"

《说文》云："荇，菨余也。"段玉裁注云："《诗·周南》：参差荇菜。《毛传》：荇，接余也。《释草》：荇，作莕。"

陆玑云："荇，一名接余，白茎，叶紫赤色，正圆，径寸余，浮在水上，根在水底，与水深浅等，大如钗股，上青下白，鬻其白茎，以苦酒（醋）浸之肥美，可案酒是也。"

《尔雅·释草》："荇，接余，其叶苻。"郭璞注云："丛生水中，叶圆在茎端，长短随水深浅，江东人食之，亦呼荇。"郑注云："今水荇也，蔓铺水上。"

《颜氏家训·书证》云："《诗》云：'参差荇菜。'《尔雅》云：'荇，接余也。'荇字或为莕。先儒解释皆云：'水草，叶圆细茎，随水浅深。今是（凡）水悉（皆）有之，黄花似莼，江南俗亦呼为猪莼，或呼为荇菜。'刘芳具有注释。"

按：荇即荇菜。《唐本草》云："荇，即荇菜也，生水中，菜似莼茎涩，根极长，江南人多食。"《后汉书·马融传》："桂荏凫葵。"注云："叶似莼，生水，俗名水葵。"

《本草图经》云："凫葵，即荇菜也。云生水中。叶似莼，茎涩，根甚长，花黄色。《诗·周南》所谓'参差荇菜'是也。"

《本草纲目》卷19"荇菜"条云："荇，《诗经》作荇，俗呼荇丝菜。"又云："荇与莼，一类二种也。并根连水底，叶浮水上。其叶似马蹄而圆者，莼也；叶似莼而微尖长者，荇也。夏四月俱开黄花，亦有白花者。结实大如棠梨，中有细子。"

由于荇与莼形态相似，古人分不清。按：荇即凫葵，《证类本草》卷9以凫葵为正名，《本草纲目》卷19以荇菜为正名。

陆玑和李时珍均释荇为荇（凫葵）。但有一些文献释茆为凫葵（见"薄采其茆"句释文），此是古人对凫葵与莼分不清所致。今以陆玑、李时珍为正。

荇菜，一名荇菜。龙胆科，多年生水生草本。茎细长，节上生根，沉没水中。叶对生，卵圆形，基部深心形，背面带紫红色，有长柄，漂浮在水面上。叶边缘有锯齿，稍稍呈波状，与莼略相似，惟近叶柄处有缺刻为异耳。夏末叶腋抽花轴，伸出水面，开鲜黄色花，瓣微5裂。嫩叶可食，根茎亦可食。全草有解热利尿作用，亦可作猪饲料。

64 莞

《诗经·小雅·斯干》："下莞上簟，乃安斯寝。"《郑笺》："下莞，小蒲之席。"

《说文》云："莞，草也。可以作席。"段玉裁注云："《小雅》：'下莞上簟。'《笺》云：'莞，小蒲之席也。'《司几筵》：'蒲筵加莞席。'《正义》：'以莞加蒲，粗在下，美者在上也。'《列子》：'老韭之为莞。'殷敬顺曰：'莞音官，似蒲而圆，今之为席者是也。'莞盖即今席子草，细茎，圆而中空，郑谓之小蒲，实非蒲也。《广雅》谓之葱蒲。"

《尔雅》云："莞，苻离。其上蒚。"郭璞注云："今西方人呼蒲为莞蒲，蒚谓其头，台首也。今江东谓之苻蓠，西方亦名蒲，中茎为蒚，用之为席。"《名医别录》云："白芷，一名莞，一名苻蓠，叶名蒚麻。"此乃同名异物，非为席之莞也。

《广雅》云："葱蒲，莞也。"又云："莞，蔺也。"

《玉篇》云："莞似蔺而圆，可以为席；蔺似莞，可以为席。"《说文》云："蔺，莞属，可为席。"《急就篇》云："蒲蒻蔺席帐帷幢。"

孔颖达云："康成云：莞，小蒲者也，以莞蒲一草之名，而《司几筵》有莞筵、蒲筵，则有大小之异，为席有精粗，故得为两种席也。设席粗者在下，美者在上，诸侯祭祀之席，以莞加蒲，明莞细而用小蒲也。"陆德明云："莞草，江南以为席，形似小蒲而实非。下莞上簟，谓莞、苻蓠所为，而不论鼠莞也。"

《证类本草》卷11"败蒲席"条，陶隐居注云："人家所用席皆是莞草，而荐多是蒲。"《唐本草》注云："山南、江东以机织者为席，席下重厚者为荐。"

莞，一名席草。莎草科。多年生簇生草本，地下根茎横走。茎三棱形。叶片退化成鞘状。小穗，卵形，褐色，多数侧生于近茎端，夏季开花。多生于沼泽或积水低洼处。茎柔韧，为造纸和编织凉席、草鞋等的良好材料。

【附】莞又是白芷的别名。《名医别录》云："白芷，一名白茝，一名蒚，一名莞，一名苻蓠，一名泽芬。"此是同名异物，非"下莞上簟"的"莞"。该句中的"莞"，是织席的莞草。非白芷之"莞"。

65 蒲 （香蒲）

《诗经·小雅·鱼藻》："鱼在在藻，依于其蒲。"《诗经·大雅·韩奕》："其蔌维何？维笋及蒲。"《诗经·陈风·泽陂》："彼泽之陂，有蒲与荷。"

《说文》："蒲，水草也。或以为席。"段玉裁注云："《周礼》祭祀席有蒲筵。蒻，蒲子，可以为平席，也谓之蒲蒻。"

《尔雅》云："莞，苻蓠，其上蒚。"郭注云："今西方人呼蒲为莞蒲。蒚，谓其头，台首也，今江东谓之苻蓠，西方亦名蒲中茎为蒚，用之为席。"郑注云："即蒲也，西人呼为莞蒲，谓其首为台，江东谓之苻蓠，其上台茎别名蒚。"

陆玑疏："蒲，始生，取其中心入地者名蒻，大如匕柄，正白，生啖之，甘脆，鬻（煮）而以苦酒（醋）浸之，如食笋法。"

《神农本草经》中载有香蒲。《唐本草》注云："此即甘蒲作荐者也。春初生，用白为菹。山南名此蒲为香蒲，谓昌蒲为臭蒲。"

苏颂《本草图经》云："香蒲，蒲黄苗也。春初生嫩叶，未出水时，红白色，茸茸然，《周礼》以为菹。谓其始生，取其中心入地，大如匕柄，白色，生啖之，甘脆。以苦酒浸食如笋，大美，亦可以为鲊。至夏抽梗于丛中，花抱梗端如武棒，故俚俗谓蒲槌，亦谓之蒲厘，花黄，即花中蕊屑也，细若金粉。"

按：苏颂所云与陆玑疏相同。陆玑仅言蒲，未注明是什么蒲，苏颂指明为香蒲。

《本草纲目》亦释蒲为《神农本草经》中的香蒲。李时珍曰："蒲丛生水际，似莞而褊，有脊而柔，二、三月苗。采其嫩根，瀹过作鲊，一宿可食。亦可炸食、蒸食及晒干磨粉作饼食。《诗》云'其蔌维何？维笋及蒲'是矣。"

根据陆玑、苏颂、李时珍所注，《诗经》中的"蒲"应释为《神农本草经》中的香蒲，俗称蒲草。香蒲，香蒲科多年生草本，地下具横生根茎。叶片广线形，排列成2行。夏季开小花，雌雄花紧密排列在同一穗轴上，状如蜡烛。生于水边或池沼内。根茎含淀粉，可以酿酒；叶片可编织席子、蒲包等。花粉称为蒲黄，炒后可用于止血。其嫩芽名蒲菜，可吃。《诗经·大雅·韩奕》："其蔌维何？维笋及蒲。"《毛传》云："蒲，蒻也。"蒻（ruò）是嫩的香蒲。《急就篇注》卷3"蒲蒻"条："蒻，谓蒲之柔弱者也。"

又《诗经·王风·扬之水》："不流束蒲。"《郑笺》："蒲，蒲柳。"此处的"蒲"指水杨，与上面香蒲不同。（详见木部杨柳中的蒲）

66 荪

《诗经》云："云兰荪止。"

《楚辞·九歌》："荪桡兮兰旌""荪壁兮紫坛""荪独宜兮为民正""荪何以兮苦愁""荪不察余之中情兮""数惟荪之多怒""荪佯聋而不闻""愿荪美之可完"。王逸注云："荪（荃）香草，以谕君也。"沈存中云："香草之类，大率多异名，所谓兰荪，荪即今菖蒲是也。"

《说文》云："茚，茚蒟，昌蒲也。"段玉裁注云："《周礼》朝事之豆实有昌本。注：昌本，昌蒲根，切之四寸为菹，左氏谓之昌歜。或单呼曰昌，或曰荃，或曰荪。"

《尔雅翼》云："荃，菖蒲也。或读若孙音，又一名荪。"

《神农本草经》云："昌蒲，一名昌阳。"陶隐居注云："真昌蒲，叶有脊，一如剑刀，四月、五月亦作小厘花。诗咏多云兰荪，正谓此也。"

苏颂《本草图经》云："昌蒲，春生青叶，长一二尺许，其叶中心有脊，状如剑，无花实。其根盘屈有节，状如马鞭大。一根旁引三四根，旁根节尤密，一寸九节者佳。采之初虚软，暴干方坚实，折之中心色微赤，嚼之辛香少滓。又有水昌蒲，叶亦相似，但中心无脊，采之干后，轻虚多滓。"

寇宗奭《本草衍义》云："菖蒲，也又谓之兰荪，生水次，失水则枯，根节密者，气味足。"

根据沈存中、段玉裁、苏颂、寇宗奭诸家所注，"云兰荪止"中的"荪"即《神农本草经》中的菖蒲。

菖蒲，天南星科多年生草本，有香气。叶狭长，长约70 cm，排列成2行，主脉显著。肉穗花序圆柱形，着生在茎端，初夏开黄色花。全草可提取芳香油、淀粉、纤维。根茎可用于祛风湿。今日所用的菖蒲是天南星科石菖蒲，植株矮小，叶线形，而主脉不显著，花序较柔弱。其根茎性温，味苦、辛，有开窍豁痰之功，主治痰厥昏迷、癫狂、惊痫等。

67 甫草

《诗经·小雅·车攻》："东有甫草，驾言行狩。"

对于甫有2种解释：一释为博，二释为甫田之草。

（1）释为博。甫草，广博丰茂的草地。甫亦作圃，《韩诗》作"东有圃草"。《薛君章句》："圃，博也，有博大之茂草也。"

（2）释为甫田之草。《郑笺》释为"甫田之草"。甫田，地名，在今河南郑州中牟县西北。郦道元《水经注》云："圃田泽多麻黄草，《诗》所谓'东有甫草'也。"

陶隐居云："麻黄，中牟者为胜，色青而多沫。"

按郑玄《诗笺》和郦道元《水经注》，"东有甫草"中的"甫草"应释为麻黄。

《神农本草经》云："麻黄，味苦，温。主中风，伤寒头痛，温疟，发表出汗，去邪热气，止咳逆上气，除寒热，破癥坚积聚。一名龙沙。"

《名医别录》云："麻黄，微温，无毒。主五脏邪气，缓急风胁痛，字乳余疾，止好唾，通腠理，疏伤寒头痛，解肌，泄邪恶气，消赤黑斑毒，不可多服，令人虚。一名卑相，一名卑盐。生晋地及河东。"

《本草图经》云："麻黄，以荣阳、中牟者为胜。苗春生，至夏五月则长及一尺已来，梢上有黄花，结实如百合瓣而小，又似皂荚子。味甜，微有麻黄气，外红皮，里仁子黑，根紫赤色。至立秋后，收采其茎，阴干令青。"

麻黄，麻黄科。小灌木，枝丛生。叶鳞片形，在节上对生成鞘状。夏季开单性花，卵形穗状花序。种子藏于肉质苞片内。产于我国北部。其茎枝性温，味辛微苦，功能发汗解表，宣肺平喘，利水，主治风寒感冒、咳嗽气喘、水肿等。

68 莠

《诗经·小雅·大田》："不稂不莠。"《诗经·小雅·甫田》："维莠骄骄，维莠桀桀。"

《说文》云："莠，禾粟下，扬生莠也。"段玉裁注云："禾粟者，今之小米。莠，今之狗尾草，茎、叶、穗皆似禾（小米）。凡禾穗下垂。莠穗而扬起不下垂。"小米穗沉重，成熟时则下垂，而狗尾草穗轻，虽成熟亦不下垂（扬生莠也）。

李时珍在《本草纲目》卷16"狗尾草"条中曰："狗尾草，一名莠。原野垣墙多生之。苗叶似粟而小，其穗亦似粟，黄白色而无实。采茎筒盛，以治目病。恶莠之乱苗，即此也。"李时珍在同书卷23"狼尾草"条中曰："其秀而不实者，名狗尾草。"

按李时珍、段玉裁所云，"维莠骄骄"中的"莠"即《本草纲目》中的狗尾草。狗尾草，禾本科，一年生草本。叶片阔线形。圆锥花序密集成圆柱状，形似狗尾，夏季开花。野生于荒地，可作牧草。

69 稂

《诗经·曹风·下泉》："冽彼下泉，浸彼苞稂。"《诗经·小雅·大田》："不稂不莠。"《毛传》云："稂，童粱也。"

《说文》："蓈，禾粟之莠生而不成者，谓之董蓈。"《尔雅》："稂，童粱。"郭注云："莠，类也。"

陆玑云："禾秀为穗而不成，则巍然谓之童粱。今人谓之宿田翁，或谓守田也。甫田云：不稂不莠。《外传》云：马不过稂莠皆是也。"

李时珍谓狼尾草即《尔雅》所云"稂"，亦即《诗疏》所云"守田、宿田翁"。李时珍又云：

"狼尾草茎、叶、穗并如粟，而穗色紫黄，有毛。荒年亦可采食。许慎《说文》云：禾粟之穗，生而不成者谓之童蓈（《尔雅》作童粱）。其秀而不实者名狗尾草。"

《证类本草》卷26引陈藏器云："狼尾草，子作黍食之，令人不饥。似茅作穗。生泽池。《广志》云：可作黍。《尔雅》云：孟，狼尾，今人呼为狼茅子、蒯草子，亦堪食，如粳米，苗似茅。"

根据《尔雅》、陆玑所疏、李时珍所云，"浸彼苞稂"中的"稂"应释为《本草拾遗》所说的狼尾草。

狼尾草即莨（lì）草。禾本科，多年生草本。秆丛生。叶片线形。秋冬茎顶抽紫黑色具刚毛的穗状圆锥花序，形似狼尾。叶可制蓑衣，谷粒可食。茎、叶可造纸。其嫩株为优良饲料。

70　鹝

《诗经·陈风·防有鹊巢》："邛有旨鹝。"《毛传》云："鹝，绶草也。"

《说文解字系传·通释》云："邛有旨鹝。《尔雅》注：小草也，杂色似绶也。"《说文》云："绶，韨维也。"段氏注云："古者韨佩皆系于革带，佩玉之系谓之绶。《玉藻》曰：天子佩白玉而玄组绶，公侯佩山玄玉而朱组绶，大夫佩水苍玉而纯组绶。"

《尔雅》："鹝，绶。"郭注云："小草，有杂色似绶。"邢昺《尔雅疏》云："鹝者，杂色如绶文之草也。"

陆玑云："鹝五色作绶文，故曰绶草。"今日的盘龙参一名绶草，为兰科多年生矮小草本植物，地下有簇生肉质状根，叶数枚生于茎的基部，线形至线状披针形，夏季开小花，白而带紫红色，在茎的上部排成旋扭状的穗状花序，生于田边或湿润草地上，其全草供药用，可治毒蛇咬伤。

卷二　木类

71　榆

《诗经·唐风·山有枢》："隰有榆。"

榆，即《神农本草经》所说的榆皮，一名零榆。《名医别录》云："榆，生颍川山谷。二月采皮，取白暴干。"

《淮南子》曰："槐榆与橘柚合而为兄弟。有苗与三危通而为一家，言槐榆北方，橘柚南方也，是以江南无榆，但言枢耳。"

《氾胜之书》云："三月榆荚雨时，高地强土可种木。"

《汉书·食货志》云："汉兴，以为秦钱重难用，更令民铸荚钱。"如淳注云："如榆荚也。"

崔寔《四民月令》："榆荚成者，收干以为旨蓄，色变白将落，收为酱，河平元年（公元前28），旱伤麦，民食榆皮。"

《本草衍义》云："榆皮，将中间嫩处剉干，砲为粉，歉岁，农将以代食。嘉祐年过丰沛，人缺食，乡民多食此。"

嵇叔夜《养生论》云："豆令人重，榆令人瞑。"

《本草经集注》"榆皮"条下陶隐居注云："榆初生荚仁，以作糜羹，令人多睡。嵇公所谓'榆令人瞑也'。"

《通志略》云："榆，曰零榆，曰白枌，曰白榆，其类有十数种。榆即大榆也，生荚如钱，古人采其初生者，作糜羹食之，令人多睡。"

榆是榆科植物，种类很多。落叶乔木。常见的有黄榆、榔榆。

黄榆树皮有裂罅，枝条往往有木栓质翅。叶广倒卵形，或卵状椭圆形，羽状侧脉，重锯齿。早春开花，花两性簇生，几无柄。果实周围有翅，广倒卵形，种子接近翅的缺口。产于我国北方。

榔榆树皮呈不规鳞片状脱落。小枝细。叶窄椭圆形，羽状脉，单锯齿。秋季开花。翅果椭圆状卵形。产于我国黄河流域。耐干旱、瘠薄，生长慢。

72　枌

《诗经·陈风·东门之枌》："东门之枌。"《毛传》云："枌，白榆也。"

《说文》云："枌，枌榆也。"段玉裁注云："枌榆者，榆之一种。汉初有枌榆社是也。"《汉书·郊祀志上》："高祖祷丰枌榆社。"丰，邑色；枌榆，乡名，汉高祖的故乡。后人称家乡为"枌榆"。张衡《西京赋》："岂伊不怀归于枌榆。"

《尔雅》云："榆，白枌。"郭注云："枌榆先生叶，却著荚，皮色白。"郝懿行《尔雅义疏》云："榆有赤、白二种。赤榆先著荚，后生叶；白榆先生叶，后著荚。以此为异。白榆皮白，剥其粗皽，中更滑白。今人磨为屑，以和香也。"

《礼记·内则》云："堇、荁、枌、榆。"郑注："榆白者，枌。谓用调和饮食也。"《诗正义》引孙炎曰："榆白者名枌。"《博物志》云："食枌榆则眠不欲觉。"

《本草图经》云："白榆先生叶，却著荚，皮白色，剥之，剥去上粗皽，中极滑白。即《尔雅》所谓'榆，白枌也'。"

枌是榆科植物榆，亦称白榆、家榆。落叶乔木，高可达25 m，小枝细，灰色或灰白色。叶椭圆状卵形，基部歪斜，多具单锯齿。早春先叶开花，翅果不久成熟。产于我国北方平原地区，耐干冷。嫩叶、嫩果可食。老叶煎汁可杀虫。根皮可制糊料。

73　枢

《诗经·唐风·山有枢》："山有枢。"

《尔雅》云："枢，荎。"郭注云："今之刺榆，《诗·唐风》云'山有枢'是也。"

陆玑云："枢，其针刺如柘，其叶如榆，瀹为茹美，滑于白榆。榆之类有十种，叶皆相似，皮及木理异尔。"

《广雅》云："柘榆，梗榆也。"王念孙疏云："针刺如柘，故有柘榆之称。梗亦刺也。《方言》云：'凡草木刺人者，自关而东，或谓之梗。'郭注云：'梗，今之梗榆也。'"《说文》云："梗，山枌榆，有刺。荚可为芜荑也。"

陈藏器《本草拾遗》云："江东有刺榆，无大榆。皮入用不滑。刺榆秋实。"

郑樵《通志略》云："一种刺榆，有针刺如柘，其叶如榆，瀹（煮）而为蔬则滑美，胜于白榆。《尔雅》云：'枢，荎。'《唐风》云：'山有枢。'即刺榆也。"

《证类本草》卷12"榆皮"条下掌禹锡云："按《尔雅》云，榆之类有十种，叶皆相似，皮及木理异尔。而刺榆有针刺如柘，其叶如榆，瀹为蔬，美滑于白榆。《诗》云'山有枢'是也。"

《本草图经》曰："刺榆有针刺如柘，则古人所茹者，云美于白榆。《尔雅》所谓'枢，荎'，《诗·唐风》云'山有枢'是也。"

按："山有枢"中的"枢"即《神农本草经》所载榆类中的刺榆。刺榆，榆科。落叶小乔木，或成灌丛，小枝先端成刺。叶椭圆形至长椭圆形，羽状侧脉，单锯齿。春季花和叶一同开放，杂性株，1～4朵簇生。果实半边生刺，翅歪斜。产于我国东北部、北部至中部。木材坚韧、致密。

74　楝

《诗经·小雅·四月》："山有蕨薇，隰有杞楝。"《毛传》曰："楝，赤楝

（sù）也。"

《说文》："棟，赤棟也。《诗》曰：'隰有杞棟。'"

《尔雅·释木》："棟，赤棟。白者棟。"郭璞注："赤棟树，叶细而岐锐，皮理错戾，好丛生山中，中为车辕。白棟叶圆而岐为大木。"

陆玑云："棟，叶如柞，皮薄而白，其木理赤者为赤棟，一名棟；白者为棟，其木皆坚韧，今人以为车毂。"

75　杞（枸骨）

《诗经·小雅·南山有台》："南山有杞，北山有李。"《诗经·秦风·终南》："终南何有，有杞有堂。"《诗》释文引《诗义疏》云："杞，其树如樗，一名枸骨。"

《证类本草》卷12"女贞实"条引陈藏器云："女贞似枸骨。按枸骨树如杜仲，皮堪浸酒补腰脚，令健。枝叶烧灰淋取汁涂白癜风，亦可作稠煎傅之。木肌白似骨故云枸骨。《诗义疏》云：木杞，其树似栗，一名枸骨，理白滑。"

按陈藏器所引《诗义疏》的内容，"南山有杞"中的"杞"即枸骨。

但是《诗经·小雅·南山有台》中"南山有枸，北山有梗"中的"枸"，《本草图经》亦释为枸骨。《证类本草》卷12"女贞实"条引《本草图经》云："女贞实，其叶似枸骨。《诗·小雅》云：'南山有枸。'陆玑云：'山木，其状如栌，一名枸骨，理白可为函板者。'是此也。皮亦堪浸酒补腰膝。烧其枝叶为灰淋汁，涂白癜风，亦可作煎傅之。"

比较陈藏器和《本草图经》所云，二者内容几乎全同。而陈藏器释"杞"为枸骨，《本草图经》释"枸"为枸骨。

在孙星衍等辑的《神农本草经》卷1"女贞实"条中，"杞"被释为枸骨。孙氏注云："《毛诗》云：南山有杞。陆玑云：木杞，其树如樗（陈藏器作栗），一名枸骨，理白滑。"

枸骨，亦称鸟不宿、猫儿刺。冬青科。常绿灌木或小乔木。叶革质，长椭圆状四方形，有3个或4个硬刺齿。初夏开花，花小型，白色，簇生叶腋，果实球形，鲜红色或黄色。产于我国中部及东部。其叶名"功劳叶"，能治虚劳热咳嗽、腰膝酸痛等。木材可做牛鼻栓。

76　杞（枸杞）

《诗经·小雅·杕杜》："陟彼南山，言采其杞。"《诗经·小雅·北山》："陟彼北山，言采其杞。"《诗经·小雅·湛露》："湛湛露斯，在彼杞棘。"《诗经·小雅·四牡》："翩翩者雏，载飞载止，集于苞杞。"

《说文解字系传·通释》："杞，枸杞也。锴按枸杞多生荒域坂岸上。"

《山海经·西山经》："小华之山，其木多杞。"郭璞注："杞，苟杞也。子赤。"

《尔雅》："杞，枸檵。"郭注："今枸杞也。"

《广雅》："地筋，枸杞也。"又云："枸橝，苦杞也。根名地骨。"

陆玑疏："杞，其树如樗，一名苦杞，一名地骨。春生作羹茹，微苦。其茎似莓，子秋熟正赤。茎叶及子服之，轻身益气。"

《神农本草经》云："枸杞，一名杞根，一名枸忌，一名地辅。"《名医别录》云："枸杞，一名却老，一名仙人杖，一名西王母杖。"《吴普本草》云："枸杞，一名羊乳。"

《本草图经》云："枸杞，春生苗，叶如石榴叶而软薄，堪食，俗呼为甜菜。其茎干高三五尺作丛。六月、七月生小红紫花，随结红实，形微长如枣核。其根名地骨。"

按："言采其杞"的"杞"即枸杞。茄科，落叶小灌木。茎丛生，有短刺。叶卵状披针形。夏秋开淡紫色花。浆果卵圆形，红色，中药名枸杞子，能明目，补肝肾。嫩茎和叶可作蔬菜食。其根皮名地骨皮，能凉血，清虚热。产于陕西、河北一带。产于宁夏名宁枸杞，果实大，品质佳，为滋补强壮药良剂。

77 杞（柳）

《诗经·小雅·四月》："山有蕨薇，隰有杞桋。"《诗经·郑风·将仲子》："无折我树杞。"

《证类本草》卷14"柳华"条引《本草图经》云："杞柳，《郑诗》云：'无伐我树杞。'陆玑云：'杞，柳属也。生水傍，树如柳，叶粗而白色。木理微赤。其木，人以为东毂。洪山淇水傍、鲁国汶水傍，纯生杞柳也。'"

《孟子》："告子曰：以人性为仁义，犹以杞柳为杯棬。"赵岐注云："杞柳，柜（jǔ）柳也。"柜柳又为枫杨的异名，亦称榉柳。

苏颂《本草图经》云："杞柳，今人取其细条，火逼令柔韧，屈作箱篋。河朔尤多。"

按："无折我树杞"的"杞"应释为《本草图经》所说的杞柳。

杞柳，一名紫柳、红皮柳。杨柳科，落叶丛生灌木。枝黄绿色或带紫色。叶通常对生，或近对生，倒皮针形，有细锯齿。早春先叶开花，雌雄异株，柔黄花序几无柄，常弯曲。蒴果小，无柄，有毛。种子小，有长毛。产于我国黄河流域平原。耐温，耐碱。枝条韧，供编柳条箱、筐等用。

此外，赵岐注《孟子·告子》云："杞柳，柜柳也。"今日的柜柳，即胡桃科枫杨。一名榉柳、麻柳、枰柳。落叶乔木。羽状复叶，互生，叶轴有翅，小叶长椭圆形，有细锯齿。春末开花，雌雄异株，柔黄花序下垂，无花被。坚果两侧具长椭圆形斜长的翅。常生溪边及河谷低地。不耐干旱、瘠薄。

78 柳

《诗经·小雅·小弁》："菀彼柳斯。"《诗经·小雅·菀柳》："有菀者柳。"《诗经·齐风·东方未明》："折柳樊圃，狂夫瞿瞿。"

《说文》云："柳，小杨也。杨之细茎小叶者曰柳。"《尔雅》云："旄，泽柳。"郭注："生泽中者。"

《神农本草经》云："柳华，一名柳絮。"陶隐居注云："柳即今水杨柳也。花熟随风，状如飞雪。"《唐本草》注："柳与水杨全不相似。水杨叶圆阔而赤，枝条短硬。柳叶狭长青绿，枝条长软。"陈藏器《本草拾遗》云："柳，江东人通名杨柳，北人都不言杨。杨树枝叶短，柳树枝叶长。"苏颂《本草图经》云："柳，俗所谓杨柳者也。"

李时珍在《本草纲目》卷35"柳"条中曰："杨柳，纵横倒顺插之皆生。春初生柔黄，即开黄蕊花。至春晚叶长成后，花中结细黑子，蕊落而絮出，如白绒，因风而飞。"

柳是杨柳科柳属植物的泛称，常见的有垂柳、旱柳。垂柳为落叶乔木，枝细长下垂，叶狭长，春天开花，黄绿色，种子上有白色毛状物，成熟后随风飞散，名柳絮。旱柳，枝不下垂，或直展，或斜上伸长，小枝淡黄或绿色，叶披针形，有锯齿，早春先叶开花，雌雄异株，柔荑花序，种子同垂柳。

《神农本草经》云："柳华，味苦，寒。主风水黄疸，面热黑。一名柳絮。叶，主马疥痂疮。实，主溃痈，逐脓血。"

《名医别录》云："柳华，无毒。主痂疥、恶疮、金疮。叶，取煎煮以洗马疥立愈。又疗心腹内血，止痛。子汁，疗渴。"

《本草图经》云："柳枝、皮及根亦入药用。葛洪治痈疽、肿毒、妒乳等多用之。韦宙《独行方》主丁疮及反花疮，并煎柳枝、叶作膏涂之。今人作浴汤、膏药、齿牙药，亦用其枝为最要药。"

79 蒲（水杨）

《诗经·王风·扬之水》："扬之水，不流束蒲。"《郑笺》云："蒲，蒲柳也。"

《尔雅》云："杨，蒲柳。"郭注："可以为箭。《左传》所谓董泽之蒲。"邢昺《尔雅疏》云："杨，一名蒲柳，生泽中，可为箭笴。"

郑樵《通志略》云："蒲柳，其条可为箭簳，故《左传》云：董泽之蒲。"《古今注》云："水杨即蒲柳，生水边，叶似青杨，茎可作矢。一名蒲杨。"

陆玑云："蒲柳有两种：皮正青者，曰小杨；其一种皮红正白者，曰大杨。其叶皆长广，似柳叶，皆可以为箭干，故《春秋传》曰：董泽之蒲，可胜既乎。今人又以为箕、罐之杨也。"（罐，以柳编成的汲水器）

《证类本草》卷14"柳华"条引《本草图经》曰："《说文》：'杨，蒲柳也。柳，小杨也。'其类非一。蒲柳，其枝劲韧，可为箭笴。《左传》所谓董泽之蒲。又谓之蘸符，即上条水杨是也。今河北沙地多生此。"又"白杨"条引《本草图经》曰："此下又有水杨条。《经》云：叶圆阔而赤，枝条短梗，多生水岸傍，其形如杨柳相似，以生水岸，故名水杨。"《唐本草》云："水杨叶嫩枝，味苦，平，无毒。主久痢赤白。捣和水绞取汁，服一升，日二，大效。"

按陆玑疏、《古今注》、《本草图经》所云，"不流束蒲"中的"蒲"即是《唐本草》中的水杨，或称蒲柳。陆游《出游》云："羊牛点点日将夕，蒲柳萧萧天正秋。"

水杨是杨柳科，杨属植物。落叶乔木，叶常宽阔。多生于水源附近。

又《诗经·小雅·鱼藻》："鱼在在藻，依于其蒲。"《诗经·陈风·泽陂》："彼泽之陂，有蒲与荷。"此2句中的"蒲"指"香蒲"，详见草部"蒲"条。

又《诗经·大雅·韩奕》："其蔌维何？维笋及蒲。"此句中的"蒲"指幼嫩的蒲。

80 杨

《诗经·秦风·车邻》："隰有杨。"《诗经·小雅·南山有台》："北山有杨。"

《尔雅》云："杨，蒲柳。"郭注云："可以为箭。《左传》所谓'董泽之蒲'。"《说文》云："杨，蒲柳也。"段玉裁注云："《尔雅·释木》：杨，蒲柳。《古今注》曰：蒲柳生水边。又曰水杨，蒲柳也。枝劲细，任矢用。《左传》云'董泽之蒲'是也。"

《尔雅》《说文》皆云"杨是蒲柳"。《古今注》谓蒲柳生水边，又名水杨，故"隰有杨"中的"杨"应释为水杨。因为"隰"是低湿的地，低湿地有杨，当是水杨。

但是《诗经·南山有台》云："北山有杨。"此杨生在山上，当然不好释为水杨，似可释为白杨。《唐本草》有水杨和白杨。《本草图经》云："白杨，北土尤多，人种于墟墓间，株大叶圆如梨，皮白，木似杨，故名白杨。水杨叶圆阔而赤，枝条短梗，多生水岸傍，其形如杨柳相似，以生水岸，故名水杨。水杨即蒲柳也，枝茎劲韧作矢用。"

按《本草图经》注，白杨种于墟墓间，水杨生于水岸边，故"隰有杨"中的"杨"应释为水杨，"北山有杨"中的"杨"应释为白杨。

单讲"杨"是指杨柳科植物，即杨属植物的泛称。杨柳科植物为落叶乔木，叶常宽阔，花雌雄异株，柔荑花序，苞片边缘常有剪碎状裂片，无花被，有杯状花盘，雄蕊常多数，种子具毛。杨柳科植物有多种，常见的有毛白杨、银杨、响叶杨、山杨等。

81 松

《诗经·郑风·山有扶苏》："山有桥松。"（桥通乔，高竦）《诗经·鲁颂·閟宫》："徂来之松。"（徂来，山名，在山东泰安东南）《诗经·小雅·颊弁》："施于松上。"《诗经·商颂·殷武》："松桷有梴。"（梴，木长貌）《诗经·大雅·皇矣》："松柏斯兑。"（兑，直立貌）

《说文》："松，松木也。"《论语》云："岁寒，然后知松柏之后凋也。"《庄子》云："霜雪既降，吾是以知松柏之茂也。"《山海经·西山经》："钱来之山，其上多松。"

"山有桥松"中的"桥松"是指高大的松。《诗经·周南·汉广》云："南有乔木，不可休思。"《毛传》："南方之木美，乔，上竦也。"《淮南子·原道训》云："乔木上竦，少阴之木。"所以说桥松是高大上竦的松。

李时珍在《本草纲目》卷34"松"条中曰："松树磥砢修耸多节，其皮粗厚有鳞形，其叶后凋。二、三月抽蕤生花，长四五寸，采其花蕊为松黄。结实状如猪心，叠成鳞砌，秋老则子长鳞裂。然叶有二针、三针、五针之别。三针者为栝子松，五针者为松子松。"

《神农本草经》云："松脂，味苦，温。主疽恶疮，头疡、白秃，疥瘙风气，安五脏，除热。"

《名医别录》云："松脂，味甘，无毒。主胃中伏热，咽干，消渴，及风痹死肌。炼之令白。其赤者，主恶痹。松实：主风痹寒气，虚羸少气，补不足。松叶：主风湿疮，生毛发，安五脏，守中，不饥延年。松节：温，主百节久风，风虚脚痹疼痛。"

《唐本草》注云："松花名松黄，拂取似蒲黄正尔，酒服轻身。松取枝，烧其上，下承取汁名溏，主牛马疮疥佳。树皮绿衣名艾蒳香。"

松是松科植物的泛称。常绿或落叶乔木，很少为灌木，常有树脂。叶扁平线形或针形，螺旋状互生，或在短枝上成簇生状。常雌雄同株。球果卵形至圆柱形，鳞片木质，各有2个种子，种子上端具1个膜质翅。我国有10属84种，各地均产。其中用材树种有马尾松、黑松、油松等。从松木中可采松脂、松油、焦油。松的种子可榨油。松针可制人造丝，用来提取挥发油、维生素。铁杉等树皮中含优质鞣质。雪松、白皮松、金钱松可供园林绿化。银杉为我国特产的稀有树种。

82 柏

《诗经·鲁颂·閟宫》："新甫之柏。"（新甫，一名梁父，在泰山旁）《诗经·大雅·皇矣》："松柏斯兑。"（兑，直立貌）

《说文》："柏，鞠也。"《尔雅》："柏，椈。"郭注："《礼记》曰：鬯臼以椈。"《尚书·禹贡》："荆州贡杶、榦、栝、柏。"《山海经·西山经》："白于之山，其上多柏。"《论语》："岁寒，然后知松柏之后凋也。"

《神农本草经》中载有柏实，《名医别录》中载有柏叶、柏白皮。

《群芳谱》："柏树耸直，皮薄，肌腻，三月开细琐花，结实成球状，如小铃多瓣。九月熟，霜后瓣裂，中有子，大如麦。"

柏是柏科植物的通称。柏科植物为常绿乔木或灌木，叶小，常鳞形，密贴枝上，交互对生，雌雄同株或异株，球果当年或翌年成熟，卵形或圆球形，鳞片木质，呈扁平或盾形，种子具翅或无翅。柏科植物的种类很多，我国有8属42种，最著名的有柏、侧柏、台湾扁柏、福建柏、桧（圆柏）、刺柏等，为优良用材或园林绿化树种。

侧柏嫩枝与叶微寒，味苦、涩，有凉血、止血之功，主治各种出血，如吐血、衄血、尿血、便血、崩漏带下等，亦治老年慢性支气管炎。侧柏种仁味甘、辛，能养心、安神、润燥，主治惊悸、不寐、便闭等。

83 桧

《诗经·卫风·竹竿》："桧楫松舟。"

《说文》云："桧，柏叶松身。"段玉裁注："《释木》《卫风》《毛传》皆曰：'桧，柏叶松身。'《禹贡》作'栝'。"

《尔雅》："桧，柏叶松身。"郭注："《诗》曰：桧楫松舟。"

《禹贡》："杶榦栝柏。"《史记集解》引郑注云："柏叶松身曰栝。"《广雅》云："栝，柏也。"王念孙疏云："栝与桧同。《尔雅》云：桧，柏叶松身。是栝即柏之别种。"

《艺文类聚》引《礼应记》曰："孔子庙列七碑无象，桧柏犹茂。"《尔雅翼》云："桧，今人谓之圆柏。"

按：桧是柏科植物，亦名桧柏、圆柏。常绿乔木，高达 20 m，树冠圆锥形，叶有鳞形和刺形 2 种，果实为球果。插条繁殖生长快。木材淡黄褐色至红褐色，质坚，耐腐，用来制铅笔杆尤佳。

84　竹

《诗经·小雅·斯干》："如竹苞矣。"

《说文》："竹，冬生草也。"段玉裁注："云冬生者，谓竹胎（笋）生于冬，且枝叶不凋也。云草者，《尔雅》竹在《释草》。《山海经》有云'其草多竹'，故谓之冬生草。"

《尔雅》："笋，竹萌。"郭注："初生者。"

《尔雅》又云："簜，竹。"郭注："竹别名。《仪礼》曰：簜在建鼓之间，谓箫、管之属。"

陆玑云："笋，竹萌也，皆四月生。唯巴竹笋八月、九月生，始出地，长数寸，煮以苦酒（醋）、豉汁浸之，可以就酒及食也。"

《广雅》："竺，竹也。"《初学记》引戴凯之《竹谱》云："竹之别类有六十一焉。"宋代僧赞宁《竹谱》载竹 60 余种。

《证类本草》卷 13 将竹列在木部。《神农本草经》中载有竹叶、竹根，《名医别录》有簜竹、淡竹、竹沥、竹笳、苦竹、竹笋。

《本草图经》云："簜竹、淡竹、苦竹，竹类甚多，而入药惟此三种。簜竹，坚而促节，体圆而质劲，皮白如霜，大者宜刺船，细者可为笛；苦竹有白有紫；甘竹似簜而茂，即淡竹也。"

竹是多年生禾木科植物，有木质化地下茎，秆木质化，有节，中空，主秆上的叶与普通叶有显著差别，通称竹箨，箨叶缩小而无明显的主脉，普通叶片具短柄，且与叶鞘相连处成一关节，容易从叶鞘脱落，不常开花，幼芽名笋，为鲜美的疏菜。我国有竹 150 余种，常见的有淡竹、紫竹、箬竹、苦竹、慈竹、刚竹、毛竹。其中箬竹叶宽而长，用来衬垫茶叶篓或作防雨用品，亦可裹粽；苦竹能制伞柄，苦竹的笋味苦，不能食用。

85　檀

《诗经·小雅·鹤鸣》："爰有树檀。"《诗经·郑风·将仲子》："无踰我园，无折我树檀。"《毛传》云："檀，疆韧之木也。"《诗经·小雅·杕杜》："檀车幝幝。"（檀木坚，供制车轮，名檀车，古作岳车用。幝幝是车破旧状）《诗经·大雅·大明》："檀车煌煌。"

《山海经·西山经》："鸟危之山，其阴多檀。"郭璞注："檀中车材。"

《淮南子》："十月，官司马，其树檀。"《论衡》云："树檀以五月生叶。"

陆玑云："檀木，皮正青滑泽，与系迷相似，又似驳马。驳马，梓榆。其树皮青白驳荦，遥视似马，故谓之驳马。故里语曰：斫檀不谛得系迷，系迷尚可得驳马。系迷，一名絜楡。故齐人谚曰：上山斫檀，絜楡先殚。下章云：山有枢棣，隰有树檖，皆山隰木相配，不宜谓兽。"

《说文》云："檀，檀木也。"

《尔雅》云："魄，樧楡。"郭注云："魄，大木细叶似檀。今河东多有之。齐人谚曰：上山斫檀，樧楡先殚。"

马瑞辰《毛诗传笺通释》云："古者桑种于墙，檀树于园。《孟子》'树墙下以桑'，《鹤鸣》诗'乐彼之园，爰有树檀'是也。"又《将仲子》云："无踰我园，无折我树檀。"此皆说明在公元前11世纪—前6世纪，人们在墙边种桑，在园中种檀。

陈藏器《本草拾遗》云："檀，似秦皮。其叶堪为饮。树体细，堪作斧柯，号为水檀。又有一种叶如檀，高五六尺，生高原，四月开花正紫，亦名檀树，根如葛。极主疮疥杀虫。"

李时珍在《本草纲目》卷35"檀"条中曰："檀有黄、白二种，叶皆如槐，皮青而泽，肌细而腻，体重而坚。"

今日豆科黄檀亦称檀。黄檀为落叶乔木，奇数羽状复叶，小叶互生，倒卵形或长椭圆形，先端微凹，夏季开花，蝶形花冠，黄色，圆锥花序，荚果长椭圆形，扁薄，有1~3粒种子。黄檀产于我国中部，其木材坚韧，可制车辆和用具等。《诗经·大雅》云"檀车煌煌"，说明在公元前11世纪—前6世纪，人们已用檀树制造车辆了。

86　条

《诗经·秦风·终南》："终南何有，有条有梅。"《毛传》云："条，楤也。"

对于条有2种解释。

(1) 释为楸。王船山《诗经稗疏》云："条有二种：一则《毛传》所云楤也。《尔雅》：'楤，山榎 (jiǎ)。'榎，今谓之山楸，似梓，至秋垂条如线，故谓之条；一则《尔雅》所云'柚，条'。郭璞注谓似橙，实酢，生江南者。"

按《毛传》所云"条，楤也"，则"条有梅"中的"条"应释为楤。

陆玑云："有条有梅。条，楤也。今山中楸也。亦如下田楸耳，皮白色，叶亦白，材理好，宜为车板，能（耐）湿，又可为棺木。宜阳、共北多有之。"

陈藏器《本草拾遗》云："楸木皮，味苦，小寒，无毒。叶捣傅疮肿，亦煮汤洗脓血。《范汪方》诸肿痛溃及内有刺不出者，取楸叶十重贴之。生山谷间，亦植园林以为材用。与梓树本同末异，若柏叶之有松身。"

李时珍在《本草纲目》卷35"楸"条中曰："楸，一名榎。楸叶大而早脱，故谓之楸；榎叶小而早秀，故谓之榎。"又云："楸有行列，茎干直耸可爱。至秋垂条如线，故谓之条，其木湿时脆，燥则坚，故谓之良材。"

楸，紫葳科，落叶乔木，高达15 m左右，树干端直。叶3枚轮生，三角状卵形，全缘或3~5裂，无毛。夏季开花，花冠两唇形，白色，内有紫斑，总状花序顶生。蒴果细长。产于我国黄河流域及长江流域。生长快，木材细致，耐湿。叶可肥猪，又可治猪疮。种子能治热毒及各种疮疥。

（2）释为柚。《尔雅》云："柚，条。"郭璞注："似橙，实酢，生江南。"《禹贡》云："厥苞橘柚。"孔安国注云："小曰橘，大曰柚。"《吕氏春秋》云："果之美者，有云梦之柚。"《埤雅》云："柚似橙，而大于橘，一名条。"

《列子》："吴楚之国，有大木焉，其名为櫾，食其皮汁，已愤厥之疾，度淮而北，化为枳焉，故白橘柚凋于北徙，若榴郁于东移也。"

郑樵《通志略》云："《尔雅》曰'柚，条'，今谓之柚，似橘而大，皮瓤稍厚，然皆不可口。"

上述2种解释，以第1种较可信。《诗经》中所讲的条应是楸，而不是柚。郭璞注《尔雅》谓"柚生江南"。公元前11世纪—前6世纪，人们在黄河流域活动，因此《诗经》中的条应释为楸。

87 椒

《诗经·陈风·东门之枌》："贻我握椒。"《诗经·周颂·载芟（shān）》："有椒其馨。"《毛传》："椒，芳香也。"《诗经·唐风·椒聊》："椒聊之实，蕃衍盈升。"《毛传》："椒聊，椒也。"

《尔雅》："檓，大椒。"郭注："今椒树丛生，实大者名檓。"

椒，《说文》作茮，云："茮，茮莍也。"《说文解字系传·通释》："《说文》无椒字，豆、菽字但作茮。则此茮为椒字也。椒性丛生如蔷薇之属作木也。"

《山海经·中山经》："琴鼓之山，其木多椒。"郭注："椒为树小而丛生，下有草木则蠚死。"

《楚辞·离骚》："杂申椒与菌桂兮。"五臣注："椒、菌桂，皆香木也。"

陆玑云："椒聊。聊，语助也。椒树似茱萸，有针刺，叶坚而滑泽。蜀人作茶，吴人作茗，皆合煮其叶以为香。今成皋诸山间有椒，谓之竹叶椒，其树亦如蜀椒，少毒热，不中合药也。可著饮食中，又用蒸鸡豚最佳香。东海诸岛上亦有椒树，枝叶皆相似，子长而不圆，甚香，其味似橘皮。岛上獐鹿食此椒叶，其内自然作椒橘香也。"

《证类本草》卷14"蜀椒"条中掌禹锡引陆玑疏释《诗经·唐风》"椒聊之实"中的"椒"为蜀椒。但是在《证类本草》卷13"秦椒"条中，苏颂《本草图经》又引陆玑疏来解释秦椒。

根据陆玑所疏，"椒聊之实"中的"椒"应释为《神农本草经》中的蜀椒。蜀椒即花椒。果实红色，种子黑色名椒目，有利尿作用。

由于椒有芳香气，汉代后妃住的宫殿用椒和泥涂壁，名椒房，取其温暖有香气。

椒是芸香科花椒一类植物的通称。本草书上有秦椒、蜀椒、崖椒等植物，释名不一。《本草纲目》谓秦椒即花椒，崖椒即野椒。《本草图经》谓："蜀椒，今归峡及蜀川陕洛间，人家多作围圃种之。"吴其濬《植物名实图考》所示秦椒、蜀椒、崖椒实为一物，即竹叶椒。

竹叶椒，常绿多刺灌木，奇数羽状复叶，小叶常3～9片，长椭圆形或披针形，有透明腺点，叶柄及叶轴具翅。夏季开小型花，短总状花序，雌雄异株。果实似花椒，性热，味辛，能温中止痛，杀虫，主治脘腹冷痛、吐泻及蛔虫病等，亦可作花椒代用品，但气味较劣。

花椒，小乔木或灌木，有刺。奇数羽状复叶，小叶5～11片。卵圆形或长椭圆状卵形，边缘有圆齿和透明腺点。夏季开小型花，伞房花序或短圆锥花序。果实带红色，密生粗大、突出的腺点。种子黑色，名椒目，有利水功效。果实含挥发油，可用作调味料，亦能温中止痛，杀蛔虫。主治脘腹冷痛、吐泻及蛔虫病。

88　茑

《诗经·小雅·颊弁》："茑与女萝，施于松柏。"《毛传》云："茑，寄生也。"

将茑释为桑寄生。

《山海经·中山经》云："若山多寓木。"又云："楮山多寓木。"

《尔雅》云："寓木，宛童。"郭注云："寄生树，一名茑。"

《郑笺》云："寓木，树寄生木也。有二种：一种叶圆，名茑；一种似麻黄，名女萝。"

《广雅·释木》云："宛童，寄生茑（槁）也。"

《说文》云："茑，寄生草也。《诗》曰：茑与女萝。"段玉裁注云："《小雅》传曰：茑，寄生也。陆玑曰：茑，一名寄生。叶似当卢，子如覆盆子。"

《神经本草经》曰："桑上寄生，一名寓木，一名宛童，一名寄屑。"

《名医别录》云："桑上寄生，一名茑。"陶弘景注云："桑寄生，生树枝间，寄根在皮节之内，叶圆青赤，厚泽，易折，傍生枝节，冬夏生，四月花白，五月实赤，大如小豆。桑上者名桑上寄生尔。诗人云：施于松上。"

苏颂《本草图经》云："桑上寄生，出弘农山谷桑上。云是乌鸟食物，子落枝间节，感气而生。叶似橘而厚软，茎似槐枝而肥脆。三、四月生花，黄白色。六、七月结实，黄色如小豆大。凡槲、榉、柳、水杨、枫等上皆有寄生。《尔雅》寓木宛童。郭璞云：寄生，一名茑。《诗经·小雅·颊弁》云'茑与女萝，施于松上'是也。"

按《名医别录》、陶弘景注、苏颂注，"茑与女萝"中的"茑"应释为《神农本草经》中的桑寄生。

桑寄生，桑寄生科，常绿灌木。常寄生于山茶科和山毛榉科等树上。枝、叶无毛，花被褐色毛。叶革质，卵形至长椭圆状卵形。夏秋开花，花腋生，花被狭管状，紫红色，浅4裂。浆果椭球形。产于我国中部。其茎、叶能除风湿，强筋骨，补肝肾，主治腰酸背痛、风湿痛、胎动不安等，亦可用于高血压。

89　女萝

《诗经·小雅·颊弁》："茑与女萝，施于松柏。"

对于女萝有2种解释：一释为菟丝，一释为松萝。

（1）释为菟丝。毛苌诗注云："女萝，菟丝也。"《尔雅》云："唐蒙，女萝。女萝，菟丝。"郭注云："别四名。《诗》云：爱采唐矣。"《诗正义》引舍人曰："唐蒙名女萝。女萝又名菟丝。"郝懿行

《尔雅义疏》云："莬丝虽多依草，亦或附木。故《颎弁》释文：'在草曰莬丝，在木曰松萝。'"按郝氏所云，女萝生在草中名莬丝，生在木中名松萝。则女萝、莬丝、松萝，皆是同物异名。

《楚辞·九歌·山鬼》云："若有人兮山之阿，被薜荔兮带女萝。"王逸注云："女萝，莬丝也。无根，缘物而生。"高诱注《吕氏春秋》《淮南子》云："莬丝，一名女萝。"

按：毛苌、《尔雅·释草》、郝懿行皆认为女萝是莬丝。

《神农本草经》云："莬丝子，味辛，平。主续绝伤，补不足，益气力，肥健，汁去面䵟。一名莬芦。"

《名医别录》云："莬丝子，养肌，强阴，坚筋骨。主茎中寒，精自出，溺有余沥，口苦，燥渴，寒血为积。一名莬缕，一名唐蒙，一名玉女，一名赤网。"

莬丝子，旋花科，一年生缠绕寄生草本。茎细柔，呈丝状，橙黄色，随处生，有吸盘附着寄主（如豆科、菊科、藜科等植物）。叶退化或无。夏季开花，花细小，白色，常簇生于茎侧。蒴果扁球形。种子细小，黑色。莬丝子是一种危害大豆等作物的寄生植物。种子可提取脂肪油，并可作药用，治肾虚遗精、小便频数、腰膝酸痛、视力减退等。

（2）释为松萝。《神农本草经》云："松萝，一名女萝。"陶隐居注云："松萝，东山甚多，以松上者为真。《毛诗》云'茑与女萝，施于松上'是也。"

《神农本草经》云："桑上寄生……中品有松萝条，即女萝也。《诗》所谓'茑与女萝，施于松上'是也。"

陆佃《埤雅》曰："茑是松、柏上寄生，女萝是松上浮蔓。"郑樵《通志略》云："寄生有二种，大曰茑，小曰女萝。"

陆玑云："今莬丝蔓连草上生，黄赤如金，今合药莬丝子是也。非松萝。松萝自蔓松上，枝正青。与莬丝黄赤如金珠异。"

《尔雅翼》"女萝"条云："女萝色青而细长，无杂蔓。故《楚辞·九歌·山鬼》云'被薜荔兮带女萝'，谓青长如带也。莬丝黄赤不相类。然二者皆附木而生，有时相结。"

按：女萝色青，松萝亦色青，而莬丝色黄赤。则女萝应释为松萝，不应释为莬丝。

《神农本草经》云："松萝，味苦，平。主瞋怒邪气，止虚汗，头风，女子阴寒肿痛，一名女萝。"

《名医别录》云："松萝，疗痰热温疟，可为吐汤，利水道。"

松萝，地衣门，松萝科。植物体呈树枝状，直立或悬垂，长的可达 1 m 以上，灰白或灰绿色。藻体分布在枝条形菌体的周边；子实体盘状，生于分枝的末端。常大片悬挂于高山针叶林枝干间。种类很多，最常见的有松萝、破茎松萝。松萝含有松萝酸，能消溃疡炎肿，治头疮，退寒热，并能祛痰。

90　蕣

《诗经·郑风》云："颜如蕣华。"《毛传》云："蕣，木槿也。"

《说文》云："蕣，木堇。朝华暮落者。《诗》曰：颜如蕣华。"段玉裁注云："《月令》：'季夏木堇荣。'郑君曰：'木堇，王蒸也。'《庄子》：'朝菌不知晦朔。'潘尼云：'朝菌，木堇也。'陆玑疏入木类，而《尔雅》《说文》皆入草类。樊光曰：'其树如李，其花朝生暮落。与草同气，故入草中。'"郭璞《游仙诗》："蕣荣不终朝。"

《尔雅》云："椵，木槿。"又云："櫬，木槿。"郭注云："别二名。似李树，花朝生夕陨，可食。或呼日及，一曰王蒸。"

陆玑云："蕣，一名木槿，一名櫬，一曰椵。齐鲁之间谓之王蒸，今朝生暮落者是也。五月始花，故《月令》'仲夏木堇荣'。"

《埤雅》："华如葵，朝生夕陨，一名蕣。"

《通志略》云："木槿：曰蕣，曰椵，曰櫬，曰日及，齐鲁名王蒸。其植如李，五月始花。唐人诗云：'世事方看木槿荣。'言可爱易凋也。"

陈藏器《本草拾遗》云："木槿，止肠风泻血。花作汤代茶吃。"

《本草衍义》云："木槿如小葵花，淡红色，五叶成一花，朝开暮敛。花与枝两用。湖南、北人家多种植为篱障。"

李时珍在《本草纲目》卷36"木槿"条中曰："槿：其木如李，其叶末尖而有桠齿。其花小而艳。五月始开。结实轻虚，大如指头，秋深自裂，其中子如榆荚、泡桐、马兜铃之仁。嫩叶可茹，作饮代茶。又如花朝开暮落，故名日及。曰槿、曰蕣，犹仅荣一瞬之义也。"

根据上述资料可知，"颜如蕣华"中的"蕣"即陈藏器《本草拾遗》中的木槿。木槿，锦葵科，落叶灌木。叶卵形，有3大脉，往往3裂。夏秋开花，花单生叶腋，花冠紫红或白色。栽培供观赏，兼作藩篱。其皮及花入药，可活血润燥。其树皮名木槿皮，可治赤白带下、肿痛及疥癣。花止痢疾。

91　苕

《诗经·小雅·苕之华》："苕之华，芸其黄矣。"

苕可释为紫葳。

陶弘景注《神农本草经》引《诗经》云"有苕之华"。

《尔雅》云："苕，陵苕。"郭璞注云："一名陵时，本草云。"但今本草无"一名陵时"。

《名医别录》云："紫葳，一名陵苕，一名茇华。"

苏颂《本草图经》云："紫葳，陵霄花也。初作藤蔓生，依大木，岁久延至巅而有花，其花黄赤，夏中乃盛。陶隐居云《诗》有苕华。郭云陵霄。"

陆玑云："苕，苕饶也，幽州人谓之翘饶，蔓生。茎如劳豆而细，叶似蒺藜而青，其茎叶绿色。可生食，如小豆藿也。"

《神农本草经》云："紫葳，味酸，微寒。主妇人产乳余疾，崩中，癥瘕，血闭，寒热羸瘦，养胎。"

《唐本草》注云："紫葳即凌霄花也，及茎叶俱用。按《尔雅·释草》云：'苕，一名陵苕。黄花蔈，白华茇。'郭云：'一名陵时，又名凌霄。'"

对于"苕之华"中的"苕"有2种解释。陆玑解释："苕，一名陵时，一名鼠尾。"陶弘景解释："苕，一名陵苕（紫葳别名）。"《尔雅》亦云："苕，陵苕。"但是郭璞注《尔雅》又作"苕，一名陵时，本草云"。检《证类本草》"鼠尾"条及"紫葳"条俱无"一名陵时"之文。

李时珍在《本草纲目》卷18"紫葳"条中曰："凌霄野生，蔓才数尺，得木而上，即高数丈，年久者藤大如杯。春初生枝，一枝数叶，尖长有齿，深青色，自夏至秋开花，一枝十余朵，大如牵牛花，而头开五瓣，赭黄色，有细点，秋深更赤。"按：紫葳花赭黄色，此与"苕之华，芸其黄矣"义合，则"苕之华"中的"苕"应释为紫葳。

按：紫葳是紫葳科的凌霄，落叶木质藤本，茎上有攀缘的气生根。叶对生，奇数羽状复叶。夏秋开花，花冠钟状，大而鲜艳，橙红色，上端展开5枚略歪斜的裂片。蒴果狭长，草质，成熟时开裂。种子有翅。花能活血化瘀。

92 榖

《诗经·小雅·鹤鸣》："其下维榖。"《毛传》云："恶木也。"《诗经·小雅·黄鸟》："无集于榖。"

《广雅》云："榖，楮也。"《埤雅》："榖，恶木也。而取名于榖者，榖善也。恶木谓之榖，则甘草谓之大苦之类也。"

陆玑云："榖，幽州人谓之榖桑，或曰楮桑。荆、扬、交广谓之榖，中州人谓之楮。殷中宗时，桑、榖苦生是也。今江南人绩其皮以为布，又捣以为纸，谓之榖皮纸，长数丈，洁白光辉。其裹甚好，其叶初生，可以为茹。"《山海经·中山经》："霍山，其木多榖。"

《证类本草》卷12"楮实"条，陶隐居注云："楮即今榖树也。南人呼榖纸亦为楮纸，武陵人作榖皮衣，又其坚好尔。"

《药性论》云："榖木皮能治水肿气满。叶干炒末搜面作饦饦，食之，主水痢。"

《本草图经》云："楮实，俗谓之榖。《诗·小雅》云：爰有树檀，其下维榖。"

按："其下维榖"中的"榖"应释为"榖树"。榖，一名楮、构。桑科，落叶乔木，高达十数米，有乳汁，一年生。枝密被灰色粗毛。叶卵形，全缘或缺裂，上面暗绿色，被硬毛，下面灰绿色，密被长柔毛。初夏开淡绿色小花，花单性，雌雄异株，雄柔黄花序下垂，雌花序球形，橘红色。主产于黄河流域。叶可喂猪，又可为农药。皮可作桑皮纸原料，其树乳汁可涂擦皮肤癣。

在不同诗句中，榖的意义也不同。

《诗经·小雅·甫田》："以榖我士女。"此句中的"榖"作"养活"解。

《诗经·王风·大车》："榖则异室，死则同穴。"此句中的"榖"指活着而言。

《诗经·陈风·东门之枌》："榖旦于差。"此句中的"榖"和"旦"字组成"榖旦"，其义为良辰吉日。"差"是选择的意思。

93 柽

《诗经·大雅·皇矣》："其柽其椐。"《毛传》曰："柽，河柳也。"《诗正义》云："河柳，河傍赤茎小杨也。"

《说文》："柽，河柳也。"段玉裁注云："生水傍，皮正赤如绛，叶细如丝。天将雨，柽先起气迎之，故一名雨师。柽之言赪也。赤茎故曰柽。"

《尔雅》云："柽，河柳。"郭注云："今河傍赤茎小杨。"

陆玑云："柽，河柳，生河傍。皮正赤如绛，一名雨师，枝叶似松。"

《尔雅翼》云："柽，叶细如丝，婀娜可爱，天之将雨，柽先起气以应之，故一名雨师。"《汉书·西域传》云："鄯善国多葭苇柽柳。"

段成式《酉阳杂俎·木篇》："赤白柽，出凉州，大者为炭，入以灰汁，可以煮铜为银。"

《开宝本草》云："赤柽木，其木中脂，一名柽乳。生河西沙地，皮赤色，叶细。"

苏颂《本草图经》云："赤柽木，生河西沙地，皮赤，叶细，即是今所谓柽柳者，又名春柳。陆玑《诗疏》云：皮正赤如绛，一名雨师，枝叶似松是也。"

《本草衍义》云："赤柽木又谓之三春柳，以其一年三秀也。花肉红色，成细穗。河西者，戎人取滑枝为鞭。"

按："其柽其椐"中的"柽"即《开宝本草》中的赤柽木，一名柽柳、西河柳、三春柳、山川柳。柽，柽柳科，落叶小乔木。枝条纤弱，多下垂。叶小，鳞片状。夏季开花，花小型，淡红色，由细瘦总状花序合成圆锥花序。蒴果。产于黄河流域及长江流域，为盐土地区重要造林树种。枝条可编筐篮。其嫩枝叶甘、咸，能透发痧疹。

94 椐

《诗经·大雅·皇矣》："其柽其椐。"《毛传》云："椐，樻也。"《说文》："椐真的，樻也。"《尔雅》云："椐，樻。"郭注云："肿节可以为杖。"

陆玑云："椐，樻。节中肿，似扶老，即今灵寿是也。今人以为马鞭及杖。弘农、共北山皆有之。"

《山海经·北山经》："虢山，其下多椐。"郭注云："椐，樻，木肿节，中杖。椐音祛。"《山海经·海内经》："灵寿实华。"郭璞注："灵寿木名也，似竹有枝节。"

李尤《灵寿杖铭》："亭亭奇干，实曰灵寿。"王粲颂云："奇干坚正，不待矫揉。"

《说文解字注》"椐"字下引常璩云："朐忍县有灵寿木。"又引刘逵云："灵寿木出涪陵。"

《说文解字系传·通释》云："柳、楥、椐木也。锴按《尔雅》'楥，柜柳'。注曰未详，或曰似柳，皮可煮饮。"《水经注》："巴乡村侧有溪，溪中多灵寿木。"

《广韵》："椐，灵寿木名。"《汉书·孙光传》云："光称疾辞位，太后诏赐灵寿杖。"孟康注："扶老杖也。"颜师古注："木似竹，有枝节，长不过八九尺，围三四寸，自然有合杖之制，不须削治也。"

陈藏器《本草拾遗》云："灵寿木根皮，味苦，平。止水。作杖，令人延年益寿。生剑南（今成都境地）山谷。圆长皮紫。"

按："其柽其椐"中的"椐"即陈藏器《本草拾遗》中的灵寿木。

《说文解字注》"椐"字条，段玉裁注："按，杖以木者曰灵寿，似竹者曰扶老。"《山海经·中山经》："其山多扶竹。"郭璞注云："邛竹也，高节，实中，中杖，名之扶老竹。"

95 杻

《诗经·唐风·山有枢》：“山有栲，隰有杻。”《毛传》：“杻，檍也。”

《说文》无“杻”字，檍作櫄，该书云：“櫄，梓属，大者可为棺椁，小者可为弓材。”

《说文解字系传·通释》：“櫄，梓属。《尔雅》：‘杻，檍。’何晏《景福殿赋》曰：‘或以嘉名取宠，或以美材见珍，结实商秋，敷华素春，蔼蔼萋萋，馥馥芬芬。’齐谢朓《直中书省诗》云‘风动万年枝’是也。《周礼·考工记·弓人职》：‘取干之道，柘为上，檍次之。’”

《尔雅》云：“杻、檍。”郭注云：“似棣，细叶，叶新生可饲牛，材中车辋，关西呼杻子，一名土橿。”

《山海经·西山经》：“英山，其木多杻。”郭注：“杻，似棣而细叶，一名土橿。”

张衡《南都赋》云：“其木则柽松楔椶，楈柏杻橿。”

陆玑云：“杻，檍也。叶似杏而尖白色，皮正赤，为木多曲少直，枝叶茂好可爱。二月中叶疏。华如棟而细，蕊正白，子似杏，盖此树，今宫园种之。正名曰万岁，既取名于亿万，其叶又好，故种之共汲山下，人或谓之牛筋，或谓之檍材，可为弓弩干也。”

王元绥《野蚕录》云：“杻蚕生杻条上。杻，科生类荆，叶似棣，四月开白花成穗。其条可为筐筥。无论老干新枝，皮皆楮皴，俗名肘条，即杻字之讹。”

96 棫

《诗经·大雅·绵》：“柞棫拨矣。”《诗经·大雅·皇矣》：“柞棫斯拨。”《诗经·大雅·旱麓》：“瑟彼柞棫。”《诗经·大雅·棫朴》：“芃芃棫朴。”

《毛传》云：“棫，白桵（ruǐ）。朴，枹木也。”《郑笺》云：“棫，白桵也。”《说文》云：“棫，白桵也。”又云：“桵，白桵，棫也。”

对于棫有 3 种解释：一指栎的一种，二指柞，三指蕤核。

（1）释为栎的一种。李时珍在《本草纲目》卷30“橡实”条中曰：“栎有二种，一种不结实者，其名曰棫，其木心赤，《诗》云‘瑟彼柞棫’是也。”

（2）释为柞。孔颖达疏引陆玑《诗疏》云：“《三苍》：棫即柞也。其叶繁茂，其木坚韧有刺。今人以为梳，亦可以为车轴。其材理全白无赤心者为白桵，直理易破，可为犊车轴，又可为矛戟矜。今人谓之白梂，或曰白柘。”

（3）释为蕤核。《尔雅·释木》：“棫，白桵。”郭璞注：“桵，小木丛生有刺，实如耳珰，紫赤可啖。”郝懿行《尔雅义疏》云：“《尔雅》云：‘棫，白桵。’桵通作蕤。薛综《西京赋》注：‘棫，白蕤也。’本草蕤核。”

《蜀本图经》云：“树生叶细，似枸杞而狭长，花白，子附茎生，紫赤色，大如五味子，茎多细刺。”此与郭璞所注“桵，小木丛生有刺，实如耳珰，紫赤可啖”其义相合，然则此树高不过数尺，故《诗经》以柞棫，斯拨为言矣。

李时珍在《本草纲目》卷36"蕤核"条中曰："《尔雅》：'梂，白桵。'即此也。其花实蕤蕤下垂，故谓之桵，后人作蕤。柞木亦名梂而物异。"

上述3种解释以第3种为可信。"柞梂拔矣""瑟彼柞梂"中的"梂"应释为《神农本草经》中的蕤核。

《神农本草经》云："蕤核，味甘，温。主心腹邪结气，明目，目赤痛伤泪出。"

《名医别录》云："蕤核微寒，无毒。主目肿眦烂，齆鼻，破心下结痰痞气。"

97　朴

《诗经·大雅·棫朴》："芃（péng）芃棫朴。"《毛传》："朴，枹木也。"（芃芃，木盛貌。棫、朴二木名）

《尔雅·释木》："朴，枹者。"郭璞注："朴属，丛生者为枹。《诗》所谓'棫、朴、枹、栎'。"

《说文》："朴，木皮也。"《说文解字系传·通释》："朴，木皮也。锴曰：今药有厚朴，一名厚皮。"

司马相如《上林赋》："亭柰厚朴。"颜师古注："朴，木皮也。此药以皮为用而皮厚，故曰厚朴。"

《急就篇》："芎䓖厚朴桂栝楼。"颜师古注："凡木皮皆谓之朴。此树皮厚，故以厚朴为名。"

《范子计然》："厚朴出洪农。"

《本草图经》："厚朴，以梓州、龙州者为上，木高三四丈，经一二尺，春生叶如槲叶，四季不凋，红花而青实，皮极鳞而厚紫色多润者佳，薄而白者不堪。三月、九月、十月采皮阴干。"

《神农本草经》："厚朴，味苦，温。主中风伤寒头痛寒热，惊悸，气血痹死肌，去三虫。"

《名医别录》："厚朴，大温，无毒。温中益气，消痰下气，疗霍乱及腹痛胀满，胃中冷逆，胸中呕不止，泄痢淋露，除惊，去留热心烦满，厚肠胃。一名厚皮，一名赤朴。"

今日的"朴"是榆科朴属植物的泛称。朴属植物为落叶乔木，叶有基出3大脉，两侧不等，早春开花于新枝上，杂性同株，核果卵形或球形。我国有朴属植物10多种。药用的厚朴为木兰科植物。

98　朴樕

《诗经·召南·野有死麇》："林有朴樕。"《毛传》："朴樕，小木也。"

对于朴樕有3种解释：一释为小木，二释为心木，三释为斛。

（1）释为小木。《说文》云："朴樕，小木也。"段玉裁注云："《诗·召南》：林有朴樕。毛曰：朴樕，小木也。"后用朴樕以比喻凡庸之材。杜牧《贺平党项表》："臣僻左小郡，朴樕散材。"

（2）释为心木。《尔雅》云："樕朴，心。"段玉裁注《说文》"樕"字条："《尔雅·释木》云：'樕朴，心。'樕朴即《诗》之朴樕。俗书立心多同小，又草书心似小。《毛传》《说文》当本作心木，讹为小木。孙炎曰：'朴樕一名心。'"邢昺疏："孙炎曰：'朴樕亦名心。'有心，能湿。江河间以作柱。"朱熹《古意》："菟丝附朴樕，佳木生高冈。"

（3）释为斛。郭璞注《尔雅》云："朴樕，槲樕别名。"《说文解字系传·通释》云："槲，别名樕。"

《本草图经》云："槲，处处山林有之。木高丈余，与栎相类。亦有斗，但小不中用耳。其皮、叶入药。"

李时珍在《本草纲目》卷30"槲实"条中曰："槲实，一名槲樕，一名朴樕。朴樕者，婆娑、蓬然之貌。其树偓蹇，其叶芃芃。俗称衣物不整者为朴樕。"

槲，山毛榉科，落叶乔木，高达20 m。小枝粗。叶倒卵形，叶长4~5寸，本狭末广，周有锯齿如波状，叶背多褐毛，春夏之交，开花成穗，结实有壳斗，可以救荒。此树类栎，俗呼大叶栎。

按《本草纲目》所云，朴樕即是槲实。槲实药用始载于《唐本草》，《唐本草》称之为"槲若"。"若"即"叶"的意思。《本草衍义》云："槲，虽坚而不堪充材，止宜作柴，为炭不及栎木。"此与朴樕即小木义合。古人结婚时，砍朴樕（小木柴）当作烛燃烧，因为朴樕（槲）质坚硬，耐烧。

99　柞

《诗经·小雅·车舝》："析其柞薪。"《诗经·小雅·采菽》："维柞之枝。"《诗经·大雅·皇矣》："帝省其山，柞棫斯拔。"

《说文》："柞，柞木也。"段氏注："《诗》有单言柞者，如'维柞之枝''析其柞薪'。有柞棫连言者，如'柞棫斯拔''柞棫拔矣''瑟彼柞棫'。陆玑引《三苍》：棫即柞也。"《山海经·西山经》："申山，其上多柞。"

对于柞有2种解释。

（1）释为大风子科植物柞木。柞木又名凿刺树、蒙子树，为常绿灌木或小乔木，生棘刺，生长慢，木材坚硬，供制家具等用。

陈藏器《本草拾遗》云："柞木生南方，细叶，今之作梳者是也。其皮烧末服方寸匕，治黄疸。"

李时珍在《本草纲目》卷36"柞木"条中曰："柞木坚韧，可为凿柄，故俗名凿子木。山中有之，高者丈余，叶小而有细齿，光滑而韧。其木及叶丫皆有针刺，经冬不凋。五月开碎白花，不结子。其木心理皆白色。其木皮，苦，平，无毒。治鼠瘘难产，催生利窍。"

《本事方》卷6："干柞木叶治诸般痈肿发背。"

（2）释为山毛榉科植物麻栎。麻栎亦称柞木。叶可饲柞蚕。麻栎与凿子木均名柞木，因此柞木有同名异物现象。

又《诗经·周颂·载芟》："载芟载柞。"此"柞"读作"zé"音，意为砍伐树木。

100　桑

《诗经·魏风·汾沮洳》："彼汾一方，言采其桑。"《诗经·豳风·七月》："爰采柔桑。"

在公元前11世纪—前6世纪，葛、麻、丝都是纺织原料，养蚕种桑、采桑是人们生活中必不可少的工作，因此《诗经》对种桑、采桑、养蚕等内容记载很多，如《诗经·郑风》云"无折我树桑"、《诗经·魏风》云"十亩之间兮，桑者闲闲兮"都是讲种桑。树桑，即种植桑。《诗经·豳风》云"猗彼女桑""爰采柔桑"，是讲养蚕要采桑。

《说文》："桑，蚕所食叶木。"《尔雅》云："女桑，桋桑。"郭注："今俗呼桑树小而条长者为女桑树。"

《神农本草经》云桑根白皮、桑叶、桑耳作药用。

李时珍在《本草纲目》卷36"桑"条中曰："桑有数种：有白桑，叶大如掌而厚；鸡桑，叶花而薄；子桑，先椹而后叶；山桑，叶尖而长。"

桑，桑科，落叶乔木。叶卵圆形，分裂或不分裂，边缘有锯齿。花一般为单性，淡黄色，雌雄同株或异株。果实为聚花果，名"桑椹"，成熟时紫黑色或红色，味甜。桑的种类颇多，主要有华桑、鸡桑、白桑。桑的再生分枝力强，耐剪伐。其嫩叶可饲蚕，老叶能解表，树皮可制纸，果可食用、酿酒及制桑椹膏。桑枝条可编筐和药用。

101 檿

《诗经·大雅·皇矣》："其檿其柘。"《毛传》："檿，山桑也，与柘皆美材，可为弓干，又可蚕也。"

《说文》："檿，山桑也。《诗》曰：其檿其柘。"《尔雅》："檿桑，山桑。"郭注："似桑材中作弓及车辕。"

《山海经·中山经》："阳帝之山，其木多檿。"郭注："檿，山桑也。"《礼记·考工记》："弓人取干之道凡七，柘为上，檿桑次之。"

《尚书·禹贡》："厥贡檿丝。"孔颖达疏云："檿丝是蚕檿桑所得丝，韧，中琴瑟弦也。"

朱骏声《说文通训定声》："檿，山桑，叶小于桑，而多缺刻。出今山东登、莱间。蚕丝坚韧，谓之山茧。"

《登州府志》："檿丝出栖霞县、文登、招远等县。其茧生山桑，不浴不饲，居民取之，织为绸，久而不敝。"

按《说文》所云，檿即山桑，是桑科植物。

102 柘

《诗经·大雅·皇矣》："其檿其柘。"

《说文》："柘，柘桑也。"段玉裁注云："山桑、柘桑皆桑之属。古书并言二者则曰桑柘，单言一则曰桑、曰柘，柘亦曰柘桑。如淮南注《鸟号》云：枯桑，其木坚劲，鸟峙其上是也。"

《山海经·北山经》："灌题之山，其上多柘。"郭注云："柘中弓材。"《礼记·考工记》云："弓人取材，以柘为上。"

《广雅》："杆，柘也。"杆与干同。《尚书·禹贡》云："荆州厥贡杶干。"郑注云："干，柘干也。"

《齐民要术》云："柘叶饲蚕，丝可作琴瑟等弦，清鸣响彻，胜于凡丝。"

按《说文》所云，柘即柘桑，又名黄桑。

陈藏器《本草拾遗》云："柘木，味甘，温，无毒。主补虚损。取白皮及东行根白皮，煮汁酿酒，主风虚、耳聋、劳损。无刺者良。木，主妇人崩中血结及主疟疾，兼堪染黄。"

《本草衍义》云："柘木理有纹，可旋为器。叶饲蚕曰柘蚕。"

柘，亦名奴柘、黄桑，桑科，落叶灌木或小乔木，常有刺。叶卵形或倒卵形，草质，全缘，或前端浅 3 裂。夏季开花，花雌雄异株，头状花序，腋生。复花果红色，近球形，直径约 25 mm。叶可饲蚕，茎皮可造纸，果实可食、酿酒，根皮能凉血清热、通络。木染黄赤色，称柘黄。

103　榛

《诗经·邶风·简兮》："山有榛。"《毛传》曰："榛，木也。"

《诗经·小雅·青蝇》："营营青蝇，止于榛。"《毛传》曰："榛所以为藩也。"

《诗经·曹风·鸤鸠》："鸤鸠在桑，其子在榛。"

《诗经·鄘风·定之方中》："树之榛栗。"《诗经·大雅·旱麓》："榛楛济济。"

《广雅》云："木藂生曰榛。"《说文》云："榛，榛木也。一曰丛木也。"

《淮南子·原道训》："隐于榛薄之中。"高诱注云："藂木曰榛，深草曰薄。"

《山海经·西山经》："上申之山多榛。"郭璞注："榛子似栗而小，味美。"

《太平御览》引陆玑云："榛，栗属。有两种：其一种大小皮叶皆如栗，其子小，形如杼子，味亦如栗，所谓'树之榛栗'者也；其一种枝茎如木蓼，生高丈余，作胡桃味，辽、代、上党皆饶。"《尔雅翼》云："榛，枝茎如木蓼，叶如牛李色，高丈余，子如小栗。"

朱熹对"树之榛栗"注云："榛、栗二木，其实榛小栗大，皆可供笾实。"郑注《礼记》："榛似栗而小，关中鄜坊甚多。"

《证类本草》卷 23 "榛子"条云："榛子，生辽东山谷，树高丈许，子如小栗，军行食之当粮。中土亦有。"

《本草纲目》云："榛树低小如荆，丛生。冬末早春开花如栎花，成条下垂，长二三寸。二月生叶，如初生樱桃叶。实如栎，下壮上锐，生青熟褐，其壳厚而坚，其仁白而圆，大如杏仁。"

按：《诗经·邶风》云"山有榛"中的"榛"即《开宝本草》中的榛子。榛，桦木科，榛属植物，落叶灌木或小乔木。幼枝及叶密生腺毛。叶圆形或倒卵形，顶端稍平截，有长尖头，边缘有不规则锯齿和小裂片。早春先叶开花，雌雄同株，雄花排列成柔荑花序，雌花包于花芽内，仅露红色花柱。小坚果呈球形，托有种状总苞。总苞比坚果长。具 6～9 个三角形裂片。产于我国北部和东北部。耐寒，耐旱。坚果种仁可食用，并可榨油。榛是北方山区木本油料之一。榛叶嫩时晒干、贮藏，可为冬季饲料。果壳、总苞和叶片均含单宁，可提制栲胶。材质致密，不易折断，可作手杖、伞柄。据考古记载，榛子在石器时代已被采食，在陕西半坡村遗址发现了大量榛子果壳，说明榛子已有五六千年的食用历史。

104 楛

《诗经·大雅·旱麓》："瞻彼旱麓，榛楛济济。"

《说文》："楛，楛木也。《诗》曰：榛楛济济。"

《尚书·禹贡》："荆州贡楛。"又云："帷箘、簵、楛。"孔安国传："楛，中矢干，出云梦之泽。"

《尔雅翼》云："楛，堪为矢，其茎似荆而赤，其叶如蓍。"

陆玑云："楛，其形似荆而赤，叶似蓍。上党人篾织以为斗、筥、箱器，又揉（屈）以为钗。故上党人调问妇人，欲买赭否？曰，灶下自有黄土。问买钗否？曰，山中自有楛。"

孔颖达引陆玑《诗疏》云："楛，其形似荆而赤茎似蓍。上党人织以为斗、筥、箱器，又屈以为钗。"

李时珍在《本草纲目》卷36"牡荆"条中曰："牡荆有青、赤二种：青者为荆，赤者为楛。嫩条皆可为筥囤。"

《尔雅翼》云："楛茎似荆而赤。"李时珍云："牡荆赤者为楛。"楛当是《名医别录》所说牡荆中的赤色荆。

牡荆，马鞭草科，落叶灌木。小枝方形。叶对生，掌状复叶，小叶3～5片，两面绿色，边缘具粗齿。圆锥花序顶生。花冠淡紫色。果实名"黄荆子"，供药用，又可提取芳香油。

105 椅

《诗经·鄘风·定之方中》："椅桐梓漆。"《诗经·小雅·湛露》："其桐其椅。"

《说文》云："椅，梓也。"段玉裁注："《释木》曰：'椅，梓。'浑言之也。《卫风》传曰：'椅，梓属。'析言之也。椅与梓有别。故《诗》言'椅桐梓漆'，其分别甚微也。"

《尔雅》云："椅，梓。"郭注："即楸。"《说文》云："楸，梓也。"段氏注："《左传》《史》《汉》以萩为楸。如秦周伐雍门之萩。淮北、常山、巴南、河、济之间千树楸是也。"

陆玑云："楸之疏理白色而生子者为梓，子实桐皮曰椅。则大类同而小别也。"

按陆玑所云，梓与椅均属楸。梓木理是白色，椅是桐皮梓实。

楸，紫葳科，落叶乔木，高15 m以上，树干端直。叶3枚轮生，三角状卵形，全缘或3～5裂，无毛。夏季开花，花冠两唇形，白色，内有紫斑，总状花序顶生。蒴果细长。产于我国黄河流域及长江流域。木材细致，耐湿。叶可肥猪，又可治猪疮。种子可供药用，主治热毒及各种疮疥。

106 桐

《诗经·鄘风·定之方中》："椅桐梓漆。"《诗经·小雅·湛露》："其桐其

椅。"《诗经·大雅·卷阿》："梧桐生矣，于彼朝阳。"

桐的种类很多，名称亦很复杂，往往同一种桐有若干种不同的名称，同一个名称又往往包含好几种桐。《本草纲目》卷35收载了桐、梧桐、罂子桐、海桐。

桐，又名白桐、黄桐、荣桐、椅桐、泡桐。（白桐花白，其花紫者名冈桐）

梧桐，又名榇。（梧桐无实为青桐）

罂子桐，又名虎子桐、荏桐、油桐。

海桐，又名刺桐。

《本草图经》云："桐，其类有四种。旧注云：青桐枝叶俱青，而无子；梧桐白皮，叶青而有子，子肥美可食；白桐有华与子，其华二月舒，黄紫色，一名椅桐，又名黄桐，则药中所用华者是也；冈桐似白桐，惟无子，即是作琴瑟者。"

陆玑云："白桐宜为琴瑟。云南牂牁人织以为布，似毛布是。"

《嘉祐本草》云："按《尔雅》云，榇一名梧。郭云今梧桐。《诗·大雅》云'梧桐生矣，于彼朝阳'是也。"

《诗经·鄘风》："椅桐梓漆。"陆玑云："桐有青桐、白桐、赤桐。白桐宜为琴瑟。"朱熹注云："桐，梧桐也。四木皆琴瑟之材也。"

按陆玑、朱熹所云，《诗经》中的"桐"泛指多种桐，亦即《本草纲目》所收载的桐（白桐、泡桐）和梧桐。

《神农本草经》云："桐叶，味苦，寒。主恶蚀疮著阴。桐皮，主五痔，杀三虫。花，主傅猪疮，饲猪肥大三倍。"《名医别录》云："桐叶，疗贲豚气病。"

梧桐，一名青桐，梧桐科，落叶乔木。幼树皮绿色，平滑。叶掌状3~7裂。夏季开小花，淡黄绿色，雌雄同株，圆锥花序。果实分为5个分果，分果成熟前裂开呈小艇状，种子生其边缘。喜深厚湿润土壤。树皮可造纸、制绳索；种子炒熟可食，亦可榨油，供制皂及润滑油；叶入药或作农药。

泡桐，一名白桐，玄参科，落叶乔木。小枝粗壮。单叶对生，长卵形或卵形，全缘，下面有密生细毛。春季先叶开花，圆锥花序顶生，花大，白色，唇形。蒴果椭圆形无毛。种多数，小，周围有薄翅。产于黄河流域的平原地区。木材轻软，供制箱匣、乐器、木屐、救生器械。

107 梓

《诗经·鄘风·定之方中》："椅桐梓漆。"

《说文》云："梓，楸也。"又云："楸，梓也。"

陆玑云："楸之疏理白色而生子者为梓。"《孟子》云："拱把之桐梓。"

《证类本草》卷14"梓白皮"条云："此即梓树之皮。梓亦有三种，当用朴素不腐者。"掌禹锡云："按《尔雅》云：椅，梓。释曰：别二名也。郭云：即楸。《诗·鄘风》云：椅桐梓漆。陆玑云：梓者，楸之疏理白色而生子者为梓。"萧炳云："树似桐而叶小花紫。"

《神农本草经》云："梓白皮，味苦，寒。主热，去三虫。叶，捣傅猪疮，饲猪肥大三倍。"《名医别录》云："梓白皮，疗目中疾。"

梓，紫葳科，落叶乔木。叶3枚轮生或对生，宽卵形或圆卵形，叶面宽大，全缘或3~5浅裂，无毛或微有毛。初夏开花，花冠两唇形，淡黄色，圆锥花序顶生。蒴果细长。种子多数，扁平，两端有长毛，产于我国北部。木材轻柔，耐朽。嫩叶可食。皮名梓白皮，能解热，治疮疥。

108　楰

《诗经·小雅·南山有台》："北山有楰。"《毛传》云："楰，鼠梓。"

对于楰有 2 种解释：一释为楸属，二释为鼠梓。

（1）释为楸属。《尔雅》："楰，鼠梓。"郭璞注云："楰，楸属也。今江东有虎梓。"郝懿行《尔雅义疏》云："今一种楸，大叶如桐叶而黑，山中人谓之櫃楸，即郭所云虎梓。"

陆玑云："楰，楸属，其枝叶木理如楸，山楸之异者。今人谓之苦楸。湿时脆，燥时坚。今永昌又谓鼠梓，汉人谓之楰。"

（2）释为鼠梓。《毛传》云："楰，鼠梓。"《说文》云："楰，鼠梓木。"《尔雅》云："楰，鼠梓。"

郑樵《通志略》云："鼠李，曰鼠梓、曰楰、曰牛李、曰山李、曰楟、曰苦楸，即乌巢子也。"

今从《毛传》为正，释楰为鼠梓，即《名医别录》所说的鼠李。

《名医别录》云："鼠李，一名鼠梓，一名牛李，一名楟。"

《唐本草》云："鼠李，一名赵李，一名皂李，一名乌槎。"

《本草图经》云："鼠李，即乌巢子也。故叶如李子。实若五味子，色璺黑，其汁紫色。味甘苦。"

《本草衍义》云："鼠李即牛李子也。木高七八尺。叶如李，但狭而不泽。子于条上四边生，生时青，熟则紫黑色。至秋叶落，子尚在枝。"

鼠李，一名冻绿。鼠李科，落叶乔木。叶互生，椭圆形或长椭圆形，有细锯齿。春季开小型黄绿色花，生于叶腋，成伞形。果实黑色球形。产于我国中部。叶煮汁作绿色染料。木材作薪炭。

109　漆

《诗经·唐风·山有枢》："山有漆。"《诗经·秦风·车邻》："阪有漆，隰有栗。"《诗经·鄘风·定之方中》："椅桐梓漆。"朱熹注云："漆，木之液粘黑，可饰器物，四木皆琴瑟之材也。"

《说文》云："漆，本作桼。木汁可以髹物。"《左传》："卫文公徙居楚邱，树榛、栗、椅、桐、梓、漆。"《周礼·夏官》："豫州，其利林、漆、丝、枲。"《庄子》："漆可用，故割之。"《淮南子》："蟹见漆而不干。"

《魏志·华佗传》："佗授以漆叶青粘散，云服之去三虫。"

《神农本草经》云："干漆主绝伤。生漆主长虫。"

《名医别录》云："干漆生汉中川谷，夏至后采干。"陶隐居注云："畏漆人乃致死。外气亦能使身肉疮肿。仙方用蟹消之为水。"

《神农本草经》云："漆，木高三二丈，皮白，叶似椿，花似槐，子若牛李，木心黄。六月、七月以竹筒钉入木中取之。"

漆是指漆树科的漆树。落叶乔木，高达 30 m。有乳汁。小枝粗壮。奇数羽状复叶，小叶 7 ~ 13 个，椭圆形或卵状披针形，全缘，下面微有毛。初夏开黄绿色小花，杂性或雌雄异株，圆锥花序腋生。核果扁球形，黄色。产于我国山东至甘肃一带。生长 8 ~ 40 年间可割漆。中果皮含有油脂（漆蜡），种仁含有油。木材黄色，细致，可作细木工用。

110 栲

《诗经·小雅·南山有台》："南山有栲。"《毛传》云："栲，山樗。"

《尔雅》云："栲，山樗。"郭注云："栲似樗，色小白，生山中，因名云。亦类漆树。"

陆玑云："山樗与下田樗无异，叶似差狭耳。方俗无名此为栲者。今所云栲者，叶如栎木，皮厚数寸，可为车轴，或谓之栲。郭云栲似樗，色小白，生山中，因名云，亦类漆树。俗语：栩、樗、栲、漆，相似如一。"

郝懿行《尔雅义疏》云："《说文》：枥，山樗也。枥通栲。《诗·山有栲》：南山有栲。《正义》引舍人曰：栲名山樗。《尔雅》释文引《方志》云：栩、樗、栲、漆，相似如一。栩，《说文》作杶，即今之椿，其叶类樗而香，可啖。山樗叶似樗而多锯齿。"

栲是山毛榉科栲属植物的总称。该类植物为常绿高大乔木，叶长椭圆状披针形或披针形，常全缘，下面密被褐色鳞状毛，叶柄长 9 mm 左右，春季开花，雌雄同株，果穗长达 20 cm，总苞球形，密生展开而有分枝的刺，全包果实，隔年成熟。该类植物耐荫。大材坚硬致密，可作支柱、轮轴、船橹等；树皮含鞣质，可提栲胶或染鱼网；种子含淀粉，可供食用。

111 樗

《诗经·豳风·七月》："采荼薪樗。"《诗经·小雅·我行其野》："蔽芾其樗。"《毛传》曰："樗，恶木也。"

《说文》云："樗，樗木也。"段玉裁注云："《豳风》《小雅》《毛传》皆曰：樗，恶木也。惟其恶木，故豳人只以为薪。《小雅》以俪恶菜，今之臭椿树是也。所在有之。有一种叶香者可食。"

《尔雅》云："雗由樗茧。"郭注云："食樗叶。"郝懿行疏云："雗由者，樗茧，棘茧之总名也。樗即臭椿。"

《庄子·逍遥游》云："吾有大树，人谓之樗，其大本拥肿而不中绳墨，其小枝曲拳而不中规矩。立于途，匠者不顾。"

陆玑云："樗树及皮皆似漆，青色耳，其叶臭。"

《唐本草》将樗木并在椿木下，《药性论》称之为樗白皮，萧炳称之为樗皮。

《本草图经》云："椿木，樗木形干大抵相类，但椿木实而叶香，可啖，樗木疏而气臭，膳夫亦能熬去其气。北人呼樗为山椿，江东人呼为鬼目，叶脱处有痕如樗蒲子，又如眼目，故得此名。"

按："采荼薪樗"中的"樗"即《唐本草》中的樗木。樗木是臭椿，椿木是香椿，二者功用相同。《唐本草》将樗木并在椿木下，其实二者是不同科属植物。

樗是苦木科植物臭椿。落叶乔木，高约20公尺，树皮灰色，不裂。小枝粗壮。羽状复叶。夏季开白绿色花。小翅果椭圆状矩圆形，中部有1粒种子。抗旱性强，耐烟尘，萌芽性强，生长快。木材粗硬，不耐水湿，供制胶合板、建筑、造纸等用。叶可养樗蚕。种子可榨油。叶煮汁洗疥疮风疽，根止痢。

112　栩

《诗经·小雅·黄鸟》："黄鸟黄鸟，无集于栩。"《诗经·唐风·鸨风》："肃肃鸨羽，集于苞栩。"《毛传》："栩，柞栎也。"

《说文》："栩，柔也。其皂一曰样。"又云："柔，栩也。样，栩实也。"段氏注："《说文》皆栩、柔、样为一木。样、橡正俗字。《尔雅》旧注：柔实为橡子，以橡壳为柔斗。"

《尔雅》云："栩，杼。"又云："栎，其实梂。"郭璞注："栩，柞树。"

陆玑云："栩，今柞栎也，徐州人谓栎为杼，或谓之为栩。其子为皂，或言皂斗。其壳为汁，可以染皂。今京洛及河内多言杼斗，或云橡斗，谓栎为杼，五方通语也。"

郑樵《通志略》云："栩，柞木。"《风土记》云："吴越之间，名柞为枥。"《古今注》云："杼实为橡。"

《证类本草》卷14"橡实"条云："按，《尔雅》云：栩，杼。释曰：栩一名杼。郭云：柞树。《诗·唐风》云：集于苞栩。"又苏颂《本草图经》云："柞、栎、杼、栩，皆橡实之通名。"

栎的种类极多。它们的果实为坚果，都有总苞（即壳斗）。壳斗可以染皂。其种子脱去涩味后可食。它们的名称在古书上所见的有：栎、柞、柞栎、栚、杼、栩、橡、槲、栲、楮（苦楮）、椆（甜楮）、朴枹、栯橉、采、枥等。每个名称所指具体植物都不一样，有时同一个名字指几种不同的植物，有时同一种植物又有几个不同的名称，因此，《诗经·唐风》云"集于苞栩"中的"栩"只能说是栎的一种，所指具体植物很难确定。

113　栎

《诗经·秦风·晨风》："山有苞栎。"《诗笺》云："柞，栎也。"

《尔雅》云："栎，其实梂。"郭云："有梂汇自裹。"

陆玑云："苞栎，秦人谓柞栎为栎，河内人谓木蓼为栎。椒樧之属也，其子房生为梂，木蓼子亦房生。"

按：木蓼，《唐本草》中有木天蓼。苏颂《本草图经》云："木高二三丈，三四月开花，似柘花，五月采子，子作球。"

《山海经·西山经》："白于之山，其下多栎。"又《山海经·中山经》云："勾栎之山，其木多栎。"郭璞注云："栎即柞。"

《淮南子·时则训》云："十二月其树栎。"高诱注云："栎，可以为车毂，木不出火，惟栎为然。"《尔雅·释文》引舍人云："栎实名梂也。"孙云："栎实，橡也，有梂汇自裹。"

《唐本草》云："橡实，一名杼斗，槲、栎皆有，以栎为胜。"

《本草图经》："橡实，栎木子也。木高二三丈，三、四月开黄花，八、九月结实，其实为皂。《诗·秦风》云：山有苞栎。"

根据上述资料可知，"山有苞栎"中的"栎"即《唐本草》中的橡实。《本草图经》谓橡实为栎木种子。

李时珍在《本草纲目》卷30"橡实"条中曰："栎有二种：一种不结实者，其名曰棫，其木心赤，《诗》云'瑟彼柞棫'是也；一种结实者，其名曰栩，其实为橡。"

按：今日的"栎"是山毛榉科植物（如麻栎、青冈栎、白栎、高山栎等）的泛称。古书将这些植物均称为栎。

114　获

《诗经·小雅·大东》："无浸获薪""薪是获薪"。

对于获有2种解释：一释为砍木，一释为檴木。

（1）释为砍木。获薪，即砍下的木柴。

（2）释为檴（huà）。《说文》云："檴，檴木也。"段玉裁注云："《释木》：'樗，落。'郭云：'可以为杯器素。'按，《小雅》：'薪是获薪。'《笺》云：'获，落，木名也。'陆云：'依郑则字宜木傍。'檴、樗古今字也。司马相如《上林赋》字作华。师古曰：'华即今之桦，皮贴弓者。'《庄子》'华冠'，亦谓桦皮为冠也。"

《尔雅》云："樗，落。"郭注云："可以为杯器素。"郝懿行疏云："《说文》：'檴木也。'以其皮裹松脂，读若华，或作樗。《系传》云：'此即今人书桦字。'今人以其皮卷之，燃以为烛。裹松脂，亦所以为烛也。《诗》：'无浸樗薪。'《郑笺》：'樗，落，木名也。'陆玑疏云：'今椰榆也。其叶如榆，其皮坚韧，剥之长数尺，可为絙索，又可为甑带。其材可为杯器。'"

按：樗、檴同指桦（huà）木而言。

《证类本草》卷14有桦木，其皮味苦、平，无毒，主诸黄胆，浓煮汁饮之，堪为烛。

《本草衍义》云："桦木，取皮上有紫黑花匀者，裹鞍、弓、鞬。"此与颜师古注《上林赋》谓"檴即桦，皮贴弓者"其义相合。

但是毛晋《陆疏广要》云："按《大东》篇，樗字从禾，与八月其获的获字同，故《毛传》及吕严诸家俱云刈也。今《尔雅》、陆疏俱檴木名，确与本章无涉。"

按：桦木亦名白桦。桦木，桦木科，落叶乔木。高可达25 m。树干端直。树皮白色，纸状，分层脱落。先叶开花，花单性，雌雄同株，柔荑花序。果序单生，下垂，圆柱形。坚果小，两侧具宽翅。喜光，耐寒，为绿化造林优良树种。木材供制胶合板、矿柱用。树皮可提白桦油，供制化妆品香料用。古代用桦皮卷蜡而成的烛名桦烛。唐代白居易云："宿雨沙堤润，秋风桦烛香。"宋代苏轼云："小院檀槽闹，空庭桦烛烟。"说明桦烛在唐、宋时为人们所喜用。

115 栵

《诗经·大雅·皇矣》："其灌其栵。"

对于栵有 2 种解释：一释为小木丛生，二释为茅栗的一种。

（1）释为小木丛生，或树木成行列。《说文》云："栵，栭也。"段玉裁注云："栵，栭也。《大雅》：'其灌其栵。'《毛传》曰：'栵，栭也。'栭与灌为类，非木名，谓小木丛生者。"

（2）释为栭栗。《尔雅》云："栵，栭。"郭注云："树似槲樕而卑小，子如细栗，可食。今江东亦呼为栭栗。"郝懿行疏云："《诗》：'其灌其栵。'陆玑云：'叶如榆，木理坚韧而赤，可为车辕，今人谓之芝栭也。'郭云：'似槲樕者，今槲树似栎亦似栗而实小细栗，即今茅栗也。江淮之间呼小栗为栭栗。'《广韵》云：'楚呼为茅栗也。'"

茅栗是山毛榉科栗属植物。小乔木或灌木，高达 10 m。幼枝被短柔毛。叶片长椭圆形至长圆披针状，先端渐尖，基部圆形，有的是亚心形或宽楔形，边缘有粗锯齿，下面绿色并有鳞片状腺点。总苞直径 3 ~ 4 cm，有稀疏毛刺。坚果 3 ~ 7 个，直径 1 cm 左右。

116 梅

《诗经·秦风·终南》："终南何有，有条有梅。"《毛传》云："梅，柟也。"

对于梅有 3 种解释：一释为梅实，二释为梅花树，三释为柟（即楠木）。《诗经·秦风·终南》中的"梅"，按《毛传》所注，应释为楠木。

按："柟"古作"梅"。《尔雅》云："梅，柟。"郭注云："似杏实，酢。"《说文》云："柟，梅也；梅，柟也，可食。梅，或作楳。"《尔雅》、郭璞注、《说文》皆以"梅、柟"为可食之酸梅。

后来梅与柟分释为二物。陆玑云："梅树皮叶似豫樟。豫樟叶大如牛耳，一头尖，赤心，华赤黄，子青不可食。柟叶大，可三四叶一丛，木理细致于豫樟，子赤者材坚，子白者材脆。"

陈藏器《本草拾遗》云："柟木枝叶，味苦，温，无毒。主霍乱，煎汁服之。木高大，叶如桑，出南方山中。"郭注《尔雅》云："柟，大木，叶如桑也。"

王船山《诗经稗疏》云："有条有梅。梅亦有二：一则今之所谓梅，冬开白花，结实酸者；一则《传》所谓柟，今四川所出大木，大数十围者。"

按：柟与楠字同。南方之木，字从南。又名楠材。

《名医别录》云："楠材，微温。主霍乱，吐下不止。"

李时珍在《本草纲目》卷 34 "楠"条中曰："楠木生南方，而黔、蜀诸山尤多。其树直上，童童若幢盖之状，枝叶不相碍。叶似豫樟，而大如牛耳，一头尖，经岁不凋，新陈相换。其花赤黄色。实似丁香，色青，不可食。干甚端伟，高者十余丈，巨者数十围，气甚芬芳。色赤者坚，白者脆。"

《本草衍义》云："楠材，今江南等路造船坊皆用此木也。缘木性坚而善居水。久则多中空，为白蚁所穴。"

楠是樟科植物各种楠的泛称，为常绿乔木，叶广披针形或倒卵形，革质，下面有毛，花小，圆锥花序，核果小球形，基部有宿存的萼片，产于四川、湖北等地。楠的品种很多，有紫楠、大叶楠、红楠、宜昌楠等，其木材富于香气。

117　楚

《诗经·秦风·黄鸟》：＂交交黄鸟，止于楚。＂《诗经·唐风·葛生》：＂葛生蒙楚。＂《诗经·唐风·绸缪》：＂绸缪束楚。＂《诗经·王风·扬之水》：＂不流束楚。＂《诗经·周南·汉广》：＂言刈其楚。＂

《说文》：＂楚，丛木。一名荆也。＂段玉裁注：＂丛木，泛词。竹部荆下曰：楚木也。荆、楚是异名同实。＂

《本草纲目》卷36＂牡荆＂条云：＂牡荆，一名楚。＂李时珍曰：＂古者刑杖以荆，故字从刑。其生成丛而疏爽，故又谓之楚。荆楚之地，因多产此而名也。＂

按李时珍所云，楚即牡荆。《唐本草》注云：＂牡荆茎劲作树，不为蔓生，故称之为牡，非无实之谓也。＂

牡荆的同名异物者有三。

（1）释为《名医别录》中的牡荆。《名医别录》云：＂牡荆实，味苦，温，无毒。主除骨间寒热。通利胃气，止咳逆下气。荆叶，味苦，平，无毒。主久痢，霍乱转筋，血淋，下部疮，湿薯薄脚，主脚气肿满。＂

《本草图经》云：＂牡荆即作棰杖者，俗名黄荆是也。枝茎坚劲，作科，不为蔓生，故称牡。叶如蓖麻，更疏瘦，花红作穗。实细而黄，如麻子大。或云即小荆也。＂

《本草纲目》云：＂牡荆，樵采为薪。年久不樵者，其树大如碗也。其木心方。其枝对生，一枝五叶或七叶。叶如榆叶，长而尖，有锯齿。五月杪间开花成穗，红紫色。其子大如胡荽子，而有白膜皮裹之。有青、赤二种，青者为荆，赤者为楛。嫩条皆可为筥囷。＂

牡荆，马鞭草科，落叶灌木。小枝方形。叶对生，掌状复叶，小叶3～5片，两面绿色，边缘具粗齿。圆锥花序顶生。花冠淡紫色。果实名＂黄荆子＂，可提取芳香油。

（2）溲疏的异名。《证类本草》卷12＂牡荆实＂条云：＂李当之《药录》乃注溲疏下云：溲疏，一名阳栌，一名牡荆，一名空疏。皮白中空，时有节，子似枸杞子，赤色，味甘、苦。冬月熟。＂又苏颂《本草图经》引陶隐居《登真诀》云：＂《六甲阴符》说：牡荆，一名羊栌，一名空疏。理白而中虚，断植即生。＂

（3）《本草衍义》指牡荆为栾荆。栾荆是《唐本草》新增药。《唐本草》注云：＂按其茎叶都似石南，干亦反卷，经冬不死，叶上有细黑博者，真也。今雍州所用者是。而洛州乃用石荆当之，非也。＂

《本草衍义》卷13＂蔓荆实＂条云：＂蔓荆、牡荆，纷纠不一。后条有栾荆，此（指栾荆）即是牡荆也。子青色，如茱萸，不合更立栾荆条。注（指《唐本草》注）中妄称石荆当之，其说转见穿凿。＂又同书卷15＂栾荆＂条云：＂栾荆即前所谓牡荆也，不合更立此条。＂寇氏认为牡荆为栾荆。

以上 3 种解释以第 1 种为可信，第 2 种和第 3 种皆不可信。《本草纲目》卷 36 "栾荆"条云："按许慎《说文》云：'栾，似木兰。'木兰叶似桂，与苏恭（即苏敬）所说叶似石南者相近。苏颂所图者即今牡荆，与《唐本草》者不合。栾荆是苏恭收入本草，不应自误。盖后人不识栾荆，遂以牡荆充之，寇氏亦指栾荆为牡荆耳。"

卷三　兽类

118　发

《诗经·鄘风·君子偕老》："鬒发如云，不屑髢也。"［鬒（zhěn），发黑而密。不屑，不用。髢（dì），假发制的髻］《诗经·小雅·都人士》："绸直如发""卷发如虿"。［虿（chài），蝎子。蝎子行时尾部向上翘，用它比喻女子两鬓旁边向上卷曲的短发］

《诗经·小雅·采绿》："予发曲局。"

《诗经·鲁颂·閟宫》："黄发台背，黄发儿齿。"

《说文》："发，头上毛也。"《素问》："肾之华在发。"王冰注："肾主髓，脑者髓之海，发者脑之华，脑减则发素。"滑寿注："肾华在发，发者血之余。"叶世杰《草木子》："精之荣从须，气之荣以眉，血之荣以发。"李时珍引昆斋吴玉《白发辨》："言发之白，虽有迟早老少，皆不系寿之修短，由祖传及随事感应而已。"

《素问·上古天真论》："女子七岁肾气盛，齿更发长……四七筋骨坚，发长极……五七阳明脉衰，发始堕；六七三阳脉衰于上，面皆焦，发始白……丈夫八岁肾气实，发长齿更……五八肾气衰，发堕齿槁；六八阳气衰竭于上，面焦，发鬓颁白……八八则齿发去。"

《神农本草经》："发髲，味苦，温。主五癃关格不通，利小便水道。小儿痫，大人痓。"

《名医别录》云："乱发，微温，主咳嗽五淋，大小便不通，小儿惊痫，止血鼻衄，烧之吹内立已。"

按：头发烧炭名血余炭，至今仍作止血用。

119　齿

《诗经·鲁颂·閟宫》："黄发儿齿。"

《说文》："齿，口齗骨也。"又云："齗，齿本（根）肉也。"又云："男八月生齿（乳齿），八岁而龀（换成齿）。女七月生齿，七岁而龀。"郑注《周礼》曰："人生齿而体备，男八月、女七月而生齿。"

《素问·上古天真论》："女子七岁肾气盛，齿更发长……三七肾气平均，故真牙生而长极……丈夫八岁肾气实，发长齿更……三八肾气平均，故真牙生而长极……五八肾气衰，发堕齿槁……八八则齿发去。"

《名医别录》云："人牙齿，平，除劳，治疟，蛊毒气。入药烧用。"

120 猱

《诗经·小雅·角弓》："毋教猱升木。"《毛传》云："猱，猿属。"《郑笺》云："猱之性善登木。"

《说文》云："猱作夒，云母猴似人。"又云："猴，夒也，为母猴也。"《初学记》引孙炎曰："猱，母猴也。"

《尔雅》云："猱猿，善援。"郭注："便攀援。"《广雅》云："猱狙，猕猴也。"

陆玑云："猱，猕猴也。楚人谓之沐（母）猴，老者为玃，长臂为猿，猿之白腰者为獑胡。獑胡、猿骏捷于猕猴，其鸣嗷嗷而悲。"《楚辞·招隐士》："猕猴兮熊罴，慕类兮以悲。"

《类篇》："猱，兽名，如弥猴，健捕鼠。"

邢昺《尔雅疏》："猱，一名猿，善攀援树枝。"

《诗经》云："毋教猱升木。"其义为猱上树用不着教，自然会爬树，说明猱亦生活在树木上。《埤雅》云："狨，一名猱，轻捷善缘木，大小类猿，尾作金色，今俗谓之金线狨，生川峡深山中。人以药矢射之，取其尾为卧褥鞍被坐毯。"

或云猱是猿类，体矮小，形似松鼠，被黄色丝状软毛，头圆，吻短，鼻孔侧向，无颊嗛及臀，耳上有白色长丛毛，指有钩爪，独后肢拇指为扁爪，尾长，生密毛，栖树上。

121 马

《诗经·鄘风·干旄》："良马四之。"《诗经·鲁颂·泮水》："其马蹻蹻。"《诗经·小雅·角弓》："老马反为驹。"

《诗经》中歌颂马的诗句很多，因马的年龄、性别、颜色不同，其名称也不同。古人对养马十分重视。马不仅在生产、运输上有重要用途，在国防上也十分重要，古代战争时主要靠兵车，驾一辆兵车要4匹良马。《诗经·鄘风·定之方中》有"騋牝三千"的句子，反映出当时人们养了许多好马。（马7尺以上为騋）

马以西北产为胜。《名医别录》云："马出云中。"云中即山西大同地区。

《神农本草经》云："白马茎，味咸，平。主伤中脉绝，阴不起，强志益气，长肌肉，肥健生子。"

马是哺乳纲马科动物。耳小，直立，面长，颈上缘及尾有长毛。四肢强健，内侧有附蝉，仅第3

趾发达，趾端为蹄，其余各趾退化。毛色复杂，有骝、栗、青、黑、白等色。性温驯而敏捷。3～4岁能生殖，娠期11个月，每胎生1崽。寿命约30年，可作乘、挽、驮及拉磨用。肉、乳可供食用。

马很早被人驯化。龙山文化各遗址出土物中有家畜和野兽骨骼，以狗骨、猪骨为最多，马骨、牛骨、鹿骨等次之。

122　牛

《诗经·小雅·无羊》："谁谓尔无牛。九十其犉。"《诗经·周颂·良耜》："杀其犉牡。"《诗经·周颂·我将》："维羊维牛。"《诗经·周颂·丝衣》："自羊徂牛。"《诗经·王风·君子于役》："羊牛下来。"

《说文》："牛，事也，理也。凡牛之属，皆从牛。"段玉裁注云："事也者，谓能事其事也，牛任耕。理也者，谓其文理可分析也。庖丁解牛，依乎天理。"《说文》又云："犉，黄牛黑唇也。《诗》曰：九十其犉。"《尔雅·释畜》云："黑唇，犉。"《毛传》云："黄牛黑唇曰犉。"

《本草纲目》："牛齿有下无上，察其齿而知其年，三岁二齿，四岁四齿，五岁六齿，六岁以后，每年接脊骨一节也。牛角胎曰鰓，嚼草复出曰齝。"

《神农本草经》云："牛角鰓，下闭血、瘀血疼痛，女人带下血。髓，补中填骨髓。胆可丸药。"

《诗经》记载牛的诗句很多，随着牛的年龄、性别、颜色、角的有无及地区的不同，有不同的名称。陈藏器《本草拾遗》云："牛有数种，《本经》不言黄牛、乌牛、水牛，但言牛尔。南人以水牛为牛，北人以黄牛、乌牛为牛。"

牛是哺乳纲牛科，反刍家畜。牛的种类很多，有黄牛、水牛等。黄牛产于我国北方，毛呈黄色或红棕色或黑色，成熟较早，一岁半可生殖，妊娠期约9个月，寿命约25年。水牛产于我国南方，体粗壮，毛稀疏，多灰黑色，角粗大而扁，向右方弯曲，皮厚，汗腺不发达，热时喜浸水散热，腿短蹄大，适于水田耕作，成熟迟于黄牛，2.5～3岁生殖，妊娠期11个月左右，怕冷，为我国南方水稻地区重要役力。

《诗经》中所讲的牛当是黄牛。因《诗经》是产生于古代黄河流域的作品，而黄牛产于北方，所以《诗经》中的牛指的是黄牛。

《神农本草经》中所讲的牛包括水牛。《神农本草经》言牛角鰓作药用，水牛有角，黄牛角不明显，因此《神农本草经》中牛角鰓的原动物似指水牛。《名医别录》云："水牛角疗时气寒热头痛。"这是有力的佐证。

牛很早被人驯化。龙山文化各遗址出土物中有家畜和野兽的骨骼，以狗骨、猪骨为最多，马骨、牛骨、鹿骨等次之。

123　羊

《诗经·周颂·丝衣》："自羊徂牛。"《诗经·周颂·我将》："维羊维牛。"《诗经·小雅·无羊》："谁谓无羊。"《诗经·小雅·苕之华》："牂羊坟首。"《诗经·小雅·伐木》:"既有肥羜。"《诗经·召南·羔羊》:"羔羊之皮。"《诗经·郑风·羔裘》:"羔裘如濡。"《诗经·桧风·羔裘》:"羔裘逍遥。"

《诗经》中记载羊的诗句很多。因羊的年龄、性别、体重、颜色、产地不同,其名称各异。

《说文》:"羊,祥也。象四足尾之形。孔子曰:牛羊之字,以形举之。"又云:"羔,羊子也。"出生5个月的小羊名羜(zhù)。

《名医别录》云:"羖羊生河西。"孟诜云:"河西羊最佳,河东羊亦好。"《本草纲目》云:"生河南者为吴羊。生秦晋者为夏羊。土人二岁而剪其毛,以为毡物,谓之绵羊。"

《神农本草经》:"羖羊角,味咸,温。主青盲,明目,杀疥虫,止寒泄。"又云:"羚羊角,味咸,寒。主明目,益气,起阴,去恶血注下。"

苏颂曰:"羊肉多入汤剂。《胡洽方》有大羊肉汤,治妇人产后大虚,心腹绞痛。"张仲景治寒疝,有当归生姜羊肉汤。李杲曰:"羊肉有形之物,能补有形肌肉之气。故曰补可去弱,人参、羊肉之属。"

羊是哺乳纲牛科反刍动物中一个类群的泛称。羊的种类很多,有绵羊、山羊、岩羊、青羊及各种羚羊(原羚、鹅喉羚、藏羚、蒙古羚)。它们的体型大小,个体轻重,毛色的花样,毛的粗细、长短、疏密,生殖期,妊娠期,寿命等各不相同。其毛可作纺织品,裘皮、羔皮可制皮衣,肉和乳可供食用,羚羊角可药用,能清热,平肝息风。

124 兕

《诗经·小雅·何草不黄》:"匪兕匪虎。"《诗经·小雅·桑扈》:"兕觥其觩。"《诗经·豳风·七月》:"称彼兕觥。"《诗经·周南·卷耳》:"我姑酌彼兕觥。"《诗疏》:"《礼图》云:觥大七升,以兕角为之。"

《尔雅·释兽》:"兕,似牛。"郭注:"一角,青色,重千斤。"

《说文》云:"兕,如野牛,青色,其皮坚厚可制铠。"郑玄注《周礼·司甲》云:"甲今时铠也。"疏曰:"古用皮谓之甲,今用金谓之铠。"段玉裁注云:"野牛,即今水牛,与黄牛别,古谓之野牛。《尔雅》云似牛者,似此也。"郭注《山海经》曰:"犀似水牛猪头痹脚。兕亦似水牛,青色一角,重三千斤。"

刘恂《岭表录异》云:"犀有二角:一角在额上兕犀,一角在鼻上为胡帽犀。"

《国语·楚语》云:"巴浦之犀、犛、兕、象。"《说文》云:"犀,徼外牛,一角在鼻,一角在顶,似豕。犛,西南夷长髦牛也。"

《尔雅翼》云:"兕与牸,字音相近,犹羖音近牯,以其为羭之牯,熊音近雄,以其为罴之雄。"李时珍曰:"牸,一名兕,亦曰沙犀。大抵犀、兕一物,古人多言兕,后人多言犀。北音多言兕,南音多言犀。"

《本草纲目》以兕为犀的释名,其意为兕即犀的别名。

按李时珍所云,兕为犀的一种。兕,一名沙犀。

《神农本草经》云："犀角，其味苦，寒。主百毒、蛊疰、邪鬼瘴气，杀钩吻、鸩羽、蛇毒，除邪，不迷惑魇寐。"

《名医别录》云："犀角，酸，咸，微寒，无毒。疗伤寒温疫头痛，寒热诸毒气。"

犀牛是哺乳纲犀科动物，种类很多。体粗大，吻上有1或2角。前肢3或4趾，后肢3趾。门齿不发达，无上犬齿。毛极稀少，皮肤厚而韧，多皱襞，色微黑。以植物为食。肉可食，皮可制鞭、盾，角能清热解毒。

按：犀产于南方，而《诗经》中载有犀，说明在公元前11世纪—前6世纪黄河流域有犀存在。《孟子·滕文公下》云："周公相武王……驱虎、豹、犀、象而远之。"可见在周代时，黄河流域大地上有虎、豹、犀、象等野兽存在。

125　象

《诗经·鲁颂·泮水》："来献其琛，元龟象齿。"《诗经·鄘风·君子偕老》："象之揥也。"《诗经·小雅·采薇》："象弭鱼服。"

《说文》："象，象耳、牙、四足之形。"

《本草图经》："《尔雅》云：南方之美者，有梁山之犀、象焉。今多出交趾，潮、循州亦有之。彼人捕得，争食其肉。世传荆蛮山中，亦有野象。盖左氏传所谓楚师燧象，以奔吴军。是其事也。"

《肘后方》："治箭并金折在肉中，细刮象牙屑，以水和傅上即出。"

《本草衍义》："象牙，取口两边各出一牙下垂夹鼻者，非口内食齿，齿别入药。今为象笏者，是牙也。"

最初将象牙录于本草的是陈藏器《本草拾遗》。《开宝本草》将其正式收为正品药。

象，哺乳纲象科，是陆地上最大的动物。体高约3 m，皮厚毛稀，肢粗如柱。鼻与上唇愈合成圆筒状长鼻，鼻端有指状突起1~2个。上颌门齿大而长名象牙，是上等手工艺原料，亦可作药用。其皮和胆也入药。

按：象出自南方。但《孟子·滕文公下》云："周公相武……驱虎、豹、犀、象而远之。"可见在周代时，黄河流域大地上也有象存在。

1973年，我国甘肃合水县发现剑齿象化石，体长约8 m，高约4 m，门齿长3.03 m，是目前世界上已发掘的个体最大、保存最完整的剑齿象化石，名黄河剑齿象。由此可见，古代黄河流域确有象生活。

126　鹿

《诗经·小雅·鹿鸣》："呦呦鹿鸣。"《诗经·小雅·小弁》："鹿斯之奔。"《诗经·豳风·东山》："町疃鹿场。"《诗经·召南·野有死麕》："野有死鹿。"《诗经·大雅·桑柔》："瞻彼中林，甡甡其鹿。"《诗经·小雅·吉日》："麀鹿麌麌。"《毛传》曰："鹿牝曰麀。"

《说文》:"鹿,鹿兽也。象头角四足之形。"

《本草纲目》:"鹿,头侧而长,高脚而行速。牡者有角,夏至则解,俗称马鹿。牝者无角,俗称麀鹿,孕六月而生子。"《说文》:"麀,牝鹿也。"《尔雅》:"鹿,牝麀。"

《神农本草经》:"鹿茸,味甘,温。主漏下恶血,寒热惊痫,益气强志,生齿不老。"又云:"鹿角,主恶疮痈肿,逐邪恶气留血在阴中。"

从"瞻彼中林,牲牲其鹿""鹿斯之奔"等诗句看,有众多的鹿在树林中奔驰,说明当时有很多地方未被开发,所谓"草木畅茂,禽兽繁殖"。

《春秋·庄公十七年》:"冬多麋。"杜预注:"麋多,则害五稼(庄稼),故以灾书。"

鹿很早被人类用作食物。龙山文化各遗址出土物中有家畜和野兽骨骼,以狗骨、猪骨为最多,马骨、牛骨、鹿骨次之。

鹿是哺乳纲鹿科动物中一个类群的泛称。鹿的种类很多,有梅花鹿、毛冠鹿、白唇鹿、黑鹿(水鹿)、赤鹿(马鹿)等。其中梅花鹿体长约1.5 m,毛色夏季栗红色,有许多白斑,状似梅花,冬季烟褐色,白斑不显著,颈部有鬣毛,雄性第2年起生角,角每年增加1叉,5岁后共分4叉而止,栖于森林的丘陵地区,每胎1崽,偶或2崽,肉可食,皮可制革、鹿茸、鹿胎、鹿脯、鹿鞭、鹿尾、鹿肾、鹿骨都能助阳温肾。鹿现已进行人工驯养、繁殖。

127 麟

《诗经·周南·麟之趾》:"麟之角,振振公族。"

《说文》:"麟,大牡鹿也。"《玉篇》:"麟,大麕也。"《公羊传》:"麟者,仁兽也。"《毛诗传》:"麟信而应礼。"

陆玑云:"麟,麕身,牛尾,马足,黄色,圆蹄,一角,角端有肉,音中钟吕,行中规矩,游必择地,详而后处,不履生虫,不践生草,不群居,不侣行,不入陷阱,不罹罗纲,王者至仁则出,今并州界有麟,大小如鹿,非瑞麟也。"

按:麟是大雄鹿。古代传说称其为麒麟,被描写为鹿角、牛尾、马蹄、头上一角的动物,古人认为是仁兽。关于"仁兽",严粲《诗缉》说:"有足者宜蹄(踢),唯麟之足,可以蹄而不蹄。有额者宜抵,唯麟之额可以抵而不抵。有角者宜触,唯麟之角,可以触而不触。"

麟很像麋鹿,为哺乳纲鹿科动物。体长2 m余,肩高1 m余。毛色淡褐,背部较浓,腹部较浅。雄的有角,多回二叉分枝,形状比较整齐。尾长,尾端下垂到脚踝。过去一般认为它的角似鹿非鹿,头似马非马,身似驴非驴,蹄似牛非牛,故名"四不象"。性温驯,以植物为食,是我国特产动物,野生种已不可见。现在北京动物园等处有饲养。

128 麇

《诗经·召南·野有死麇》:"野有死麇。"

麇,《说文》云:"麇,獐也。"《尔雅》:"麇,牡麇。"郭注:"《诗》曰:麇鹿麌麌。郑康成解即谓此也。但重言耳。"郝懿行疏云:"獐似麇而黄黑色,比鹿为小也。麇或作麎。《诗》:野有死麇。

释文引《草木疏》云：麋，獐也。青州人谓之麠獐。郑注《考工记》云：齐人谓麋为獐。按古人言獐头鼠目，其性多疑善顾。"

《本草纲目》："獐，秋冬居山，春夏居泽。似鹿而小，无角，黄黑色，大者不过二三十斤。雄者有牙出口外，俗称牙獐。其皮细软，胜于鹿皮。"崔豹《古今注》："獐有牙而不能噬，鹿有角而不能触。"

《名医别录》："獐骨，微温，主虚损泄精。肉，补益五脏。髓，益气力，悦泽人面。"

麋即獐，一名河麂、牙獐，哺乳纲鹿科。体长近 1 m。雌雄都无角。雄獐犬齿发达，形成獠牙，故名牙獐。毛粗长，黄褐色。行动敏捷，善跳跃，能游泳。每胎产 3~6 崽。产于长江中下游及东南沿海芦滩。肉可食，皮可制革。

129　兔

《诗经·王风·兔爰》："有兔爰爰。"《诗经·小雅·瓠叶》："有兔斯首，炮之燔之。"《诗经·小雅·小弁》："相彼投兔。"《诗经·小雅·巧言》："跃跃毚兔，遇犬获之。"《诗经·周南·兔罝》："肃肃兔罝。"

《说文》："兔，兽也。象兔踞，后其尾形。"《尔雅》："兔子，娩。"郝懿行疏云："娩，训疾。兔生子极易，恒疾而速。故兔之血和脑，主胎产也。《论衡·奇怪篇》：兔舐毫而孕，及其生子从口而出也。"《风俗通》云："食兔髌多，令人面生髌骨。"陶弘景云："妊娠不可食，令子缺唇。"

《名医别录》："兔头骨，平，无毒。主头眩痛，癫疾。骨，主热中消渴。脑，主冻疮。肝，主目暗。肉，主补中益气。"

兔，哺乳纲兔科。品种很多，有山兔、草兔、家兔。草兔，体长约 50 cm，体背面黄褐色或赤褐色，腹面白色，耳尖端黑色，尾上面黑色，两侧及下面白色。通常清晨或夜间出穴活动，活动范围常离窝不远。繁殖快。年产 3~4 窝，每窝约 3 崽。幼兔产下有毛并已睁眼。产于我国北部，止于长江北岸，是农林业害兽。肉可食，毛可制毛笔。

长江以南产山兔，山兔的耳和尾都短，毛较粗，耳尖不黑，尾上面毛色和体背相似。

130　豕

《诗经·小雅·渐渐之石》："有豕白蹢。"《诗经·大雅·公刘》："执豕于牢。"

《说文》："豕，彘也。竭其尾，故谓之豕。"《尔雅》："豕子，猪。"郭注："今亦曰彘，江东呼豨，皆通名。"《说文》云："猪，豕而三毛丛尻者。"

《方言》："猪，北燕、朝鲜之间谓之豭，关东、西或谓之彘，南楚谓之豨。其子或谓之豚，或谓之貕，吴、扬之间谓之猪子。"

《神农本草经》："豚卵，味甘，温。主惊痫癫疾，鬼注蛊毒，除寒热，贲豚，五癃，邪气，挛缩。"

又《诗经·召南·驺虞》："彼茁者葭，壹发五豝。彼茁者蓬，壹发五豵。"豝是母猪。《说文》云："豝，牝豕也。一曰二岁。"豵（zōng），小猪。《广雅》："兽一岁为豵，二岁为豝。"

又《诗经·豳风·七月》："言私其豵，献豜于公。"打猎得到豵（小猪）私有，得到豜（三岁大猪）上缴于公。

猪，哺乳纲猪科。猪是由我国人民在五六千年前通过驯化野猪而成的。其体躯肥满，四肢短小。鼻面短凹或平直，耳大下垂或竖立，被毛较粗，有黑、白或黑白花等色。汗腺不发达，热时喜浸水散热。性温驯，体健壮，适应力强，生长快，成熟早，繁殖力强。半岁至 1 岁能生殖，每胎产崽 6～15 头，寿命 20 年。猪的全身皆可用，肉和脂肪可供食用，皮、鬃、骨为工业原料，尿、粪可作肥料。

131 犬

《诗经·小雅·巧言》："跃跃毚兔，遇犬获之。"《诗经·召南·野有死麇》："无使尨也吠。"《诗经·秦风·驷驖》："载猃歇骄。"

猃，长嘴狗。歇骄，《说文》作猲獢，短喙犬也，即短嘴狗。张衡《西京赋》："属车之簉，载猃猲獢。"张铣注："猃、猲，皆狗也。载之以车也。"

《说文》："犬，狗之有悬蹄者也。孔子曰：视犬之字，如画狗也。"又云："孔子曰：狗，叩也（吠声有节，如叩物也）。叩气吠以守。"又云："尨，犬之多毛者。《诗》曰：无使尨也吠。"又云："猃，长喙犬也。一曰黑犬黄头。"

《神农本草经》："牡狗阴茎，味咸，平。主伤中，阴痿不起，令强热，大生子，除女子带下十二疾。"

犬即狗，哺乳纲犬科，为人类较早驯化的家畜。耳短直立或长大下垂，听觉、嗅觉灵敏，犬齿锐利，舌长而薄，有散热功能。前肢 5 趾，后肢 4 趾，有钩爪。尾上卷或下垂，体表无汗腺。性机警，易受训练。年产 2 胎。每胎 2～8 崽，寿命 15～20 年。犬的品种很多，其个体大小、长短、高矮、轻重、毛色花样因品种不同而各异。

132 豺

《诗经·小雅·巷伯》："投畀豺虎。"

《说文》："豺，狼属，狗声。"《尔雅》："豺，狗足。"郭注："脚似狗。"《埤雅》："豺，柴也。"又曰："瘦如豺。"《一切经音义》引《仓颉解诂》："豺似狗，白色，爪牙迅利，善搏噬也。"

《本草纲目》："豺，狼属也。俗名豺狗，其形似狗，前矮后高而长尾，其体细瘦而健猛，其牙如锥而噬物，群行虎亦畏之，又喜食羊。其身如犬，其气臊臭。"

《唐本草》："豺皮，性热，主冷痹脚气。熟之以缠病上即差。"

豺，哺乳纲犬科。体小于狼，毛通常呈棕红色，尾末端黑色，腹部及喉白色，有时略杂有红色。性凶猛，喜群居，袭击小兽，有时甚至能伤害水牛。毛皮可作褥垫。

133 狼

《诗经·豳风·狼跋》："狼跋其胡，狼疐其尾。"《毛传》曰："狼，兽名。"

《说文》："狼，似犬，锐头白颊，高前广后。"《尔雅》："狼，牡獾，牝狼，其子獥。"《诗经》云："并驱从两狼兮。"陆玑云："其鸣能小能大，善为小儿啼声，以诱人去。数十步止，其猛捷者，人不能制。"

《孟子》曰："养其一指，而失其肩背，则为狼疾。"《楚语》云："令尹问蓄积，实如饿豺狼然。"《淮南子》云："鸱视而狼顾。"

《本草拾遗》："狼，大如狗，苍色，鸣声诸孔皆涕。"（涕，《酉阳杂俎》引作"沸"）

《毛传》："老狼有胡（朱熹《诗集传》：胡，颔下悬肉也），进则蹪（跋）其胡，退则跆（疐）其尾。进退有难，然而不失其猛。"

《酉阳杂俎》："狼狈是两物，狈前足绝短，每行常驾两狼，失狼则不能动，故世言事乖者称狼狈。"

《外台秘要》："治瘰病，狼屎灰傅上。"

《子母秘录》："小儿夜啼，狼屎中骨烧作末，服如黍米许即定。"

《圣惠方》："治噎病，用狼喉结曝干，杵末，入半钱于饭内食之，妙。"

《证类本草》卷18将以上三方列在"豺皮"条下，《证类本草》未列"狼"为正品。

狼，哺乳纲犬科。足长，体瘦，尾垂于后肢之间。吻较狗为尖，口较阔，而口裂略深于犬。眼斜，耳竖直不曲垂。毛色随产地而异，通常上部黄灰色，略混黑色，下部带白色。栖息山地和森林间。性凶猛，平时单独或雌雄同栖，冬季往往集合成群，袭击各种野生和家养禽畜，是畜牧业上主要的害兽。毛皮可制皮衣、褥垫。

134 狐

《诗经·卫风·有狐》："有狐绥绥。"《诗经·邶风·北风》："黄赤匪狐。"《诗经·小雅·何草不黄》："有芃者狐。"《诗经·小雅·都人士》："彼都人士，狐裘黄黄。"《诗经·桧风·羔裘》："狐裘以朝。"《诗经·邶曲·旄丘》："狐裘蒙戎。"

《说文》："狐，妖兽也，鬼所乘之。有三德，其色中和，小前大后，死则丘首。"《埤雅》："狐，孤也。狐性疑，疑则不可以合类。"

陶弘景云："江东无狐，皆出北方及益州间。形似狸而黄，亦善能为魅。"

《名医别录》："狐阴茎，味甘，有毒。主女子绝产，阴痒，小儿阴颓卵肿。五脏及肠，味苦，微寒，有毒。主蛊毒，寒热，小儿惊痫。"

狐是狐类的通称。狐是哺乳纲犬科动物，其品种很多。通常单言"狐"者即指草狐，一名红狐、赤狐。体长约70 cm，尾长约45 cm。毛色差异很大，一般呈黄色、赤褐色、灰褐色，耳背黑色或黑褐色，尾尖白色。尾基部有小孔，能分泌恶臭物。栖息森林、草原、半沙漠、丘陵地带，居树洞或土穴中，傍晚外出觅食，天明始归。杂食虫类、两栖类、爬行类、小鸟、老鼠和野果等。生殖期结成小群，其他时期单独生活。产于我国北部者名北狐，产于南方者名南狐。毛皮可做皮衣和皮褥，是兽皮中珍贵的毛皮。在古代，狐裘都是贵族享用的，所谓"彼都人士，狐裘黄黄""狐裘以朝"。

135　狟

《诗经·魏风·伐檀》："不狩不猎，胡瞻尔庭有悬狟兮。"《郑笺》云："貉子曰狟。"

对于狟有 2 种解释。

（1）释为幼小的貉（hé）。《本草衍义》云："貉形如小狐，毛黄褐色。李时珍曰：貉状如狸，头锐鼻尖，斑色。其毛深厚温滑，可为裘服。与獾同穴而异处。其性嗜睡，日伏夜出，捕食虫物。出则獾随之。"

《礼记·考工记》："貉逾汶则死，地气使然也。"

《本草图经》云："貉主元脏虚劣及女子虚惫。"

《说文》以狟为貆，云："貆似狐，善睡兽也。"《尔雅》云："貆子，狟。"郭注云："其雌者名貑，今江东呼貉为狭狭。"

按《郑笺》"貉子曰狟"，则狟即幼小的貉，今日的貉一名狗獾。《本草纲目》卷51"獾"条云："獾又作狟。"

《本草图经》云："獾肉，主小儿疳瘦，杀蛔虫，宜啖之。"

汪颖《食物本草》云："狗獾，处处山野有之，穴土而居。形如家狗，而脚短，食果实。有数种相似。其肉味甚甘美，补中益气，宜人。皮可为裘。"

獾有狗獾、猪獾。单言"獾"者指狗獾。猪獾名貒，又名獾豚。

狗獾，一名貉，哺乳纲犬科，外形如狐，体较胖，尾较短。尾毛蓬松，吻尖，耳短圆，而颊有长毛。体棕灰色，四肢和胸腹近黑色，眼部各有 1 片黑褐色斑纹。狗獾穴居河谷、山边和田野间，杂食鼠、蛙、鱼、虾和野果、杂草等。产于我国。毛皮可制皮衣、帽等。尾毛可制毛笔。

（2）释为貆（huán），即豪猪。《山海经·北山经》："谁明之山有兽焉，其状如狟而赤豪。"郭璞注："狟，豪猪也。"

豪猪，一名箭猪、刺猪，哺乳纲豪猪科。体长约 65 cm。全身褐色或黑色，有的杂有灰白短毛。肩部至尾，密生长刺，尾短也有刺，刺的末端形成囊状构造。穴居在山脚或山坡中，夜间活动。以植物为食，亦盗食农作物。遇敌时刺竖起，并转身以臀部相向，倒退撞敌。产于我国长江流域。肉可食，刺可作饰物。

136　貔

《诗经·大雅·韩奕》："献其貔皮。"《毛传》："貔，猛兽也。"孔颖达疏："陆玑疏：貔似虎，或曰似熊，一名执夷，一名白狐，辽东人谓之白罴。"

《说文》:"貔,豹属,出貉国。《诗》曰:献其貔皮。《周书》曰:如虎如貔。貔,猛兽。"

《尔雅》:"貔,白狐,其子豰。"郭注:"一名执夷,虎豹之属。"郝懿行疏云:"貔出北国,故韩奕云:献其皮也。释文引《诗草木疏》云:似虎,或曰似熊,一名执夷,一名白狐。其子为豰,辽东人谓之白熊。"

《方言》曰:"貔,陈、楚、江淮之间谓之猍。北燕、朝鲜之间谓之貊。关西谓之狸。"

段玉裁注《说文》"貔"字云:"《方言》所说狸,非貔也。《尔雅》所说白狐,盖亦狸类,非貔也。而皆得貔名者,俗呼之相混也。《说文》《毛传》《尚书传》则皆貔之本义也。"

貔是古籍中所说的一种猛兽。《史记·五帝纪》:"教熊罴貔貅貙虎,以与炎帝战于阪泉(今河北涿州东)之野。"注云:"《尔雅》云:貔,白狐。《礼》曰'前有挚兽,则载貔貅'是也。"

137 熊

《诗经·小雅·斯干》:"维熊维罴。"《诗经·大雅·韩奕》:"有熊有罴。"

陆玑云:"熊,能攀缘上高树,见人则颠倒自投地而下,冬多入穴而蛰,始春而出,脂谓之熊白。"

《尔雅》云:"熊虎丑,其子狗,绝有力,麙。"郭注云:"律曰捕虎一购三千,其狗半之。"邢昺《尔雅疏》云:"丑,类也,熊虎之类,其子名狗,绝有力名麙。"

祖冲之《述异记》云:"东土呼熊为子路。"《庄子》云:"熊颈鸟伸。"《孟子》云:"熊掌亦我所欲也。"《楚辞·招隐士》云:"狖猴兮熊罴,慕类兮以悲。"

《本草图经》:"熊形类大豕,而性轻捷,好攀缘上高木,见人则颠倒自投地而下。冬多入穴而藏蛰,始春而出。熊恶盐,食之则死。"

《本草纲目》:"熊,春夏膘肥时,皮厚筋弩,每升木引气,或堕地自快,俗呼跌膘,即庄子所谓熊经鸟申也。冬月蛰时不食,饥则舐其掌,故其美在掌,谓之熊蹯。"

《神农本草经》:"熊脂,味甘,微寒。主风痹不仁,筋急,五脏腹中积聚,寒热羸瘦,头疡白秃,面皯疱。"

熊是熊类动物的通称,哺乳纲,包括熊科和浣熊科,种类很多。熊科的熊有白熊、黑熊(狗熊)、棕熊(及其亚种马熊)、马来熊;浣熊科的熊有浣熊、小熊猫(小猫熊)、大熊猫(猫熊、大猫熊)。我国通常所讲的熊多指狗熊。狗熊体形肥大,最长近 2 m,尾甚短,长约 7~8 cm,毛黑色,胸部有一半月形白纹,颈和肩部毛较长,多栖息树林中,杂食,性孤独,不成群。熊能游泳,也能爬树和直立行走,有冬眠现象。熊脂、熊胆、熊肉可制药,毛皮可制褥垫。

138 罴

《诗经·小雅·斯干》:"维熊维罴。"《诗经·大雅·韩奕》:"有熊有罴,赤豹黄罴。"

《说文》:"罴,如熊,黄白文。"(按:罴,繁体作"羆")《尔雅》:"罴,如熊,黄白文。"郭

注:"似熊而长头高脚,猛憨多力,能拔树木。关西呼曰貑罴。"

《诗经·斯干》疏引舍人曰:"罴如熊,色黄白也。"陆玑疏云:"罴,有黄罴,有赤罴,大于熊,其脂如熊白而粗理,不如熊白美也。"

《庄子》云:"丰狐文罴,搏于山林,伏于岩穴,夜行昼居,求食江河之上。"

《埤雅》云:"罴似熊而大,为兽亦坚中长首高脚,从目,能缘能立。"

《淮南子》云:"熊罴之动以攫搏,兕牛之动以抵触。其白生于心之下,盲之上,亦如熊白而粗,秋冬则有,春夏则亡,猛憨多力,能拔大木。"

《尔雅异》云:"罴乃熊类,古文熊者,率与罴连言之。"《山海经》云:"嶓冢之山,其兽多罴。"《楚辞·招隐士》云:"狄猴兮熊罴,慕类兮以悲。"

《本草纲目》卷51"熊"条集解云:"熊、罴皆壮毅之物,属阳,故书比喻不二心之臣,而《诗》以为男子之祥也。"

按:熊、罴为一类二种,罴大于熊,而力尤猛。

罴很像今日的马熊。马熊,哺乳纲熊科。体大,长约2 m。毛褐色,耳有褐黑色长毛,胸部有1条宽白纹,延伸至肩部前面;前后肢黑色。生活在山林地区,杂食,主食植物幼嫩部分和果实,也吃昆虫。夏季交配,初春生殖,每胎产1~2崽。它是棕熊的一个亚种。

139 鼠

《诗经·召南·行露》:"谁谓鼠无牙,何以穿我墉。"《诗经·魏风·硕鼠》:"硕鼠硕鼠,无食我黍。"《诗经·鄘风·相鼠》:"相鼠有皮,人而无仪。"《诗经·豳风·七月》:"穹室熏鼠。"

《说文》:"鼠,穴虫之总名也。"段氏注:"其类不同,而皆谓之鼠。"

陆玑云:"樊光谓即《尔雅》鼫鼠也,许慎云:鼫鼠,五技鼠也。今河东有大鼠,能人立,交前两脚于颈上跳舞,善鸣,食人禾苗,其形大,故序云大鼠也,魏今河东河北县也,《诗》言其方物宜谓此鼠非今大鼠,又不食禾苗,本草又谓蝼蛄为石鼠亦五技,《古今方》土名虫鸟,物异名同故异也。"

《尔雅》:"鼫鼠。"郭注:"形大如鼠,头似兔尾,有毛,青黄色,好在田中食粟豆,关西呼为𪕽鼠。"孙炎曰:"五技鼠。"许慎云:"鼫鼠五技,能飞不能上屋,能游不能渡谷,能缘不能穷木,能走不能免人,能穴不能覆身,此之谓五技。"《荀子》曰:"梧鼠五技而穷,能飞不能上屋,能缘不能穷木,能游不能渡谷,能穴不能掩身,能走不能免人,虽多技能,皆有穷极也。"蔡邕《劝学篇》云:"硕鼠五能不成一技。"

《名医别录》:"牡鼠,微温,无毒。疗踒折,续筋骨,捣傅之,三日一易。四足及尾,主妇人堕胎,易出。肉,热,无毒。主小儿哺露大腹,炙食之。"

鼠,是哺乳纲啮齿目中一类动物的泛称,有很多科,各科中又有很多种。它们无犬齿,门齿与臼齿间有空隙,门齿很发达,无齿根,终生继续生长,常借啮物以磨短,上下门齿各1对。大多数种类繁殖极快。主食植物,少数为杂食性。树生或穴居,也有水陆两栖者。鼠的种类很多,包括田鼠、家鼠、竹鼠、松鼠、跳鼠、豚鼠等。有的鼠是农林业害兽,如田鼠、仓鼠、沙鼠、鼢鼠、姬鼠等;有的鼠是疾病传播者，如黑线姬鼠、家鼠、田鼠、沙鼠、松鼠等，能传播鼠疫、流行性出血热、钩端螺旋体病等。

140 狸

《诗经·豳风·七月》："取彼狐狸。"

《说文》："狸，伏兽，似貙。"段氏注云："狸、貙，言二物相似，即俗所谓野猫。"

《名医别录》："狸骨，味甘，温，无毒。主风疰、尸疰、鬼疰毒气在皮中，淫跃如针刺者，心腹痛走无常处，及鼠瘘恶疮，头骨尤良。"陶隐居注云："狸类甚多，今此用虎狸，无用猫狸。"

《本草图经》云："华佗方有狸骨散，治尸疰。"

《千金翼方》卷24治瘘方："狸骨、乌头、黄蘗为散，先食，酒服一钱匕，日三。"

《证类本草》卷17"狸骨"条引《淮南子》："狸头治鼠瘘，鼠啮人疮，狸愈之。"

狸，哺乳纲灵猫科。大小像家猫，但较细长，四肢较短。体背灰棕色，从鼻端到头后以及眼上下各有1条白纹，形成花面，故名花面狸，又名白额灵猫，腹面淡黄或灰色。栖息山林中，善攀爬，夜间活动，嗜食谷物、果实和小鸟、昆虫等。产于我国长江流域及长江流域以南地区。肉可食，味鲜美，毛皮可制裘。

另有山猫，亦称狸子，哺乳纲猫科。体大如猫。全体浅棕色，有许多褐色斑点，从头顶到肩部有4条棕褐色纵纹，两眼内缘向上各有1条白纹。栖息森林、草丛间，常出没于城市近郊。以鸟类为食，常盗食家禽，也吃鼠、蛙、昆虫、果食。毛皮可制裘。由于山猫形态有点似狸，故亦称狸子。

141 猫

《诗经·大雅·韩奕》："有猫有虎。"

《说文·新附》："猫，狸属。"《礼记·郊特牲》："迎猫，为其食田鼠也。"陆佃云："鼠善害苗，猫能捕鼠，故字从苗。"段玉裁注《说文》"虦"字云："虦，虎窃毛谓之虦苗。苗，今之猫字，许书以苗为猫也。苗亦曰毛。《诗》言：有猫有虎。《记》言：迎猫迎虎。"

《本草纲目》："猫捕鼠，小兽也。狸身虎面，柔毛而利齿，以尾长腰短，目如金银，及上腭多棱者为良。"又云："猫肉，主劳疰，鼠蛊毒。脑，主瘰疬、鼠瘘溃烂，同莽草为末，纳孔中。"

《证类本草》卷17"狸骨"条引《肘后方》云："治鼠瘘肿核痛，若已有疮口脓血出者，取猫一物，理作羹如食法，空心进之。"

猫，哺乳纲猫科。趾底有脂肪质肉垫，因而行走无声。性驯良。喜捕食鼠类，有时亦食蛇、鱼、蛙等。猫的品种很多，有家猫、山猫（豹猫、钱猫、狸猫）等。

家猫性驯良，面圆，齿锐，四肢较短，趾底表有柔肉，行走无声，瞳孔旦暮正圆，白天光线最强时缩为线形，耳壳能转动，以测音之方向，听觉、视觉均较敏锐，舌面粗糙，密生逆钩，适于舐食附骨之肉，善跳跃及攀爬。人多畜之以捕鼠。

142　虎

《诗经·小雅·巷伯》："投畀豺虎。"《诗经·小雅·何草不黄》："匪兕匪虎。"《诗经·大雅·韩奕》："有猫有虎。"《毛传》云："猫似虎而浅毛者也。"

《说文》："虎，山兽之君。窃毛谓之虦苗。窃，浅也。"《尔雅》："虎，窃毛谓之虦猫。"郭注："窃，浅也。《诗》曰：有猫有虎。"

《方言》："虎，陈、魏、宋、楚之间或谓李父。江淮、南楚之间，谓之李耳，或谓之于菟。自关东、西或谓之伯都。"

《名医别录》："虎骨，主除邪恶气，杀鬼疰毒，止惊悸，主恶疮，鼠瘘。头骨尤良。"

虎，哺乳纲猫科。头大而圆，体长近 2 m，尾长 1 m 左右。体呈淡黄色或褐色，有黑色横纹，尾部有黑色环纹。背部色浓，唇、颌、腹侧和四肢内侧白色，前额有似"王"字形斑纹。夜行性，能游泳。捕食野猪、鹿、獐、羚羊等动物，有时也伤害人类。每胎产 2～4 崽。肉可食，骨治风湿痛，毛皮可作褥垫。东北虎体大、毛色淡，华南虎体小、毛色深浓。

143　豹

《诗经·郑风·羔裘》："羔裘豹饰。"《诗经·唐风·羔裘》："羔裘豹袪。"《诗经·大雅·韩奕》："赤豹黄罴。"

《说文》："豹似虎，圜文。"又云："豸兽长脊，行豸豸然，欲有所司杀形。"

《梦溪笔谈》："余至延，州人至今谓虎、豹为程，盖言虫也。"

陆玑云："豹，赤豹，毛赤而文黑，谓之赤豹，毛白而文黑，谓之白豹。"

《本草图经》："谨按豹有数种。有赤豹，《诗》云：赤豹黄罴。陆玑疏云：尾赤而文黑，谓之赤豹。有玄豹，《山海经》云：幽都之山，有玄虎、玄豹。有白豹，《尔雅》云：貘，白豹。郭璞注：似熊小头痹脚，黑白驳。能舐食铜铁及竹。骨节强直，中实少髓，皮辟湿。"

《名医别录》："豹肉，味酸，平，无毒。主安五脏，补绝伤，轻身益气。久服利人。"

豹是豹类的通称。哺乳纲猫科。体较虎小，大小视种类而异。体一般有黑色斑纹。一般喜栖息在平原多树的地方，善奔走。品种甚多，有金钱豹、云豹、雪豹。我国长江以北至东北有北豹，体色较淡，金钱斑较显著。长江以南有南豹，金钱斑不显著，体色较深。豹子会爬树，喜隐伏在大树上，主食中小型的草食兽，也捕食鸟类。毛皮可制大衣、褥子，骨能治筋骨痛。

144　驺虞

《诗经·召南①·驺虞》："于嗟乎驺虞。"《毛传》曰："驺虞，义兽也。白虎

---

① 孙作云《从读史的方面谈谈〈诗经〉的时代和地域性》云："《召南》的北限在终南，南限似达到蜀地。"（见 1957 年 3 月《历史教学》第 44 页）

黑文，不食生物，有至信之德则应之。"

《说文》："虞，驺虞也。白虎黑文，尾长于身，仁兽也。食自死之肉。《诗》曰：于嗟乎驺虞。"

陆玑云："驺虞，即白虎也，黑文，尾长于躯，不食生物，不覆生草，君王有德则见，应德而至者也。"

《山海经》云："林氏国有珍兽，大若虎，五采毕具，尾长于身，名曰驺吾，乘之日行千里。"《封禅书》云："囿驺虞之珍。"《淮南子》曰："屈商拘文于羑里，散宜生乃以千金求天下之珍怪，得驺虞、鸡斯之乘，以献于纣。"

驺虞的另一种解释为古代掌管田猎的官。

贾谊《新书》卷6："驺者，天子之囿也；虞者，囿之司兽者也。"

许慎《五经异义》（《汉魏遗书钞》辑录）："今韩鲁说驺虞，天子掌鸟兽官。"

《诗经·召南·驺虞》："彼茁者葭，壹发五豝，于嗟乎驺虞。"又云："彼茁者蓬，壹发五豵，于嗟乎驺虞。"句中的驺虞被释为掌管田猎的官。而"于嗟乎驺虞"用来赞叹狩猎技术高明，箭一发，能射中母野猪（豝）和小野猪（豵）。

卷四　禽类

145 鹤	146 鹳	147 鹙	148 鹈
149 雁	150 鸿	151 鸧	152 凫
153 鸳鸯	154 鹥	155 鹭	156 雉
157 鸡	158 鶠	159 鹑	160 鹖
161 雀	162 桃虫	163 燕	164 脊令
165 鸠	166 鸤鸠	167 雏	168 桑扈
169 鵙	170 仓庚	171 黄鸟	172 鹊
173 乌	174 鷽斯	175 凤凰	176 隼
177 晨风	178 鹯	179 雎鸠	180 鸢
181 鸥	182 鸥鹋	183 鹗	184 枭

145　鹤

《诗经·小雅·鹤鸣》："鹤鸣于九皋。"《诗经·小雅·白华》："有鹤在林。"

《太平御览》卷916"鹤"条引《淮南八公相鹤经》："鹤乃羽族之宗，仙人之骥。行必依洲渚，止不集林木。"

《淮南子》云："鹤寿千岁，以极其游。"又云："鸡知将旦，鹤知夜半。"《春秋繁露》云："鹤知夜半，鹤水鸟也。"《禽经》云："鹤老则声下而不能高。"

陆玑云："鹤形状大如鹅，长三尺，脚青黑，高三尺余，赤顶赤目，喙长四寸余，多纯白，亦有苍色，苍色者人谓之赤颊，常夜半鸣。"又云："鹤鸣高亮，闻八九里，雌者声差下，今吴人园囿中及士大夫家皆养之，鸡鸣时亦鸣。"

《本草纲目》："鹤大于鹄，长三尺，高三尺，喙长四寸，丹顶赤目，赤颊青脚，修颈凋尾，粗膝纤指。白羽黑翎。尝以夜半鸣，声唳云霄。亦啖蛇虺，闻降真香烟则降，其粪能化石。"

《嘉祐本草》："白鹤，味咸，平，无毒。血主益气力，补劳乏，去风，益肺。肫中砂石子，磨服治蛊毒邪。"

鹤是鸟纲鹤科各种类的泛称。鹤，大型涉禽，外形像鹭和鹳。喙长而直，色绿。翼和跗跖亦很长，但足趾其短，且后趾着生部位很高，与前三趾不在同一平面上。常活动于平原水际或沼泽地带，食各种小动物和植物。在我国，鹤有灰鹤、丹顶鹤、蓑羽鹤。鹤是珍贵的禽，受到国家保护，禁止捕杀。

平常单言鹤即指丹顶鹤。丹顶鹤，头顶赤色，全身纯白，间有灰色苍白者，其下颈之背面及翼之一部与尾端多黑色，脚长，胫骨被鳞片，色青绿，高三四尺，形貌潇洒，繁殖于黑龙江等处，夏季南来，冬复北去，食小鱼、昆虫及甲壳类。

146　鹳

《诗经·豳风·东山》："鹳鸣于垤。"

《韩诗章句》云："鹳，水鸟。巢居知风，穴处知雨，天将雨，而蚁出壅土，鹳鸟见之，长鸣而喜。"

《说文》："鹳，鹳专，畐蹂，如鹊短尾。射之，衔矢射人。"

陆玑云："鹳，鹳雀也，似鸿而大，长颈赤喙白身黑尾翅，树上作巢，大如车轮，卵如三升杯，望见人按其子令伏径舍去，一名负釜，一名黑尻，一名背灶，一名皂裙，又泥其巢一傍为池，含水满之，取鱼置池中，稍稍以食其雏。若杀其子，则一村致旱灾。"

《禽经》云："鹳仰鸣则晴，俯鸣则阴。"《广雅》云："背灶，皂帔，鹳雀也。"

《名医别录》："鹳骨，味甘，无毒。主鬼蛊诸疰毒，五尸心腹疾。"

《本草拾遗》云："鹳脚骨及嘴，主喉痹，飞尸，蛇虺咬及小儿闪癖，大腹痞满。"

《本草纲目》云："鹳似鹤而顶不丹，长颈赤喙，色灰白，翅尾俱黑。多巢于高木。其飞也，奋于层霄，旋绕如阵，仰天号鸣。"

鹳是鸟纲鹳科各种类的通称。鹳为大型涉禽，形似鹤，亦似鹭。其嘴长而直，黑色，全部为角质，眼缘色赤，脚长而赤，爪甚小，翼长大而尾圆短，飞翔轻快，常常活动于溪流近旁，夜宿高树，主食鱼、蛙、蛇和甲壳类。在我国分布较广的种类为黑鹳。黑鹳体长约 1 m，上体从头至尾、两翼及胸部均黑色，泛紫绿光泽，下体其余部分纯白。另有白鹳，较前种为大，头颈和背均白色。黑鹳和白鹳都在我国北方繁殖，至长江流域以南地区越冬。

147　鹙

《诗经·小雅·白华》："有鹙在梁。"

汪颖《食物本草》云："鹙鹙，肉主治中虫、鱼毒。喙主鱼骨哽。"

《饮膳正要》云："鹙鹙，补中益气，甚益人，炙食尤美。作脯馔食，强气力，令人走及奔马。髓，补精髓。"

《本草纲目》："鹙鹙，水鸟之大者也。出南方有大湖泊处。其状如鹤而大，青苍色，张翼广五六尺，举头高六七尺，长颈赤目，头项皆无毛。其顶皮方二寸许，红色如鹤顶。其喙深黄色而扁直，长尺余，其嗉下赤有胡袋，如鹈鹕状。其足爪如鸡，黑色。性极贪恶，能与人斗，好啖鱼、蛇及鸟雏。《诗》云'有鹙在梁'即此。"

崔豹《古今注》作秃秋，一名扶老。《采兰杂志》："山中老人以秃鹙刻杖上，谓之扶老，以此鸟辟蛇也。"

148　鹈

《诗经·曹风·候人》："维鹈在梁。"《毛传》："鹈，污泽鸟也。"

《说文》："鹈胡，污泽也。"（鹈或作鹈）《尔雅》云："鹈，鹭鹈。"郭注云："今之鹈鹕也，好群飞，沉水食鱼，故名洿泽，俗呼之为淘河。"

陆玑云："鹈，水鸟，形如鹗而极大，喙长尺余，直而广，口中正赤，颔下胡大如数升囊，好群飞。若小泽中有鱼，便群共抒水，满其胡而弃之，令水竭尽，鱼在陆地，乃共食之，故曰淘河。"

《禽经》云："淘河在岸，则鱼没；沸河在岸，则鱼出。"《山海经》云："宪期之山，多鸳鸯鹕。"《淮南子》云："鹈胡饮水数斗，而不足鳣鲔入口。"

《嘉祐本草》云："鹈胡嘴，味咸，平，无毒。主赤白久痢成疳者，烧为黑末，服一方寸匕。乌大如苍鹅，颐下有皮袋，容二升物，展缩由袋，中盛水以养鱼。一名逃河。《诗》云：维鹈在梁，不濡其咮。郑云：鹈胡咮，喙也，言爱其嘴。"

鹈鹕亦单名鹈，一名塘鹅、海河鸟，日本名伽蓝鸟。鸟纲，鹈鹕科。大型鸟类，体长达 2 m。羽多白色，翼大而阔长。嘴长尺余，端尖曲。下颌底部有一大的皮囊，称喉囊，能伸缩，可用以兜食鱼类。兜鱼之法为以嘴淘水取鱼，贮入喉囊中，随即闭口，并收缩喉囊，挤出其水而吞食之。其四趾间有全蹼相连。体白色，略带赤。群栖温、热两带浅海湖沼、河川地带。在河北一带为夏候鸟，在江苏、浙江、福建及更南地区为冬候鸟。其品种有斑嘴鹈鹕及亚种卷羽鹈鹕，其头顶及颈部羽毛卷曲，可资识别。

149 雁

《诗经·郑风·女曰鸡鸣》："弋凫与雁。"《诗经·邶风·匏有苦叶》："嗈嗈鸣雁。"

《说文》："雁，雁鸟也。"又云："鴈，鹅也。"段氏注："今字雁、鴈不分久矣。李巡云：野曰鴈，家曰鹅。"

《尔雅》："舒雁，鹅。"郭注云："《礼记》曰：出于舒雁。今江东呼䴚（音加）。"

《周礼》云："雁宜麦。"《山海经》："雁门山，雁出其间。"《庄子》云："士成绮雁行避影而问老子，一名朱鸟。"《法言》云："能来能往者，朱鸟之谓欤。"《古今注》云："雁自河北渡江，瘦瘠能高飞，不畏缯缴；江南饶沃，每至还河北体肥，不能高飞，尝衔芦长数寸以防护。"

《禽经》云："雁，一名翁鸡，一名鸿鶤，一名鹰。"又云："鸦以水言，自北而南；鸦以山言，自南而北。"张华注云："鸦音雁，随阳鸟也，冬适南方，集于江干之上，故字从干；鸦亦音雁，中春寒尽，雁始北响，燕代尚寒，犹集于山陆岸谷之间，故字从斥。"

《神农本草经》云："雁肪，味甘，平。主风挛拘急、偏枯、气不通利。"陶隐居注："《诗》云：大曰鸿，小曰雁。今雁类亦有大小，皆同一形。又别有野鹅，大于雁，犹似家苍鹅，谓之驾鹅。"又云："夫雁乃住江湖，夏应产伏，皆往北，恐雁门北人不食此鸟故也。"

《本草纲目》："雁状似鹅，有苍、白二色。今人以白而小为雁，大者为鸿，苍者为野鹅，亦曰䴚鹅。"

雁是鸟纲鸭科雁亚种各种类的通称。雁为大型水鸟，外形大小一般似家鹅，或较小，嘴宽而厚，末端所具嘴甲也较宽阔，啮缘具较钝的栉状突起，雌雄羽色相似，多数种类以淡灰褐色为主，并布有斑纹，主食植物的嫩叶、细根、种子，间亦啄食农田谷物，肉可食，羽毛制绒。我国常见的雁有鸿雁、豆雁、白额雁等。鸿雁为家鹅的原祖，体长 82 cm，雌的较小，嘴黑色，较长于头，雄鸟嘴基有膨大的瘤，雌鸟瘤较小，体为棕灰色，由头顶达颈后有 1 条红棕色长纹，腹部有黑色条状横纹。鸿雁栖息于河川沼泽地带，在我国东北部和内蒙古一带繁殖，在长江下游及稍南地区越冬。

150 鸿

《诗经·豳风·九罭》："鸿飞遵渚。"《郑笺》云："鸿，大鸟也。"《诗经·小雅·鸿雁》："鸿雁于飞。"

《说文》："鸿，鹄也。"师旷《禽经》云："鹄鸣哠哠。"段玉裁、朱骏声谓鹄即黄鹄。

陆玑云："鸿鹄，羽毛光泽纯白，似鹤而大长颈，肉美如雁，又有小鸿，大小如凫，色亦白，今人直谓鸿也。"

《博物志》云："鸿毛为囊，可以渡江不漏。"《物类相感》云："大曰鸿，小曰雁，夜宿洲中，鸿在内，雁在外，遂更惊避狐与人之捕。"

《本草纲目》云："鹄大于雁，羽毛白泽，其翔极高而善步，所谓鹄不浴而白，一举千里是也。"又云："鹄，出《食物本草》，又名天鹅。其肉腌炙食之，益人气力，利脏腑。油，涂痈肿，治小儿疳耳。"

一般以雁之最大者曰鸿。鸿，鸟纲鸭科，翼长 1 尺 8 寸，头项及背面暗黄褐色，翼黑褐，尾灰褐色，末端白色，嘴尖端黑，脚黄，或称鸿雁。

151 鸨

《诗经·唐风·鸨羽》："肃肃鸨行，集于苞桑。"

《说文》："鸨，鸨鸟也。肉出尺截。"

陆玑云："鸨鸟似雁而虎文连蹄，性不树止，树止则为苦，故以喻君子从征役为危苦也。"

按：鸨似雁而大，脚上没有后趾，不能在树上稳定栖息。因此陆玑说鸨连蹄，性不树止。

罗愿《尔雅翼》："鸨者，今之独豹也。以鸨为豹声之讹耳。鸨亦水鸟，似雁而无后趾。"

陆佃《埤雅》云："鸨性群居，如雁有行列，故字从早。早，相次也。《诗》云'鸨行'是矣。"

按：鸨行，即鸨鸟飞的行列。马瑞辰《毛诗传笺通释》："鸨行，犹雁行也。雁之飞有行列，而鸨似之。"

段成式《酉阳杂俎》云："鸨遇鸷鸟，能激粪御行。粪着毛，其毛悉脱。"

鸨又名鸿豹。《易林》云："文山鸿豹，肥腯多脂。"丁晏释文引陆佃《埤雅》："鸨似雁无后趾，毛有豹文，一名独豹。《易林》'文山鸿豹'，盖言此也。"

杨慎《丹铅录》云："鸨名鸿豹，以鸨食鸿，为鸿之豹，犹言鱼鹰也。"

鸨，鸟纲鸨科。体比雁大，长达 1 m，形亦近似。头扁，羽色主要颈部为淡灰色，背部有黄褐和黑色斑纹，腹面近白色。常群栖草原地带，足强健而善奔驰。翼较小，飞力颇弱。常见的有大鸨，亦名地鵏。产于我国东北西部及内蒙古，冬迁我国华北。

152 凫

《诗经·郑风·女曰鸡鸣》："弋凫与雁。"《诗经·大雅·凫鹥》："凫鹥在泾。"

《尔雅》："凫雁丑，其足蹼，其踵企。"郭注云："脚趾间有幕蹼属相著，飞即伸其脚踵（跟）企直。"郝懿行疏云："凫雁膳鸟也。《诗》云：弋凫与雁。"李巡云："凫，野鸭名；鹜，家鸭名。"

陆玑疏："凫，大小如鸭，青色，卑脚，短喙，水鸟之谨愿者也。"

《禽经》云："凫鹜之杂?"张华注："凫鹜，鸭属，色不纯正，故曰杂矣。"《食疗本草》："凫，补中益气，平胃消食，除十二种虫。身上有诸小热疮，年久不愈者，但多食之，即差。"

《本草纲目》："凫，数百为群，常以晨飞，飞声如风雨，所至稻粱一空。状似鸭而小，杂青白色，背上有文，短喙长尾，卑脚红掌，肥而耐寒。性好沉没。故《尔雅》谓之鹥，沉凫也。"

凫即野鸭，鸟纲鸭科。狭义的野鸭指绿头鸭，广义的野鸭包括鸭科多种鸟类。绿头鸭的体型差异颇大，通常比家鸭小。其嘴扁，脚短，趾间有蹼，翼长，能飞翔，雄的灰白色，有黑点，颈部绿色有光泽，雌体多淡黑色，常群游湖沼中，杂食或主食植物，肉可食，羽可制绒。分布于我国境内的野鸭大多为冬候鸟。

153　鸳鸯

《诗经·小雅·白华》："鸳鸯在梁。"《诗经·小雅·鸳鸯》："鸳鸯于飞。"

《说文》："鸳，鸳鸯也。"段氏注："《小雅》传曰：鸳鸯，匹鸟也。"《古今注》曰："雌雄未尝相离。人获其一，则一相思而死，故谓之匹鸟。"

《食疗本草》："鸳鸯肉，主瘘疮，以清酒炙食之。食之则令人美丽。又主夫妇不和，作羹臛私与食之，即立相怜爱也。"

《食医心镜》："鸳鸯主五痔瘘疮。"

《嘉祐本草》："鸳鸯，味咸，平，小毒。肉，主诸瘘疥癣病。以酒浸炙令热傅疮上，冷更易。"

《本草纲目》："鸳鸯，凫类也。南方湖溪中有之。终日并游，栖于土穴中，大如小鸭，其质杏黄色，有文采，红头翠鬣，黑翅黑尾，红掌，头有白长毛垂之至尾，交颈而卧。"

鸳鸯，古称匹鸟，鸟纲鸭科。似凫而小，雄鸟体长约 43 cm。头后有长冠毛，铜赤色，背部黄褐，腹白，翼之上部有黄褐饰羽，形似银杏叶。羽色绚丽，最内 2 枚三级飞羽扩大成扇形而竖立。眼棕色，外围有黄白色环。嘴扁呈红棕色。颈长，趾有蹼，足黄色。雌鸟略小，背部苍褐色，胸腹部间有白色浓斑。翼色绀青，嘴灰黑，足灰黄。栖息内陆湖泊和溪流中。飞行力很强。在我国内蒙古和东北北部繁殖。巢营于水边的树洞内，产卵约 8 枚。越冬时迁移至长江以南直到华南一带。鸳鸯为我国著名特产。其形大而色紫者名鹨鹒。

154　鹥

《诗经·大雅·凫鹥》："凫鹥在渚。"《毛传》："鹥，凫属。"

《说文》："鹥，凫属也。"段玉裁注："《仓颉解诂》曰：鹥，鸥也，一名水鸟。"

《本草纲目》云："鹥，即鸥，一名水鸮。鸥生南方江海湖溪间。形色如白鸽及小白鸡，长喙长脚，群飞耀日，三月生卵。在海者名海鸥，在江者名江鸥。"

鸥是鸟纲鸥科各种类动物的通称，有时专指鸥属各种动物。鸥概为水鸟，体型大小不一，翼尖长，喜飞翔。嘴端曲，体上面苍灰，下面白色，眼缘赤色，脚绿色。前3趾间有蹼，能游水。体羽多灰白色，幼鸟或更缀有灰色、褐色等斑点，有的种类羽毛还带黑色部分。大多有冬羽和夏羽的区别。主食鱼类，常飞翔水上，视力敏锐，捕食鱼时，常从高处急转，突入水中捕鱼。也食其他水生动物及昆虫。种类很多。我国常见的有海鸥、银鸥和燕鸥。

155　鹭

《诗经·陈风·宛丘》："值其鹭羽。"《毛传》："鹭鸟之羽，可以为翳。"《郑笺》云："翳，舞者所持之指麾。"《诗经·周颂·振鹭》："振鹭于飞。"《诗经·鲁颂·有駜》："振振鹭，鹭于飞。"《毛传》曰："鹭，白鸟也。"

《说文》："鹭，白鹭也。"段氏注云："《周颂》《鲁颂》传曰：鹭，白鸟也。按《大雅》：白鸟翯翯。陆氏疏云：好而洁白，故谓之白鸟。此白鹭当作白鸟。"

《尔雅》："鹭，舂锄。"郭注："白鹭也。头翅背上皆有长翰毛，今江东人取以为睫攡，名之曰白鹭缞。"段玉裁注云："舂锄者，谓其状俯仰如舂如锄。"《广韵》云："接离（睫攡），白帽也。"

陆玑云："鹭，水鸟也，好而洁白，故汶阳谓之白鸟，齐鲁之间谓之舂锄，辽东、乐浪、吴扬人皆谓之白鹭。大小如鸥，青脚，高尺七八寸，尾如鹰尾，喙长三寸许，头上有毛十数枚，长尺余，毵毵然与众毛异，甚好，将欲取鱼时则弭之。今吴人亦养焉，好众飞鸣。楚威王时有朱鹭合沓飞翔而来舞，则复有赤者，旧鼓吹朱鹭曲是也。然则鸟名白鹭，赤者少耳，此舞所持，持其白羽也。"

郑樵《通志略》云："鹭，白鹭也。亦曰鹭鹚。"

《禽经》："寀寮雍雍，鸿仪鹭序。"注："鹭，白鹭也，大不踰小，飞有次序，百官缙绅之象。"

汪颖《食物本草》："鹭肉，咸，平，无毒。主治虚瘦，益脾补气，炙熟食之。"

《本草纲目》："鹭，水鸟也。林栖水食，群飞成序。洁白如雪，颈细而长，脚青善翘，高尺许，解指短尾，喙长三寸，顶有长毛小数茎，毵毵然如丝。欲取鱼则弭之。"

鹭是鸟纲鹭科部分种类的通称。体型一般高大而瘦削，颈和足亦长，趾具半蹼，适于涉水觅食。常活动于河湖岸边或水田、泽地。主食鱼、蛙、贝类、甲壳类及水生昆虫。常见的有苍鹭、池鹭、白鹭、牛背鹭等。

通常所讲的鹭多指白鹭，一名鹭鸶。体长约54 cm，羽毛白色，嘴长而尖，颈细长，头部后端有白色长羽毛数根，背、胸部有蓑毛的饰羽，脚黑，趾四，先端有钩爪，黄绿色。春夏多活动于湖沼岸边或水田中。好群栖，主食小鱼等水生动物。在我国中部地区为夏候鸟，在南方大多为留鸟。其蓑羽可供饰帽用。

156　雉

《诗经·邶风·雄雉》："雄雉于飞。"《诗经·邶风·匏有苦叶》："雉鸣求其牡。"《诗经·王风·兔爰》："雉离于罿（捕鱼网）。"《诗经·小雅·小弁》：

"雉之朝雊。"

《说文》："雉有十四种，卢诸雉、鷂雉、卜雉、鷩雉、秩秩海雉、翟山雉、翰雉、卓雉……"
《尔雅》："鷂雉。"郭注："青质五彩。"

《名医别录》："雉肉，味酸，微寒，无毒。主补中益气力，止泄痢，除蚁瘘。"

孟诜："山鸡，主五脏气喘不得息，食之发五痔。"

《日华子本草》云："雉鸡，有痼疾人不宜食。"

《本草衍义》云："雉，其飞若矢，一往而堕。汉吕太后名雉，高祖字之曰野鸡。"

雉，亦称野鸡，鸟纲雉科。在我国最常见的雉为环颈雉。雄雉体长近 0.9 m，羽毛华丽，颈下有 1 条显著白色环纹，足后具距；雌雉体型稍小，尾也较短，无距，全体砂褐色，具斑。雉喜栖于蔓生草莽的丘陵中，冬时迁至山脚草原及田野间。以浆果、种子、谷类和昆虫为食。善走而不能久飞。繁殖时营巢于地面。肉味美，尾羽可作饰羽用。

157　鸡

《诗经·王风·君子于役》："鸡栖于桀。"（桀，木桩）《诗经·郑风·女曰鸡鸣》："女曰鸡鸣。"《诗经·郑风·风雨》："鸡鸣喈喈。"《诗经·齐风·鸡鸣》："鸡既鸣矣。"

《说文》："鸡，知时畜也。"

《神农本草经》："丹雄鸡，主女人崩中漏下，赤白沃，补虚，温中止血。肠，主遗溺。肶胵里黄皮，主泄痢。翮羽，主下血闭。鸡子，主除热火疮、痫痉。"

《吴普本草》："丹雄鸡，一名载丹。"《名医别录》："鸡，能愈久伤乏疮不瘥者。"

《本草纲目》："鸡，一名烛夜。徐铉云：鸡者稽也。能稽时也。《广志》云：大者曰蜀，小者曰荆。"

鸡，鸡纲雉科。喙短锐，有冠与肉髯，翼不发达，但脚健壮。公鸡善啼，羽毛美丽，跖后有距，喜斗。半年开始产卵，年产 100 ~ 300 枚不等，产卵量逐年递减，孵化期 20 ~ 22 日。鸡的寿命约 20 年。鸡的品种很多，有九斤黄、萧山鸡、狼山鸡、寿光鸡等。这些都是我国的优良品种。

158　鷂

《诗经·小雅·车牵》："有集维鷂。"《诗经·郑风·清人》："二矛重鷂。"（以鷂羽饰矛）《毛传》曰："鷂，鷂雉也。"

《说文》："鷂，长尾雉，走且鸣。"《尔雅》："鷂雉。"郭注："即鷂鸡也，长尾，走且鸣。"

薛综注《西京赋》云："雉之健者为鷂，尾长六尺。"

陆玑云："鷂，微小于翟也，走而且鸣曰鷂。鷂，其尾长，肉甚美。故林麓山下人语曰：四足之美有麇，两足之美有鷩也。"

《山海经》云："女儿之山，其鸟多曰鷩。"《禽经》云："火为鷩，亢为鹤。"

按文献所云，鷩是野鸡的一种，体型及尾羽都很像环颈雉。体长不及 1 尺，尾长 5~6 尺，羽色浓赤，胸部及翼有白斑，尾色更赤，其斑纹黑白相间。疑鷩或是鸟纲雉科的长尾雉。雄鸟尾很长，有 1.2 m，连身子计算，其体长有 1.5 m。羽色美丽。上体棕黄色，有红、白、黑、褐等色斑纹。雌鸟尾短，长度为雄鸟的 1/3。头和颈部白色，自额贯眼向后，围有一道黑圈。栖息山地，以各种坚果、浆果和种子为食。产于我国中部及北部山区，终年留居。尾羽可供帽饰。

159　鹑　（鹌鹑）

《诗经·鄘风·鹑之奔奔》："鹑之奔奔，鹊之彊彊。"《诗经·魏风·伐檀》："胡瞻尔庭，有县鹑兮。"

《尔雅》："鹩（liáo），鹑。其雄鶛，牝痺。"郝懿行疏云："鶛之言介也，雄者足高介然特立也。痺之言比也，雌者足卑，顺于雄也。雄又善斗，人多畜之，令搏斗也。"

《嘉祐本草》："鹑补五脏，益中续气，实筋骨，耐寒温，消结热。小豆和生姜煮食之，止泄痢。酥煎，偏令人下焦肥。与猪肉同食之，令人生小黑子。又不可和菌子食之，令人发痔。"

《本草纲目》："鹑大于鸡雏，头细而无尾，毛有斑点，甚肥。雄者足高，雌者足卑。其性畏寒，其在田野，夜则群飞，昼则草伏。"

鹑，即鹌鹑，鸟纲雉科。雄鸟体长近 20 cm，为鸡形目中最小的种类，头与嘴皆小，尾秃。额、头侧、颏和喉等均淡红色。周身羽毛都有白色羽干纹，系一显著特征。体上面赤褐色，有暗黄色条纹，胸侧至腹侧赤褐色，腹白。至冬季常栖于近山平原，潜伏杂草丛灌间。以谷类和杂草种为食。夏季多繁殖于黑龙江附近，至秋南来，春复北去。性好斗，故多饲养之以为游戏。肉味美，卵亦可食。

按：鹌鹑实为鹌与鹑两物。鹌亦作鳻。《本草纲目》"鳻"条云："鳻与鹑两物也，形状相似，但无斑者为鳻也。今人总以鹌鹑名之。"鹑体上有暗黄色条纹，即所谓斑。鳻背面全呈胡桃色，腹面胸部淡青色，至下方亦渐呈胡桃色。

160　鹝

《诗经·陈风·防有鹊巢》："邛有旨鹝。"

对于鹝有 2 种解释。

（1）释为绶草。《毛传》："鹝，绶草也。"陆玑《毛诗草木鸟兽虫鱼疏》："鹝，五色。作绶文，故曰绶草。"《尔雅》："虉，绶。"郭注："小草有杂色似绶。"

虉，《说文》作蕦，绶草也。引《诗经》曰"邛有旨蕦"是。《埤雅》："蕦，小草五色似绶，故名绶草。或曰：鹝，绶鸟也。故蕦有杂色似绶，其字从鹝。"

（2）释为绶鸟。《埤雅》："鹝，绶鸟，大如鸲鹆，头似雉，咽下有囊，长阔数寸，红碧相间，吐物长数寸。食必蓄嗉，臆前大如斗。"

《本草纲目》卷48"鷩雉"条附录释鸐为吐绶鸡。李时珍曰："吐绶鸡，出巴峡及闽广山中，人多畜玩，大如家鸡，小如鹁鸽。头颊似雉，羽色多黑，杂以黄白圆点，如珍珠斑。项有嗉囊，内藏肉绶，常时不见，每春夏晴明，则向日摆之。顶上先出两翠角，二寸许，乃徐舒其颔下之绶，长阔近尺，红碧相间，采色焕烂，逾时悉敛不见。《食物本草》谓之吐锦鸡，《古今注》谓之锦囊，《蔡氏诗话》谓之真珠鸡，《倦游录》谓之孝鸟。《诗经》谓之鸐，'邛有旨鸐'是也。"

161　雀

《诗经·召南·行露》："谁谓雀无角，何以穿我屋？"

《说文》："雀，依人小鸟也。"段玉裁注："今俗云麻雀者是也。其色褐，其鸣节节足足。雀与爵同音，后人因书小鸟之字为爵。《月令》：鸿雁来滨，爵入大水为蛤。"

《名医别录》："雀卵，主下气，男子阴痿不起强之，令热，多精，有子。脑，主耳聋。头血，主雀盲。雄雀屎，疗目痛，决痈疖，女子带下，溺不痢，除疝瘕。"

《本草纲目》："雀，短尾小鸟也。栖宿檐瓦间，驯近阶除之际，如宾客然，故名瓦雀、宾雀。俗呼老而斑者为麻雀，小而黄口为黄雀。羽毛斑褐，头如颗蒜，目如擘椒。爪距黄白色，跃而不步。其视惊惧，其目夜盲，其卵有斑。其性淫。八、九月群飞田间。可以炙食，作鲊甚美。"

按《说文》《本草纲目》所云，雀即麻雀，鸟纲文鸟科。体长约 14 cm。喙黑色，圆锥状，跗跖浅褐色。头和颈部栗褐色，背部稍浅，满缀黑色条纹。脸侧有 1 块黑斑，翼部有 2 条白色带状斑。尾呈小叉状。成鸟喉部黑色，幼鸟近灰色。下体概灰白色。雄鸟肩羽褐红色，雌鸟肩羽橄榄褐色。营巢于屋壁、檐边、树洞。平时主食谷类，冬时兼食杂草种子，生殖季中常捕食昆虫，并以之喂雏鸟。

162　桃虫

《诗经·周颂·小毖》："肇允彼桃虫。"《毛传》曰："桃虫，鹪也。鸟之始小终大者。"

《说文》："鹪，鹪䳟，桃虫也。"《尔雅》："桃虫，鹪，其雌鴱。"郭注："鹪䳟，桃雀也。俗呼为巧妇。"

《诗正义》引舍人曰："桃虫名鹪，其雌名鴱。"陆玑疏云："今鹪鹩是也，微小于黄雀，其雏化为雕，故俗语鹪鹩生雕。"

《本草拾遗》："巧妇鸟，主妇人巧吞，其卵，小于雀，在林薮间为窠，窠如小囊袋，并取其窠烧，女人多以熏手令巧。"

《本草纲目》："鹪鹩，生蒿木之间，居藩篱之上，状似黄雀而小，灰色有斑，声如吹嘘，喙如利锥。取茅苇毛毳而窠，大如鸡卵，而系之以麻发，至为精密，悬于树上。"

鹪鹩，鸟纲鹪鹩科。形小，体长约 10 cm，尾羽短。头部淡棕色，有黄色眉纹。背羽赤褐色，自背体以下，连尾带栗棕色，布满黑色细横斑。腹面灰褐色微赤，两翼的复羽尖端白色。嘴及脚皆淡褐色。常活动于低矮、阴湿的灌木丛中，觅食昆虫。窠以细枝、草叶、苔藓、羽、毛等交织而成，系以麻须，形如囊，呈圆屋顶状，或一室或二室，于一侧开孔出入，很精巧，故此鸟又称巧妇鸟。大多留居华北一带，亦有迁华南越冬的。

鹪鹩，性易驯，有鹪䴕、巧妇、桃虫、鸠鴀、桑飞、工爵、慔爵、过蠃等异名。

163　燕

《诗经·邶风·燕燕》："燕燕于飞。"《诗经·商颂·玄鸟》："天命玄鸟。"

《说文》："燕，玄鸟也。"《尔雅》："燕燕，鳦。"郭注："《诗》云：燕燕于飞。一名玄鸟，齐人呼鳦。"郝懿行疏云："《左昭十七年传》：玄鸟氏司分者也。郑注《月令》云：燕以施生时来，巢人堂宇，而孚乳娶嫁之象也。《庄子·山木》云：鸟莫如于鹢鸸。司马彪注：鹢鸸，燕也。"

《神农本草经》："燕屎，味辛，平。主蛊毒鬼疰，逐不祥邪气，破五癃，利小便。"

《本草纲目》："燕大于雀而身长，斘口半额，布翅歧尾。春来秋去。其来也。衔泥巢于屋宇之下；其去也，伏气蛰于窟穴之中。"

燕是鸟纲燕科各种鸟的通称。体型小，翼狭而长，尾分歧。喙扁而短，口阔大而裂很深。脚短爪锐。飞行时捕食昆虫，故为益鸟。家燕体长约 17 cm，背蓝黑色，额和喉部棕色，前胸黑褐相间，腹白色，尾基有 1 行白点，春向北来，秋复返南，营泥巢于屋梁上，隔年复能认明旧巢。另种金腰燕，形稍大，上体亦呈蓝黑色，头侧棕色，喉及下体密缀黑褐色细纹，腰羽赭黄色，夏时全国可见。

164　脊令

《诗经·小雅·常棣》："脊令在原。"《诗经·小雅·小宛》："题彼脊令，载飞载鸣。"

《毛传》云："脊令，雍渠也。飞则鸣，行则摇，不能自舍尔。"《尔雅》："鹡鸰，鹠渠。"郭注："雀属也。飞则鸣，行则摇。"《广韵》："鹡鸰又名钱母，大于燕，颈下有钱文。"

陆玑云："脊令，大于鹦雀，长脚长尾尖喙，背上青灰色，腹下白，颈下黑如连钱，故杜阳人谓之连钱。"

《埤雅》云："《义训》曰：鹡鸰，钱母，其颈如钱文，其鸣自呼，或曰首尾相应，飞且鸣者，故谓之雍渠，渠之言勤也。"又引《物类相感志》云："俗呼雪姑，其色苍白似雪，鸣则天当大雪。"

脊令是鸟纲鹡鸰科鹡鸰属各种候鸟的通称。我国常见的有白脸鹡鸰，白脸鹡鸰体长约18 cm。雄鸟上体自头后至腰际均深黑色，胸部辉黑，翼表黑底而缀白斑，其他部分为白色，尾羽除外侧的几纯白色外，其余大部分为黑色，飞时愈明显，整个身体羽色的黑白相间状态每随季节而异，翼、尾均长，飞行时波状，静止时常低昂其尾，巢营水边石隙间，常在水边觅食昆虫。其异名有雍渠、精列、鹤等。

165　鸠

《诗经·卫风·氓》："于嗟鸠兮，无食桑椹。"《诗经·召南·鹊巢》："维鹊有巢，维鸠居之。"《诗经·小雅·小宛》："宛彼鸣鸠，翰飞戾天。"

鸠，或释为鸤鸠（布谷鸟），或释为八哥。王先谦《诗三家义集疏》谓布谷鸟不居鹊巢，只有八哥住鹊巢。《本草纲目》卷 48 "鸲鹆"条："一名鸲鹆，一名八哥。鸲鹆巢于鹊巢，树穴及人家屋脊中。"八哥既是鸲鹆的别名，则鸠释为八哥不可信。

陆玑云："鹘鸠，一名斑鸠，似鹑鸠而大，鹑鸠灰色，无绣顶，阴则屏逐其匹，晴则呼之。语曰'天将雨，鸠逐妇'是也。斑鸠项有绣文斑然。今云南鸟大如鸠而黄，当为鸠声转，故名移也，又云鸣鸠一名爽，又云是鹘。"

《尔雅》云："鹪鸠，鹘鸼。"郭注云："似山鹊而小，短尾，青黑色多声，今江东亦呼为鹘鸼。"舍人云："鹪鸠，一名鹘鸼，今之斑鸠。"孙炎云："鹘鸼，一名鸣鸠。"

《嘉祐本草》："味甘，平，无毒。主明目。多食其肉，益气，助阴阳。一名斑鸠。《范方》有斑雖丸，是处有之。"

《本草衍义》："斑鸠，有有斑者，有无斑者，有灰色者，有大者，有小者。久病虚损人食之补气。"

《本草纲目》："鸠性慈孝，而掘于为巢，才架数茎，往往堕卵。"

鸠，鸟纲鸠鸽科。鸠的种类很多，文献上的名称亦很混乱，有些不属于鸠鸽科的，亦以鸠名之，如鸤鸠、爽鸠、睢鸠。属于鸠鸽科的有山斑鸠、花斑鸠。

斑鸠体型似鸽，大小及羽毛色彩因种类而异。山斑鸠上背羽毛淡褐色，而羽缘微带棕色，两胁、腋羽及尾下覆羽均为灰蓝色，栖于平原和山地的树林间，食浆果及种子。花斑鸠体羽大部暗灰褐色而具斑，颈后有黑色半圈，且杂以白棕色斑点，外侧尾羽黑褐具灰色羽端，多栖于平野，觅食杂草、谷类和其他种子，是常见的一种留鸟。

166　鸤鸠

《诗经·曹风·鸤鸠》："鸤鸠在桑。"

《尔雅》："鸤鸠，鹄鵴。"郭注云："今之布谷也，江东呼为获谷。"

陈藏器《本草拾遗》："布谷脚、脑、骨，令人夫妻相爱，五月五日收带之各一，男左女右，云置水中自能相随，又江东呼为郭公。北人云：拨谷一名获谷，似鹞长尾。《尔雅》云：鸤鸠注云，今之布谷也。牝牡飞鸣，以翼相拂。《礼记》云：鸣鸠拂其羽。郑注云：飞且翼相击。"

陆玑云："鸤鸠，鹄鵴，今梁、宋之间谓布谷为鹄鵴，一名击谷，一名桑鸠。按：鸤鸠有均一之德。饲其子，且从上而下，暮从下而上，平均如一。"按：春秋时就有鸤鸠养子平均的传说。《左传·昭公十七年》："鸤鸠氏，司空也。"杜预注："鸤鸠平均，故为司空，平水土。"

《禽经》云："鸤鸠、戴胜、布谷也，亦曰鹄鵴，亦曰获谷，春耕候也。"扬雄曰："鸤鸠，戴胜，生树穴中，不巢生。"

鸤鸠，郭璞注《尔雅》谓之布谷。布谷鸟因鸣叫声以"割麦插禾"。

李时珍谓鸤鸠即《月令》鸣鸠。《礼记·月令》云："季春之月，鸣鸠拂其羽。"陈藏器亦以鸣鸠释鸤鸠。《诗经》云："宛彼鸣鸠，翰飞戾天。"《太平御览》卷921"鸠"条引《毛诗义疏》云："鸣鸠大如鸠而带黄色，啼鸣相呼，而不相集。不能为巢，多居树穴及空鹊巢中。"鸣鸠或释作斑鸠。

鸤鸠以其声似呼布谷而名布谷，亦名郭公、卜姑、勃姑、步姑、鹈鹕，鸟纲杜鹃科。体长约34 cm。雄鸟上体纯暗灰色，两翼表面暗褐。尾羽沿羽干两侧及内缘有白色细点，其余部分黑色。颜、喉、头、颈两侧淡灰色，下体有白色杂有较细的黑色横纹。谷雨后始鸣，夏至后乃止，农家以为候鸟。栖于开阔林地。产卵于苇莺等鸟巢中。嗜食毛虫。

167　雏

《诗经·小雅·四牡》："翩翩者雏。"《毛传》："雏，夫不也。"

《说文》："雏，祝鸠也。"又云："隹，鸟之短尾总名也。"《尔雅》云："隹其，鹪鸼。"郭注云："今鸴鸠。"

陆玑云："雏其，今小鸠也，一名鸴鸠，幽州人或谓鹌鸼。梁、宋之间谓之雏，扬州人亦然。鸴鸠灰色无绣项，阴则屏逐其匹，晴则呼之。语曰'天将雨，鸠逐妇'是也。"

舍人注《尔雅》云："雏，一名鹪鸼。"鹪鸼即夫不。李巡注《尔雅》云："夫不，一名雏，今楚鸠也。"

《通志略》云："隹，《尔雅》谓之鹪鸼，亦曰祝鸠，今所谓鸴鸠也。谨愿之鸟，凡鸟之短尾者，皆谓之隹。"

《方言》："鸠，自关而东谓之鹠鸼。自关而西，秦、汉之间谓之鸴鸠，其大者谓之鶌鸠，其小者谓之鹪鸠，或谓之鹪鸠，或谓之鹪鸠，梁、宋之间谓之雏。"

郝懿行《尔雅义疏》云："雏，《尔雅》注作鸴鸠，鸴即夫不，鸴鸠声转为勃鸠，又转为鹁鸠。以其栖有所定，故南方有鹁鸪定之语；以其巢不完而卵易堕，故北方有'鹁鸠堕卵'之谚。"

雏，一名祝鸠、鹪鸠、勃姑、鸴鸠。长尺许，羽色黑褐，胸部淡红褐色，天将雨，鸣声甚急。俗谓之水鹁鸪，又曰水鸪鸪，因其声以为名也。今曰鸠鸽科的各种斑鸠，其鸣声亦似姑姑。

168　桑扈

《诗经·小雅·桑扈》："交交桑扈，有莺其羽。"《诗经·小雅·小宛》："交交桑扈，率场啄粟。"

《尔雅》："桑扈，窃脂。"郭注云："俗谓之青雀，觜曲，食肉，好盗脂膏，因名云。"

陆玑云："窃脂，青雀也。好窃人哺肉及筒中膏，故以名窃脂也。"

《淮南子·说林训》云："马不食脂，桑扈不啄粟，非廉也。"

《本草纲目》云："扈，止也。桑扈乃扈之在桑间者，其觜或淡白如脂，或凝黄如蜡，故古名窃脂，俗名蜡嘴。"又云："桑扈，大如鸲鹆，苍褐色，有黄斑点，好食粟稻。《诗》云'交交桑扈，有莺其羽’是也。”

汪颖《食物本草》：“桑扈，肉味甘，温，无毒。主治肌肉虚羸，益皮肤。”

桑扈，一名蜡嘴雀、青雀，鸟纲雀科蜡嘴属各种鸟的通称。我国常见的是黑尾蜡嘴雀。黑尾蜡嘴雀体长达 20 cm，嘴圆锥形而粗短、色黄。雄鸟头部色黑具光泽，颈、背、腹皆淡灰褐色，尾上覆羽，下体灰白，尾羽灰黑，微有分叉。翼亦灰黑，尖端白色，中央有白条纹。脚淡黄褐色。多活动于高树，主食种子。在北方繁殖，到南方越冬。

169　鵙

《诗经·豳风·七月》：“七月鸣鵙。”

《说文》：“鵙，伯劳也。”段玉裁注：“《夏小正》作百鷯。《月令》注作博劳。《诗笺》作伯劳。《夏小正》云：五月鸠则鸣，鸠者百鷯也。《月令》：仲夏鵙始鸣。郑注：鵙，博劳也。”

《尔雅》：“鵙，伯劳也。”郭注：“似鶷鷽而大。《左传》曰‘伯赵’是也。”《尔雅翼》引《通卦验》云：“博劳性好单栖，其飞纵纵，其声嗅嗅，夏至应阴而鸣，冬至而止。”曹植《恶鸟论》云：“伯劳盖贼害之鸟也。”

《嘉祐本草》云：“百劳，平，有毒。毛，主小儿继病。继病，母有娠乳儿，儿有病如疟痢，他日亦相继腹大，或差或发。他人相近，亦能相继。”

鵙是伯劳的旧称，一名博劳，鸟纲伯劳科伯劳属各种鸟的通称。上喙勾曲强而锐利，但不及猛禽尖端勾曲，侧缘有曲状缺刻，食大型昆虫及蛙类、蜥蜴类和小型鸟兽类。常将猎获物穿持在带刺的枝头，以喙撕食。我国常见的是棕背伯劳，其体长约 28 cm，头、颈和上背呈珠灰色，向后至腰部渐转棕黄色，头侧有黑色贯眼纹，翼及尾羽亦大部分黑色，颏及喉纯乳白色，下体黄灰色，尾长，鸣时尾羽上下运动，鸣声甚壮，性猛悍。夏栖山野，冬居平原。

170　仓庚

《诗经·豳风·七月》：“有鸣仓庚。”《诗经·豳风·东山》：“仓庚于飞。”《诗经·小雅·出车》：“仓庚喈喈。”《毛传》云：“仓庚，离黄也。”

《说文》：“离，离黄，仓根也。鸣则蚕生。”《尔雅》：“仓庚，商庚。”郭注：“即鸧黄也。”《夏小正》：“二月有鸣仓庚。仓庚者，商庚也。商庚者，长股也。”《月令》云：“仲春仓庚鸣。”

《方言》：“鹂黄，自关而东谓之仓庚，自关而西谓之鹂黄，或谓之黄鸟，或谓之楚雀。”

陆玑云：“黄鸟，黄鹂留也，或谓之黄栗留，幽州人谓之黄莺。一名仓庚。一名商庚，一名鸧黄，一名楚雀，齐人谓之搏黍。当椹熟时来在桑间。故里语曰，黄栗留看我麦黄椹熟否？是应节趋时之鸟也。或谓之黄袍。”

《禽经》：“仓鹒，今谓之黄莺。”

《本草纲目》卷49谓仓庚即《食物本草》的莺。莺大于鸲鸰，雌雄双飞，体毛黄色，羽及尾有黑色相间，黑眉尖端，青脚。立春后即鸣，麦黄椹熟时尤甚，其音圆滑，如织机声，乃应节趋时之鸟也。

郝懿行《尔雅义疏》认为仓庚、黄鸟非一物。郝氏云："《诗》凡言仓庚必在春时,其言黄鸟不拘时候。"

鸧鹒,一名黄鹂、黄莺、黄鸟,鸟纲黄鹂科。我国常见的为黑枕黄鹂,其体长约 25 cm。雄鸟羽色金黄而有光泽,头部有通过眼周直达枕部的黑纹,翼和尾的中央是黑色。雌鸟羽色黄中带绿。幼鸟头部无黑纹,腹部有黑色条纹,直至第 3 年才消失。树栖,营悬巢于高树枝端。鸣声婉转,杜甫云:"隔叶黄鹂空好音。"黑枕黄鹂主食林中害虫,夏末也食果实,属森林益鸟。

171 黄鸟

《诗经·周南·葛覃》:"黄鸟于飞,集于灌木。"《诗经·邶风·凯风》:"睍睆黄鸟,载好其音。"《诗经·秦风·黄鸟》:"交交黄鸟,止于棘。"《诗经·小雅·黄鸟》:"黄鸟黄鸟,无集于栩。"《诗经·小雅·绵蛮》:"绵蛮黄鸟,止于丘阿。"

《尔雅》:"皇,黄鸟。"郭注:"俗呼黄离留,亦名搏黍。"《山海经·北山经》:"轩辕之山,有鸟名曰黄鸟。食之不妒。"陆玑云:"黄鸟,黄鹂留也,或谓之黄栗留,幽州人谓之黄莺。一名仓庚,一名商庚,一名鸀黄,一名楚雀,齐人谓之搏黍。当椹熟时来在桑间。故里语曰,黄栗留看我麦黄椹熟否? 是应节趋时之鸟也,或谓之黄袍。"

《本草纲目》卷49"莺"条谓黄鸟、离黄、仓庚皆为莺的别名。李时珍曰:"《禽经》云'莺鸣嘤嘤',故名。或云莺项有文,故从睍。睍,项饰也。或作鹒,鸟羽有文也。《诗》云'有莺其羽'是矣。其色黄而带黧,故有黧黄诸名。"

汪颖《食物本草》:"莺肉,补益阳气,助脾。"

黄鸟一名黄莺,鸟纲黄鹂科。色黄而美,嘴淡红,自眼端至头后部有黑色斑纹。翼、尾皆长,尾端带圆,脚铅黑色,跗跖短,爪长而弯曲。鸣声悦耳,杜甫云:"隔叶黄鹂空好音。"按:黄鹂、黄莺、黄鸟、鸧鹒等都是黄鹂科各种鸟的通称。我国常见的是黑枕黄鹂。详见"鸧鹒"条。

172 鹊

《诗经·召南·鹊巢》:"维鹊有巢,维鸠居之。"《诗经·鄘风·鹑之奔奔》:"鹑之奔奔,鹊之疆疆。"《诗经·陈风·防有鹊巢》:"防有鹊巢,邛有旨苕。"

鹊,古文作舄。《说文》云:"舄,鹊也。"《名医别录》:"雄鹊肉,味甘,寒,无毒。主石淋,消结热。"陶隐居注:"雄鹊,一名飞驳鸟。"

葛洪《肘后方》:"疗从高坠下瘀血抢心,面青气短者,以乌翅羽七枚,得右翅最良,烧末酒服之,当吐血便愈。"

《本草纲目》:"鹊,乌属也。大于鸦而长尾,尖嘴黑爪,绿背白腹,尾翮黑白驳杂。上下飞鸣。"

鹊是喜鹊的简称。喜鹊,鸟纲鸦科,体长约 46 cm,上体羽色黑褐,具有青紫光泽,肩、颈、腹部白色，嘴尖，尾长稍长于体长的一半，中宽端尖，栖止时常上下翘动，鸣声喈喈，杂食性，营巢于村舍高树间，早春繁殖，为我国分布极广的留鸟。

173 乌

《诗经·邶风·北风》："莫黑匪乌。"《诗经·小雅·正月》："瞻乌爰止，谁知乌之雌雄。"

《说文》："乌，孝鸟也。孔子曰：乌，亏呼也。"段玉裁注云："谓其反哺也。《小尔雅》曰：纯黑而反哺者谓之慈乌。小而腹下白，不反哺者，谓之雅乌。"

《嘉祐本草》："慈鸦，味酸、咸，平，无毒。补劳治瘦，助气，止咳，骨蒸羸弱者。和五味淹炙食之良。慈鸦似乌而小，多群飞作鸦鸦声者也。北土极多，不作膻臭也。今谓之寒鸦。"

《本草纲目》："慈乌亦名慈鸦，一名寒鸦，一名孝乌。此鸟初生，母哺六十日，长则反哺六十日，可谓慈孝矣。"

慈乌，一名寒鸦、小山老鸹，鸟纲鸦科。体长约35 cm，上体除颈后羽毛呈灰白色外，其余部分黑色，胸、腹部灰白色。慈乌冬季常同秃鼻乌鸦混合成群。其体型甚小，可资识别。在我国，慈乌大多终年留居北部，冬季亦见于华南。

174 鹮斯

《诗经·小雅·小弁》："弁彼鹮斯。"《毛传》云："鹮，卑居，鸦鸟也。"

《说文》："雅，楚鸟也。一名鹮，一名卑居，秦谓之雅。"段玉裁注云："楚乌，乌属。其名楚乌，非荆楚之楚也。鸟部曰：鹮，卑居也，即此物也。按《小尔雅》：纯黑反哺谓之慈乌，小而腹下白，不反哺者谓之雅乌。"

《尔雅》："鹮斯，鹎鶋。"郭注："鸦乌也。小而多群，腹下白，江东亦呼为鹎乌。"郝懿行疏："《水经·漯水》注引孙炎曰：卑居，楚乌。刘考标《类苑》立有鹮斯之目。今此鸟大如鸽，百千为群，其形如乌，其声雅雅，故名雅乌。《初学记》引此注作楚乌。"

《本草纲目》卷49"乌鸦"条谓鹮、鹎鶋、楚乌、雅乌等皆为乌鸦的别名。李时珍曰："乌鸦似慈乌而大嘴，腹下白，不反哺，其性贪鸷，好鸣，善避缯缴。古有《鸦经》以占吉凶。"

鹮斯即乌鸦。李时珍谓乌鸦似慈乌而大嘴。据李时珍所云，鹮斯似指大嘴乌鸦。大嘴乌鸦，鸟纲鸦科，体长可达52 cm，喙强直而粗大故名，通体羽毛黑色，巢于高树，杂食性，为我国南部常见留鸟。产于我国北部的为渡鸦、秃鼻乌鸦。它们体长达50～65 cm，常成群营巢于乔木，杂食性。另有一种白颈鸦，其颈部有一白色宽阔领环，杂食性，常单独飞行，不常成群，巢于乔木高枝，终年留居我国各地。

175 凤凰

《诗经·大雅·卷阿》："凤凰于飞""凤凰鸣矣，于彼高冈，梧桐生矣，于彼

朝阳"。

《说文》："凤，神鸟也。天老（黄帝臣）曰：凤之像也。麟前鹿后，蛇颈鱼尾，龙文鱼背。燕颔鸡喙，五色备举。凤飞，群鸟从以万数，故以为朋党字。"

《尔雅》："鶠凤，其雌皇。"郭注："瑞应鸟，鸡头，蛇颈，燕颔，龟背，鱼尾，五彩色，其高六尺许。"

《山海经》："丹穴之山，有鸟也，其状如鸡，五彩而文，名曰凤。"《尚书·益稷》："箫韶九成，凤凰来仪。"《孔传》："雄曰凤，雌曰凰。"《禽经》："凤雄，凰雌，亦曰瑞鶠，亦曰鸑鷟，羽族之君长也。"

陆玑云："凤，雄曰凤，雌曰凰，其雏为鸑鷟，或曰凤凰，一名鶠。非梧桐不栖，非竹实不食，非醴不饮。"

陈藏器《本草拾遗》："凤凰台，味辛，平，无毒。主劳损积血，利血脉，安神。《异志》云：惊邪癫痫、鸡痫发热狂走，水磨服之。此凤凰脚下物如白石也。"

176　隼

《诗经·小雅·采芑》："鴥彼飞隼，其飞戾天。"《诗经·小雅·沔水》："鴥彼飞隼，载飞载止。"

陆玑云："隼，鹞属也。齐人谓之击征，或谓之题肩，或谓之雀鹰，春化为布谷者是也，此属数种皆为隼。"

《尔雅》云："鹰，隼丑，其飞也翚。"郭注云："鼓翅翬翬然疾。"韦昭云："隼，今之鹗。"李善云："鸷击之鸟，通呼曰隼。"

《禽经》云："鹰好峙，隼好翔，凫好没，雕好浮。"又云："鸟之小而鸷者曰隼，大而鸷者曰鸠。"

按：隼是鸟纲隼科各种鸟的通称。我国有小隼、游隼、燕隼、红脚隼等。其中红脚隼常在开阔田野和山麓上空回翔，正如《诗经·小雅》云："鴥彼飞隼，其飞戾天。"红脚隼雄鸟体长约30 cm，通体呈石板灰色，只肛周、尾下覆羽和两腿棕红色；雌鸟暗灰色，尾羽杂有黑褐色黄斑，下体自胸部以下棕白色，布满黑褐色纵纹，肛周以后至两腿均为橙黄色。红脚隼常在开阔田野和山麓上空回翔，嗜食昆虫，夏时遍布我国华北及东北，在华南和更南的地方越冬。

177　晨风

《诗经·秦风·晨风》："鴥（yù）彼晨风，郁彼北林。"《毛传》云："晨风，鹯（zhān）也。"

《说文》："鹯，晨风也。"《尔雅》："晨风，鹯。"郭注："鹞属。《诗》曰：鴥彼晨风。"舒人云："晨风，一名鹯，鸷鸟也。"郝懿行《尔雅义疏》谓鹯为隼之声转。《诗经》："鴥彼飞隼""鴥彼晨风"。隼即晨风。

陆玑云："晨风，一名鹯，似鹞，青黄色，燕颔，勾喙，响风摇翅，乃因风飞急疾，击鸠、鸽、燕、雀食之。"

《禽经》："鹯，曰鹯。"注云："晨风也，响风摇翅，其回迅疾，状类鸡，色青，搏燕食之。"
《左传》："若鹰鹯之逐鸟雀。"

《孟子》云："从殴爵者，鹯。"赵岐注："鹯，土鹯也。"《山海经·西山经》云："北望诸毗，鹰鹯之所宅也。"盖鹯能巢树，亦能穴土。是一种猛禽，似鹞鹰。"

据郝懿行疏，晨风即隼，详见"隼"条。

178 鹑（雕）

《诗经·小雅·四月》："匪鹑匪鸢。"《毛传》曰："鹑，雕也。"

《说文》："鹑，雕也。"段玉裁注："《诗·小雅·四月》"匪鹑"，鹑字或作鹫。经典鹑首、鹑火、鹑尾，字当为鹑。《诗·魏风》县鹑，《内则》鹑羹。"

《本草纲目》："雕似鹰而大，尾长翅短，土黄色，鸷悍多力，盘旋空中，无细不睹。皂雕即鹫也，出北寺，色皂。雕类能搏鸿鹄、獐鹿、犬、豕。骨，主折伤断骨。"

按：雕是鸟纲鹰科雕属各种鸟的通称，足所被羽毛皆直达趾间，雌雄同色。雕有时也泛指鹰雕属、林雕属、海雕属等各种类的鸟，都为大型猛禽。

鹑又是鸟纲雉科鹌鹑的简称，与"匪鹑匪鸢"中"鹑"的含义不同。详见"鹌鹑"条。

179 雎鸠

《诗经·周南·关雎》："关关雎鸠，在河之洲。"《毛传》："雎鸠，王雎也。"

《说文》云："雎，王雎也。"《尔雅·释鸟》云："雎鸠，王雎。"郭璞注："雕类，今江东呼之为鹗。好在江边沚中，亦食鱼。"《毛传》曰："鸟鸷而有别。"（谓鸟中雌雄情意至厚而犹能有别）

《左传·昭公十七年》："雎鸠氏，司马也。"杜预注："王雎也，鸷而有别，故为司马，主法制。"疏引李巡云："玉雎，一名雎鸠。"

陆玑云："雎鸠大小如鸱，深目，目上骨露，幽州人谓之鹫。而扬雄、许慎皆曰白鹢似鹰，尾上白。"

《禽经》云："王雎，雎鸠，鱼鹰也。"徐铉《虫鱼图》云："雎鸠常在河洲之上，为俦偶，更不移处。"

《淮南子》云："关雎兴于鸟，君子美之，为其雌雄之乘居也。"《风土记》云："或说雎鸠为白鹢。"《埤雅》云："雎，通习水，又善捕鱼。"《通志略》云："雎鸠，《尔雅》曰王雎，凫类，多在水边，尾有一点白，故扬雄云白鹢。"

《本草纲目》："鹗，雕类也。似鹰而土黄色，深目好峙。雄雌相得，鸷而有别，交则双翔，别则异处。能翱翔水上捕鱼，江表人呼为食鱼鹰。亦啖蛇。《诗》云'关关雎鸠，在河之洲'即此。"

蔺道人方：接骨，用下窟鸟（即鹗也），取骨烧存性，以古铜钱一个，煅红醋淬七次，为末等分，酒服一钱。

按：郭璞注《尔雅》谓雎鸠即鹗，《本草纲目》亦说雎鸠是鹗。今日的鹗即鸟纲鹗科的鱼鹰。鱼鹰体长约 50 cm，头顶和颈后羽毛白色，有暗褐色纵纹，头后羽毛延长成矛状，上体暗褐，下体白色，趾具锐爪，趾底遍生细齿，外趾能前后移动，适于捕鱼，常活动于江河海滨，营巢于海岸或岛屿的岩礁上，夏季遍布于我国西部和北部，冬季迁移华南一带，为渔业害鸟，但羽毛可用。

180　鸢

《诗经·小雅·四月》："匪鹑匪鸢。"《诗经·大雅·旱麓》："鸢飞戾天，鱼跃于渊。"

陶隐居注云："鸱，一名鸢。"《毛诗正义》引《仓颉解诂》云："鸢即鸱也。"

《尔雅》："鸢，乌丑，其飞也翔。"郭注："布翅翱翔。"郝懿行疏云："鸢即鸱也。今之鹞鹰。鸢古字本作弋，《夏小正》'鸣弋'是也。隶书变作鸢。"

鸢是猛禽，鸟纲鹰科。体长约 65 cm。头顶、喉部白色，嘴带蓝色，上体褐色带微紫色，或杂棕白色，耳羽黑褐色，两翼亦黑褐，翼下有白斑。腹部灰棕色，尾尖分叉，四趾皆具钩爪，天晴时常盘旋空中，视力很强，如见地可食之物，则瞥然直下，攫之而去。鸢食蛇、蜥蜴、鼠、蛙、鱼等。鸢形略似鹰，故有鹞鹰之称。常见于城镇、乡村附近，巢多营在高树上，有时袭击家禽。我国各地都有，终年留居。

181　鸱

《诗经·大雅·瞻卬》："为枭为鸱。"

对于鸱有 3 种解释。

（1）释为鹞鹰。《说文》："雎，雅也。雅，鸱也。"段玉裁注云："今江苏俗呼鹞鹰。盘旋空中，攫小鸡食之。《诗·大雅》云：懿厥哲妇，为枭为鸱。庄周云：鸱得腐鼠是也。"

郝懿行疏云："《说文》：雎，雅也。籀文作鸱。《本草》陶注：鸱即俗呼老鸱者。又有雕鹗并相似而大。按：鸱，今顺天人呼鹞鹰，东齐人呼老鹰，亦曰老雕，善高翔者是也。"《淮南子》云："鸱视而狼顾。"

《名医别录》："鸱头，味咸，平，无毒。主头风眩，颠倒痫疾。"陶注云："鸱，一名鸢。"《玉篇》："鸱，鸢属。"

《酉阳杂俎》："唐肃宗张后专权，每进酒置鸱脑于内，云令人久醉健忘。"

《本草纲目》云："鸱似鹰而小，其尾如舵，极善高翔，专捉鸡、雀。一名鸢，一名雀鹰，一名隼，一名鹞。鸢，攫物如射也。隼，击物准也。鹞，目击遥也。"

雀鹰，鸟纲鹰科。嘴弯曲而锐，四趾具钩爪。性猛，肉食，昼间活动。多栖息山林或平原地带。

（2）释为枭。枭通鸮，《本草纲目》卷49 作鸮。

《尔雅》云："枭，鸱。"郭璞注云："土枭。"《本草纲目》谓土枭即鸮。《本草拾遗》云："鸮目无毒，吞之令人夜中见物，食其肉主鼠瘘。一名枭，一名鸺。吴人呼为魖魂。恶声鸟也。"

鸱即鸟纲鸱鸮科各种鸟的通称，俗称猫头鹰。详"鸮"条。

（3）释为鸱鸺。李时珍曰："鸱鸺，状似鸱而有毛角，故曰鸱，曰角，曰萑、老兔、钩鹆、鸺鹠、毂辘鹰、呼咵鹰、夜食鹰。此物有二种。鸱鸺大如鸱鹰，黄黑斑色，头目如猫，有毛角两耳，昼伏夜出，鸣则雌雄相唤，其声如老人，初若呼，后若笑。《庄子》云：鸱鸺夜拾蚤，察毫末，昼出瞑目而不见丘山。一种鸺鹠，大如鸲鹆，毛色如鸱，头目如猫。鸣则后窍应之，声声连转，如云休留休留，故名鸺鹠。"

按李时珍所云，鸱鸺有两种：一种头目如猫，有毛角两耳；一种头目如猫，头侧无毛角，名鸺鹠。今鸟纲鸱鸮科的鸺鹠名横纹小鸮。横纹小鸮头侧无毛角。文献中所讲的枭，其头侧亦无毛角。

《尔雅·释鸟》："狂，茅鸱，怪鸱。"郭璞注："即鸱鸺也。"

总之，单言鸱，多指鸱鹰。若言鸱鸮、鸱鸺，即指鸟纲鸱鸮科的各种猫头鹰。

182　鸱鸮

《诗经·豳风·鸱鸮》："鸱鸮鸱鸮，既取我子，无毁我室。"《毛传》："鸱鸮，鸋鴂也。"

《说文》："鸮，鸱鸮，宁鴂也。"段玉裁注："鸱，当作雎。雎，雖也。鸱鸮则为宁鴂。不得举一鸱字谓为同物。又不得因鸮与枭音近谓之一物。又不得因鸱鸮与鸱鸺音近谓之一物也。鸱鸮不可单言鸮。"

陆玑曰："鸱鸮似黄雀而小，其喙尖如锥，取茅秀为窠，以麻紬之，如刺袜然，或谓袜爵。悬著树枝，或一房，或二房，幽州人谓之鸋鴂。"《韩诗》："鸱鸮，鸋鴂，鸟名也，敷之苇菌，至风菌折。"

《尔雅》："鸱鸮，鸋鴂。"郭注："鸱类。"郝懿行疏云："刘向《九叹》云：'鸱鸮集于木兰。'王逸注：'贪鸟也。'蔡邕吊屈原文云：'鸋鴂轩鬻，鸾凤挫翮。'皆以鸱鸮为贪恶大鸟。"

《楚辞·七谏·初放》："近习鸱枭。"王逸注："枭，一作鸮。鸱枭，恶鸟。"

按：鸱鸮，鸟纲鸱鸮科猫头鹰一类的凶猛的鸟，眼大而圆，头上有象耳的毛角，昼伏夜出，捕食鼠、兔、小鸟等，是一种益鸟。

183　鸮

《诗经·陈风·墓门》："墓门有梅，有鸮萃止。"《诗经·鲁颂·泮水》："翩彼飞鸮。"

陆玑云："鸮大于斑鸠，绿色，恶声之鸟也，入人家凶，贾谊所赋，鵩鸟是也。其肉甚美，可为羹臛，又可为炙食。汉供御物，各随其时，唯鸮冬夏常施之，以其美故也。"

《史记·贾生列传》："楚人命鸮为服。"《荆州记》云："巫县有鸟如雌鸡，其名为鸮，楚人谓之服。"《广雅》："鵩鸟，鸮也。"《埤雅》："鸮，大于斑鸠，绿色，所鸣其民有祸。"

《本草拾遗》云："鸮目，无毒。吞之令人夜中见物。又食其肉，主鼠瘘。《内则》云：鹊鸮，眸其一名枭，一名鵩，吴人呼为魖魂。恶身鸟也。"

《本草纲目》卷49"鸮"条云："鸮，一名枭鸱、土枭、山鸮、鸡鸮、训狐、流离、魖魂。鸮、鹏、鵩留、枭，皆恶鸟也，说者往往混注。"

鸮是鸟纲鸱鸮科各种类鸟的通称，俗称猫头鹰。喙和爪都弯曲呈钩状，锐利，嘴基蜡膜。两眼不似其他鸟之着生在头部两侧，而位于正前方，眼的周围羽毛呈放射状，形成所谓"面盘"。周身羽毛大多为褐色，散缀细斑，稠密而松软，飞行无声。夜间或黄昏活动，主食鼠类，间或捕食昆虫或小鸟，是农林的益鸟。鸮的种类很多，有角鸮、雕鸮、耳鸮等。

单言"鸱"，是指鸟纲鹰科的鸱。若言鸱鸮、鸱枭，是指鸟纲鸱鸮科的鸮。前者的头与一般鸟相同，后者的头若猫头，有面盘，有耳角毛，故又称角鸮、耳鸮。鸮的种类繁多，古书所载名称更多，各书所释互有差异。

184　枭

《诗经·大雅·瞻卬》："为枭为鸱。"《诗经·邶风·旄丘》："琐兮尾兮，流离之子。"《毛传》云："流离，鸟也。少好，长丑。"

《说文》："枭，食母，不孝之鸟也。故冬至捕枭。"

陆玑云："流离，枭也，自关而西，谓枭为流离，其子适长大，还食其母，故张奂云，鹠鵩食母。许慎云：枭，不孝鸟是也。"

《尔雅》云："鸟，少美，长丑为鹠鵩。"郭璞云："鹠鵩犹留离，《诗》所谓'留离之子'。"邢昺云："鸟之少为子者美，长食母而丑，其名鹠鵩。"

《禽经》："枭鸱害母。"张华注云："枭在巢母哺之，羽翼成，啄母自翔去也。"

《埤雅》："《北山录》曰：乌反哺，枭反噬，盖逆顺之习也。"

枭是一种凶猛的鸟，羽毛棕褐色，有横纹，常在夜间飞出，捕食小动物。它与猫头鹰相似，惟枭头侧无毛角，体较大。此外，鹠鵩（横纹小鸮）的头侧亦无毛角。

刘恂《岭表录异》："北方枭鸣，人以为怪。南中昼夜飞鸣，与乌、鹊无异。桂林人家家罗取，使捕鼠，以为胜狸也。"

陈藏器《本草拾遗》云："鸮，一名枭，一名鵩，吴人呼为魖魂，恶声鸟也。"按：鸮，头侧有毛角；枭，头侧无毛角。

卷五　虫类

185　蜂

《诗经·周颂·小毖》："莫予荓蜂，自求辛螫。"

《说文》："蜂，飞虫螫人者。"段玉裁注云："《左传》：蜂虿有毒。其飞虫螫人者，则谓大黄蜂。《神农本草经》：露蜂房亦谓木上大黄蜂窠也。"

《尔雅》："土蜂、木蜂。"郭注云："今江东呼大蜂在地中作房者为土蜂。啖其子即马蜂，今荆巴间呼为蟺。木蜂似土蜂而小，在树上作房，江东亦呼为木蜂，又食其子。"

《礼记·内则》："庶羞雀、鷃、蜩、范。"郑注云："范，蜂也，其子可食。"

《岭表录异》云："宣歙人脱蜂子盐炒曝干，寄京洛为方物。"

《神农本草经》："蜂子，味甘，平。主风头，除蛊毒，补虚羸伤中。大黄蜂子主心腹胀满痛，轻身益气。土蜂子，主痈肿，一名蜚零。"

蜂是昆虫纲膜翅目各类蜂科昆虫的通称。按：郭璞注《尔雅》和段玉裁注《说文》俱云蜂在树木上作窠。在树枝及层檐下作窠的有胡蜂。胡蜂呈黄色或红黑色，具黑色和褐色斑点及条带，胸、腹宽相等，翅狭长，静止时纵折，群栖，夏季在屋檐下及树枝等处作巢，巢由密集六角房构成，常捕捉其他虫类作为幼蜂的食料。

胡蜂的巢很像《神农本草经》中的露蜂房，"露蜂房味苦，平，主惊痫瘈疭，寒热邪气，癫疾，鬼精蛊毒，肠痔，火熬之良。"

《唐本草》注云："此蜂房用树上悬得风露者，其蜂黄黑色，长寸许，螫马、牛、人，乃至欲死者。"

186　蜾蠃

《诗经·小雅·小宛》："螟蛉有子，蜾蠃负之。"

《说文》："蜾蠃，蒲卢，细要土蜂也。"《尔雅》："果蠃，蒲卢。"郭注："即细腰蜂也。俗呼为蠮螉。"

《方言》："蜂，燕、赵之间谓之蠓螉，其小者谓之蠮螉，或谓之蚴蜕。"《广雅》云："蚴蜕，土蜂，蠮螉也。"

陆玑曰："蜾蠃，土蜂也，一名蒲卢，似蜂而小腰。"许慎云："蜾蠃，细腰也，取桑虫负之于木空（孔）中，或书简、笔筒中，七日而化为其子，里语曰咒云：象我、象我。"

《埤雅》："果蠃即今细腰土蜂，好禁蜘蛛，今呼大蜂啖子，地中作房者，亦曰土蜂，非此细腰土蜂也，果蠃一名螟蛉，一名蒲卢。"

《诗缉》引《解颐新语》曰："说者，考之不精，乃谓果蠃取桑虫负之，七日化为其子，虽扬雄亦有类我类我，久则肖之之说，近世诗人取蜾蠃之巢，毁而视之，乃自有细卵如粟寄螟蛉之身以养之，其螟蛉不生不死，蠢然在穴中，久则螟蛉尽枯，其卵日益长大，乃为蜾蠃之形，穴窍而出。盖此物不独取螟蛉，亦取小蜘蛛置穴中，寄卵于蜘蛛腹穴之间，其蜘蛛亦不生不死，久之蜘蛛尽枯，其子乃成，今人养晚蚕者，苍蝇亦寄卵于蚕之身，久之，其卵化为蝇，穴茧而出。"

按：蜾蠃，蜂的一种。体青黑，细腰。常用泥土在墙上作窝，或以管孔为窝，捕螟蛉为幼虫的食物。

187　螟蛉

《诗经·小雅·小宛》："螟蛉有子，蜾蠃负之。"

《说文》："蠕，螟蠕，桑虫也。"《尔雅》："螟蛉，桑虫。"郭注云："俗谓之桑蟃，亦曰戒女。"《玉篇》云："蟃，螟蛉虫也。"

《郑笺》云："蒲卢即桑虫之子，负持而去，煦妪养之，以成其子。"《法言》："螟蛉之子，殪而逢果蠃，祝之曰：类我！类我！久则肖之矣。"

陆玑云："螟蛉者，犍为文学曰：桑上小青虫也，似步屈，其色青而细小，或在草叶上，蜾蠃上蜂也，一名蒲卢，似蜂而小腰。故许慎云：细腰也，取桑虫负之于木空（孔）中或书简、笔筒中，七日而化为其子，里语曰咒云：象我、象我。"

陶弘景注云："蜂类甚多，今一种黑色，腰甚细，衔泥于人室及器物边作房如并竹管者是也，其生子如粟米大置中，乃捕取草上青蜘蛛十余枚满中，仍塞口，以拟其子大为粮也。其一种入芦竹管者，亦取草上青虫，一名果蠃。诗人云'螟蛉有子，蜾蠃负之'，言细腰物无雌，皆取青虫教祝便变成己子，斯为谬矣。"但郑樵《通志略》仍泥旧说，不赞同陶弘景的说法。

段玉裁注《说文》云："螟蛉，桑虫也。此桑虫似步屈，其色青，细。或在草叶上，土蜂取置木空（孔）中，或书卷间、笔筒中，七日而成其子。里语曰咒云：象我！象我！"

按："螟蛉有子，蜾蠃负之"，蜾蠃常捕螟蛉喂它的幼虫，古人错认为蜾蠃养螟蛉为子，故把"螟蛉"或"螟蛉子"作为养子的代称。

螟蛉，一种绿色小螟虫，是螟蛾的幼虫，有多种，如大螟、二化螟、三化螟等。生活在稻茎中，吃稻茎的髓部，是农作物的害虫。

188　蚕

《诗经·大雅·瞻卬①》："妇无公事，休其蚕织。"

---

① 瞻卬：《毛序》认为其为幽王时期（公元前781—前771）作品。

《说文》云：“蚕，任丝虫也。”段玉裁注云：“此物能任此事，美之也。丝下曰蚕所吐也。”

《尔雅》云：“蟓，桑茧。”郭注云：“食桑叶作茧者，即蚕。”郝懿行疏云：“《淮南·说林篇》云：蚕食而不饮，二十一日而化。《荀子·蚕赋》云：三俯三起，事乃大已。三俯，今日三眠，亦有四眠者。”

按：蚕为蚕蛾科昆虫家蚕。蚕在 4～5 龄幼虫时，因感染（或人工接种）1 种丝状白僵菌而死，其干燥虫体名白姜蚕。我国早在 3000 年前已开始养蚕。到春秋战国时，我国蚕丝已闻名于欧洲，当时的希腊人称我国为塞里斯（Seres），意思是丝国。（见范文澜《中国通史简编》第 2 编）

《神农本草经》云：“白姜蚕，味咸，主小儿惊痫夜啼，去三虫，灭黑䵟，令人面色好，男子阴疡病。”

陶隐居注云：“人家养蚕时有合箔皆姜者，即暴都不坏。未以涂马齿，即不能食草，以桑叶拭去乃还食。此明蚕即马类也。”

《名医别录》云：“白姜蚕末之，封丁肿，根当自出，极效。”

189　蛾

《诗经·卫风·硕人》：“螓首蛾眉。”

《说文》：“蛾，蚕化飞虫。”《尔雅》：“蛾，罗。”郭注：“蚕蛾。”《大戴礼记》云：“食桑者有丝而蛾。”

《名医别录》云：“原蚕蛾，雄者有小毒。主益精气，强阴道，交接不倦，亦止精。”

按：蛾是鳞翅目异角亚目昆虫的通称。幼虫多植食性，为农业害虫。蛾的种类很多，有螟蛾、麦蛾、菜蛾、蚕蛾等。螓首蛾眉，指女子眉毛长而美，也指女子美貌。

190　蠋

《诗经·豳风·东山》：“蜎蜎者蠋，烝在桑野。”《毛诗》曰：“蠋，桑虫也。”朱熹《诗集传》：“蠋，桑虫如蚕者也。”

《说文》云：“蠋，葵中蚕也。”段玉裁注云：“葵，《尔雅·释文》引作桑。《诗》曰：蜎蜎者蠋，烝在桑野。似作桑为长。《毛传》曰：蜎蜎蠋貌。蠋，桑虫也。《传》言虫，许慎言蚕者，蠋似蚕也。《淮南子》曰：蚕与蠋相类，而爱憎异也。”《尔雅》：“蚅，乌蠋。”郭璞注：“虫大如指似蚕。”

按：文献对于蠋有 2 种解释。《说文》将其释为蚕，或称山蚕、野蚕，《毛传》将其释为桑虫。桑虫即桑中蠹虫，又名蝤蛴。今日所讲的蠋，多指蝴蝶、蛾子等的幼虫。

191　蝤蛴

《诗经·卫风·硕人》：“领如蝤蛴。”《毛传》曰：“蝤蛴，蝎虫也。”蝎虫

即天牛幼虫，借以形容女颈之美。

《说文》云："蝤，蝤蛴也。"又云："蛴，蝤蛴也。"《尔雅》云："蝤蛴，蝎。"郭注："在木中，今虽通名蝎，所在异。"按：蝎（非虿尾之蝎）有同名异物者。《尔雅》云："蝎，蛣蝠。"郭注："木中蠹虫。"《尔雅》又云："蝎，桑蠹。"郭注云："即蛣蝠。"

《名医别录》云："桑蠹虫，味甘，无毒。主心暴痛，金疮肉生不足。"陈藏器云："桑蠹去气。"

按：蝎虫是昆虫纲鞘翅目天牛科各种天牛幼虫的泛称。幼虫黄白，扁长圆筒形，胸足退化，古称"蝤蛴"。幼虫蛀食树枝干，粪便和啮下木屑同时由蛀孔排出。其为桑树、果树的主要害虫。

在古代文献中，蝤蛴又为蛴螬的别名。

《诗正义》引孙炎曰："蛴螬谓之蟥蛴，关东谓之蝤蛴，梁、益之间谓之蝎。"《尔雅》云："蟦，蛴螬。蝤蛴，蝎。"郭注云："蛴螬在粪土中。蝤蛴在木中。"按：蛴螬是金龟子的幼虫，蝤蛴是天牛的幼虫。

邢昺《尔雅疏》云："然则蟥蛴也，蛴螬也，蝤蛴也，蛣蝠也，桑蠹也，蝎也，一虫而六名也，以在木中者白而长，故《诗》以比妇之颈，《硕人》云'领如蝤蛴'。"

《埤雅》："旧说蝤蛴生于木中，内外洁白。符子所谓石生金，木生蝎是也。蟥蛴在粪草中，外黄内黑，亦或谓之蛴螬。"

《太平御览》引陆玑云："蛴螬生粪土中。"《庄子·至乐》云："乌足之根为蛴螬。"王充《论衡·无形篇》云："蛴螬化为复育，复育转而为蝉。"《淮南万毕术》："黍成蛴螬。"《博物志》云："蛴螬以背行驶，便于用足。"

192　虿

《诗经·小雅·都人士》："卷发如虿。"

《郑笺》云："虿，螫虫也，尾末捷然，似妇人发末曲上卷然者也。"按：虿即蝎子，蝎行走时尾部向上翘，诗人用它形容卷发。葛洪云："蝎前为螫，蝎后为虿。"

《说文》云："虿，毒虫也。"《通俗文》云："短尾为蝎，长尾为虿。"

《左传·僖公二十二年》云："蜂虿有毒。"《国语·晋语申生》："虽蝎谮焉避之。"《庄子》云："其智憯于虿蝎之尾。"

陆玑云："虿，一名杜伯，河内谓之蚊，幽州谓之蝎。"

《本草图经》引陶隐居《集验方》云："蝎有雌雄，雄者螫人，痛止在一处。雌者痛牵诸处。若是雄者，用井泥傅之，温则易。雌者当用瓦沟下泥傅之。"

段成式《酉阳杂俎》："江南旧无蝎，开元初（713—741）尝有主簿盛过江，至今江南往往有之，俗呼为主簿虫。蜥蜴能食之，故蜥蜴一名蝎虎。"又云："为蜗牛所食，先以迹规之，不复去，今人或为蝎螫者，以蜗牛涎涂之，痛立止。蝎前谓之螫，蝎后谓之虿。"

《蜀本草》云："蝎紧小者名蚰蜒。"

《开宝本草》云："蝎，味甘、辛，有毒。疗诸风瘾疹及中风半身不遂，口眼㖞斜，语涩，手足抽掣。形紧小者良，出青州者良。"

蝎，亦称全蝎，是节肢动物门蛛形纲钳蝎科动物钳蝎。体长，头胸部的螫肢和脚须均呈螫状。头胸呈绿色，扁平长椭圆形，背面绿褐色，腹部棕黄色，分前腹和后腹，前腹 7 节，后腹 5 节，呈尾状，尾端有锐钩状毒刺。栖于干燥处，昼伏在碎石、树皮等物下或土穴中，夜出觅食，主食昆虫、蜘蛛和多足纲动物。

全蝎能镇惊息风，攻毒散结，通络止痛。用于小儿惊风，抽搐痉挛，中风口㖞，半身不遂，破伤风，风湿顽痹，偏、正头痛，疮疡，瘰疬。

193　蟏蛸

《诗经·豳风·东山》："蟏蛸在户。"

《说文》云："蟏，蟏蛸，长股者。"《尔雅》云："蟏蛸，长踦。"郭注云："小蜘蛛长脚者，俗呼为喜子，《东山》之云'蟏蛸在户'是也。"《尔雅翼》："《诗》曰'蟏蛸在户'，言为网于户也。"

《埤雅》云："蟏蛸，长踦。萧梢长踦之貌，因以名云。亦如蜘蛛布网，垂丝著人衣，当有亲客至，荆州河内之人，谓之喜母。"

崔豹《古今注·鱼虫》注云："长蚑，蟏蛸也。身小而足长，故谓长蚑。"《诗缉传》云："蟏蛸，长踦也。踦音欺，脚也。"

陆玑云："蟏蛸，长踦，一名长脚。荆州河内人谓之喜母。此虫来著人衣尝，有亲客至，有喜也。幽州人谓之亲客，亦如蜘蛛网罗居之。"

毛晋《陆疏广要》云："蟏蛸名长踦，小如蜘蛛而足长，喜结网当户，人触之，则伸前后足如草，使人不疑为虫，故名长踦。"

《名医别录》云："蜘蛛，微寒。主大人小儿㿉。七月七日取其网疗喜忘。"陶隐居注云："蜘蛛类数十种尔。有赤斑者，俗名络新妇。《诗》云'蟏蛸在户'，正谓此也。"

按：蟏蛸是一种长脚的小蜘蛛，俗称蟢子、蟢蛛。蟏蛸属节肢动物门蛛形纲，是蜘蛛类中的一种。蟏蛸身体分头胸部和腹部，两者之间有腹柄，螯肢多为钳状，头胸部有 4 对步足，腹部有纺绩器，呼吸器官有书肺 1 对或 2 对，或兼有气管。蟏蛸种类繁多，有蟏蛸、草蛛、壁钱、蝰蛸等。

194　蜩

《诗经·豳风·七月》："五月鸣蜩。"《诗经·小雅·小弁》："鸣蜩嘒嘒。"

《说文》："蜩，蝉也。《诗》曰：五月鸣蜩。"又云："蝉，以旁鸣者。"段氏注云："《诗·豳风》传曰：蜩，螗也。《大雅》：如蜩如螗。《传》曰：蜩，蝉也。《小雅》：鸣蜩嘒嘒。"

《尔雅》云："螇，马蜩。"郭璞注云："蜩中最大者为马蝉。"《尔雅》又云："蜩，螗蜩。"郭璞注云："《夏小正》传曰：螗蜩者五彩具。"

《荀子》："粜蝉者，务在明乎火，振其树而已。"《论衡》云："蝉生于复育，开背而出。"故《尔雅》云："蜎丑，𧒒。"郭注云："剖母背而出。"（蝎子亦是剖母背而出）按：复育所解皮即蝉蜕。

陆玑云："鸣蜩，蝉也。宋、卫谓之蜩；陈、郑云螗，海岱之间谓之蝉；蝉，通语也。"

《神农本草经》云："蚱蝉，味咸，寒。主小儿惊痫夜啼，癫病寒热。生杨柳上。"

《名医别录》云："蚱蝉，味甘，无毒。主惊悸，妇人乳难，胞衣不出。又堕胎，五月采蒸之，勿令蠹。"陶隐居注云："今此云生杨柳树上，是《诗》云'鸣蜩嘒嘒'者，形大而黑。"

苏颂《本草图经》云："《尔雅》所谓马蜩，诗人所谓鸣蜩，《月令》礼家所谓蝉，本草所谓蚱蝉，其实一种。"

《本草纲目》云："夏月始鸣，大而色黑者，蚱蝉也。又曰蝒，曰马蜩，《豳诗》'五月鸣蜩'者是也。"

195 蟪

《诗经·大雅·荡》："如蜩如螗。"《毛传》云："螗，蝘也。"

《大戴礼记·夏小正》："五月，唐蜩鸣。"《尔雅》："螗，蜩。"郭注云："《夏小正》传曰：螗蜩者蝘，俗呼为胡蝉，江南谓之螗蛦。"

《方言》云："楚谓蝉为蜩，宋、卫谓之螗蜩，陈、郑谓之螂蜩，秦、晋之间谓之蝉。海岱之间谓之𧎸。"《淮南子·说林训》云："蝉无口而鸣，三十日而死。"

《初学记·虫部》引陆云《寒蝉赋》云："蝉有五德：头上有绫，则其文也；含气饮露，则其清也；黍稷不享，则其廉也；处不巢居，则其俭也；应候守节，则其信也。"

陆玑云："螗、蝉之大而黑色者，有五德：文、清、廉、俭、信。一名蝘蚭，一名蛁蟟，青、徐谓之螇蟀，楚人谓之蟪蛄，秦、燕谓之蛥蚗，或名之蜓蚞。"

《诗疏》引舍人曰："三辅以西为蜩，梁、宋以东谓蜩为蝘。"

郝懿行《尔雅义疏》云："按：今螗蜩小于马蜩，背青绿色，头有花冠，喜鸣，其声清圆，若言乌友乌友。"

《本草纲目》云："蝉头上有花冠，曰螗蜩，曰蝘，曰胡蝉，《荡诗》'如蜩如螗'者是也。可入药用。主产难，下胞衣，亦取其能退蜕之义。"

《诗经·大雅·荡》："如蜩如螗，如沸如羹。"《郑笺》："饮酒号呼之声，如蜩螗之鸣，其笑语沓沓，又如汤之沸，羹之方熟。"马瑞辰《毛诗传笺通释》："按诗意盖谓时人悲叹之声如蜩螗之鸣，忧乱之心如沸羹之热。"后用"蜩螗"表示纷忧不宁。

196 蟓

《诗经·卫风·硕人》："蟓首蛾眉。"

《毛传》云："蟓，蝉属。蟓首颡广而方。"《郑笺》云："蟓谓蜻蜻。"

《尔雅》："蛁，蜻蜻。"郭注云："如蝉而小。《方言》云：有文者谓之蟓。《夏小正》曰：鸣蛁虎悬。"郝懿行疏云："《正义》引舍人曰：小蝉色青青，某氏曰鸣蛁蛁者。今验此蝉短小方头，广额，体兼彩文，即《方言》所云'有文者谓之蟓'。鸣声清婉，若咨咨然，顺天人呼蟓为咨咨。"

《本草纲目》云："蝉小而有文者，曰蟓，曰麦蛁。小而色青绿者，曰茅蜩，曰茅蟹。秋月鸣而色青紫者，曰蟪蛄，曰蛁蟟，曰蜓蚞，曰螇蟀，曰蛥蚗。小而色青赤者，曰寒蝉，曰寒蜩，曰蜺。未得秋风，则喑不能鸣，谓之哑蝉，亦曰喑蝉。二、三月鸣，而小于寒蛁者，曰蟪母。"

197　宵行

《诗经·豳风·东山》："熠耀宵行。"

《本草纲目》卷41"萤火"条注云："《豳风》：熠耀宵行。宵行乃虫名。萤有三种。一种小而宵飞，腹下有光，乃茅根所化。《吕氏月令》所谓'腐草化为萤'是也。一种长如蛆蝎，尾后有光，无翼，不飞，乃竹根所化也，一名蠲，俗名萤蛆。《明堂月令》所谓'腐草化为蠲'者是也。其名宵行，茅竹之根，夜视有光，即此也。一种水萤，居水中。入药用飞萤。"

按：蠲又是马陆的异名。《说文》："蠲，马蠲也。"段注云："马蠲亦名马蚿，亦名马蚼，亦名马蠸。俗呼马蠖。《方言》曰：马蚿大者谓之马蚰。"本草名马陆。

郝懿行《尔雅义疏》云："萤火有二种：一种飞者，形小头赤；一种无翼，形似大蛆，灰黑色，而腹下火光，大于飞者。乃《诗》所谓'宵行'。"

198　熠耀

《诗经·豳风·东山》："熠耀宵行。"

《毛传》云："熠耀，磷也。磷，萤火也。"《说文》云："熠，盛光也。《诗》曰：熠熠宵行。"段玉裁注云："熠熠为熠耀之误。又仓庚于飞，熠耀其羽。《笺》云：羽，鲜明也。《传》曰：熠熠，磷也。磷，萤火也。"

按：对于熠耀有多种解释。

（1）释为磷火。《说文》云："兵死及牛马之血为磷。"《博物志》云："战斗死亡之处有人马血，积年化为磷，磷著地入草木皆如霜露不可见，有触者，著人体便有光，拂拭便散无数。"《淮南子·氾论训》云："久血为磷。"注以磷为鬼火。

（2）释为萤火虫。《尔雅》云："萤火，即照。"郭注云："夜飞腹下有火。"《艺文类聚》引《吴普本草》云："萤火，一名夜照，一名熠耀，一名景天，一名狭长。"《诗疏》引舍人云："萤火，即照，夜飞有火虫也。"《名医别录》云："萤火，一名熠耀。"

（3）释为光。《本草纲目》云："《诗·豳风》：熠耀宵行。宵行乃虫名，熠耀其光也。诗注及本草，皆误以熠耀为茭名矣。"

郝懿行《尔雅义疏》云："《诗·东山》传：熠耀，磷也。磷，萤火也。萤与茭同磷，光明也。《本草经》：萤火一名夜光。《吴普本草》：萤火一名熠耀。今验萤火有两种：一种飞者，形小头赤；一种无翼，形似大蛆，灰黑色，而腹下火光，大于飞者，乃《诗》所谓'宵行'。"

《神农本草经》云："萤火，味辛，微温。主明目，小儿火疮，伤热气，蛊毒，鬼疰，通神精。一名夜光。"

199　蜉蝣

《诗经·曹风·蜉蝣》："蜉蝣之羽。"

《毛传》曰："蜉蝣，渠略也，朝生夕死也。"《说文》云："蟁蟓，一曰蜉蝣，朝生暮死者。"

《尔雅》："蜉蝣，渠略。"郭注云："似蛣蜣，身狭而长，有角，黑黄色，从生粪土中，朝生暮死，猪好啖之。"舍人曰："南阳以东曰蜉蝣，梁、宋之间曰渠略。"

陆玑云："蜉蝣，方土语也，通谓之渠略。似甲虫有角，大如指，长三四寸，甲下有翅，能飞，夏月阴雨时地中出。今人烧炙，啖之美如蝉也。樊光曰：是粪中蠋虫，随雨而出，朝生而夕死。"

《淮南子·诠言训》云："龟三千岁，蜉蝣不过三日。"《淮南子·说林训》云："蜉蝣不食不饮，三日而死。"《庄子·逍遥游》云："朝秀不知晦朔。"高诱注云："朝秀，朝生暮死之虫。生水中，状似蚕蛾，一名孳母。"

《艺文类聚》引《广志》曰："蜉蝣在水中，翕然生覆水上，寻死随流。"《埤雅》云："蜉蝣虫，似天牛而小，有甲角，翕然生覆水上，寻死，随流，从生郁楼中，朝生暮殒。"

《本草纲目》云："盖蜉蝣，蜣螂之一种。或曰：蜉蝣，水虫也。状似蚕蛾，朝生暮死。"

按：蜉蝣是昆虫纲蜉蝣目昆虫的通称。体软弱，触角短，形如刚毛状，不甚明显。翅半透明，前翅发达，后翅甚小，腹部末端有长尾须2条。成虫寿命短的数小时，或1~2日，长的约7天，一般均朝生暮死。稚虫水栖，需1~3年始能成熟，可为淡水鱼的饵料。

200 伊威

《诗经·豳风·东山》："伊威在室。"

《毛传》曰："伊威，委黍也。"《说文》云："蛜，蛜威，委黍。委黍，鼠妇也。"又云："蟠，鼠妇也。"段玉裁注云："蛜威即今之地鳖虫，与鼠妇异物。《本草经》曰：鼠妇，一名蛜威。以其略相似耳。《本草经》以鼠妇与䗪虫为二条，实则蟠即鼠妇。《太平御览》引《说文》曰：蟠蟓，鼠妇也。"

《尔雅》云："蟠，鼠妇。"郭注云："瓮器底虫。"《尔雅》又云："蛜威，委黍。"郭注："旧说鼠妇别名。"

陆玑云："伊威，一名委黍，一名鼠妇，在壁根下瓮底土中生，似白鱼者是也。"

《通志略》云："鼠妇，瓮底白粉虫也。《尔雅》云：蟠，鼠妇。又曰：蛜威，委黍。《诗》：蛜威在室。"《埤雅》云："伊威，形似白鱼而大，食之令人善淫。术曰：鼠妇，淫妇是也。"

《神农本草经》云："鼠妇，味酸，温。主气癃不得小便，妇人月闭，血瘕痫痓寒热，利水道。一名负蟠，一名蛜威。"《名医别录》云："鼠妇一名蜲蟀。"

按：段玉裁注《说文》释伊威为地鳖虫（䗪虫）。《神农本草经》释伊威为鼠妇。

201 草虫

《诗经·召南·草虫》："喓喓草虫。"《毛传》云："草虫，常羊也。"

《尔雅》云："草螽，负蠜。"郭注云："《诗》曰：喓喓草虫。谓常羊也。"盖草虫的"虫"，繁体字作"蟲"。"蟲""螽"古字通用。所以草虫即草螽。

《草木疏》云："草虫，一名负蠜。大小长短如蝗而青也。奇音，青色，好在茅草中。"

《通志略》云：“草螽，草虫也，亦谓之蚱蜢。”陆佃《埤雅》云：“草虫鸣于上风，蚯蚓鸣于下风。性不忌而一母百子。故《诗》曰：喓喓草虫，趯趯阜螽。”

《本草纲目》云：“阜螽总名也。在草上者曰草螽，在土中者曰土螽，似草虫而大者曰螽斯，似螽斯而细长者曰蟿螽。数种皆类蝗。长角，修股善跳，有青、黑、斑数色。能害稼禾，五月动股作声。至冬入土穴中。”

陈藏器《本草拾遗》云：“负蠜，葵注苏云：戎人重薰渠，犹巴人重负蠜。按：飞廉一名负盘，蜀人食之辛辣也。已出《本经》。《左传》云：蜚不为灾。杜注云：蜚，负蠜也，如蝗虫。又行夜一名负盘，即屁盘虫也。名字及虫相似，终非一物也。”

按《尔雅》《草木疏》所注，《诗经·召南》谓草虫即负蠜。陈藏器《本草拾遗》收负蠜为药物。

202　阜螽

《诗经·召南·草虫》：“趯趯阜螽。”《毛传》曰：“阜螽，蠜也。”

《说文》云：“蠜，阜蠜也。”段注云：“《召南》：趯趯阜螽。《传》曰：阜螽，蠜也。”

《尔雅》云：“阜螽，蠜。”郭注：“《诗》曰：趯趯阜螽。”《诗正义》引李巡曰：“阜螽，蝗子也。”陆玑云：“今人谓蝗子为螽子。党州人谓之螣。”

《本草纲目》卷41云：“阜螽总名也，在草上者曰草螽，在土中者曰土螽，似草螽而大者曰螽斯。五月动股作声，至冬入土穴中。”

蔡邕《月令》云：“其类乳于土中，深埋其卵，至夏始出。”

陈藏器《本草拾遗》云：“阜螽如蝗虫，东人呼为蚱蜢，有毒，有黑斑者，候交时取之。令人相爱。”

203　螽斯

《诗经·周南·螽斯》：“螽斯羽。”《诗经·豳风·七月》：“五月斯螽动股。”《毛传》云：“螽斯、斯螽，蜙蝑也。”

《说文》云：“蜙，蜙蝑，春黍也。以股鸣者。”段玉裁注云：“《周南》传曰：斯螽，蜙蝑也。《尔雅·释虫》曰：蜤螽，蜙蝑。舍人曰：今所谓春黍也。《方言》曰：春黍谓之蜙蝑。《诗》：斯螽即螽斯。《尔雅》：蜤即斯。郑曰：股鸣，蜙蝑动股属。《七月》曰：五月斯螽动股。”

《尔雅》云：“蜤螽，蜙蝑。”郭注云：“蜙蜙也，俗呼蟋螽。”邢昺《尔雅疏》云：“蜤螽，《周南》作螽斯，《七月》作斯螽，一名蜙蝑，一名蜙蜙，一名蟋螽。蜤音斯。”

陆玑云：“螽斯，幽州人谓之春箕，春箕即春黍，蝗类也，长而青，长角长股，股鸣者也。或谓似蝗而小斑黑。其股似玳瑁文。五月中以两股相磋，作声闻数十步。”

《本草纲目》云：“阜螽，总名也。在草上者曰草螽。似草螽而大者曰螽斯。数种皆类蝗，而大小不一。长角，修股，善跳，有青、黑、斑数色，亦能害稼。五月动股作声，至冬入土穴中。”蔡邕

《月令》云："其类乳（产卵）于土中，深埋其卵，至夏始出。"

按：螽斯是昆虫纲直翅目螽斯科的各种昆虫。其触角细长，以翅摩擦发声。有翅种类身体多为草绿色，或褐色，善跳跃，吃农作物，是农业的害虫。

204 莎鸡

《诗经·豳风·七月》："六月莎鸡振羽。"《毛传》曰："莎鸡羽成而振讯之。"

《尔雅》云："螒，天鸡。"郭注："小虫，墨身，赤头，一名莎鸡，又曰樗鸡。"

《神农本草经》云："樗鸡，味苦，平。主心腹邪气，阴痿，益精强志，生子，好色，补中，轻身。"

陆玑云："莎鸡，如蝗而斑色，毛翅数重，其翅正赤，或谓之天鸡，六月中飞而振羽，索索作声，幽州谓之蒲错。"

罗愿《尔雅翼·释虫二》云："莎鸡振羽作声，其状头小而羽大，有青、褐两种，率以六月振羽作声，连夜札札不止，其声如纺织之声，故一名梭鸡，一名络纬，今俗人谓之络丝娘，盖其鸣时又正当络丝之候。"

《本草纲目》认为樗鸡是红娘子（又名灰花蛾），并非是莎鸡。《本草纲目》云："莎鸡居莎草间，蟋蟀之类，似蝗而斑，有翅数重，下翅正赤，六月飞而振羽有声。"

据罗愿所云，莎鸡即纺织娘。纺织娘是昆虫纲直翅目螽斯科的昆虫，绿色或褐，鸣声如轧、织、轧织。

205 蟋蟀

《诗经·唐风·蟋蟀》："蟋蟀在堂，岁聿其逝。"《诗经·豳风·七月》："十月蟋蟀，入我床下。"

《说文》云："蟋，悉蟀也。"段氏注云："《诗·唐风》：蟋蟀在堂。《传》曰：蟋蟀，蛬也。按许书无蛬字。"《诗正义》引李巡曰："蛬，一名蟋蟀。蟋蟀，蜻蛚也。"

《尔雅》："蟋蟀，蛬。"郭璞注云："今促织也亦名青蛚。"《广雅》云："蛬，促织，王孙，青蛚也。"

陆玑云："蟋蟀似蝗而小，正黑有光泽如漆，有角及翅，一名蛬，一名蜻蛚，楚人谓之王孙，幽州人谓之趋织，督促之言也。里语曰：趋织鸣，懒妇惊是也。"

《本草纲目》卷41"灶马"条附录云："促织，蟋蟀也。一名蛬，一名蜻蛚。善跳好斗，立秋后则夜鸣。《豳风》云'七月在野，八月在宇，九月在户，十月蟋蟀，入我床下'是矣。"

蟋蟀（亦名蛐蛐儿）是昆虫纲直翅目蟋蟀科昆虫的通称，其种类很多。普通的蟋蟀触角较体躯为长。雌性产卵管裸出，身体黑色。雄性好斗，善鸣，由两侧翅摩擦发声，鸣声连续发"哩哩哩哩"4个音节。其干燥虫体性温，味辛、咸，有毒，可利尿，主治水肿、小便不利等。

同科有油葫芦、棺头蟋等。它们多在地下活动，啃食植物茎叶、果实、种子和根部，都是农业害虫。

206　螟

《诗经·小雅·大田》："去其螟螣。"

《说文》云："螟，虫食谷心者。吏冥冥犯法即生螟。"段玉裁注云："心，各本讹叶。今依《开元占经》正。《毛传》曰：食苗心曰螟，食叶曰螣，食根曰蟊，食节曰贼。"

《尔雅》云："食苗心螟。"郝懿行疏云："螟者，《春秋·隐公五年》：螟。《正义》引舍人曰：食苗心者名螟。李巡曰：食禾心为螟。言其奸，冥冥难知也。"

陆玑云："螟似䗖蚄，而头不赤。"

螟是昆虫纲鳞翅目螟蛾科昆虫的通称。螟的种类很多，有稻螟虫、三化螟、二化螟等。其幼虫蛀入稻桩中越冬。秧田期和移栽后，幼虫蛀入稻茎食害，切断养分、水分，形成枯心苗或白穗，是水稻的主要害虫。有的螟也危害小麦、玉米、甘蔗、茭白等。

207　螣

《诗经·小雅·大田》："去其螟螣。"

螣，《说文》作螣，云："螣，虫食苗叶者，吏气贷则生螣。《诗》曰：去其螟螣。"段氏注云："《小雅·大田》文，今《诗》作螣，假借字也。"毛晋《陆疏广要》云："螣，《诗》作螣，一种虫，似螟蛉，食苗叶而卷为房。"

《尔雅》云："食叶螣。"郝懿行疏云："《左传》疏引李巡曰：食禾叶者，言其假贷无厌，故曰螣。"高诱注《吕氏春秋·任地》云："蟘或作螣，食叶曰蟘，兖州谓蟘为螣。"

按：螣，亦名蟘，食禾苗小青虫，既食苗叶，又吐丝缠裹余叶，令禾穗不能舒展，故螣和今日稻苞虫（俗称卷叶虫）很相似。稻苞虫是昆虫纲鳞翅目弄蝶科的昆虫，种类很多。稻苞虫的幼虫纺锤形，绿色，体侧有白色分泌物，能吐丝将稻叶卷折成苞并藏身其中，晚间外出食稻叶。黏结的苞影响水稻抽稻。稻苞虫也危害茭白、萱草、竹，并食禾本科杂草。

208　蟊

《诗经·小雅·大田》："及其蟊贼。"《诗经·大雅·桑柔》："降此蟊贼。"

《尔雅》云："食根，蟊。"郝懿行疏云："《说文》作蟊，云虫食苗根者。《左传》疏引李巡曰：食其根者，言其税取万民财货，故曰蟊也。"

陆玑云："蟊，蝼蛄也。食苗根为人患。"又云："旧说螟、螣、蟊、贼一种也。如言寇贼奸宄内外言之耳。故犍为文学曰：此四种虫皆蝗也，实不同，故分别释之。"

《艺文类聚》引《诗义疏》曰："蟊长而细。"

蟊很像今日的地老虎。地老虎，俗称地蚕、切根虫，是昆虫纲鳞翅目夜蛾科昆虫，主要有大地老虎、小地老虎、黄地老虎。它们都是地下害虫，昼伏夜出，其幼虫危害玉米、棉花、薯类、蔬菜、树木等幼苗，可咬断苗茎基部，造成缺苗断垄。

209　贼

《诗经·大雅·瞻卬》："蟊贼蟊疾。"《诗经·大雅·召旻》："蟊贼内讧。"

《尔雅》云："食节，贼。"郝懿行疏云："《诗疏》引李巡云：食禾节者，言贪狠，故曰贼也。"

陆玑云："贼，似桃李中蠹虫，赤头，身长而细耳。"又云："旧说蟘、螣、蟊、贼一种虫也。如言寇贼奸宄内外言之耳，故犍为文学曰：此四种皆蝗也，实不同，故分别释之。"

贼有点像今日的黏虫。黏虫，俗称夜盗虫、五色虫、好蚄，是昆虫纲鳞翅目夜蛾科的昆虫。黏虫的老熟幼虫头褐色，背面黑色并有彩色纵纹。幼虫危害小麦、玉米、水稻、甘蔗及禾本科杂草等茎叶，并迅速迁移危害，是粮食作物的主要害虫。

210　蜮

《诗经·小雅·何人斯》："为鬼为蜮。"《毛传》曰："蜮，短弧也。"陆德明释文："状如鳖，三足，一名射工，俗呼为水弩，在水中含沙射人，一曰射人影。"

《说文》："蜮，短弧也。"段氏注云："弧又作狐。按：此因其以气射害人，故谓之短弧，作狐非也。其气为矢，则其体为弧。"

陆玑云："蜮，短弧也，一名射影。如鳖，三足，江淮水滨皆有之。人在岸上，影在水中，投人影则杀之，故曰射影也。南方人将入水，先以瓦石投水中令水浊，然后入。或曰含细沙射人，入人肌，其创如疥。"

《尔雅翼》云："蜮，一名短弧，一名射工，一名溪毒，生江南山溪水中，甲虫之类也。"《埤雅》云："蜮含水射人，一曰含沙射人之影，一名射工，一名溪毒。"

《本草拾遗》云："溪鬼虫，取其角带之，主溪毒、射工，出有溪毒处山林间，大如鸡子，似蛣蜣，头有一角，长寸余，角上有四岐，黑甲，下有翅能飞，六月、七月取之。"

《证类本草》引《玄中记》云："溪鬼虫，水狐虫也，长四寸，其色黑，背上有甲，其口有角，向前如弩，以气射人，江淮间谓之短弧。"

欧阳修《自岐江山行至平陆驿》："水涉愁蜮射，林行忧虎猛。"

蜮，似是传说中一种能含沙射人的动物。

211　苍蝇

《诗经·齐风·鸡鸣》："匪鸡则鸣，苍蝇之声。"

《淮南子》云："烂灰生蝇。"

李时珍在《本草纲目》卷40"蝇"条中曰："苍者声雄壮，蝇飞营营，其声自呼，故名。夏出冬蛰，喜暖恶寒。而足喜交。主治拳毛倒睫，以腊月蛰蝇干研末，以鼻频嗅之即愈。"又云："蝇之子为蛆。酱生蛆，以草乌切片投之。蛆味寒，无毒。治小儿诸疳积、疳疮，热病谵妄，毒痢作吐。"

过去农民以粪蛆饲小鸭。将粪蛆投水中，蛆浮水面，鸭喜食之。咀作药用，名五谷虫。先将粪蛆装入麻袋中，置流水处，或系船两侧，经水冲洗一日夜，则蛆洗得极白，上甑蒸，再晒干，磨成粉，和面、糖制成糕，供小儿疳疾患者服食，确有良效。

蝇是昆虫纲双翅目昆虫的通称，其种类很多，我国最常见的为舍蝇。舍蝇体长6~7 mm，密生短毛，灰黑色，胸背有斑纹4条，无金属光泽，口器适于舐吸，复眼大，触角短而芒，仅有1对前翅，后翅退化为平衡棒。幼虫白色，无头足，名"蛆"，孳生于粪坑内粪便中。蝇在夏季约10天繁殖1代，其能携带伤寒、霍乱、痢疾、肠炎等病原菌，是危害人类的害虫。

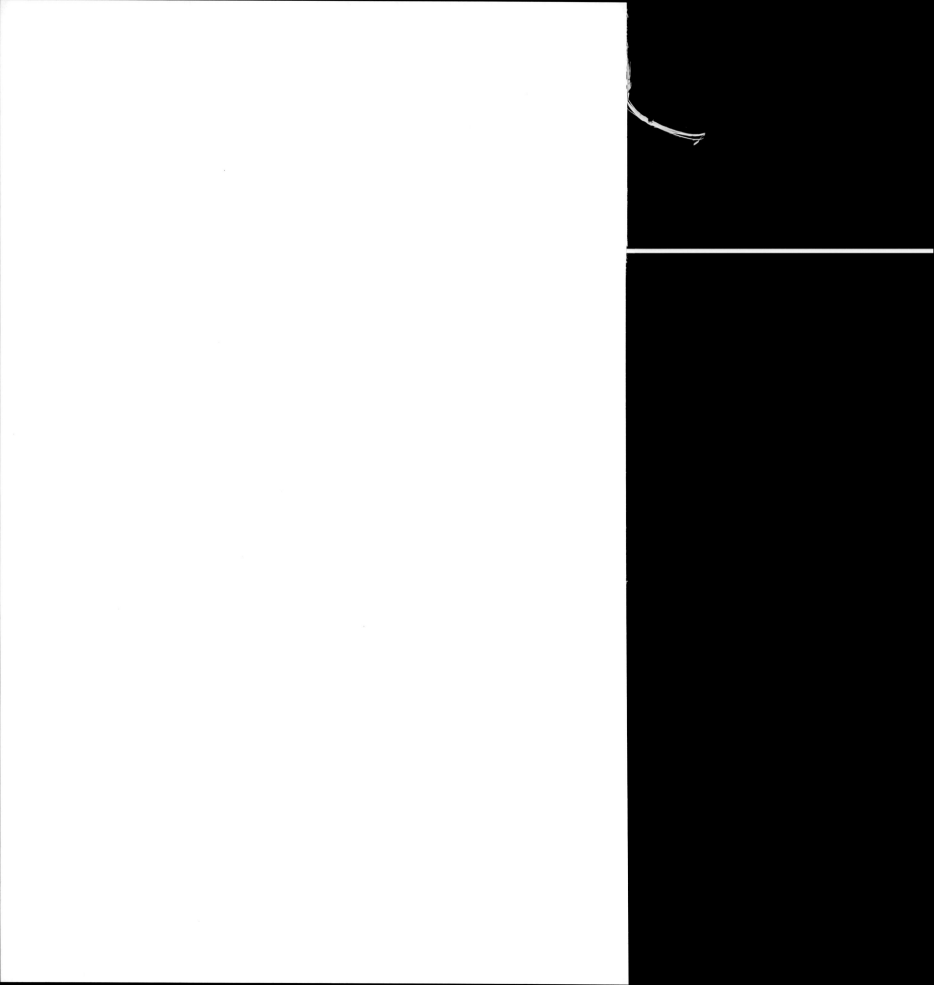

212 鲦

《诗经·周颂·潜》:"鲦鳣鰋鲤。"

《说文》:"鲦,鲦鱼也。"段氏注云:"《周颂》笺云:鲦,白鲦也。《庄子》:鲦鱼出游从容。按:白鲦即今餐条。"

《尔雅》:"鮂,黑鰦。"郭注:"即白鲦鱼,江东呼为鮂。"又郭璞注《山海经·西山经》云:"小鱼曰鲦。"《尔雅翼》云:"鲦形纤细而白,故曰白鲦。"《埤雅》云:"鲦鱼形狭而长,江湖之间谓之𤡅鱼。"

《本草纲目》云:"鲦,生江湖中小鱼也。长仅数寸,形狭而扁,状如柳叶,鳞细而整,性好群游。荀子曰:鲦鮄,浮阳之重也。最宜鲊菹。鲦鱼味甘,温。煮食,已忧,暖胃,止冷泻。"

按:鳘鲦,鱼纲鲤科。体延长,侧扁,银白色,腹面全部具肉棱,背鳍具硬刺。我国淡水均产。

213 鳢

《诗经·小雅·鱼丽》:"鱼丽于罶鳢鲨。"《诗经·周颂·潜》:"鲦鳢鰋鲤。"

《毛传》曰:"鳢,扬也。"《说文》云:"鳢,扬也。"

陆玑云:"鳢,一名扬,今黄颊鱼也,似燕头,鱼身,形厚而长,大颊,骨正黄。鱼之大而有力解飞者。今江东呼黄鳢鱼,一名黄颊鱼,尾微黄,大者长尺七八寸许。徐州人谓之扬。"

《埤雅》云:"今黄鳢鱼是也,性浮而善飞跃,故一曰扬也,一名黄扬。"

《本草纲目》卷44"黄颡鱼"条云古名黄鳢鱼,《诗疏》名黄颊鱼,一名鮠𩽀。

《食疗本草》云:"黄赖鱼,一名鮠𩽀,醒酒,亦无鳞,不益人也。"

李时珍曰:"黄颡,无鳞鱼也。身尾俱似小鲇,腹下黄,背上青黄,腮下有二横骨,两须,有胃。群游作声如轧轧。性最难死。煮食,消水肿,利小便。烧灰,治瘰疬久溃不收敛,及诸恶疮。"

按李时珍所云,鳢即黄颡鱼,亦称鮠𩽀、鮠鲻。鳢,鱼纲,鳢科(鮠科)鱼类的通称。其体延长，前部扁平，后部侧扁，长度超过 10 cm，青黄色，大多具不规则褐色斑纹，口宽，下位，须 4 对，背鳍、胸鳍各具一硬刺，后缘具锯齿，刺活动时能发声，腹鳍低平，尾鳍分叉，无鳞，肉质细嫩，鲿的种类有很多。

214 鲨

《诗经·小雅·鱼丽》：“鱼丽于罶鲿鲨。”

《说文》：“鲨，鲨鱼也。出乐浪潘国。”段玉裁注云：“《诗·小雅》有鲨，则为中夏之鱼，非远方外国之鱼明甚。盖《诗》自作沙字，吹沙小鱼也。乐浪潘国之鱼，必出于海。”

《尔雅》：“鲨，鮀。”郭注云：“今吹沙，小鱼，体圆而有点文。”舍人曰：“鲨，石鮀也。”《埤雅》：“鲨性善沉，大如指，狭圆而长有黑点，常沙中行，亦于沙中乳子。”

陆玑云：“鲨，吹沙也，似鲫鱼，狭而小，体圆而有黑点，一名重唇鲨。鲨常张口吹沙。”

《太平御览》引《临海异物志》云：“吹沙长三寸许，背上有刺，犯之螫人。”《海物异名记》云：“鲨似鲫而狭小。”

《尔雅翼》：“鲨尝张口吹沙，故曰吹沙。非特吹沙，亦止食细沙。其味甚美，大者不过二斤，然不若小者之佳。”

《本草纲目》云：“鲨鱼，大者长四五寸，其头尾一般大。头状似鳟，体圆似鳝，厚肉重唇。细鳞，黄白色，有黑斑点文，背有鬐刺甚硬。肉味美，暖中益气。”

按：鲨亦是鲛鱼的别名。《唐本草》云：“鲛鱼皮，主蛊气。蛊疰方用之，即装刀靶鲠鱼皮。”陈藏器《本草拾遗》云：“鲛鱼，一名沙鱼，一名鰒鱼。皮主食鱼中毒，烧末服之。”《本草图经》云：“鲛，沙鱼，其皮可以饰剑。然有二种：其最大而长喙，如锯者谓之胡沙，性善而肉美；小而皮粗者曰白沙，肉强而有小毒。”

《唐本草》《本草拾遗》《本草图经》所云的“鲨”是一群鳃裂位于侧面的板鳃鱼类的通称。这类鲨多是海生，少数种类亦进入淡水。它与某些淡水小型鱼类，如吹沙鱼不同。《诗经》中所讲的鲨即《尔雅》中的“鲨，鮀”，即吹沙鱼，不是生活在海水中的鲨。

215 鳠

《诗经·小雅·鱼丽》：“鱼丽于罶鳠鲤。”《诗经·周颂·潜》：“鲦鲿鳠鲤。”《毛传》曰：“鳠，鲇也。”

《说文》云：“鲇，鳠也。”段玉裁注云：“《尔雅·释鱼》曰：鳠，鲇也。孙炎云：鳠，一名鲇。郭别鳠、鲇为二，非也。”《后汉书·马融传》：“鳠鲤鲿鲨。”

《尔雅》云：“鳠，鲇。”郭注云：“鲇，别名鳀，江东通呼鲇为鳀。”《名医别录》云：“鳀鱼，味甘，无毒。主百病。”

《本草纲目》卷 44 “鳀鱼”条云：“鳀鱼，额平夷低偃，其涎黏滑。古曰鳠，今曰鲇；北人曰鳠，南人曰鲇。鲇乃无鳞之鱼，大首偃额，大口大腹，鮠身鳢尾。生流水者，色青白；生止水者，色青黄。治口眼㖞斜，活鮎，切尾尖，朝吻贴之即正。又五痔下血肛痛，同葱煮食之。"

按《说文》《尔雅》所释，鰋即鮎。鮎又名鳠。鳠是鱼纲鲇科鱼类。其体延长，前部平扁，后部侧扁，长有 1 m 左右，灰黑色，有不规则暗色斑块，皮肤富黏液腺，无鳞，头扁，口宽大，有须 2 对，眼小，背鳍 1 个，很小，臀鳍长，与尾鳍相连，胸鳍具一硬刺。鳠分布于我国各地淡水中。

216 鲤

《诗经·小雅·鱼丽》："鱼丽于罶鰋鲤。"《诗经·小雅·六月》："炰鳖脍鲤。"《诗经·陈风·衡门》："岂其食鱼，必河之鲤。"

《说文》云："鲤，鳣也。"段氏注云："舍人云：鲤一名鳣。《诗》鳣、鲤并言，似非一物。而《郑笺》云：鳣，大鲤也。然则凡鲤曰鲤，大鲤曰鳣。犹小鲔曰鮥，大鲔曰鲔。"《尔雅》云"鲤"，郭注云："今赤鲤鱼。"

《齐民要术》引《养鱼经》云："鲤不相食，又易长。旧说鲤脊中鳞一道，每鳞有小黑点，大小皆三十六鳞。"脊中，指脊下两侧正中。

《神农本草经》云："鲤鱼胆，味苦，寒。主目热赤痛，青盲，明目。久服强悍，益志气。"

《名医别录》云："鲤鱼肉，味甘。主咳逆上气，黄疸，止渴。生者，主水肿，脚满下气。骨主女子带下赤白。齿主石淋。"

鲤是鱼纲鲤科的硬骨鱼类，种类很多，我国有 500 多种，全世界有 1000 多种。鲤鱼体延长，稍侧扁，青黄色，尾鳍下叶红色，口下位，须 2 对。我国各地淡水都产，常见的有饲养变种无鳞的革鲤、供观赏的红鲤等。

217 鳟

《诗经·豳风·九罭》："九罭之鱼鳟鲂。"《毛传》曰："鳟，大鱼也。"

《说文》云："鳟，赤目鱼也。"又云："鮅，鱼名。"《尔雅》云："鮅，鳟。"郭注云："似鲩子，赤眼。"

《太平御览》引陆玑云："鳟似鲩鱼，而鳞细于鲩，赤眼，多细纹。"

《埤雅》引孙炎《正义》云："鳟好独行（故字从尊）。"《尔雅翼》云："鳟鱼目中赤色一道，横贯瞳。"

《本草纲目》云："鳟鱼，又名鮅。状似鲩而小，赤脉贯瞳，身圆而长，鳞细于鲩，赤质赤章，好食螺、蚌，善于遁网。肉，暖胃和中，多食动风热，发疥癣。"

按：鳟是鲤科鱼类之一。其体长，前部圆筒形，后部侧扁，银灰色，眼上缘红色，每一鳞片后缘具一小黑斑，头平扁，口端正，须一般 2 对，颇细小，鳍无刺，尾鳍呈鱼尾叉。常见的有赤眼鳟，亦称红眼鱼。

218 鲂

《诗经·周南·汝坟》："鲂鱼赪尾。"《诗经·陈风·衡门》："必河之鲂。"《诗经·小雅·采录》:"维鲂及鱮。"《诗经·小雅·鱼丽》:"鱼丽于罶鲂鳢。"《诗经·大雅·韩奕》:"鲂鱮甫甫。"

《说文》:"鲂,赤尾鱼也。"段氏注云:"《周南》曰:鲂鱼赪尾。《传》曰:鱼劳则尾赤。"《养生经》云:"鱼劳则尾赤,人劳则发白。"

《尔雅》云:"鲂,魾。"郭璞注云:"江东呼鲂鱼为鳊,一名魾。"《尔雅翼》云:"鲂,缩头穿脊,腹色青白而味美,今之鳊鱼也。"

《山海经·海内北经》:"大鳊居海中。"郭注云:"鳊即鲂也。"按:鳊、鳊音同,皆为鲂的异名。

陆玑云:"鲂,今伊、洛、济、颍鲂鱼也,广而薄肥,恬而少力,细鳞。鱼之美者,渔阳泉州(牣刀口)及辽东梁水鲂,特肥而厚,尤美于中原鲂。故其乡语云:居就粮,梁水鲂。"

《本草纲目》云:"鲂,方也。鳊,扁也。其状方,其身扁。小头缩顶,穿脊阔腹,扁身细鳞,色青白,腹内有肪,味最美。故《诗》云:岂其食鱼,必河之鲂。俚语云:伊洛鲤鲂,美如牛羊。"

《食疗本草》云:"鲂鱼,调胃气,利五脏。和芥子酱食之,助肺气,去胃家风,消谷不化者。作鲙食,助脾气,令人能食。患疳痢者,不得食。作羹臛食,宜人,其功与鲫鱼同。"

鲂鱼是鱼纲鲤科鱼类,其体形似鳊,一名平胸鳊。因其背部特别隆起,体近三角形,又名三角鳊。其腹面后部具肉棱,银灰色,长达 50 cm。其近缘种有团头鲂,即武昌鱼。

219 鱮

《诗经·齐风·敝笱》:"其鱼鲂鱮。"《诗经·小雅·采录》:"维鲂及鱮。"《诗经·大雅·韩奕》:"鲂鱮甫甫。"《毛传》曰:"鲂鱮,大鱼。"《郑笺》云:"鱮似鲂而弱鳞。"

《说文》:"鱮,鲢鱼也。"《广雅》:"鲢,鱮也。"

陆玑云:"鱮似鲂厚而头大,鱼之不美者,故里语曰:网鱼得鱮,不如啖茹。其头尤大而肥者,徐州人谓之鲢,或谓之鳙。幽州人谓之鹢鸲,或谓之胡鳙。"

《西征赋》云:"华鲂跃鳞,素鱮扬鬐。"《埤雅》云:"鱮鱼似鲂而弱鳞,其色白,北土皆呼白鱮。好群行相与也,故曰鱮;相连也,故曰鲢。"

《尔雅翼》云:"鱮、鳙,鲢鱼也,大头而细鳞,鱼之不美者。"

《本草纲目》云:"鱮鱼,状如鳙,而头小,形扁,细鳞肥腹,其色最白。失水易死。肉,温中益气。多食,令人热中发渴,又发疮疥。"

鱮又名鲢,属鱼纲鲤科鱼类。其体侧扁、较高,银灰色,口大,眼下侧位,腹面腹鳍前后均具肉棱,胸鳍末端伸达腹鳍基底,鳞可制鱼鳞胶和珍珠素。《本草纲目》说鱮状如鳙。鳙也属鲤科,形状与鱮极相似,唯头大,称胖头鱼,又名花鲢。

220 鳢

《诗经·小雅·鱼丽》:"鱼丽于罶鲂鳢。"《毛传》曰:"鳢,鲖也。"

《说文》："鳢，鳠也。"又云："鲩，鳢也。"又云："鳣，鲖也。"

邢昺《尔雅疏》云："鳢今鲴鱼也，鲖与鲴音义同。"舍人云："鳢，一名鲩。"

《广雅》云："鲖，鳎鲖也。"《埤雅》云："鳢，今玄鳢也。"《尔雅翼》云："鳢鱼圆长而斑点有七点作北斗之象。"

陆玑云："鳢，鲩也，似鳢，颊狭而厚。《尔雅》曰：鳢，鲖也。许慎以为鳢鱼。"

《神农本草经》云："蠡鱼，味甘，寒。主湿痹，面目浮肿，下大水，一名鲖鱼。"

《名医别录》云："蠡鱼，疗五痔，有疮者不可食，令人瘢白。生九江池泽。"陶隐居注云："蠡鱼，至难死，犹有蛇性。合小豆白煮，以疗肿满甚效。"

《本草图经》云："谨按《尔雅》'鳢鲩'。郭璞注云：鳢，鲖也。释者曰：鳢，鲩也。《诗·小雅》云：鱼丽于罶鲂鳢。《毛传》云：鳢，鲩也。陆玑谓鲩即鳢也。据上所说，则似今俗间所谓黑鳢鱼者，至难死，形近蛇类。"

《本草纲目》云："鳢，一名玄鳢、乌鳢、黑鳢。又名文鱼、鲖鱼、蠡鱼。"

鳢名黑鱼，又名乌鳢。鱼纲，鳢科。体延长，呈亚圆筒形。青褐色，具3纵行黑色斑块。眼后至腮孔有2条黑色横带。口大，牙尖。背鳍、臀鳍均延长近尾。性凶猛，8 cm以上个体能捕食其他鱼类，故为淡水养殖业的害鱼之一。

221　鳏

《诗经·齐风·敝笱》："敝笱在梁，其鱼鲂鳏。"《毛传》曰："鳏，大鱼也。"《郑笺》云："鳏，鱼子也。"

《说文》："鳏，鳏鱼也。"段氏注云："谓鳏与鲂皆大鱼之名也。《郑笺》乃读鳏为《尔雅》鲲，殆非是。"

《尔雅》云："鲲，鱼子。"郭注："凡鱼之子，总名鲲。"郝懿行疏云："鲲、鳏古通用。《诗·敝笱》笺：鳏，鱼子也。《鲁语》云：鱼禁鲲鲕。韦昭注：鲲，鱼子也。《诗疏》引李巡曰：凡鱼之子，总名鲲也。"

按段玉裁所注，鳏即大鱼的名称，不是鲲，但一般书皆释为鲲鱼。《本草纲目》释鳏为鳡鱼，云："其性独行，故曰鳏。《诗》云'其鱼鲂鳏'是矣。鳡生江湖中。体似鳤而腹平，头似鲩而口大，颊似鲇而色黄，鳞似鳟而稍细。大者三四十斤，唼鱼最毒，池中有此，不能畜鱼。其肉，食之已呕，暖中益胃。"

鳏即鳡鱼。鳡鱼亦称竿鱼、黄鲇。鳡鱼，鱼纲，鲤科。其体长，亚圆筒形，青黄色，吻尖长，口大，颌呈喙状，眼小，性凶猛，捕食各种鱼类，为淡水养殖业的害鱼。李时珍云："唼鱼最毒，池中有此，不能畜鱼。"

222　鲐

《诗经·鲁颂·闵宫》："黄发鲐背。"

《毛传》:"鲐背,大老也。"《郑笺》:"黄发鲐背,皆寿征也。"又云:"台之言鲐也,大老则背有鲐文。"《尔雅·释诂》:"鲐背、耇、老,寿也。"《方言·第一》:"眉、梨、耋、鲐,老也。"严粲:"曹氏曰:老人发白而更黄,背皱如鲐鱼皮。"

对于鲐鱼有 2 种解释。

(1)释为河豚。《说文》:"鲐,海鱼也。"段氏注云:"鲐亦名侯,即今之河豚也。《吴都赋》:'王鲔侯鲐。'似王侯相俪。《货殖传》:'鲐鮆千斤。'鲐状如科斗,背上青黑,有黄纹。"

侯鲐亦作鯸鮧。《本草拾遗》云:"鯸鮧鱼有毒,不可食之,其肝毒杀人。此鱼行水之次,或自触着物,即自怒气胀浮于水上,为鸦雏所食。"

《开宝本草》云:"河豚,味甘,温,无毒。主补虚,去湿气,理腰脚,去痔疾,杀虫。江河淮皆有。"

《日华子本草》云:"河豚肝有大毒。又名鉠鱼、规鱼、吹肚鱼也。"

《本草纲目》云:"河豚,状如蝌蚪,大者尺余,背色青黑,有黄缕文,无鳞无腮无胆,腹下白而不光。忌荆芥、菊花、甘草、桔梗、乌头、附子。"

河豚,古称鲵,或称鯸鲐,鱼纲鲀科。其体圆筒形,牙愈合成牙板,背鳍1个,无腹鳍。无鳞或有刺鳞。有气囊,能吸气膨胀。肉鲜美,肝脏、生殖腺、子(卵)、血液中含有毒素。河豚的种类很多。

(2)释为鲭鱼。鲐鱼亦称鲭、青花鱼、油筒鱼。鲭鱼,鱼纲鲭科,体呈纺锤形,背青色,腹白色,体侧上部具深蓝色波状条纹。为中上层洄游性鱼类。供食用,肝可制鱼肝油。分布于我国、朝鲜和日本沿海。

223 鳣

《诗经·卫风·硕人》:"鳣鲔发发。"《诗经·小雅·大东》:"匪鳣匪鲔。"《诗经·周颂·潜》:"有鳣有鲔。"

对于鳣有 2 种解释:一释为大鲤鱼,一释为黄鱼。

(1)释为大鲤鱼。《毛传》曰:"鳣,鲤也。"《说文》云:"鳣,鲤也。"段氏注云:"此当同郑曰大鲤也。"崔豹《古今注》:"鲤大者为鳣。"

(2)释为黄鱼。《尔雅》云:"鳣。"郑注云:"鳣,大鱼,似鲟而短鼻,口在颔下,体有邪行甲,无鳞,肉黄。大者长二三丈,今江东呼为黄鱼。"

陆玑云:"鳣鲔出江海,三月中从河下头来上。鳣身形似龙,锐头,口在颔下,背上、腹下皆有甲,纵广四五尺。今于孟津东石碛上钓取之,大者千余斤。可蒸为臛,又可为鲊鱼,子可为酱。"

《本草拾遗》云:"鳣鱼肝,无毒。主恶疮疥癣。勿以盐炙食。鳣长二三丈,纯灰色,体有三行甲。"李时珍以为即鲟鳇鱼。

《本草纲目》云:"鳣出江淮、黄河、辽东深水处,无鳞大鱼也。状似鲟,色灰白,背有骨甲三行,鼻长有须,口近颔下,尾歧。小者近百斤,大者长二三丈,至一二千斤。气甚腥。脂与肉层层相间,肉色白如玉,名玉版鱼,脂色黄如蜡,《食疗》名黄鱼,《御览》名蜡鱼。"

按:鳣即黄鱼,今名鳇,鱼纲鲟科。鳣体形和鲟相似,背灰绿色,腹黄白色。初夏溯江产卵。性成熟迟，约需17~20年。

224 鲔

《诗经·卫风·硕人》："鳣鲔发发。"《诗经·小雅·大东》："匪鳣匪鲔。"《诗经·周颂·潜》："有鳣有鲔。"

《毛传》云："鲔，鲧也。"《说文》云："鲔，鲧也。"又云："鲧，叔鲔也。又云鲐一曰鲔，又云鲔鮥，鲔也。"

《尔雅》云："鲧，叔鲔。"郭注云："鲔，鳣属也。大者名王鲔，小者名叔鲔。今宜都郡自荆门以上，江中通出鲟鳣之鱼，有一鱼状似鳣而小，建平人呼鲧子，即此鱼也。"

陆玑云："鲔鱼，形似鳣而色青黑，头小而尖，似铁兜鍪，口在颌下，其甲可以磨姜，大者不过七八尺，益州人谓之王鲔，大者为王鲔，小者为叔鲔，一名鲧，肉色白，味不如鳣也，今东莱辽东人谓之尉鱼，或谓之仲明鱼，仲明者，乐浪尉也，溺死海中，化为此鱼。"又云："河南巩县东北崖上山腹有穴，旧说此穴与江湖通，鲔从此穴而来，北入河，西上龙门，入漆沮。故张衡赋云：'王鲔，岫居山穴为岫。'谓此穴也。"

《本草纲目》卷44谓鲔即《本草拾遗》鲟鱼。《本草拾遗》云："鲟鱼，味甘，平，无毒。主益气，补虚，令人肥健。生江中，背如龙，长一二丈。鼻上肉作脯名鹿头，一名鹿肉，补虚下气。子如小豆，食之肥美，杀腹内小虫。"

《食疗本草》云："鲟鱼有毒。主血淋，可煮汁饮之。"

李时珍曰："鲔鱼即鲟鱼，亦鳣属也。岫居。长丈余。状如鳣，而背上无甲。其色青碧，腹下色白，鼻长与身等，口在颔下。颊下有青斑纹，如梅花状。尾歧如丙。肉色白，味亚于鳣，鬐骨不脆。"

按《本草拾遗》《本草纲目》所云，鲔即鲟鱼。今日的鲟鱼，古称鲟。鲟鱼，鱼纲鲟科，其体长，亚圆筒形，长达3 m，青黄色，腹白色，吻尖突，口小，腹位，口前有须2对，左右鳃膜不相连，体被5纵行骨板，余皆裸出。以无脊椎动物和小鱼为食料。性成熟迟，约10年。

鲟鱼和鳣鱼同属鲟科，形状极相似。鳣鱼又名鳇鱼。鲟鱼、鳣鱼古均称为鲔，但今日的"鲔"不是鲟科的鱼类，而是鱼纲金枪鱼科的鱼类，其体呈纺锤形，长达50 cm，蓝黑色，背侧有若干条黑色斜带。另有金枪鱼，广东俗称青干，日本称鲔。

总之，"鲔"的同名异物者有四，即：鱼纲金枪鱼科的鲔，金枪鱼的日本名，鲟科鱼类"鳇"的古名，鲟科鱼类"鲟"的古名。《诗经》中所讲的"鲔"即是第4种。

225 戚施

《诗经·邶风·新台》："得此戚施。"《毛传》曰："戚施，不能仰者。"

《说文》："鼀(shī)，齼(qī)鼀，詹诸也。《诗》曰：得此齼鼀。"段玉裁注云："《邶风·新台》文。今《诗》作戚施。"

《尔雅》云："鼀 齼，蟾诸。"郭注："似虾蟆，居陆地，淮南谓之去蚁。"

《神农本草经》有虾蟆，《名医别录》云一名蟾蜍，一名鼁，一名去甫，一名苦蠪。陶弘景注："此是腹大皮上多痱磊者，其皮汁甚有毒，犬啮之口皆肿。"

陈藏器《本草拾遗》云："虾蟆背有黑点，身小，能跳接百虫，解作呷呷声，在陂泽间，举动极急。蟾蜍身大背赤无点，多痱磊，不能跳，不解作声，行动迟缓，在人家湿处。《本经》云'虾蟆一名蟾蜍'，误矣。"

按：戚施，亦作"鼅鼀"，即蟾蜍的古名。蟾蜍是两栖纲蟾蜍科动物的通称，其种类很多，最常见的是大蟾蜍，别名癞哈蟆，《神农本草经》称之为虾蟆。大蟾蜍体长 10 cm 左右，背面黑绿色，有大小不等的瘰疣，古称"痱磊"，腹面乳黄色，有棕色或黑色斑纹及小疣，上下颌均无齿，有 1 对耳后腺，趾间有蹼。雄蟾前肢内侧 3 指有黑色指垫，无声囊，白天栖于泥穴、石下、草内，夜间出来捕食昆虫。成体冬季多在水底泥内冬眠，早春在水里产卵。其耳后腺及皮肤白色分泌物可制蟾酥。

"虾蟆"是蟾蜍的古称。自唐代陈藏器《本草拾遗》开始，"虾蟆"即指今日的粗皮蛙。粗皮蛙即土蛙，是两栖纲蛙科动物。粗皮蛙体长约 7.5 cm，皮肤极粗糙，背面灰黑色，散有黑点，并有多数纵走皮肤褶，腹面淡灰色，有多数黑点，趾间有蹼。雄蛙无声囊，生活于湿地、水田等处。

226 贝

《诗经·小雅·巷伯》："成是贝锦。"《诗经·鲁颂·闷宫》："贝胄朱綅。"

《说文》云："贝，海介虫也。古者货贝而宝龟。周而有泉，至秦废贝行钱。"段氏注云："介虫生于海中，谓以介为货。《小雅》：既见君子，锡我百朋。《笺》云：古者货贝，五贝为朋。《周易》亦言十朋为龟。秦始废贝专用钱，变泉为钱，周曰泉，秦曰钱。古者谓钱为泉布（读为宣布之布）。"

《尔雅》云："贝，居陆贆，在水者蜬，大者魧，小者鲼。"又云："玄贝、贻贝，馀貾、黄白文。馀泉，白黄文。"郭注云："水陆异名也，贝中肉如科斗。但有头尾耳。鲼，今细贝，亦有紫色者，出日南。玄贝即黑色贝也。"

《山海经》："阳山浊洛之水，注于蕃之泽中，多文贝，阴山渔水中多文贝，邪山濛水多黄贝，苍梧之野，爰有文贝。"

陆玑云："贝，水中介虫也，龟鳖之属。大者为魧，小者为贝，其文彩之异，大小之异甚众，古者货贝是也。馀貾黄为质，以白为文；馀泉白为质，黄为文。又有紫贝，其白质如玉，紫点为文，皆行列相当。其大者常有径一尺，小者七八寸。今九真、交趾以为杯盘宝物也。"

《南州异物志》云："交趾北南海中有大文贝，质白而文紫。"《埤雅》："兽二为友，贝二为朋。"

《神农本草经》云："贝子，味咸，平。主目医，鬼疰，蛊毒，腹痛，下血，五癃，利水道。烧用之良。"

《名医别录》云："贝子，除寒热温疰，解肌散结热。一名贝齿。生东海池泽。"

《唐本草》云："紫贝明目，去热毒。形似贝，圆，大二三寸。出东海及南海上，紫斑而骨白。"

贝是蚌蛤类之小者，亦名贝子、鲼。郝懿行《尔雅义疏》云："鲼者，小贝之名。"陶弘景注云："出南海。此是小小白贝子，人以饰军容服物者。""贝胄朱綅"的意思是头盔（胄）上镶着贝，垂着朱红色的绒线。

蚌蛤是软体动物蛤蜊、珠母、珠蚌、文蛤等动物的泛称，简称为贝。它们同属鳃纲动物，但科属各不相同，如蛤蜊是蛤蜊科，珠母是珍珠贝科，文蛤是帘蛤科，珠蚌是珠蚌科。其中珠母贝壳内面具有极强烈的珍珠光。又扇贝科的扇贝壳面褐色，有灰白至紫红色纹彩，极美丽，古人作镶饰用，正如陶弘景所云"人以饰军容服物"。

227　龟

《诗经·小雅·小旻》："我龟既厌。"《诗经·大雅·绵》："爰契我龟。"《诗经·大雅·文王有声》："维龟正之。"《诗经·鲁颂·泮水》："元龟象齿。"

《说文》云："龟，旧也（义同长久）。外骨内肉者也。"段氏注云："旧即久字。刘向曰：蓍之言者，龟之言久。龟千岁而灵，蓍百年而神。"

《尔雅》云："一曰神龟，二曰灵龟……"刘逵《蜀都赋》注引谯周《异物志》曰："涪陵多大龟，其甲可以卜，其缘中叉似玳瑁，俗名曰灵龟。"

《神农本草经》云："龟甲，主漏下赤白，破癥瘕痎疟，五痔，阴蚀，湿痹，四肢重弱，小儿囟不合。一名神屋。"

《名医别录》云："龟，主头疮难燥，女子阴疮及惊恚，湿痹，心腹痛，不可久立，骨中寒热，伤寒劳复。"陶弘景云："龟壳可入药。"李时珍曰："古者龟的上下甲皆用之，至日华始用龟板，而后人遂主之矣。"

龟是爬行纲龟科动物的泛称。龟的种类很多，最常见的有乌龟、水龟。

乌龟亦称金龟、秦龟、山龟、草龟，其头、颈侧面有黄色线状斑纹，背甲有 3 条纵走的隆起，后缘不呈锯齿状，背面褐色或黑色，腹面略带黄色，均有暗褐斑纹，以植物、小虾、小草等为食料。

水龟似乌龟，背甲有 3 条隆起，中央 1 条发达，两侧不明显，后缘呈锯齿状，四肢橄榄色，肴绿色纵走带状纹，指、趾间具全蹼。

228　鳖

《诗经·小雅·六月》："炰鳖脍鲤。"《诗经·大雅·韩奕》："炰鳖鲜鱼。"

《说文》："鳖，甲虫也。"段氏注云："《考工记》注：外骨，龟属；内骨，鳖属。按：鳖骨较龟稍内耳，实介虫也。故《周易》鳖、蟹、蠃、蚌、龟为一属。"

《神农本草经》云："鳖甲，味咸，平。主心腹癥瘕坚积寒热，去痞息肉，阴蚀痔恶肉。"

《名医别录》云："鳖甲，疗温疟，血瘕，腰痛，小儿胁下坚。"

《本草纲目》云："鳖，水居陆生，穿脊连胁，四缘有肉裙。故曰龟，甲里肉；鳖，肉里甲。鳖在水中，上必有浮沫，名鳖津。人以此取之。"

鳖，亦称甲鱼、团鱼，爬行纲鳖科，其头部淡青灰色，散有黑点，喉部色淡，或有蠕虫状纹。鳖的成体背甲长 24 cm 左右，宽 16 cm 左右，通常呈橄榄色，腹面乳白色。以小鱼为食料。

229　蛇

《诗经·小雅·斯干》："为虺为蛇。"

蛇，《说文》作它，并云："它，虫也。从虫而长，象冤曲垂尾形。上古草居患它，故相问无它乎?"段氏注云："上古者，谓神农以前也。相问无它，犹后人之无恙也。"

《庄子·达生》："养鸟者宜栖之深林，食之以委蛇。"《山海经·中山经》："宣余之水，其中多蛇。"《吴语》："为虺弗摧，为蛇将若何?"韦昭注："虺小，蛇大也。蜲者毒螫伤人之名也。"

《五十二病方》："病蛊者，以乌雄一、蛇一……炊令燋，即出而治之，令病者每旦以三指撮药入一杯酒饮之。日一饮。"《病方》云蛇治蛊者，但未讲明蛇的种类。古代本草所言蛇者多指蝮蛇。《名医别录》《食疗本草》皆言蝮蛇治蛊毒。

230　虺

《诗经·小雅·斯干》："为虺为蛇。"

《诗疏》引舍人云："蝮一名虺。江淮以南曰蝮，江淮以北曰虺。"

《尔雅》云："蝮虺，博三寸，首大如擘。"郭注云："身广三寸，头大如人擘指，此自一种蛇，名为蝮虺。"

《国语·吴语》："为虺弗摧，为蛇将若何?"韦昭注："虺小，蛇大也。蜲者毒螫伤人之名也。"

《名医别录》云："蝮蛇肉酿作酒，疗癞疾诸瘘，心腹痛，下结气，除蛊毒。"陶弘景注云："蝮蛇黄黑色，黄颔尖口，毒最烈。虺形短而扁，毒不异于蚖，中人不即疗多死。"

《本草拾遗》云："蝮蛇形短，鼻反，锦文，亦有与地同色。著足断足，着手断手，不尔合身糜溃。蝮蛇酒主大风及诸恶风恶疮，瘰疬，皮肤顽痹，半身枯死。"

按《尔雅》所释，虺即蝮蛇。蝮蛇亦名土公蛇，是爬行纲蝮蛇科的一种毒蛇。蝮蛇成体长约70cm，头呈三角形，颈细，背灰褐色，两侧各有一行黑褐圆斑，腹灰黑，具黑白斑点，生活于平原及较低山区，以蛙、鼠、蜥蜴、小鸟为食料。

231　蜴

《诗经·小雅·正月》："胡为虺蜴。"

《说文》云："虺，以注鸣者。《诗》曰：胡为虺蜥。蜥，蜥蜴也。在壁曰蝘蜓，在草曰蜥蜴。"段氏注云："《小雅》节《南山》文。今《诗》蜥作蜴，蜴即蜥字。"《尔雅》云："蝾螈，蜥蜴；蜥蜴，蝘蜓；蝘蜓，守宫也。"

陆玑云："虺蜴，一名蝾螈，水蜴也，或谓之蛳蜥，或谓之蛇医。如蜥蜴，青绿色，大如指，形状可恶。"

《方言》云："守宫，秦、晋、西夏谓之守宫，或谓之蛳蜥，或谓之剌易。其在泽中者谓之蜥蜴。南楚谓之蛇医，或谓之蝾螈。东齐、海岱之间谓之蛳蜥。北燕谓之祝蜓。"

《博物志》云："以器养之，食以真朱，体尽赤，所食满七斤，捣万杵，以点女人体，终身不灭，偶则落，故号守宫，汉武尝用之。"

《神农本草经》云："石龙子，一名蜥蜴。主五癃邪结气，破石淋，下血，利小便水道。"

《名医别录》云："石龙子，一名山龙子，一名石蜴，一名守宫。"

《本草图经》云："在草泽者为蝾螈、蜥蜴，在屋壁者为蝘蜓、守宫。"

《本草纲目》云："生山石间者曰石龙，即蜥蜴，似蛇有四足，头扁尾长，形细，长七八寸，有细鳞金碧色。生草泽间者曰蛇医、水蜥蜴、蝾螈。状同石龙，头大尾短，形粗，其色青黄，亦有白斑者。生屋壁间者曰蝘蜓，即守宫也。似蛇医，短小，灰褐色，并不螫人。"

蜥蜴是爬行纲有鳞目中一亚目的泛称。蜥蜴的体表被角质鳞，有些种类在鳞下还有小骨板。蜥蜴有头、颈、躯干、尾4个部分，多具四肢，指趾末端均具爪，齿细小，眼睑多能活动，鼓膜很发达。由于科属不同，其种类各异。例如蜥蜴科的麻蜥，长约 12 cm，背面暗青褐色，有 8~10 列具黑环的黄色圆斑，四肢也有同样斑纹，眼的后端有向后方直走的白色带状斑纹，生活于麦田等处，分布于我国山东、河北、山西、陕西、甘肃、青海等地。又如石龙子科的石龙子，长约 21 cm，周身有鳞 24 行或 26 行，背面黏土色，一般有 3 条纵走淡灰色线，鳞的周缘淡灰色，因此呈现网状斑纹，尾易断，能再生，多生活于草丛中，以昆虫为食，分布于我国四川、湖南、广西、广东、江西、浙江、福建等地。

从所产地区来看，石龙子产于南方，麻蜥产于北方，文献均称其为蜥蜴，然《诗经》中所记动植物都产于黄河流域，则《诗经》中所记的蜴，当指北方所产麻蜥一类的蜥蜴。

232 鼍

《诗经·大雅·灵台》："鼍鼓逢逢。"

《说文》："鼍，水虫。似蜥蜴，长丈所，皮可为鼓。"《夏小正》云："剥鼍以为鼓也。"《史记》云："树灵鼍之鼓。"

陆玑云："鼍，形似蜥蜴，四足，长丈余，生卵大如鹅卵，甲坚如铠，今合药鼍鱼甲是也。其皮坚厚可以冒鼓。"

陆佃《埤雅·释鱼》："鼍，皮中冒鼓。一名鱓，象龙形。夜鸣应更，吴越谓之鱓更；盖如初更，辄一鸣而止，二即再鸣也。又引《晋安海物记》云：鼍宵鸣如桴鼓，今江淮之间谓鼍鸣鼍鼓，亦或谓之鼍更；更则以其声逢逢然如鼓，而又善夜鸣，其数应更故也。"

《续博物志》云："鼍长一丈，一名土龙，鳞甲黑色。"《尔雅翼》云："鼍状如守宫而大，长一二丈，灰五色，背、尾皆有鳞，甲如铠，夜则出。"

《神农本草经》云："鲍鱼甲，味辛，微温。主心腹癥瘕伏坚，积聚寒热，女子崩中，下血五色，小腹阴中相引痛，疮疥死肌。"陶隐居注云："鲍即今鼍甲也。用之当炙，皮可以贯鼓。"

陈藏器《本草拾遗》云："鼍力至猛，能攻陷江岸，性嗜睡，恒闭目，形如龙，大长者自啮其尾，极难死，声甚可畏，人于穴中掘之。"

按：鼍，即扬子鳄，爬行纲鼍科，其皮坚，可制鼓面，长约 2 m，背面的角质鳞有 6 横列。鼍的背部暗褐色，具黄斑和黄条；腹面灰色，有黄灰色小斑和横条。穴居池沼底部，以鱼、蛙、小鸟及鼠类为食，冬日蛰居穴中。扬子鳄为我国特产动物，主产于安徽南部青弋江沿岸至太湖流域沼泽地区。它的鸣声如鼓，其皮可蒙鼓。由于扬子鳄濒临绝灭，现国家将其列为一级保护动物，严禁捕杀。

卷七　果类

233　枣

《诗经·豳风·七月》："八月剥枣，十月获稻。"

枣在古代可作粮食吃。《韩非子》云："疏菜、橡果、枣栗，足以活民。"《史记·货殖列传》云："安邑千树枣，其人与千户侯等。"《诗经·豳风·七月》云："八月剥枣，十月获稻。"《诗经》将枣与稻并提，说明当时枣与稻同作粮食吃。《战国策·燕策》："燕，北有枣栗之利，民虽不田作，枣栗之实，足食于民矣。"

枣的品种很多，其名称各异。《尔雅》中记载的枣有 10 多种，兹录于下。

枣，壶枣。郭注："今江东呼枣大而锐上者为壶，壶犹瓠也。"

边，要枣。郭注："子，细腰。今谓之鹿卢枣。"

樲，白枣。郭注："即今枣子白熟。"

樲，酸枣。郭注："树小，实酢。孟子曰：养其樲枣。"

杨彻，齐枣。郭注："未详。"

遵，羊枣。郭注："实小而圆，紫金色。今俗呼之为羊矢枣。孟子曰：曾皙嗜羊枣。"

洗，大枣。郭注："今河东猗氏县出大枣，子如鸡卵。"

煮，填枣。郭注："未详。"

蹶泄，苦枣。郭注："子，味苦。"

《神农本草经》云："大枣，味甘，平。安中养脾，助十二经，平胃气。通九窍，补少气少津液。"

《名医别录》云："大枣，一名干枣，一名美枣，一名良枣。八月采，暴干。"《夏小正》《诗经·豳风》皆云"八月剥枣"。

《唐本草》引《名医别录》云："枣叶散服使人瘦。"今人欲减肥者，可试服之。

枣，鼠李科，落叶乔木。叶长卵形，基部广而偏斜。托叶呈刺状，永存枝上。聚伞花序，生于叶腋内，花小，黄绿色，有花盘，多密。核果长圆形，鲜嫩时黄色，成熟后紫红色。夏初开花，秋季果熟。品种很多，其中山东乐陵金丝小枣、山东庆云和河北沧县无核枣及浙江义乌大枣等均为枣中佳品。

234　棘（酸枣）

《诗经·魏风·园有桃》："园有棘，其实之食。"《毛传》云："棘，枣也。"《诗经·陈风·墓门》："墓门之棘。"《诗经·唐风·葛生》："葛生蒙棘。"《诗经·唐风·鸨羽》："集于苞棘。"《诗经·曹风·鸤鸠》："鸤鸠在桑，其子在棘。"《诗经·秦风·黄鸟》："交交黄鸟，止于棘。"《诗经·小雅·青蝇》："营营青蝇，止于棘。"《诗经·邶风·凯风》："棘心夭夭。"

郝懿行《尔雅义疏》云："棘，即小枣丛生者。"《诗经·魏风》："园有棘。"《毛传》云："棘，枣也。"本草记载棘的果仁，可作酸枣仁用。

《证类本草》卷12载有酸枣。酸枣有若干种。

（1）山枣。陶隐居云："酸枣今出东山间，云即山枣树子。"陈藏器云："山枣树如棘，子如生枣，里有核如骨，其肉酸滑好食，山人以当果。"《本草图经》云："酸枣野生多在坡坂及城垒间，似枣木而皮细，其木心赤色，茎叶俱青，花似枣花，八月结实，紫红色，似枣而圆小，味酸，当月采实，取核中仁阴干，四十日成。"

《尔雅》云："樲，酸枣。"郭注："树小，实酢。《孟子》曰：养其樲枣。"赵岐注《孟子》曰："樲枣，小枣，酸枣也。"郭璞谓樲枣树小。但《唐本草》注谓樲枣树大如大枣。

（2）高大树的枣。陈藏器云："嵩阳子曰：酸枣，其树高数丈，径围一二尺，木理极细，坚而且重。其树皮亦细，文似蛇鳞。其枣圆小而味酸，其核微圆，其仁稍长，色赤如丹。此医之所重，居人不易得。"

（3）以棘实为酸枣。《唐本草》注："又于下品白棘条中复云用其实。今人以棘实为酸枣。"陈藏器《本草拾遗》云："酸枣，今市之卖者，皆棘子为之。"《本草图经》云："酸枣，今市之货者，皆棘实耳。"

《本草衍义》云："酸枣，今市卖者，皆棘子。此说未尽。殊不知小则为棘，大则为酸枣。平地则易长，居崖堑则难生。故棘多生崖堑上，久不樵，则成干，人方呼为酸枣。此物才及三尺便开花结子。今陕西临潼山野所出者亦好，并可取仁。后有白棘条，乃是酸枣未长大时枝上刺也。"

按《本草衍义》所云，棘的果实为酸枣，其果仁为酸枣仁，酸枣仁有安眠作用。棘的刺名白棘，能溃痈肿出脓。棘的花名棘刺花，主金疮内漏。

《本草图经》谓酸枣多野生在坡坂及城垒间，似枣木而皮细，其木心赤色。此与《太平御览》卷959引《陈留者旧传》云"夫棘中心赤外有棘"义合。疑《本草图经》所言的酸枣亦是棘，一名樲。

又疑《诗经》所言的"棘"即鼠李科植物酸枣。酸枣，落叶灌木，茎上多刺，叶长椭圆形，3大脉，初夏开黄绿色小花，腋生，果实较枣小，味酸，主产于我国北部，常野生成丛莽，其种子能养心安神。

漆树科植物南酸枣亦称"酸枣"。南酸枣，落叶乔木，奇数羽状复叶，小叶全缘，花杂性异株，圆锥花序，核果呈卵状，产于我国南部。

235 葛藟（千岁藟）

《诗经·王风·葛藟》："绵绵葛藟。"《诗经·周南·樛木》："葛藟累之，葛藟荒（掩盖）之。"《诗经·大雅·旱丽》："莫莫葛藟。"

对于葛藟有很多种解释，或单言葛，或单言藟为藤，或言葛藟为葛藤，或言葛藟为野葡萄，或言葛藟为千岁藟。

（1）单言葛，即释葛为"葛之覃兮"中的"葛"，指能织葛布的葛。本草称之为葛根。

（2）单言藟，视藟为藤的泛称。《广雅》云："藟，藤也。"《说文》云："藟，藟木也。"《山海经·中山经》："卑山，其上多藟。"郭璞注："今虎豆、狸豆之属。藟一名藤。"《尔雅》云："欇，虎藟。"郭注："今虎豆缠蔓林树而生，荚有毛刺。今江东呼为欇欇。"《尔雅》又云："诸虑，山藟。"郭注："今江东呼藟为藤，似葛而粗大。"《玉篇》："草蔓延如藟者为藤。"

（3）释葛藟为葛藤。刘向《九叹》云："葛藟累于桂树兮。"王逸注云："藟，葛荒也。"荒即掩盖。《说文》："荒，草掩地也。"《诗经·周南·樛木》："葛藟荒之。"荒即葛藟掩盖地面。

（4）释葛藟为野葡萄。马瑞辰《毛诗传笺通释》谓葛藟是野葡萄，为蔓生植物，枝形似葛，故称葛藟。但是《本草纲目》卷33"蘡薁"条释蘡薁为野葡萄。李时珍曰："蘡薁野生林间，亦可插植。蔓、叶、花、实，与葡萄无异。其实小而圆，色不甚紫也。《诗》云'六月食薁'即此。"根据李时珍所云，"六月食薁"中的"薁"可释为野葡萄。而"葛藟"不应释为野葡萄。

（5）释葛藟为蓬藟。孙星衍等辑的《神农本草经》卷1"蓬藟"条下注云："按《说文》云：藟，木也；莨，缺盆也。《广雅》云：缺盆，陆英，莓也。《尔雅》：莨，缺盆。郭璞云：覆盆也，实似莓而小，亦可食。《毛诗》云：葛藟累之。陆玑云：一名巨瓜，似燕，亦连蔓，叶似艾，白色，其子赤可食。《列仙传》云：昌容食蓬藟根。李当之云：即是人所食莓。"

按：莓的种类很多，名称亦很复杂。《本草纲目》卷18"蓬藟"条云："一种藤蔓繁衍，茎有倒刺，逐节生叶，叶大如掌，状类小葵叶，面青背白，厚而有毛，六、七月开小白花，就蒂结实，三四十颗成簇，生则青黄，熟则紫黯，微有黑毛，状如熟椹而扁，冬月苗叶不凋者，即本草所谓蓬藟也。"又云："一种蔓小于蓬藟，亦有钩刺，一枝五叶，叶小而面背皆青，光薄而无毛，开白花，四、五月实成，子亦小于蓬藟而稀疏，生则青黄，熟则乌赤，冬月苗凋，即本草所谓覆盆子，《尔雅》所谓'莨，缺盆也'。"

按：莓茎有刺，而陆玑所疏未言及有刺，古代本草注家亦未援引《诗经》"葛藟累之"来释莓，因此孙氏释葛藟为蓬藟及覆盆难以取信。

（6）释葛藟为千岁藟。《证类本草》卷7"千岁藟"条引《名医别录》云："千岁藟，一名藟芜。"陈藏器《本草拾遗》云："千岁藟，似葛蔓，叶下白，子赤，条中有白汁。《草木疏》云：一名苣荒，连蔓而生，子赤可食。《毛诗》云：葛藟。注云：似葛之草也。此藟大者盘薄，故云千岁藟。"

苏颂《本草图经》云："千岁藟生太山川谷，作藤生，蔓延木上，叶如葡萄而小，四月摘其茎，汁白而甘。五月开花，七月结实，八月采子，青黑微赤，冬憔凋叶。此即《诗》云'葛藟'者也。"

根据以上所述，葛藟可释为葛（葛根之葛）、藟（藤的泛称）、葛藤、野葡萄、蓬藟、千岁藟等。陈藏器和苏颂释葛藟为千岁藟，此与《毛诗草木疏》所云"藟，一名苣荒，似蘡薁（野葡萄），连蔓而生，幽州人谓之菰蘽。蘽叶似艾而白，其子赤可食"其义相合。应从陈藏器《本草拾遗》为正，释葛蘽为千岁蘽。

千岁蘽即葡萄科植物葛蘽。葛蘽，落叶木质藤本，有卷须，叶广卵形或三角状卵形，基部稍凹陷或近截形，边缘有小齿，下面脉上和脉腋被毛，夏季开花，圆锥花序，花冠作帽状脱落，果实黑色，直径约 8 mm，产于我国中部和南部。

236 枸（枳椇）

《诗经·小雅·南山有台》："南山有枸，北山有楰。"《毛传》云："枸，枳枸也。"

枳枸，《说文》作槥稵，云："多小意而止也。"段玉裁注云："小意者，意有未畅也。按槥稵或作枳枸，诘讷不得伸之意。宋玉《风赋》：'枳枸来巢。'谓树枝屈曲之处，鸟用为巢。"

陆玑云："枸树山木，其状如栌，一名枸骨，高大如白杨，所在山中皆有，理白可为函板，枝柯不直，子著枝端，大如指，长数寸啖之甘美如饴，八、九月熟，江南特美，今官园种之，谓之木密。古语云'枳枸来巢'，言其味甘，故飞鸟慕而巢之，本从南方来，能令酒味薄，若以为屋柱，则一屋之酒皆薄。"

《广雅》云："枳椇，实如珊瑚。"《玉篇》云："枳椇似橘而屈曲者也。"《埤雅》云："椇木高大，似白杨，子以房生著枝端，大如指，长数寸，啖之甘味如饴。"《古今注》云："枳椇子，一名树蜜，一名木饧，实形拳曲，核在实外，味甜美如饧蜜，一名白石，一名白实，一名木石，一名木实，一名枳椇。"

《证类本草》卷14"接骨木"条引《本草图经》曰："又上有枳椇条云：其木径尺，木名白石，叶如桑柘，其子作房，似珊瑚，核在其端，人多食之。即《诗·小雅》所谓'南山有枸'是也。陆玑云：枸，枳枸也，木似白杨，所在山中皆有。枝枸不直，啖之甘如饴，八、九月熟，谓之木蜜。本从南方来，能败酒。"

按："南山有枸"中的"枸"可释为《唐本草》中的枳椇。

枳椇，一名拐枣、枸，鼠李科落叶乔木，叶广卵形，具 3 大脉，边缘有锯齿，夏季开小型花，带绿色，聚伞花序，花序分枝扭曲，果实熟时有肉质，红棕色，味甜，供食用，亦可酿酒。其种子可清热利湿，解酒毒。

237 桑椹

《诗经·卫风·氓》："于嗟鸠兮，无食桑椹。"《诗经·鲁颂·泮水》："食我桑椹。"《毛传》云："椹，桑实也。"

《尔雅》云："桑辨有椹、栀。"郭注云："辨，半也。"《释文》引舍人云："桑树一半有椹，半无椹名栀也。"按：桑树花雌雄异株，或雌雄同株而异枝。能结果实的桑椹只有半数。说明我们祖先在2200 年前已初识植物性别了。

《本草图经》云："桑实，椹有白、黑二种，暴干，皆主变白发。"

《唐本草》云："桑椹，味甘，寒，无毒。单食，主消渴。"

《本草拾遗》云："桑椹，利五脏关节，通血气。久服不饥，安魂，镇神，令人聪明。"

桑椹是桑科植物桑树的果实。按：桑树是落叶乔木，其叶卵圆形，分裂或不分裂，边缘有锯齿，单性花，淡黄色，雌雄同株或异株，果实为聚花果，成熟时呈紫色或白色，味甜。桑树的种类很多，有白桑、华桑、鸡桑。桑树的叶可饲蚕，树皮可制纸，木材可制农具，枝条可编筐，果实可食，亦可酿酒。将果实制成桑椹膏，能补血润燥。叶能辛凉解表，枝可去风湿痛。

238　郁

《诗经·豳风·七月》："六月食郁及薁。"《毛传》云："郁，棣属也。"

《齐民要术》引《诗经·豳风·七月》义疏云："郁树高五六尺，实大如李，正赤色，食之甜。"义疏所言之"郁"和《神农本草经》中的郁李是同一物也。

《证类本草》卷14"郁李仁"条云："按《尔雅》云：常棣，一名棣。郭云：今山中有棣树，子如樱桃可食。《诗·小雅》云：常棣之华。陆玑：许慎曰白棣树也。如李而小，如樱桃正白，今官园种之。"又《本草图经》云："郁李木高五六尺，枝条花叶皆若李，惟子小，若樱桃赤色，而味甘酸，核随子熟，六月采根并实。陆玑《草木疏》云：唐棣即薁李，一名雀梅，亦曰车下李。所在山中皆有。其华或白或赤，六月中成实，如李子可食。"

按《本草图经》及陆玑所言，郁李在六月成熟，可食，此与《诗经·豳风·七月》"六月食郁"义合，因此"六月食郁"中的"郁"可释为《神农本草经》中的郁李。又《诗经·小雅·常棣》"常棣之华"中的"棣"及《尔雅》"常棣"的"棣"均可释为《神农本草经》中的郁李。郁李，蔷薇科，落叶小灌木，叶卵形至披针状卵形，春季开花，花淡红色，1~3朵腋生，果实小球形，暗红色，可食。其种仁名郁李仁，性平，味辛、甘、苦，能润燥滑肠，下气行水，主治大便燥结，腹水肿胀等。

239　薁

《诗经·豳风·七月》："六月食郁及薁。"《毛传》曰："郁，棣属也。薁，蘡薁也。"

对于蘡薁有3种解释。

(1) 释蘡薁为薁李。《诗正义》引《晋宫阁铭》曰："华林园中有车下李三百一十四株，薁李一株。车下李即郁李，薁李即薁。二者相类而同时熟，故言郁、薁也。"

《齐民要术》引《诗义疏》曰："樱薁，实大如龙眼，黑色。今车鞅藤实是。"（《魏王花木志》引《诗义疏》文同）

《汉书·司马相如传》："隐夫，薁，棣。"颜师古注："薁，即今人之郁李仁。"

(2)《唐本草》注释蘡薁为千岁蘽。《证类本草》卷23"葡萄"条引《唐本草》注云："蘡薁与葡萄相似。然蘡薁是千岁虆。"同书卷7"千岁虆"条,《唐本草》注云:"千岁虆即蘡薁。"陈藏器、苏颂、李时珍俱认为《唐本草》注释蘡薁为千岁虆是错误的。

陈藏器《本草拾遗》云:"千岁虆似葛蔓,叶不白,子赤。条中有白汁。谓千岁虆为蘡薁者,深是妄言。"

苏颂《本草图经》云:"千岁虆,此即《诗》云'葛虆'者也。苏恭谓是蘡薁藤,深为谬妄。"

李时珍《本草纲目》卷33"蘡薁"条云:"苏恭所说蘡薁形状甚是,但以为千岁虆则非矣。"

(3)陈藏器《本草拾遗》释蘡薁为山蒲桃。《证类本草》卷7"千岁虆"条引《本草拾遗》云:"按蘡薁是山蒲桃。斫断藤,吹,气出一头如通草。以水浸吹取气滴目中,去热翳赤障。"同书卷23"葡萄"条引《蜀本图经》云:"按蘡薁是山葡萄,亦堪为酒。"

《本草纲目》卷33曰:"蘡薁野生林墅间,亦可插植。蔓、叶、花、实,与葡萄无异。其实小而圆,色不甚紫也。《诗》云'六月食薁'即此。其茎吹之,气出有汁,如通草也。"

按李时珍所云,"六月食郁及薁"中的"薁"似可释为山葡萄。山葡萄,葡萄科落叶木质藤本,有卷须,叶大,广卵形,长宽各8～15 cm,3～5浅裂,有浅三角形齿牙,基部深心形,下面绿色,平滑或脉上有毛。夏季开花,雌雄异株,圆锥花序。果实黑色,直径约8 mm,多汁味甜,可生食,亦可酿葡萄酒。枝、叶及酿酒后的沉淀物可提制酒石酸。山葡萄抗寒力强。葡萄和山葡萄皆是8月、9月熟。而《诗经·豳风·七月》言"六月食郁及薁",6月时山葡萄尚未成熟,当然不能食。而《晋宫阁铭》谓薁李较为合理。盖在不同时期,蘡薁所指实物各不相同。"六月食郁及薁"中的"薁"指薁李方可讲得通。

240　甘棠

《诗经·召南·甘棠》:"蔽芾甘棠。"《毛传》:"甘棠,杜也。"

《说文》云:"杜,甘棠。"又云:"牡曰棠,牝曰杜。"段玉裁注:"草木有牡者,谓不实也。今之海棠皆华而不实,盖所谓牡者曰棠也。《小雅》云:有杕(第,独特貌)之杜,有睆其实。"

《尔雅》云:"杜,甘棠。"郭注云:"今之杜梨。"郝懿行《尔雅义疏》云:"《诗》:'蔽芾甘棠。'今谓之杜梨。其树如梨,叶似苍术而大,二月开花,白色,结实如小楝子,霜后可食。"

陆玑云:"甘棠,今棠梨,一名杜梨。赤棠与白棠同耳。但子有赤、白、美、恶。子白色为白棠。甘棠子少酢滑美。赤棠子涩而酢无味。俗语说:涩如杜是也。赤棠木理韧,亦可以作弓干。"

李时珍在《本草纲目》卷30"棠梨"条中曰:"棠梨,野梨也。树似梨而小,叶似苍术叶,亦有团者、三叉者,叶边皆有锯齿,色颇黪白,二月开白花,结如小楝子大,霜后可食。其树接梨甚嘉,有甘酢赤白二种。按陆玑《诗疏》云:白棠,甘棠也,子多酸美而滑。赤棠子涩而酢,木理亦赤,可作弓材。"又云:"棠梨实,味酸、甘、涩,寒,无毒。烧食,止滑痢。枝叶,主霍乱吐泻不止,转筋腹痛。"

根据陆玑和李时珍所云,"蔽芾甘棠"中的"甘棠"即《本草纲目》中的"棠梨"。

棠梨,一名杜梨,蔷薇科落叶乔木,枝常有刺,叶广卵圆形至卵圆形,顶端渐尖,有尖锐锯齿。其幼枝、叶柄、叶背和花序都被有毛茸,花白色,花柱2～3个,果实近球形,直径0.5～1 cm,褐色,有斑点,味酸。棠梨,耐干旱,也耐湿,为优良砧木之一。

241 唐棣、棠棣

《诗经·召南·何彼秾矣》："唐棣之华。"《诗经·小雅·常棣》："常棣之华。"《诗经》："棠棣之华，偏其反而。岂不尔思，室是远而。"（子曰：未之思，夫何远之有。《诗三百》所以无此篇欤？）

唐棣，或作棠棣，或作常棣。《诗经·召南》云："何彼秾矣，唐棣之华。"《艺文类聚》引作"何彼秾兮，棠棣之华"。

对于唐棣、棠棣和常棣，很多书都解释为2种植物，一释为栘，二释为棣。兹举例如下。

（1）释为栘。《尔雅》云："唐棣，栘。"郭注云："似白杨，江东呼夫栘。"《文选·甘泉赋》注引《尔雅》作"棠棣，栘"。（唐棣、棠棣名称互用）

《说文》云："栘，棠棣。"（与《尔雅》"唐棣，栘"名称互用）

《证类本草》卷14"扶栘木"条云："扶栘木，生活南山谷，树大十数围，无风叶动，华反而后合。《诗》云：棠棣之华，偏其反而。郑注云：棠棣，栘也。一名栘杨。崔豹云：栘杨圆叶弱蒂，微风大摇。"

按：扶栘木曾被陈藏器收入《本草拾遗》一书中，至掌禹锡作《嘉祐本草》时，又被收入《嘉祐本草》中。

陈藏器说扶栘木，华（花）反而后合，一名栘杨。但段玉裁注《说文》"栘"字云："《古今注》云：栘杨亦曰栘柳，亦曰蒲栘，圆叶弱蒂，微风善摇。此正今之白杨树，安得有桦桦偏反之华（花）耶？"

郝懿行《尔雅义疏》云："唐棣，栘。郭注似白杨。牟原相为余言，唐棣华白，即今小桃白也。其树高七八尺。华、叶俱似常棣。其华初开反背，终乃合并。《诗》所谓'偏其反而'者也。但其树皮色紫赤，不似白杨耳。"

（2）释为棣。《诗经·小雅·常棣》："常棣之华。"《毛传》云："常棣，棣也。"《尔雅》云："常棣，棣。"郭注云："今山中有棣树，子如樱桃，可食。"舍人曰："常棣，一名棣。"《说文》云："棣，白棣也。"

棣是什么植物？本草将其释为郁李。《吴普本草》云："郁李，一名棣，一名车下李。"《名医别录》云："郁李，一名车下李，一名棣。"

《蜀本图经》云："郁李树高五六尺，叶、花及树并似大李，惟子小若樱桃甘酸。"此与郭璞注《尔雅》"常棣，棣"义合。

又《诗经》有单言棣者，如《诗经·秦风·晨风》云"山有苞棣"，《毛传》云"棣，唐棣也"，陆玑云"唐棣即奥李也。一名雀梅，亦曰车下李"则"山有苞棣"中的"棣"即是唐棣，一名郁李。

《毛传》、陆玑《诗疏》及本草注中的常棣、唐棣互相通用，同释为棣。掌禹锡、苏颂释棣为郁李。

《证类本草》卷14"郁李仁"条云："《尔雅疏》云：常棣，一名棣。《诗·小雅》云：常棣之华。陆玑疏云：许慎（《说文》作者）曰白棣树也。如李而小，如樱桃，正白。今官园种之。又有赤棣树，亦似白棣，叶如刺榆叶而微圆，子正赤，如郁李而小，五月始熟。自关西、天水、陇西多有之。"又苏颂《本草图经》云:"郁李仁生高山川谷及丘陵上,木高五六尺,枝条、花、叶皆若李,惟子小若樱桃,赤色,而味甘酸,核随子熟。六月采根并实,取核中仁用。"

按:《尔雅》将常棣、唐棣释为二物,将常棣释为栜,将唐棣释为栘。但其他文献对唐棣、常棣不加区分,将二者互相通用,将唐棣或常棣释为栘,或释为栜。

本草释栜为郁李。郁李别名有栜、车下李、爵李。陆玑释栜为薁李,谓薁李一名车下李,一名雀梅。但本草说车下李和雀梅是两种东西。车下李是郁李的别名,而雀梅是另一种药。郭注《尔雅》云:"时,英梅,即雀梅。"

《证类本草》卷30引《名医别录》曰:"雀梅,味酸,寒,有毒。主蚀恶疮。一名千雀。生海水石谷间。"陶隐居注:"叶与实俱如麦李。"

242 杜

《诗经·小雅·杕(dì)杜》:"有杕之杜。"《毛传》:"杕,特貌。杜,赤棠也。"意为独生的赤棠树,比喻孤独无援。

《诗正义》引樊光云:"赤者为杜,白者为棠。"《尔雅》:"杜,赤棠。白者棠。"郭注:"棠色异,异其名。"舍人曰:"杜赤色名赤棠,白者亦名棠。"

陆玑云:"甘棠,今棠梨,一名杜梨。赤棠与白棠同耳。但子有赤、白、美、恶。子白色为白棠。甘棠子少酢滑美。赤棠子涩而酢无味。俗语云:涩如杜是也。赤棠木理韧,亦可作以弓干。"

按:棠色白者名棠,其味甘,故又称为甘棠。棠色赤者名赤棠,因其味涩,又称为杜。

"有杕有杜"中的"杜"指赤棠而言。《本草纲目》卷30中的棠梨包括赤棠(杜)、甘棠(白棠)。详见"甘棠"条。

243 常

《诗经·小雅·采薇》:"彼尔维何?维常之华。"

常通棠,即棠棣树。详见"棠棣"条。

244 棠

《诗经·秦风·终南》:"终南何有,有杞有棠。"

棠为棠的假借字。棠即是棠梨。详见"杜"条。

245 檖

《诗经·秦风·晨风》:"隰有树檖。"《毛传》:"檖,赤罗也。"

《尔雅》云："樲，罗。"郭注："今杨樲也。实似梨而小。酢，可食。"

《说文》云："樲，罗也。《诗》曰：隰有树樲。"段氏注云："《释木》：樲，萝。《秦风》《毛传》曰：樲，赤罗也。陆玑、郭璞皆云：今之杨樲也。实似梨而小。酢，可食。"《埤雅》云："樲一名罗，其文细密如胃，故曰罗也。"

陆玑云："樲，一名赤罗，一名山梨。今人谓之杨樲。其实如梨，但实甘小耳，一名鹿梨，一名鼠梨。齐郡广饶县尧山、鲁国河内共北山中有。今人亦种之，极有脆美者，亦如梨之美者。"

《证类本草》卷23"梨"条引《本草图经》曰："又江宁府信州山一种小梨名鹿梨，叶如茶，根如小拇指。彼处人取其皮治疮癣及疥癞，云甚效。"《本草纲目》卷30"鹿梨"条曰："《诗》云：隰有树樲。毛苌注云：樲，一名赤罗，一名山梨，一名树梨，今人谓之阳樲。陆玑《诗疏》云：樲即鹿梨也，一名鼠梨。"

根据《本草纲目》所云，"隰有树樲"中的"樲"即《本草图经》中的鹿梨。鹿梨，又名山梨，大如杏。

梨是蔷薇科梨属植物，其品种有30余种。每种梨又有很多异名，其果实形状、大小、色泽也各不相同。"隰有树樲"中的"樲"，毛苌注为山梨。今日的山梨名秋子梨，是乔木，高度可超过10 m，叶片广卵形或卵圆形，先端渐尖，基部圆形或近心形，边缘有带刺芒的尖锐锯齿，四月中开白色花，八、九月果熟，果实近球形，黄色，直径2～6 cm。

【附】王念孙《广雅疏证》（见该书1349页）释"樲"为"楂"。王氏疏云："《广雅》云：楂，樗梨也。《汉书·司马相如传》云：樗枣厚朴。张揖注：樗，山梨也。左思《蜀都赋》云：橙柿樗樗。樗一名樲。《秦风·晨风》：隰有树樲。陆玑疏云：一名山梨，实如梨但小耳。"钧按：樗和樲均有山梨的别名，樲是鹿梨，樗是楂，楂与鹿梨非一物也。又郝懿行《尔雅义疏》以樗释"杜，甘棠"，认为樗是杜梨（见《尔雅义疏》1071页）。

246　栗

《诗经·鄘风·定之方中》："树之榛栗。"《诗经·唐风·山有枢》："山有漆，隰有栗。"《诗经·郑风·东门之墠》："东门之栗。"《诗经·小雅·四月》："山有嘉卉，候栗候梅。"

《论语》云："周人以栗。"疏云："周都丰镐以栗。"《吕氏春秋》云："果之美者，有箕山之栗。"

《史记·苏秦列传》云："北有枣栗之利，民虽不佃作，而足于枣栗矣。"《范子计然》云："栗出三辅。"《埤雅》云："栗味咸，北方之果也。有莱猬自裹。"

陆玑云："五方皆有栗，周秦吴扬特饶，吴越被城表里皆栗，唯濮阳、范阳栗甜美长味，他方者悉不及也。倭、韩国诸岛上栗，大如鸡子，亦短，味不美。桂阳有莘栗，丛生，大如杼，子中仁、皮、子形色与栗无异也，但差小耳。又有奥栗，皆与栗同，子圆而细，或云即莘也，今此惟江湖有之。又有茅栗、佳栗，其实更小，而木与栗不殊，但春生夏花秋实冬枯为异耳。"

《名医别录》云："栗，味咸，温，无毒。主益气，厚肠胃。"

《蜀本图经》云："栗树高二三丈，叶似栎，花青黄色似胡桃花。实大者如拳，小如桃李。"

《本草图经》云："栗，木极类栎。实有房，汇若拳，中子三五。小者若桃李，中子惟一二。

将熟则罅拆子出。凡栗之种类亦多。《诗》云：树之榛栗。"

栗，一名板栗，山毛榉科落叶乔木，高可达 20 m，无顶芽，叶椭圆状长椭圆形，疏生刺毛状锯齿。初夏开花，花单性，雌雄同株，雄花直立柔黄花序。壳斗大，球形，密具生刺。坚果 2～3 个，生于壳斗中。木材坚实，纹细直，耐久，供制地板、枕木、矿柱、车、船等用。壳斗、树皮及木材可提栲胶。叶可饲蚕。

247　梅

《诗经·召南·摽有梅》："摽有梅，其实七兮。"《诗经·小雅·四月》："山有嘉卉，候栗候梅。"

对于梅有 3 种解释：一释为梅实，二释为梅花树，三释为楠木。这两句中的梅应释为梅实，即梅子的果实。

梅味酸。《说文》云："梅，酸果。"陈暄《食梅赋》云："昔咏酸枣之台，今食酸味之梅。"

在古代，梅作为调味品。《左传》云："水火醯醢盐梅，以烹鱼肉。"古代无醋，以梅当醋用。

梅产在夏天，多将其制成干梅，便于收藏，留待冬季用。《名医别录》云："梅，五月采，火干。"《礼记·天官》："其实枣、栗、桃干藤。"注云："干藤，干梅也。"

陆玑云："梅，杏类也。树及叶皆如杏而黑耳。曝干为腊，置羹臛齑中，又可含以香口。"

梅树是蔷薇科落叶乔木。芽为落叶果树中萌发最早的，花先叶开放，以白色和淡红色为主。核果球形，未熟时为青色，成熟时一般呈黄色，味极酸。果实除少量供生食外，可制蜜饯和果酱等。未熟果加工成乌梅，供药用和做饮料用。花供观赏。

248　桃

《诗经·魏风·园有桃》："园有桃，其实之殽。"《诗经·大雅·抑》："投我以桃，报之以李。"《诗经·周南·桃夭》："桃之夭夭。"《诗经·召南·何彼秾矣》："华如桃李。"

《说文》云："桃，桃果也。"《尔雅》云："旄，冬桃。"郭注云："子，冬熟。"

《山海经·北山经》："边春之山，多桃。"郭注："山桃，榹桃，子小，不解核也。"

陶隐居注《神农本草经》云："桃有京口者亦好，当取解核种之为佳。又有山桃，其人不堪用。"

《神农本草经》云："桃核仁，主瘀血血闭瘕。桃花杀痘。"《名医别录》云："桃叶除尸虫，出疮中虫。桃实味酸，多食令人有热。"

《本草图经》云："桃核仁并花实，生太山，京东、陕西出者，尤大而美。大都佳果多是圃人以他木接根栽之，遂之肥美。"《本草纲目》引《种树书》云："柿接桃则为全桃，李接桃则为李桃，梅接桃则脆。"

桃树是蔷薇科落叶小乔木。叶阔彼针形或长椭圆形，具锯齿。花淡红、深红或白色。核果近球形，表面有毛茸。多通过嫁接繁殖。果供生食，或制桃脯、罐头等。其仁性平，味苦，能祛瘀润燥，主治瘀血停滞、经闭腹痛、癥积、跌仆肿痛、便闭等；花有利尿作用。干幼果名"瘪桃干"，用于阴虚盗汗、咯血。

249　苌楚

《诗经·桧风》云："隰有苌楚，猗傩其枝。"

《说文》云："苌楚，铫弋，一名羊桃。"《尔雅》云："苌楚，铫芅。"郭注云："今羊桃也。或曰鬼桃。叶似桃，花白。子如小麦，亦似桃。"《广雅》云："鬼桃，铫弋，羊桃也。"

《山海经·中山经》云："丰山，其木多羊桃，状如桃而方茎，可以为皮张。"郭注云："一名鬼桃，治皮肿起。"

陆玑云："苌楚，今羊桃是也。叶长而狭，华紫赤色。其枝茎弱，过一尺引蔓于草上。今人以为汲灌，重而善没，不如杨柳也。近下根，刀切其皮著热灰中脱之，可韬笔管也。"

《神农本草经》云："羊桃，一名羊肠，一名鬼桃。"《名医别录》云："羊桃，一名苌楚，一名御弋，一名铫弋。"

《本草经集注》云："羊桃，山野多有。甚似家桃，又非山桃。子小细，苦不堪啖。花甚赤。《诗》云'隰有苌楚'者，即此也。"

《蜀本图经》："羊桃，叶、花似桃，子细如枣核，苗长弱即蔓生，不能为树。今处处有，多生溪涧。今人呼为细子根。似牡丹疗肿。"

羊桃的同名异物者有二：一是猕猴桃，一是五敛子。

按《蜀本图经》所注，羊桃似今日猕猴桃科植物猕猴桃。猕猴桃为落叶木质藤本，有片状髓，小枝密生毛，叶卵圆形或圆形，下面密生灰色毛，夏季开花，聚伞花序，花白色，后变黄色，浆果，夏秋间成熟，卵形至球形，长2.5～5 cm。猕猴桃果味甜，含多种维生素，可食；其根有清热利尿、散瘀止血的作用；其叶能止外伤出血；其树皮和髓可造纸。

此外，苌楚也可释为夹竹桃。《通训定声》："《诗》：隰有苌楚。《释文》：一名羊肠。按：即夹竹桃也。蔓生，实小似桃，味则不类，亦可食。"按：《通训定声》所讲的"夹竹桃"即猕猴桃，非今日夹竹桃科植物夹竹桃。今日夹竹桃不是蔓生，而是常绿灌木，叶对生或3枚轮生。此乃名同而实异也。

250　李

《诗经·小雅·南山有台》："南山有杞，北山有李。"《诗经·大雅·抑》："投我以桃，报之以李。"《诗经·王风·丘中有麻》："丘中有李。"

《说文》："李，果也。"《说文解字系传·通释》云："颛顼之后，有逃难于伊侯之虚，得李实而食，遂以为姓。"

《尔雅》："休，无实李。座，接虑李。驳，赤李。"郭注云："休，无实李，一名赵李。座，接虑李，今之麦李（细实有沟道，与麦同熟）。驳，赤李，子赤。"

陶隐居云："李类又多，京口有麦李，麦秀时熟，小而甜脆。"

按：李树原是野生，后来和麦子一样，皆被人们家种，故《诗经·王风》云"丘中有麦""丘中有李"。

《名医别录》记载李供药用，云："李核仁味苦，平，无毒。主僵仆踬，瘀血骨痛。根皮，大寒。主消渴，止心烦逆，奔气。实，味苦，除痼热，调中。"

李，蔷薇科落叶乔木。叶长椭圆形至椭圆状倒卵形，边缘有锯齿。花白色。果实圆形，果皮紫红、青绿或黄色。果肉暗黄或绿色，近核部紫红色。果实成熟期为 5～8 月，成熟期因品种和地区不同而不同。多采用嫁接、分株等法繁殖。果实可生食，亦可制蜜饯或果脯。

251　木瓜

《诗经·卫风·木瓜》："投我以木瓜，报之以琼琚。"《毛传》曰："木瓜，楙也，可食之木。"

陆玑云："楙，叶似柰叶，实如小瓜，上黄似著粉香。欲啖者截著热灰中令萎焉，净洗，以苦酒、豉汁密度之，可案酒食。密封藏百日乃食之其益人。"

《尔雅》云："楙，木瓜。"郭注云："实如小瓜，酢，可食。"《说文》："楙木，木盛也。"《礼记·考工记》云："弓人取干，木瓜次之。"是其木有弓材之用。

《山海经·西次四经》："中曲之山，有木焉，实大如木瓜。"《水经注》云："故陵村溪即永谷也，地多木瓜树，有子大如瓯白黄，实甚芬香。《尔雅》之所谓楙木也。"《艺文类聚》卷 87 引《广志》云："木瓜子可藏，枝为杖，另一尺百二十节。"《淮南万毕术》云："木瓜烧灰散池，可以毒鱼。"

《名医别录》云："木瓜实主湿痹邪气，霍乱大吐下，转筋不止。其枝亦可煮用。"

《蜀本图经》云："木瓜树枝，花作房生，子形似栝楼，火干甚香。"

《本草图经》云："木瓜，宜城者为佳。其木状若柰，花生于春末而深红色。其实大者如瓜，小者如拳。宜州人种莳，遍满山谷，始成实，则镞纸花薄其上，夜露日暴，渐而变红，花文如生，本州以充上贡焉。"

木瓜，蔷薇科落叶灌木或小乔木。树皮常作片状剥落，痕迹鲜明。叶椭圆状卵形，有锯齿，嫩叶背面被绒毛。春末夏初开花，花淡红色。果实秋季成熟，长椭圆形，淡黄色，味酸涩，有香气。果经蒸煮成蜜饯后可食。光皮木瓜可入药，其性温，味酸涩，可舒筋，祛风湿，主治筋脉拘挛、腰膝酸重、脚气湿痹等。

252　木桃

《诗经·卫风·木瓜》："投我以木桃，报之以琼瑶。"

《广群芳谱》云："楂与柤同，酢涩而多渣，故谓楂，一名和圆子，一名木桃。"《诗经》中的木桃，即本草中的楂子。

《本草纲目》卷 30 "楂子"条引《埤雅》云"楂子即木桃"，又引《雷公炮炙论》谓"和圆子即此"。《证类本草》卷23"木瓜"条引《雷公炮炙论》曰:"和圆子,色微黄,蒂、核粗。子小圆,味涩,微咸,伤人气。"

《本草纲目》"楂子"条曰:"楂子乃木瓜之酢涩者,小于木瓜,色微黄,蒂、核皆粗,核中之子小圆也。"

《本草纲目》"木瓜"条曰:"木瓜,其叶光而厚,其实如小瓜而有鼻。津润味不木者为木瓜。圆小于木瓜,味木而酢涩者为木桃。"又云:"木瓜性脆,木桃性坚。"

对于楂有2种解释:一释为梨属,一释为木瓜属。

(1)释为梨属。《风土记》云:"楂,梨属,肉坚而香。"《说文》云:"楂,楂果,似梨而酢。"段氏注:"楂似梨而酸涩。按:即今梨之肉粗味酸者也。陶隐居讥郑公不识楂,恐误。"

(2)释为木瓜属。陶隐居云:"楂子涩,断痢。《礼》云:楂梨曰攒之。郑公不识楂,乃云是梨之不藏者。"

陶氏以楂为木瓜属,故讥郑玄不识楂。段玉裁以楂为梨类,故说:"陶隐居讥郑公不识楂,恐误。"司马相如《子虚赋》中有"楂、梨、樗、栗",《子虚赋》将楂、梨并列,说明楂非梨属。

本草视楂为木瓜属植物,说明楂子形态及功用皆似木瓜。孟诜《食疗本草》云:"楂子,平。损齿及筋,不可食,亦主霍乱转筋,煮汁食之,与木瓜功稍等。"

根据《埤雅》《广群芳谱》《本草纲目》所云,木桃即楂子,一名和圆子,是木瓜中质坚、味酢涩而多渣的一种果实。其原植物是蔷薇科木瓜属的一个品种。详见"木瓜"条。

253　木李

《诗经·卫风·木瓜》:"投我以木李,报之以琼玖。"

《本草纲目》卷30"榠楂"条曰:"榠楂,《埤雅》名木梨,《诗经》名木李。"则木李即榠楂。

陶隐居云:"榠楂大而黄,可进酒。"

陈藏器云:"榠楂一名蛮楂。其气辛香,致衣箱中,杀虫鱼。食之止心中酸水、水痢。"(鱼指衣中白鱼,是蛀衣、书小虫)

《日华子本草》云:"榠楂消痰解酒毒,及治咽酸(吞酸),煨食止痢。浸油梳头,治发赤并白。"

《本草图经》云:"榠楂木、叶、花、实,酷类木瓜。陶云大而黄,可进酒,去痰者是也。欲辨之,看蒂间别有重蒂如乳者为木瓜,无此者为榠楂也。"

《本草纲目》卷30"木瓜"条曰:"似木瓜而无鼻(鼻乃花脱处,非脐蒂也),大于木桃,味涩性坚者为木李,亦曰木梨。"

郑樵《通志·昆虫草木略》云:"木瓜短小者,谓之榠楂,俗呼为木梨。《礼记》谓之楂梨。郑玄误谓梨之不藏者。"

按:李时珍谓榠楂乃木瓜之大而黄色无重蒂者,而郑樵说榠楂是木瓜之短小者,则郑樵所言榠楂实乃楂子。楂子小于木瓜,汉代郑玄视楂子为梨属,故云"梨之不藏者"。

根据李时珍所云,木李即榠楂。榠楂也是蔷薇科木瓜属的一个品种。详见"木瓜"条。

254　荷

《诗经·陈风·泽陂》:"彼泽之陂,有蒲与荷。"

"荷"古名芙蕖，其含义有三。

（1）荷有总名含义。荷是荷叶、荷蒂、荷梗、荷花、莲蓬（莲房）、莲子、莲子芯、藕、藕节等的总名，或名芙蕖。

《尔雅·释草》："荷，芙蕖。其茎茄，其叶蕸，其本蔤，其华菡萏，其实莲，其根藕。其中的，的中薏。"郭璞注云："芙蕖，别名芙蓉，江东呼荷。"又云："蔤，茎下白蒻在泥中者。"又云："其实莲，莲，谓房也。"又云："其中的，莲中子也。"又云："的中薏，中心苦。"李巡曰："皆分别莲茎、花、叶、实之名。芙蕖其总名也。"

陆玑云："荷，芙蕖，江东呼荷。其茎茄，其叶蕸，茎下白蒻。其花未发为菡萏，已发为芙蓉。其实莲，莲青皮里白。子为的，的中有青长三分如钩为薏。味甚苦，故俚语云'苦如薏'是也。五月中生，生啖脆，至秋表皮黑的成实，或可磨以为饭（《艺文类聚》引作为散），如粟也。轻身益气，令人强健。又可为糜，幽州扬豫取备饥年。其根为藕，幽州谓之光旁，为光如牛角。"

（2）荷，或指藕，或指莲。《蜀本草》注云："北人以藕为荷，亦以莲为荷。"

（3）荷指荷叶。《说文》云："荷，芙渠叶。"《蜀本图经》云："荷，此生水中叶名荷，圆径尺余。《尔雅》云：荷，芙蕖。其叶蕸。"

《日华子本草》云："荷叶，止渴，落胞，杀蕈毒，并产后口干，心肺燥烦闷，入药炙用之。"

《本草图经》云："藕生水中，其叶名荷。"又云："荷叶止渴，杀蕈毒，今妇人药多用荷叶。"

《经验后方》云："吐血咯血，以荷叶焙干为末，米汤下二钱匕。"

《急救方》云："治产后血不尽，疼闷心痛，荷叶熬令香，为末，水煎下方寸匕。"

《集验方》云："治漆疮，取莲叶干者一斤，水一斗，煮取五升，洗疮上，日再，差。"

荷，睡莲科，多年生水生草本。根茎最初细瘦如指，称为蔤（莲鞭）。蔤上有节，节再生蔤。节向下生须根，向上抽叶和花梗。夏秋生长末期，莲鞭先端数节入土后膨大成藕，可供来年春萌生新株用。夏季开花，淡红色或白色，单瓣或重瓣。花谢后，花托膨大，形成莲蓬，内生多数坚果名莲子。莲子为滋补食品。藕可食用或制藕粉。荷叶、藕节、莲蓬壳有止血之功。莲子心能清心。

255 菡萏

《诗经·陈风·泽陂》："彼泽之陂，有蒲菡萏。"《诗经·郑风·山有扶苏》："山有扶苏，隰有荷华。"

《说文》云："菡萏，芙渠华。"《尔雅·释草》："荷，芙蕖。其华菡萏。"
陆玑云："荷，芙蕖。其花未发为菡萏，已发为芙蓉。"
《蜀本图经》云："今江东人呼荷华为芙蓉。"李璟《浣溪沙》："菡萏香消翠叶残。"
《日华子本草》云："莲花，暖，无毒。镇心轻身，益色驻颜。入香甚妙，忌地黄、蒜。"
《肘后方》云："令易产。莲华一叶，书人字，吞之立产。"

256 茆

《诗经·陈风·泽陂》："彼泽之陂，有蒲与茆。"

"蕳"，原是兰草的古称，但《郑笺》云："蕳，当作莲。莲，芙渠实也。"今从郑注为正。又《鲁诗》将"蕳"作"莲"。

《说文》云："莲，芙渠实也。"《尔雅·释草》："荷，芙蕖。其实莲。"郭璞注云："其实莲，莲谓房也。其中菂，莲中子也。菂中薏，中心苦。"

陆玑云："荷，芙蕖。其实莲，莲青皮里白。子为菂，菂中有青长三分如钩为薏，味甚苦，故俚语云'苦如薏'是也。"

按《郑笺》，蕳即莲。莲有 3 种含义，即莲房、莲子、莲芯。

（1）莲房，即莲蓬壳，味苦、涩。孟诜云："莲房破血。"陈藏器云："莲房，主血胀腹痛，产后胎衣不下，酒煮服之。又主食野菌毒，水煮服之。"李时珍曰："莲房，止血崩、下血、溺血。"

（2）莲子，《尔雅》名菂。《神农本草经》名藕实。

《神农本草经》云："藕实茎，味苦，平。主补中养神，益气力，除百疾。久服轻身耐老，不饥延年。一名水芝丹。"

孟诜云："莲子性寒，主五脏不足，伤中气绝，利益十二经脉血气。生食微动气，蒸食之良。"

日华子云："莲子温，并石莲益气，止渴，助心，止痢。治腰痛，治泄精。多食令人喜。又名莲菂。"

（3）莲子心，一名莲薏。又名苦薏，即莲子中青心也。

陈藏器云："莲薏令人吐，食当去之。"

陈士良云："莲子心，生取为末，以米饮调下三钱，疗血、渴疾。产后渴疾，服之立愈。"

日华子云："莲子心止霍乱。"

卷八　菜类

257　韭

《诗经·豳风·七月》："献羔祭韭。"

《说文》："韭，韭菜也。一种而久生者也，故谓之韭。"

《证类本草》卷28"韭"条引《名医别录》云："韭，味辛、微酸，温，无毒。归心，安五脏，除胃中热，利病人，可久食。子，主梦泄精、溺白。根，主养发。"

《本草图经》云："韭，圃人种莳，一岁而三四割之，其根不伤，至冬壅培之，先春而复生，信呼一种而久者也。在菜中，此物最温而益人，宜常食之。"

《诗经·豳风》云"献羔祭韭"，说明在古代韭菜已被人们当作上乘佳蔬，同羊羔一起用来祭祀祖先。

韭，即韭菜，百合科，多年生宿根草本。叶细长扁平而柔软，翠绿色。分蘖力强。夏秋抽花茎，顶端集生小白花，伞形花序。种子小，黑色。叶作蔬菜食，种子有助阳作用。

258　荠

《诗经·邶风·谷风》："谁谓荼苦，其甘如荠。"

《太平御览》卷980"荠"条引《吴普本草》曰："荠生野中，五月五日采，阴干。"

《证类本草》卷27"荠"条引《名医别录》云："荠，味甘，温，无毒。主利肝气，和中。其实主明目，目痛。"

陶隐居注云："荠类又多，此是今人可食者，叶作菹、羹亦佳。《诗》云'谁谓荼苦，其甘如荠'是也。"

《本草纲目》卷27"荠"条曰："荠有大、小数种。小荠叶小茎扁，味美。其最细小者，名沙荠也。大荠，科、叶皆大，而味不及。其茎硬有毛者，名菥蓂，味不甚佳。并以冬至后生苗，二、三月起茎五六寸。开细白花，整整如一。结荚如小萍，而有三角。荚内细子，如葶苈子。其子名蒫，四月收之。"

《尔雅》云："葖，荠实。"郭注云："荠子名。"《说文》云："蒮，荠实也。"又云："芦，一曰荠根。"

荠，即荠菜，十字花科，一年生或二年生草本。基出叶丛生，羽状分裂，叶被毛茸，柄有窄翅。春季开小白色花，总状花序顶生或腋生，角果倒三角形，内有多个种子。耐寒力强。嫩叶作蔬菜。全草味甘，平，可凉血止血，清热利尿，明目。

259　苣

《诗经·小雅·采芑》："薄言采芑，于彼新田。"《毛传》云："芑，菜来。"《诗经·大雅·文王有声》："丰水有芑。"《毛传》云："芑，草也。"

对于芑有多种解释。

（1）释为芑菜。《毛传》云："芑，芑菜。"陆氏疏云："薄言采芑，芑菜似苦菜也。茎青白色，摘其叶有白汁出，甘脆，可生食，亦可蒸为茹。青州谓之芑，西河、雁门芑尤美，土人恋之不出塞。"

（2）释为苦荬菜。朱熹《诗集传》释芑为苦荬菜，云："芑，苦菜也。青白色，摘其叶，有白汁出，嫩可生食，亦可蒸为茹，即今苦荬菜。宜马食，军行采之，人马皆可食也。"

（3）释为白苣。李时珍曰："白苣，曰生菜。王氏农书谓之芑。陆玑《诗疏》云：青州谓之芑。可生食，亦可蒸为茹。"按李时珍所云，芑即白苣。陈藏器云："白苣似莴苣，叶有白色。"李时珍曰："白苣似莴苣而叶色白，折之有白汁。正二月下种。四月开黄花如苦荬，结子亦同。八月、十月可再种。故谚云：生菜不离园。按《事类合璧》云：苣有数种，色白者为白苣，色紫者为紫苣，味苦者为苦苣。"

（4）马瑞辰《毛诗传笺通释》释为水芹。

（5）释为生地黄。《名医别录》云："生地黄，一名苄，一名芑。"

以上5种解释，以朱熹所释"芑即苦荬菜"为最可信。

苦荬菜，菊科，多年生草本。基生叶长卵形或卵状披针形，边缘有不规则的齿裂；茎上部的叶舌状而微抱于茎。头状花序顶生成伞房状花丛，春夏间开黄色花。我国各地普遍野生。嫩叶可作猪饲料，全草煮出液可防治农作物害虫。

260　莱

《诗经·小雅·南山有台》："南山有台，北山有莱。"

对于莱有2种解释。

（1）释为藜。《说文》："莱，蔓华。"段氏注："《小雅》'北山有莱'之'莱'。"

陆玑云："莱，草名，其嫩叶可食。今兖州人蒸以为茹，谓之莱蒸。"

《尔雅·释草》："釐，蔓华。"郭注："一名蒙华。"郝懿行疏云："釐，《说文》作莱，云蔓华也。莱与釐古同声。《诗》：北山有莱。《玉篇》《广韵》并以莱为藜。藜、釐声相近也。藜即灰藋也。"《广雅》云："蓳，藜也。"《山海经·中山经》云："太山有草焉，名曰黎。"

《说文》："藜，草也。"裁氏注："《左传·昭公十六年》：'斩之蓬蒿藜藋。'藜初生可食，故曰蒸藜不熟。《小雅》：北山有莱。陆玑云：莱，兖州人蒸以为茹，谓之蒸莱。按：莱蒸，盖即蒸藜。"高诱注《淮南子·时则训》云："藜，荒秽之草。"

《齐民要术》引《诗义疏》云："莱，藜也。茎叶皆似菉王刍。今兖州人蒸以为茹。"《大戴礼记·曾子制言》云："聚橡、栗、藜、藿而食之。"《韩非子》云："藜藿之美。"

《淮南子·修务训》："藜藿之生，蠕蠕然。"司马迁《太史公自序》云："粝粱之食，藜藿之羹。"张守节《正义》云："藜似藿而表赤。藿，豆叶。"藜藿用以指粗劣的饭菜。

《本草纲目》卷27"藜"条云："《诗疏》名莱。即灰藋之红心者，茎、叶稍大。河朔人名落藜，南人名胭脂菜，亦曰鹤顶草。嫩时可食。《诗》云：南山有台，北山有莱。陆玑注云：莱即藜也。"

从上述资料来看，"北山有莱"中的"莱"应释为《本草纲目》卷27中的藜。

藜即赤心灰藋，一名灰莱。藜科，一年生草本。叶菱状卵形，边缘有齿牙，下面被粉状物。夏季开小型花，聚成小簇，再排列枝上成圆锥花序。果实包于花被内。嫩叶可食；种子可榨油。藜茎至老可以为手杖。《询刍录》云："古称藜即灰苋，老可为杖。"《晋书·山涛传》云："魏帝以涛母老，赠藜杖一杖。"

（2）释为杂草。《盐铁论·通有》①云："荆、杨伐木而树谷，燔莱而播栗。"又《盐铁论·轻重》云："昔太公封于营丘，辟草莱而居焉。"

《诗经·小雅·楚茨》的《毛序》云："政烦赋重，田莱多荒。"《毛传》："田莱多荒，茨棘不除也。"孔颖达疏："田废生草谓之莱。"

《周礼·地官·县师》："而辨其夫家田莱人民之数。"郑玄注："莱，休不耕者。"

261 芹

《诗经·小雅·采菽》："言采其芹。"《诗经·鲁颂·泮水》："薄采其芹。"

《尔雅》云："芹，楚葵。"郭注云："今水中芹菜。"《说文》云："芹，楚葵。"又云："菦菜，类蒿，《周礼》有菦菹。"段玉裁注云："菦，《诗》《礼》皆作芹。《小雅》笺曰：芹，菜也，可以为菹。《鲁颂》笺曰：芹，水菜也。《释草》及《周礼》注曰：芹，楚葵也。按：即今人所食芹菜。"

《神农本草经》云："水靳音芹，一名水英。"陶隐居注云："水靳，二月、三月作英时，可作菹及熟爚食之。又有渣芹，可为生菜，亦可生啖。俗中皆作芹字。"

《蜀本图经》云："水芹生水中，叶似芎䓖，花白色而地，根亦白色。"

《吕氏春秋·本味》："菜之美者，有云梦之芹。"高诱注云："云梦，楚泽。芹生水涯。"

按："薄采其芹"中的"芹"应释为《神农本草经》中的水靳。水靳即水芹。《诗经·鲁颂·泮水》篇言在水中采芹、藻、茆等水生植物。在水中采的芹，当是水芹。

《神农本草经》云："水靳，味甘，平。主女子赤沃，止血，养精，保血脉，益气，令人肥健，嗜食，一名水英。"

水芹，伞形科，多年生宿根草本。二回羽状复叶，叶缘有粗锯齿，叶柄细长。夏季开白花，复伞

---

① 《盐铁论》由西汉桓宽撰，成书于公元前1世纪中期。

形花序。种子发芽不良。性喜温暖湿润，宜在黏质土生长。嫩茎、叶柄可作蔬菜。

262　葵

《诗经·豳风·七月》：“七月烹葵及菽。”

葵即冬葵，为我国古代主要的蔬菜之一。

《说文》云：“葵，菜也。”《尔雅翼》云：“葵为百菜之主，味尤甘滑。”《山海经·北山经》：“边春之山，多葵。”

按：葵的种类很多，能作菜食而性滑者有冬葵。《唐本草》云：“冬葵即常食者。”《士虞礼》云：“若薇有滑，夏用冬葵。”《齐民要术》将《种葵》列为蔬类第 1 篇。

《神农本草经》云：“冬葵子，主五癃，利小便。”

《名医别录》云：“冬葵根，主恶疮，疗淋，利小便，解蜀椒毒。叶为百菜主。”

《本草图经》云：“冬葵，其子是秋种葵，覆养经冬，至春作子者，谓之冬葵子。苗叶作菜茹更甘美。”

王祯《农书》云：“葵，阳草也。其菜易生，郊野甚多，为百菜主。可防荒俭。”吴其濬《植物名实图考》亦认为“葵”即冬葵，俗名冬寒菜。此物陕北野外很多。

《本草纲目》卷 36“葵”条曰：“葵菜，古人种为常食，今之种者颇鲜（少也）。有紫茎、白茎二种，以白茎为胜。大叶小花，花紫黄色。其实大如指顶，皮薄而扁，实内子轻虚如榆荚仁。四、五月种者可留子。六、七月种者为秋葵，八、九月种者为冬葵，正月复种为春葵。然宿根至春亦生。”

“七月烹葵及菽”中的“葵”即《神农本草经》中的冬葵。冬葵，一名葵菜、冬寒菜。锦葵科，二年生草本。叶肾形至圆形，5～7 浅裂，稍皱缩。寒地春季栽种，暖地春秋均可栽。嫩梢、嫩叶，可作蔬菜。子，味甘，寒，可利尿，下乳，润肠通便。茎、叶，可清热利湿。根，可补中益气。

263　葑

《诗经·唐风·采苓》：“采葑采葑，首阳之东。”《诗经·邶风·谷风》云：“采葑采菲。”《毛传》云：“葑，须从。”

《说文》云：“葑，须从也。”

对于葑的解释有二：一释为酸模，一释为芜菁。

（1）释为酸模。《尔雅》云：“须，葑苁。”郭注云：“葑苁，似羊蹄菜，叶细，味酸，可食。”郝懿行《尔雅义疏》云：“陶注《本草》羊蹄云，一种极似羊蹄而味酢，呼为酸模。按：葑苁即今酸模。”

（2）释为芜菁。《尔雅》云：“须，葑苁。”《礼坊记注》云：“葑，蔓菁也，陈、宋之间谓之葑。”

陆玑云：“葑，芜菁，幽州人谓之芥。”《方言》云：“蘴、荛，芜菁也。陈、楚之郊谓之蘴；齐、鲁之郊谓之荛；关之东、西谓之芜菁；赵、魏之郊谓之大芥，其小者谓之辛芥，或谓之幽芥。”《字林》曰："薞，芜菁苗也。"

陶隐居云："芜菁根乃细于温菘（芦菔），而叶似菘，好食。西川惟种此，而其子与温菘甚相似，小细耳。"

《唐本草》注云："芜菁，北人又名蔓菁，根、叶及子乃是菘类。"

《本草图经》云："芜菁四时仍有，春食苗，夏食心，秋食茎，冬食根。"

按以上资料所示，"采葑采菲"中的"葑"应释为《名医别录》中的芜菁。芜菁又名蔓菁，俗称大头菜，为十字花科一年生或二年生草本，叶片全缘或有深缺刻，绿色或微带紫色，有光泽，直径肥大，质较萝卜致密，有甜味，近圆球形，颜色上部绿或紫，而下部主要为白色，更有紫、黄等色。芜菁的根、叶可作蔬菜，也可作饲料，亦可盐腌或制干后食用。

264 菲

《诗经·邶风·谷风》："采葑采菲，无以下体。"

对于菲有多种解释。

（1）释为萝卜。采菲即采萝卜，采葑即采芜菁（蔓菁）。王夫之《诗经稗疏》："此二菜（指葑、菲），初则食叶，后乃食根。当食根时，叶粗老而不堪食，则是根可食而苗为人所弃。无以下体者，不可以其茎、叶之恶而不采也……草木逆生，则根在下为上体，叶在上为下体。"

（2）释为葍类。《郑笺》云："此二菜（指葑、菲）者，蔓菁与葍之类也。"《诗经·小雅·我行其野》："言采其葍。"

（3）释为葸菜。《尔雅·释草》："菲，葸菜。"郭注云："菲草生下湿地，似芜菁，华紫赤色，可食。"

陆玑云："菲似葍，茎粗，叶厚而长，有毛。三月中蒸煮为茹，滑美，可作羹。幽州人谓之芴，《尔雅》谓之葸菜，今河内人谓之宿菜。"

按：葸菜，一名菲，一名二月兰，一名诸葛菜。十字花科，一年生草本。叶羽状分裂。初夏开花，花淡紫色，总状花序。角果四棱柱形，有鸟喙状嘴，产于我国北部和中部。可作蔬菜食，种子可榨油。

（4）释为土瓜。《说文》："菲，芴也。芴，菲也。"《尔雅·释草》："菲，芴。"郭注："即土瓜也。"《广雅》云："土瓜，芴也。"《急就篇》云："远志续断参土瓜。"颜师古注："土瓜，一名菲，一名芴。"

《神农本草经》云："王瓜，一名土瓜。"《药性论》云："土瓜根，使，平。一名王瓜。"

《本草经集注》云："今土瓜生篱院间，亦有子，熟时赤如弹丸。《礼记·月令》云：王瓜生。此之谓也。"

《唐本草》注："王瓜蔓生，叶似栝楼，圆无又缺。子如栀子，生青熟赤，但无棱尔。根似葛，细而多糁。北间者累累相连，大如枣，皮黄肉白，苗子相似，根状不同。"

《本草衍义》云："王瓜，其壳径寸，长二寸许，上微圆，下尖长，七、八月熟，红赤色。壳中子如螳螂头者，今人又谓之赤雹子。其根即土瓜根也。于细根上又生漆黄根，三五相连，如大指许。"

《本草纲目》云："土瓜，其根作土气，其实似瓜。瓜似雹子，熟则色赤，鸦喜食之，故俗名赤霍、老鸦瓜。一叶之下一须，故俚人呼为公公须。与地黄苗名婆婆奶，可为属对。王瓜，《本经》名土瓜。三月生苗，叶圆如马蹄而有尖，面青背淡，涩而不光。六、七月开五出小黄花，成簇。结子累累，熟时有红、黄二色，皮亦粗涩。根不似葛，但如栝楼根之小者。"

土瓜，一名王瓜，为葫芦科多年生攀缘草本。叶互生，近心脏形，3～5浅裂，茎下部的叶多深裂。夏季开花，花腋生，单性，雌雄异株，白色，花瓣边缘细裂成丝状。果实球形至椭圆形，熟时橘黄色。种子褐色，略呈丁字形，中央有带状隆起的部分。

以上4种解释以第1种为最可信。只有蔓菁、萝卜在幼嫩时，其叶可食；至老时，叶不可食，而根可食。其他3种均不符合"采葑采菲，无以下体"的要求。

265　瓠

《诗经·小雅·南有嘉鱼》："南有樛木，甘瓠累之。"《诗经·小雅·瓠叶》："幡幡瓠叶，采之烹之。"

陆佃《埤雅》云："长而瘦曰瓠，短颈大腹曰匏。"《广雅》云："匏，瓠也。"《说文》云："匏，瓠也。"《蜀本草》注云："瓠有甘、苦二种，甘者大，苦者小。"

《神农本草经》云："苦瓠，味苦，寒。主大水，面目四肢浮肿。"

《本草纲目》卷28"苦瓠"条谓苦瓠即苦匏，李时珍曰："《诗》云：'匏有苦叶。'《国语》云：'苦匏不材，于人共济而已。'皆指苦壶而言，即苦瓠也。"又同卷"壶卢"条曰："瓠有多种，其实一类各色也。以正二月下种，生苗引蔓延缘。其叶似冬瓜叶而稍团，有柔毛，嫩时可食。故《诗》云：'幡幡瓠叶，采之烹之。'五、六月开白花，结实白色，大小长短，各有种色。瓢中子，齿列而长，谓瓠犀。"《诗经·卫风·硕人》："齿如瓠犀。"犀，栖的假借字。《尔雅·释草》注引《诗经》作"瓠栖"。栖，齐的意思。瓠的子白而整齐。

按：李时珍谓"匏有苦叶"中的"匏"即苦匏，又名苦瓠，而"幡幡瓠叶"中的"瓠"为甘瓠，亦即《诗经·小雅》"甘瓠累之"中的甘瓠。《蜀本草》注谓瓠有甘、苦两种。《神农本草经》中有苦瓠，而《诗经·小雅》所讲的瓠为甘瓠。

瓠是葫芦科一年生攀缘草本。其茎叶有茸毛，叶心脏形，叶腋生卷须，花白色，夕开晨闭，瓠果长圆筒形，绿白色，幼嫩时密生白软毛，其后渐消失。瓠的嫩果可作蔬菜。

266　壶

《诗经·豳风·七月》："八月断壶。"《毛传》云："壶，瓠也。"

《古今注》云："瓠，壶芦也。"

《本草纲目》卷28"壶芦"条曰："壶，酒器也。"又云："陆玑《诗疏》云：壶，瓠也。又云：匏，瓠也。而后世以长如越瓜，首尾如一者为瓠，砖之无柄而圆大形扁者为匏，瓠之有短柄大腹者为壶。瓠之一头有腹长柄者为悬瓠。悬瓠即今人所谓茶酒瓢者是也。壶之细腰者为蒲芦，蒲芦即今之药壶卢是也。"

按：壶即壶芦，是瓠之有短柄大腹者。壶芦是葫芦科一年生攀缘草本，具软毛，卷须分枝，叶互生，心状卵圆形至肾状卵圆形，夏秋开纯白色花，果实因品种不同而形状多样。壶芦果实可作水瓢。其果壳性平，味甘，可利水消肿，主治水肿、腹胀等。

267 匏

《诗经·邶风·匏有苦叶》："匏有苦叶，济有深涉。"《诗经·小雅·公刘》："酌之用匏。"《毛传》："匏谓之瓠。"

《说文》："匏，瓠也，从包从夸声。包，取其可包藏物也。"《广雅》："匏，瓠也。"《埤雅》："长而瘦上曰瓠，短颈大腹曰匏。"《鹖冠子》曰："中流失船，一壶（匏）千金。"

崔豹《古今注》："匏，瓠也。壶卢，匏之无柄者也；瓠有柄曰悬瓠，可为笙。"《楚辞·王褒九怀》："援瓟瓜兮接粮。"曹植《洛神赋》："叹匏瓜之无正书，咏牵牛之独处。"

《国语·鲁语》："苦匏不材，于人共济而已。"韦注云："材读若裁。不裁于人，言不可食也。共济而已，佩匏可以渡水也。"闻一多《诗经通义》："古人早已知道抱着葫芦浮水，能使身体容易漂起来，所以葫芦是他们常备的旅行工具，而有'腰舟'之称。叶子枯了，葫芦也干了，可以摘来作'腰舟'用了。"

陆玑云："匏叶少时可为羹，又可淹鬻极美。扬州人恒食之。至八月叶即苦（通枯），故曰苦叶。"

《本草纲目》卷28"苦瓠"条曰："匏有苦叶。皆指苦壶而言，即苦瓠也。"

按李时珍所云，"匏有苦叶"之"匏"即是苦瓠。《神农本草经》云："苦瓠，味苦，寒。主大水，面目四肢浮肿，下水，令人吐。"《蜀本草》注云："瓠，固匏也。但匏字合作瓟，盖音同字异尔，且匏似瓠，可为饮器，有甘、苦二种，甘者大，苦者小。今人以苦瓠疗水肿甚效，亦能令人吐。"

匏是葫芦科葫芦的一个品种。详见"壶"条。

268 笋

《诗经·大雅·韩奕》："维笋及蒲。"

《埤雅》云："其萌曰笋，解之曰为竹一日从旬，旬内为笋，笋外为竹。"宋代僧人赞宁《笋谱》云："笋一名萌，一名箁，一名蕣，一名出，一名初篁。"《吕氏春秋》云："和之美者，越酪之菌。"注云："越酪山名，菌，竹笋也。"

陆玑云："笋，竹萌也，皆四月生；唯巴竹笋八月、九月生，始出地长数寸，鬻以苦酒、豉汁浸之，可以就酒及食。"

《尔雅》云："笋，竹萌。"孙炎注云："竹初萌生谓之笋。"《尔雅》又云："筊，箭萌。"郭注云："萌，笋属也。"郑樵《通志略》曰："筊，箭萌，此箭笋。凡笋类，惟箭笋为美。故会稽竹箭有闻焉。"

孟诜《食疗本草》云："越有芦及箭笋。新者稍可食，陈者不可食。"

《证类本草》卷13"竹叶"条引《名医别录》云："竹笋，味甘，无毒。主消渴，利水道，益气，可久食。"

《本草图经》云："竹笋，诸家惟以甜苦笋为最贵。苦竹亦有二种：一出江西及闽中，本极粗大，笋味殊苦，不可啖；一种出江浙，近地亦时有，肉厚而叶长阔，笋微有苦味，俗呼甜苦笋，食品所最贵者。"

《本草纲目》卷27"竹笋"条曰："《诗》云：'其蔌（蔬菜）伊（今本作维）何，维笋及蒲。'《礼》云：'加豆之实，笋菹鱼醢。'则笋之为蔬，尚之久矣。"

笋是禾木科竹的幼芽，为鲜美的蔬菜。

卷九　米类

269　稻

《诗经·豳风·七月》："十月获稻。"《诗经·小雅·甫田》："黍稷稻梁。"《诗经·鲁颂·閟宫》："有稻有秬。"

《说文》："稻，稌也。"《尔雅》："稌，稻。"郭注："今沛国呼稌。"《玉篇》："秈，粳稻也。"《字林》："粳稻不粘者；糯，粘稻也。"

《素问·汤液醪醴论》："醪醴……必以稻米。"

《氾胜之书》："三月种粳稻，四月种秫稻。"《淮南子》曰："稻生于水，而不生于湍激之流。"又云："蔺先稻熟。"高诱注："蔺，水稗。"崔寔《四民月令》："三月可种粳稻。"《诗经·豳风》："十月获稻。"说明稻在公元前 11 世纪—前 6 世纪已为人们所种植，并能按期收割。

《名医别录》："稻米，味苦，主温中，令人多热，大便坚。"

稻，禾本科，一年生草本。秆直立，中空有节，分蘖（近地面处所发生的分枝）。叶片线形，叶鞘有茸毛。圆锥花序，成熟时向下弯垂，小穗有芒或无芒，稃上有毛或无毛。颖果。我国为稻的原产地之一，约有 4700 多年栽培历史。稻的米粒（颖果）可作粮食、酿酒、制淀粉，秆可作饲料及造纸原料。稻有很多品种，是我国主要粮食作物之一。

我国劳动人民很早就发现了稻。据西安半坡博物馆编《中国原始社会》（1977 年文物版）记载，我国于母系氏族时期的遗址中发现了粟、水稻、粳稻和籼稻。

270　稌

《诗经·周颂·丰年》："多黍多稌。"《毛传》："稌，稻也。"

《说文》："稌，稻也。"《尔雅》："稌，稻。"郭璞注："今沛国呼稌。"郝懿行疏："《说文》稻、稌互训，义本《尔雅》。郑众注食医以稌为粳。又注膳夫以稌为六谷之一。是皆以稌为稻名也。《礼》云：牛宜稌。《诗经》云'多黍多稌'是也。"稌特指糯稻。米粒蒸或煮熟，其黏性很大。

271 麦

《诗经·豳风·七月》:"禾麻菽麦。"《诗经·庸风·桑中》:"爰采麦矣。"《诗经·鄘风·载驰》:"我行其野,芃芃其麦。"《诗经·王风·丘中有麻》:"丘中有麦。"《诗经·魏风·硕鼠》:"无食我麦。"《诗经·大雅·生民》:"麻麦幪幪。"《诗经·鲁颂·閟宫》:"黍稷重穋,稙稚菽麦。"

《说文》:"麦,芒谷。麦,金也。金王而生,火王而死。"《礼记·王制》:"庶人春荐韭,夏荐麦,秋荐黍,冬荐稻。"《春秋左传》:"隐公三年……郑祭足帅师取温之麦。"

《庄子·外物》:"青青之麦,生于陵陂。"《管子·地员》:"斥埴宜大菽与麦……黑埴宜稻、麦。"

《初学记》卷27引《周书》:"凡禾麦居东方,黍居南方,稻居中央,粟居西方,菽居北方。"

《太平御览》卷838引《范子计然》:"东方多麦,南方多稷,西方多麻,北方多菽,中央多禾,五十之所宜也。"

《素问·金匮真言论》:"东方青色,其谷麦。"又《素问·藏气法时论》:"肺色白,宜食苦。麦、羊肉、杏、薤皆苦。"

张华《博物志》:"人啖麦,令人多力健行。"

《名医别录》:"小麦,味甘,微寒,无毒。主除热,止燥渴、咽干,利小便,养肝气,止漏血、吐血。以作曲,温,消谷止痢。以作面,温,不能消热止烦。"又云:"大麦,味咸,温,微寒,无毒。主消渴,除热,益气,调中。又云令人多热,为五谷长。"

小麦,禾本科,一年生或二年生草本。秆中空或基部有髓,有分蘖。叶片长披针形。复穗状花序,小穗有芒或无芒,颖果卵形或长椭圆形,腹面有深纵沟。种类很多。子粒主要用来制面粉,麦麸皮可作饲料。秆可编器物,亦是造纸原料。

272 牟（大麦）

《诗经·周颂·臣工①》:"如何新畬,于皇来牟。"《诗经·周颂·思文》:"贻我来牟,帝命率育。"

《说文》:"辨,周受来牟也,一麦一辨。"《孟子》云:"辨麦播种而耰之。"赵岐注云:"牟麦,大麦也。"《吕氏春秋·任地》:"孟夏之昔,杀三叶而获大麦。"注云:"昔,终也。三叶,荠、亭历、菥蓂也。是月之季枯死,大麦熟而可获。"

《名医别录》:"大麦,味咸,温,微寒,无毒。主消渴除热,益气调中。又云:令人多热,为五谷长。"陶隐居注:"今稞麦一名牟。麦似穬麦,惟皮薄耳。"

---

① 臣工,即臣官,通指诸侯、卿大夫而言。郑玄《诗谱》认为此篇是成王时期［约西周前期（公元前1027—前771）］的作品。

《唐本草》注云："大麦出关中，即青稞麦。形似小麦而大，皮厚，故谓大麦。殊不似穬麦也。大麦面，平胃止渴，消食疗胀。"

《药性论》云："大麦蘖，使，味甘，无毒。能消化宿食，破冷气，去心腹胀满。"

陈承《别说》云："大麦，今以粒皮似稻者为之。作饣（饭）滑，饲马良。"

大麦，禾本科，一年生或二年生草本。植株似小麦。秆较软，叶片略厚而短，色淡，叶舌、叶耳较大无毛。穗状花序，穗轴各节着生 3 个小穗，每个小穗生 1 朵小花。颖果有芒或无芒。种子扁平，中间宽，两端较尖，与稃紧密黏合不能分离，亦有能分离者。大麦可供食用、酿酒，或制麦芽作消导药用。秆可编草帽。

273　来（小麦）

《诗经·周颂·臣工》："如何新畬，于皇来牟。"《诗经·周颂·思文》："贻我来牟，帝命率育。"

《广雅》："来，小麦；牟，大麦。"《说文》："来，周所受瑞麦来牟也。二麦一夆，象其芒束之形，天所来也，故为行来之来。《诗》曰：贻我来牟。"

《名医别录》云："小麦，味甘，微寒，无毒。主除热，止燥渴咽干，利小便，养肝气，止漏血唾血。以作曲，温，消谷止痢。以作面，温，不能消热止烦。"

陈承《别说》云："小麦，即今人所磨为面，日常食者。八、九月种，夏至前熟。一种春种，作面不及经年者良。"

来，即小麦。详见"小麦"条。

274　苗

《诗经·王风·黍离》："彼黍离离，彼稷之苗。"孔颖达疏："苗谓禾未秀。"《诗经·魏风·硕鼠》："无食我苗。"《毛传》云："苗，嘉谷也。"

《说文》："苗，草生于田者。"《春秋》："庄七年，秋大水，无麦苗。"何休注《公羊传》云："苗者，禾也；生曰苗，秀曰禾。"《仓颉篇》曰："苗者，禾之未秀者也。"孔子曰："恶莠恐其乱苗。"赵岐《孟子注》云："莠之茎、叶似苗。"

程瑶田《九谷考》云："始生曰苗，成秀曰禾，禾实曰粟。"此处的苗有两种含义：一指一般植物的幼苗；一指粟的幼苗，以苗或禾代表粟的植物。

又《诗经·小雅·车攻》："之子于苗。"《毛传》："夏猎曰苗。"《左传·隐公五年》："故春蒐、夏苗、秋狝、冬狩，皆于农隙以讲事也。"杜预注："苗，为苗除害也。""之子于苗"中的"苗"指古时夏季的田猎，即为苗除害。

275　禾

《诗经·豳风·七月》："禾麻菽麦。"《诗经·大雅·生民》："禾役穟毣。"役，颖的假借字。禾颖即禾穗。

对于禾有2种解释。

（1）释为粟。《说文》："禾，嘉谷也。以二月而种，八月始熟，得时之中，故谓之禾。"《尚书》："唐叔得禾。"《左传》："郑祭足帅师，取成周之禾。"《吕氏春秋》："饭之美者，玄山之禾。"《淮南子》："后稷辟土垦草，而不能使禾冬生。"《广韵》曰："粟，禾子也。"此皆以禾指粟而言。程瑶田《九谷考》云："始生曰苗，成秀曰禾，禾实曰粟。"

（2）谷物的泛称。《诗经·豳风·七月》："十月纳禾稼。"《诗经·魏风·伐檀》："胡取禾三百廛兮。"此两句中的"禾"，是谷物的泛称，但后世"禾"字常用作庄稼的代称。

276　粟

《诗经·小雅·黄鸟》："无啄我粟。"《诗经·小雅·小宛》："交交桑扈，率场啄粟。"

粟有2种含义：一指小米，一指谷的泛称。

《左传·僖公十三年》："秦于是乎输粟于晋。"此句中粟是谷物的总称。

《本草纲目》："古者以粟为黍、稷、粱、秫之总称，而今之粟，在古但呼为粱。后人乃专以粱之细者名粟。大抵粘者为秫，不粘者为粟。北人谓之小米也。"又云："粟，即粱也。穗大而毛长粒粗者为粱，穗小而毛短粒细者为粟。苗俱似茅。种类凡数十，有青赤黄白黑诸色，或因姓氏地名，或因形似时令，随义赋名。"

《名医别录》："粟米，味咸，微寒，无毒。主养肾气，去胃脾中热，益气。陈者味苦，主胃热，消渴，利小便。"

粟米即小米。单言"粟"，常指粮食而言。

在古代，粟亦称禾、稷、谷，去壳名小米。粟为禾本科一年生草本，秆粗壮，分蘖，叶鞘无毛，叶片线状披针形，叶舌短而厚，具纤毛，圆锥花序（穗），主轴密生柔毛，穗长而下垂，形状不一，小穗具短柄，基部有刺毛。颖果，稃壳颜色不一，有红、橙、黄、白、黑等色，子粒卵圆形，黄白色。粟耐旱。其子粒黏者名糯粟（秫），不黏者为粳粟。粟可供食用或酿酒，其茎、叶、谷糠可作饲料。

我国劳动人民很早就发现了粟。据西安半坡博物馆编《中国原始社会》（1977年文物版）记载，我国于母系氏族时期的遗址中发现了粟。

277　穈

《诗经·大雅·生民》："维穈维芑""恒之穈芑"。

穈和芑是粟的2个品种。穈是赤粱粟，芑是白粱粟。

穈即虋（mén）。《集韵》："虋，赤苗嘉谷也。或作穈。"《本草纲目》："赤粟曰虋，曰穈。"《尔雅》："虋，赤苗。"郭注："虋，今之赤粱粟。"

按：穈，谷子的一种，初生时叶纯赤，生三四叶后，赤青相间，生七八叶后，色始纯青。《本草纲目》称之为赤黍。

《证类本草》卷 25："丹黍米，味苦，微温，无毒。主咳逆，霍乱，止泄，除热，止烦渴。"陶弘景注云："此即赤粟米也。"李时珍曰："黍乃稷之粘者，亦有赤、白、黄、黑数种，其苗色亦然。白者亚于糯，赤者最粘，可蒸食，俱可作饧。"

穄亦称稷，指不黏的黍。穄，禾本科，一年生草本。秆直立，不被茸毛。叶线状披针形。圆锥花序，主轴直立或弯曲，侧枝疏散成散穗。小穗有 2 朵小花，其中 1 朵不孕。颖果，球形或椭圆形，平滑而有光泽，乳白、淡黄或红色。子粒呈白色、黄色或褐色。性不黏，生育期短，抗旱力强，不耐霜。子粒可供食用或酿酒，秆、叶可作饲料。

278 芑

《诗经·大雅·生民》："维糜维芑。"

糜和芑是粟的 2 个品种。

《说文》云："芑，白苗，嘉谷。"《尔雅》云："虋，赤苗。芑，白苗。"郭注："虋，今之赤粱粟。芑，今之白粱粟，皆好谷。"郝懿行《尔雅义疏》云："谷即粟。郭言粱者，粱即粟之米。故《三苍》云：粱，好粟也。"粱是粟中特别好的品种。

按郭璞所注，芑是白粱粟。白粱亦供药用。

《名医别录》云："白粱米，味甘，微寒，无毒。主除热，益气。"

《唐本草》注云："白粱，穗大多毛且长。诸粱都相似，而白粱谷粗扁长，不似粟圆也。米亦白而大，食之香美。"

【附】芑又是生地黄的别名。《名医别录》云："生地黄，一名芐，一名芑。""维糜维芑"中的"芑"是指白粱粟，而非生地黄。

279 粱

《诗经·小雅·黄鸟》："无啄我粱。"《诗经·小雅·甫田》："黍稷稻粱。"

《本草纲目》："粱即粟。自汉以后，始以大而毛长者为粱，细而毛短者为粟，今则通呼为粟，而粱之名反隐矣。"

陶弘景云："凡云粱米，皆是粟类。"《唐本草》注："粱虽粟类，细论则别。粱穗大多毛且长，而谷粗扁长，不似粟圆也。"苏颂曰："粱者，粟类也。粟虽粒细而功用则无别也。"

《名医别录》中载有白粱、黄粱、青粱。白粱米：味甘，微寒，无毒，主除热，益气。黄粱米：味甘，平，无毒，主益气和中，止泄。青粱米：味甘，微寒，无毒，主胃痹，热中，消渴，止泄痢，利小便，益气补中，轻身长年。

在古代，粱是粟中特别好的品种的统称。

今天的高粱，一名蜀黍、蜀秫、芦穄，为禾本科一年生草本，其秆直立，心中有髓，分蘖，叶片似玉米，厚而较窄，被蜡粉，平滑，中脉白色，圆锥花序，穗形有帚状和垂状，颖果呈褐、橙、白或淡黄等色，种子卵圆形，微扁，质黏或不黏，性喜温，耐旱及涝。高粱种子可供食用和酿酒（即高粱酒）。高粱的秆可生食或制糖浆。高粱的穗可制扫帚。新鲜的嫩叶及苗含有羟氰苷，在家畜胃中能形成剧毒的氢氰酸，从而引起中毒，因此嫩叶和苗不可作饲料。

280 黍

《诗经·魏风·硕鼠》："无食我黍。"《诗经·小雅·黄鸟》："无啄我黍。"《诗经·小雅·楚茨》："我黍与与。"《诗经·王风·黍离》："彼黍离离。"《诗经·曹风·下泉》："芃芃黍苗。"《诗经·周颂·良耜》："载筐及筥，其饷伊黍""黍稷茂止"。

《说文》："黍，禾属而粘者也。以大暑而种，故谓之黍。孔子曰：黍可为酒。"

在不同时代，或同一时代的不同地区，黍所指的实物不同。兹录部分文字如下。

陶弘景云："黍苗如芦而异于粟，粒亦大，今人呼秫粟为黍，非矣。"《唐本草》注："粘者为秫，不粘者为黍。"《本草纲目》："稷之粘者为黍，粟之粘者为秫，粳之粘者为糯。"又云："稷与黍一类二种，粘者为黍，不粘者为稷。"《九谷考》曰："黍为禾属而粘者。今山西人无论粘与不粘，统呼之曰糜黍。太原以东则呼粘者为黍子，不粘者为糜子。禾穗下垂如椎而粒聚，黍穗略如稻而舒散。"

黍的生长期短，高寒地区可种。《孟子·告子下》："夫貉五谷不生，惟黍生之。"赵岐注云："貉在北方，其气寒，不生五合，黍早熟，故独生之也。"

《名医别录》："黍米，味甘，温，无毒。主益气补中，多热，令人烦。"孟诜云："黍米性寒，小儿食之令不能行。若与小猫、犬食之，其脚便踠曲行不正。"

黍，即黏黄米。黍为禾本科一年生草本。秆直立，被茸毛。叶线状披针形。圆锥花序，主轴直立或弯生，侧枝密集或疏散，穗成熟后下垂。小穗有2朵小花，其中1朵不孕。颖果，球形或椭圆形，平滑而光，呈乳白色、淡黄色或红色。子粒呈白色、黄色或褐色，性黏或不黏，生长期短，喜温暖，不耐霜，耐干旱。子粒可供食用或酿酒。秆、叶可作饲料。秆上有毛，偏穗，子粒黏者为黍；秆上无毛，散穗，子粒不黏者为稷。

281 秬

《诗经·大雅·生民》："恒子秬秠""维秬维秠"。《诗经·大雅·江汉》："秬鬯一卣。"《诗经·鲁颂·閟宫》："有稻有秬。"《毛传》："秬，黑黍。秠，一稃二米。"

《尔雅》："秬，黑黍。"郭注："《诗》曰：维秬维秠。"李巡疏曰："黑秬，一名秬黍。秬即黑黍之大名也。"郝懿行疏："秬，《说文》本作鉅，或作秬，秬稷也。稷，穄也。稷或作粍。"

《诗》云："秬鬯一卣。"郑氏注："酿黍为酒，秬如黑黍。"李时珍曰："《诗》云：'秬鬯一卣。'则黍之为酒尚也。"

《素问·气交变大论》："其谷秬。"又《素问·五常政大论》曰："其谷黅秬。"《吕氏春秋·本味》："南海之秬。"高诱注云："秬，黑黍也。"

李时珍曰："黍乃稷之粘者。亦有赤、白、黄、黑数种，其苗色亦然。"

按：秬即黑黍，有黏性，古代用以酿酒。余详见"黍"条。

282　秠

《诗经·大雅·生民》："维秬维秠。"又云："恒之秬秠。"

《说文》："秠，一稃二米。《诗》曰：诞降嘉谷，惟秬惟秠。后稷之嘉谷也。"

《尔雅》："秠，一稃二米。"李巡注："秠是黑黍中一稃有二米者。"郭注："此亦黑黍，但中米异耳。汉和帝时任城生黑黍，或三四实，实二米，得黍三斛八斗是。"郝懿行疏云："秠，一稃二米，然则秬秠皆黑黍之名。秠是一稃二米者之别名也。"

按李巡、郝懿行所云，秠和秬都是黑黍。黑黍有黏性，古代用以酿酒。

《名医别录》："丹黍米，味苦，微温，无毒。主咳逆霍乱，止泄，除热，止烦渴。"陶弘景注："此即赤黍米也。又有黑黍名秬，供酿酒祭祀用之。"掌禹锡云："按《诗·生民》：诞降嘉种，维秬维秠。李巡云：黑黍一名秬黍。秠是黑黍中一稃有二米者。"

283　稷

《诗经·王风·黍离》："彼稷之苗。"《诗经·周颂·良耜》："黍稷茂止。"《诗经·鲁颂·閟宫》："有稷有黍。"《诗经·小雅·楚茨》："我稷翼翼""我艺黍稷"。《诗经·小雅·出车》："黍稷方华。"《诗经·小雅·甫田》："黍稷薿薿""黍稷稻粱"。《诗经·小雅·信南山》："黍稷彧彧。"

稷和黍是同类的 2 个品种。《广韵》："稷，五谷之总名，一曰黍属。"《本草纲目》："稷与黍，一类二种也。粘者为黍，不粘者为稷。"程瑶田《九谷考》："稷，斋大名也。粘者为秫，北方谓之高粱。又谓之蜀黍。高大似芦。"胡先骕《经济植物学》："河北人之区别黍、稷，谓黍秆生而有毛，稷秆无毛。黍穗聚，稷穗散。"

《说文解字系传·通释》："稷，即穄，一名粢，字亦作齋，楚人谓之稷，关中谓之糜，呼其米为黄米。"

稷在古代又作粟的异名。舍人注《尔雅》云："粢，一名稷。稷，粟也。"孙炎注《尔雅》云："稷，粟也。"郭璞注《尔雅》云："粢，稷也。今江东呼粟为粢。"

稷与黍皆为古代人民的主要粮食。于省吾《商代谷类作物》一文，谓殷代甲骨黍的出现，凡百余见。齋（稷）的出现，凡三十余见。

黍、稷在公元前 11 世纪—前 6 世纪由野生驯化为人工种植。《诗经·小雅·楚茨》："我艺（种植）黍稷。"

《名医别录》云："稷米，味甘，无毒。主益气，补不足。"

稷是黍之不黏者，秆上无毛，穗散。详见"黍"条。

284　菽

《诗经·豳风·七月》："七月烹葵及菽。"《诗经·小雅·采菽》："采菽采菽，筐之筥之。"《诗经·小雅·小宛》："中原有菽，庶民采之。"《诗经·小雅·小明》："采萧获菽。"《诗经·鲁颂·閟宫》："稙稺菽麦。"

《说文》："尗，豆也。"段氏注："尗，豆，古今语。《史记》豆作菽。"《通训定声》："古谓之尗，汉谓之豆。今字作菽。菽者，众豆之总名。"陈奂传疏："菽，豆之大名。"

《初学记》引《周书》云："菽居北方。"《战国策》云："韩地五谷所生，非麦而豆，民之所食，大抵豆饭藿羹。"

《广雅》："大豆，菽也。"陶弘景注"穄米"条引董仲舒云："菽是大豆。"

郝懿行《尔雅义疏》云："大豆即名菽，小豆别名荅，见于《广雅》。凡经典单称菽，多指大豆而言。盖大豆切于民用。"

菽的含义有二：一是豆的总称，二是指大豆。

《神农本草经》："生大豆，涂痈肿，煮汁饮，杀鬼毒，止痛。"

《名医别录》："生大豆，味甘，平。逐水肿，除胃中热痹伤中，淋露，下瘀血，下五脏结积内寒，杀乌头毒。"

大豆是黄豆、青豆、黑豆的统称，为豆科一年生草本，茎直立或半蔓生，茎、叶和荚果壳面均被茸毛，复叶，小叶 3 片，短总状花序，花白色或紫色，荚果，结荚分有限荚和无限荚，种子椭圆形至球形，有黄、青、褐、黑、双色等。大豆喜暖与水湿。大豆种子含蛋白质、脂肪，可用于榨油及食用。豆油可制肥皂、硬化油、油漆。大豆茎、叶可作饲料。

285　荏菽

《诗经·大雅·生民》："蓺之荏菽，荏菽旆旆。"

《尔雅·释草》："戎菽，谓之荏菽。"

对于戎菽有 2 种解释：一释为胡豆，一释为大豆。

（1）释为胡豆。郭璞注《尔雅》云："戎菽，谓之荏菽，即胡豆也。"郝懿行《尔雅义疏》云："樊光、舍人、李巡、郭璞皆云'戎菽，今以为胡豆'。郭璞又云：春秋齐侯来献戎捷。《谷梁传》曰：戎菽也。《管子》亦云：北伐山戎，出冬葱及戎菽，布之天下，今之胡豆是也。胡豆或说即豌豆。"

（2）释为大豆。"蓺之荏菽"，《郑笺》云："戎菽，大豆也。"孙炎云："戎菽，大豆也。"戎通荏，即大也。《尔雅·释草》："戎菽谓之荏菽。"郝懿行疏云："戎、壬（通荏），《释诂》并云大。戎菽、荏菽即大菽，亦即大豆。"详见"菽"条。

286　藿

《诗经·小雅·白驹》："食我场藿。"

对于藿有 2 种解释。

（1）藿即赤小豆叶。《证类本草》卷 35 "赤小豆"条中，《唐本草》注引《名医别录》云："叶名藿，止小便数，去烦热。"《日华子本草》即云："赤小豆叶，食之明目。"

（2）藿即藿香。《证类本草》卷 12 "藿香"条引《名医别录》云："藿香，微温，疗风水毒肿，去恶气，疗霍乱心痛。"《南州异物志》云："藿香出海边国，形如都梁，可著衣服中。"《南方草木状》云："藿香，味辛。榛生吏民自种之。五、六月采，暴之乃芬尔，出交趾、九真诸国。"《本草图经》云："藿香，今岭南郡多有之。二月生苗，茎梗甚密作丛，似桑而小薄，六月、七月采之，暴干乃芬香。"

上述 2 种解释以第 1 种解释为可信。《诗经》作者生在黄河流域，而藿香出南方交趾、九真，因此 "食我场藿" 中的 "藿" 当是赤小豆叶，而不是药用的藿香。

赤小豆，又称赤豆、小豆。豆科，一年生草本。茎蔓生或直立，有毛或无毛。复叶，小叶 3 片。花黄或淡灰色。荚果无毛。种子圆柱形或长椭圆形，一般为赤色。性喜温，耐干燥，不耐霜。种子富含淀粉、蛋白质和 B 族维生素等，可作粮食及副食品，并可用作利水药。茎、叶可作饲料及绿肥。嫩叶名藿，古代作药用。

287　苴

《诗经·豳风·七月》："九月菽苴。"

对于苴有 2 种解释：一释为苴麻，一释为麻的种子。

（1）释为苴麻。郭璞注《尔雅》云："苴麻，盛者。"《礼记》曰："苴，麻之有蕡者。"郝懿行《尔雅义疏》云："《丧服传》云：苴绖者，麻之有蕡者也。《齐民要术》引崔寔曰：苴麻，麻之有蕴者。"蕴即蕡，指麻子而言。《太平御览》引《吴普本草》云："麻子，一名麻蕴，一名麻蕡。"结子的麻称为苴麻。

陶弘景云："麻蕡即牡麻，牡麻则无实。今人作布及履用之。"

（2）释为麻子。《毛传》云："苴，麻子。"麻子名蕡，或苊。《尔雅》云："蕡，枲实。"《说文》云："苊，枲实也。"《周礼·天官·笾人》："朝事之笾，其实麷蕡。"郑玄注云："蕡，枲实也。"

《本草纲目》："麻蕡，此当是麻子连壳者，故周礼朝事之笾供蕡。月令食麻，与大麻可食、蕡可供，稍有分别，壳有毒，而仁无毒也。"

在古代，雌麻子可当粮食吃。"九月菽苴" 中的 "苴" 应释为麻子。详见 "麻" 条。

又《诗经·大雅·召旻》："如彼栖苴。"此 "苴" 读作 "苄"。《毛传》："苴，水中浮草也。"《说文》："苴，履中草。"段玉裁注："《贾谊传》云：冠虽敝，不以苴履。引申为苞苴。"郑玄注《礼记·少仪》："苞苴，谓编束萑苇以裹鱼肉也。"

《楚辞·九章·悲回风》："草苴比而不芳。"王逸注："生曰草，枯曰苴。"

288　饴

《诗经·大雅·绵绵》："堇荼如饴。"

《说文》："饴，米蘖煎者也。"段氏注："蘖，芽米也。煎，熬也。以芽米熬之为饴。今俗用大麦。"

刘熙《释名》："饴，小弱于锡，形怡怡也。饧，洋也，煮米消烂洋洋然也。"又云："如饧而浊而哺也。"《礼记·内则》："饴蜜以甘之。"《方言》："凡饴谓之饧，自关而东，陈、楚、宋、卫之间通语也。或谓之张惶。"《楚辞·招魂》："粔籹蜜饵有张惶。"

《名医别录》："饴糖，味甘，微温。主补虚乏，止渴，去血。"陶弘景注："方家用饴糖，乃云胶饴，皆是湿糖如厚蜜者，建中汤多用之。"

《蜀本图经》："饴即软糖，北人谓之饧。粳米、粟米、大麻、白术、黄精、枳椇子等，并堪作之。惟以糯米作者入药。"

《本草纲目》云："饴饧用麦蘖或谷芽同诸类熬煎而成，古人寒食多食饧，故医方亦收用之。"

289　酒

《诗经·豳风·七月》："为此春酒，以介眉寿。"《诗经·小雅·瓠叶》："君子有酒。"《诗经·小雅·鹿鸣》："我有旨酒。"《诗经·小雅·楚茨》："以为酒食。"《诗经·郑风·叔于田》："巷无饮酒。"《诗经·周颂·羊年》："为酒为醴。"

酒是糖类经酵母菌在适宜温度、湿度下发酵而成的。酵母菌在自然界中普遍存在。凡谷类（稻、麦、粟、高粱、白薯等）和水果（苹果、葡萄等）遇酵母菌发酵，都可产生酒。《唐本草》注云："酒有葡萄、秫、黍、粳、粟、曲、蜜等作酒醴，以曲为之。而葡萄、蜜不用曲。"《饮膳正要》云："葡萄久贮，亦自成酒。"

晋人《断酒戒》云："盖空桑珍味，始于无情，灵和陶酝，奇液特生。"又《酒诰》云："酒之所兴，乃自上皇，或云伏狄，或云杜康，有饭不尽，委余空桑，郁积生味，久蓄气芳，本出于此，不由奇方。"说明晋代人已知酒是自然发酵而成的。

人工酿酒早在甲骨文中已有记载。罗振玉《殷墟书契·前编》说甲骨文上有"鬯其酒口于太甲□□于丁"的记载。班固《白虎通义·考点》云："鬯者以百草之香，郁金合而酿之成为鬯。"

《说文》："鬯，是秬酿郁草芬芳攸畅以降神也。"

从上述资料来看，人工酿酒出现的时间很早，当时人们用秬（黍）和香草酿酒，以供祭神用。

西周已有专人负责酿酒。《周礼》规定有酒正、酒人等专职酿酒的官。《礼记·月令》对酿酒的技术有详细的记载，云："秫稻必齐，曲蘖必时，湛炽必洁，水泉必香，陶品必良，火齐必得。"

《说文》："酒，就也。所以就人性之善恶。一曰造也。吉凶所造起也。古者仪狄作酒醪，禹尝之而美，遂疏仪狄。杜康作秫酒。"

《说文》："医，治病工也……医之性，然得酒而使。王育说，一曰殹，病声，酒所以治病也。《周礼》有医酒。古者巫彭作医。"

《吕氏春秋》："仪狄造酒。"《战国策》："帝女令仪狄作酒而美，进之于禹，禹饮而甘之曰'后世必有亡其国者'，遂疏仪狄而绝旨酒。"

《素问》："以妄为常，以酒为浆。"《论语》："不为酒困。"

《名医别录》："酒，味苦、甘、辛，大热，有毒。主行药势，杀百邪恶毒气。"

《诗经》药物研究资料

一、 历代本草引《诗经》名物的讨论

《诗经》是一部中国古代诗歌总集，共有 305 篇，分风、雅、颂三部分，风、雅、颂是从音乐得名。

风是各地方的乐调，国风即是各地土乐调，所谓秦风、魏风、郑风，犹如今日陕西调、山西调、河南调。

雅即雅乐，分为大雅、小雅，产生于西周的旧诗名大雅，兼有东周的新诗称为小雅。

颂是宗庙祭祀乐歌，颂诗多无韵，不分章，篇制短，奏的时间长，并且连歌带舞。

305 篇诗的大部分采集于民间歌谣，小部分来自贵族创作。贵族所作的诗，多为了歌颂，或为了典礼，也有的是为了讽刺或谏议，还有的是为了表达情意。如贵族遇有祭祀、出兵、打猎、宫室落成等，往往要奏乐唱歌。

民间歌谣是人民歌唱自己生活的作品，所谓饥者歌其食，劳者歌其事，这些诗在一定程度上能反映社会的真实情况和人民的思想感情。

在《诗经》歌词中有很多实物品名，这些品名属于草、木、鸟、兽、虫、鱼等类别，其中有些名称和后来本草中的药名含义相同（即同物异名），这些含义相同的品名，在本草中皆作药用，但在《诗经》时代未必当作药物用。

现在举几个例子来看。例如陶弘景《本草经集注》中"车前"条引《诗经》

云"采采芣苢"。《周南·芣苢》是一首劳动歌曲，其原文是：

采采芣苢，薄言采之。（芣苢：车前子）

采采芣苢，薄言有之。（薄言：语助词）

采采芣苢，薄言掇之。（掇：拾起来）

采采芣苢，薄言捋之。（捋：成把地从茎上抹取）

采采芣苢，薄言袺之。（袺：手提衣襟兜起来）

采采芣苢，薄言襭之。（襭：掖起衣襟兜回来）

这首歌是妇人采芣苢时所唱的歌。开始是泛言采集，最后是满载而归。

又如"栝楼"条引《诗经》云"果裸之实"，这是《诗经》里有关战后士兵复员的民歌，歌词原文是：

"果裸之实，亦施于宇，伊威在室，蠨蛸在户。町畽鹿场，熠耀宵行，不可畏也，伊可怀也。"

这首诗是描写远征的士兵在役满还乡途中想象到家园荒废的情景，诗的大意是：栝楼苊（果裸）结的果实，亦定施展在屋宇之上，伊威（鼠妇）虫生长在室内。蠨蛸（长足蜘蛛）结网在门户上，鹿的足迹现于旷场，萤火虫（熠耀）闪闪发光，不怕家园如何荒凉，越是荒凉，越是怀念故乡。

诗句中有果裸（栝楼）、伊威（鼠妇）、蠨蛸（蜘蛛）、熠耀（萤火虫）、鹿等实物名称，这些实物名称在《诗经》中仅组成诗句的内容，并不作药用，但到了后世，就成为了药物名称。

又如《诗经·郑风·东门之墠》云："东门之墠，茹藘在阪，其室则迩，其人甚远。"这首诗是描写男女恋爱两情未通达时，一方爱慕的情景，诗的大意是：东门的长堤（墠），茹藘（茜草）生长在堤阪上，其房屋虽在跟前（指形迹并不疏远），可是那人儿却甚遥远（指感情还有遥远的距离）。

在这个诗句中有"茹藘"一物，后世本草引用《诗经》中"茹藘在阪"来说明茜草这种药物最早出现的时间。

在陈邦贤著《中国医学史》一书中有个标题为"《诗经》中植物药名"，在这个标题下，列举了88种品名。该88种名物在后世本草中都作药用，但在《诗经》时代未必当作药用。其实《诗经》所记品名有数百种，但未言明哪个名物是药物。

中国古籍除《诗经》外，还有《尚书》《礼记》《尔雅》《说文》等都载有很多品名。其中有些品名在后世本草中也是药物的异名，而注本草的人把最早记载此等品名的时间视为该药物最早出现的时间，这种论点未必可信。按：一物品名出现的时代与该物开始作药用的时代未必相同。

但是后世历代注解本草的人们，不管这个药是哪一个时代被应用收入本草的，只要它的实物和《诗经》中某些实物相同或相近，人们就引用《诗经》的话来解释之，兹将历代本草中引用《诗经》品名作为注释药物名称的资料列举如下。

（一）陶弘景著的《本草经集注》中引用过不少《诗经》的话，陶氏原书已佚，今据尚志钧辑《本草经集注》（1962 年芜湖医专印）的资料研究如下（药名前号码为该书页次）。

44 菖蒲，本经上品。《诗经》云："云蓝苿止。"苿即菖蒲。

51 车前，本经上品。《诗经》云："采采芣苢。"车前别名叫芣苢。

52 蒺藜。本经上品。《诗经》云："墙有茨。"蒺藜别名叫茨。

61 栝楼，本经上品。《诗经》云："果裸之实，亦施于宇。"果裸之实即栝楼。

53 茜根，本经上品。《诗经》云："茹藘在阪。"茜根别名叫茹藘。

67 茅根，本经中品。《诗经》云："露彼菅茅。"茅根别名叫地菅。

78 射干，本经下品。《诗经》云："射干临层城。"

84 羊蹄，本经下品。《诗经》云："言采其蓫。"陆德明本蓫作蓄，羊蹄别名叫蓄。

68 紫葳，本经中品。《诗经》云："有苕之华。"紫葳别名叫陵苕。

84 羊桃，本经下品。《诗经》云："隰有苌楚。"羊桃别名叫苌楚。

56 桑上寄生，本经上品。《诗经》云："茑与女萝，施于松上。"桑寄生别名叫茑。

64 松萝，本经中品。《诗经》云："茑与女萝，施于松上。"《神农本草经》云："松萝，一名女萝。"但《毛传》注和陆玑俱释女萝为菟丝。

99 蚱蝉，本经中品。《诗经》云："鸣蜩嘒嘒。"蜩即蝉。

103 蠮螉，本经中品。《诗经》云："螟蛉有子，果蠃负之。"果蠃即蠮螉。

114 荠，别录上品。《诗经》云："谁谓荼苦，其甘如荠。"

71 荭草，别录下品。《诗经》云："隰有游龙。"游龙即荭草。

120 稷，别录下品。《诗经》云："黍稷稻粱，禾麻菽麦。"

107 蜘蛛，别录下品。《诗经》云："蟏蛸在户。"蟏蛸即蜘蛛。

（二）苏敬等著的《唐本草》"苦菜"条中，《唐本草》注引《诗经》云："谁谓荼苦。"又云："堇荼如饴。"荼为苦菜异名也。

（三）陈藏器《本草拾遗》引用《诗经》资料。原书佚，下列材料据《重修

215

政和经史证类备用本草》引，药名前号码为该书页次。

357 扶栘木。《诗经》云："棠棣之华，偏其反尔。"郑注云："棠棣，栘也，亦名栘杨。"

306 女贞。陈藏器引《毛诗义疏》云："木杞，其树似栗，一名枸骨。"

187 千岁虆。陈藏器引《毛诗》云："葛虆累之。"

272 角蒿（《唐本草》新增药）。陈藏器云："蘬蒿，一名莪蒿。《诗·小雅》云：菁菁者莪。陆玑注云：莪即蒿也。"

427 蚱蝉，本经中品。《诗经》云："鸣蜩嘒嘒。"蝉、蜩通名。

（四）掌禹锡《嘉祐本草》引《诗经》资料。原书佚，下列材料据《重修政和经史证类备用本草》引，药名前号码为该书页次。

148 甘草，本经上品。《诗经·唐风》云："采苓采苓，首阳之巅。"按《尔雅》注："蘦（苓），大苦，今甘草也。"

293 枸杞，本经上品。《诗经·小雅》云："集于苞杞。"《尔雅》注云："杞，一名枸檵。"

195 葈耳实，本经中品。《诗经》云："采采卷耳。"陆玑注云："子如妇人耳珰。"

219 水萍，本经中品。《诗经》云："于以采苹。"《毛诗义疏》云："其粗大者谓之蘋，小者曰萍。"

230 马先蒿，本经下品。《诗经》云："匪莪伊蔚。"陆玑注云："蔚，牡蒿也。"（但《证类本草》546 页有牡蒿，是《名医别录》药，未引《诗经》资料）

281 荩草，本经下品。《诗经·卫风》云："瞻彼其澳，绿竹猗猗。"《唐本草》注云："荩草，俗名绿蓐草。"

268 萹蓄，本经下品。《诗经》云："绿竹猗猗。"《尔雅》注："竹，萹蓄也。"

349 桐叶，本经下品。《诗经·大雅》云："梧桐生矣，于彼朝阳。"

351 梓白皮，本经下品。《诗经·鄘风》云："椅桐梓漆，爰伐琴瑟。"

345 郁李仁，本经下品。《诗经》云："棠棣之华。"郁李仁别名叫棣。

501 芜菁，别录上品。《诗经》云："采葑采菲。"陆玑注云："葑即芜菁。"

511 韭，别录中品。《诗经》云："献羔祭韭。"

490 丹黍，别录中品。《诗经·生民》云："诞降嘉种，维秬维秠。"李巡注云："秬即黑黍，秠是黑黍中一稃有二米者。"

495 稻，别录下品。《诗经·周颂》云："丰年多黍多稌。"《尔雅》注云："稌，即稻。"又《诗经·豳风》云："十月获稻。"

351 橡实，《唐本草》药。《诗经·唐风》云："集于苞栩。"又《诗经·秦风》云："山有苞栎。"陆玑注云："今柞栎也，徐州人谓栎为栩。"

406 鹈鸪，《嘉祐本草》药。《诗经》云："维鹈在梁，不濡其咮。"

（五）苏颂《本草图经》引《诗经》资料。原书佚，下列资料据《重修政和经史证类备用本草》引，药名前号码为该书页次。

148 甘草，本经上品。《诗经·唐风》云："采苓采苓，首阳之巅。"蘦与苓通。《尔雅》云："蘦，大苦。"郭璞云："甘草也。"

151 菟丝，本经上品。《诗经》云："茑与女萝。"《毛传》注云："女萝即菟丝。"陆玑云："今合药菟丝也。"

153 茺蔚，本经上品。《诗经》云："中谷有蓷。"陆玑云："蓷，益母也。"

159 车前，本经上品。《诗经·周南》云："采采芣苢。"《尔雅》注云："芣苢，即车前。"

166 白蒿，本经上品。《诗经·小雅》云："匪莪伊蔚。"陆玑云："蔚，牡蒿。"

195 菜耳实，本经中品。《诗经》云："采采卷耳。"陆玑云："其实正如妇人耳珰。"

197 栝楼，本经中品。《诗经》云："果裸之实，亦施于宇。"《尔雅》注云："果裸之实，即栝楼。"

205 贝母，本经中品。《诗经》云："言采其莔。"陆玑疏云："莔，贝母也。"《诗经》云："言采其虻。"《毛传》云："贝母也。"按莔、虻属同一诗句，因版本不同而各异。

208 茅根，本经上品。《诗经》云："白茅菅兮。"

219 水萍，本经中品。《诗经》云："于以采蘋，于涧之滨。"陆玑云："水中浮萍，粗大者谓之蘋。"

219 王瓜，本经中品。《诗经》云："采葑采菲。"菲即王瓜。

221 海藻，本经中品。《诗经·周南》云："于以采藻，于沼于沚。"按：苏颂释藻为海藻可疑。

268 萹蓄，本经下品。《诗经·卫风》云："绿竹猗猗。"竹即萹蓄。（见《尔雅》）

267 羊蹄，本经下品。《诗经·小雅》云："言采其蓫。"陆玑云："蓫，今人谓之羊蹄。"

281 荩草，本经下品。《诗经·卫风》云："瞻彼其澳，绿竹猗猗。"《尔雅》："王刍。"《唐本草》注："荩草，俗名绿蓐草。"

293 枸杞，本经上品。《诗经·小雅·四牡》云："集于苞杞。"陆玑云："一名苦杞，一名地骨。"《神农本草经》云："枸杞，一名地骨。"

298 榆皮，本经上品。《诗经·唐风》云："山有枢。"陆玑云："其叶如榆。"《诗经》云："东门之枌。"毛苌云："枌，白榆也。"

304 桑上寄生，本经上品。《诗经》云："茑与女萝，施于松上。"桑寄生别名叫茑。

326 秦椒，本经中品。《诗经·唐风》云："椒聊之实，蕃衍盈升。"陆玑疏云：椒似茱萸，有针刺，茎叶坚而滑泽……蜀人作茶，吴人作茗。"

306 女贞，本经上品。《诗经·小雅》云："南山有杞。"陆玑云："山木，其状如栌，一名枸骨。理白可为函板。"

327 紫葳，本经中品。《诗经》云："有苕之华。"紫葳，一名陵苕。

343 柳华，本经下品。《诗经·郑风》云："无伐我树杞。"陆玑云："杞，柳属也。"

351 梓白皮，本经下品。《诗经·鄘风》云："椅桐梓漆。"陆玑云："梓者，楸之疏理白色而生子者为梓。"《诗经·小雅》云："北山有楸。"陆玑云："山楸之异者。"

460 藕实茎，本经上品。《诗经》云："荷蕑菡萏。"《毛诗》："有蒲与荷。"陆玑云："其茎为荷，其花未发为菡萏。"

417 蠡鱼，本经上品。《诗经·小雅》云："鱼丽鲂鳢。"《本草图经》云："蠡，鳢鱼。"

427 蚱蝉，本经中品。《诗经》云："鸣蜩嘒嘒。"蜩即蝉类。

432 石龙子，本经中品。《诗经》云："胡为虺蜴。"虺蜴，一名蝾螈。

446 蠮螉，本经下品。《诗经》云："螟蛉有子，果蠃负之。"注云："螟蛉，桑虫也。果蠃，一名蒲卢。"果蠃是细腰蜂，即蠮螉。

455 鼠妇，本经下品。《诗经·东山》云："伊威在室。"鼠妇，一名伊威。

187 千岁虆，别录上品。《诗经》云："葛藟累之。"

464 栗，别录上品。《诗经》云："树之榛栗。"

300 楮实，别录上品。《诗经·小雅》云："爰有树檀，其下帷榖。"陆玑疏云："幽州谓之榖桑，或曰楮桑。"

511 韭，别录中品。《诗经》云："献羔祭韭。"

234 荭草，别录中品。《诗经·郑风》云："隰有游龙。"陆玑云："一名马蓼，即荭。"

490 丹黍，别录中品。《诗经·生民》云："诞降嘉种，维秬维秠，维穈维芑。"

495 稻，别录下品。《诗经·周颂》云："多黍多稌。"《诗经·豳风》云："十月获稻。"

273 鼠尾草，别录下品。《诗经》云："有苕之华。"陆玑及孔颖达疏云："苕，一名陵时。陵时，乃鼠尾草别名。"（此文原出《证类本草》327页"紫葳"条下"图经"所引）

386 豹，别录中品。《诗经》云："赤豹黄罴。"

417 鮧鱼，别录上品。《诗经·小雅》云："鱼丽鰋鲤。"《毛传》云："鰋，鲇也。"陶弘景注云："鮧，即鲇鱼。"

237 凫葵，《唐本草》药。《诗经·周南》云："参差荇菜。"凫葵，一名荇菜。

344 檴木，《唐本草》药。《诗经·唐风》云："山有栲。"《尔雅》注云："栲，山樗。"

351 橡实，《唐本草》药。《诗经·秦风》云："山有苞栎。"又《诗经·唐风》云："集于苞栩。"陆玑云："栩、栎、橡皆同物异名。"

355 接骨木，《唐本草》药。《诗经·小雅》云："南山有枸。"陆玑注云："枸，枳枸也。木似白杨。"按：枳枸即枳椇。

（六）唐慎微《经史证类备急本草》引用《诗经》资料。下列资料据《重修政和经史证类备用本草》所引，药名前号码为该书页次。

315 桑根白皮，本经中品。《毛诗》云："食我桑葚。"又云："无食桑葚。"注："葚，桑实也。"

471 桃仁，本经下品。《毛诗》云："园有桃，其实之殽。"

467 木瓜，别录中品。《毛诗》云："投我以木瓜，报之以琼琚。"

509 蕨叶，《本草拾遗》药。《毛诗》云："陟彼南山，言采其蕨。"又曰："言采其薇。"薇、蕨皆可食。

（七）李时珍《本草纲目》引用《诗经》资料。药名前号码为该书页次。

783 白茅，本经中品。《诗经》云："白华菅兮，白茅束兮。"时珍曰："夏华为茅，秋华为菅。"

854 白蒿，本经上品。《诗经》云："呦呦鹿鸣，食野之苹。"苹即陆生皤蒿，

219

俗呼艾蒿。陆玑云："凡艾白色为皤。"《尔雅》："皤蒿即白蒿。"又《诗经》云："于以采蘩，于沼于沚。"蘩即水生白蒿，蘩即易繁衍也。

1018 栝楼，本经中品。《诗经》云："果裸之实，亦施于宇。"栝楼原名果裸，因转音为栝楼，后人又转音瓜蒌。许慎《说文》云："木上曰果，地下曰蓏。"

1066 香蒲，本经上品。《诗经》云："其蔌维何，维笋及蒲。"

1200 水靳，本经下品。《诗经》云："言采其芹。"

1213 苦菜，本经上品。《诗经》云："谁谓荼苦。"《尔雅》："荼，苦菜。"陶弘景谓荼为茗。

1232 苦瓠，本经下品。《诗经》云："瓠有苦叶。"陆玑云："匏叶，少时可为羹。"

1254 梅，本经中品。陆玑云："梅，杏类也。"

1134 大豆，本经中品。李时珍在赤小豆释名下引《诗经》云："黍稷稻粱，禾麻菽麦。"董仲舒注云："菽是大豆。"

1812 发皮，本经上品。《诗经》云："被之僮僮。"又云："鬒发如云，不屑髢也。"

1526 樗鸡，本经中品。郭璞以红娘为莎鸡。《诗经》云："六月莎鸡振羽。"时珍云："莎鸡，居莎草间，蟋蟀之类，似蝗而斑，有翅数重，下翅正赤，六月飞而振羽有声。"（详见陆玑《毛诗疏义》）

1549 萤火，本经下品。《诗经·豳风》云："熠耀宵行。"萤火别名叫熠耀。

1051 千岁蘽，别录上品。《诗经》云："葛藟累之。"

882 芦，别录下品。《诗经》云："蒹葭苍苍""葭菼揭揭"。又云："毳衣如菼。"菼即荻，似苇而小。毛苌云："苇之初生曰葭，未秀曰芦，长成曰苇。"

1071 蕈，别录下品。《诗经》云："薄采其茆。"蕈的别名叫茆。

1271 木瓜，别录中品。《诗经》云："投我以木瓜。"

1262 栗，别录上品。《诗经》云："树之榛栗。"

1109 小麦，别录中品。《诗经》云："贻我来牟。"《说文》注云："来即小麦，牟即大麦。"

1121 稷，别录上品。《诗经》云："稷稷良耜。"又云："黍稷稻粱。"

1157 蟾蜍，别录下品。《诗经》云："得此戚龟。"《韩诗》注云："戚施，蟾蜍也。"

1655 鹳，别录下品。陆玑谓之皂君。

1046 萝摩，《唐本草》药。《诗经》云："芄兰之支，童子佩觽""芄兰之叶，童子佩韘"。陆玑云："萝摩，一名芄兰。幽州谓之雀瓢。"陶云："去家千里，勿食萝摩、枸杞。"

1071 杏菜，《唐本草》药。《诗经》云："参差荇菜。"陆玑云："荇，一名接余，茎白而叶紫赤色，正圆，径寸余，浮在水上，根在水底。"

1327 茗，《唐本草》药。《诗经》云："谁谓荼苦，其甘如荠。"茗，一名苦茶。

1648 紫贝，《唐本草》药。陆玑云："紫贝质白如玉，紫点为文，皆行列相当。"

1662 凫，《食疗本草》药。《诗经》云："野有凫。"陆玑谓之野鸭。

1604 鲂鱼，《食疗本草》药。《诗经》云："岂其食鱼，必河之鲂。"又云："其鱼鲂鳏。"

855 蘪蒿，《本草拾遗》药。《诗经》云："匪莪伊蔚。"《诗经·小雅》云："青青者莪。"陆玑云："即莪蒿也。"

1072 水藻，《本草拾遗》药。《诗经·周南》云："于以采藻，于沼于沚，于彼行潦。"

1219 蕨，《本草拾遗》药。《诗经》云："陟彼南山，言采其蕨。"

1219 薇，《本草拾遗》药。《诗经》云："采薇采薇，薇亦柔止。"

1686 巧妇鸟，《本草拾遗》药。《诗经》名桃虫，陆玑谓之鹪鹩，即巧妇鸟。

1705 鹗，《本草拾遗》药。《诗经》名流离。陆玑云："鹗大如鸠。"

1553 阜螽，《本草拾遗》药。《诗经》云："喓喓草虫，趯趯阜螽。"时珍曰："蚕螽在草上曰草虫，在土中曰土螽。"

1569 溪鬼虫，《本草拾遗》药。《诗经》云："如鬼如蜮，则不可得。"溪鬼虫别名叫蜮，陆玑谓之射影，《诗经》注名含沙。

1611 鲟鱼，《本草拾遗》药。《毛诗疏义》云："辽东登莱人名尉鱼。"

1231 壶芦，《日华子本草》药。《诗经》云："八月断壶。"陆玑云："壶，瓠也。"又云："匏，瓠也。"《诗经》云："幡幡瓠叶，采之烹之。"

1460 木槿，《日华子本草》药。《诗经》云："颜如舜华。"

1227 竹笋，《蜀本草》药。《诗经》云："其蔌维何，维笋及蒲。"

1293 榛子，《开宝本草》药。《诗经》云："树之榛栗。"

1690 五灵脂，即寒号虫屎，《开宝本草》药。寒号虫，《诗经》作盍旦。

910 萱草，《嘉祐本草》药。时珍引《诗经》云："焉得谖草。"（谖即萱，忘也）

1215 白苣，《嘉祐本草》药。陆玑云："青州谓之芑，可生食。"

1270 鹿梨，《本草图经》药。《诗经》云："隰有树檖。"陆玑云："檖即鹿梨。"

1273 榠楂，《本草图经》药。《诗经》云："木李。"

1545 蝉，《证类本草》药。《诗经·豳风》云："五月鸣蜩。"又云："如蜩如螗。"

1663 鹭，《食物本草》药。陆玑云："青、齐之间谓之春锄，辽东、吴扬皆云白鹭。"

1656 鸂鶒，《食物本草》药。《诗经》云："有鹜在梁。"

1695 桑扈，《食物本草》药。《诗经》云："交交桑扈，有莺其羽。"

1697 莺，《食物本草》药。《诗经》云："有莺其羽。"又《诗经》名黄鸟。

1221 藜，《本草纲目》药。《诗经》云："南山有台，北山有莱。"陆玑云："莱即藜也。"

1335 蘡薁，《本草纲目》药。《诗经》云："六月食薁。"

1395 梧桐，《本草纲目》药。《诗经》云："梧桐生矣，于彼朝阳。"

1703 鹗，一名雎鸠，《本草纲目》药。《诗经》云："关关雎鸠。"

1660 鸨，《本草纲目》药。《诗经》云："鸨行。"

1680 吐绶鸡，《本草纲目》药。《诗经》云："邛有旨鹝。"

1553 促织，《本草纲目》药。《诗经·豳风》云："七月在野，八月在宇，九月在户，十月蟋蟀，入我床下。"李时珍曰："促织，蟋蟀也。"

1600 鳡鱼，一名鳏鱼，《本草纲目》药。《诗经》云："其鱼鲂鳏。"

（八）孙星衍等辑的《神农本草经》引《诗经》资料，药名前号码为该书页次。

14 菟丝，《名医别录》："一名唐蒙。"《毛诗》云："爰采唐矣。"《毛传》云："唐蒙，菜名。"又云："茑与女萝。"《毛传》云："女萝，菟丝也。"

19 泽泻，一名水泻。《毛诗》云："言采其藚。"《毛传》云："藚，水泻也。"陆玑云："今泽泻也。"

21 白蒿，《诗经》云："于以采蘩。"《毛传》云："蘩，皤蒿也。"又《诗经》云："采蘩祁祁。"《毛传》云："蘩，白蒿也。"

25 蓝实，《毛诗》曰："终朝采蓝。"《郑笺》云："蓝，染草。"

32 兰草，《毛诗》云："方秉蕳兮。"陆玑云："蕳即兰，香草也。"

44 发皮，《毛诗》云："不屑髢也。"《郑笺》云："髢，发也。"

51 鲤鱼胆，《毛诗》云："鳣鲔发发。"《毛传》云："鳣，鲤也。"

52 蓬蔂，《毛诗》云："葛藟累之。"

70 茅根，《诗经》云："白华菅兮，白茅束兮。"

91 梅实，陆玑云："梅暴为腊。"

106 白敛，《毛诗》云："敛蔓于野。"

111 女青，《毛诗》云："芄兰之支。"陆玑云："幽州人谓之雀瓢。"女青，一名芄兰。

116 郁李仁，《毛诗》云："六月食郁。"

119 鼠李，《名医别录》："一名鼠梓。"《毛诗》云："北山有楰。"《诗经》云："楰，鼠梓。"

121 虾蟆，《诗经》云："得此戚施。"

125 蝼蛄，《诗经》云："硕鼠。"陆玑云："本草又谓蝼蛄为石鼠。"今本草无此文。

126 萤火，《毛诗》云："熠耀宵行。"《毛传》云："熠耀，磷也。"磷即萤火。

128 苦瓠，《毛诗》云："瓠有苦叶。"《毛传》云："匏谓之瓠。"《毛诗》云："八月断壶。"《毛传》云："壶，瓠也。"《古今注》云："瓠，壶芦也。"上述历代本草引用《诗经》资料共达160余次，其中以苏颂《本草图经》和李时珍《本草纲目》引用次数最多。

从《本草纲目》所引的情况来看，在历代发现的药物中，凡与《诗经》所载实物名称相同或相近者，均引用了《诗经》内容，最早的是《神农本草经》收载的药物，最晚的是《本草纲目》收载的药物，如"藜"是《本草纲目》收载的药物，李时珍引《毛诗》云："北山有莱。"陆玑疏云："莱，即藜也。"

按：《诗经》是公元前6世纪的作品，现存的历代本草都是公元后著的，陶弘景《本草经集注》是公元6世纪初著的，李时珍《本草纲目》是公元16世纪著的。同一个实物在不同地区被命名的称呼大都不相同，因此会出现同物异名或同名异物现象。在同一时代不同地区都会出现这种现象，何况在不同时代，那就更普遍了。历代本草药名的演变是非常复杂的，各家的考证也互有出入。特别是《诗经》实物名称，年代那么久远，怎么会和后世本草药名暗合呢？各家考证药物名称引用的《诗经》资料也是根据各家理解《诗经》的话来定的，因此《诗经》上同一句话，各家理解不同，应用到什么药物上去也不同。我们可以举一些例子来看。

（1）《诗经》云：于以采藻。苏颂《本草图经》把这句诗引用在"海藻"条下（见《证类本草》221 页）。李时珍《本草纲目》把这句诗引用在"水藻"条下（见《本草纲目》1072 页）。

（2）《诗经》云：常棣之华。掌禹锡《嘉祐本草》把这句诗引用在"郁李仁"条下（见《证类本草》345 页）。陈藏器《本草拾遗》把这句诗引用在"扶栘木"条下（见《证类本草》357 页）。

（3）《诗经》云：隰有游龙。陶弘景《本草经集注》把这句诗引用在"荭草"条下（见尚志钧辑《本草经集注》71 页下）。李时珍《本草纲目》把这句诗引用在"马蓼"条下（见《本草纲目》931 页）。孙星衍等辑的《神农本草经》把这句诗引用在"蓼实"条下（见《神农本草经》93 页）。

（4）《诗经》云：芄兰之支。李时珍《本草纲目》把这句诗引用在"萝藦"条下（见《本草纲目》1046 页）。孙星衍等辑的《神农本草经》把这句诗引用在"女青"条下（见《神农本草经》111 页）。

（5）《诗经》云：葛藟累之。苏颂《本草图经》及陈藏器《本草拾遗》把这句诗引用在"千岁蘽"条下（见《证类本草》187 页）。孙星衍等辑的《神农本草经》把这句诗引用在"蓬蘽"条下（见《神农本草经》52 页）。

（6）《诗经》云：六月食郁。掌禹锡《嘉祐本草》及苏颂《本草图经》把这句诗引用在"韭"条下（见《证类本草》511 页）。李时珍《本草纲目》把这句诗引用在"蘡薁"条下（见《本草纲目》1335 页）。

（7）《诗经》云：得此戚施。李时珍《本草纲目》把这句诗引用在"蟾蜍"条下（见《本草纲目》1557 页）。孙星衍等辑的《神农本草经》把这句诗引用在"虾蟆"条下（见《神农本草经》121 页）。

以上的例子是讲同一句诗，由于各家理解不同，所以将其引用在不同药物下。下面再举一些例子，说明不同的诗句被引用在同一个药物下。

（1）郁李仁。掌禹锡《嘉祐本草》在"郁李仁"条下引的诗句是"常棣之华"（见《证类本草》345 页）。孙星衍等辑的《神农本草经》在"郁李仁"条下引的诗句是"六月食郁"（见《神农本草经》116 页）。

（2）菟丝子。苏颂《本草图经》在"菟丝子"条下引的诗句是"茑与女萝"（见《证类本草》151 页）。孙星衍等辑的《神农本草经》在"菟丝子"条下引的诗句是"爰采唐矣"（见《神农本草经》14 页）。

（3）白蒿。苏颂《本草图经》在"白蒿"条下引的诗句是"匪莪伊蔚"（见《证类本草》166 页）。李时珍《本草纲目》在"白蒿"条下引的诗句是"于以采蘩"及"食野之苹"，谓"蘩"与"苹"皆蒿类（见《本草纲目》854 页）。

（4）贝母。苏颂《本草图经》在"贝母"条下引的诗句是"言采其蝱"（见《证类本草》205 页）。《急就篇》卷 4 在"贝母"条下引的诗句是"陟彼阿丘，言采其虻"。注：贝母也。（1880 年天壤阁丝书本《急就篇》卷 4 页 140）

（5）蒺藜。陶弘景《本草经集注》在"蒺藜"条下引的诗句是"墙有茨"（见尚志钧辑本 52 页下）。陈邦贤《中国医学史》在"蒺藜"条下引的诗句是"其甘如荠"（见该书 1957 年商务版 37 页）。按：《证类本草》508 页"荠"条亦引"其甘如荠"。

此外，还有些本草药名下所引诗句似乎文不对题。

例如，孙星衍等辑的《神农本草经》91 页"䗪虫"条引的诗句为"喓喓草虫"。按陆玑注云："草虫大小长短如蝗虫……青色，好在茅草中。"而䗪虫，《唐本草》注云："此物好生鼠壤土中及屋壁下，状似鼠妇而大者寸余，形小似鳖。"

又如《证类本草》166 页白蒿及 230 页马先蒿，其下皆引诗句"匪莪伊蔚"。陆玑注云："蔚，牡蒿也。"而《证类本草》546 页牡蒿又不见引。

由此可见，古人对药名考证所引诗句也并非绝对正确，只不过大体上品类相同而已。

总之，从历代本草所引诗句来看，《诗经》只能提供实物的名称有最早记录可寻，但看不出这些实物在《诗经》时代有什么医药用途。后世发现有药用的实物，只要该实物与《诗经》实物名称相同或相近，注本草的人往往将该药视为《诗经》时代的药物，这种论点是可疑的。

二、《诗经》"苓"释

　　本文对《诗经·唐风·采苓》中"苓"的解释进行论述，对单味药发展史及中药名物核实，有一定的参考价值。

　　《毛传》《尔雅》《说文》俱释"苓"为"大苦"。三国时期孙炎《尔雅》注谓"大苦"即本草中的甘草，但所言形态不同于豆科甘草。由此可知，在三国时期甘草有同名异物的现象存在。甘草，一方面为豆科甘草的正名，另一方面为大苦的别名。由于这个缘故，诸家对苓、大苦、甘草之间的解释就产生了争论，或释为甘草，或释为黄药，或释为地黄，或释为木甘草。笔者倾向于释为木甘草。

　　《诗经·唐风·采苓》："采苓采苓，首阳之巅。""苓"是什么植物？古代文献说"苓"是"大苦"。《毛传》云："苓，大苦。"《说文》27页："苦，大苦，苓也。"

　　《说文》36页："蘦，大苦。"

　　《尔雅·释草》："蘦，大苦。"

　　古书所云"苓"是"大苦"。而"大苦"又是什么呢？三国时期孙炎注《尔雅》"蘦，大苦"，云："本草云'蘦'，今甘草是也。"

　　按：孙炎所见本草有"蘦"，而现今所有本草皆无"蘦"，说明孙炎所见到的本草今已失传。

　　孙炎注《尔雅》"蘦，大苦"，说大苦即甘草，并将大苦的形态作如下描述："大苦，蔓延生，叶似荷，青黄，其茎赤有节，节有枝相当。或云蘦似地黄。"晋代郭璞注《尔雅》同。

从孙炎《尔雅》注对"大苦"形态的描述来看，"大苦"全不像今日豆科的甘草。但是孙炎说大苦即甘草，则在三国时期甘草有同名异物的现象存在，即甘草既是豆科植物甘草的正名，同时又是"大苦"的别名。

后世有些本草家引用孙炎注《尔雅》"蘦，大苦"的资料作为解释甘草异名的依据，这样就产生了《诗经·唐风·采苓》中"苓"的注释之争。

宋代掌禹锡作《嘉祐本草》时，引用《尔雅》注云："谨按《尔雅》云：蘦，大苦。注：今甘草也，蔓延生，叶似荷，青黄，茎赤有节，节有枝相当。疏引《诗·唐风》云'采苓采苓，首阳之巅'是也。"（见《证类本草》卷6页148）按掌禹锡所注，《诗经·唐风》中的"苓"即是甘草。

苏颂作《本草图经》时，亦引用《尔雅》注释《诗经·唐风》"苓"为甘草。但是苏颂对孙炎所描述的大苦形态已产生怀疑。

苏颂《本草图经》云："谨按《尔雅》云：蘦，大苦。释曰：蘦，一名大苦。郭璞云：甘草也。蔓延生，叶似荷，青黄，茎赤有节，节有枝相当。或云蘦似地黄。《诗·唐风》云'采苓采苓，首阳之巅'是也。蘦与苓通用，首阳之山在河东蒲坂县（今山西永济县南），乃今甘草所生处相近。"

苏颂认为《诗经·唐风》的"苓"与"蘦"通用，即是甘草。又云首阳山在河东蒲坂县，与甘草所生处相近。但苏颂怀疑《尔雅》注所言甘草形态并非豆科甘草，因此苏颂说："先儒所说苗叶与今全别，岂种类有不同者乎？"

苏颂怀疑《尔雅》注所讲的植物形态不是甘草，但未指明是什么植物；而沈括认为《尔雅》注所讲植物是黄药子。沈括在《梦溪笔谈·药议》中云："本草注（指掌禹锡注）引《尔雅》云：'蘦，大苦。'注：'甘草也。蔓延生，叶似荷，茎青赤。'此乃黄药也。其味极苦，谓之大苦，非甘草。甘草枝叶悉如槐，高五六尺，但叶端微尖而糙涩，似有白毛。实作角生，如相思角，作一本生。熟则角坼，子如小扁豆，极坚，齿啮不破。"

沈括把《尔雅》注所讲的甘草形态与真正豆科植物甘草的形态作对比，确认《尔雅》注所讲的大苦不是真正的甘草，而是黄药。黄药味极苦，故有大苦之名。

清代王念孙否认沈括的看法，他认为《尔雅》注的大苦是地黄。王氏在《广雅疏证》卷10上"美丹（甘草）"条下注云："《正义》引孙炎《尔雅》注云：'本草云蘦，今甘草是也。蔓延生，叶似荷，青黄，其茎赤有节，节有枝相当，或云蘦似地黄。'郭璞注同。案：大苦者，大芐也。《尔雅》云：芐，地黄。芐、苦，古字通。

苦乃芐之假借字，非以其味之苦也。沈括《笔谈》云：郭璞注乃为黄药。据《图经》黄药叶似荞麦，而大苦叶乃似荷，似地黄，形状亦不同，不审括何以知为黄药?"

王念孙还认为孙炎《尔雅》注所讲的大苦或是木甘草。王氏注云："木甘草生木间，三月生，大叶如蛇床，四四相值。然则木甘草亦是枝叶相当。孙炎谓甘草枝相当，得其实矣。"

按：木甘草见《证类本草》卷30有名未用草木类，主疗痈肿盛热，煮洗之。生木间，三月生，大叶如蛇床，四四相值，但折枝种之便生。五月花白，实核赤，三月三日采。自陶弘景作《本草经集注》就将木甘草列入有名无用类，因此木甘草是什么植物待考。另外有人认为"苓"通"苦"，"苦"与"荼"义同，则"苓"与"荼"通。又"荼"通"蒤"，《尔雅·释草》："蒤，虎杖。"郭璞注云："似红草而粗大，有细刺，可以染赤。"《药性论》云："虎杖，叶甘，平，无毒。"《蜀本草》云："生下湿地，作树高丈余，其茎赤根黄。"《本草图经》云："虎杖，一名苦杖，茎如竹笋状，上有赤斑点。"《本草衍义》云："虎杖根微苦。"由于虎杖根微苦，有人认为"苓，大苦"即虎杖。

综上所述，《诗经》中的"苓，大苦"有5种解释：一释为甘草，二释为黄药，三释为地黄，四释为木甘草，五释为虎杖。究竟哪种解释可信呢?

（1）释为甘草。按孙炎《尔雅》注所言大苦形态与今日豆科甘草全不相同。甘草枝叶悉如槐叶，而孙炎云大苦叶似荷，故将大苦释为甘草难以成立。

（2）释为黄药。按《本草图经》所载黄药图，其叶似荞麦，而大苦叶似荷。沈括以黄药味苦为据，亦难成立。

（3）释为地黄。王念孙单纯以"苦"为"芐"的假借字用作释"大苦为地黄"的依据，亦难以取信。

（4）释为虎杖。《蜀本草》谓虎杖生下湿地，而《诗经·唐风》"采苓采苓，首阳之巅"是说苓生长在山顶。此与虎杖生下湿地不符，故将大苦释为虎杖亦不好理解。

（5）释为木甘草。王念孙认为大苦即木甘草，笔者同意此说。但有些人认为古之药性四气五味由口尝而知，言味苦为甘草，此实南辕北辙，这种说法未必全对。

以"苦"字作为药物名亦不一定限于有苦味的药物，不具苦味的药，亦有用"苦"字来命名的。例如，豆豉是无苦味的，但古书亦以"大苦"名之。《楚辞·招魂》云："大苦咸酸，辛甘行些。"王逸注云："大苦，豉也。"根据上述文献资料，笔者倾向王念孙释《诗经·唐风·采苓》中的"苓"为"木甘草"。

三、《诗经》"游龙""葛藟""戚施"释

（一）游龙

《诗经·郑风·山有扶苏》："隰有游龙。"

对于游龙有 3 种解释。

1. 释为荭草

《毛传》曰："龙，红草也。"《说文》云："茏，天蘥。"《尔雅·释草》："茏，天蘥。红，茏古。"郝懿行《尔雅义疏》："疑是一物，即水荭。"

《名医别录》云："荭草，味咸，微寒，无毒。主消渴，去热，明目益气。一名鸿蘬。如马蓼而大，生水傍，五月采实。"陶隐居注云："此类甚多，今生下湿地，极似马蓼，甚长大。《诗》称'隰有游龙'。注云：荭草。郭景纯云即茏古也。"

《开宝本草》注云："荭草，按别本注云，此即水红也。"

苏颂《本草图经》云："荭草，即水红也。生水傍，今在下湿地皆有之，似蓼而大，赤白色，高丈余。《郑诗》云'隰有游龙'是也。"

2. 释为马蓼

《郑笺》云："龙，红草也。似蓼而高大多毛，故谓之马蓼。"

陆玑云："游龙，一名马蓼，叶粗而大，赤白色，生水泽中，高丈余。"

《神农本草经》云："马蓼，去肠中蛭虫，轻身。"陶弘景注云："马蓼生下湿地，茎斑，叶大有墨点。"

《本草纲目》云："马蓼，一名大蓼。高四五尺，有大小两种。但每叶中间有墨迹，如墨点记，故方士呼为墨记草。"

3. 释为蓼实

孙星衍等辑的《神农本草经》卷2"蓼实"条引《毛诗》云："隰有游龙。"言外之意，游龙即蓼实。

上述3种解释，以第1种解释最可信，《诗经·郑风》中的"游龙"应释为荭草。

（二）葛藟

《诗经·周南·樛木》："葛藟累之。"

对于葛藟有4种解释。

1. 释为葛藤

刘向《九叹》云："葛藟累于桂树兮。"王逸注："藟，葛荒也。"《说文》云："荒，草掩地也。"葛藟即葛藤。

2. 释为野葡萄

马瑞辰《毛诗传笺通释》谓葛藟是野葡萄，蔓生植物，枝形似葛，故称葛藟。

3. 释为蓬藟

孙星衍等辑的《神农本草经》卷1"蓬藟"条下注云："《毛诗》云：葛藟累之。"按孙星衍所注，葛藟即蓬藟。

4. 释为千岁藟

《证类本草》卷17引陈藏器《本草拾遗》云："千岁藟，似葛蔓，叶下白，子赤，条中有白汁。《毛诗》云：葛藟。注云：似葛之草也。此藤大者盘薄，故云千岁藟。"

苏颂《本草图经》云："千岁藟生太山川谷，作藤生，蔓延木上，叶如葡萄而小，四月摘其茎，汁白而甘。五月开花，七月结实，八月采子，青黑微赤，冬惟凋叶。此即《诗》云'葛藟'者也。"

上述4种解释，以第4种解释最为可信。《毛诗草木疏》云："藟，一名苣荒，似薁蓂（野葡萄），连蔓而生，幽州人谓之蓷藟，藟叶似艾白色，其子赤可食。"

此与千岁蘽极相似，故陈藏器、苏颂均将《诗经》中的"葛藟"释为千岁蘽。

（三） 戚施

《诗经·邶风·新台》："得此戚施。"

戚施又名醮竈。《说文》"竈"字条引《诗经》作"得此醮竈"。段玉裁注云："《邶风·新台》文，今作'得此戚施'。"

对于戚施有 2 种解释。

1. 释为蟾蜍

《本草纲目》卷 42 释戚施为蟾蜍。李时珍曰："蟾蜍，《说文》作'詹诸'，《诗》云：得此戚施。《韩诗》注云：戚施，蟾蜍也。"

2. 释为虾蟆

孙星衍等辑的《神农本草经》卷 3 释戚施为虾蟆。孙氏云："按《说文》云：'虾，虾蟆也。蟆，虾蟆也。'《诗》曰：'得此醮竈。'言其行竈竈。"

按：蟾蜍，古名虾蟆。《名医别录》云："虾蟆，一名蟾蜍，一名醮，一名去甫，一名苦蠪。"《名医别录》所言虾蟆实乃蟾蜍的古名。至唐代陈藏器《本草拾遗》已分蟾蜍、虾蟆为二物。陈氏云："虾蟆背有黑点，身小，能跳接百虫，解作呷呷声，在陂泽间，举动极急。蟾蜍身大，背黑，多痱磊，不能跳，不解作声，行动迟缓，在人家湿处。烧末服，主狂犬咬伤。"

四、《诗经》"大苦"释

大苦的名称最早见于《诗经》的注释。

《诗经·唐风·采苓》："采苓采苓，首阳之巅。"

《毛传》云："苓，大苦。"《说文》："苦，大苦，苓也。"《说文》："蘦，大苦。"《尔雅·释草》："蘦，大苦。"

古书所云"大苦"是什么植物呢？

三国时期孙炎注《尔雅》"蘦，大苦"，云："本草云蘦，今甘草是也。蔓延生，叶似荷，青黄，其茎赤有节，节有枝相当。或云蘦似地黄。"晋代郭璞《尔雅》注同。

按孙炎所注，大苦即是甘草。

孙炎注《尔雅》中对"大苦"形态的描述，全不像今日豆科甘草。但是孙炎说大苦即甘草，则在三国时期甘草有同名异物的情况，即甘草既是豆科植物甘草的正名，同时又是"大苦"的别名。后世部分本草家仍引用孙炎注《尔雅》"蘦，大苦"的资料作为解释甘草异名的依据。

宋代掌禹锡作《嘉祐本草》时，引用《尔雅》注云："谨按《尔雅》云：蘦，大苦。注：今甘草也，蔓延生，叶似荷，青黄，茎赤有节，节有枝相当。疏引《诗·唐风》云'采苓采苓，首阳之巅'是也。"（见《证类本草》卷6页148）

按掌禹锡所注，掌氏将"大苦"和《诗经·唐风》中的"苓"均释为甘草。

苏颂《本草图经》云："谨按《尔雅》云：蘦，大苦。释曰：蘦，一名大苦。

郭璞云：甘草也。蔓延生，叶似荷，青黄，茎赤有节，节有枝相当。或云蘦似地黄。《诗·唐风》云'采苓采苓，首阳之巅'是也。蘦与苓通用，首阳之山在河东蒲坂县（今山西永济县南），乃今甘草所生处相近。"

苏颂认为《诗经·唐风》中的"苓"与"蘦"通用，苓、蘦、大苦均是甘草别名。又云首阳山在河东蒲坂县，与甘草所生处相近。但苏颂怀疑《尔雅》注所言甘草形态的真实性，因此苏颂说："先儒所说苗叶与今全别，岂种类有不同者乎？"

苏颂仅怀疑《尔雅》注所讲的植物形态不像甘草，但未指明是什么植物；而沈括认为《尔雅》注所讲的是黄药子的植物形态。沈括在《梦溪笔谈·药议》中云："本草注（指掌禹锡注）引《尔雅》云：'蘦，大苦。'注：'甘草也。蔓延生，叶似荷，茎青赤。'此乃黄药也。其味极苦，谓之大苦，非甘草。甘草枝叶悉如槐，高五六尺，但叶端微尖而糙涩，似有白毛。实作角生，如相思角，作一本生。熟则角坼，子如小扁豆，极坚，齿啮不破。"

沈括把《尔雅》注所讲的甘草形态与真正豆科植物甘草的形态作对比，确认《尔雅》注所讲的大苦不是真正的甘草，而是黄药。黄药味极若，故有大苦之名。

李时珍、段玉裁、桂馥诸家皆同意沈括之说。

李时珍《本草纲目》卷12"甘草"条集解云："按沈括《梦溪笔谈》云：本草注引《尔雅》'蘦，大苦'之注为甘草者，非矣。郭璞之注乃黄药也，其味极苦，故谓之大苦，非甘草也……以理度之，郭说形状殊不相类，沈说近之。"

段玉裁在《说文解字注》"苦"字条注释中同意沈括的说法，指出"苓""蘦"均非甘草。段氏说《说文》"苷"字即是甘草。倘"苓""蘦"是甘草，则"苷""苓""蘦"等字为何不并列，各字为何相隔甚远？段氏又说，按周时音韵，"蘦""苓"声韵部位不同，凡"蘦"声在十一部，"苓"声在十二部。今《说文》"蘦"在"苓"之后，划分两处，前后不相顾，是后文"蘦"字为人所改。

段氏又云："蘦、苓，大苦也，固不误，然则大苦何物？曰：沈括《笔谈》云，《尔雅》'蘦，大苦'。注云：蔓延生，叶似荷，茎青赤，此乃黄药也。其味极苦，谓之大苦，郭云甘草非也，甘草枝叶全不同。"

桂馥《说文义证》"蘦"字条注云："《释草》文，郭云：今甘草。馥按：《诗》'隰有苓'，《毛传》训为大苦。苓即蘦也。沈存中《梦溪笔谈》：本草注引《尔雅》'蘦，大苦'注甘草也，蔓生，叶似荷，茎青赤，此黄药也。其味极苦，故谓之大苦，非甘草也。然则以蘦为甘草，始于孙炎，而郭沿其误也。本书甘草目作苷字。沈存中说，可以定群疑矣。"

按桂馥所注，桂馥同意沈括的说法，谓"蘦，大苦"是黄药，不是甘草。

以上三家都同意沈括之说，但是清代王念孙不同意沈括之说。

王念孙在《广雅疏证》卷10上"美丹（甘草）"条下注云："《正义》引孙炎《尔雅》注云：'本草云蘦，今甘草是也。蔓延生，叶似荷，青黄，其茎赤有节，节有枝相当，或云蘦似地黄。'郭璞注同。案：大苦者，大节也。《尔雅》云：节，地黄，节、苦，古字通。苦乃节之假借字，非以其味之苦也。沈括《笔谈》云：郭璞注乃为黄药。据《图经》黄药叶似荞麦。而大苦叶乃似荷，似地黄，形状亦不同，不审括何以知为黄药？"

王念孙认为孙炎《尔雅》注所讲的大苦或是木甘草。王氏注云："木甘草生木间，三月生，大叶如蛇床，四四相值。然则木甘草亦是枝叶相当。孙炎谓甘草枝相当，得其实矣。"

按：木甘草见《证类本草》卷30有名未用草木类，主疗痈肿盛热，煮洗之。生木间，三月生，大叶如蛇床，四四相值，但折枝种之便生。五月花白，实核赤，三月三日采。自陶弘景作《本草经集注》就将木甘草列入有名无用类，因此木甘草是什么植物待考证。

有人释大苦为虎杖。因"苦"与"荼"义同，"荼"通"蒤"。《尔雅·释草》："蒤，虎杖。"郭璞注云："似红草而粗大，有细刺，可以染赤。"《蜀本草》云："生下湿地，作树高丈余，其茎赤根黄。"《本草图经》云："虎杖，一名苦杖，茎如竹笋状，上有赤斑点。"《本草衍义》云："虎杖根微苦。"由于虎杖根微苦，有人认为大苦即虎杖。

又有人释大苦为豆豉。例如《楚辞·招魂》云："大苦咸酸，辛甘行些。"王逸注云："大苦，豉也。"

综上所述，对于"大苦"有6种解释：一释为甘草，二释为黄药，三释为地黄，四释为木甘草，五释为虎杖，六释为豆豉。究竟哪种解释可信呢？

（1）释为甘草。按孙炎《尔雅》注所言大苦形态与今日豆科甘草全不相同。甘草枝叶悉如槐叶，而孙炎云大苦叶似荷，若释为甘草，难以成立。

（2）释为黄药。按《本草图经》所载黄药图，其叶似荞麦，而大苦叶似荷。沈括以黄药味苦为据，亦难成立。

（3）释为地黄。王念孙以"苦"为"节"的假借字，故释"大苦"为地黄。较为可信。

（4）释为木甘草。按：木甘草，味甘，与大苦名实不符，难以取信。

（5）释为虎杖。《蜀本草》谓虎杖生下湿地，而《诗经·唐风》"采苓采苓，首阳之巅"是讲大苦生长在山顶。此与虎杖生下湿地不符，故将大苦释为虎杖亦不好理解。

（6）释为豆豉。豆豉形态与孙炎所注不合，难以成立。

以上6种解释，笔者倾向王念孙释大苦为地黄。地黄的形态、产地、功用与孙炎所注有近似之处，与《诗经·唐风·采苓》暗合。

五、《诗经》"蕳"释

《诗经·郑风·溱洧》："方秉蕳兮。""蕳"是什么植物？

《毛传》云："蕳，兰也。"

《广雅》云："蕳，兰也。"

《太平御览》引《韩诗章句》云："蕳，兰也。"

以上三家文献，均说"蕳"是"兰"。单言"兰"字，仍不能了解它是什么植物。因含"兰"字的植物名太多，必须从古书对"兰"的解释中查找有无其他特点。

《说文》云："兰，香草也。"该句说明"兰"有香味。

段玉裁《说文解字注》云："《左传》曰'兰有国香'，说者谓似泽兰也。"

《楚辞·离骚》云："滋兰九畹""光风转蕙氾崇兰"。谢翱《楚辞芳草谱》云："兰草大都似泽兰，其香可著衣带者是。"

按段玉裁、谢翱所释，"兰"即"兰草"，有香味，似泽兰。

《名医别录》云："兰草，生大吴池泽。"

陶隐居云："今东间有煎泽草，名兰香，亦或是此，生下湿地。"

按《名医别录》和陶氏所云，兰草的生境是池泽或下湿地。

陆玑云："蕳即兰，香草也。其茎叶似药草泽兰，但广而长，节节中赤，高四五尺，可藏衣，著书中，辟白鱼也。"

《初学记》引《韩诗章句》："郑国之俗，三月上已于溱、洧两水之上，秉（执）兰（兰草）拂除不祥之故。"

按陆玑和《韩诗章句》所云，"蕑"即"兰草"，有香味，似泽兰，辟白鱼（衣、书中小虫），拂除不祥。

从上述古籍所载兰的特点看，兰很像《神农本草经》中的兰草。《神农本草经》云："兰草，杀蛊毒，辟不祥。"则《诗经》"方秉蕑兮"中的"蕑"似可释为《神农本草经》中的兰草。

《黄帝内经》中有兰草汤，单用兰草治口甘、口臭之"脾瘅病"。此病是湿浊困脾所致，说明兰草有化湿浊之功，与今日佩兰功用相同。《中药大辞典》1377页"佩兰"条，亦认为《神农本草经》中的兰草即今日菊科植物的佩兰。

但历代文献所言兰草比较复杂。

（一） 以泽兰为兰草

《汉书·司马相如传》："衡兰芷若。"注云："兰，即今泽兰。"

（二） 以兰科植物为兰草

寇宗奭《本草衍义》云："兰草，多生阴地山谷，叶如麦门冬而润，且韧，长及一二尺，四时常青。花青绿色，中间瓣上有细紫点。"

但是寇宗奭以兰科植物兰草作《神农本草经》中的兰草，已有人反对。

朱子《离骚辨证》云："古之兰草，必花叶俱香，而燥湿不变。今之兰、蕙，但花香而叶不香，古之兰似泽兰。"

李时珍《本草纲目》"兰草"条云："近世所谓兰花，非古之兰草，兰花生山中，有叶无枝无茎，兰草有枝有茎。"

按朱子、李时珍所云，《神农本草经》中的兰草花叶俱香，有枝，有茎，不是兰、蕙、花的兰草。

至于以泽兰为兰草，历史上亦存在混乱。其原因是兰草和泽兰的名称、形态、生境、气味、主治功用均相近，它们在不同时代、不同地区互用过。

按：《神农本草经》中既有兰草，又有泽兰。

在名称上，《神农本草经》云："兰草，一名水香。"而《吴普本草》云："泽

237

兰，一名水香。"由于异名相同，就使人易误兰草即泽兰。

在功用上，《神农本草经》"兰草"条云："兰草主利水道。"同时《神农本草经》"泽兰"条亦云："泽兰，主大腹水肿，身面四肢浮肿。"因功用相同，使人易误兰草即泽兰。

《黄帝内经》以兰草治湿浊痹、瘅症，说明兰草有治湿浊功用。

而郑玄注《士丧记》"实绥泽焉"云："泽，泽兰也，取其香，且御湿。"由于兰草、泽兰治湿之功相同，亦易误兰草即泽兰。

由于兰草和泽兰的名称、形态、生境、气味、部分主治功用相近，古代把兰草和泽兰混用，古书所言兰多包含兰草、泽兰二物。

李时珍在"兰草"条集解下云："《礼记》'佩悦兰芷'，《楚辞》'纫秋兰以为佩'，《西京杂记》载汉时池苑种兰以降神，或杂粉藏衣、书中以辟蠹，皆此二兰也。"

同时李时珍又在"兰草"条下指出，兰草、泽兰一类二种，嫩时并可采而佩之。开花成穗，如鸡苏花。按：开花成穗，如鸡苏花，显系今日唇形科植物。

苏颂《本草图经》在"泽兰"条下云："泽兰如薄荷，微香，七月开花，带紫白色，萼通紫色，亦似薄荷。"此与李时珍所云"兰草、泽兰，开花成穗"义合，都是指今日唇形科植物。

李时珍在"泽兰"条发明项下又云："兰草，利水道，除痰癖，杀蛊辟恶。泽兰，涂痈毒，破瘀血，消癥瘕，而为妇人要药。"按李时珍所云，兰草有化湿浊功用，泽兰有活血消瘀功用。

从兰草、泽兰主治功用看，泽兰似今日唇形科植物地笋，而兰草似今日菊科植物佩兰。因佩兰有芳香化湿浊功能，与陆玑《诗疏》及《神农本草经》所载兰草能藏衣、书中"辟白鱼，杀蛊毒，辟不祥"义合。

但是《本草图经》在"泽兰"条下所绘二图（见《重修政和经史证类备用本草》222 页）均不是唇形科植物，所绘徐州泽兰叶如麦冬，显系兰科植物，所绘梧州泽兰呈头状花序，显系菊科植物。

由此可见，苏颂《本草图经》文与图言兰草、泽兰包含唇形科、菊科、兰科诸科植物。这也说明，宋代本草中的兰草、泽兰在文字描述和药图方面互不一致。

不仅宋代如此，明代也是如此。例如，李时珍《本草纲目》在"兰草"条记载云："古之兰草与泽兰一物二种，但功用有气血之分。并开花成穗，如鸡苏花。"

按文字记载，兰草、泽兰是唇形科植物，但《本草纲目》所载兰草、泽兰药图（见校点本《本草纲目》2 册 28、29 页）均不是唇形科植物。由此可见，在明代，兰草、泽兰也存在诸科植物互用现象。

盖兰草和泽兰由于名称、气味、生境、形态、功用相近，所以古书所讲的兰多指兰草、泽兰两类多种互用的植物。

宋、明两代本草关于兰草、泽兰的药图与文字记载各不相同，提示在宋、明两代，兰草、泽兰存在多种植物互用现象。

综上所述，《诗经》中的"蕑"当释为《神农本草经》中的"兰草"，因《神农本草经》中的兰草"杀蛊毒，辟不祥"与《韩诗章句》中的"秉兰草，拂除不祥"义合。

今日所言兰草、泽兰，均根据其主治功用来定。泽兰以行血为主，定唇形科植物为泽兰。兰草以化湿浊为主，定菊科佩兰为兰草。至于所涉及的具体植物，又因地区不同而各异。

六、《诗经》"葽""芄兰"释

（一）葽

《诗经·豳风·七月》："四月秀葽。"

对于葽有 4 种解释。

1. 释为草

《毛传》云："不荣而实，曰秀葽。葽，草也。"

《说文》云："葽，草也。《诗》曰：四月秀葽。刘向说此味苦，苦葽也。"

2. 释为王瓜（即王萯）

《夏小正》："四月秀葽。"《说文》云："萯，王萯也。"段玉裁注："《夏小正》：四月王萯秀。《月令》：四月王瓜生。注云：今王萯秀。《豳风》：四月秀葽。《郑笺》：疑葽即王萯。"

3. 释为狗尾草

《说文解字系传·通释》引字书云："葽，狗尾草也。"

4. 释为远志

《尔雅》云："葽绕，棘菀。"郭注："今远志也。似麻黄，赤华，叶锐而黄。其上谓之小草。"《说文》云："菀，棘菀也。"《广雅》云："棘菀，远志也。其上谓之小草。"《博物志》云："苗曰小草，根曰远志。"

《神农本草经》云："远志，叶名小草，一名棘菀，一名葽绕，一名细草。"《神农本草经》以远志为正名，以棘菀、葽绕为异名。《诗经》《尔雅》《说文》中只有棘菀、葽绕名称，而无远志名称。远志始见于晋代郭璞注。晋代张华《博物志》始载"苗曰小草，根曰远志"。盖远志、小草之名流行于晋代。

《本草图经》云："远志，根黄色，形如蒿根。苗名小草，似麻黄而青，又如毕豆。叶亦有似大青而小者。三月开花，白色。根长及一尺。"

在上述资料中，葽被释为 4 种植物：一是草，二是王萯，三是狗尾草，四是远志。郝懿行《尔雅义疏》云："葽绕，棘菀，疑《尔雅》古本无绕字。"据郝氏所云"葽，棘菀，远志也"，则"四月秀葽"中的"葽"似可释为《神农本草经》中的远志。

远志含远志科远志属植物远志 *Polygala tenuifolia* Willd. 和卵叶远志 *Polygala sibirica* L.。

（二）芄兰

《诗经·卫风·芄兰》："芄兰之支。"《郑笺》云："芄兰柔弱，恒蔓延于地，有所依缘则起。"

对于芄兰有 2 种解释。

1. 释为萝藦

《说文》云："芄，芄兰，莞也。《诗》曰：芄兰之支。"

《尔雅》云："萑，芄兰。"释曰："萑，一名芄兰。"郭注云："萑，芄。蔓生，断之有白汁，可啖。"

陆玑云："芄兰，一名萝藦，幽州谓之雀瓢，蔓生，叶青绿色而厚，断之有白汁，鬻为茹滑美。其子长数寸似瓠子。"

《本草经集注》"枸杞"条，陶弘景注云："去家千里，勿食萝藦、枸杞。萝藦一名苦丸。叶厚大，作藤生，摘之有白乳汁。人家多种之，可生啖，亦蒸食也。"

《唐本草》云："萝藦，陆玑云：一名芄兰，幽州谓之雀瓢。"又注云："按雀瓢是女青别名，叶盖相似，以叶似女青，故兼名雀瓢。"

2. 释为女青

孙星衍等辑的《神农本草经》"女青"条注云："按《广雅》云：女青，乌葛也。《尔雅》云：萑，芄兰。郭璞云：萑，芄兰。蔓生，断之有白汁，可啖。《毛诗》云：芄兰之支。《毛传》云：芄兰，草也。陆玑云：一名萝摩，幽州人谓之雀瓢。《别录》云：雀瓢白汗，注虫蛇毒，即女青苗汁也。《唐本草》别出萝摩条，非。"按孙星衍所注，萝摩、雀瓢都是女青的别名，孙氏认为《唐本草》别出"萝摩"条是错误的。

《本草纲目》李时珍曰："女青有二：一是藤生，乃苏恭所说似萝摩者；一种草生，则蛇衔根也。《别录》明说女青是蛇衔根，一言可据。"

按李时珍所云，女青、萝摩乃是二物。由于女青、萝摩同有雀瓢别名，孙星衍遂认为萝摩即是女青，并指责《唐本草》别立萝摩一条。

根据上述资料来看，《诗经》中的芄兰当释为萝摩。萝摩的基原是萝摩科萝摩属植物萝摩 *Metaplexis japonica*（Thunb.）Makino。

参考资料

[1] 汉·毛亨传，汉·郑玄笺，唐·陆德明音义，唐·孔颖达疏《附释音毛诗注疏》70 卷附校勘 70 卷（《校勘记》清·阮元撰），1980 年中华书局影印本。

[2] 吴·陆玑撰《毛诗草木鸟兽虫鱼疏》2 卷，丛书集成初编自然科学类。

[3] 吴·陆玑撰，民国·罗振玉校《毛诗草木鸟兽虫鱼疏》2 卷，晨风阁丛书第 1 辑。

[4] 吴·陆玑撰，清·丁晏校《毛诗草木鸟兽虫鱼疏》2 卷，颐志斋丛书本。

[5] 吴·陆玑撰，清·赵佑校正《草木疏》2 卷，清献堂全编。

[6] 北周·沈重撰，清·王谟辑《毛诗义疏》1 卷，汉魏遗书钞。

[7] 北周·沈重撰，清·马国翰辑《毛诗沈氏义疏》1 卷，楚南书局本。

[8] 北周·沈重撰，清·王仁俊辑《毛诗沈氏义疏》1 卷，玉函山房辑佚书续编。

[9] 舒瑗（生卒年不详）撰，清·马国翰辑《毛诗舒氏义疏》1 卷，楚南书局本。

[10] 南齐·刘瓛等撰，清·马国翰辑《毛诗序义疏》1 卷，楚南书局本。

[11] 宋·谢枋得撰《诗传注疏》3 卷，丛书集成初编。

[12] 元·朱公迁撰《诗经疏义》20 卷，四库全书本。

[13] 明·冯应京撰《六家诗名物疏》54 卷，四库全书本。

[14] 明·毛晋撰《毛诗草木鸟兽虫鱼疏广要》4 卷，丛书集成初编自然科学类。

[15] 清·王夫之撰《诗经稗疏》4 卷，南菁书院本。

[16] 清·焦循撰《毛诗补疏》5 卷，学海堂本。

[17] 清·焦循撰《陆氏草木鸟兽虫鱼疏》2 卷，南菁书院丛书。

[18] 清·浦镗撰《毛诗注疏正误》14 卷。

[19] 清·马徵庆撰《毛诗郑谱疏证》1 卷，马钟山遗书。

[20] 清·张沐撰《诗经疏略》8 卷，五经四书疏略。

[21] 清·陈奂撰《诗毛氏传疏》（又名《毛诗传疏》，或名《毛传诗疏》）30 卷，皇清经解续编（南菁书院本）。

[22] 清·陈士珂撰《韩诗外传疏证》10 卷，文渊楼丛书。

[23] 清·陈乔枞撰《齐诗翼氏学疏证》2 卷，南菁书院本。

[24] 清·冯登府撰《三家诗异文疏证》2 卷，皇清经解（鸿宝斋石印本）。

[25] 清·王先谦撰《诗三家义集疏》，虚受堂本。

[26] 民国·廖平撰《今文诗古义证疏凡例》1 卷，新订六译馆丛书。

[27] 汉·毛亨传，汉·郑玄笺《毛诗注》20 卷，袖珍十三经注。

[28] 汉·马融撰，清·马国翰辑《毛诗马氏注》1 卷，楚南书局本。

[29] 汉·马融撰，清·黄奭辑《毛诗注》1 卷，汉学堂丛书。

[30] 吴·徐整撰，清·王谟辑《毛诗谱注》1 卷，汉魏遗书钞。

[31] 魏·王肃注，清·马国翰辑《毛诗王氏注》4 卷，楚南书局本。

[32] 魏·王肃注，清·黄奭辑《毛诗注》1 卷，汉学堂丛书。

[33] 刘宋·周续之撰，清·马国翰辑《毛诗周氏注》1 卷，楚南书局本。

[34] 梁·崔灵恩撰，清·马国翰辑《集注毛诗》1 卷，楚南书局本。

[35] 梁·崔灵恩撰，清·王仁俊辑《集注毛诗》1 卷，玉函山房辑佚书续编。

[36] 明·徐奋鹏撰《诗经解注》4 卷，诗经通解本。

[37] 清·戴震撰《杲溪诗经补注》2 卷，安徽丛书第 6 期，戴东原先生全集。

[38] 清·丁晏撰《诗考补注》2 卷，补遗 1 卷，颐志斋丛书。

[39] 清·刘曾𬴂撰《毛诗约注》18 卷，祥符刘氏丛书。

[40] 清·李塨撰《诗经传注》8 卷，颜李丛书。

[41] 今人·余冠英注《诗经选》，人民文学出版社。

[42] 今人·高亨《诗经今注》，上海古籍出版社。

[43] 后魏·刘芳撰，清·王谟辑《毛诗笺音义证》1 卷，汉魏遗书钞经翼第 1 册。

[44] 清·秦松龄撰《毛诗日笺》1 卷，昭代丛书，道光本，癸集萃编。

[45] 清·胡承珙撰，清·陈鱼补《毛诗后笺》30 卷，南菁书院本。

[46] 清·陈玉树撰《毛诗异文笺》10 卷，南菁书院丛书第 5 种。

[47] 清·周邵莲撰《诗考异字笺余》14 卷，木犀轩丛书。

［48］民国·王闿运撰《诗经补笺》20卷，湘绮楼全书。

［49］宋·李樗、宋·黄櫄撰，宋·吕祖谦释音《毛诗集解》42卷，通志堂经解（同治本）。

［50］宋·蔡卞撰《毛诗名物解》20卷，通志堂经解（同治本）。

［51］宋·段昌武撰《毛诗集解》25卷，四库全书本。

［52］宋·唐仲友撰《诗经钞》1卷，全华唐氏遗书。

［53］明·郝敬撰《毛诗原解》36卷，湖北丛书。

［54］明·朱善撰《诗解颐》4卷，通志堂经解（同治本）。

［55］明·季本撰《诗解颐》40卷，四库全书本。

［56］清·丁寿昌撰《诗经解》不分卷，丁氏遗稿6种。

［57］清·刘沅撰《诗经恒解》6卷，槐轩全书本。

［58］清·姚炳撰《诗识名解》15卷，四库全书本。

［59］民国·林义光撰《诗经通解》1卷，民国十九年刻本。

［60］今人·陈子展撰《诗经直解》，复旦大学出版社。

［61］今人·于省吾撰《泽螺居诗义解结》，中华书局文史2辑。

［62］元·刘瑾撰《诗传通释》20卷，四库全书本。

［63］清·李富孙撰《诗经异文释》16卷，南菁书院本。

［64］民国·徐昂撰《诗经形释》4卷，徐氏全书。

［65］民国·张慎仪撰《诗经异文补释》16卷，箦园丛书。

［66］清·丁晏撰《毛郑诗释》3卷，续录1卷，颐志斋丛书。

［67］清·马瑞辰撰《毛诗传笺通释》32卷，中华书局本。

［68］清·顾栋高撰《毛诗类释》21卷，续编3卷（为名物作续编，又补以训诂），四库全书珍本初集。

［69］清·王引之撰《经传释词》，中华书局本。

［70］清·陈奂撰《释毛诗音》4卷，南菁书院本。

［71］清·何志高撰《释诗》1卷，西夏经义（道光本）。

［72］民国·李遵义撰《毛诗草名今释》1卷，樵隐集。

［73］今人·陆文郁撰《诗经草木今释》，1957年天津人民出版社。

［74］明·邓元锡撰《诗经译》3卷，五经译。

［75］清·廖翱撰《诗经》2卷，榕园丛书甲集。

［76］今人·袁梅撰《诗经译注》，1980年齐鲁社。

［77］今人·金启华译注《诗经全译》，1984 年江苏古籍出版社。

［78］今人·程俊英译注《诗经译注》，1985 年上海古籍出版社。

［79］汉·申培撰《诗说》1 卷，丛书集成初编本。

［80］宋·刘克撰《诗说》12 卷，宛委别藏本。

［81］宋·张耒撰《诗说》1 卷，丛书集成初编本。

［82］清·惠周惕撰《诗说》3 卷，真意堂本。

［83］清·陶正靖撰《诗说》1 卷，丛书集成初编文学类。

［84］清·郝懿行撰《诗说》2 卷，郝氏遗书。

［85］清·陆心源辑《诗说补》2 卷，潜园总集群书校补。

［86］清·李灏撰《诗说活参》2 卷，李氏经学 4 种。

［87］清·徐经撰《诗说汇订》1 卷，雅歌堂外集。

［88］唐·施士丐撰，清·马国翰辑《施氏诗说》1 卷，楚南书局本。

［89］宋·张耒撰《张宛邱诗说》1 卷，格致丛书本。

［90］清·张汝霖撰《张氏诗说》1 卷，丛书集成初编本。

［91］清·阎若璩撰《毛朱诗说》1 卷，楚州丛书第 1 辑。

［92］清·毛奇龄撰《白鹭洲主客说诗》1 卷，西河合集（康熙本）经集。

［93］清·李调元撰《童山诗音说》4 卷，海函（光绪本）。

［94］清·黄朝槐撰《荀子诗说笺》1 卷，西园读书记。

［95］清·俞樾撰《荀子诗说》1 卷，春在堂全书。

［96］清·俞樾撰《达斋诗说》1 卷，春在堂全书。

［97］民国·廖平撰《四益诗说》1 卷，新订六译馆丛书。

［98］清·顾广誉撰《学诗详说》30 卷，平湖顾氏遗书。

［99］清·顾成志撰《治斋读诗蒙说》1 卷，昭代丛书，道光本，已集广编。

［100］民国·王守恂撰《诗说求己》5 卷，王仁安集附。

［101］清·王鸿绪等撰《钦定诗经传说汇纂》21 卷，首 2 卷《诗序》2 卷，御纂七经（鸿文书局石印本）。

［102］清·陈世镕撰《求志居诗经说》6 卷，求志居全集。

［103］清·冉觐祖撰《诗经详说》94 卷，五经详说。

［104］民国·宋育仁撰《诗经说例》1 卷，问琴阁丛书。

［105］唐·成伯玙撰《毛诗指说》1 卷，通志堂经解（同治本）。

［106］明·郝敬撰《毛诗序说》8 卷，山草堂集内编。

[107] 明·吕柟撰《毛诗序说》6卷，丛书集成初编本。

[108] 清·陈奂撰《毛诗说》1卷，南菁书院本。

[109] 清·诸锦撰《毛诗说》2卷，绛跗阁经说3种。

[110] 清·庄存与撰《毛诗说》4卷，味经斋遗书（道光本）。

[111] 清·陈乔枞撰《毛诗郑笺改字说》4卷，南菁书院本。

[112] 汉·韦玄成撰，清·王仁俊辑《鲁诗韦氏说》1卷，玉函山房辑佚书续编。

[113] 汉·韩婴撰，清·马国翰辑《韩诗说》1卷，楚南书局本。

[114] 清·臧庸撰《韩诗遗说》2卷，订伪1卷，丛书集成初编本。

[115] 汉·毛亨传，郑玄笺，唐·孔颖达疏《毛诗正义》40卷，中华书局本。

[116] 唐·孔颖达疏《毛诗正义》40卷，附《校勘记》3卷，《校勘记》刘承干
撰，嘉业堂丛书。

[117] 汉·贾逵撰，清·王仁俊辑《毛诗贾氏义》1卷，玉函山房辑佚书续编。

[118] 汉·郑众撰，清·王仁俊辑《毛诗先郑义》1卷，玉函山房辑佚书续编。

[119] 魏·王基撰，清·黄奭辑《毛诗申郑义》1卷，汉学堂丛书。

[120] 后魏·刘芳撰，清·马国翰辑《毛诗笺音义证》1卷，楚南书局本。

[121] 刘宋·周续之撰，清·王谟辑《毛诗序义》1卷，汉魏遗书钞经翼第1册。

[122] 梁·何胤撰，清·马国翰辑《毛诗隐义》1卷，楚南书局本。

[123] 隋·刘炫撰，清·马国翰辑《毛诗述义》1卷，楚南书局本。

[124] 唐·陆德明撰《毛诗音义》3卷。

[125] 宋·魏了翁撰《毛诗要义》20卷，五经要义。

[126] 宋·林岊撰《毛诗讲义》12卷，四库全书珍本初辑。

[127] 宋·袁燮撰《絜斋毛诗经筵讲义》4卷，丛书集成初编本。

[128] 清·惠栋撰《毛诗古义》2卷。

[129] 清·李黼平撰《毛诗紬义》24卷，学海堂本。

[130] 清·汪龙撰《毛诗异义》4卷，安徽丛书第1期。

[131] 清·俞樾撰《毛诗平议》4卷，南菁书院本。

[132] 清·陈奂撰《毛诗传义类》1卷，皇清经解续编，南菁书院本。

[133] 民国·罗振玉撰《毛郑诗斠议》1卷，晨风阁丛书第1辑。

[134] 明·何楷撰《诗经世本古义》28卷，鸿宝斋刻印本。

[135] 清·刘存仁撰《诗经口义》2卷，屺云楼集。

[136] 清·黄淦撰《诗经精义》4卷，七经精义。

［137］清·汪绂撰《诗经诠义》12 卷，汪双池丛书。

［138］清·朱鹤龄撰《诗经通义》12 卷，芋园丛书经部。

［139］清·吴士模撰《诗经申义》，泽古斋藏版。

［140］民国·闻一多撰《诗经通义》，开明书店全集本。

［141］民国·闻一多撰《诗经新义》，开明书店全集本。

［142］宋·欧阳修撰《诗本义》15 卷，通志堂经解（同治本）。

［143］宋·段昌武撰《段昌武诗义指南》1 卷，丛书集成初编本。

［144］明·孙鼎撰《新编诗义集说》4 卷，选印宛委别藏。

［145］元·梁寅撰《诗演义》15 卷，四库全书珍本初集。

［146］清·方宗诚撰《说诗章义》3 卷，柏堂遗书。

［147］清·方宗诚撰《说诗补义》3 卷，柏堂遗书。

［148］清·傅恒等撰《御纂诗义折中》20 卷，摛藻堂四库全书荟要。

［149］民国·周学熙辑《诗义折中》4 卷，周氏师古堂所编书。

［150］清·吴闿生撰《诗义会通》，中华书局。

［151］明·陆化熙撰《诗通》4 卷，诗经通解。

［152］元·梁益撰《诗传旁通》15 卷，常州先哲遗书第 1 辑。

［153］清·张漪撰《诗传题词故》4 卷，补 1 卷，小窗遗稿。

［154］明·朱谋㙔撰《诗故》10 卷，四库全书本。

［155］汉·申培撰，清·马国翰辑《鲁诗故》3 卷，楚南书局本。

［156］汉·韩婴撰，清·马国翰辑《韩诗故》2 卷，楚南书局本。

［157］清·沈清瑞撰《韩诗故》2 卷，沈氏群峰集。

［158］清·段玉裁撰《毛诗古训传》30 卷，鸿宝斋石印本。

［159］清·刘晓如撰《毛诗集解训蒙》1 卷，郑氏 4 种。

［160］清·杨国桢撰《诗经音训》不分卷，十一经音训（道光本）。

［161］清·顾广誉撰《学诗正诂》5 卷，平湖顾氏遗书。

［162］清·俞樾撰《诗名物证古》1 卷，春在堂全书。

［163］清·徐立纲撰《诗经旁训》4 卷，五经旁训（匠门书屋本）。

［164］清·徐立纲撰，清·竺静甫、清·竺子寿增订《诗经旁训增订精义》4 卷（《精义》清·黄淦撰）。

［165］汉·赵煜撰，清·王仁俊辑《韩诗赵氏学》1 卷，玉函山房辑佚书续编。

［166］清·连鹤寿撰《齐诗翼氏学》4 卷，南菁书院本。

[167] 清·陆奎勋撰《陆堂诗学》12 卷，陆堂经学丛书。

[168] 清·顾东撰《虞东学诗》12 卷，四库本书本。

[169] 清·徐时栋撰《山中学诗记》5 卷，烟屿楼集。

[170] 清·钱澄之撰《田间学诗》12 卷，四库全书经部诗类。

[171] 明·胡缵宗编《新刻胡氏诗识》3 卷，古名儒毛诗解 16 种。

[172] 清·多隆阿撰《毛诗多识》12 卷，辽海丛书第 10 辑。

[173] 清·林伯桐撰《毛诗识小》30 卷，修本堂遗书。

[174] 清·赵容撰《诵诗小识》3 卷，云南丛书初编经部。

[175] 宋·黄震撰《新刻读诗一得》1 卷，古名儒毛诗解 16 种。

[176] 宋·吕祖谦撰《吕氏家塾读诗记》32 卷，丛书集成初编，商务版。

[177] 宋·戴溪撰《续吕氏家塾读诗记》3 卷，丛书集成初编本。

[178] 清·卢文弨撰《吕氏读诗记补阙》1 卷，丛书集成初编本。

[179] 明·曹珖撰《读诗》1 卷，大树堂说经。

[180] 明·李先芳撰《读诗私记》2 卷，四库全书本。

[181] 明·陈第撰《读诗拙言》1 卷，山仙馆丛书。

[182] 清·虞景璜撰《读诗琐言》1 卷，澹园杂著。

[183] 清·赵良霈撰《读诗经》4 卷，丛书集成初编文学类。

[184] 清·朱朝瑛撰《读诗略记》6 卷，四库全书珍本初集。

[185] 清·方潜撰《读诗经笔记》1 卷，毋不敬斋全书。

[186] 清·郏鼎元、清·申濩元、清·徐鸿钧、清·杨赓元、清·凤恭宝、清·陆炳章、清·夏辛铭、民国·钱人龙、民国·张一鹏等各撰有《读毛诗日记》，学古堂日记本。

[187] 清·陈仅撰《诗诵》5 卷，四明丛书第 1 集。

[188] 清·严虞惇撰《读诗质疑》31 卷，附录 15 卷，四库全书本。

[189] 清·刘青芝撰《学诗阙疑》2 卷，啸园丛书第 1 函。

[190] 宋·王伯撰《诗疑》2 卷，丛书集成初编文学类。

[191] 元·朱倬撰《诗经疑问》7 卷，通志堂经解（同治本）。

[192] 明·姚舜牧撰《诗经疑问》12 卷，四库全书本。

[193] 汉·刘桢撰，清·马国翰辑《毛诗义问》1 卷，楚南书局本。

[194] 吴·韦昭、吴·朱育等撰，清·王谟辑《毛诗答杂问》1 卷，汉魏遗书钞。

[195] 吴·韦昭、吴·朱育等撰，清·马国翰辑《毛诗答杂问》1 卷，楚南书局本。

［196］魏·王肃撰，清·马国翰辑《毛诗问难》1卷，楚南书局本。

［197］宋·辅广撰《诗童子问》10卷，四库全书本。

［198］明·陈子龙撰《诗问略》1卷，丛书集成初编本。

［199］明·袁仁撰《毛诗或问》2卷，丛书集成初编本。

［200］清·戚学标撰《读诗或问》1卷，戚鹤泉所著书。

［201］清·郝懿行撰《诗问》7卷，郝氏遗书。

［202］清·牟应震撰《诗问》6卷，毛诗质疑。

［203］清·汪琬撰《诗问》1卷，后知不足斋丛书第5函。

［204］清·龚元玠撰《畏斋诗经客难》2卷，十三经客难。

［205］明·冯时可撰《诗臆》2卷，冯元成杂著。

［206］明·乔中和撰《葩经旁意》1卷，西郭草堂合刊。

［207］清·黄中松撰《诗疑辨证》（考订名物），四库全书珍本初集。

［208］宋·周孚撰《非诗辨妄》1卷，丛书集成初编本。

［209］宋·赵悳撰《诗辨说》1卷，丛书集成初编本。

［210］明·杨桢一撰《诗音辩略》2卷，海函（光绪本）第13函。

［211］清·毛先舒撰《诗辩坻》4卷，思古堂14种书。

［212］清·王夫之撰《诗经叶韵辨》1卷，船山遗书（同治本）。

［213］清·刘维谦撰《诗经叶音辨讹》8卷，芋园丛书经部。

［214］清·刘钊撰《诗毛郑异同辨》2卷，面城楼丛刊。

［215］宋·朱熹撰《诗序辨说》1卷，汲古阁本。

［216］清·王大任撰《诗序辨正》8卷，丛睦、汪氏遗书。

［217］清·夏鼎武撰《诗序辨》1卷，富阳夏氏丛刻。

［218］魏·王基撰，清·马国翰辑《毛诗驳》1卷，楚南书局本。

［219］魏·王肃撰，清·马国翰辑《毛诗义驳》1卷，楚南书局本。

［220］清·毛奇龄撰《诗传诗说驳义》5卷，西河合集（康熙本）。

［221］宋·王应麟撰《诗考》1卷，丛书集成初编本。

［222］宋·王应麟撰《诗地理考》6卷，照旷阁本。

［223］清·尹继美撰《诗地理考略》2卷，《图》1卷，鼎吉堂全书。

［224］清·朱右曾撰《诗地理徵》7卷，南菁书院本。

［225］清·李超孙撰《诗氏族考》6卷，丛书集成初编本。

［226］宋·章如愚编《新刻山堂诗考》1卷，古名儒毛诗解16种。

[227] 元·马端临撰《新刻文献诗考》2 卷，古名儒毛诗解 16 种。

[228] 民国·杨晨撰《诗考补订》5 卷，崇雅堂丛书。

[229] 清·戴震撰《毛郑诗考正》4 卷，学海堂本。

[230] 清·丁晏撰《郑氏诗谱考正》1 卷，南菁书院本。

[231] 清·林伯桐撰《毛诗通考》30 卷，岭南遗书第 6 集。

[232] 清·庄述祖撰《毛诗考证》4 卷，南菁书院本。

[233] 清·牟应震撰《毛诗名物考》7 卷，毛诗质疑本。

[234] 民国·李遵义撰《毛诗鱼名今考》1 卷，附《嘉鱼考》，樵隐集。

[235] 清·陈奂撰《毛诗九谷考》1 卷，古学汇刊第 1 辑。

[236] 清·陈寿祺撰，清·陈乔枞述《鲁诗遗说考》20 卷，南菁书院本。

[237] 清·陈寿祺撰，清·陈乔枞述《韩诗遗说考》17 卷，南菁书院本。

[238] 清·陈寿祺撰，清·陈乔枞述《齐诗遗说考》12 卷，南菁书院本。

[239] 清·陈乔枞撰《三家诗遗说考》，南菁书院本。

[240] 清·陈乔枞撰《诗经四家异文考》5 卷，南菁书院本。

[241] 宋·辅广撰《诗经协韵考异》1 卷，丛书集成初编本。

[242] 清·夏炘撰《诗章句考》1 卷，景紫堂全书第 3 册。

[243] 清·陈奂撰《郑氏笺考徵》4 卷，问经堂丛书。

[244] 清·臧庸撰《毛诗马王徵》4 卷，问经堂丛书。

[245] 清·宋绵初撰《韩诗内传徵》4 卷，积学斋丛书。

[246] 晋·孙毓撰，清·王谟辑《毛诗异同评》1 卷，汉魏遗书钞。

[247] 晋·孙毓撰，清·马国翰辑《毛诗异同评》3 卷，楚南书局本。

[248] 晋·孙毓撰，清·黄奭辑《毛诗异同评》1 卷，汉学堂丛书。

[249] 晋·陈统撰，清·马国翰辑《难孙氏毛诗评》1 卷，楚南书局本。

[250] 今人·黄焯撰《毛诗郑笺评议》，自印本。

[251] 明·钟惺评点《诗经评点》3 卷，合刻周秦经书 10 种。

[252] 清·吕调阳撰《诗序议》4 卷，观象庐丛书。

[253] 宋·程大昌撰《诗论》1 卷，丛书集成初编本。

[254] 清·姚际恒撰《诗经通论》，中华书局本。

[255] 清·姚际恒撰《诗经论旨》1 卷，私立北泉图书馆丛书。

[256] 清·皮锡瑞撰《经学通论》，中华书局本。

[257] 宋·王应麟撰《新刻玉海记诗》1 卷，古名儒毛诗解 16 种。

[258] 宋·王应麟撰《新刻困学记诗》1卷，古名儒毛诗解16种。

[259] 明·张次仲撰《待轩诗记》8卷，四库全书本。

[260] 清·毛奇龄撰《毛诗写官记》4卷，西河合集（康熙本）。

[261] 清·汪德钺撰《毛诗偶记》3卷，七经偶记。

[262] 清·范尔梅撰《毛诗札记》2卷，读书小记。

[263] 民国·刘师培撰《毛诗札记》1卷，刘申叔先生遗书。

[264] 清·朱一栋撰《诗经札记》2卷，十三经札记。

[265] 清·毛奇龄撰《诗札》2卷，西河合集（康熙本）。

[266] 今人·于省吾撰《泽螺居读诗札记》，中华书局文史1辑。

[267] 清·夏炘撰《读诗札记》8卷，景紫堂全书第3册。

[268] 清·朱景昭撰《读诗札记》1卷，无梦轩遗书。

[269] 清·杨名时撰《诗经札记》1卷，杨氏全书。

[270] 清·徐士俊撰《三百篇草兽鸟木记》1卷，闰竹居丛书。

[271] 清·翁方纲撰《诗附记》4卷，丛书集成初编文学类。

[272] 明·薛瑄撰《新刻读诗录》1卷，古名儒毛诗解16种。

[273] 清·陈沣撰《陈东塾先生读诗日录》1卷，古学汇刊第2集。

[274] 清·宋在诗撰《读诗遵朱近思录》2卷，野柏先生类稿。

[275] 清·俞樾撰《韩诗外传平议补录》，中华书局排印本。

[276] 周·端木赐撰《诗传孔氏传》1卷，丛书集成初编本。

[277] 《诗经》1卷，格致丛书。

[278] 《新刻诗传》1卷，古名儒毛诗解16种。

[279] 宋·杨简撰《慈湖诗传》20卷，四明丛书第3集。

[280] 宋·朱鉴撰《诗传遗说》6卷，摘藻堂四库全书荟要经部。

[281] 宋·范处义撰《逸斋诗补传》30卷，通志堂经解（同治本）。

[282] 宋·朱熹《诗集传》8卷，中华书局本。

[283] 宋·苏辙撰《颍滨先生诗集传》19卷，两苏经解。

[284] 元·许谦撰《诗集传名物钞》8卷，丛书集成初编本。

[285] 清·毛奇龄撰《续诗传鸟名》3卷，龙威秘书本。

[286] 清·王夫之撰《诗广传》5卷，中华书局本。

[287] 清·陈大章撰《诗传名物集览》12卷，丛书集成初编本。

[288] 汉·申培撰，清·王谟辑《鲁诗传》1卷，汉魏遗书钞。

[289] 汉·申培撰，清·黄奭辑《鲁诗传》1 卷，汉学堂丛书。

[290] 汉·韩婴撰，民国·龙璋辑《韩诗》1 卷，小学蒐佚下编补。

[291] 汉·韩婴撰，清·王谟辑《韩诗内传》1 卷，汉魏遗书钞。

[292] 汉·韩婴撰，清·马国翰辑《韩诗内传》1 卷，楚南书局本。

[293] 汉·韩婴撰，清·黄奭辑《韩诗内传》1 卷，黄氏逸书考。

[294] 汉·韩婴撰《韩诗外传》10 卷，蜚英馆石印本。

[295] 汉·韩婴撰，清·赵怀玉校并辑补逸《韩诗外传》10 卷，补逸 1 卷，龙溪精舍丛书。

[296] 汉·韩婴撰，清·任兆麟选辑《韩诗外传》3 卷，述记（乾隆本）。

[297] 汉·韩婴撰，清·王仁俊辑《韩诗外传佚文》1 卷，经籍逸文。

[298] 汉·薛汉撰，清·马国翰辑《薛君韩诗章句》2 卷，楚南书局本。

[299] 清·俞樾撰《韩诗外传》1 卷，春在堂全书。

[300] 清·周延寀撰《韩诗外传校注》10 卷，附《校注拾遗》1 卷（《校注拾遗》清·周宗杭辑），安徽丛书第 1 期。

[301] 汉·辕固撰，清·马国翰辑《齐诗传》1 卷，楚南书局本。

[302] 汉·后苍撰，清·马国翰辑《齐诗传》2 卷，楚南书局本。

[303] 汉·辕固撰，清·黄奭辑《齐诗传》1 卷，汉学堂丛书本。

[304] 明·袁黄撰《诗外别传》2 卷，了凡杂著。

[305] 清·王引之撰《经传述闻》，学海堂本。

[306] 清·姜国伊撰《诗经思无邪序传》4 卷，守中正斋丛书。

[307] 清·方潜撰《诗经序传择参》1 卷，毋不敬斋全书。

[308] 清·任兆麟选辑《诗序》1 卷，述记（乾隆本）。

[309] 清·姜炳璋撰《诗序补义》24 卷，四库全书本。

[310] 清·杨恩寿撰《诗序韵语》1 卷，坦园全集。

[311] 周·卜商撰《诗小序》1 卷，唐宋丛书经翼。

[312] 民国·闻一多撰《风诗类钞》，开明书店全集本。

[313] 汉·郑玄撰，清·李光廷辑《诗谱》1 卷，榕园丛书甲集。

[314] 汉·郑玄撰，清·袁钧辑《诗谱》3 卷，浙江书局本。

[315] 汉·郑玄撰《新刻诗谱》1 卷，古名儒毛诗解 16 种。

[316] 汉·郑玄撰，清·王谟解《郑氏诗谱》1 卷，汉魏遗书钞。

[317] 宋·欧阳修撰《郑氏诗谱补亡》1 卷，通志堂经解（同治本）。

[318] 清·吴骞撰《诗谱补亡后订》1 卷，拜经楼丛书。

[319] 元·许衡撰，清·吴骞校《许氏诗谱钞》1 卷，拜经楼丛书。

[320] 汉·郑玄撰，清·孔广森辑《毛诗谱》1 卷，通达遗书所见录。

[321] 汉·郑玄撰，清·黄奭辑《毛诗谱》1 卷，汉学堂丛书。

[322] 吴·徐整撰，清·马国翰辑《毛诗谱畅》1 卷，楚南书局本。

[323] 清·王初桐撰《齐鲁韩诗谱》4 卷，古香堂丛书。

[324] 清·张徵文撰《四诗世次通谱》1 卷，马钟山遗书。

[325] 明·胡广等撰《诗经大全》20 卷，四库全书经部诗类。

[326] 清·邹圣脉纂辑《诗经备旨》8 卷，五经备旨。

[327] 清·薛嘉颖辑《诗经精华》11 卷，四经精华。

[328] 清·方玉润撰《诗经原始》18 卷，泰东书局本。

[329] 清·段玉裁撰《诗经小学》30 卷，又校定《毛传》30 卷。

[330] 清·应麟撰《诗经旁参》2 卷，屏山草堂稿。

[331] 清·蒋曰豫撰《诗经异文》4 卷，蒋侑石遗书。

[332]《毛诗》2 卷，古香斋袖珍 10 种，南海孔氏本。

[333] 山井鼎考文《毛诗》6 册。

[334] 民国·黄侃手批白文十三经《毛诗》1 卷，1983 年上海古籍出版社。

[335] 魏·王肃撰，清·马国翰辑《毛诗奏事》1 卷，楚南书局本。

[336] 晋·徐邈撰《毛诗音残》3 卷，敦煌秘籍留真新编下卷。

[337] 晋·徐邈撰，清·马国翰辑《毛诗徐氏音》1 卷，楚南书局本。

[338] 清·马国翰辑《毛诗草虫经》1 卷，楚南书局本。

[339] 清·马国翰辑《毛诗题纲》1 卷，楚南书局本。

[340] 清·苗夔撰《毛诗韵订》10 卷，苗氏说文 4 种。

[341] 明·庄元臣辑《古诗猎隽》1 卷，庄忠甫杂著。

[342] 明·朱得之撰《新刻印古诗语》1 卷，古名儒毛诗解 16 种。

[343] 清·陈启源撰《毛诗稽古编》30 卷，皇清经解（道光本）。

[344] 清·魏源撰《诗古微》17 卷，南菁书院本。

[345] 民国·徐昂撰《诗经今古文篇旨异同》1 卷，徐氏全书。

[346] 明·麻三衡辑《古逸诗载》1 卷，闻竹居丛书。

[347] 明·胡文焕辑《逸诗》1 卷，覆古介书前集。

[348] 明·钟惺辑《新刻逸诗》1 卷，古名儒毛诗解 16 种。

[349] 清·孙国仁撰《逸诗徵》3卷，砭愚堂丛书。

[350] 清·李式谷辑《诗经衷要》12卷，五经衷要本。

[351] 汉·侯苞撰，清·王谟辑《韩诗翼要》1卷，汉魏遗书钞。

[352] 汉·侯苞撰，清·马国翰辑《韩诗翼要》1卷，楚南书局本。

[353] 汉·侯苞撰，清·王仁俊辑《韩诗翼要》1卷，玉函山房辑佚书续编。

[354] 明·史起钦辑《韩诗外传纂要》1卷，史进士新镌诸子纂要。

[355] 民国·刘师培撰《毛诗词例举要》1卷，刘申叔先生遗书。

[356] 晋·郭璞撰，清·马国翰辑《毛诗拾遗》1卷，楚南书局本。

[357] 清·郝懿行辑《诗经拾遗》1卷，郝氏遗书。

[358] 清·范家相撰《三家诗拾遗》10卷，丛书集成初编本。

[359] 清·范家相撰，清·叶钧重订《重订三家诗拾遗》10卷，领南遗书第4期。

[360] 清·阮元撰《三家诗补遗》3卷，观古堂汇刻书第1辑。

[361] 清·史荣撰，清·纪昀审定《审定风雅遗音》2卷，丛书集成初编本。

[362] 清·陶方琦撰《韩诗遗说补》1卷，汉孳室遗著。

[363] 民国·江瀚撰《诗经四家异文考补》1卷，晨风阁丛书。

[364] 宋·王质撰《诗总闻》20卷，丛书集成初编本。

[365] 元·刘玉汝撰《诗缵绪》18卷，四库全书珍本初辑。

[366] 清·尹继美撰《诗管见》7卷，鼎吉堂全集。

[367] 清·龚橙撰《诗本谊》1卷，半厂丛书初编。

[368] 清·谢文洊撰《风雅伦音》2卷，谢程山全书。

[369] 民国·邵瑞彭撰《齐诗钤》1卷，邵次公遗著。

[370] 汉·韩婴撰，明·归有光辑评《封龙子》诸子汇函。

[371] 宋·严粲撰《诗缉》36卷，摘藻堂四库全书荟要经部。

[372] 清·蒋曰豫撰《韩诗辑》1卷，蒋侑石遗书。

[373] 清·赵佑撰《诗细》12卷，清献堂全编。

[374] 清·牛运震撰《诗志》8卷，空山堂全集。

[375] 清·李光地撰《榕村诗所》8卷，李文贞公全集。

[376] 清·贺贻孙撰《诗触》6卷，水田居全集。

[377] 清·范家相撰《诗沈》20卷，范氏3种。

[378] 清·许伯政撰《诗深》26卷，芋园丛书经部。

[379] 民国·杨树达撰《诗铨》，中华书局本。

《山海经》植物药考释

前　言

中国古书里记载植物最早且数量最多的，要算《诗经》和《山海经》了。《诗经》中记载的植物，仅有植物名称，没有植物形态和功用描述。相对《诗经》而言，《山海经》中记载的植物，不仅数量多，而且有植物形态和药用价值的描述。

如把《山海经》中各卷植物汇集起来，将是一部很好的古代植物志，对研究我国古代植物史和医药史有很大的参考价值。

据各家考证，今存本《山海经》，是战国时代的作品，全书分《山经》《海经》两部。《山经》即《五藏山经》5篇，《海经》为《海外经》《海内经》《大荒经》各4篇，另外单独有1篇《海内经》，全书共计18篇。

《山海经》记载有山、水、动物、植物、矿物、医药、神话等资料，其中植物有254种，加上补遗（不见今本《山海经》，但见录于他书）8种，合计262种。从《山海经》各卷所记载植物数量来看，《五藏山经》记载植物较多，约占80%，《海经》记载植物较少，约占20%。

《五藏山经》载植物203种，卷1《南山经》13种，卷2《西山经》58种，卷3《北山经》26种，卷4《东山经》7种，卷5《中山经》99种，其中以《中山经》记载植物最多。且《五藏山经》所记载的植物，绝大部分是真实植物，很少有神话植物。

《海经》载植物53种，卷6《海外南经》、卷7《海外西经》各1种，卷8《海外北经》5 种，卷 9《海外东经》5 种，卷 10《海内南经》4 种，卷 11《海内西经》13 种，卷 12《海内北经》、卷 13《海内东经》没有植物记载，卷 14《大荒东经》4 种，卷 15《大荒南经》9 种，卷 16《大荒西经》4 种，卷 17《大荒北经》4 种，卷 18《海内经》3 种。《海经》所记载的植物，有不少是神话植物。

《山海经》记载的各种植物中，有不少植物已不知为何物，有不少植物是神话植物，也有些是同名异物，或同物异名，还有一些是泛称性名称。

不明的植物有菁蓉、华草、炆、椒等。

同名异物，例如"条"可指 3 个植物，即柚、韭、苘麻，"榖"有两个同名异物，即构树、粮食，还有"芑""蓍草""无条""丹木"等，都有同名异物。

同物异名，如白芷称为茝，又名药蘺；构树称为榖，又名楮；榆树称为榆，又名枢；櫄称为杻，或名苴；朱槿称为扶桑，一名扶木，又名榑木。

泛称植物名，有瓜、甘果、香、禾、谷、百谷、嘉谷、穋（早熟谷物的统称）、膏菽、毒草、冬夏不死草（常绿植物）、乔木、刚木、美木、怪木等。

神话植物，有扶桑、扶木、建木、大木、若木、樊木、木叶、木禾、甘华、甘柤、百果树、三桑、帝女之桑等。不过神话植物也是古人以真实植物为原型经过想象和夸张演变而成的。例如扶桑，《本草纲目》释为朱槿，李时珍说："东海日出处，有扶桑树，此树花光艳照日，其叶似桑，因以比之。"这就说明神话植物"扶桑"，是以真实植物朱槿为原型，经过想象和夸张编造而成的。

还有些植物，名为树，实际上是珊瑚，如琅玕树、三株树、玗琪树，都是珊瑚虫分泌出石灰质的骨骼所形成的珊瑚，而非植物。

全书记载的植物名称有 262 个，如果剔除泛称名、神话植物、同名异物、同物异名、珊瑚等名称，实有植物名有 215 个左右。

在这 215 个植物名称中，有些名称，在今日看来，只能表示某一类植物的统称。如麻、竹、棕、松、柏、栎、桃、李、杏、梨、枣、杨、柳等，都是某一类植物的统称，它们在当时所指的是哪一种具体的植物很难知晓。

例如："麻"有桑科植物大麻，荨麻科植物苎麻，锦葵科植物苘麻。而《山海经》讲麻时，就提一个"麻"字，那就很难确定这个"麻"字究竟是什么麻了。

《山海经》对植物形态的记载繁简不一，有的较详，有的简单，多数仅提一个名字而已。

例如《南山经》云："招摇之山……多桂""堂庭之山，多棪木""虖勺之山，其上多梓……其下多荆"。桂、棪、梓、荆等一个字的植物名，只能代表某一类植物，看不出它所指的具体植物。

有些植物，也有简单的形态描述和功用记载，例如《南山经》云："招摇之山……有草焉，其状如韭，而青华，其名曰祝馀，食之不饥。"又如《西山经》云："中曲之山……有木焉，其状如棠而圆叶，赤实，实大如木瓜，名曰櫰木，食之多力。"

有些植物，不仅记载了植物的形态，还记述了气味。例如《西山经》云："浮山……有草焉，名曰薰草，臭如蘼芜。"《中山经》："阳华之山，其草多苦辛……其味酸甘。"

有些植物还记有生长习性。例如《西山经》云："小华之山，其草有萆荔……生于石上，亦缘木而生。"

此外，在《山海经》时代，人们对寄生植物也有认识。例如《中山经》云："衡山，苦山多寓木。"《神农本草经》云："桑上寄生，一名寓木。"《本草纲目》云："此木寄寓他木而生，如鸟立于上，故曰寄生。"

《山海经》所记的植物，按本草传统的分类，有草类、木类、果类、菜类、米谷类。

草类植物：能供作药用的有杜衡、桔梗、苯、藁本、芫、蘼芜、芍药、苏、门冬、薯蓣等，有些草类如麻、葛等，可作为纺织的原料。

木类植物：在《山海经》时代，木类植物是相当重要的，可用以制造弓、箭、武器、农具、车辆以及其他生产工具；亦可用于建筑，如架桥、造房及家具等。有些木类在生长时，还可提供其他农产品，如桑可以养蚕、漆树可以制造漆。从今日汉墓出土的漆器来看，古人对漆的收取和应用是很有经验的。

《山海经》记载果类植物亦很多，如桃、李、杏、梅、梨、大枣、栗、橘、柚等。由于古代农业生产不发达，加以自然灾害，生产出的粮食往往不能满足全年口粮的需要，有时常用果实来充饥，以补粮食之不足。例如《战国策·燕策》云："燕……北有枣、栗之利，民虽不田作，枣、栗之实，足食于民矣。"这个例子就说明有时候古人也把果品当作粮食吃。

《山海经》记载的谷类有稻、黍、稷、菽（大豆）、赤菽（赤小豆）等。但今本《山海经》中，没有"麦"的记载，不知是何道理？

《山海经》记载有医药功用的植物55种，约占真实存在植物（不包括神话植物等）数量的1/4。例如《西山经》："崦嵫之山，其上多丹木……食之已瘅。"《中山经》："甘枣之山，有草焉……可以已瞢（音盲）。"类似此例很多。

　　根据上述可知，《山海经》中所记载的各种植物，汇集起来可以成为一本较好的《中国古代植物志》。

　　另外《山海经》对南方植物，如橘、柚、竹、桂、樟、梅、棕等记载最多。这也成为《山海经》是南方人所著的旁证。《山海经》中北方植物不及南方植物多而详，有些植物在《诗经》中很常见，而《山海经》就没有记载。如"麦"，前文已说，《山海经》中无"麦"的记载。《诗经》记载麦有很多处，如《诗经·豳风·七月》："禾麻菽麦。"《诗经·王风·丘中有麻》："丘中有麦。"《诗经·大雅·生民》："麻麦幪幪。"不仅《诗经》有麦的记载，《尚书》《礼记》《春秋》《左传》《战国策》《庄子》《吕氏春秋》《范子计然》等先秦古书，均有麦的记载。不知《山海经》为何没有麦的记载。疑麦生长于北方，而《山海经》为战国南方楚人所作，作者不知小麦，所以书中无小麦记载。按理讲，麦是极普通的植物，《山海经》的作者既是博学多闻，应当不会不知道麦的。或者书中原是记有麦的，但可能因古代传抄而脱漏。笔者从他书补辑的《山海经》植物有 8 种，如盘桃、干腊、木香、丁香等，这 8 种植物均不见于今本《山海经》，说明今本《山海经》确有脱漏。

　　为提供研究我国植物、药物的史料，笔者把《山海经》所记载的植物，按各卷出现的次序汇集起来，并标注阿拉伯数字序码进行诠释。

　　在诠释每个植物时，先列《山海经》各卷所载植物的原文，按《山经》《海经》次序排列，《山经》又按南、西、北、东、中顺序编排。同一卷《山经》有若干篇者，又按篇目次第分列之。例如卷 5《中山经》，有 12 篇：分为中山经、中次二经、中次三经……中次十二经。当同一植物见录于各经时，即按上述次序，将其所载同一植物资料，汇集在一起。

　　其次是对植物药名进行诠释。诠释注文，以最早文献所注为主，然后按年代次序分述之。所引古书资料，为了避免冗繁，在不影响说明问题的前提下，摘其精要者注之。为了古为今用，在注释的同时，把历代文献对某一植物所记的资料汇纂在一起，进行分析综合，结合《山海经》所记的植物形态、产地、功用等，初步论证某一植物相当于今日的何种植物。

　　对于某些植物，前人所释有疑问时，笔者即予以重新考订。如《山海经》卷 5《中山经》："鼓镫之山，有草焉，名曰荣草，其叶如柳，其本如鸡卵，食之已风。"《本草纲目》卷 18，释荣草为土茯苓。按，土茯苓的叶子全不像柳叶，土茯苓的根呈不规则块状，也不像鸡卵。郝懿行释荣草为蘆茹，《蜀本草》说："蘆茹根如萝卜。"《神农本草经》说："蒚茹除大风。"此与《山海经》所云义合。当从郝氏所释为正。

由于《山海经》所记载的名称古老，同一品名，各人理解不同，所释的结果出入亦很大。

例如《西山经》云："上申之山。上无草木而多硌石。"孙星衍辑的《神农本草经》卷1"络石"条，即引用此文释之，要知《神农本草经》卷1"络石"乃是植物，而上申之山的硌石是矿物，二者不能因名同而联系在一起，因为上申之山言明"无草木而多硌石"，则此"硌石"当是矿物而非植物，所以，笔者亦不收"硌石"为植物。类似此例很多，此处从略。

又，本书各药注文末，附有拉丁名，仅供参考用。它不能代表原始植物名，因植物拉丁名有时代性，每个拉丁名，只能代表当时植物的种，而种在不断变异，其拉丁名也在不断地变化。《山海经》中所记载的植物，是几千年前的物种，不知变了多少次，岂能用今日的拉丁名来诠释古代植物品种。

由于本人学术水平所限，错误难免，请读者批评指正。

尚志钧

于芜湖皖南医学院弋矶山医院

1980 年 5 月

目　录

山海经植物药名注释　卷一

山海经植物药名注释 卷二

山海经植物药名注释 卷三

山海经植物药名注释　卷四

山海经植物药名注释　卷五

山海经植物药名注释 卷六

［附一］ 山海经植物佚文补遗

［附二］《山海经》研究资料

山海经植物药名注释　卷一

南山经植物药名诠释

1 桂 　　　　2 祝馀 　　　　3 迷榖

4 梂木 　　　　5 怪木 　　　　6 稻

7 稌 　　　　8 菅 　　　　9 梓

10 枏 　　　　11 荆 　　　　12 杞

13 白苔

1 桂

南山经，其首曰招摇之山[1]，临于西海之上，多桂[2]。西山经，皋涂之山，其上多桂木。

【注释】

[1] **招摇之山** 高诱注《吕氏春秋·本味》云："招摇，山名，在桂阳。"按，桂阳，汉置，以其在桂水之阳故名，今属广东连州。

[2] **桂** 晋·郭璞注《山海经》云："桂，叶似枇杷，长二尺余，广数寸，味辛，白华，丛生山峰，冬夏常青，间无杂木。《吕氏春秋》曰：'招摇之桂。'"《山海经·海内经》云："南海之内，有衡山，有菌山，有桂山。"郭璞注云："或云：'衡山有菌桂，桂圆似竹。'见《本草》。"

桂出南方，《楚辞》记录最多。如"桂树丛生兮山之幽""攀援桂枝兮聊淹留""结桂枝兮延伫""丽桂树之冬荣""构桂木而为室""沛吾乘兮桂舟""辛夷车兮结桂旗""援北斗兮酌桂浆"等。从这些词句中可以看出屈原生活的时代对桂的应用已经很普遍了。今日长沙出土的西汉轪侯家墓里，就有两种桂树干皮，一种厚、一种薄，加工成小方块或长方块。

其他书中记载桂的也很多。

《说文解字》（以下简称《说文》）云："桂，江南木，百药之长。"《说文解字系传·通释》云："锴按桂林郡以此为名。"《尔雅》云："梫，木桂。"郭璞注云："梫，南方呼桂，厚皮者为木桂。"《庄子》云："桂可食，故斧伐之。"《尸子》云："春华秋英曰桂。"《战国策》云："薪贵于桂。"《吕氏春秋》云："物之美者，招摇之桂。"《文选·蜀都赋》云："其树有木兰梫桂""菌桂临崖"。晋·刘逵注引《神农本草经》（以下简称《本草经》）曰："菌桂出交趾，圆如竹，为众药通使。"

本草中的桂有五种：《本草经》有"牡桂""菌桂"，《名医别录》有"桂"，《本草拾遗》有"月桂"，《海药本草》有"天竺桂"。前三者即今日药用的"肉桂""桂枝"，后二者即今日作香料调味品的"桂皮"，不入药用。

桂的药用：《名医别录》云："桂主温中，利肝肺气，心腹寒热冷疾，霍乱转筋、头痛腰痛，出汗、止烦、止唾、咳嗽、鼻齆，能堕胎，坚骨节，通血脉，宣导百药。"《本草经》云："菌桂，主百病，养精神，和颜色，为诸药先聘通使。"又云："牡桂，主上气咳逆，结气，喉痹、吐吸，利关节，补中益气。"《说文解字系传·通释》云："徐锴曰：按《本草》桂心，主通血脉，利肺气，能宣导百药无畏。菌桂为诸药先聘通使，是为江南百药之长也。"

桂的形态：托名晋·嵇含《南方草木状》卷中云："桂生合浦，生必以高山之巅，冬夏常青。其类自为林，间无杂树。交趾置桂园。桂有三种：叶如柏叶，皮赤者为丹桂；叶似柿叶者为菌桂；其叶似枇杷叶者为牡桂。"郭璞注《山海经》的桂（见上文）即牡桂。

《唐本草》注云："菌桂，叶似柿叶，中三道文，肌理紧薄如竹。"又云："牡桂与菌桂同，惟叶倍长。"陈藏器《本草拾遗》云："菌桂、牡桂、桂心并同是一物。"苏颂《本草图经》云："其木俱高三四丈，多生深山蛮洞中，人家园圃亦有种者，移植于岭北，则气味殊少辛辣，不堪入药也。"

按郭璞所注，《山海经》的桂应为牡桂，而陈藏器说菌桂、牡桂、桂心同为一物，《唐本草》说桂叶有三道文，此皆和今日樟科植物的肉桂相似。

按，桂为樟科植物肉桂 Cinnamomum cassia Presl。肉桂之名始于《唐本草》，《尔雅》名梫，《本草经》名菌桂、牡桂，《名医别录》《南方草木状》名桂，陈藏器《本草拾遗》说桂心、菌桂、牡桂三者同为一物也。

今日商品中，剥自肉桂树近根处的皮，以皮最厚、品质优者为肉桂。在茎部其他处剥取转薄的皮名桂皮，肉桂树的枝子名桂枝，桂枝梢的嫩枝名桂枝尖。

肉桂旧名官桂，剥去栓皮后呈红棕色，断面紫红色名桂心。肉桂以皮细肉厚、油性大、香气浓、嚼之无渣者为佳。

肉桂树的枝、叶、皮磨粉蒸制得桂油，可作香料用。

肉桂味辛，性大热，长于温肾祛寒，适用于肾阳虚内寒便溏、喘促、腰腿酸痛及脾虚寒腹痛，月经后期、月经期小腹冷痛。

桂枝长于温通经脉、散风寒解表，适用于外感风寒感冒，肩臂肢节疼痛，水湿停滞的浮肿。

2　祝馀

南山经，招摇之山[1]有草焉，其状如韭，而青华，其名曰祝馀[2]，食之不饥。

【注释】

[1] **招摇之山**　详1"桂"条注 [1]。

[2] **祝馀**　晋·郭璞注云："祝馀，或作桂荼。"清·郝懿行《山海经笺疏》说："案，'桂'疑当为'柱'字之讹，柱荼、祝馀声相近。"《说文解字系传·通释》云："荼，苦荼也。从草，余声。臣锴按《尔雅》'荼，苦菜'，即今荼茗也。又菜名，今野苦苣也，故《诗》曰：'谁谓荼苦。'又茅秀也，诗曰：'有女如荼。'《周礼》有掌荼，下士掌聚荼。《国语》曰：'白羽之矰，望之如荼。'《荆楚岁时》引揵为舍人曰：'杏华如荼，可耕白沙。'又《诗》云：'堇荼如饴。'"《尔雅》云："槚，苦荼。"《唐本草》云："茗，苦荼。"唐·陆羽《茶经》云："其名一曰荼，二曰槚，三曰蔎，四曰茗，五曰荈。"宋·寇宗奭《本草衍义》云："苦荼，即今茶也。"《本草纲目》云："杨慎《丹

铅录》云：'茶即古茶字，音途。'《诗》云：'谁谓茶苦，其甘如荠。'是也。"笔者按：前人把祝馀当作"茶"是不对的。《唐本草》称"茶"为"茶"。茶是山茶科植物，和"祝馀"条所言"其状如韭，而青华（花）……食之不饥"不相合。"状如韭"的植物很多，如石蒜科植物石蒜、天南星科植物石菖蒲、鸢尾科植物马蔺子等植物叶子皆如韭，但是它们的花皆非青色，与《山海经》所云"青华"不合。特别是百合科植物的叶子最像韭，但是它们的花也不是青色，如韭菜花是白色、大蒜花粉红色、小蒜花淡紫色、萱草花黄色、麦门冬花淡紫色、知母花紫堇色等。唯有知母花紫堇色有点像青色，古人对颜色辨别也并非绝对精确，所说的"青色"，也可能包括紫堇色。宋代苏颂《本草图经》就说知母在四月开青花，这和《山海经》所云"青华"相合。

又，知母的叶子很像韭，《本草图经》说："知母如韭。"郭璞注《尔雅》云："薚，茫藩（皆知母异名），生山上，叶如韭。"此与《山海经》所云"状如韭"相合。

知母性寒、凉而润腻，食后妨碍消化与吸收功能，导致泄泻和食欲不振，表现出不知饥饿的状态。此与《山海经》所云"食之不饥"义合。

根据以上资料来看，《山海经》的"祝馀"很像知母，疑祝馀可能是知母。

知母是比较常用的药。在古代，很多不同的地方都发现了知母的功用，因此知母异名也很多。《本草经》云："知母，一名蚳（音岐）母，一名连母，一名野蓼，一名地参，一名水参，一名水浚，一名货母，一名蝭（音匙）"。《名医别录》云："知母，一名女雷，一名女理，一名儿草，一名鹿列，一名韭逢，一名儿踵，一名东根，一名水须，一名沈燔，一名薚。"《唐本草》云："名母，一名昌支。"《尔雅》云："薚，沈藩。"释曰："知母也，一名薚，一名沈藩。"郭璞注云："生山上，叶如韭。"《说文》云："芪，芪母。"《说文解字系传·通释》云："荨，茫藩也。徐锴按本草，即知母，药也。形似菖蒲而柔润，叶至难死，掘出随生，须枯燥乃止。叶苦、寒，一名堤母。"《广雅》云："芪母，儿踵，东根也。"《玉篇》云："莐母，知母也。"《太平御览》引《范子计然》云："蝭母出三辅，黄白者善。"

知母的药用：《本草经》云："知母味苦，寒。主消渴、热中，除邪气、肢体浮肿，下水，补不足，益气。"《名医别录》云："知母，治伤寒久疟，烦热，胁下邪气，膈中恶，及风汗内痒，多服令人泄。"

知母的形态：陶弘景云："知母形似菖蒲而柔润，叶至难死，掘出随生，须枯燥乃至。"苏颂《本草图经》云："知母根黄色，似菖蒲而柔润，叶至难死，掘出随生，须燥乃止，四月开青花，如韭，八月结实，二月、八月采根暴干。"

疑祝馀或为百合科植物知母 Anemarrhena asphodeloides Bunge。按，知母，味苦，性寒，滋阴降火，润燥滑肠，治烦热消渴，骨蒸劳热，肺热咳嗽，大便燥结，小便不利。凡脾胃功能不好，大便稀者忌用。

[附] 或许有人要问，"祝馀"有没有可能是麦冬？因为麦冬叶子极似韭。《本草经》说麦冬久服不饥，陶弘景说麦冬为断谷要药，这和《山海经》所云"食之不饥"义合。其实不然，麦冬花非青色，苏颂《本草图经》云："麦冬四月开淡红花，如药蓼花。"按，麦门冬，古名蘦冬，《山海经·中山经》条谷之山、鲜山皆言其草多蘦冬。假如祝馀是麦门冬，《山海经》应当用"蘦冬"之名，不应用"祝馀"之名。

3 迷穀

南山经，招摇之山[1]，有木焉，其状如穀[2]，而黑理，其华四照[3]，其名曰迷穀，佩之不迷[4]。

【注释】

[1] **招摇之山** 详1"桂"条注 [1]。

[2] **其状如穀** 郭璞注云："穀，楮也，皮作纸。璨曰：穀，亦名构。名穀者，以其实如穀也。"《说文》《广雅》俱云："穀，楮也。"《本草经》云："楮实，一名穀实。"陶弘景注云："此即今穀（音构）树也……南人呼穀纸，亦为楮纸。"段成式《酉阳杂俎》云："构、穀，田久废必生构，叶有瓣曰楮，无曰构。"详32"穀"条注 [1]。

[3] **其华四照** 郭璞注云："言有光焰也。"按构树雌雄异株，雌株花序球形，果序亦圆球形，呈红色。果多，则红的面积亦大，样子就有点像红色光焰。

[4] **迷穀，佩之不迷** 《抱朴子》云："楮实赤者服之，老者成少，令人夜应彻视；道士梁顿，年七十乃服之，更少壮，到百四十岁能夜出行及走马。"此与经义合。（按古人活140岁是有的，现在仍有130岁人活着。1979年8月9日《中国少年报》刊登陕西延安县青化砭公社常藤大队社员吴云青照片，时年已130岁，仍健在）。

疑迷穀即桑科植物构树 Broussonetia papyrifera (L.) Vent。详32"穀"条注 [1]。

4 梂木

南山经，堂庭之山多梂木[1]。

【注释】

[1] **梂木** 郭璞注《山海经》云："梂，别名连，其子（实）似柰而赤，可食，音剌。"郝懿行《山海经笺疏》云："案，'连'当为'速'字之讹。《尔雅》云：'梂，槤其。'郭注同。"《齐民要术》卷10载有"梂"与"梓梂"两条，兹分别介绍如下。

(1) 在"梂"条，《齐民要术》引《尔雅》云："刘，刘杙。"郭璞注云："刘子生山中，实如梨，甜酢，核坚，出交趾。"又引《南方草木状》曰："刘树，子大如李实，三月花，包仍连著实，七、八月熟，其色黄，其味酢，煮蜜藏之仍甘好。"

笔者按：刘子在其他书中亦见引。如《荆扬异物志》云："刘子树生交广、武平、兴古诸郡山中。三月著花，结实如梨，七、八月熟，色黄。味甘酢，而核甚坚。"《太平御览》引吴录《地理志》云："交趾赢偻县有刘子树，出山中，实如梨，而味酸美，郡内皆有之。"《吴都赋》："楠榴之木，相思之树""探榴御霜"。刘逵注云："榴子出山中，实如梨，核坚，味酸美，交趾献之。"上面《齐民要术》根据《尔雅》"刘，刘杙"即订"梂"为"刘子"，但是《尔雅》另有"梂，槤要其"。郭璞注云："梂，别名槤其，子似柰而赤，可食。"《说文解字系传·通释》云："梂，遯其也，从梂声，读若三年导服。"把《尔雅》"刘，刘杙"的注文和《尔雅》"梂，槤其"的注文比较一下，两个注文并不相同，说明《尔雅》中"梂，槤其"和"刘，刘杙"并非同一物。那么，《齐民要术》把"梂"释作"刘子"不一定是对的。

(2) 在"梓梂"条，《齐民要术》引《异物志》云："梓梂，大十围，材贞劲，非利刚截不能克，堪作船，其实类枣，著枝叶重挠垂，刻镂其皮藏，味美于诸树。"笔者按：把《异物志》"梓棪"和上文"刘子"比较一下，"梓棪"与"刘子"也不相同。换言之，"梓棪"与"棪"是两种植物。

现在要问，《齐民要术》"棪"条，为何引《尔雅》"刘，刘杙"作释文，而不引《尔雅》"棪，㯤其"作释文呢？这是很难令人理解的。

按郭璞注《山海经》云："棪，别名连（疑连为速之讹），其子似柰而赤，可食。"至于"子似柰而赤，可食"的果树很多，如柿即似柰而赤，可食。《本草图经》云："柿之种类亦多，红柿南北通有，朱柿出华山。"《名医别录》云："柿，味甘，寒，无毒，主通鼻耳气，肠澼，不足。"

疑"棪"或为柿科植物柿树 *Diospysos kaki* L. f. 一类植物。

5 怪木

南山经，猿翼之山，多怪木[1]。又基山，其阴多怪木。

【注释】

[1] **怪木** 《太平御览》卷50引《山海经》云："南山经，基山，其阴多金、多怪木。"怪木是什么样的木，不详。

6 稻

南山经，糈用稻米。西次四经，其神祠礼。糈以稻米。海外东经，黑齿国，为人黑，食稻[1]。海内经，西南黑水之间，有都广之野，爰有膏稻。

【注释】

[1] **稻** 《诗经·豳风》云："十月获稻。"杨泉《物理论》云："稻者，溉种之总名。"颜师古《汉书》注云："稻，有芒之谷总称也。"《急就篇》云："稻黍秫稷。"《说文》云："稻，稌也。"《礼记·王制》："冬存稻。"《礼记·内则》云："牛宜稌糯。"《周礼·职方氏》云："扬州、荆州，其谷宜稻。"《诗经·周颂》云："丰年多黍多稌。"《尔雅》云："稌，稻。"郭璞注云："今沛国呼稌。"《玉篇》云："秈，粳稻也。"左太冲《蜀都赋》云："粳稻漠漠。"何晏《九州论》："河内好稻。"《字林》云："粳稻不粘者；糯，粘稻也。"《汜胜之书》云："粳稻、秫稻。"《唐本草》注云："稻者，穄谷通名。"《说文解字系传·通释》云："稻即常食，有粳，有糯。"

稻的药用：《名医别录》云："稻米，味苦，主温中，令人多热，大便坚。"《素问·汤液醪醴论》云："醪醴……必以稻米，炊之稻薪。"《本草拾遗》云："稻谷芒炊令黄，细研作末，酒服之，主黄病身作金色。"

稻的形态：《汜胜之书》云："三月种粳稻，四月种秫稻。"《淮南子》曰："稻生于水，而不生于湍急之流。"又云："蘺先稻熟。"高诱注云："蘺，水稗。"崔寔《四民月令》云："三月可种粳稻。"《诗经·豳风》："十月获稻。"（说明稻在《诗经》时代已为人们所种植，并能按期收割。）

按，稻为禾本科植物稻 *Oryza sativa* L. 稻初生芽时即晒干名谷芽，含有淀粉分解酶，能开胃消滞，用于食滞胀满、食欲不振。另有糯稻根须，能敛汗涩精、退虚热，适用于病后体虚自汗、盗汗，慢性肾炎蛋白尿，消耗性疾病低烧。

［附］《说文》云："稻，稌也。"又云："稌，稻也。"稌即稻，稻产南方。《周礼·职方氏》云："扬州（江苏南部、安徽南部、江西、浙江）、荆州（湖北、湖南），其谷宜稻。"《山海经》言"稻"凡六处，言"稌"九处，这也提示《山海经》作者为南方人，对南方情况很熟悉。

7 稌

南山经，糈[1]用稌米。南次二经、南次三经，糈用稌。北次三经，皆用稌[2]糈米祠之。中次三经、中次五经、中次八经、中次九经、中次十二经，糈用稌。

【注释】

［1］**糈**　郭璞注《山海经》云："糈，祀神之米名，先吕反。今江东音所，一音胥。稌，稌稻也，他睹反。糈或作疏，非也。"郝懿行《山海经笺疏》云："案《离骚》云：'巫咸将夕降兮，怀椒糈而要之。'故知糈祀神米名也。或音所、音胥，并方俗声转，其字或作疏，亦字随音变也。"鲁迅《中国小说史略》第2章《神话与传说》云："《山海经》……所载祠神之物多用糈（精米）。"《楚辞·离骚》云："巫咸将夕降兮，怀椒糈而要之。"王逸注："椒，香物，所以降神；糈，精米，所以享神。"《淮南子·说山训》："巫之用糈藉。"高诱注云："糈米所以享神。"

［2］**稌**　《尔雅》云："稌，稻。"《诗经·周颂》云："丰年多黍多稌。"《毛传》云："稌，稻也。"详6"稻"条注［1］。

8 菅

南山经，白菅为席[1]。西次二经、西次四经，白菅为席。西山经，天帝之山，其下多菅[2]。

【注释】

［1］**白菅为席**　《说文》云："菅，茅也。"又云："茅，菅也。"《尔雅》云："白华，野菅。"舍人云："白华，一名野菅。"郭璞注云："茅属，此白华亦是茅之类也，沤之柔韧，异其名为菅，因谓在野未沤为野菅耳。"《尔雅》："蘠，牡茅。"郭璞注云："白茅属。"《诗经·小雅·白华》云："白华菅兮，白茅束兮。"《毛传》云："白华，野菅也，已沤为菅。"《毛诗传笺》云："人刈白华于野已沤，名之为菅。"《诗经·陈风·东门之池》云："东门之池，可以沤菅。"陆玑《毛诗草木疏》云："菅似茅而滑泽无毛，根下五寸中有白粉者，柔韧宜为索，沤乃曝尤善也。"王逸注《楚辞·招魂》云："菅，茅也。菅可为索。"《士丧礼》下篇云："菅……又可为席。"《广雅》云："菅，茅也。""席者，藉以依神"。《淮南子·说山训》云："巫之用糈藉。"高诱注云："糈米所以享神；藉、菅茅

是享神之礼，用菅茅为席也。"按菅茅柔能织席，并可代替丝麻作为纺织原料用。《左传》成公九年（前582）："虽有丝麻，无弃菅蒯。"

[2] 菅　菅是什么植物呢？陆玑《毛诗草木疏》云："菅似茅而滑泽无毛，根下五寸中有白粉者，柔韧宜为索，沤之尤善。"《本草纲目》云："菅似白茅而长，入秋抽茎，开花成穗如荻花，结实坚黑，长分许，粘衣刺人，其根短硬如细竹根，无节而微甘……《尔雅》所谓白华、野菅是也。"

按《本草纲目》所云，"菅"当为禾本科植物菅 *Themeda gigantea* var. *villosa* (Poir.) Keng。

菅的根亦可入药，能解表散寒、祛风湿、利小便，适用于风寒感冒、风湿麻木或痹痛、淋病、水肿。

9　梓

南次二经，虖勺之山，其上多梓[1]。东次二经，余峨之山，其上多梓。东次三经，孟子之山，其木多梓。中次八经，纶山、大尧之山，其木多梓。中次九经，崌山、隅阳之山、岐山，其木多梓。中次十经，丙山，其木多梓。中次十一经，翼望之山，其下多梓，朝歌之山，其上多梓，瑶碧之山，婴磓之山，其下多梓，卑山，其上多梓。菫理之山、鸡山，其上多美梓。

【注释】

[1] 梓　郭璞注《山海经》云："梓，山楸也。"《说文》云："椅，梓也。"《说文解字系传·通释》云："梓，今人名腻理曰梓，质白曰楸。"《尔雅》云："椅，梓也。"郭璞注云："梓，楸属。"《毛诗》云："北山有梓""维桑与梓。"《诗经·鄘风》："椅桐梓漆。"陆玑《毛诗草木疏》云："梓者，楸之疏理白色而生子者为梓，梓实桐皮曰椅。"朱熹注云："梓，楸之疏白而生子者。四木皆琴瑟之材也。"《尸子》云："荆有长松文梓。"《史记》云："子胥告其人曰，必树梓吾墓上。"《太平御览》卷958引《汉武故事》云："中庭生梓树。"

梓的药用，《本草经》云："梓白皮，味苦，寒。主热，去三虫。叶，捣，傅猪疮；饲猪肥大三倍。"《名医别录》云："梓白皮，疗目中疾。"

梓的形态：《四声本草》云："梓树似桐，而叶小，花紫。"《本草图经》云："梓木似桐，而叶小，花紫。"陆玑《毛诗草木疏》云："梓者，楸之疏理白色而生子者，为梓。"

梓为紫葳科植物梓树 *Catalpa ovata* G. Don。按梓与楸树（*Catalpa bungei* C. A. May）是同属异种。郭璞同陆玑注中，言梓而及楸，盖古代所谓梓，往往兼楸而言也。

梓的木材色白而微软，可以制家具、琴底，所谓"桐天梓地"即是。自古以来，梓有良材之称，《书》以"梓树"名篇，《礼》以"梓人"名匠。宅旁种植桑梓，以为养生送死之具，所以"桑梓"又有故乡之称。

梓的皮、木、叶、实均入药用。梓白皮能清热、解毒、杀虫，治时病发热、黄疸、反胃、疮疥、皮肤瘙痒。梓木煎汤，能熏蒸手足痛风。梓叶捣烂敷火烂疮。梓实能利水，消浮肿。

10 枏

南次二经，虖勺之山，其上多枏[1]。西山经，石脃之山、天帝之山、翠山，其木多枏。西次二经，底阳之山，其木多枏。西次三经，符阳之山，其上多枏。北山经。敦薨之山，其上多枏。东次二经，余峩之山，其上多枏。中次六经，夸父之山，其木多枏。中次八经，纶山，其木多枏。中次十一经，朝歌之山，其上多枏，瑶碧之山，其木多枏。中次十二经，暴山，其木多枏。

【注释】

[1] 枏　郝懿行《山海经笺疏》云："案，梓枏并见，《尔雅》又'梅，枏'。郭注云：'似杏实酢。'非也。此注得之说见《尔雅》略。又《玉篇》说枏，亦本《尔雅》注而误。王引之曰：'《尔雅》以为枏，枏疑当作梅。'""枏"在古代有的地方名"梅"，后来又称为"楠"。所以郭璞注《山海经》云："枏，大木，叶似桑，今作楠音南，《尔雅》以为枏。"

《庄子》云："腾猿得杉枏，揽蔓枝而生长其间得便也。"《淮南子》云："蓺藋之生，蚑蚑然，日加数寸，不可以为枦栋楩枏。"《史记·货殖列传》云："江南出枏、梓、姜、桂。"《西京杂记》云："上林苑枏四株。"《说文》云："枏，梅也。"《诗经·陈风》云："墓门之梅。"《毛传》云："梅，枏也。"《诗经·秦风》云："有条有梅。"《毛传》云："梅，枏也。"陆玑《毛诗草木疏》云："梅树皮叶似豫章，皆谓楠树也，枏亦名梅，后世取梅为酸果之名，而梅之本意废矣。"

清·王夫之《诗经稗疏》云："有条有梅，梅亦有二：一则今之所谓梅，冬开白花，结实酸者。一则《传》所谓枏，今西川所出大木，大数十围者。"

《尔雅》云："梅，枏。"樊光注云："荆州曰梅，扬州曰枏，益州曰赤楩。"司马相如《上林赋》云："楩枏豫章。"左思《蜀都赋》云："楩枏幽蔼于谷底。"颜师古注《汉书》云："枏，今所谓楠木是也。"《吴都赋》云："楠，榴之木。"《群芳谱》云："枏生南方，故又作楠。"《本草纲目》云："枏与楠字同，南方之木，故字从南。"

枏木的药用：《本草拾遗》云："枏木枝、叶，味苦、温，无毒，主霍乱，煎汁服之。"《名医别录》云："楠材微温，主霍乱吐下不止。"

枏木的形态：《本草拾遗》云："木高大，叶如桑，出南方山中。"《本草纲目》云："叶似豫章，大如牛耳，一头尖，经岁不凋，新陈相换，花黄赤色，实似丁香色青不可食，干甚端伟，高者十余丈，粗者数围，气甚芬芳，纹理细致，性坚，耐居水中，今江南造船皆用之，堪为栋梁。"

疑枏为樟科植物楠木 *Phoebe nanmu* (Oliv.) Gamble 一类植物。

11 荆

南次二经，虖勺之山，其下多荆[1]。西山经，小华之山，其木多荆。东次二经，余峩之山，其木多荆。中次七经，敏山，上有木焉，其状如荆。中次九经，骶山，其木多荆。中次十一经，历石之山，其木多荆。中次十二经，暴山，其木多荆。

【注释】

[1] **荆** 郝懿行《山海经笺疏》云："案，《广雅》云：'楚，荆也。'牡荆、蔓荆也。"《说文》云："荆，楚木。"又云："楚，丛木，一名荆。"《说文解字系传·通释》云："荆，楚木也，锴曰，荆州因此为名也，故其国名楚。"又云："楚，丛木也，一名荆，锴曰，荆性亦丛生。"《毛诗》云："交交黄鸟，止于楚""不流束楚""绸缪束楚""言刈其楚"。注云："楚，荆也。"《礼记·考工记》云："凡取干之道士：柘为上……荆次之。"《史记》云："廉颇肉袒负荆。"《老子》曰："师之所处，荆棘生焉。"《楚辞·七谏》云："荆棘聚而成林。"《汉书》曰："宫中生荆棘，露沾衣也。"《艺文类聚》卷89引《东观汉记》云："无有交游，门生荆棘。"陆机诗云："三荆欢同株。"《东方草木状》云："荆，宁浦有三种：金荆，可作枕；紫荆，堪作床；白荆，堪作履。与他处牡荆、蔓荆全异。"顾微《广州记》云："抚纳县出金荆。"裴渊《广州记》云："白荆堪为履，紫荆堪为床。"《广雅》云："楚，荆也，牡荆、蔓荆。"按"荆"一般泛指有刺的丛生植物。《春秋繁露》云："军之所处，生以棘楚。"棘楚即有束刺的荆。本草所讲的"荆"，是指"牡荆"。

牡荆的药用：《名医别录》云："牡荆，除骨间寒热，通利胃气，止咳逆下气。叶，主久痢、霍乱、转筋、血淋、下部疮，湿蟞薄脚，主脚气肿满。"

牡荆的形态：《唐本草》云："牡荆作棰杖荆是也，实细，黄色，茎劲作树，不为蔓生，故称之为牡。"《本草图经》云："牡荆，俗名黄荆，枝茎坚劲作科，不为蔓生，故称牡。叶如篦麻更疏瘦，花红，作穗，实细而黄如麻子。"《本草纲目》云："牡荆，其木心方，其枝对生，一枝五叶或七叶，叶如榆叶，长而尖，有锯齿，五月间开花成穗，红紫色，其子大如胡荽子，而有白膜皮裹之。分青、赤二种，青者为荆，赤者为楉。"

疑《山海经》的荆为丛生有刺的植物泛称，而本草中的荆为马鞭草科植物牡荆 *Vitex cannabifolia* Sieb. et Zucc. 和蔓荆 *Vitex trifolia* L. 。

12 杞

南次二经，虖勺之山，其下多杞[1]。西山经，小华之山，其木多杞。东次二经，余峩之山，其下多杞。中次九经，騩山，其木多苣。中次十一经，历台之山，其木多苣。中次十二经，暴山多苣，又尧山多杞。

【注释】

[1] **杞** 郭璞注《山海经》云："杞，枸杞也，子赤。"《说文解字系传·通释》云："杞，枸杞也，锴按枸杞多生荒域坂岸上，故《春秋左传》曰，我有圃生之杞兮，言非其宜也。"《尔雅》云："杞，枸檵。"郭璞注《尔雅》云："今枸杞也。"《广雅》云："枸乳，苦杞也，根名地骨。"又云："地筋，枸杞也。"《诗》云："言采其苣""集于苞杞"。陆玑《毛诗草木疏》云："杞，其树如樗，

一名苦杞，一名地骨，春生，可作羹茹，微苦。其茎似莓子。秋熟正赤，茎叶及子服之，轻身益气。"《本草经》云："一名杞根，一名枸忌，一名地辅。"《名医别录》云："一名却老，一名仙人杖，一名西王母杖。"《吴普本草》云："一名羊乳。"

枸杞的药用：《本草经》云："主五内邪气，热中，消渴，周痹。"《名医别录》云："主风湿，下胸胁气、客热、头痛，补内伤，大劳嘘吸，坚筋骨，强阴，利大小肠，耐寒暑。"

枸杞的形态：《本草图经》云："春生苗，叶如石榴叶而软薄，堪食，俗呼为甜菜。其茎干高三五尺作丛。六月、七月生小红紫花，随结红实，形微长如枣核，其根名地骨。"

按，枸杞为茄科植物枸杞 *Lycium chinense* Mill. 或宁夏枸杞 *Lycium barbarum* L.。

枸杞的果实名枸杞子，能补肝肾、生精血，适用于肝肾阴虚所致腰膝酸软、头晕目眩、视物昏花。对于慢性肝炎、肝硬化属阴虚者，用本品可增强机体抗病力，从而保护肝脏不受损害。

枸杞的根皮名地骨皮，有退低烧的功效，适用于虚热和痨热（如结核病的低烧）及肺热喘咳。

杞的另一种解释为"杞柳"。《诗经》云："南山有杞""杞棘山木""隰有杞楰"。《诗经·郑风》云："无伐我树杞。"陆玑《毛诗草木疏》云："杞，柳属也，生水傍，树如柳，叶粗而白色，木理微赤，故今人以为车毂。今共北淇水旁，鲁国太山汶水边，纯生杞也。"《孟子》云："告子曰，性犹杞柳也。"又云："以人性为仁义，犹以杞柳为杯棬。"赵岐《孟子》注云："杞，柜柳也。"《南史·康绚传》："武帝筑淮堰，堰成其长九里，夹之以堤，并树杞柳。"郑樵《通志略》云："杞柳，亦曰泽柳，可为杯棬者。"《本草图经》云："杞柳，今人取其细条，火逼令柔韧，屈作箱箧，河朔尤多。"

按，杞柳是杨柳科柳属植物红皮柳 *Salix purpurea* L. 一类植物。此等柳树，材质轻软，不易挫折割裂，其枝条可编制柳箱、笆斗、簸箕、筐、竹匾，亦有将不去皮的柳条，编制油篓、水果篮等用器，与《孟子》所说"杞柳为杯棬"义合，亦与《本草图经》所说细条柔韧，屈作箱箧义合。由于杞柳能编制用器，所以杞柳在《诗经》时代就被人们所栽培了。《诗经·郑风》云："无折我树杞。"这个"树"字，就是种植的意思。

但陈嵘在《中国树木分类学》139 页中，以"杞柳（孟子）"释为枫杨（*Pterocarya stenoptera* DC.）的别名。按枫杨枝条并不能编制箱、筐，与《孟子》所言"以杞柳为杯棬"义不合。

13　白䓘

南次三经，仑者之山[1]，有木焉，其状如榖[2]而赤理，其汁如漆[3]，其味如饴[4]，食者不饥，可以释劳，其名曰白䓘[5]，可以血玉[6]。

【注释】

[1]　**仑者之山**　仑者之山在鸡山之东，郝懿行说："鸡山在云南境内。"

[2]　**其状如榖**　榖即楮树，为桑科植物构树。详 32 "榖"条注[1]。

[3]　**其汁如漆**　漆为漆树科植物漆树所产生的漆，可以漆物。详 63 "漆"条注[1]。

[4]　**其味如饴**　《说文》云："饴，米糵煎也。"《方言》云："饴谓之䬵，餳谓之餦。凡饴谓之餳，自关而东，陈、楚、宋、卫之通语也。"《名医别录》云："饴（音贻）糖甘味，微温。主补虚乏，止渴，去血。"陶隐居注云："方家用饴糖，乃云胶饴，皆是湿糖如厚蜜者，建中汤多用之。"

《蜀本图经》云："饴即软糖，北人谓之锡。粳米、粟米、大麻、白术、黄精、枳椇子等，并堪作之。性以糯米作者入药。"孟诜《食疗本草》云："锡糖补虚，止渴、健脾。"宋·寇宗奭《本草衍义》云："饴糖即锡是也。今医家用以和药，糯米与粟米作者佳，余不堪用，蜀黍米亦可造，不思食之人少食之，亦使脾胃气和。"

[5] **白蓉** 郭璞注《山海经》云："或作皋苏，皋苏一名白蓉，见《广雅》。音羔。"郝懿行《山海经笺疏》云："案，《广雅》云：'蕇苏，白蓉也。'在释草篇，此言木者，虽名为木，其实草也。正如竹之为属，亦草亦木矣。《艺文类聚》引张协《都蔗赋》云：'皋苏妙而不逮，何况沙棠与椰实。'皋苏味如饴，故以比甘蔗也，云可以释劳者。《初学记》引王朗《与魏太子书》云：'奉读欢笑以藉饥渴，虽复萱草忘忧，皋苏释劳，无以加也。'"王念孙《广雅疏证》云："高诱注《淮南子·精神训》云：'劳，忧也。'皋苏解忧忿，故曰可以释劳……应场《报庞惠恭书》：'虽萱草树背，皋苏在侧，悒忿不逞，只以增毒。'徐陵《玉台新咏序》云：'代彼萱、苏蠲兹愁疾。'"

白蓉是什么草呢？王念孙《广雅疏证》云："《方言》云：'苏、芥，草也。'白蓉草类，故一名皋苏，特其状如穀而赤理，因又以为木耳。"王氏说的含糊不清，时而说"白蓉草类"，时而又说"为木"。郝懿行《山海经笺疏》说："虽名为木，其实草也，正如竹之为属，亦草亦木矣。"

王、郝二氏仅在草、木上推敲，但白蓉究竟是什么植物没有讲清楚。

《说文解字注》云："蕇，葛属也，白华。《南山经》：'其名曰白蓉。'《广雅》曰：'蕇苏，白蓉也。'按未知即此物与否？"按《说文解字注》谓蕇是葛属植物，但葛属植物不甜，则蕇当作非葛属植物。

笔者怀疑本条《山海经》一节文中，讲的是两种植物。前段文"有木焉，其状如穀而赤理，其汁如漆"讲的是桑科植物构树（穀）；后段"其味如饴，食者不饥，可以释劳，其名曰白蓉，可以血玉"讲的是白蓉。在这两段文之间，可能脱漏"有草焉"3字。若在"其味如饴"的前面，加上"有草焉"3字，即可讲得通了。

在前段文所述，很像构树，构树一名穀，又名楮，是木类。其皮割裂流出白浆和漆树皮割口流出白浆情况相同，此与《山海经》"其汁如漆"相合。

在后一段文所述，即是皋苏。按张协《都蔗赋》所说，皋苏比沙棠、椰实甜，仅次于甘蔗。今日所知，植物甜味能和甘蔗媲美的只有甜菜。疑皋苏或为藜科植物甜菜 *Beta Vulgaris* L. 一类植物。甜菜一名菾菜，根为制糖原料。根与种子入药，能疏风清热解毒，止血生肌。

[6] **可以血玉** 郭璞注云："血谓可用染玉作光彩。"此说难以理解，不知古人如何染法。按血干则成绛黑色，并无光彩表现。郝懿行《山海经笺疏》引《大戴礼记》云："玉者犹玉，血者犹血。"卢辩注云："血，忧色也。"则"可以血玉"解释为"可以治忧"。

西山经植物药名诠释

14　松

15　乌韭

16　萆荔

17　枣

18　文茎

19　条（苘麻的一种）

20　条（韭的一种）

21　棕

22　杻（梓的一种）

23　楢

24　乔木

25　籈

26　竹箭

27　黄藿（香椿的一种）

28　麻

29　盼木（白榆的一种）

30　薰草（罗勒的一种）

31　棫（蕤核的一种）

32　榖（构树）

33　柞

34　桃枝

35　钩端

36　蕙

37　桔梗

38　菁蓉

39　杜衡

40　藁茇

41　无条（蛇床的一种）

42　竹

43　檀

44　楮

45　樱木

46　豫章

47　棠（杜梨的一种）

48　崇吾山木

49　枳

50　嘉果

51　丹木

52　榣木

53　沙棠（沙梨的一种）

54　蓇草

55　稷

56　茆

57　蕃（莎草的一种）

58　蓑

59　芘草

60　桑

61　榛

62　楛

63　漆

64　药蓏（白芷的一种）

65　芎𦶎

66　柏

67　栎

68　㯠木

69　木瓜

70　丹木（栝楼的一种）

71　瓜

14 松

西山经，钱来之山，其上多松[1]。西次四经，白于之山，其上多松。北山经，涿光之山、潘侯之山，其上多松。北次二经，诸余之山，其下多松。北次三经，咸山、谒戾之山，其上多松。中次八经，荆山、骄山、大尧之山，其木多松，族周之山，其下多松，董理之山、从山、婴䃌之山，其上多松。大荒西经，有方山者，上有青树，名曰拒格之松。

【注释】

[1] **松** 《尚书·禹贡》云："青州厥贡，铅松怪石。"《毛传》云："桧楫松舟""山有乔松"。《吕氏春秋》云："百仞之松，本伤于下，而末槁于上。"《周礼·夏官》云："其利松柏。"《左传》云："松柏之下，其草不殖。"《论语》云："岁寒然后知松柏之后凋也。"《庄子》云："霜雪既降，吾是以知松柏之茂也。"《史记·龟策列传》云："松柏为百木之长。"《本草经》云："松脂，一名松肪，一名青膏。"

松的药用：《本草经》云："松脂，主疽恶疮头疡，白秃、疥瘙风气，安五脏，除热。"《名医别录》云："松实，主风痹寒气；松叶，主风湿疮；松节，主百节久风、风虚、脚痹、疼痛。"

松的形态：《群芳谱》云："松，多节，盘根，樛枝，皮粗厚，望之如鳞，四时常青。"

按，松是松科植物各种松。如：油松树 Pinus tabulaeformis Carr. 或马尾松 Pinus massoniana Lamb. 等一类植物。

油松树木材致密，富于油脂，极能耐久，适用于建筑用材。油松树的节名松节，味苦，性温，能祛风燥湿，适用于筋骨、关节风湿痹痛。

15 乌韭

西山经，小华之山，其草有萆荔，状如乌韭[1]。

【注释】

[1] **乌韭** 本草中的"乌韭"，因生长地方不同而名称各异。生长在石上名乌韭，生长在石墙上名垣衣，生长在屋瓦上名屋游。乌韭、垣衣、屋游三者各有很多别名，有些别名相互通用，极易混淆。三者所指实物不全相同，兹将三者简介如下。

（1）乌韭：郭璞注《山海经》云："乌韭，在屋者曰昔邪，在墙者曰垣衣。"《唐本草》注云："其生石上者曰昔邪，一名乌韭。"又云："此物即石衣也，一曰石苔，又名石发，生岩石阴不见日处，与卷柏相类也。"《本草拾遗》云："石衣即阴湿处山石上苔长者，可四五寸，又名乌韭。"《广雅》云："石发，石衣也。"

石衣、石发生在水中者，其名称又不同。如《尔雅》云："藫，石衣也。"郭璞注云："水苔也，一名石发，江东食之。"《风土记》云："石发，水苔也。"石发和水苔又各有很多同名异物和异名同物。为了避免问题扯远，此处从略，回到乌韭题目上讲。

乌韭药用：《本草经》云："乌韭，味甘、寒，主皮肤往来寒热，利小肠膀胱气。"《名医别录》云："乌韭疗黄疸、金疮、内塞，补中益气，好颜色。"陈藏器《本草拾遗》云："乌韭烧灰沫发令黑。"

乌韭形态：《唐本草》注云："乌韭即石衣也，与卷柏相类也。"陈藏器《本草》云："乌韭，青翠茸茸，似苔而非苔也。"今日蕨类植物陵齿蕨科乌蕨 *Stenoloma chusanum* 亦名乌韭，生阴湿岩石上，全草可供药用，治烫火伤，民间用作解毒及治黄疸病。但乌蕨的形态和陈藏器《本草》所讲的乌韭形态并不相同，盖古今乌韭名同实异。

（2）垣衣：《广雅》云："昔邪，乌韭也，在屋曰昔邪，在墙曰垣衣。"《名医别录》云："垣衣，一名昔邪，一名乌韭，一名垣嬴，一名天韭，一名鼠韭。"《唐本草》注云："垣衣即古墙北阴青苔衣也；其生石上者名昔邪，一名乌韭，屋上者名屋游。"《酉阳杂俎》引梁·简文帝《咏蔷薇》诗云："依檐映昔邪"。

垣衣的药用：《名医别录》云："垣衣，味酸，无毒。主黄疸、心烦、咳逆，血气暴热在肠胃，金疮内塞。久服补中益气长肌，好颜色。"又云："主暴风口喋，金疮。"日华子云："垣衣，治卒心病中恶。"

垣衣形态：《唐本草》注云："垣衣即是古墙北阴青苔衣也。"日华子云："垣衣即是阴湿地被日丽起苔藓是也。"按苔藓是植物界的一个门类的泛称。苔藓植物门分为苔纲和藓纲两纲。全世界约有四万多种，我国苔类约六百种，藓类约一千五百种。

（3）屋游：陶弘景《本草经集注》云："屋游，此瓦屋上青苔衣也，剥取煮服之。"《蜀本草·图经》云："古瓦屋北青苔衣也。"《名医别录》云："屋游，味甘、寒。主浮热在皮肤往来寒热，利小肠膀胱气，生屋上阴处。"

乌韭除作垣衣、屋游的名称外，又是麦门冬的异名。《说文解字系传·通释》云："草历似乌韭，乌韭即麦门冬。"《太平御览》卷989"麦门冬"条云："麦门冬，秦名乌韭。"《本草纲目》卷16"麦门冬"条释名云："麦门冬，秦名乌韭。"按徐锴《说文解字系传》所注，本条"乌韭"应释"麦门冬"才对。

16　萆荔

西山经，小华之山[1]，其草有萆荔[2]，状如乌韭，而生于石上，亦缘木而生，食之已心痛。

【注释】

[1] **小华之山** 《山海经》云："小华山在太华山西。"郭璞注云："太华山即西岳华阴山也，今（指晋时）在宏农华阴县西南。"按，华阴县即今陕西华阴。

[2] **草荔** 郭璞注《山海经》云："草荔，香草也。葴庚两音。"郝懿行《山海经笺疏》云："草荔，《说文》作草蘺，《离骚》作薜荔，并古字通。"又云："案，《说文》云：'草蘺似乌韭。'蘺当为历，徐锴《系传》正作历。其以乌韭为麦门冬，谬也。麦门冬，叶虽如韭，不名乌韭。《广雅》云：'昔邪，乌韭也。'《本草》云：'乌韭生山谷石上。'《唐本草》苏恭（敬）注谓之石苔。然则此物盖与今石华相类，苍翠茸茸，如华附石，其味清香，故《离骚》：'贯薜荔之落蕊。'王逸注云：'薜荔，香草也，缘木而生。'是薜荔即草荔。郭注本王逸为说也。"

按，郝氏《山海经笺疏》，薜荔即草荔，对不对呢？笔者认为不对。薜荔又名木莲，《本草纲目》卷18下"木莲"条云："木莲名薜荔、木馒头，音壁利，《山海经》作草（草）荔。"陈藏器《本草拾遗》云："薜荔贲缘树木，三五十年渐大，枝叶繁茂，叶长二三寸，厚若石韦，生子（实）似莲房，打破有白汁，停久如漆，中有细子，一年一熟。"苏颂《本草图经》"络石"条云："薜荔与此极相类，但茎叶粗大如藤状。"《尔雅翼》云："今薜荔叶厚实而圆，多蔓，好生岩石上，若罔，故云罔薜荔分为帐也。或贲缘上木，古木之上有绝大者，开花结实，上锐而不平，外青而中瓤，经霜则瓤红而甘，乌鸟所啄，童女亦食之，谓之木馒头，亦曰鬼馒头，其状如饼中馒头也，食之发瘴"。

诸书所讲薜荔的形态，全不像乌韭。《唐本草》注乌韭谓之石苔，薜荔一点也不像石苔。

"草荔"既然不像本草所说的薜荔，那么，会不会和《楚辞》所说的"薜荔"相同呢？回答，也不是。《楚辞·离骚》云："贯薜荔之落蕊。"王逸《章句》曰："薜荔，香草，缘木而生。蕊，实也。贯香草之实，执持忠信貌也。薜荔虽有实，然所取芳者不于实。"按王逸所注"薜荔"形态，有蕊，有实，和一般名为木莲的薜荔相同。由于薜荔是藤状，蔓生若罔，故《楚辞·九歌》云："罔薜荔兮为帐""被薜荔兮带女萝"。所以《楚辞·离骚》讲的"薜荔"仍是木莲。

假若《山海经》的"草荔"就是今日"薜荔"，那么《山海经》"乌韭"就不是郝氏《山海经笺疏》中所释的"乌韭"。郝氏《山海经笺疏》中引《唐本草》注乌韭谓之"石苔"，但"石苔"全不像薜荔，所以《山海经》中的"乌韭"当另是一物。

笔者认为郝氏《山海经笺疏》中所释的"薜荔"和"乌韭"，二者必有一误。

从《山海经》"生于石上，亦缘木而生，食之已心痛"来看，草荔确实像薜荔。但是郝氏《山海经笺疏》释此文又说："案，本草陶注云：'垣衣主治心烦咳逆。'"

郝氏的意思谓草荔、薜荔、乌韭、垣衣同为一物，故以《本草》垣衣的"主治心烦咳逆"，来释"（草荔）食之已心痛"。其实"薜荔"和"垣衣"的形态相差甚远。

总之，郝氏对草荔、乌韭的《山海经笺疏》不能自圆其说。

笔者对草荔、乌韭另做解释如下。

草荔可能是《本草经》的蠡实。《名医别录》云："蠡实，一名荔实。"《说文》云："荔，似蒲而小，根可为刷。"《广雅》云："马蔺，荔也。"《颜氏家训》云："《月令》云：'荔挺出。'郑康成注云：'荔挺，马荔也。'《易统验玄图》云：'荔挺不出，则国多火灾。'"《吴普本草》云："蠡实，一名剧荔华。"司马相如《子虚赋》云："高燥则生葳、析、苞、荔者也。"苏颂《本草图经》云："蠡实，马蔺子也。"《齐民要术》引《广州记》云："东风草，香气似马蔺。"《说文解字系传·通释》云："蔺，莞属也，从竹，阎声，臣锴按荔也，一名马蔺。"

蠡实亦名荔，又称马蔺。《本草图经》云："马蔺叶似薤而长厚，三月开紫碧花，五月结实，作角子如麻大而赤色有棱，根长通黄色，人取以为刷。"所以草荔可释为荔实（马蔺子）。

关于乌韭，同名异物很多。除上述昔邪、垣衣名乌韭外，麦门冬亦称乌韭。《太平御览》卷989"麦门冬"条云："秦名乌韭。"《说文解字系传·通释》云："草，雨衣，一曰蓑衣，从竹，卑声，一曰草历，似乌韭。臣锴按，《春秋左传》齐师遇雨，陈成子衣制杖戈注云：'制雨衣，制与草声相近。乌韭，即麦门冬。'"

按徐锴《说文解字系传》所释，草莇草能制雨衣，而草历像乌韭，乌韭名麦门冬，说明麦门冬有乌韭的异名。换言之，草莇草的形态像麦门冬，所以本条的乌韭，应释为麦门冬，不能释为垣衣。

再看"草荔"的"草"字，《说文》云："草，雨衣，一曰蓑衣。"又云："棕，栟榈也，可作草，草雨衣也。"由此可知，"草荔"是能够编制雨衣（蓑衣）的草。《山海经》说："草荔状若乌韭。"麦门冬的异名称乌韭，那也就是说，草荔形态像麦门冬。现今的马蔺子极像麦门冬，马蔺子又名荔（见《说文解字系传》），古名荔实，《本草经》名蠡实。所以，草荔应是蠡实。从《证类本草》引苏颂《本草图经》说："马蔺叶似薤而长厚"也像麦门冬。而今日的马蔺子的形态极像麦冬。此与《山海经》"其草有草荔，状如乌韭"相合。又《名医别录》云："蠡实（荔实）治心烦满。"亦与《山海经》"食之已心痛"相合。

所以把草荔释为蠡实（荔实、马蔺子），乌韭释为麦门冬全文都能讲得通。如把草荔释为薜荔、乌韭释为垣衣，薜荔和垣衣毫无相似之处，根本讲不通。而且薜荔是木本藤生，既不是草，也不能编制雨衣，和《山海经》"其草草荔"亦不相合。

按，草荔，似为鸢尾科植物马蔺（荔实）*Iris ensata* thunb.（Iris pallasii Fisch）。马蔺叶味酸、咸，治喉痹、痈疽、淋病。马蔺花味咸、酸、微苦，性凉，清热解毒、止血、利尿，治喉痹、吐血、衄血、小便不利、淋病、痈疽、疝气。马蔺根叶甘，性平，清热解毒，治喉痹、痈疽、风湿痹痛。马蔺子味甘、平，无毒，清热利湿、解毒、止血，治黄疸、泻痢、吐血、衄血、血崩、白带、喉痹、痈肿。

17 枣

西山经，符禺之山，有木焉，其实如枣[1]。西次三经，不周之山，爰有嘉果，其叶如枣。东次四经，北号之山，有木焉，其状如杨，赤华，其实如枣而无核，其味酸甘，食之不疟。中次三经，骒（音巍）山，其上有美枣。

【注释】

[1] **枣** 《尔雅》云："枣，壶枣。"郭璞注云："今江东呼枣大而锐上者为壶枣。"《尔雅》云："皙，无实枣。"郭璞注云："不著子者。"《尔雅》云："洗，大枣；边，要枣；櫅，白枣；杨彻，齐枣；遵，羊枣；煮，填枣；蹶泄，苦枣；樲，酸枣；还味，棯枣。"

枣在古代深受人们重视，它可以当作粮食吃。《诗经·豳风》把枣与稻并提，云："八月剥枣，十月获稻。"《大戴礼记·夏小正》亦云："八月剥枣。"《周礼·天官》云："馈食之笾，其实枣栗。"《礼记·内则》云："枣栗饴蜜以甘之。"《左传》云："女挚不过榛枣栗。"《孟子》云："曾皙嗜羊枣。"《韩非子》云："蔬菜、橡果、枣、栗，足以活民。"《史记·货殖列传》云："安邑千树枣，其人与千户侯等。"司马相如《上林赋》云："樗枣，杨梅。"张衡《南都赋》云："若有园圃，乃有樗枣若榴。"（据段玉裁《说文解字注》所言，樗枣不是枣，而是一种柿。段氏说："按，樗即《尔雅》遵，羊枣也，郭云：'实小而圆紫黑色，今俗为羊矢枣，引孟子曾皙嗜羊枣。'何氏焯曰：'羊枣非枣也，乃柿之小者，初生色黄，熟则黑，似羊矢，其树再接则成柿矣。'"）《名医别录》云："大枣，一名干枣，一名美枣，一名良枣。"何晏《九州论》云："安平有好枣。"

枣的药用：《本草经》云："大枣，补少气、少津液，身中不足，大惊，四肢重，和百药。叶复麻黄，能令出汗。"《名医别录》云："大枣，补中益气，强力，除烦闷，疗心下悬，肠澼。"

枣的形态：《本草纲目》云："枣木赤心有刺，四月生小叶，尖觥光泽。五月开小花，白色微青。南北皆有，惟青、晋所出者，肥大甘美，入药为良。"

按枣为鼠李科植物枣 *Ziziphus jujuba* Mill. var. *inermis* (Bunge) Rehd. 一类植物。

枣树木材坚韧，致密而质重，为制器具及雕刻良材。其果实名大枣，味甘，性温，调补脾胃，益气生津，缓解挛急，适用于脾胃虚弱、妇人脏躁症，缓和药物刺激（如甘遂、芫花）。大枣亦有补血作用，并能降低血清胆固醇。

18 文茎

西山经，符禺之山[1]，其上有木焉，名曰文茎[2]，其实如枣，可以已聋。

【注释】

[1] **符禺之山** 《水经》云："渭水又东过华阴县，北注，有符禺之山。"华阴县在今陕西省。

[2] **文茎** 郝懿行《山海经笺疏》云："案，《艺文类聚》引束皙《发蒙记》云：'甘枣令人不惑。'疑因此经下文相涉而误。当云：'甘枣令人不聋。'孟诜《食疗本草》云：'甘枣主耳聋。'是也。又《本草经》云：'山茱萸，一名蜀枣。'《别录》云：'主耳聋。'"

郝氏《山海经笺疏》中，根据"主耳聋"提出两种枣，即甘枣、蜀枣（山茱萸），但未确定何者是文茎。

笔者认为文茎应释为甘枣。《山海经》中对某些相同的植物常冠以"甘"字。如《海外北经》"平丘，爰有甘柤、甘华"、《海外东经》"长差丘，爰有甘果"、《大荒南经》"翠山有甘木"等。所谓甘枣，乃是泛指枣中味甜而美者。《礼记·内则》云："枣、栗、饴、蜜以甘之。"枣在古代亦作粮食用，《诗经》把"枣"与"稻"并提。《诗经·豳风》云："八月剥枣，十月获（收割）稻。"《韩非子》云："蔬菜、橡果、枣、粟，足以活民。"《史记·货殖列传》云："安邑千树枣，其人与千户侯等。"说明"枣"在古代深为人们所重视。关于枣，详17"枣"条注[1]。

疑文茎为鼠李科植物枣树品种中的一种。

19 条

西山经，符禺之山[1]，其草多条[2]，其状如葵而赤，花黄，实如婴儿舌，食之使人不惑。

【注释】

［1］**符禺之山** 详18"文茎"条注［1］。

［2］**条** 《山海经》言"条"有两处，即"石脆之山，其草多条，其状如韭"和此处。而此处所言"条"，状如葵，故以"葵条"名之。葵的品种很多，本草有菟葵、冬葵、龙葵、蜀葵、黄蜀葵、锦葵等。但冬葵花淡红、龙葵花白、锦葵花淡紫，皆与"葵条"所言"状如葵而赤，花黄"不同。蜀葵花黄，但《本草》说蜀葵久食钝人性灵，与"葵条"食之使人不惑相抵触。按，锦葵科植物苘麻，茎青或红紫色，花黄，与"葵条"相近，苘麻的种子呈褐色脊形，样子有点像婴儿的舌头，此与《山海经》"实如婴儿舌"相合。

苘，《说文》云："荣，枲属。引《诗》：'衣锦荣衣。'或作蕧，又作苘，音与项亩之项同"。又云："裂，菜也。引《诗》：'衣锦裂衣。'示古反。"

《唐本草》云："苘实，味苦、平、无毒。主赤白冷热痢，散服饮之，吞一枚，破痈肿。"《唐本草》注云："一作蕧字，人取皮为索者也。"

《蜀本草·图经》云："树生高四尺，叶似苎，花黄，实壳如蜀葵，子黑，古方用根，八月采实。"

苏颂《本草图经》云："苘实，北人种以绩布及打绳索，苗高四五尺，或六七尺，叶似苎而薄，花黄，实带壳如蜀葵中子黑色，九月、十月采实，阴干用。"

疑"葵条"为锦葵科植物苘麻 *Abutilon theophrasti* Medicus 一类植物。

苘麻全草味苦，性平，解毒祛风，治痫疾，中耳炎、耳鸣、耳聋，关节酸痛。苘麻子味苦，性平，无毒，治赤白痢、目翳、痈肿、瘰疬。

20　条

西山经，石脆之山[1]，其草多条[2]，其状如韭而白华，黑实，食之已疥。

【注释】

［1］**石脆之山** 《水经》云："渭水又东过郑县，北注，有石脆之山。"按，郑县在今陕西渭南华州区。

［2］**条** 按《山海经》讲条有两处，同名异状。《西山经》符禺之山的条"其状如葵"，而此处条状如韭，故以"韭条"名之。郝懿行《山海经笺疏》云："案，条草与上文同名异状，又韭亦白华黑实也。"按百合科植物韭菜，亦是白花黑实，其根能治癣疮疥。与《山海经》"其草多条，其状如韭而白华，黑实，食之已疥"相合。

疑"韭条"为百合科植物韭 *Allium tuberosum* Rottler ex sprengel 一类植物，详77"韭"条注［1］。

21　棕

西山经，石脆之山，天帝之山，翠山，其木多棕[1]。西次二经，高山，其木多棕。西次三经，符惕之山，其木多棕。西次四经，号山，其木多棕。北山经，敦薨之山，其上多棕，涿光之山，其下多棕。北次三经，高是之山，其木多棕。中次四经，熊耳之山，其下多棕。中次六经，夸父之山，其上多棕。中次十二经，暴山，其木多棕。

【注释】

[1] **棕** 郭璞注《山海经》云："棕树高三丈许，无枝条，叶大而员，枝生梢头，实皮相裹，上行一皮者为一节，可以为绳，一名栟榈，音马鬣之鬣。"郝懿行《山海经笺疏》云："案，李善注《西京赋》引此注作并闾。《广雅》云：'栟榈，棕也。'《说文》云：'棕，栟榈也，可作草，草雨衣也。'《玉篇》云：'棕榈，一名蒲葵。'《类聚》引《广志》曰：'棕，一名并闾，叶似车轮，乃在巅下，有皮缠之，附地起，二旬一采，转复上生。'是其形状也。郭注枝生梢头。'枝'，《藏经本》作'岐'，二字通。"《证类本草》卷14"棕榈"条引《山海经》曰："石脆之山，其木多棕。"《本草纲目》卷35"棕榈"条引文同《证类本草》。

按，棕是棕榈科植物，约有236属、3400多种，我国有16属、60种，主产于南方。

我国记载棕的文献也很早，《山海经》就是其中之一，其他古书多有记载。《汉书·司马相如列传》云："仁频并闾。"张揖注《上林赋》云："并闾，棕也，皮可以为索，今之棕绳也。"李善注《南都赋》亦引张揖的注："并闾，棕也，皮可以为索。"扬雄《甘泉赋》云："攒栟榈与茇葀分。"汉枚乘《七发》云："梧桐并闾，极望成林。"汉·许慎《说文》云："棕，栟榈也，可作草，草雨衣也。"《说文解字注》云："棕，栟榈也，可作草，草，雨衣也。今人园林中，多剥取棕皮以覆屋，雨水渐渍，不为损坏，故可以作草矣。"又云："栟，栟榈，棕也。"

棕榈的名称很多，各书所记，互不一致。《艺文类聚》卷89引《广志》曰："棕，一名并闾。"《广雅》曰："并闾，棕也。"吴录《地理志》曰："武陵临沅县多并闾木，生山中。"陈藏器《本草拾遗》曰："栟榈，一名棕榈。"《嘉祐本草》作"棕榈"。《玉篇》《广韵》俱云："棕榈一名蒲葵。"托名嵇含《南方草木状》云："蒲葵如栟榈而柔薄，可为葵笠，出龙川。"

棕的药用：《本草拾遗》云："栟榈木皮，味苦、涩、平，无毒。烧作灰，主破血、止血。"《嘉祐本草》云："棕榈子，平，无毒。涩肠，止泻痢、肠风、崩中、带下，及养血。皮，平，无毒。止鼻洪、吐血；破癥，治崩中带下、肠风、赤白痢。入药烧灰用。"

棕的形态：《艺文类聚》引《广雅》云："棕，一名栟榈，叶似车轮，乃在巅下，有皮缠之，附地起，二旬一采，转复上生。"郭璞注《山海经》云："棕树高三丈许，无枝条，叶大而员，枝生梢头，实皮相裹，上行一皮者为一节，可以为绳。"《本草图经》云："六、七月生黄、白花，八、九月结实，作房和鱼子，黑色。"

盖棕榈杆面上的苞毛缕如马之鬣，故有棕名。

又《广韵》《玉篇》皆释棕榈为蒲葵。蒲葵即棕榈科植物蒲葵 Livistona chinensis（Jacq.）R. Br. 一类植物。

按棕为棕榈科植物棕榈（栟榈）Trachycarpus fortunei（Hook.）H. Wendl. 一类植物。其秆面上苞毛，名棕皮，性坚韧而善耐水，可供制绳索、网、地毯、床褥、毛刷及蓑笠雨具等。其叶柄基部的棕皮煅炭后名棕皮炭，以陈久者为好，名陈棕炭。陈棕炭味苦而涩，善于止血，多用于妇科崩漏出血。

22 杻

西山经，英山、大时之山，其木多杻。西次二经，钤山、数历之山，其木多杻。西次四经，申山，其下多杻。中山经，甘枣之山，其上多杻木。中次八经，陆𨙫之山，其木多杻。中次九经，女儿之山、崌山、岐山、玉山、葛山，其木多杻。中次十经，繁缋之山，涿山、丙山，其木多杻。中次十一经，依轱之山，游戏之山、丰山、鲜山、奥山、几山，其木多杻。中次十二经，风伯之山，即公之山、尧山、真陵之山、阳帝之山，其木多杻。

【注释】

[1] 杻　郭璞注《山海经》云："杻，似棣而细叶，一名土橿，音纽。"郝懿行《山海经笺疏》云："案，《尔雅》云：'杻，檍。'郭注与此同。"《尔雅》云："杻，檍。"郭璞注云："似棣，细叶，叶新生可饲牛，材中车辋，关西呼杻子，一名土橿。"《诗经·唐风》："隰有杻。"《说文》："檍作𣐊，梓属。"《说文解字系传·通释》云："𣐊，梓属，大者可为棺椁，小者可为弓材，从木𣐊声。锴按《尔雅》：'杻，檍。'《周礼》弓人职取干之道，柘为上，檍次之。"

杻的形态：陆玑《毛诗草木疏》云："隰有杻。杻，檍也。叶似杏而尖白色，皮正赤，为木多曲少直，枝叶茂好可爱，二月中叶疏。华如楝而细，蕊正白，子似杏。盖此树今官园种之，取亿万之义，改名曰万岁。山下人或谓之牛筋，或谓之檍。材可为弓弩干也。"清·王元綖《野蚕录》云："杻蚕生杻条上，杻科生类荆，叶似棣，四月开白花成穗。其条可为筐筥。无论老干新枝，皮皆槎簌，俗名肘条，即杻字之讹。按《尔雅》：'杻，檍。'檍，《说文》作𣐊，云梓属，殆楸之类也。大者可为棺椁，小者可为弓材。按檍、𣐊古今字。"

从陆玑所疏来看，杻很像椴树科植物椴一类植物。陆玑说杻叶似杏而尖白色，皮正赤，蕊正白，而椴树的叶子如杏而尖，花黄白色，很像杻。辽宁所产的糠椴亦称杻。

疑杻或为椴树科植物糠椴 *Tilia mandschurica* Rupr. et Maxim. 一类植物。

23 檀

西山经，英山，瑜次之山，大时之山，其木多檀[1]。西次二经，钤山，数历之山，其木多檀。西次四经，申山，其木多檀。北山经，涿光之山，其下多檀。中山经，历儿之山，其上多檀。中次八经，陆𨙫之山，其木多檀。中次九经，女儿之山，其木多檀。中次十一经，丰山、依轱之山、游戏之山、奥山，其木多檀。中次十二经，阳帝之山，其木多檀。

【注释】

[1] 檀　郭璞注云："檀木中车材，音姜。"郝懿行《山海经笺疏》云："《说文》云：'檀，枋也，枋木可作车。'"《说文解字系传·通释》云："檀，枋也，一曰锄，柄名。臣锴按檇，一名木檀，此名檀，则类坚致之木也，今俗人尚谓锄柄为锄。"又云："枋木可作车。锴按《字书》云：'枋，檀木也。'"

疑檀为山毛榉科植物檀子栎 Quercus baronii Skan 一类植物。本木材坚实能耐磨擦，此与郭璞所注"檀木中车材"及徐锴说"檀则坚致之木也，可以制锄柄"皆义合。又檀子树产河南、山西等省山地及四川岷江上流，此与《山海经》所说檀出西山经、中山经诸山义合。

24　乔木

西山经，竹山，其上多乔木[1]。

【注释】

[1] **乔木**　郭璞注云："枝上竦者为乔木。"郝懿行《山海经笺疏》云："案，《尔雅》云：'木上句曰乔。'"《毛诗》曰："南有乔木。"《尔雅》云："句如羽，乔。上句曰乔，如木楸曰乔。"

按，乔木是高大植物的泛称，一般木本植物主干明显而直立，植株一般高大，分枝繁茂，分枝离地面较高处形成树冠者，称为乔木，如松树、杉树等高大树木。

25　簲

西山经，英山，其阳多簲[1]。中次四经，牡山，其下多竹簲。中次十一经，求山，其木多簲。中次十二经，暴山，其木多簲。

【注释】

[1] 簲　郭璞注云："簲，筱属。"又云："今汉中郡出簲竹，厚裹而长节，根深，笋冬生地中，人掘取食之。音媚。"郝懿行《山海经笺疏》云："案，《玉篇》云：'簲竹，长节，深根，笋冬生。'《广雅》云：'箭簲，筊也。'《广志》作篃，见《初学记》《水经注》作媚。"晋·戴凯之《竹谱》云："簲，亦箘徒，概节而短……簲是箭竹类，一尺数节，叶大如履，可以作篷，亦中作矢，其笋冬生。"《本草纲目》云："簲竹一尺数节，出荆南，小竹如筱。"

按，簲竹叶如履，很多箬竹，箬竹叶宽大而长，可以裹粽，衬垫茶叶篓，或供制防雨用品。簲似为禾科植物箬竹 Indocalamus tessellatus（Munro）Keng f. 一类植物。

26　竹箭

西山经，竹山、英山，其阳多竹箭[1]。瀚次之山、黄山、翠山，其下多竹箭。

北次三经，太头之山，其下多竹箭。中次二经，蔓渠之山，其下多竹箭。中次四经，牡山，其下多竹箭。中次六经，夸父之山，其木多竹箭。中次十二经，暴山，其木多竹箭。

【注释】

[1] **竹箭** 有的书上称箭竹。郭璞注云："箭，筱也。"郝懿行《山海经笺疏》云："案，《说文》云：'筱，箭属，小竹也。'"《礼记·月令》："日短至，则伐木取竹箭，《礼记·礼器》："其在人也，如竹箭之有筠也。"《说文》云："箭，矢竹也。"又云："筱，箭属，小竹也。"《尚书》云："扬州厥贡筱，簜。"注云："筱，箭竹；簜，大竹。"《尔雅》云："筱，箭。"《家语》："南山之竹，不搏自直，斩而为箭，射达犀革。"晋·戴凯之《竹谱》云："箭竹，高者不过一丈，节间三尺，坚劲中矢，江南诸山皆有之，会稽所生最精好。"《说文解字系传·通释》云："箭，矢也，锴曰，《尔雅》有会稽之竹箭，即合箭干也。"《本草纲目》云："竹劲者，可以为戈刀箭矢，谓之矛竹、箭竹。"

按，竹箭即禾本科植物华西箭竹 *Sinarundinaria Nitida*（Mitford）Nakai 一类植物。

27 黄藋

西山经，竹山有草焉，其名曰黄藋[1]，其状如樗，其叶如麻，白华而赤实，其状如赭，浴之已疥，又可以已胕[2]。

【注释】

[1] **黄藋** 郝懿行《山海经笺疏》云："案，《说文》云：'疥，瘙也。'此草浴疥，可以祛风痒。《本草·别录》云：'对庐，主疥，煮洗之，似庵𦱤。'即此也。"按，郝氏认为本条"黄藋"即是《本草·别录》中的"对庐"。

笔者不同意郝氏之说。按《证类本草》卷30云："对庐，味苦，寒，无毒，主疥，诸久疮不疗，生死肌，除大热，煮洗之，八月采，似庵𦱤。"《证类本草》卷6"庵𦱤"条，陶隐居注云："状如蒿艾之类。"苏颂《本草图经》注云："庵𦱤叶如蒿艾。"据陶、苏所注庵𦱤形态，则对庐亦当似艾蒿之类，此与"黄藋其状如樗，其叶如麻，白华而赤实，其状如赭"全不相同。郝氏单凭"治疥"一点推测黄藋为"对庐"是不足信的。

黄藋不是对庐，那是什么呢？

《山海经》说："黄藋，其状如樗。"哪些植物像樗呢？古书记有"樗、樗、栲、漆，相似如一"，即橁、栲、漆等树像樗。现在再比较一下，看这三种树，哪一种树的形态和功用像黄藋。

"栲"，是壳斗科植物锥属的俗称，或名栲栗。栲树或栲栗的形态和功用皆不像黄藋，漆树也不像黄藋，只有"橁木"有点像。橁木即香椿，和樗（臭椿）极相似，本草中常把椿、樗合并述之。

椿树的花白色，种子椭圆形有翅，呈暗褐色，种子在翅中心呈圆凸起状，颜色和形状极像代赭石表面的圆凸起，此与《山海经》文"白华而赤实，其状如赭"义合。又椿树叶煮汁能洗疮疥，此与经文"浴之已疥"义合。根据椿树的形态及功用同黄雚相似，疑黄雚为楝科植物香椿 *Cedrela sinensis*（A. Juss.）一类植物。详131"樗木"注［1］。

［2］**已胕** 郭璞注云："治胕肿也音符。"《素问·水热穴论》云："上下溢于皮肤，故为胕肿。胕肿者，聚水而生病也。"《山海经》单言"胕"。《丹溪心法》云："跗内廉胕痛。"

28 麻

西山经，竹山，有草焉，其叶如麻[1]。又浮山有草焉，麻叶而方茎。海内经，九丘，有木，其实如麻。

【注释】

［1］**麻** 古代文献对麻的记载很早。《诗经》云："丘中有麻。"《楚辞·九歌》云："折疏麻兮瑶华。"《荀子·劝学篇》："蓬生麻中，不扶而直。"

麻亦名枲。《说文》云："麻，枲也。"《尔雅》云："枲，麻。"

麻亦名荣。《毛诗》云："衣锦荣衣。"注云："荣，枲属。"（《中国经济植物志》谓"荣即苎麻"。）

麻在古代当作棉衣絮用。《论语·子罕篇》云："衣敝缊袍。"《孔传》云："缊，枲著也。"《皇侃义疏》云："以碎麻著裹也。"《列子·杨朱篇》云："宋国有田夫衣缊黂。"

麻有实者名黂，高诱注《淮南子》云："黂，麻之有实者。"《尔雅》云："黂，枲实。"《齐民要术》引孙炎注云："黂，麻子也。"《诗经·周南·桃夭》云："有蕡其实。"《毛传》云："蕡，实貌也。"《周官·少牢下篇》云："麦蕡坐设于豆西。"郑注云："蕡，熬枲实也。"《广雅》云："黂，麻实也。"

麻子亦名苴，又名蒉，《诗经·豳风》云："九月叔苴。"《毛传》云："苴，麻子。"《说文》云："蒉，枲实也。"《说文解字系传·通释》云："枲麻有子，凡禾、麦、黍、麻、菽、豆，皆所贵者。"又云："芋，麻母也，一曰芋即枲，锴案《尔雅》注：'麻盛子者也。'"

麻在古代作纺织物用。《禹贡》云："青州厥贡丝枲。"《诗经·陈风》云："东门之池，可以沤纻"（《中国树木分类学》谓纻即纻麻）"不绩其麻"。陆玑《毛诗草木疏》云："纻亦麻也……今南越纻布，皆用此麻。"《诗经·卫风》所云"衣锦褧衣"的"褧"，被认为是苘麻，亦作荣麻。《礼记·内则》云："女子执麻枲。"《盐铁论·散不足》云："古者庶人耋老而后衣丝，其余则麻枲而已，故命曰布衣。"布衣指一般群众穿的衣服。《孟子》云："麻缕丝絮，轻重不同，则价相若。"《齐民要术》云："获麻之法，穗（雄大麻花序）勃勃如灰，拔之……勃如灰，便刈（收割）。"

麻子在古代当作食物。《礼记》云："仲秋之月，天子食麻如犬。"《尔雅翼》云："以《诗》黍、稷、稻、粱、禾（粟）、麻（麻子）、菽（豆）、麦为八谷。"《毛诗》云："九月叔苴。"郭璞注《尔雅》云："苴，麻之盛子者也。"《礼记》云："苴，麻之有蕡者。"注云："有子之麻为苴，皆谓子尔。"

麻子在古代作烛照明用。《淮南子·说林训》云："黂烛捔粗膏。"

麻的药用：《本草经》云：“麻蕡，主五劳七伤，利五脏，下血寒气；麻子，主补中益气。”《名医别录》云：“麻蕡，破积、止痹、散脓；麻子，主中风汗出，逐水，利小便，破积血。”又云：“苎根，主小儿赤丹；渍苎汁疗渴，安胎。”

麻的形态：《本草纲目》云：“大麻，即今火麻……雄者为枲（有花无实），雌者为苴，大科如油麻，叶狭而长，状如益母草，一枝七叶或九叶，五、六月开细黄花成穗，随即结实，大如胡荽子，可取油，剥其皮作麻，其秸白而有棱，轻虚可为烛心。”

按，麻的品种很多，有火麻、苎麻、苘麻等。

火麻为桑科植物大麻 Cannabis sativa L. 一类植物。其果仁名火麻仁，有缓泻作用，适用于习惯性便秘，捣烂煮糊服效佳。

苎麻为荨麻科植物苎麻 Boehmeria nivea（L.）Gaudich. 一类植物，能清热解毒、散瘀止血，适用于血淋、吐血、下血、赤白带下、痈肿、漆疮。

苘麻为锦葵科植物苘麻 Abutilon theophrasti Medicus 一类植物。全草能止痢、关节酸痛，鲜叶捣烂外敷肿毒，能利水通淋。

29　盼木

西山经，浮山[1]多盼木[2]，枳叶而无伤[3]，木虫居之[4]。

【注释】

[1] **浮山**　郝懿行《山海经笺疏》云：“此山在今陕西临潼县南。”

[2] **盼木**　郭璞注云：“音美目盼兮之盼。”

郝懿行《山海经笺疏》云：“案，郭既音盼，知经文必不作盼，未审何字之讹。”

笔者疑为“枌”之讹。《诗经·陈风》云：“东门之枌。”《毛传》云：“枌，白榆也。”《说文解字注》云：“枌，枌榆也。枌榆者，榆之一种，汉初有枌榆社，是也。梗，山枌榆有束（刺）。山枌榆又枌榆之一种也，有束（刺）故名梗榆，即《齐民要术》所谓刺榆者也。”《尔雅》云：“榆，白枌。”郭璞注云：“榆先生叶，却著荚，皮色白。”盖枌即榆的异名。

榆的药用：《本草经》云：“榆皮味甘，平，主大小便不通，利水道，除邪气，久服轻身，不饥。其实尤良，一名零榆。”《名医别录》云：“无毒，主肠胃邪热气，消肿，性滑利，疗小儿头疮痂疥。花主小儿痫，小便不利，伤热。”陶隐居云：“此即今榆树，剥取皮，刮除上赤皮。性至滑利，初生荚仁，以作糜羹，令人多睡。稽公所谓：榆，令人瞑也。断谷乃屑其皮，并檀皮服之，令人不饥。”《本草图经》云：“榆皮入药，今孕妇滑胎方，多用之。小儿白秃，发不生，捣末苦酒调涂之。”

榆的形态：《本草图经》云：“榆，今处处有之，三月生荚仁，古人采以为糜羹，今无复食者，惟用陈老实作酱耳。然榆之类有十数种，叶皆相似，但皮及木理有异耳。白榆先生叶，却著荚，皮白色，剥之刮去上粗皱，中极滑白，即《尔雅》所谓：‘榆，白枌也。’”

疑榆为榆科植物榆树 Ulmus pumila L. 一类植物。榆树亦名枌榆，又名白榆。

[3] **枳叶而无伤**　郭璞注云：“枳，刺针也，能伤人，故名云。”郝懿行《山海经笺疏》云：“案，《小尔雅》云：‘枳，害也。’郭注《方言》云：‘《山海经》谓刺为伤也。’本此。《广雅》云：

'伤，箴也。'此注针当为箴。"

郭璞所注"枳叶而无伤"，讲的似指刺榆。按，榆有很多种，除去白榆外，还有刺榆。苏颂《本草图经》云："刺榆有针刺如柘，则古人所茹者，云美滑于白榆。"《诗经·唐风》云："山有枢。"陆玑《毛诗草木疏》云："枢，其针刺如柘，其叶如榆，沦为茹，美滑于白榆，榆之类有十种，叶相似，但皮及木理异尔。"《尔雅》云："枢，荎。"郭璞注云："《诗经》曰：'山有枢。'今之刺榆。"《本草拾遗》云："刺榆秋实。"

刺榆有刺，白榆无刺，经文"枳叶而无伤"说明了白榆的形态，谓白榆是枳叶而无伤（刺）。

[4] **木虫居之** 郭璞注云："在树之中。"

30　薰草

西山经，浮山[1]有草焉，名薰草[2]，麻叶而方茎，赤华而黑实，臭如蘼芜，佩之可以疠。

【注释】

[1] **浮山**　郝懿行《山海经笺疏》说："山在今临潼县南。"

[2] **薰草**　薰的同名异物很多。如菌、蕙、燕草、零陵香等皆名薰。而且蕙、零陵香等又各自有同名异物。例如零陵香，就有好几种。唐代陈藏器《本草拾遗》所讲的零陵香形态和《山海经》中的"薰"是一样的，但宋代沈括《梦溪笔谈》所讲的零陵香是今日的灵香草，它们的这些名字又互相通用，极易混淆，现在简单地介绍如下。

薰作菌的别名。

《楚辞·离骚》："杂申椒与菌桂兮。"王逸注云："菌，薰也。叶曰蕙，根曰薰。"西晋·刘渊淋注《蜀都赋》云："菌，薰也，叶曰蕙，根曰薰。"《广雅》云："菌，薰也，其叶谓之蕙。"

薰亦名蕙。

郝懿行《山海经笺疏》云："案，《广雅》云：'薰草，蕙草也。'托名晋·稽含《南方草木状》云："蕙草，一名薰草，叶如麻，两两相对，气如蘼芜，可以止疠，出南海。"《名医别录》云："薰草，一名蕙草，生下湿地。"《史记索隐·司马相如列传》引《本草》云："薰草，一名蕙草。"又引《广志》云："薰草，绿叶紫花，魏武帝以此烧香。"又云："今东下田有此草，茎叶似麻，其华正紫也。"陶弘景《本草经集注》"薰草"条注引《药录》云："叶如麻，两两相对。"又引《山海经》云："薰草麻叶而方茎，赤花而黑实，气如蘼芜，可以已疠。"

蕙的同名异物，即兰蕙之蕙，详36"蕙"条注[1]。

薰作燕草的别名：

南北朝·沈怀远《南越志》云："燕草，又名薰草。"陶弘景《本草经集注》云："俗人呼燕草状如茅而香为薰草，人家颇种之。"

薰亦名零陵香：

《证类本草》卷9"零陵香"条引陈藏器《本草拾遗》云："按，薰草即蕙根也，叶如麻，两两相对，此即零陵香。"同书卷30"薰草"条引陈藏器云："薰即蕙根，此即是零陵香，一名燕草。"

《本草图经》云："零陵香，今湖、岭诸州皆有之，多生下湿地。叶如麻，两两相对，茎方，气如蘼芜，常以七月中旬开花，至香，古所谓薰草是也。或云，蕙草亦此也。"

零陵香的同名异物：

沈括《梦溪笔谈》云："零陵香，本名蕙，古之兰蕙是也，又名薰，唐人谓之铃铃香，亦谓之铃子香，谓花倒悬枝间如小铃也。至今京师人买零陵香，须择有铃子者。铃子，乃其花也。文士以湖南零陵郡，遂附会名之，后人又收入《本草》，殊不知《本草》正经自有薰草条，又名蕙草，注释甚明。南方处处有，《本草》附会其名，言出零陵郡，亦非也。"

根据以上资料来看，和薰有联系的植物共有4种：一是《山海经》所说的"薰"，"麻叶而方茎，气如蘼芜，以"薰"作主名；二是"菌"，以"薰"作"菌"的别名；三是"燕草"，状如茅而香，以"薰"作"燕草"的别名；四是"零陵香"，花倒悬枝间如小铃者，以"薰"作"零陵香"的别名。这4种植物的共同点是都有香味，但与《山海经》的"薰"相符的，当指第1种麻叶而方茎、气如蘼芜者，其余3种皆不是"薰"的正品植物。

至宋代《开宝本草》，把上述4个植物中的1、3、4混合在一起，统名"零陵香"。《开宝本草》原书已佚，《证类本草》卷9引有《开宝本草》的"零陵香"，兹抄录如下：

"零陵香，味甘、平，无毒。主恶气疰，心腹痛满，下气，令体香，和诸香作汤丸用之，得酒良。生零陵山谷，叶如罗勒。《南越志》名燕草，又名薰草，即香草也。《山海经》云：'薰草，麻叶方茎，气如蘼芜，可以止疬，即零陵香也。'"

其实《开宝本草》所说"零陵香"，是包括《山海经》的"薰草"、《南越志》的"燕草"以及沈括所说的"铃子香"，这3个植物都称为"薰草"，也皆名"零陵香"，因此三者的同名异物混乱现象就纠缠不清了。

江苏新医学院主编《中药大辞典》2470页"零陵香"条，讲的是报春花科植物灵香草（即沈括所说的铃子香）。但是它在"异名"中，把《山海经》的"薰草"、《南越志》的"燕草"，都当作"灵香草"的别名来看待了。其实《山海经》的"薰草"是麻叶方茎，两两相对，气如蘼芜，和灵香草全不相同，而《南越志》的"燕草"是状如茅而香，也和灵香草不同。所以《山海经》的"薰草"、《南越志》的"燕草"，不能当作"灵香草"的别名。

那么，《山海经》的"薰草"是什么植物呢？

从《山海经》所讲"薰草"的形态"麻叶而方茎，两两相对，气如蘼芜"来看，很像罗勒、九层塔一类植物，这些植物都是麻叶而方茎，气味有点像蘼芜。

疑《山海经》的薰草是唇形科植物罗勒 Ocimum basilicum L. var. pilosum（willd）Benth 一类植物。

按薰草，古代亦作香及药用。

《淮南子·说林训》云："腐鼠在坛，烧薰于宫。"《汉书·龚胜传》云："薰以香自烧。"《说文解字系传·通释》云："薰，香草，从草熏声。臣锴按薰草、蘼芜。又《博物志》云：'东方君子国，薰草华，朝朝生华也。'"王念孙《广雅疏证》卷10上释草："薰草，蕙草也。"子引之述云："《左传·僖公四年》：'一薰一莸。'杜注云：'薰，香草……古者祭则煮之以祼。'《周官·郁人》疏引《王度记》云：'天子以鬯，诸侯以薰，大夫以兰，芷。'"《名医别录》云："薰草，味甘，平，无毒。主明目，止泪，疗泄精，去臭恶气、伤寒、头痛、上气腰痛。一名蕙草，生下湿地，三月采阴干，脱节者良。"《药性论》云："薰草亦可单用，味苦，无毒，能治鼻中息肉、鼻齆，主泄精。"

31　棫

西山经，瑜次之山，其上多棫[1]。

【注释】

[1]　棫　棫的同名异物有二：一是白桵，另一是柞。本条棫，按郭璞所注，释为白桵。至于柞，详33"柞"条注[1]。

郭璞注《山海经》云："棫音域，白桵也。"《尔雅》云："棫，白桵。"郭璞注云："白桵，小木，丛生，有刺，实如耳珰，紫赤，可啖。"《说文》云："桵，白桵，棫也。"《说文解字系传·通释》云："棫，白桵，云山中木也。藂生有刺，实如耳珰，紫赤可啖。"《诗经·大雅》云："芃芃棫朴。"《毛传》云："棫，白桵。朴，抱木也。"焦循《毛诗补疏》云："循按薛综《西京赋》注云：'棫，白蕤也，蕤与桵声同。'唐·庞懋贤《文昌杂录》云：'关中有白蕤，芃芃丛生。'民家多采作薪，与他木异；其烟直上如线，高五七丈不绝，此纪其所目验。"《本草纲目》云："《尔雅》：'棫，白桵。'此即蕤核，其花实蕤下垂，故谓之桵，后人作蕤。柞木亦名棫，而物异。"

蕤核的药用：《本草经》云："蕤核，主心腹邪结气，明目，目赤痛伤泪出。"《名医别录》云："蕤核，主目肿眦烂，齆鼻，破心下结痰，痞气。"

蕤核的形态：《蜀本图经》云："树生叶细似枸杞而狭长，花白，子附茎生，紫赤色，大如五味子，茎多细刺，六月熟。今生雍州（今陕甘一带）。"

按，棫为蔷薇科植物蕤核（扁核木）*Prinsepia uniflora* Batal. 一类植物。其果仁名蕤仁，能疏风清热、明目退翳，治风热所致目赤肿痛，亦治翳膜遮睛。此处棫亦为柞的别名，即陆玑《毛诗草木疏》引《三苍》云："棫即柞也，其材理全白，无赤心者，为白桵，直理易破，可为犊车。"按《三苍》所云棫是大的木材，与郭璞所注"白桵，小木，丛生，有刺"全不相同，详33"柞"条注[1]。

32　榖

西山经，大时之山，上多榖[1]。西次四经，阴山、中山，其上多榖。崦嵫之山，其上多丹木，其叶如榖。东次二经，曹夕之山，其下多榖。中山经，霍山，其木多榖。中次四经，箕尾之山多榖。中次五经，首山，其阴多榖，良余之山，其上多榖。升山，其木多榖。中次六经，榖山，其上多榖。中次八经，铜山、衡山、仁举之山，琴古之山，其木多榖。中次十经，涿山，其木多榖。中次十一经，丰山、大支之山、声匈之山、游戏之山、其木多榖。中次十二经，龟山、真陵之山，多榖。南山经，招摇之山，有木焉，其状如榖。南次三经，仑者之山，有木焉，其状如榖。

【注释】

[1] 縠　郭璞注《山海经》云："縠，楮也，皮作纸。"璨曰：縠，亦曰构。名縠者，以其实如縠也。"郝懿行《山海经笺疏》云："案，陶弘景注《本草经》云：縠即今构树是也。縠、构古同声，故縠亦名构。或曰：'叶有瓣曰楮，无曰构。'非也。见陆玑《诗疏》。"

《管子·地员》云："五位之士，其槐其棟，其柞其縠。"

《诗经·小雅·鹤鸣》云："其下维縠。"《毛传》云："縠，恶木也。"陆佃《埤雅》云："縠，恶木也，而取名于縠者，縠善也，恶木谓之縠，则甘草谓之大苦之类也。"

陆玑《毛诗草木疏》云："縠，幽州人谓之縠桑，或曰楮桑，荆、扬、交广谓之縠，中州人谓之楮。殷中宗时，桑、縠共生是也。今江南人绩其皮以为布，又捣以为纸，谓之縠皮纸，长数寸，洁白光辉。其裹甚好，其叶初生，可以为茹。"斐渊《广州记》曰："蛮夷取縠皮熟挞为揭裹布，铺以拟毡。然则虽恶木，用亦博矣。"

《广雅》云："縠，楮也。"《韩非子·喻老》云："宋人有为其君，以象为楮叶者，三年而成。"晋·崔豹《古今注》云："桑实为葚，楮实为任。"

魏·贾思勰《齐民要术》云："楮宜涧谷间种之，地欲极良。秋上楮子熟时，多收净、淘、曝令燥。"《名医别录》云："楮实，一名縠实。"陶弘景注云："此即今縠（音构）树也……南人呼縠，亦为楮纸。"段成式《酉阳杂俎》云："构、縠，田久废必生构，叶有瓣曰楮，无瓣曰构。"《日华子》云："皮斑者是楮，皮白者是縠。"宋·郑樵《通志略》云："楮亦谓之縠，其实入药，其皮造纸，济世之用也。桑、縠共生者即此也。"

縠的药用：《名医别录》云："楮实味甘、寒，无毒。主阴痿水肿，益气，充肌肤，明目。主小儿身热，食不生肌，可作浴汤，又主恶疮生肉。树皮主逐水利小便。茎主瘾疹痒，单煮洗浴。皮间白质疗癣。"

縠的形态：《本草图经》云："縠有二种：一种皮者斑花纹，谓之斑縠，今人用为冠者；一种皮无花纹，枝叶大相类，其叶似葡萄叶，作瓣而有子者为佳。其实初夏生，如弹丸，青绿色，至六、七月渐深红色，乃成熟。"

陆玑《毛诗草木疏》云："江南人，绩其皮以为布，又捣以为纸，谓之縠皮纸，其叶初生，可以为茹。"

按，縠即楮树，为桑科植物构树 *Broussonetia papyrifera* (L.) Vent 一类植物。树皮汁能治癣，树皮能制纸，旧日的桑皮纸即由此树皮所制成。树叶可以喂猪。其果实味甘，寒，滋肾、清肝、明目；治虚劳，目昏，目翳，水气浮肿。由于縠树用处多，又出于南方，且《山海经》对"縠"记录的次数比其他植物多，这就提示《山海经》的作者是南方人，对南方情况很熟悉。

33　柞

西山经，大时之山，多柞[1]。西次四经，申山，其上多柞。中次五经，首山，其阴多柞，良余之山，其上多柞。升山，其木多柞。中次八经，铜山、衡山、仁举之山、琴鼓之山，其木多柞。中次十经，涿山，其木多柞。中次十一经，丰山、大支之山，其木多柞。中次十二经，龟山、真陵之山多柞。

【注释】

[1] **柞** 柞的同名异物有二：一是柞木（凿子树）；一是柞栎（麻栎）。本条"柞"，释为"柞木。"至于"柞栎"，详67"栎"条注[1]。

《说文》云："柞，木也，增络反。"《诗经》云："维柞之枝，其叶蓬蓬。"又云："陟彼高冈，析其柞薪。"《诗经·大雅》云："瑟彼柞棫""柞棫拔矣"。陆玑《毛诗草木疏》云："《三苍》云：'棫即柞也，其材理全白无赤心者为白桵。'直理易破，可为犊牛车轴，又可为矛、戟、镶。"《太平御览》卷958引周处《风土记》云："柞官，舜所耕，多作柞树。"郑樵《通志略》云："柞木曰棫、曰棚、曰杼。"《本草纲目》卷36"柞木"条云："此木坚韧，可为凿柄，故俗名凿子木。"

柞木药用：陈藏器《本草拾遗》云："柞木皮，味苦、平、无毒。治黄疸病，皮烧末，服方寸匕。"《本草纲目》云："柞木皮，治鼠瘘、难产、催生，利窍。叶主肿毒、痈疽。"

柞木形态：《本草纲目》云："柞木高者丈余，叶小而有细齿，光滑而韧，木及叶丫皆有针刺，经冬不凋，五月开碎白花，不实，心理皆白色，俗名凿子木。"

按，柞木为大风子科植物柞木 *Xylosma congesta* Merrill 一类植物。

另有柞栎亦作柞木。《诗经·秦风》云："山有苞栎。"陆玑《毛诗草木疏》云："秦人呼柞栎为栎，河内人呼木蓼为栎，此秦诗也，宜从其方土之言，柞栎是也。"郝懿行《尔雅义疏》云："今东齐人通谓栎为柞，或曰朴樜，亦曰薄樜，皆苞栎之声相转耳。"《尔雅》云："栩，杼。"郭璞注云："柞树。"陈启源《毛诗稽古编》云："唐之苞栩，秦之苞栎，皆有柞栎之名。"王元綖《野蚕录》云："红柞叶尖而长，无歧缺，锐如针，实与栎相似，木皮作红，故名红柞，一名栩。"《艺文类聚》卷89引《毛诗草木疏》云："栩，今柞，壳为斗。"按，"壳为斗""红柞实与栎相似"，此与李时珍所说"柞木五月开碎白花，不实"全不相同，李时珍所说的柞木，应是壳斗科植物麻栎 *Quercus acutissima* Carr. 一类植物。详67"栎"条注[1]。

34 桃枝

西山经，嶓冢之山，其上多桃枝[1]。中次八经，纶山、骄山，其木多桃枝，又龙山，其草多桃枝。中次九经，高梁之山，騩山，其木多桃枝。

【注释】

[1] **桃枝** 《尔雅》云："桃枝，四寸有节。"郭璞注云："今桃枝节间，相去多四寸。"《玉篇》云："篍簩，桃枝竹。"《魏志》云："倭国有桃枝竹。"裴氏《广州记》云："广州有桃枝竹。"《竹谱》云："桃枝竹，皮滑而黄，可以为席。"《周官》云："司几筵加次席。"郑注云："次席，桃枝席。"《太平御览》引《东观汉记》云："车皆以桃枝细簟。"又引魏武帝与杨彪书云："今赐足下银角桃枝一枚。"左思《蜀都赋》云："灵寿，桃枝。"刘逵注云："桃枝，竹属，可以为杖。"

桃枝竹的药用：《本草拾遗》云："桃竹笋，味苦，有小毒。主六畜疮中蛆，捣碎纳之，蛆尽出。"

桃枝竹的形态：《本草拾遗》云："桃竹丛生，丑类非一。"《本草纲目》卷27"桃竹笋"条云："桃枝竹出川广中，皮滑而主，犀纹瘦骨，四寸有节，可以为席。"

疑桃枝竹为禾本科植物刚竹 *Phyllosachys reticulate* Koch 一类植物。秆性强硬，有"钢铁头"之称。初出土时色稍红而有斑花，故又名"鬼角竹。"此与《本草拾遗》所云"丑类非一"和《本草纲目》所说"犀纹"等皆相符。

35 钩端

西山经，嶓冢之山，其上多钩端[1]。中次八经，骄山，其木多钩端，龙山，其草多钩端。中次九经，高梁之山，其木多钩端。

【注释】

[1] **钩端** 《广韵》云："钩端，竹名，出南岭。"《广雅》云："钩端，桃枝也。"详34"桃枝"条注[1]。

36 蕙

西山经，天帝之山，其下多蕙[1]。又嶓冢之山，有草焉，其叶如蕙。西次二经，中皇之山，其下多蕙。中次五经，升山，其草多蕙。《艺文类聚》卷81引《山海经》云："外山之下，其草蕙。"

【注释】

[1] **蕙** 蕙的同名异物有三：①蕙作为茵的别名；②蕙作为薰的别名；③蕙指兰蕙。本条蕙，按郭璞所注，释为兰蕙。

(1) 兰蕙：郭璞注《山海经》云："蕙，香草，兰属也。或以蕙为薰叶失之。音惠。"《楚辞·离骚》云："余既滋兰之九畹兮，又树蕙之百亩。"《楚辞·九歌》云："蕙肴蒸兮兰藉，奠桂酒兮椒浆。"《楚辞·九章》云："悲回风之摇蕙兮。"《楚辞·招魂》云："光风转蕙汜崇兰。"《楚辞·七谏》云："联蕙藏以为佩兮，过鲍肆而失香。"刘向《九叹》云："怀兰蕙与蘅藏兮，行中野而失散。"

上述文句，都是汉代和汉以前的词句，在这些词句中，兰、蕙都是并提的。

兰蕙亦可入药用：《证类本草》卷30载《名医别录》药"蕙实"条引陈藏器云："五月收，味辛香，明目。正应是兰蕙之蕙。"按陈藏器所云，《名医别录》的"蕙实"即兰蕙。《名医别录》云："蕙实，味辛，主明目，补中。根茎中涕，疗伤寒寒热，出汗，中风，面肿，消渴，热中，逐水。生鲁山平泽。"宋·吴仁杰《离骚草木疏》卷1"蕙"条，亦引《证类本草》"蕙实"为说。

按郭璞所注，疑本条"蕙"或为兰科植物蕙兰 *Cymbidium faberi* Rolfe 一类植物。

(2) 蕙作茵的别名：《楚辞·离骚》云："茵，薰也，叶曰蕙，根曰薰。"刘逵注《蜀都赋》云："茵，薰也，叶曰蕙，根曰薰。"《广雅》云："茵，薰也，其叶谓之蕙。"《楚辞·九怀》云："茵阁兮蕙楼。"

(3) 蕙作薰的别名，郝懿行《山海经笺疏》云："案，《广雅》云：'茵，薰也，其叶谓之蕙。'

本《离骚》王逸注为说也。《广雅》又云：'蕙草，蕙草也。'故《南方草木状》云：'蕙草，一名薰草。'是蕙即薰也。《草木状》又云：'叶如麻，两两相对，气如蘼芜，可以止疠，出南海。'与上文浮山薰草，名义相合。是张揖、嵇含，并以蕙、薰为一草也，但不以蕙为薰叶耳。郭氏不从《离骚》注，故云失之。"从郝氏《山海经笺疏》中可以看出，蕙即薰的别名。《名医别录》云："薰草，一名蕙草。"关于薰草，详30"薰草"条注[2]。

37　桔梗

西山经，嶓冢山有草焉，其本如桔梗[1]。

【注释】

[1] **桔梗**　郝懿行《山海经笺疏》云："案，《广雅》云：'犁如，桔梗也。'《本草》作'利如'。《太平御览》引《吴普本草》云：'一名卢如，叶如荠苨，茎如笔管，紫赤。'《庄子·徐无鬼》释文引司马彪云：'桔梗，治心腹血瘀痕痹。'"

《管子·地员》："五位之士，群药安生，姜与桔梗。"《庄子·徐无鬼》云："药也，其实堇也。桔梗也，鸡雍也，豕零也，是时为帝者也。"《战国策·齐策》云："今求柴胡、桔梗于沮泽，则累世不得一也。"《说文》云："桔，直木也。"注云："桔，桔梗，药名。"《尔雅》云："苨，隐荵。"陶弘景注《本草》云："桔梗，叶名隐荵。"《广雅》云："犁如，桔梗也。"《名医别录》云："桔梗，一名利如，一名房图，一名白药，一名梗草，一名荠苨。"《吴普本草》云："桔梗，一名符蔰，一名卢如。"

桔梗的药用：《本草经》云："桔梗，叶辛微温，主胸胁痛如刀刺，腹满，肠鸣幽幽，惊恐，悸气。"《名医别录》云："桔梗，苦，有小毒。主五脏肠胃，补血气，除寒热风痹，温中，消谷，疗喉咽痛，下蛊毒。"司马彪注《庄子》云："桔梗，治心腹血瘀痕痹。"

桔梗的形态：《本草经》云："桔梗，根如小指大，黄白色，春生苗，茎高尺余，叶似杏叶而长椭，四叶相对而生，嫩时亦可煮食之，夏开花紫碧色，颇似牵牛子花，秋后结子，叶名隐忍，其根有心，无心者乃荠苨也。"

按，桔梗为桔梗科植物桔梗 *Platycodon grandiflorus*（Jacq.）A. DC. 一类植物。桔梗有止咳祛痰作用，可用于外感咳嗽、喑哑、肺痈、咳吐腥臭痰，能引药达上焦，对于阴虚火旺咳嗽，如痰中带血者慎用。

38　荐蓉

西山经，嶓冢之山[1]，有草焉，其叶如蕙[2]，其本[3]如桔梗[4]，黑华而不实，名曰荐蓉[5]，食之使人无子。

【注释】

[1] **嶓冢之山** 郝懿行云："山在今甘肃秦州西南六十里。"

[2] **蕙** 详36"蕙"条注 [1]。

[3] **本** 即根的意思。

[4] **桔梗** 即桔梗科植物桔梗，有止咳祛痰功用。

[5] **菁蓉** 郭璞注《山海经》云："《尔雅·释草》曰：'荣而不实，谓之菁，音骨。'"郝懿行《山海经笺疏》云："案，郭引《尔雅》脱'英'字。《玉篇》《广韵》并有'菁'。菁蓉从草，皆后人所加也。《管子·地员篇》说：'木属有骨容。''骨'，古字作'胃'，与'骨'形近易混，疑'骨容'即'胃容'也，但草木区别，疑未敢定焉。"

39 杜衡

西山经，天帝之山[1]，有草焉，其状如葵[2]，其臭如蘼芜[3]，名曰杜衡[4]，可以走马[5]，食之已瘿[6]。

【注释】

[1] **天帝之山** 《山海经》云："天帝之山在嶓冢之山西。"郝懿行说："嶓冢之山在今甘肃秦州西南。"

[2] **葵** 《说文》云："葵，菜也。"《楚辞·离骚》曰："蔂虫不能从乎葵菜。"《诗经·豳风》云："七月烹葵及菽。"《士虞礼记》云："若薤有滑，夏用冬葵。"《尔雅翼》云："葵为百菜之王，味尤甘滑。"按，冬葵性滑，作菜食，疑《山海经》所讲的葵，似指冬葵而言。冬葵为锦葵科植物冬葵 *Malva Verticillate* L. 一类植物。

[3] **蘼芜** 郭璞注《山海经》云："蘼芜，香草。"《尔雅》云："蕲茝，蘼芜。"郭璞注《尔雅》云："香草，叶小如萎状。"《管子》曰："五沃之土生蘼芜。"《楚辞·九歌》曰："苑蘼芜与菌若兮""秋兰兮蘼芜"。《淮南子·氾论训》云："夫乱人者，蛇床之与蘼芜也。"《淮南子·说林训》云："蛇床似蘼芜而不能芳。"高诱注云："蛇床臭，蘼芜香。"司马相如《上林赋》云："被以江离，揉以蘼。"《本草经》云："蘼芜，一名芎䓖。"《唐本草》云："蘼芜有二种，一种似芹叶，一种如蛇床，香气相似。"《蜀本草·图经》云："蛇床似小叶芎䓖，花白。"《本草纲目》云："嫩苗未结根时，则为蘼芜，既结根乃为芎䓖；大叶似芹者为江离；叶细似蛇床者为蘼芜。"按文献所记，蘼芜为川芎的苗叶，川芎是伞形科植物川芎 *Ligusticum wallichii* Franch 一类植物。

[4] **杜衡** 杜衡的同名异物有二：一是杜衡，二是杜若的别名。此外，在唐代以"及己"作杜衡，宋代以"细辛"当杜衡。

(1) 杜衡：郭璞注《山海经》云："杜衡，香草也。"郝懿行《山海经笺疏》云："案，《尔雅》云：'杜，土卤。'郭璞注云：'杜衡也，似葵而香。'《广雅》云：'楚衡，杜衡也。'《文选》注引《范子计然》云：'秦衡出于陇西天水。'《史记索隐·司马相如列传》引张辑云：'衡，杜衡，生天帝之山。'"

按杜衡，古书记载较早，除《山海经》外，《楚辞》亦有记载。《楚辞·离骚》云："畦留夷与揭车兮，杂杜衡与芳芷。"玉逸注云："杜衡、芳芷皆香草也。"《楚辞·七谏》云："弃捐药芷与杜衡兮。"《史记索隐·司马相如列传》引《博物志》云："杜衡，一名土杏，其根一似细辛，叶如葵。"《本草纲目》云："杜衡，又名土卤、马蹄香、杜葵、土细辛。"

杜衡的药用：《山海经》云："杜衡可以走马，食之已瘿。"《名医别录》云："杜衡，味辛、温，无毒，主风寒咳逆，香人衣体。"《药性论》云："杜衡能止气奔喘促，消痰饮，破流血，主项间瘤瘿之疾。"

杜衡的形态：《尔雅》云："杜，土卤。"郭璞注云："杜衡也，似葵而香。"陶弘景《本草经集注》云："杜衡根叶都似细辛，惟气小异尔。"《唐本草》注云："杜衡叶似葵，形如马蹄，故俗名马蹄香，生山之阴水泽下湿地，根似细辛、白前等。"苏颂《本草图经》云："杜衡，春初于宿根上生苗，叶如马蹄形状，高二三寸，茎如麦蕈粗细，每棵上有五七叶，或八九叶，别无枝蔓。又于叶茎间蹑内芦头上贴地生紫花，其花似见不见，闻结实如豆大，窠内有碎子似天仙子，苗叶俱青，经霜即枯，其根成窠，有似饴（饭）帯密闹细，长四五寸，微黄白花，味辛。江淮俗呼为马蹄香。"

按，杜衡为马兜铃科植物杜衡 *Asarum forbesii* Maxim. 一类植物。

杜衡味辛，性温，无毒，能散风寒、消痰行水、活血、平喘、止痛，可治风寒感冒，痰饮喘咳，水肿，风湿，跌打损伤，头疼，龋齿痛，疝气腹痛。

（2）杜衡作杜若的别名：《本草经》云："杜若，一名杜衡。"陶弘景《本草经集注》云："《楚辞》云：'山中人兮芳杜若。'此者一名杜衡，今复别有杜衡不相似。"苏颂《本草图经》云："杜若，一名杜衡，而中品自有杜衡条。杜衡《尔雅》所谓土卤者，杜若《广雅》所谓楚衡者也。"按《本草图经》所说，杜衡、楚衡、杜若等名称互不相通。

（3）唐代以"及己"代杜衡用：《唐本草》注云："杜衡根似细辛、白前等。今俗以及己代之。谬矣。及己独茎，茎端四叶，叶间白花，殊无芳气，有毒，服之令人吐。惟疗疮疥，不可乱杜衡也。"《本草纲目》云："古方吐药，往往用杜衡者，非杜衡也，乃及己也。及己似细辛而有毒，吐人。昔人多以及己当杜衡，杜衡当细辛，故尔错误也。"

（4）宋代以杜衡代"细辛"用：苏颂《本草图经》云："细辛，其根细，其味极辛，故名之曰细辛，今人多以杜衡当之。"《本草衍义》云："杜衡用根，似细辛，但根色白，叶如马蹄之下，市者往往乱细辛……将杜衡与细辛相对，便见真伪，况细辛惟出华州者良，杜衡其色黄白，拳局而脆，干则作团。"沈括《梦溪笔谈》云："东方南方所用细辛，皆杜衡也。又谓之马蹄香。色黄白，拳局而脆，干则作团，非细辛也。细辛出华山，极细而直，深紫色，味极辛，嚼之习习如生椒，其辛更甚于椒，故《本草》云：'细辛水渍令直。'是以杜衡伪为之也。"

[5] **可以走马** 郭璞注云："带之令人便马，或曰马得之而健走。"

[6] **瘿** 《说文》云："瘿，颈瘤也。"《淮南子·地形训》云："险阻气多瘿。"晋·张华《博物志》云："山居之民多瘿。"按，"瘿"是由缺碘引起的甲状腺肿。

40 藁茇

西山经，皋涂之山有草焉，其状如藁茇[1]。中次三经，青要之山，有草焉，其本如藁本。

【注释】

[1] **薰芄** 郭璞注《山海经》云："薰芄，香草。"郝懿行《山海经笺疏》云："案，薰芄即薰本也，本、芄声近义同，故此经言薰芄。《中山经》青要之山言薰本。郭氏注《上林赋》云：'薰本，薰芄也。'明为一物。《广雅》云：'山茝，蔚香，薰本也。'"

按，本、芄都有"根"的意思。《玉篇》云："芄，草木根。"又如本条文中"其木如薰本。"这两个"本"字，都指根而言。

薰本别名很多，《本草经》云："薰本，一名鬼卿，一名地新。"《名医别录》云："薰本，一名微茎。"《广雅》云："山茝，蔚香，薰本也。"

薰本味芳香，古代作香草用的。所以薰本和白芷都是并提的。《管子·地员》云："五沃之土，五臭畴生，莲与蘪芜、薰本、白芷。"《荀子·大略篇》云："兰、茝、薰本。"《汉书·司马相如列传》录《司马相如赋》有"薰本"。颜师古注云："薰本，草类，白芷，根似芎藭。"《名医别录》云："薰本，可作沐药，面脂。"

薰本的药用：《本草经》云："薰本，味辛，温。主妇人疝瘕，阴中寒肿痛，腹中急，除风头痛，长肌肤，悦颜色。"《名医别录》云："薰本，辟雾露，润泽，疗风邪蝉曳，金创。实主风流四肢。"《药性论》云："薰本能治一百六十种恶风，鬼疰流入腰痛冷，能化小便通血，去风头龂疱。"《日华子本草》云："薰本治痫疾，并皮肤疵皯、酒、齄、粉刺。"

薰本的形态：薰本很像芎藭。《淮南子·氾论训》云："夫乱人者，芎藭之与薰本也；蛇床之与蘪芜也。"陶弘景《本草经集注》云："薰本，俗中皆用芎藭根须，其形气乃相类。而《桐君录》说：'芎藭苗似薰本。'论说花实皆不同，所生处又异。"《唐本草》注云："薰本茎、叶、根、味，与芎藭小别，以其根上苗下似薰根，故名薰本，今出宕州者佳。"苏颂《本草图经》云："薰本叶似白芷，香又似芎藭。但芎藭似水芹而大，薰本叶细耳，根上苗下似禾薰，故以名之。五月有白花，七、八月结子，根紫色，正月、二月采根暴干，带日成。"

按，薰本为伞形科植物薰本 *Ligusticum sinense* Oliv. 一类植物，味辛，性温，散风寒，可治外感风寒感冒头痛，尤宜治头顶痛最有效，对于偏头痛、身痛也有缓解作用。

41 无条

西山经，皋涂之山[1]，有草焉，其状如藁芄[2]，其叶如葵而赤背，名曰无条[3]，可以毒鼠。

【注释】

[1] **皋涂之山** 《山海经》云："皋涂之山在蟠冢之山西南。"郝懿行云："蟠冢之山，在今甘肃秦州西南。"

[2] **藁芄** 郭璞注《上林赋》云："薰本，薰芄也。"《名医别录》云："薰本，一名微茎，可作沐药面脂。"陶弘景《本草经集注》云："《桐君药录》云：'芎藭苗似薰本。'"《唐本草》注云："薰本茎、叶、根、味与芎藭小别，以其根上苗下似薰根，故名薰本。"按薰本是伞形科植物薰本，详"薰芄"条注[1]。

[3]　**无条**　《山海经》中讲"无条"的，有两处：一处是"西山经，皋涂之山，有草焉，其状如葃茇，其叶如葵而赤背，名曰无条，可以毒鼠"，另一处是"中次七经，苦山有草焉，圆叶而无茎，赤华而不实，名曰无条，服之不癭"。

可以毒鼠的"无条"是什么植物呢？郝懿行《山海经笺疏》云："案，《本草·别录》云：'逐折，杀鼠。'盖即此。"

笔者认为郝氏所言不妥。《证类本草》卷30"逐折"条云："逐折杀鼠，益气，明目，一名百合，厚实，生木间，茎黄，七月实黑如大豆。"按《证类本草》所讲"逐折"的形态，全不像"可以毒鼠"的"无条"。

"可以毒鼠"的"无条"是什么植物呢？从《山海经》所讲的"无条"来看，其形状像藁本，像藁本的植物很多。《本草纲目》说当归、芎䓖、水芹、胡萝卜、蛇床等都似藁本，但这些植物大都无毒，只有蛇床子有小毒，能够杀虫，疑"可以毒鼠"的"无条"，或为蛇床子。

蛇床子的形态是像藁本的。《淮南子·汜论训》云："夫乱人者，芎䓖之与藁本也；蛇床之与蘪芜也，此皆相似。"又《淮南子·说林训》云："蛇床似蘪芜而不能芳。"

蛇床的异名很多。《尔雅》云："盱，虺床。"郭璞注云："蛇床也，一名马床，见《广雅》。"《广雅》云："蛇粟，马床，蛇床也。"《吴普本草》云："蛇床，一名蛇珠。"《本草经》云："蛇床，一名蛇米。"《名医别录》云："蛇床，一名蛇粟，一名虺床，一名思益，一名绳毒，一名枣棘，一名墙蘼。"

蛇床的药用：《本草经》云："蛇床子，味苦、平，主妇人阴中肿痛，男子阴痿湿痒，除痹气，利关节，癫痫，恶疮。"《名医别录》云："蛇床子，湿中下气，令妇人子藏热，男子阴强。"《药性论》云："蛇床子有小毒，治男子女人虚湿痹毒风瘙痛，去男子腰痛，浴男子阴，去风冷。主大风身痒，煎汤浴之差，疗齿痛，及小儿惊痫。"

蛇床的形态：陶弘景《本草经集注》云："蛇床花、叶正似蘪芜。"《蜀本草·图经》云："蛇床似小叶芎䓖，花白，子如黍粟，黄白色，生下湿地。"苏颂《本草图经》云："蛇床，三月生苗，高二三尺，叶青碎作丛似蘪枝，每枝上有花头百余结同一棵，似马芹类，四五月开白花，又似散水子，黄褐色如黍米，至轻虚，五月采实阴干。"

疑无条为伞形科植物蛇床 *Cnidium monnieri* (L.) Cuss. 一类植物。

42　竹

西次二经，高二，其草多竹[1]。北次三经，京山多竹，虫尾之山，轩辕之山，其下多竹。中山经，渠猪之山，其上多竹。中次六经，长石之山有谷焉，名曰共谷，其中多竹。中次八经，荆山、大尧之山，师每之山，其草多竹。中次十一经，从山，其下多竹。中次十二经，夫夫之山，其草多竹。

【注释】

[1]　**竹**　郝懿行《山海经笺疏》云："案之为物，亦草亦木，故此经或称木，或称草。"《说文》云："竹，冬生草也。"《说文解字系传·通释》云："锴曰：冬生者，冬不死。箁箬，竹皮箨之属。"

《毛诗》云："如竹苞矣""籊籊竹竿，以钓于淇"。《韩诗外传》："凤凰食帝竹实。"《礼记·考工记》云："凡取干之道七：柘为上……竹为下。"《吕氏春秋》曰："黄帝伶伦为律，伦取竹，断两节间而吹之。"《淮南子》云："竹以水生。"《史记·货殖列传》云："渭川千亩竹，其人与千户侯等。"《汉书》云："高祖为亭长，乃以竹皮为冠。"《文士传》云："蔡邕为椽竹可为笭。"《三辅黄图》云："以竹为宫，天子居中。"《三辅旧事》云："宣将军有青竹由。"《博物志》云："以涕挥竹，竹尽斑。"盛弘之《荆州记》云："风吹此竹，如筲管之音。"

竹的药用：《本草经》云："竹叶，主咳逆上气，溢筋急，恶疡，杀小虫。根，作汤，益气，止渴，补虚，下气。汁，主风痓。"《名医别录》云："竹叶，除烦热，风痞，喉痹，呕吐，竹沥，疗暴中风，风痹，胸中火热，止烦闷。皮茹，主呕啘，温气，寒热吐血，崩中，溢筋。"

竹的形态：《本草经》云："竹类甚多，谨按《竹谱》篁竹坚而促节，体圆而质劲，皮白如霜，大者宜刺舡，细者可为笛。"《本草纲目》云："竹皆土中苞笋，各以时而出，旬日落箨而成竹也，茎有节，节有枝，枝有节，节有叶。六十年一花，花结实，其竹则枯。"

按，竹为禾本科植物中亚竹科各种竹类的统称，常见有箭竹、方竹、毛竹、箬竹等。

43 檀

西次二经，鸟危之山，其阴多檀[1]。众兽之山，其下多檀，莱山，其木多檀。西次四经，白于之山，其下多檀。中次八经，景山，灌山、师每之山，其木多檀。中次九经，崍山，其木多檀。中次十经，复州之山，丙山，其木多檀。中次十一经，几山多檀。中次十二经，风伯之山，即公之山、尧山，其木多檀。

【注释】

[1] **檀** 郭璞注云："檀中车材。"《诗经·魏风》云："坎坎伐檀兮。"《诗经·郑风》："无折我树檀。"陆玑《毛诗草木疏》云："上山斫檀，挈榼先殚。"《淮南子》云："十月，官司马，其树檀。"《论衡》云："树檀以五月生叶。"郭璞注《尔雅》："魄，榽橀；魄，大木，细叶，似檀。"《毛传》云："檀，疆韧之木。"

檀的药用：《本草拾遗》云："檀树，取其皮和榆皮为粉食之，可以断谷（亦可救荒断食）。又有一种檀，极主疮疥，杀虫，有小毒。"

檀的形态：陆玑《毛诗草木疏》云："妥有树檀；檀木，皮正青滑泽，与系迷相似。"《本草拾遗》云："檀，似秦皮。又有一种叶如檀，高五六尺，生高原，花四月开，色正紫，亦名檀，根如葛。"《救荒本草》云："檀树高一二丈，叶似槐叶而长大，味苦。"

按，古书及本草中所讲的"檀"，似是豆科植物各种檀。如黄檀 *Dalbergia hupeana* Hance 等一类植物。

檀木坚密，耐受冲撞，各种器具柄、手车心轴多用此木制之。此与郭璞所注"檀中车材"义合。其根名檀根，有小毒，外用杀虫治疥疮。

由于檀木坚实有用，可制生产的工具，所以在《诗经》时代，檀木就已为人们所栽培了。所以《诗经·小雅》云："乐彼之园，爰有树檀。"《诗经·郑风》云："无折我树檀。"这个"树"字，即种植的意思。

44 楮

西次二经，鸟危之山，其阴多楮[1]，众兽之山，其下多楮，莱山，其木多楮。西次四经，鸟山，其上多楮。中次六经，魊山，其木多楮。中次十二经，风伯之山、夫夫之山、阳帝之山、柴桑之山，其木多楮。

【注释】

[1] 楮　详32"穀"条注 [1]。

45 樱木

西次二经，底阳之山，其木多樱[1]。

【注释】

[1] 樱　郭璞注《山海经》云："樱，似松有刺，细理。音即。"《说文解字系传·通释》云："樱，细理木也，从木，畟声。锴按《字书》樱木似松。张衡《南都赋》亦言之。"按，松树皆无刺，唯有沙木高大似松，其叶呈线状披针形，老时坚硬似刺。安徽、江西等地，称杉木名刺杉。疑樱木或为杉木。《南方草木状》云："杉，一名柀𣝕。"《尔雅》云："柀，𣝕。"郭璞注云："𣝕似松，生江南，可以为船，作桂，埋之不腐。"《尔雅翼》云："𣝕木类松而劲直，叶附枝生，若刺针。"《说文解字注》云："柀，𣝕也，即今之杉木也，𣝕与杉为正俗字。"《说文解字系传·通释》云："櫄，木也。锴曰：即今杉字。"

杉的药用：《名医别录》云："杉材微温，无毒。主疗漆疮。"《唐本草》注云："杉材木，水煮汁，浸捋脚气肿满。服之疗心腹胀痛，去恶风。"

杉的形态：《本草图经》云："杉木类松而劲直，叶附枝生若刺。"《本草衍义》云："杉干端直，大抵如松，冬不凋。"《群芳谱》云："杉类松，而干端直，大者数围，高十余丈，文理条直，叶粗厚微扁，附枝生有刺，至冬不凋。"

按，樱为杉科植物杉木 Cunninghamia sinensis R. Br. 一类植物。杉木是我国特有的林木，木理通直色白，耐久，有香气，不为白蚁所蛀，适合作建筑用材。

杉木味辛，性微温，能辟秽、散湿毒、降逆、止痛，适用于漆疮、风湿毒疮、脚气、心腹胀痛。其皮亦治漆疮、烫伤、水肿。其叶捣汁擦，治天疱疮、烧伤。杉木节酒浸，治骨节疼痛。

46 豫章

西次二经，底阳之山，其木多豫章[1]。中次九经，蛇山、玉山，其木多豫章。

【注释】

[1] **豫章** 郭璞注《山海经》云：“豫章，大木似楸，叶冬夏青，生七年而后复可知也。”郝懿行《山海经笺疏》云：“案，《尔雅》云：‘枕，无疵。’郭注云：‘枕，梗属，似豫章。’《子虚赋》云：‘梗，枬、豫章。’颜师古注云：‘豫即枕木，章即樟木，二木生至七年，乃可分别。’《后汉书·玉符传》注云：‘豫章，即樟木也。’《淮南子·修务训》云：‘梗、柚，豫章之生也，七年而后知。’是郭注所本，注‘复’字衍。”《说文解字系传·通释》云：“古谓木材之实者为章，故曰豫章之材。《史记·货殖列传》曰：‘木，千章。’”《太平御览》卷975引《庄子》云：“腾猿得豫章，揽蔓而生长其间。”《尸子》云：“土积则生梗、枬，豫章。”《群芳谱》云：“豫章乃二木名，一名乌樟，一名枕樟，又名钓樟。”

豫章的药用：《名医别录》云：“钓章根皮，主金疮止血。”陈藏器云：“樟材，味辛，温，无毒。主恶气、中恶，心腹痛，鬼疰，霍乱，腹胀，宿食不消，常吐酸臭水，酒煮服之。亦作汤浴，治脚气，除疥癣风痒。作履除脚气。”

豫章的形态：陆玑《毛诗草木疏》云：“豫章，叶大如牛耳，一头尖，赤心，花赤黄，子青不可食。”《唐本草》注云：“钓樟，生郴州山谷，树高丈余，叶似枬（音南）叶而尖长，背有赤毛若枇杷叶。”《群芳谱》云：“豫樟，树高丈余，小叶似枬再尖长，背有黄赤茸毛，四时不凋，夏开细花，结小子，肌理细腻有纹，故名樟。”

按，豫章为樟科植物樟 *Cinnamomum carphora* （L.）Presl 一类植物。

樟树气香，能避虫害，用以制木箱、书箱、标本橱等，其枝干、叶、根可供蒸制樟脑及樟脑油。樟脑有局部刺激作用，可改善局部血液循环，用以配制冻疮膏，外用治疗冻疮效佳；配成酒剂，外擦可治疗扭挫伤瘀滞肿痛。

[附] 钓樟：《唐本草》注文中的钓樟，是樟科山胡椒属植物的大叶钓樟 *Lindera umbellata* Thunb. 一类植物。钓樟的名称最早见录于《名医别录》。陈嵘《中国树木分类学》355页标注“钓樟”的出典为《本草纲目》，可能有误。

47 棠

西次二经，中皇之山，其下多棠。西次三经，昆仑之丘，有木焉，其状如棠[1]。西次四经，中曲之山，有木焉，其状如棠。中次三经，萯山，有木焉，其状如棠。中次九经，岷山，其木多棠。

【注释】

[1] **棠** 郭璞注《山海经》云：“棠，梨也。”郝懿行《山海经笺疏》云：“案，棠有赤、白，见《尔雅》，皆今杜梨也。”《说文解字系传·通释》云：“牡曰棠，牝曰杜。”又云：“杜，甘棠也。”《尔雅》云：“杜，甘棠也。”又云：“杜，赤棠；白者棠。”樊光注云：“赤者为杜，白者为棠。”《诗经·唐风》云：“有杕之杜。”《毛传》云：“杜，赤棠是也。”《诗经·召南》云：“蔽芾甘棠。”《毛传》云：“甘棠，杜也。”陆玑《毛诗草木疏》云：“甘棠，今棠梨，一名杜梨。赤棠与白棠同耳。但子有赤、白、美、恶，子白色为白棠。甘棠子少酢滑美。赤棠子涩而酢无味。俗语云‘涩如

'杜'是也。赤棠木理韧，亦可以作弓干。"《楚辞·离骚》曰："甘棠苦于丰草。"《西京杂记》云："上林苑有棠梨宫，在甘泉苑垣外云阳县南三十里。"《齐民要术》云："梨核每颗十余粒，种之惟一二子生梨，余皆生杜。然热梨者必用之。"晋·孙楚《杕杜赋》云："家弟以虞氏梨赋见示，余谓岂以梨有用为贵，杜无用为贱。"陈启源《毛诗稽古编》云："甘棠即杜，树似梨而小，子霜后可食。"盖棠即野梨。

棠的药用：《本草纲目》云："棠梨，烧食，止滑痢。枝叶主霍乱吐泻不止，转筋腹痛。取一握同木瓜二两，煎汁细呷之。"

棠的形态：《本草纲目》云："棠梨，野梨也，树似梨而小，叶似苍术叶，亦有团者，三义者，叶边皆有锯齿。二月开白花，结实如小楝子大，霜后可食，其树接梨甚嘉。有甘酢、赤白二种，按陆玑《诗疏》云：'白棠，甘棠也。'"

按，棠为蔷薇科植物杜（杜梨）*Pyrus betulifolia* Bge. 一类植物。杜梨果实近小球形，比正常梨小，味酸，通常用以养苗，以为其他梨树的接木。正如《本草纲目》所云："其树接梨甚嘉。"按，接梨技术，早在北魏（5世纪末）贾思勰《齐民要术》中就已有详细记载。《西京杂记》记载汉武建元三年（前138）开上林苑（果园），苑中除种植果树外，还建筑有各种宫，其中有一个宫以棠梨名之。有人认为这个棠梨可能是棠和梨的接种。

48　崇吾山木[1]

西次三经，崇吾之山，有木焉，圆叶而白柎[2]，赤华而黑理，其实如枳[3]，食之宜子孙[4]。

【注释】

[1] **崇吾山木**　《山海经》原文中无此名，为了研究方便，暂用此名。

[2] **白柎**　郭璞注《山海经》云："今江东人呼草木子房为柎，音府。一曰：柎，华下鄂，音丈夫字，或作柎，音符。"郝懿行《山海经笺疏》云："案，经文柎当为柎，故郭音府。其音符者，乃从木旁，传写谬误，遂不复可别，今正之。一曰：柎，华下鄂者，本《诗》郑笺云：'鄂不韡韡，承华曰鄂。'不读为柎。柎，鄂足也，不柎同。《释文》云：'柎亦作跗。'是郭义所本也。"

按，郭璞所注"柎，华下萼"，萼即花萼，位于花的外轮，在花芽期起保护作用。

[3] **其实如枳**　郝懿行《山海经笺疏》云："案，《说文》云：'枳木似橘。'《考工记》云：'橘逾淮而北为枳。'"按，橘原生南方，古人移植北方，驯化而不成，故有"橘逾淮而北为枳"的说法。陈藏器《本草拾遗》云："旧云江南为橘，江北为枳，今江南俱有枳、橘，江北有枳无橘，此自是种别，非关变也。"

今日所用的枳，是芸香科植物枸橘、酸橙、香橼等果实。其幼果名枳实，将近成熟的果实名枳壳。枳实、枳壳作用大体相同，唯枳壳的作用比较缓和，治胸胁胀痛，产后子宫脱垂，久泻脱肛，呕逆咳嗽等。

[4] **食之宜子孙**　郝懿行《山海经笺疏》云："案，《周书·王会》云：'康民以桴苡，桴苡者，其实如李，食之宜子。'《说文》引《书》作'茉苢'。《系传》引《韩诗》亦云：'茉苢，木名，实

319

如李。'陶注《本草》'车前子'亦引《韩诗》言茉苢是木，似李，食其实，宜子孙，与《周书》合。是知茉苢有草有木。《周书》所说是木类，疑即此。"

《说文解字系传·通释》云："茉苢，一名焉，其实如李，令人宜子。"《韩诗》云："茉苢，木名，实似李。"

此条《山海经》文所讲的木，原无名称，仅讲了一点形态和功用。从其功用"食之宜子孙"来看，该木有点像《诗经》所说的"木桲苡"。

桲苡的果实如李，李是蔷薇科植物李 *Prunus salicina* Lindl. 一类植物。

49　枳

西次三经，崇吾之山，有木焉，其实如枳[1]。北山经，北狱之山，多枳。

【注释】

[1] **枳**　《说文》云："枳木似橘。"《说文解字系传·通释》云："枳木，即药家枳壳也，古云，枳棘非鸾凤所栖。"潘岳《闲居赋》曰："芬枳树离。"《周礼·考工记》云："橘逾淮而北为枳。"《列子·汤问》："吴楚之国，有大木焉，其名为柚……渡淮而北，化为枳焉。"《晏子春秋·内篇杂下》："橘生淮南为橘，生于淮北为枳。"《淮南子·原道训》："橘树江北，则化为枳。"《博物志》云："橘渡江北化为枳。"陈藏器《本草拾遗》云："旧云江南为橘，江北为枳，今江南俱有枳、橘，江北有枳无橘，此自是种别，非关变也。"（按橘原生于南方，古人移植北方驯化而不成，故有"橘逾淮而北为枳"之说）《四民月令》云："九月九日收枳实。"《后汉书·仇览传》云："枳棘非鸾凤所栖。"冯衍《显志赋》："捷六枳而为篱兮。"

枳的药用：《本草经》云："枳实，主大风在皮肤中如麻豆苦痒，除寒热结，止痢，长肌肉，利五脏。"《名医别录》云："枳实，除胸胁痰癖，逐停水，破结实，消胀满，心下急，痞痛，逆气，胁风痛，安胃气，止溏泄，明目。"

枳的形态：《本草图经》云："枳如橘而小，高亦五七尺，叶如枨，多刺，春生白花，至秋成实，九月、十月采。"

按，枳指芸香科植物枸橘 *Poncirus trifoliata*（L.）Raf. 一类植物。

本树民间多栽为篱垣，正如潘岳《闲居赋》说："芳枳树离。"亦可用作柑橘类及金柑之接木。

枸橘的幼果名枳实，将近成熟的果实名枳壳。

枳实能行气，破积滞，宽肠胃；治饮食积滞，胃肠膨满，泄泻下痢，胃下垂等症。

枳壳作用同枳实，但枳壳药力较和缓，治胸胁胀痛，产后子宫脱垂，久泻脱肛，呕逆咳嗽。

除枸橘的果实外，芸香科植物酸橙 *Citrus aurantium* L. 或香圆 *Citrus wilsonii* Tanaka 等一类植物的果实亦作商品枳实、枳壳用。

50　嘉果

西次三经，不周之山，爰有嘉果[1]，其实如桃，其叶如枣，黄华而赤柎，食之不劳。

《太平御览》卷964引《山海经》云："嘉果，其实如桃李，其华赤，食之不饥。"

【注释】

［1］**嘉果**　今本《山海经》所言嘉果，和《太平御览》所言嘉果不同。

今本《山海经》所言嘉果，"实如桃，叶如枣，黄华（花），赤柎（鄂），食之不劳（忧）"，当非桃树一类植物。桃花为淡红色，不是"黄华（花）"。古人以淡红色桃花形容人美，《艺文类聚》卷86引《文选》云："南国有佳人，容华若桃李。"

《太平御览》所言嘉果，很像桃树一类植物。虽言"其实如桃李"，但不是李，因为花白色，浊"其华赤"，所以《太平御览》所言的嘉果，似是蔷薇科植物桃树 *Prunus persica* (L.) Batsch 一类植物的果实。详81"桃"条注［1］。

51　丹木

西次三经，崟（音密）山，其上多丹木[1]，圆叶而赤茎，黄华而赤实，其味如饴，食之不饥。

【注释】

［1］**丹木**　《山海经》讲"丹木"有两处，除本条外，西次四经有个"丹木"，实大如瓜，食之已瘅。

本条"丹木"的形态，是叶圆、茎赤，其味如饴。

饴即饴糖。《名医别录》云："饴糖，味甘，微温，主补虚乏，止渴、去血。"陶弘景《本草经集注》云："方家用饴糖，乃云胶饴，皆是温糖如厚蜜者。"《蜀本草·图经》云："饴糖即软糖也，北人谓之饧，粳米、粟米、大麻、白术、黄精、枳椇子等，并堪作之，惟以糯米作者入药。"《本草衍义》云："饴糖即饧是也，多食动脾风，今医家用以和药，糯与粟米作者佳。"

像饴糖甜的植物，有甜菜、甘蔗、甘草。甜菜没有茎，与丹木茎赤不相合。甘蔗茎暗紫或青，但叶长而不圆，和丹木叶圆亦不相合，唯有甘草有点像丹木。郭璞注《尔雅》云："甘草，叶似荷，茎赤。"荷叶是圆的，寇宗奭《本草衍义》云："甘草枝叶悉如槐。"按，槐叶亦呈圆形。从甘草叶圆，味甜，表皮呈红褐色，同丹木圆叶而赤茎，其味如饴相比较，倒是有点像的。

疑丹木或为豆科植物甘草 *Glycyrrhiza uralensis* Fisch 一类植物。

甘草在《诗经》时代已有记载。《诗经·唐风》云："采苓采苓，首阳之巅。"苏颂《本草图经》云："蘦与苓通用。首阳之山在河东（指今日山西，在黄河东）蒲坂县，乃今甘草所生处。"《尔雅》云："蘦，大苦。"释曰："蘦，一名大黄。"郭璞注云："甘草也，蔓延生叶似荷，青黄，茎赤有节，节有枝相当。"《名医别录》云："甘草，一名蜜甘，一名美草，一名蜜草，一名蕗草。"

甘草的药用：《淮南子》云："甘草生肌肉。"《本草经》云："甘草，味甘、平，主五脏六腑寒热

321

邪气，坚筋骨，长肌肉，倍力，金疮肿，解毒。"《名医别录》云："甘草温中下气，烦满短气，伤脏咳嗽，止渴，通经脉，利血气，解百药毒。"

甘草的形态：沈括《梦溪笔谈》云："甘草枝叶悉如槐，高五六尺，但叶端微涩，而糙涩，似有白毛，实作角生，如相思角，四五角作一本生，熟则角坼；子如小扁豆，齿齿不破。"苏颂《本草图经》云："甘草，春生青苗，高一二尺，叶如槐叶，七月开花似奈，冬结实作角子如毕豆，根长者三四尺，粗细不定，皮赤，上有横梁，梁下皆细根也。"

今日所用的甘草为豆科植物甘草 *Glycyrrhiya usalensis* Fisch 一类植物，味甘，性平，泻火解毒，润肺止咳，补脾缓中，调和诸药，生用泻火，炙用温中；治脾胃虚弱、疮疡肿毒、咳嗽或喘息，缓和药物烈性。甘草梢治小便涩痛，甘草节治痈疽毒肿。甘草忌芫花、大戟、甘遂、海藻。

52 榣木

西次三经，槐江之山，其阴多榣木[1]之有若。

【注释】

[1] **榣木** 郭璞注云："榣木，大木也，言其上复生若木，大木之奇灵者为若，见《尸子》。《国语》曰：'榣木不生花也。'"韦昭注《国语·晋语》云："榣木，大木也。"《山海经》大荒西经有榣山，郭璞注云："此山多榣木。"《玉篇》云："榣，木名，又通作瑶。"《楚辞·哀时命》云："击瑶木之樀枝。"王逸注云："言已既登昆仑，复欲引玉树之枝。"《说文》云："櫾，昆仑河隅之长木也。"《穆天子传》云："天子乃钓于河，以观姑櫾之木。"郭璞注云："姑櫾，大木也。"

郭璞《榣木赞》云："榣惟灵树，爰生若木，重根增驾，流光旁烛，食之灵化，菜名仙录。"

按"榣""櫾"字形相似，所名的木，都说是大木、长木。而"櫾"字的简写是"柚"。疑"櫾木"即"柚木"。柚木为马鞭草科柚木属植物柚木 *Tectona grandis* L. 一类植物，这种柚木高达 45 m 以上，直径大者达 2.4 m，和古书上所讲的长木、大木义合。

但柚木原产于泰国、缅甸，在《山海经》时代，我国西南部是否也有这种树，不详。

53 沙棠

西次三经，昆仑之丘，有木焉，其状如棠[1]，华黄，赤实，其味如李[2]而无核，名曰沙棠[3]，可以御水，食之使人不溺[4]。

【注释】

[1] **棠** 郭璞注《山海经》云："棠，梨也。"郝懿行《山海经笺疏》云："案，棠有赤、白，见《尔雅》，皆今杜梨也。"《尔雅》云："杜，甘棠也。"又云："杜，赤棠，白者棠。"《诗经·召南》云："蔽芾甘棠。"《毛传》云："甘棠，杜也。"陆玑《毛诗草木疏》云："甘棠，今棠梨，一名杜梨。"详 47 "棠"条注 [1]。

[2] **李** 《尔雅》云："休，无实李；痤，接虑李；驳，赤李。"《毛诗》云："投我以木李，报之以琼玖。"

按，李是蔷薇科李树 *Prunus salicina* Lindl. 一类植物。

[3] **沙棠** 《艺文类聚》卷87云："晋·张协《都蔗赋》曰：'皋苏妙而不逮，何况沙棠与椰实。'"又云："沙棠，如棠，味如李，无核。《吕氏春秋》果之美者，沙棠之实。"高诱注《吕氏春秋·本味》云："沙棠，木名也。"《汉书·司马相如列传》云："沙棠，栎、楮。"《本草纲目》卷31"沙棠果"条："今岭外宁乡、泷水、罗浮山中皆有之。木状如棠，黄花赤实，其味如李而无核……食之，却水病。"

按，沙棠是梨属植物 *Pyrus.* Sp.。《本草纲目》所讲的"沙棠果"，是像"沙梨"。沙梨的花偏黄色，果实通常为赤褐色，与"黄花""赤实"义合。疑沙棠果为蔷薇科植物沙梨 *Pyrus pyrifolia* (Burm. F.) Nakai 一类植物。

[4] **可以御水，食之使人不溺** 郭璞注云："言体浮轻也，沙棠为木，不可得沉。"又云："沙棠刻以为舟，泛彼沧海，以遨以游。"

54　薲草

西山经，昆仑之丘，有草焉，名曰薲草[1]，其状如葵，其味如葱，食之已劳。

【注释】

[1] **薲草** 薲即古"蘋"字。蘋，有时写成萍、蓱，现在简写成"苹"。这个简体字"苹"，在古书上是一种蒿的名称。例《诗经·小雅》云："呦呦鹿鸣，食野之苹。"此苹乃蒿属。

关于"萍、蓱"，古书多指浮萍。《说文》云："萍无根，浮水而生，但有小须，垂水中而已。"《楚辞》曰："窃伤兮浮萍无根。"《淮南子》云："萍植根于水，木植根于地。"《世说新语》云："杨花入水为浮萍。"《月令》云："季春，谷雨之日，萍始生。"因为这种草生于水中，无根而浮，常与水平，故名浮萍。

关于"蘋"，可能由于同名异物的关系，古书所指，似无定物，兹将各书所讲的"蘋"介绍如下。

以萍之大者为蘋。《毛诗》云："余以采蘋。"《毛传》曰："蘋，大萍也，薲、蘋古今字。"陆玑《毛诗草木疏》云："蘋，今水上浮萍是也，其粗大者谓之蘋，小者曰萍，季春始生，可糁蒸以为茹，又可用苦酒淹以就酒。"《说文解字注》云："薲，大蓱也。"又云："萍、蓱，其大者蘋。"《尔雅》云："萍、蓱，其大者蘋。"郭璞注云："水中浮萍，江东谓之藻。"邢昺《尔雅疏》引舍人曰："萍，水上小浮萍，一名蓱，江东谓之藻，大者名蘋。"郑樵《昆虫草木略》云："萍，浮萍也，今谓之藻，其大者蘋，即萍类而大者。"

以莼为蘋。郑樵《昆虫草木略》云："按，萍属不可食，蘋必莼类，叶亦圆，浮水上如萍也。"

以苹菜为蘋。陈藏器《本草拾遗》云："蘋叶圆，阔寸许，叶下有一点如水沫，一名苹菜。"《本草图经》注同此。

以芹菜为蘋。周处《风土记》云："萍，蘋，芹菜之别名。"

以田字草为蘋。《尔雅翼》云:"蘋叶正四方,中折如十字,根生水底,叶敷水上,不若小浮萍之无根而漂浮也。"《本草纲目》卷19云:"蘋乃四叶菜,叶浮水面,根连水底,其茎细于荇、莕,其叶大如指顶,面青背紫,有细纹,四叶合成,中折十字。"《植物名实图考》云:"水萍,《本经》中品,《尔雅》:萍、荓,其大者蘋。《吴普本草》始别出。蘋即俗呼田字草。"又云:"蘋,四叶合成一叶,如田字形。或以其开小白花,因呼曰蘋。或为生水中者为白蘋,生陆地者为青蘋,水生者可茹云。"

古人认为浮萍是不能吃的,而蘋能够当菜吃。《左传》云:"蘋、蘩、蕴、藻之菜。"《吕氏春秋》云:"菜之美者,有昆仑之蘋。"《诗经》云:"蘋可茹,萍不可茹。"郑樵云:"按,萍属不可食。"

那么,《山海经》的蓇草是什么呢?郭璞注《山海经》引《吕氏春秋》曰:"菜者美之,昆仑之蘋。"郝懿行《山海经笺疏》云:"案,《文选》注陆玑《拟古诗十二首》引此经文引《字书》曰:'蓇亦蘋字也。'"又云:"案,郭引《本味篇》文也。高诱注云:'蘋,大蘋,水藻也。'"

按郭璞、郝懿行所注,《山海经》的"蓇草"即"蘋"。按,《本草纲目》卷19所释这个"蘋"为田字草,并引《山海经》云:"食之已劳。"田字草为蘋科植物蘋 *Marilea gcladilifoia* L. 一类植物。

田字草是水田中的有害杂草,全草亦可入药,有清热解毒、利水消肿作用,外用治疮肿、毒蛇咬伤。

但是,《本草纲目》将陈藏器《本草拾遗》的"芣菜"和"田字草"并为一条,同列在"蘋"的标题中。而《本草拾遗》所讲"芣菜"的形态:"蘋叶圆,阔寸许,叶下有一点,如水沫,一名芣菜。"全不像田字草。田字草的形态:"其叶大如指顶……四叶合成,中折十字。"

另外,田字草没有气味,和《山海经》"蓇草,其状如葵、其味如葱"也不相符。

在上述蘋的各种同名异物中,大都是没有气味的,只有周处《风土记》"蘋,芹菜之别名"这个同名异类"芹菜"是有气味的,而且气味有点像葱,疑《山海经》的蓇草,或为芹菜一类植物。

55 稷

西次三经,稰用稷^[1]米。海内经,西南黑水之间,有都广之野,爰有膏稷。

【注释】

[1] **稷** 稷和黍是同一物的两个品种。《广韵》云:"稷,五谷之总名,一曰黍属。"《本草纲目》云:"稷与黍,一类二种也;黏者为黍,不黏者为稷。"胡先骕《经济植物学》云:"河北人之区黍、稷,谓黍秆生而有毛,稷秆无毛;黍穗聚,而稷穗散。"

稷的别名有穄、粢、粢、明粢、糜、黄米。

《唐本草》云:"本草有稷不载穄,稷,穄也。"玄应《一切经音义》引秦·李斯《苍颉篇》云:"穄,大黍也,似黍而不黏,关西谓之糜。"《说文》云:"稷,粢也,五谷之长。"又云:"粢,稷也,或作粢。"《说文解字系传·通释》云:"稷,即穄,一名粢,字亦作粢,楚人谓之稷,关中谓之糜,呼其米为黄米。"《玉篇》云:"黍、稷在器曰粢。"《广韵》云:"粢,祭饭也。"《礼记·曲礼》云:"稷曰明粢。"《尔雅》云:"粢,稷也。"《群芳谱》云:"稷,一名穄,一名粢。"

古代稷、粟不分:西汉·舍人注《尔雅》云:"粢,一名稷。稷,粟也。"又云:"今江东呼粟为稷。"《汉书·宣帝纪》云:"元康四年(公元前62年),嘉谷玄稷。"服虔注云:"玄稷,黑粟也。"

三国魏人孙炎注《尔雅》云："稷，粟也。"晋·郭璞注《尔雅》云："粢，稷也，今江东呼粟为粢。"《穆天子传》云："腹稷三十车。"郭璞注云："稷，粟也。"

稷和黍皆为古人的主要粮食，甲骨文就有黍、稷的记载。于省吾《商代的谷类作物》一文，谓殷代甲骨文黍的出现，凡百余见。斋（稷）的出现，凡三十余见。《诗经》中记载黍、稷亦很多。《诗经·豳风》云："九月筑场圃，十月纳禾稼；黍稷重穋，禾麻菽麦。"《毛传》曰："后熟曰重，先熟曰穋。"《诗经》云："彼黍离离，彼稷之苗。"由此可见，黍、稷在殷代已为人们作为粮食吃了，到了《诗经》时代，并能把野生的黍、稷驯化为人工种植，得到先种、后种、先熟、后熟等不同品种的概念，这也说明我们祖先对人类历史的贡献。

稷的药用：《名医别录》："稷米，味甘，无毒。主益气，补不足。"

稷的形态：《本草图经》引《广雅解》云："稷如黍黑色。稷有二种，一黄白，一紫黑，其紫黑者名芑，有毛，北人呼为乌禾是也。"《本草纲目》云："稷黍之苗，似粟而低小，有毛，结子成枝而殊散，其粒如粟而光滑，三月下种，五、六月可攻，亦有七、八月收者，其色有赤、白、黄、黑数种，黑者禾稍高，今俗通呼为黍子，不复乎稷矣。"

按，稷为禾本科植物黍 *Panicum miliaceum* L. 一类植物的种子之不黏者，散穗，秆上无毛。若种子黏、聚穗、秆上有毛，称为黍。

56　茆

西次四经，阴山，其草多茆[1]。

【注释】

[1] 茆　郭璞注《山海经》云："茆，凫葵也。"《诗经·鲁颂》云："薄采其茆。"《毛传》云："茆，凫葵也。"《周礼·醢人》云："朝事之豆，其实茆菹。"郑注云："茆，凫葵也。"《说文》云："茆，凫葵也。"《说文解字系传·通释》云："莼，鸟葵。徐锴曰《本草注》云：'江南人名猪莼堪食。'"又云："菹，酢菜也。锴曰：以米粒和酢以渍菜也。《周礼·醢人》人掌七菹：韭菹、菁菹、茆菹、葵菹、芹菹、箈菹、笋菹。《齐民要术》有酢浆者菜为菹也。"又云："茆，凫葵，从草，卯声。《诗》曰：言采其茆。"《广雅》云："莼，茆，凫葵。"

但陆玑《毛诗草木疏》和《本草》把茆、凫葵释为二物。

（1）茆。陆玑《疏》云："茆，南人谓之菁菜，或谓之水葵。"《广韵》云："莼，水葵也。"《本草纲目》云："莼字本作莼。"

（2）凫葵。《唐本草》云："凫葵，即荇菜也，一名接余。"《开宝本草》云："荇，即荇菜也。"陆玑《疏》云："荇，一名接余。"

此后，《本草纲目》《植物名实图考长编》皆把茆、凫葵分别立为两条。茆一名菁，一名莼；凫葵又名荇菜。

菁的药用：《名医别录》云："菁，味甘，寒，无毒，主消渴，热痹。"陶弘景云："菁性冷补，下气，杂鳢鱼作羹，亦逐水而性滑。"《唐本草》注云："菁久食大宜人，合鲋鱼为羹食之，在胃气弱不下食。"《晋书》云："张翰每临秋风，思鲈鱼菁羹以下气。"

菁的形态：陆玑《毛诗草木疏》云："茆与荇菜相似，叶大如手，赤圆，有肥者著手中滑不得停，茎大如匕柄，叶可以生食，又可煮，滑美，南人谓之菁菜。"《齐民要术》云："莼，水深则茎肥而叶少，水浅则茎瘦而叶多，其性逐水而滑，故谓之莼菜。"

按，茆即菁，为莼菜科植物莼菜 Brasenia schreberi J. F. Gmel. 一类植物。莼菜有清热、利水、消肿、解毒的作用，适用于热痢、黄疸、痈肿、疗疮等，但药力不大。

凫葵是龙胆科植物荇菜 Nymphoides peltatum（Gmel.）Kuntze 一类植物。

57　蕃

西次四经，阴山，其草多蕃[1]。

【注释】

[1]　蕃　郭璞注《山海经》云："蕃，青蕃，似莎而大。"郝懿行《山海经笺疏》云："蘋，青蘋，似莎者。《子虚赋》云：'薛莎青蘋。'是蕃依字当为蘋。李善注《南都赋》引此郭注正作蘋。云：'蘋，青蘋，似莎而大。'高诱注《淮南子·览冥训》云：'蘋，状如葴，葴如菔也，莎草名也。'"

按郝氏《山海经笺疏》，蕃即蘋，《淮南子·览冥训》云："路无莎蘋。"高诱注蘋即莎草名也。

莎草异名很多，名烦、蘠、侯莎、台、夫须，地毛、雀头香。

《广雅》云："地毛，莎随也。"《说文》云："蘋，青蘋似莎者。"《说文解字系传·通释》云："蘋，青蘋，似莎者。《上林赋》薛莎青蘋。"《楚辞·招隐士》云："青莎杂树兮，蘋草靃靡。"《尔雅》云："蘠，侯莎，其实缇。"《大戴礼记·夏小正》云："正月缇缟。"《毛传》云："缟也者，莎随也；缇者，其实也。"《诗经·小雅》云："南山有台。"陆玑《毛诗草木疏》云："台，夫须，旧说：夫须，莎草也，可为蓑笠，都人士云：台笠缁撮。或云：台草有皮坚细滑致，可为簦笠，似御雨是也，南山多有。"《尔雅》云："台，夫须。"郭璞注云："台可以为御雨笠。"舍人云："台，一名夫须。"《名医别录》云："莎草，一名蘠，一名侯莎，其实名缇。"《唐本草》云："此草根名香附子，一名雀头香。"

莎草的药用：《名医别录》云："莎草根味甘，微寒，无毒，主除胸中热，充皮毛，久服利人益气，长须眉。"《唐本草》云："此草根大下气，除胸腹中热。"苏颂《本草图经》云："其药疗膀胱间连胁下时有气妨，皮肤瘙痒瘾疹，常有忧愁。"

莎草的形态：《唐本草》注云："莎草茎叶都似三棱，根若附子，周币多毛，交州者最胜，大都如枣。"苏颂《本草图经》云："莎草苗叶如薤，而瘦，根如筋斗大。"

疑蕃为莎草科香附子 Cyperus rotundus L. 一类植物。其根茎名香附，味辛、微苦，理气解郁，调经止痛，可治气郁所致各种气痛、胁痛、胃痛、月经痛。

58　蓑

三危之山，有兽，其豪如被蓑[1]。

【注释】

[1] **蓑** 郭璞注《山海经》云："蓑，被雨草衣。"《埤雅》云："台，夫须。夫须，莎草也。可以为笠，亦可以为蓑。"《尔雅翼》云："台者，莎草。可以为雨衣，今人谓之蓑衣。"《国语·齐语》曰："今夫农，时，雨既至，脱衣就功，首戴茅蒲，身衣被襟。"韦昭曰："茅蒲，簦笠也。"又曰："被襟，蓑薜衣也。"《篡文》云："台，一名山莎。"《名医别录》云："莎草，一名薃，一名侯莎，其实名缇。"

按，《埤雅》所注，蓑即莎草，莎草是莎草科香附子 *Cyperus rotundus* L. 一类植物，详57"蕳"条注[1]。

但今日的蓑草乃是禾本科植物拟金茅 *Eulaliopsis binata* (Retz.) C. E. Hubb. 一类植物。

59 茈草

西次四经，劳山多茈草[1]。北山经，敦薨之山，其下多茈草。北次三经，咸山多茈草。中次九经，隅阳之山，其草多茈。

【注释】

[1] **茈草** 郭璞注《山海经》云："一名茈薂，中染紫也。"郝懿行《山海经笺疏》云："茈草即紫草。《尔雅》云：'薂，茈草。'《广雅》云：'茈庱，茈草也。'是郭所本。"

按茈、紫，古字通用。郭璞注《南次二经》"淘水其中多茈蠃"云："紫色螺也。"司马彪注《上林赋》曰："茈姜，紫色之姜。"茈草即紫草。

茈的异名有薂、庱、綟、茢、蓋等。《说文解字注》云："茈，茈草也。"又云："薂，茈草，从草，薂声，莫觉切。"《尔雅》云："薂，茈草。"《广雅》云："茈庱，茈草也。"《说文解字系传·通释》云："庱草，可以染留黄。锴曰：'史仪制多言绿綟，即此草所染也。'"郑注《周礼掌染草》云："染草，茅蒐，橐芦，豕首，紫茢之属。"《疏》云："紫茢，即紫庱也。"《字说》说："綟，紫也，綟以庱染。"《说文》云："庱，草也，可以染留黄，其染录者，谓之录庱，梁紫者，谓之紫庱。"《汉书·百官公卿表》云："金玺蓋绶。"晋灼注云："蓋，草名，出琅邪平昌县。似艾，可以染录，因此为绶名，此录庱也。"

郭璞注《尔雅》云："茈草，可以染绛，一名茈庱。"《本草经》云："紫草，一名紫丹，一名紫芙。"《吴普本草》云："紫草，一名地血。"《本草纲目》云："紫草，一名鸦衔草。"

紫草的药用：《本草经》云："紫草，味苦，寒，主心腹邪气，五疳，补中益气，利九窍，通水道。"《名医别录》云："紫草，无毒，疗腹肿胀满痛，以合膏疗小儿疮及面齇。"《药性论》云："紫草治恶疮瘑癣。"

紫草的形态：《唐本草》注云："紫草，苗似兰香，茎赤节青，花紫白色而实白。"苏颂《本草图经》云："紫草，人家园圃中或种莳，其根所以染紫也，苗似兰香，茎赤节青，二月有花，紫白色，秋实白，三月采根阴干。"陶弘景《本草经集注》引《博物志》云："平氏阳山紫草特好，魏国以染色殊黑。"《齐民要术》云："种紫草，宜黄白软良之地，青沙地亦善。"《本草纲目》云："紫草花紫根紫，可以染紫……其根头有白毛如茸。"以上所记与现今商品紫草相同。《植物名实图考》云："湘

327

中瑶岗及黔滇山中野生甚繁，根长粗黑紫，初生铺地，叶尖长浓密，白毛长分许，四面生叶，叶亦有毛，夏开红筒子花。"根据附图核对，与今日云南所产滇紫草 *Onosma paniculatum* Bur. et Franch. 相符。

按，茈草为紫草科植物紫草 *Lithospermum erythrorhizon* Sieb. et Zucc. 一类植物，味苦，性寒，解毒、透疹，治婴儿麻疹、痘疹三四日，将出未出，疹隐隐色红，大便秘结。紫草亦可防麻疹，并能治湿疹及女阴炎。

60　桑

西次四经，鸟山，其上多桑[1]。东山经，姑儿之山，其下多桑，岳山，其上多桑。中次二经，煇诸之山，其上多桑。中次六经，縠山，其下多桑。中次九经，隅阳之山，其木多桑。中次八经，大尧之山，其木多桑。中次十一经，鸡山、宣山、衡山，其上多桑；雅山，其上多美桑；又丰山，其木多桑。中次十二经，夫夫之山即公之山、柴桑之山，其木多桑。

【注释】

[1]　桑　《说文》云："桑，蚕所食叶木。"《尔雅》云："女桑，桋桑。"郭璞注云："今俗呼桑树，小而条长者为女桑树。"《尔雅》又云："桑辨有葚。"郭璞注云："辨，半也。"（因桑树花雌雄异株，或雌雄同株而异枝，能结桑葚者只有半数，故说明我们祖先在 2200 年前，就已认识植物性别了。）

由于桑能养蚕吐丝，提供衣物原料，所以在《诗经》时代就有种桑、养蚕、蚕丝制造、染丝、制衣等记载。

种桑：《诗经·郑风》云："无折我树桑。"这个"树"，意即人工种植。《诗经·魏风》云："十亩之间兮，桑者闲闲兮。"《礼记·月令》："季春之月，无伐桑柘。"《孟子》云："五亩之宅，树之以桑。"

采桑养蚕：《诗经·豳风》："蚕月条桑""猗彼女桑""爰求柔桑"。《尚书大传》云："天子诸侯必有公桑蚕室，就川而为之。"《礼记》云："妇出采桑。"《大戴礼记·夏小正》云："三月摄桑。"《楚辞·离骚》云："路室女之方桑。"《列子》云："道见桑妇。"

蚕丝制造：《诗经·大雅》云："妇无公事，休其蚕织。"

染丝：《诗经·豳风》云："载玄载黄，我朱孔阳，为公子裳。"

桑在古代，除其叶可饲蚕外，其果实可食，其木可制弓。

《诗经》："食我桑葚。"《毛传》云："葚，桑实也。"《礼记》云："桑弧蓬矢。"

桑的药用：《本草经》云："桑根白皮，主伤中五劳六极、羸瘦、崩中、脉绝。桑叶，主除寒热出汗。桑耳黑者主女子漏下赤白汁血病癥瘕积聚、阴痛、阴阳寒热无子。"《名医别录》云："桑根白皮，去肺中水气、唾血、热渴、水肿、腹满、胪胀，利水道，去寸白，可以缝金创。桑叶汁，解蜈蚣毒，桑耳疗月水不调。"

桑的形态：《本草纲目》云："桑有数种，有白桑，叶大如掌而厚。鸡桑叶花而薄。子桑先葚而后叶，山桑叶尖而长，以子种者，不若压条分者。桑生黄衣，谓之金桑，其木必将槁矣。桑以构接，则桑大。"

按，桑为桑科植物桑 Morus alba L. 一类植物。

桑树木质黄色而坚实致密，可供制器具及乐器雕刻等。桑叶自古以来，就是养蚕的重要饲料。新鲜桑叶含的白色乳汁，能解蜈蚣毒。经下霜后的老桑叶，能解热、祛痰、止咳，可治外感风热、感冒发烧、咳嗽。老桑叶配黑芝麻为丸，治肝肾阴虚所致的头眩、头痛、目花。桑枝能祛风、通络、解热、止痛，适用于风湿痹痛。桑皮的纤维可供制纸。桑树根的白皮，能利水，清肺热，适用于面目四肢浮肿，及肺热咳喘。桑树的果实名桑葚，熬膏内服，能润肠治大便燥结，兼有补血之功。

61　榛

西次四经，上申之山多榛[1]。北山经，潘侯之山，其下多榛。

【注释】

[1] **榛**　郭璞注《山海经》云："榛子似栗而小，味美。《诗》云：'榛楛济济。'臻音。"郝懿行《山海经笺疏》云："榛枯，见陆玑《诗疏》。《广雅》云：'亲，栗也。'"

《说文》云："榛，莍也。"又云："亲果，实如小栗，榛木也。"《广雅》云："木聚生曰榛。"王逸注《楚辞·招魂》云："榛，积聚之貌。"《庄子·徐无鬼》云："逃于深榛。"《淮南子·原道训》云："隐于榛薄之中。"《太平御览》卷959引《文选》云："彼榛枯之勿剪。"《毛诗》云："山有榛""止于榛""其子在榛""榛楛济济"。

榛很像栗，古书上榛、栗多并提。《诗经·鄘风》云："树之榛、栗。"朱熹注云："榛、栗二木，其实榛小栗大，皆可供笾实。"《周礼·笾人》云："馈食之笾，其实榛、栗。"郑注《礼记》云："榛似栗而小，关中鄜坊甚多。"《礼记·内则》云："妇人之挚，椇榛脯，修枣栗。"《左传·庄公二十四年》云："女贽不过榛栗枣修，以告虔也。"左思《蜀都赋》云："榛栗罅发。"《西京杂记》云："上林苑有榛栗。"

榛的药用：《开宝本草》云："榛子，味甘，平，无毒。主益气力，宽肠胃，令人不饥，健行。"

榛的形态：陆玑《毛诗草木疏》云："榛，栗属。有两种：其一种大小枝皮叶皆如栗，其子小，形似橡子，味亦如栗，所谓树之榛栗者也；其一种枝叶如木蓼，生高丈余，作胡桃味。"《开宝本草》云："榛生辽东山谷，树高丈许，子如小栗，军行食之当粮，中土亦有。"陆佃《埤雅》云："榛似梓，实如小栗。"《尔雅翼》云："榛枝茎如木蓼，叶如牛李色，高丈余，子如小栗。"

《本草图经》云："桂阳有榛而丛生，实大如杏子，中人皮子形色，与栗无异也。"

《本草纲目》云："榛树低小如荆，丛生。冬末开花如栎花，成条下垂，长二三寸。二月生叶，如初生樱桃叶。实如栎，下壮上锐，生青熟褐，其壳厚而坚，其仁白而圆，大如杏仁。"

《昌平州志》云："榛出北山黄花镇者良。"《黄花镇记》云："黄花镇有礼鼠，冬聚榛实于穴中。"

按，榛为桦木科植物榛 Corylus heterophylla Fisch. ex Bess 一类植物。榛的木质致密，不易挫折，直干可做手杖及伞柄。果实名榛子，可食用，亦可榨油，药物用作开胃、明目。

62 楛

西次四经，上申之山多楛[1]。北山经，潘侯之山，其下多楛。

【注释】

[1] 楛　郭璞注《山海经》云："楛木可以为箭，《诗》云：'榛楛济济。'怙音。"郝懿行《山海经笺疏》云："按，榛楛见陆玑《诗疏》。《说文》云：'楛，木也。'陆玑《疏》：'形似荆而赤，茎似蓍。'"《说文解字系传·通释》云："楛，木也，按《周礼》楛可为矢，周武王克商，肃慎氏来献楛矢。"《尚书·贡禹》云："惟箘簬楛""荆州贡楛"。注云："楛，中矢干，出云梦之泽。"《诗经·大雅》云："榛楛济济。"陆玑《毛诗草木疏》云："楛，其形似荆而赤，叶似蓍。上党（山西长治长子县一带）人箧织以为斗、筥、箱器，又揉（屈）以为钗。"《太平御览》卷959引《文选》曰："彼榛楛之勿剪。"《尔雅翼》云："楛，堪为矢，其茎似荆而赤，其叶如蓍。"

《本草纲目》云："牡荆有青、赤二种，青者为荆，赤者为楛，嫩条皆可为筥筲。古者贫妇以荆为钗，即此二木也。"

按，《本草纲目》所说，牡荆赤者为楛。马鞭草科植物有黄荆与牡荆，都是落叶灌木。牡荆的老茎圆形褐色，与《本草纲目》所云"牡荆赤者为楛"义合。

疑楛或为马鞭草科植物牡荆 Vitex cannabifolia Sieb. et Zucc. 的一类植物，详11"荆"条注［1］。

63 漆

西次四经，号山，其木多漆[1]，刚山多柒木[2]，英鞮之山，上多漆木。北山经，虢山，其上多漆。北次三经，京山多漆木。东山经，姑儿之山，其上多漆。中次四经，熊耳之山，其上多漆。中次十一经，翼望之山，其下多漆。

【注释】

[1] 漆　郭璞注《山海经》云："漆树似樗也。"郝懿行《山海经笺疏》云："案，俗语云：'櫄樗栲漆，相似如一。'见《尔雅》注及《诗·释文》。"《说文》云："漆，本作桼。木汁，可以髹物。"《说文解字系传·通释》云："桼，木汁，可以髹物，象木形，漆如水滴而下。《周礼》曰：林之征是也，髹即以桼物之名也。"《诗经·秦风》云："阪有漆，隰有栗。"《诗经·唐风》云："山有漆，隰有栗。"《诗经·鄘风》云："椅桐梓漆。"朱熹注云："漆，木之液粘黑，可饰器物，四木皆琴瑟之材也。"《左传》云："卫文公从居楚邱，树榛栗椅桐梓漆。"《周礼·夏官》云："豫州，其利林漆丝枲。"《庄子》云："漆可用，故割之。"《淮南子》云："蟹见漆而不干。"《史记·货殖列传》云："陈夏千亩漆，其人与千户侯等。"《后汉书·樊宏传》云："欲作器物，先种梓漆。"《魏志·华佗传》云："佗授以漆叶青粘散，云服之去三虫。"

漆的药用：《本草经》云："干漆，主绝伤，补中，续筋骨。主风寒湿痹。生漆去长虫。"《名医别录》云："漆，疗咳嗽、消瘀血、痞结、腰痛、女子疝瘕，利小肠，去蛔虫。"陶弘景云："畏漆人乃致死，外气亦能使身肉疮肿。仙方用蟹消为水。"

漆的形态：《本草图经》云："木高三二丈，皮白，叶似椿，花似槐，子若牛李。"崔豹《古今注》云："以刚斧砍其皮开，以竹管承之，汁滴，则成漆。"郭璞注《山海经》云："漆树似樗也。"

按，漆为漆科植物漆树 *Rhus verniciflua* Stocks 一类植物。生漆干涸即成干漆，干漆炒至烟尽可供药用，能破瘀通经、除瘕、杀虫，用于瘀血阻滞的闭经和癥瘕。孕妇、体虚、对漆过敏者忌用。

[2] **柒木** 郝懿行《山海经笺疏》云："案柒，木名也。《广韵》以柒为漆名，俗字，又以代纪数之七字并非。"

64 药蘺

西次四经，号山，其草多药蘺[1]。中次九经，崃山，其草多药。

【注释】

[1] **药蘺** 郭璞注《山海经》云："药，白芷，别名蘺，香草也。芎藭，一名江蓠。药音乌较反。"郝懿行《山海经笺疏》云："案，王逸注《楚辞·九歌》云：'药，白芷也。'《广雅》云：'白芷，其叶谓之药。'是郭所本也。《说文》云：'茝，蘺也，楚谓之蓠，晋谓之蘺，齐谓之茝。'是茝、蘺即江蓠也。"

宋·吴仁杰《离骚草木疏》卷1"茝"条云："《山海经》：'号山，草多药蘺''崃山草多药'。郭璞注：'药即蘺。'"又云："而药与药蘺，女有详略耳。如：茝，一名茞茝。荺，一名陵召也。"

今本《山海经》中郭璞所注与《离骚草木疏》不同。郭璞对"崃山，其草多药"注"药即蘺"，对"号山，其草多药蘺"注"药，白芷别名。蘺，香草也"。前者"药、蘺"注为一物，后者"药、蘺"注为二物。所以郝懿行《山海经笺疏》讥郭璞所注前后矛盾。

药与蘺是什么东西呢？药与蘺都是白芷的异名，芷古字作茝。

药即白芷：《楚辞·九歌》云："辛夷楣兮药房。"《楚辞·九怀》云："芷闾兮药房。"王逸注云："药，白芷也。"《淮南子·修务训》云："身若秋药被风。"高诱注云："药，白芷，香草也。"《广雅》云："白芷，其叶谓之药。"《本草图经》云："白芷，楚人谓之药。"

芷（茝）即蘺：《埤苍》曰："齐茝，一曰蘺。"《说文解字系传·通释》云："蘺，楚谓之蓠，晋谓之蘺，齐谓之茝。"锴按《本草》白芷一名蘺，一名芳香，一名茝，一名莞，一名符离，一名泽芬，叶一名蒚麻，可作脂及为浴汤，故《内则》云：'遗之茝兰，则受而献诸舅姑。'蘺，欣消反。"

《说文》："茝，蘺也，楚谓之蓠，晋谓之蘺，齐谓之茝。"段玉裁注云："茝，《本草经》谓之白芷，茝、芷同字。"

白芷古作香草，多与香草并提。《楚辞·离骚》云："扈江离与辟芷兮。"王逸注云："江离、芷皆香草也。"又云："岂维纫夫蕙茝。"王逸注云："蕙、芷皆香草也。"又云："杂杜衡与芳芷兮。"王逸注云："杜衡，芳芷皆草香也。"《楚辞·七谏》云："捐药芷与杜衡兮。"

《楚辞·九章·悲回风》云："兰、芷幽而独芳。"《楚辞·九章·湘夫人》云："沅有茝兮，沐有兰。"《楚辞·九章·思美人》云："擥大薄之芳茝兮""擥木根以结茝兮"。《荀子》云："兰槐之根是为芷。"注云："苗名兰槐，根名芷。"《史记·礼书》云："椒兰芬茝，所以养鼻也。"《淮南子·人间训》云："申椒杜茝，美人所怀服。"

白芷的药用：《本草经》云："白芷，味辛，温。主女人漏下赤白，血闭，阴肿，寒热，风头侵目泪出，长肌肤，润泽可作面脂。"《名医别录》云："白芷，疗风邪久渴，吐呕，两胁满，风痛，头眩，目痒，可作膏药面脂，润颜色。"

白芷的形态：《范子计然》云："白芷出齐郡，以春取黄泽者善也。"《本草图经》云："白芷生河东（今山西境内）川谷下泽，今所在有之，吴地尤多。根长尺余，白色，粗细不等，枝干去地五寸以上，春生叶相对，婆婆紫色，阔三指，花白微黄，入伏后结子，立秋后苗枯。"

按，药蘠为伞形科植物白芷，现今常用的白芷有四种，即杭白芷、兴安白芷、川白芷、滇白芷。《本草图经》所讲的白芷，谓吴地尤多，叶阔三指，很像杭白芷 *Angelica taiwaniana* Boiss 一类植物。

白芷，味辛，性温，有发汗、祛风、止痛之功，适用于感冒头痛，眉棱骨痛，鼻渊（鼻窦炎）引起的头胀痛，用于疮疡能排脓，亦可治牙痛及蛇咬伤。

65　芎䓖

西次四经，号山，其草多芎䓖[1]。北次三经，绣山，其草多芎䓖。中次十二经，洞庭之山，其草多芎䓖。

【注释】

[1] **芎䓖**　郭璞注《山海经》云："芎䓖，一名江蓠。"郝懿行《山海经笺疏》云："《尔雅·释文》引《本草》曰：'蘼芜，一名江蓠，芎䓖苗也。'是芎䓖、江蓠又为一物。《说文》云：'芎䓖，香草也。'案芎䓖即鞠穷，《左传》谓之山鞠穷。"芎本作营。《说文解字注》云："营，营䓖，香草也，《左传》作鞠穷。"按《左传》楚人谓萧人曰："有麦曲乎？有山鞠穷乎？河鱼腹疾奈何？二物皆御湿，故以谕之。"《离骚草木疏》引刘向《九欢》云："茪、芎弃于泽州。"

芎䓖的苗名蘼芜，一名江蓠。

《本草图经》云："蘼芜，芎䓖苗也。"《说文》云："江蓠，蘼芜也。"《淮南子·氾论训》云："夫乱人者，若芎䓖之与藁本，蛇床之与蘼芜。"《尔雅翼》云："芎䓖之苗叶为蘼芜，其叶盖似蛇床而香，故云蛇床乱蘼芜。"司马相如《子虚赋》云："芎䓖，菖蒲、江蓠、蘼芜。"《上林赋》云："被以江蓠，揉以蘼芜。"《史记索隐·司马相如列传》引郭璞注《子虚·上林赋》云："芎䓖，今历阳呼为江蓠。"颜师古注《汉书·司马相如传》云："蘼芜，一名江离。"《博物志》云："芎䓖，苗曰江离，根曰芎䓖。"

按，芎䓖有同名异物，一种指芎䓖，一种指石发。

《太平御览》卷990药部"芎䓖"条云："《山海经》注曰：'号山，洞庭之山，其草多芎䓖。'郭璞注曰：'芎䓖，一名江蓠。'《吴录地志》曰：'临海县有江离草，生海水中，正青，如乱发，干献之，亦盐芷，有汁名为濡酪，《楚辞》所云江离是也。'《史记索隐·司马相如列传》引《吴录》曰："临海县水中生江离，正青，似乱发，即《离骚》所云者是也。"颜师古注《汉书》引张勃云："江离出临海县海水中，正青，似乱发。"《益部方物略记》云："芎藭，叶为蘼芜，《楚辞》谓江离者。"

在这几种书中，一说江蓠是芎藭，一说江蓠是石发，同一个《楚辞》的江蓠，就有两种不同的说法，谁对呢？应从《益部方物略记》为对。谢翱《楚辞芳草谱》云："江离之草，屈原幼时所先采，盖自其初度，则固巳扈江离辟芷矣。张勃云：'江离出临海县海水中，正青，似乱发。'《楚辞》之于江离，畦而种之，则非水物。"

芎藭古代作香草用，多与香草并列。

《名医别录》云："芎藭，一名胡芎，一名香果，其叶名蘼芜。"《管子·地员》云："五天之土，五臭畴生，莲与蘼芜、藁本、白芷。"《尔雅翼》云："魏武帝以撒芜芷衣中。"

芎藭的药用：《本草经》云："芎藭味辛，温。主中风入脑，头痛，寒痹，筋挛缓急，金疮，妇人血闭，无子。"《名医别录》云："芎藭无毒。主除脑中冷动，面上游风去来，目泪出，多涕唾，忽忽如醉，诸寒冷气，心腹坚痛，中恶，卒急肿痛，温中内寒。"《本草衍义》云："芎藭，头面风不可缺也。"

芎藭不可久服，沈括云："予一族子，旧服芎藭，医郑叔熊见之云：'芎藭不可久服，多令人暴死。'后族子果无疾而卒。又朝士张子通之妻病脑风，服芎藭甚久，亦一日暴亡。"

芎藭的形态：《吴普本草》云："芎藭叶细香，青黑文，赤如藁本，冬夏丛生，五月花赤，七月实黑，茎端两叶，三月采根，有节如马衔。"《唐本草》注当归云："一似大叶芎藭，一似细叶芎藭。"《蜀本草·图经》："芎藭苗似芹、胡荽、蛇床辈，丛生，花白，今出秦州者为善。"

陶弘景《本草经集注》云："芎藭叶似蛇床而香，节大茎细，状如马衔，谓之马衔芎藭。"

按，芎藭是伞形科植物川芎 *Ligusticum wallichii* Franch 一类植物。其味辛，性温，能活血、祛风、止痛，适用于各种头痛，如感冒头痛、血瘀头痛（但忌用于高血压头痛和血虚头痛）。凡由血瘀所致痛经、肢体痛、麻木、瘫痪等，在相应的方中，均可酌加川芎。

66　柏

西次四经，白于之山[1]，其上多柏，土山多柏。北山经，涿光之山，丹熏之山，潘侯之山，其上多柏。北次二经，诸徐之山，其下多柏。北次三经，咸山，谒戾之山，其上多柏。中次七经，讲山，其上多柏。中次八经，荆山、骄山、大尧之山、玉山、师每之山，其木多柏。中次十一经，翼望之山，其上多柏，皮山，其木多柏，前山、族箇之山、董理之山，其山多柏，从山、婴碝之山、奥山，其上多柏。海内西经，开明北有柏树。海外南经，三株树，生赤水，其为树如柏[2]。

【注释】

[1] **白于之山**　郝懿行《山海经笺疏》云："案，山在今甘肃安化县。"

[2] **柏**　《尚书·逸篇》："东社惟柏。"《尚书·禹贡》云："荆州贡杶、干、栝、柏。"《毛诗》云："新甫之柏""汎彼柏舟。"《礼记·杂记》云："畅臼以椈，杵以柏。"《尔雅》云："柏，椈。"《论语》云："殷人以柏。"《孙卿子》云："柏经冬而不凋。"《东方朔传》云："柏者，鬼之廷也。"

《汉书·武帝纪》云："元鼎二年（公元前115）春起柏梁台。"《文选》云："射食柏而香。"

《晋宫阁名》云："华林园，柏三株。"

柏的药用：《本草经》云："柏实，主惊悸，安五脏，益气，除风湿痹。久服令人润泽美色。"《名医别录》云："柏实，疗恍惚虚损，吸吸历节，腰中重痛，益血止汗。柏叶，主吐血、衄血、痢血、崩中赤白，轻身益气，令人耐寒暑，去湿痹，生肌。"

柏的形态：《群芳谱》云："柏树耸直，皮薄，肌腻，三月开细琐花，结实成球状，如小铃多瓣，九月熟，霜后瓣裂，中有子，大如麦。"

按，柏为柏科植物各种柏，如柏木 *Cupressus funebris* Endl.、侧柏 *Biota orientalis*（L.）Endl 等一类植物。

侧柏的叶及果实均可入药。

侧柏叶味苦、涩，性微寒，能清热凉血、止血，适用于热证各种出血，并有消炎止咳作用，可用于慢性支气管炎。

侧柏的果实名柏实，亦名柏子仁，能养心安神，润肠通便，适用于血虚心悸不寐，及老年、产后阴虚肠燥便闭。

67　栎

西次四经，白于之山，其下多栎[1]。中次九经，勾栎之山，其木多栎。

【注释】

[1]　**栎**　郭璞注《山海经》云："栎即柞。"郝懿行《山海经笺疏》云："案，栎见《尔雅》。"《周礼·地官》云："山林，其植宜皂物。"郑注云："柞、栗之属。"《诗经·秦风》云："山有苞栎。"陆玑《毛诗草木疏》云："苞栎，秦人谓柞栎为栎，河内人谓木蓼为栎。"郑樵《诗笺》云："柞，栎也。"《淮南子·时则训》云："十二月其树栎。"高诱注云："栎，可以为车毂。"司马相如《上林赋》云："沙棠栎槠。"应劭注云："栎，采木也。"《史记·李斯列传》云："采椽不斫。"《集解》引徐广注云："采，一名栎，亦名栭。"《尔雅》云："栎，其实梂。"郭璞注云："其梂汇自裹。"孙炎注云："栎似樗之木也，梂盛实之房也。"

栎的药用：《本草拾遗》云："栎木皮，味苦、平，无毒。根皮主恶疮中风犯毒露者，取煎汁洗疮，当令脓血尽止，亦治痢。"《日华子》云："栎树平，无毒。治水痢，消瘰疬，除恶疮。"

栎的形态：《本草图经》云："栎木，高二三丈，三、四月开黄花，八、九月结实，其实为皂斗。"《本草纲目》云："栎有二种：一种不结实者，其名曰棫，其木心赤；一种结实者名栩，其实为橡，其叶如槠叶，而文理皆斜，四、五月开花如栗花，黄色，结实如荔枝核而有尖，其蒂有斗，包其半截，其仁如老莲肉，山人俭岁，采以为饭。"《本草衍义》云："栎叶如栗叶，其壳虽可染皂，若曾经雨水者，其色即淡。槲亦有壳，但小，而不及栎也。"

《本草图经》所讲的栎，其果实当年熟，而一般栎树实异年熟。《本草纲目》所讲的栎，其叶如槠叶，按，槠叶平滑、革质、全缘。《本草衍义》所讲的栎，其叶如栗叶，按，栗叶边有锯齿。由此可见，以上三种本草所讲的栎，并非同一种植物。

按山毛榉科植物石栎属有 100 多种，麻栎属有 200 多种。它们的果实为坚果，都有总苞（即壳斗）。壳斗可以染皂，种子脱涩后可食。它们的名称在古书上所见的有：栎、柞、柞栎、械、杼、栩、橡、槲、栲、椆、朴桴、槲檄、采、枥等。每个名称所指具体植物，各书都不一致。有时同一个名字指几种不同的植物，有时同一种植物又有几个不同的名字。因此《山海经》的栎所指具体植物是什么，很难确定。从郭璞所注栎即柞，或是麻栎 *Quercus acutissima* Carr. 一类植物。

麻栎木材耐摩擦，昔日农民用制砻齿（昔日以砻作为稻脱壳的工具），亦为培养香菌的材料。此树能放养柞蚕，故有柞树之称。

68　檖木

西次四经，中曲之山，有木焉，其状如棠[1]，而圆叶赤实，实大如木瓜[2]，名曰檖木[3]，食之多力。

【注释】

[1] **棠**　郭璞注云："棠，梨也。"《尔雅》云："杜，甘棠也。"又云："杜，赤棠。"《本草纲目》卷 30 云："棠梨，野梨也。"疑棠为蔷薇科植物杜梨 *Pyrus betulifolia* Bge. 一类植物。

[2] **木瓜**　《尔雅》云："楙木，木瓜也。"《诗经》云："投我以木瓜，报之以琼琚。"按，木瓜是蔷薇科植物木瓜 *Chaenomeles sinensis* (Thouin) Koehne 一类植物。中医用治筋脉拘急，腰膝湿痹酸痛。详 69 "木瓜" 条注 [1]。

[3] **檖木**　郝懿行《山海经笺疏》云："案，《尔雅》云：'檖，槐大叶而黑'。非此也。檖，通作槐，又通作裛。《广雅》云：'裛，续断也。'《本草·别录》云：'续断，一名接骨，一名槐。'陶注云：'有接骨树。'颜师古注《急就篇》云：'续断即今所呼续骨木。'据诸书所说，接骨木即此经檖木与！"

郝氏在《山海经笺疏》中讲到三个植物，即槐、续断、接骨木，最后确定"接骨木"是《山海经》中的檖木。

说《尔雅》"檖，槐大叶而黑"不是《山海经》"檖木"是对的，因为《尔雅》的"槐"，指豆科植物槐树，槐树果实为荚果，不像木瓜，与《山海经》"实大如木瓜"不合。

《广雅》"裛，续断也"和《本草·别录》"续断一名接骨，一名槐"皆指《本草经》的"续断"。《本草经》的"续断"，即今川续断科植物川续断。《本草经》说："续断久服益气力。"此与《山海经》的"食之多力"相合。但川续断的果实是瘦果椭圆楔形，长约 3 ~ 5 mm，与《山海经》文"实大如木瓜"全不相符，则《本草经》的"续断"，当非《山海经》的"檖木"。

至于颜师古所注《急就篇》"续断，一名接骨木，即今所呼续骨木也"，按，颜氏为唐代人，颜氏所云"即今"当指唐代而言。《唐本草》除载《本草经》的"续断"外，尚新添当时应用的"接骨木"。《唐本草》云："接骨木，味甘、苦，平，无毒。主折伤，续筋骨，除风痒龋齿，可作浴汤。"《唐本草》又注云："叶如陆英，花亦相似，但作树高一二丈许，一名木蒴藋。"苏颂《本草图经》云："接骨木高一二丈许，花、叶都类陆英、水芹辈，故一名木蒴藋。"

按，接骨木即今忍冬科植物接骨木 *Sambucus williamsii* Hance 一类植物。但接骨木的果实是有细皱纹的核果，极小，直径约一分五厘，与《山海经》所云"实如木瓜"全不相同。所以郝氏以"接骨木"释《山海经》的"櫰木"似难成立。

《山海经》"櫰木"既不是槐树、续断，又不是接果木，那么"櫰木"是什么植物呢？

从《山海经》所云"赤实，实大如木瓜"来看，櫰木有点像山楂，山楂是红色，与"赤实"义合。木瓜果实都呈黄色，与"赤实"不相符。又山楂的果实形状似棠梨，此与"其状如棠"相合。

从功用上来看，山楂能健胃助消化，增加饭量，饭量大，力气也大，此与"食之多力"义合。

根据这几个理由，疑"櫰木"是山楂。

关于山楂，古籍早有记载。《尔雅》云："朹，檕梅。"注云："朹音求，树如梅，其子大如指头，赤色，似小柰，可食。"《唐本草》云："赤爪实，一名羊梂，一名鼠查。"《本草纲目》云："赤爪，堂梂，山楂，一物也。"

山楂的药用：《唐本草》云："赤爪木，味苦寒，无毒。主水痢，风头、身痒。"又云："实，味酸冷，无毒。汗服，主水痢，沐头及洗身上疮痒。"《本草拾遗》云："煮汁洗漆疮效。"

山楂的形态：《唐本草》注云："赤爪木，小树生，高五六尺，叶似香菜，子似虚掌爪，大如小林檎，赤色，出山南、申安、随等州。"《本草纲目》云："树高数尺，叶有五尖，桠间有刺。三月开五出小白花，实有赤、黄二色，肥者如小林檎，小者如指头，九月乃熟。"

疑"櫰木"为蔷薇科植物山楂 *Crataegus pinnatifida* Bge Vav major N. E. Br 一类植物。

山楂味酸、甘，性微温，消食积、散瘀滞，治肉食积滞、产后腹痛、恶露不尽。

69　木瓜

西次四经，中曲之山，有木焉，其状如棠而圆叶赤实，实大如木瓜[1]。

【注释】

[1] **木瓜**　郭璞注《山海经》云："木瓜如小瓜。"郝懿行《山海经笺疏》云："案，楙，木瓜，见《尔雅》。"《诗经·卫风》云："投我以木瓜，报之以琼琚。"毛公曰："木瓜，楙木也，可食之木。"陆玑《毛诗草木疏》云："楙，瓜叶似柰叶，实如小瓜著粉者。"《尔雅》云："楙，木瓜。"郭璞注云："实如小瓜，酢可食。"《说文》云："楙，木盛也。"《艺文类聚》卷87引《广志》曰："木瓜子可藏，枝为杖，号一尺百二十节。"宋·何承天《木瓜赋》曰："方朝华而繁实，比沙棠而有耀。"《齐民要术》云："木瓜种子及栽皆得，压枝亦生。"《水经》注云："鱼腹县地多木瓜树，有实大如瓯，白黄，实甚芬香。《尔雅》之所谓楙也。"《淮南万毕术》："木瓜烧灰散池，可以毒鱼。"《三国·典略》云："齐孝昭北伐至天池，以木瓜灰毒鱼。"《晋宫阁各》："华林园，木瓜五株。"

木瓜的药用：《名医别录》云："木瓜实，主湿痹脚气，霍乱大吐下，转筋不止，其枝亦可者用。"《本草拾遗》云："木瓜，下冷气，强筋骨，消食，止水，痢后渴不止，作饮服之。"

木瓜的形态：《本草经》云："木瓜，其木状若柰，花生于春末，而深红色，其实大者如瓜，小者如拳。"《本草纲目》云："木瓜可种可接，可以枝压。其叶光而厚，其实如小瓜而有鼻，津润味不木者为木瓜。圆小如木瓜，味木而酢涩者，为木桃。似木瓜而无鼻，大于木桃，味涩者为木李，亦曰木梨，即榠楂。"

按，木瓜为蔷薇科植物木瓜 *Chaenomeles sinensis* (Thouin) Koehne，商品名光皮木瓜。

另有蔷薇科植物贴梗海棠 *Chaenomeles lagenaria* (Loisel) Koidz 一类植物的果实，商品名皱皮木瓜。木瓜能祛湿舒筋、止吐泻，可用于腹痛吐泻；木瓜亦有缓解肌肉痉挛的作用，可用于由吐泻过度引起的小腿腓肠肌痉痛；对于慢性风湿性关节疼痛，木瓜也有一定的疗效。木瓜的古材，古代用以制弓。《礼记·考工记》云："凡取干之道七：柘为上……木瓜次之。"

70 丹木

西次四经，崦嵫之山，其上多丹木[1]，其叶如穀[2]，其实大如瓜，赤符（柎）而黑理，食之已瘅（胆）[3]，可以御火。

【注释】

[1] **丹木** 《山海经》有两个丹木，即西次三经崒（音密）山有丹木，西次四经崦嵫山有丹木。两个丹木名同实异：前者味如饴，食之不饥；后者实大如瓜，食之已瘅。

[2] **穀** 详32 "穀" 条注 [1]。

[3] **食之已瘅** "瘅" 音胆，通疸，即黄疸病。《素问·玉机真脏论》："肝传之脾，病名曰脾风，发瘅，腹中热，烦心，发黄。"

从 "实大如木瓜，实之已瘅" 来看，本条丹木，很像 "栝楼"。栝楼的果实圆而大，状如瓜，古本草说栝楼治黄疸。《证类本草》卷8引《名医别录》云："栝楼除入疸身面黄，一名天瓜，实名黄瓜。"栝楼早在《诗经》时代已有记载。《诗经·东山》云："果臝之实，亦施于宇。"《毛传》云："果臝，栝楼也。"《尔雅》云："果臝之实，栝楼。"释曰："果臝之草，其实名栝楼。"郭璞注云："今齐人谓之天瓜。"《本草经》云："栝楼，一名地楼。"《名医别录》云："栝楼，一名果臝，一名天瓜，一名泽姑。"

栝楼的药用：《本草经》云："栝楼很味苦，寒。主消渴，身热，烦满，大热，补虚安中，续绝伤。"《名医别录》云："除肠胃中痼热，八胆，身面黄，唇干口燥，短气，通月水，止小便利。"

栝楼的形态：《本草图经》云："栝楼，实名黄瓜，根亦名白药，皮黄肉白，三、四月生苗，引藤蔓。叶如甜瓜叶作义，有细毛。七月开花，似葫芦花，浅黄色。实在花下，大如拳，生青，至九月熟，赤黄色，其实有正圆者，有锐而长者，功用皆同。"

疑本条丹木或是葫芦科植物栝楼 *Tvichosanthes kirilowii* Maxim. 一类植物。

栝楼一名瓜蒌，果壳名瓜蒌皮，种子名瓜蒌仁，全果实名全瓜蒌，瓜蒌的根名天花粉。

瓜蒌皮开胸散结，清热化痰，用于热痰咳嗽，胸痹及结胸，乳痈初起。

瓜蒌仁润肺涤痰，润肠通便，治肺热痰咳。

瓜蒌根清热生津，解毒消肿，用于热证津伤口渴，热结痈肿疮疡，并能堕胎。

71 瓜

西次四经，崦嵫之山，其上多丹木，其实大如瓜[1]。中次六经，阳华之山，其草多苦辛，其实如瓜。

【注释】

[1] 瓜 《诗经·大雅》："绵绵瓜瓞。"《尔雅》云："瓜曰华之。"又云："瓞瓝。"孙炎注云："瓞，小瓜，子如瓝。"《说文》云："㼎，小瓜，瓞也。"《广雅》云："水芝，瓜也。"《礼记》曰："仲冬行秋令，则天雨汁，瓜瓠不成。"《大戴礼记·夏小正》云："八月剥瓜。"《左传》云："瓜时而往，及瓜而代。"《论语》云："吾岂匏瓜也哉。"《孔小家语》云："曾子芸瓜，而误斩其根，曾暂怒，大杖击其背。"《庄子》曰："朽瓜化为鱼，物之变。"《艺文类聚》卷87引《古文奇字》曰："秦始皇密令人种瓜于骊山。"《吴越春秋》曰："吴王夫差，为越所败，遁而去，得自生之瓜食之。"《贾谊书》曰："梁楚边亭皆种瓜。"《续汉书》曰："安帝时（107—125）有瓜异本（根）共生，时以为嘉瓜。"《说文解字系传·通释》云："锴曰：诗曰中田有庐，疆场有瓜，瓜亦果贵者。"晋·嵇含《瓜赋》曰："世之三芝，瓜处一焉。"

按，瓜是葫芦科植物果实的通称，多肉多汁，供生食或蔬菜用之。

338

北山经植物药名诠释

72 机木	73 华草	74 桐
75 椐	76 樗	77 韭
78 齨	79 葱	80 葵
81 桃	82 李	83 柘
84 枳棘	85 刚木	86 赤柳
87 柳	88 三桑	89 百果树
90 薯蓣	91 秦椒	92 丹林
93 桓	94 芍药	95 条（柚的一种）
96 藻	97 茝（白芷的一种）	

72 机木

北山经，单狐之山，多机木[1]。中次八经，大尧之山，其木多机。中次十一经，袟篇之山，其上多机。

【注释】

[1] **机木** 郭璞注《山海经》云："机木似榆，可烧以粪稻田，出蜀中，音饥。"郝懿行《山海经笺疏》云："案，《说文》云：'机，木也。'段氏玉裁注云：'盖即枊木也，今成都枊木树读若岂，平声。'扬雄《蜀都赋》曰：'春机杨柳。'机、枊古今字，枊见杜《诗》。"徐锴《说文解字系传·通释》云："机，木也，从木，几声。臣锴按《山海经》单狐之山多机木，注曰：'似榆，可烧以粪稻田，出蜀中，音饥。'"

疑机木即枊木。

枊木的药用：《开宝本草》云："枊木皮，平肝，清火，利气，治鼻衄、崩漏、风火赤目。"

枊木的形态：《益部方物略记》云："民家树枊，不三年，材可倍常。"四川省种植枊木很多，在成都田陇河岸到处皆有，借以擁固埂堤，防止坍塌，并为薪炭重要来源，俗有"要柴烧，栽枊好"之谚。

按，机木即桦木科植物枊木 *Alnus cremastogyne* Burkill 一类植物。枊木高大达 30 m，形似赤杨，木材坚韧，可制农具及建筑材料。枊木枝梢，可清热降火、止血止泻，适用于吐血、衄血、水泻、痢疾、黄水疮。

[附] 今本《山海经》无"杭"字，只有"机木"。"机"与"杭"字相似，有人视今本《山海经》"机木"为"杭木"，同《尔雅》"杭·系梅"相联系，并释为蔷薇科植物山楂 *Crataegus pinnatifida* Bge.。但依据徐锴《说文解字系传·通释》所引《山海经》"单狐山多机木"的"机"字来看，今本《山海经》"机木"的"机"字是对的，并非"杭"字之误。辛树帜《我国果树历史的研究》(1962 年农业出版社出版，第 44 页) 在"杭·系梅"标题下注云："郭注《山海经》亦云：'杭，可烧粪田。'"按，《说文解字系传·通释》所引郭璞注为"机，可烧粪田"，非"杭"字，而且徐锴在"机"释文中注明"音饥"。

73　华草

北山经，单狐之山，其上多华草[1]。

【注释】

[1] **华草**　郝懿行《山海经笺疏》云："案，华草，未详，《尔雅》虽云：'葭，一名华。'而非山上之草。《吕氏春秋·别类》云：'夫草有莘有藟。'《太平御览》994 卷引莘作华，然则华草岂是与《吕氏春秋》说此草云：'独食之则杀人，合而食之则益寿。'此经不言，未知其审，存以俟考。"

按，郝氏所疏，"华"可能是"莘"字之误。华字繁体字作"華"，"華"与"莘"字相近，抄时易讹错，疑华草即莘草。

《证类本草》卷 30 引《名医别录》云："莘草，味甘，无毒。主盛伤痹肿。生山泽，如蒲黄，叶如芥。"

74　桐

北山经，虢山，其下多桐[1]。东次三经，孟子之山，其木多桐。中次四经，柄山，有木焉，其叶如桐。中次五经，条谷之山，其木多桐。

【注释】

[1] **桐**　郭璞注《山海经》云："桐，梧桐也。"郝懿行《山海经笺疏》云："桐，见《尔雅》。"《尔雅》云："荣，桐木。"郭璞注云："即梧桐也。"《尔雅》云："榇，梧。"郭璞注云："今梧桐。"《尚书·禹贡》："峄阳孤桐。"注云："峄山之阳，孤（特）生桐，中琴瑟。"《礼记·月令》："季春之月，桐始华。"《诗经·大雅》："梧桐生矣。"《诗经·鄘风》："椅、桐、梓、漆。"陆玑《毛诗草木疏》云："桐有青桐、白桐、赤桐。白桐宜为琴瑟。"朱熹注云："桐，梧桐也。四木皆琴瑟之材也。"《管子》曰："五沃之土，其木宜桐。"《庄子》："鹓鶵非梧桐不止。"《孟子》云："拱把之桐梓。"《淮南子》曰："桐不可以为弩。"《淮南万毕术》云："桐木成云。"《艺文类聚》卷 88 引苏子曰："人生一也，若晓露之讬桐叶。"枚乘《七发》云："龙门之桐，高百尺而无枝。"张协《七命》云："寒山之桐，出自太冥。"《太平御览》卷 956 引《新论》曰："神农，黄帝削桐为琴。"《后汉书·蔡邕传》云："吴人烧桐，邕闻火裂声，如为良木，请裁为琴，其尾犹焦，故名焦尾琴。"嵇叔夜《琴赋》云："惟椅桐之所生。"

桐的药用：《本草经》云："桐叶，主恶蚀疮，著阴。皮，主五痔，杀三虫。主，主傅猪疮。"《名医别录》云："桐皮，疗贲豚气病。"

桐的形态：《本草纲目》云："白桐即泡桐，叶大径尺，最易生长，皮色粗白，其本轻虚不虫蛀，二月花，如牵牛花而白，结实大如巨枣，长寸余，壳内有子片，轻虚如榆荚，葵实之状，老则壳裂，随风飘扬。"

按，陆玑《毛诗草木疏》桐分青桐、白桐。白桐即玄参科泡桐属植物泡桐 Paulownia fortunei (Seem.) Hemsl.，亦名椅桐；青桐即梧桐科植物梧桐 Firmiana simplex (L.) W. F. wight。

梧桐木材色白而质轻软，适于制作箱匣及乐器，如琵琶、琴瑟。木材内含有黏液，昔日多作制泡花，用以浸汁涂头发，梳时使头发光亮美观。叶可以灭蛆，亦可治白带，并有催产作用。种子可以榨油，树皮纤维可以制纸及织物绳索。

泡桐生长快，木质轻软，有不易传热的特性，古人用以制为书箱，藏书画，历久不败色，亦可制乐器。

桐木片煮汁，熏下身肿。桐叶治痈疽，疔疮，创伤出血。桐皮治痔疮，淋病，跌扑损伤。桐花能治痄腮（腮腺炎）。桐果能祛痰、止咳平喘，治慢性支气管炎。

［附］《中药大辞典》所载"泡桐木皮"，原植物为紫葳科植物灰楸 Catalpa fargesii Bur.，与玄参科植物泡桐是两种不同的植物。

75　椐

北山经，虢山，其下多椐[1]。中次十经，虎尾之山、楮山，其木多椐。中次十一经，虎首之山多椐。又丑阳之山，其上多椐。中次十二经，龟山，多椐。

【注释】

［1］**椐**　郭璞注《山海经》云："椐，樻也，木肿节，中杖。椐音祛。"郝懿行《山海经笺疏》云："椐，见《尔雅》。郭注椐与此注同。"《尔雅》云："椐，樻。"《说文》云："椐，樻也。"《诗》云："其柽其椐。"陆玑《毛诗草木疏》云："椐，樻，节中肿，似扶老，今灵寿是也。今人以为马鞭及杖。"《说文解字系传·通释》云："桹，樻，椐木也。锴按《尔雅》樻，柜柳，注曰未详，或曰似柳，皮可煮饮。"《广韵》云："椐，灵寿木名。"详232"灵寿木"条注［1］。

76　樗

北山经，丹熏之山，灌题之山，其上多樗。中次六经，橐山，中次入经岐山，中次九经熊山，其木多樗[1]。东山经，狱山，其下多樗。西山经竹山，中次四经柄山，中次七经浮戏之山，有木焉，其状如樗。

【注释】

［1］**樗**　《说文》云："杼（樗）木，出橐山。"《诗经》："采茶薪樗。"陆玑《毛诗草木疏》云："樗树及皮皆似漆，青色耳，其叶臭。"《庄子》云："吾有大树，人谓之樗，其本（根）拥肿，不中绳墨；小枝曲拳，不中规矩，立于途，匠者不观。"又云："樗，散材也。"《尔雅》云："雉由，樗茧。"郭氏疏云："樗，即臭椿。"

樗的药用：《唐本草》云："椿木叶味苦，有毒，主洗疮疥风疽，水煮叶汁用之，皮主甘匿；樗木根叶尤良。"《证类本草》卷14引陈藏器《本草拾遗》云："樗木，味苦，有小毒，皮主赤白久痢，口鼻中疳虫，增瘠墨……下血。"

樗的形态：《本草图经》云："樗木疏而气臭，膳夫亦能熬去其气。北人呼樗为山椿，江东人呼为虎目。叶脱处有痕，如樗蒲子，又如眼目，故得此名，其木最为无用。"《本草纲目》云："樗木皮粗肌虚而白，其叶臭恶，歉年人或采食。栲木即樗之生山中者，木亦虚大，梓人亦或用，然爪之如腐朽，故古人以为不材之木，不似椿木坚实。"

按，樗木是臭椿，椿木是香椿，二者功用相同，《唐本草》把二者合并叙之，历代本草皆沿袭《唐本草》之旧，其实二者为两种不同科属的植物。

椿木为楝科植物香椿 Toona sinensis（A. Juss.）Roem.。樗木为苦木科植物臭椿 Ailanthus altissima（Mill.）Swingle。

商品多将椿木皮、樗木皮统称为"椿白皮"或"椿根皮"。目前使用较广者为樗白皮，仅在贵州、四川、湖北、陕西等地单独使用椿白皮，或椿皮、樗皮兼用。

樗根皮，味苦涩，性寒，能清热燥湿，涩肠、止血；治久泻，久痢，肠风便血，崩漏，带下，遗精，白浊。

樗树亦可养蚕，山东烟台有专植之以饲养樗蚕。胡渭《禹贡锥指》云："今青州、济南、兖州等处皆有茧绸，其蚕乃人放椿（樗椿）树上，食叶作茧丝不甚坚韧。"

77　韭

北山经，丹熏之山，其草多韭[1]，边春之山多韭，北单之山多韭。中次九经，崃山，其草多韭。中次十一经，视山，其上多韭，鸡山，其草多韭。南山经，招摇之山，有草焉，其状如韭。西山经，石脆之山，其草多条，其状如韭。

【注释】

[1] 韭　郭璞注《山海经》云："皆山菜，《尔雅》有其名。"郝懿行《山海经笺疏》云："《尔雅》云：'藿，山韭。'"《说文》云："韭，菜名，一种而久者，故谓之韭。"《尔雅》云："藿，山韭。"《诗经·豳风》："四之日献羔祭韭。"《史记·货殖列传》云："千畦姜、韭，其人与千户侯等。"《汉书·龚遂传》云："种一畦韭。"《周官》："醢人朝事之豆，其实菁菹。"郑注云："菁菹，韭菹。"《众经音义》引《三苍》云："韭之英曰菁。"《广雅》云："韭，其华谓之菁。"《南都赋》云："秋韭冬菁。"

韭的药用：《证类本草》卷28引《名医别录》云："韭，味辛、温，主安五脏，除胃中热，利病人，可久食，子主梦泄精，溺白；根主养发。"《本草拾遗》云："韭，温中，下气，补虚，调和脏腑，令人能食，益阳，止泄血脓，腹冷痛，并煮食之。"又云："韭叶及根，生捣绞汁服，解药毒，疗狂狗咬人欲发者。亦杀诸蛇、虺、蝎、恶虫毒。"

韭的形态：《图经本草》云："圃人种莳，一岁而三四割之，其根不伤，至冬壅培之，先春而复生。"《齐民要术》引《广志》曰："弱韭长一尺。"又引崔实《四民月令》云："七月藏韭菁。"

按，韭是百合科植物韭菜 Allium tuberosum Rottler ex Sprengle，其子味辛、甘，性温，能温肾固精，适用于肾阳虚梦遗，夜尿多，妇女白带。

78 薤

北山经，丹熏之山，其草多薤[1]。中次九经，崍山，其草多薤。

【注释】

[1] 薤　郭璞注《山海经》云：“皆山菜，《尔雅》有其名。”郝懿行《山海经笺疏》云：“案，《尔雅》：‘蒠，山薤。’”《本草纲目》云：“薤，本文作薤，韭类也，故字从韭，从叡，音概，谐声也。”《说文》云：“薤，菜也，叶似韭，生山中者名蒠。”《尔雅》云：“蒠，山薤。”郭璞注云：“今山中多有此菜，如人家所种者。”《尔雅》又云：“薤，鸿荟。”郭璞注云：“即薤菜也。”《毛诗本草疏》云：“薤叶，似韭之菜也，一名鸿荟，《本草》谓之菜芝是也。”罗愿《尔雅翼》云：“物莫美于芝，故薤为菜芝。”《礼记·内则》云：“脂用葱，膏用薤。”又云：“切葱、薤，实诸醯以柔之。”《汉书·龚遂传》云：“种百本薤。”崔寔《四民月令》云：“正月可种薤、韭、芥，七月别种薤矣。”《齐民要术》云：“薤宜白软良地，三转乃佳。”

薤的药用：《本草经》云：“薤，味辛、温。主金疮，败疮，轻身，不饥，耐老。”《名医别录》云：“薤，味苦，无毒，归于骨，菜芝也。除寒热，去水气，温中散结，利病人诸疮，中风寒水肿，以涂之。”陈藏器《本草拾遗》云：“薤，调中，主久痢不差，腹内常恶。”

薤的形态：陶弘景《本草经集注》云：“葱薤异物，而今共条。《本经》既无韭，以其同类故也。”《唐本草》云：“薤乃韭类，叶不似葱，今云同类，不识所以然。薤有赤、白二种，白者补而美，赤者主金疮及风。”《本草图经》云：“薤似韭而叶阔多白无实，人家种者有赤、白二种，皆春分莳之，至冬而叶枯，《尔雅》云：‘薤，鸿荟。’又云：‘蒠，山薤。’山薤茎叶亦与家薤相类，而根长，叶差大仅若鹿葱，体性亦与家薤同。”

按，薤为百合科植物薤白 *Allium macrostemon* Bunge 一类植物。

薤，味辛，性温，行气止痛，可治疗胸部痹痛（类似冠状动脉粥样硬化性心脏病的心绞痛），胃肠湿滞、泻痢。

79 葱

北山经，边春之山多葱[1]。北单之山多葱。西次三经，昆仑之丘，有草焉，其味如葱。

【注释】

[1] 葱　郭璞注《山海经》云：“山葱名茖，大叶。”郝懿行《山海经笺疏》云：“案，茖，山葱，见《尔雅》。山上多葱，疑即葱岭。《水经》云：‘河水南入葱岭山。’注云：‘郭义恭《广志》云：休循国居葱岭，其山多大葱。’”《说文》云：“葱生山中者名茖。”《尔雅》云：“茖，山葱。”

《礼记》云："脍，春用葱胎，亦用葱薤。"《礼记·内则》云："切葱、薤，实诸醯以柔之。"《管子》云："齐威公五年，北征山戎，出冬葱与戎菽，布之天下也。"《汉书·龚遂传》云："种五十本葱。"《说文解字注》云："葱生山中者名茖，细茎大叶者是也。"崔寔《四民月令》云："二月别小葱，六月别大葱，七月可种大、小葱，夏葱曰小，冬葱曰大。"《齐民要术》引《广志》曰："葱有冬、春二种，有胡葱、木葱、山葱。"又云："晋令曰有紫葱。"《尔雅翼》云："葱本（根）白而末黄，青色尤美。"

葱的药用：《本草经》云："葱实，味辛，温。主明目，补中不足。其茎可作汤，主伤寒寒热，出汗中风，面目肿。"《名医别录》云："葱无毒。葱白，平。主伤寒骨肉痛，喉痹不通，安胎，归目，除肝邪气，安中，利五脏，益目睛，杀百药毒。葱根，主伤寒头痛。葱汁，平，温，止溺血，解藜芦毒。"《食疗本草》云："葱根主疮中有水风肿痛者。"《日华子》云："葱治天行时疾头痛热狂。"

葱的形态：《蜀本草·图经》云："葱有冬葱、汉葱、胡葱、茖葱，凡四种。冬葱，夏衰冬盛，茎叶俱软美，山南江左有之；汉葱，冬枯，其茎实硬而味薄；胡葱，茎叶粗短，根若金灯，能疗肿毒；茖葱，生于山谷。"

苏颂《本草图经》云："葱有数种：入药用山葱、胡葱；食品用冻葱、汉葱。山葱生山中，细茎火叶，食之香，美于常葱，一名茖葱，《尔雅》所谓'茖，山葱'是也。胡葱类食葱，而根茎皆细白。又云茎叶微短，如金灯者是也。冻葱冬夏常有，但分茎栽莳，而无子，气味最佳，亦入药用，一名冬葱。又有一种楼葱，亦冬葱类也，江南人呼龙角葱，言其苗有八角故云尔，淮楚间多种之。汉葱茎实硬而味薄，冬即叶枯。"

按，葱为百合科植物葱 Allium fistulosum L. 的一类植物，味辛，性温，发汗解表，利尿，健胃，适用于感冒发热初起，头痛、鼻塞、恶寒无汗等表实证。

80 葵

北山经，边春之山，多葵[1]。西山经，符禺之山，其草多条，其状如葵；天帝之山，有草焉，其状如葵；皋涂之山，有草，其叶如葵。西次三经，昆仑之丘，有草焉，其状如葵。中次七经，堵山，有木焉，方茎而葵状。中次七经，少陉之山，有草焉，其状如葵。中次九经，高梁之山，有草焉，其状如葵。

【注释】

[1] **葵** 《诗经·豳风》云："七月烹葵及菽。"《楚辞·离骚》曰："葽虫不能从乎葵菜。"《说文》云："葵，菜也。"《士虞礼》云："若薤有滑，夏用冬葵。"《尔雅翼》云："葵为百菜之主，味尤甘滑。"

葵的品种很多，上文所讲的葵性滑，能做菜，似指冬葵而言。《唐本》注云："冬葵即常食者葵根也，《左传》能卫其足者是也。"

葵的药用：《本草经》云："冬葵子主五癃，利小便。"《名医别录》云："冬葵根主恶疮，疗淋，利小便，解蜀椒毒；叶为百菜主，其心伤人。"

葵的形态：《本草图经》云："冬葵，其子秋种葵，覆养经冬，至春作子者，谓之冬葵子。苗叶作菜茹，更甘美。"

　　按，葵为锦葵科植物锦葵 *Malva sylveti* L. 或冬葵 *Malva Verticillata* L. 一类植物。冬葵的根、叶、子均能入药用。根能清热解毒，通淋利窍，适用于淋病、白带、小便不利，亦治消渴、虫螫伤。叶能清热，利水，滑肠，适用于丹毒，热毒下痢，黄疸，二便不通。子能下乳，利水滑肠，适用于乳汁少，乳房肿痛，二便不畅，淋病。

81　桃

　　北山经，边春之山，多桃[1]。东次三经，岐山、孟子之山，其木多桃。中次六经，夸父之山，其北有林焉，名曰桃林。中次八经，灵山，其木多桃。中次十一经，卑山，其上多桃，又丰山，其木多羊桃，状如桃。西次三经，不周之山，有嘉果，其实如桃。

【注释】

　　[1]　**桃**　郭璞注《山海经》云："山桃、榹桃，子小，不解核也。"郝懿行《山海经笺疏》云："案，榹桃见《尔雅》，郭注与此同。"又云："案，《初学记》引《汉武故事》云：'王母种梅桃，三千岁一著子。'盖此之类。"《说文》云："桃，桃果也。"《尔雅》云："旄，冬桃。"郭璞注云："子，冬熟。"《尔雅》又云："榹桃、山桃。"郭璞注云："实如桃而小，不解核。"《毛诗》云："华如桃李""园有桃""桃之夭夭""投我以木桃"。《礼记·月令》云："仲春之月，桃花始。"《大戴礼记·夏小正》云："六月煮桃。"《韩子》曰："故尝啖我以余桃。"《孙卿子》云："桃、李蒨粲于一时。"《汉书》云："汉惠帝五年（前190）十月桃花。"张衡《南都赋》云："若其园圃，刀有侯桃、梨、栗。"侯桃即《尔雅》之榹、山桃。

　　桃的药用：《本草经》云："桃仁，主瘀血，血闭，癥瘕邪气，杀小虫。桃花，杀疰恶鬼，令人好颜色。"《名医别录》云："桃仁，止咳逆上气，消心下坚，除卒暴击血，破癥瘕，通月水，止心腹痛。桃茎白皮，除邪鬼中恶，腹痛，去胃中热。桃叶除尸虫，出疮中虫。"

　　桃的形态：《本草图经》云："桃生太山，京东、陕西出者，尤大而美，大都侍果，多是圃人以他木接根上栽之，遂至肥美。"《曲洧旧闻》云："冬桃，密县有一种冬桃，夏花秋实，八、九间桃自开，其核坠地而复合，肉生满其中，至冬而熟。"《侯鲭录》云："桃实经冬不落者，俗谓之桃奴。"王子年《拾遗记》云："汉明帝时（58—75），常山献巨核桃，霜下始花，隆暑方熟。"《本草纲目》云："桃品甚多，易于栽种，且早结实，五年宜以刀劙其皮，出其脂液，则多延数年。"

　　按，桃为蔷薇科植物桃树 *Prunus persica* (L.) Batsh 一类植物。桃树是经济价值很高的果树，在《诗经》时代就已经有人种植了，所以《诗经·魏风》有"园有桃，其实之殽"的诗句。这个"园"，就是种植桃树的果园。

　　桃子不仅能吃，其种仁（桃仁）也是很重要的中药。桃仁能破血行瘀，润肠通便；可治疗闭经、痛经，下腹胀满，行经不畅，夹有瘀块，血色紫黑；亦治跌打损伤，肠燥便闭，肠痈、肺痈等症。

82　李

　　北山经，边春之山，多李[1]。西次三经，昆仑之丘，有木焉，其实如李而无核。东次三经，岐山，其木多李，又孟子之山多李。中次八经，灵山，其木多李。中次十一经，卑山，其上多李。

【注释】

[1] **李** 郝懿行《山海经笺疏》云："《初学记》28卷引此《经》云：'边春之山多李，里人常采之。'《太平御览》968卷引亦同，疑本郭注，今脱去之。"《说文解字系传·通释》云："李，果也，臣锴按颛顼之后，有逃难于伊侯之墟，得李实而食，遂以为姓。"《尔雅》云："休，无实李，一名赵李。座，接虑李，今之麦李。駮，赤李，子赤。"

李树原本是野生的，到《诗经》时代，李树和麦子一样，皆已被人们所栽培。《诗经·王风》云："丘中有李、丘中有麦。"《诗经·小雅》云："北山有李。"《诗经·大雅》云："投我以桃，报之以李。"《管子》云："五沃之土宜梅李。"东方朔云："博劳飞集李树。"《列子》云："食桃李葩。"《世说新语》云："树在道边而多子，此必苦李。"又云："王安丰有好李，恐人得种，常钻其核。"《盐铁论》云："夫李、梅实多者，来年为之衰。"

王逸《荔枝赋》："房陵缥李。"《太平御览》卷968引左思《齐都赋》："露桃霜李。"《西溪丛语》引潘岳《闲居赋》云："房陵朱仲之李。"《荆州记》云："房陵县有朱仲者家，有好李，代所希有。"

李的药用：《名医别录》云："李核仁，主僵仆跻，瘀血，骨痛。根皮，主消渴，止心烦逆、奔气。实味苦，除痼调中。"《孟子》云："陈仲子，居于陵，三日不食，耳目无闻见，井上有李，蛴食实者过半，陈仲子匍匐往食之，三咽而后耳有闻，目有见也。"

李的形态：《本草衍义》云："李，其大者高乃丈。"《齐民要术》云："李性耐久，树得三十年老，虽枝枯，而子亦不细。"《本草纲目》云："李，绿叶白花，树能耐久，其种近百。"

按，李为蔷薇科植物李 *Prunus salicina* Lindl 一类植物。李的果实名李子，有清肝、涤热、生津、利水的作用；能治虚劳低烧、消渴、腹水。果实内核中种子名李核仁，能活血、润肠、利水，治跌打瘀血疼痛、大便闭结、水气肿满、痰饮咳嗽、虫蝎螫痛。李树叶治小儿发热、惊痫、水肿、金疮。李树根，能清热解毒，治丹毒、痢疾、淋病、牙痛、消渴。李树根的皮，能清热下气，治消渴心烦、奔豚气逆、带下、齿痛。李树干上分泌的胶质名李树胶，能治目翳、消肿、止痛。

83　柘

北山经，灌题之山，其上多柘[1]。北次三经，发鸠之山，其上多柘木。东山经，姑儿之山，其下多柘。中次七经，讲山多柘。中次八经，若山、巂山、师每之山、琴古之山，其木多柘。中次九经，崃山、勾㮚之山，其木多柘。中次十经，楮山多柘。

【注释】

[1] **柘** 郭璞注《山海经》云："柘中弓材。"《玉篇》云："柘作樴。"《说文》云："樴木出发

鸠之山。"《汉书·音义》云："楮以樗，叶冬不落。"《尚书·禹贡》云："厥贡干、栝、柏。"孔安国《传》云："干，柘干也。"《礼记·考工记》云："弓人（造制弓箭的人）取材，以柘为上。"《齐民要术》云："柘十五年任为弓材，二十年作犊车材；柘叶饲蚕，丝可作琴弦，清鸣响彻，胜于凡丝。"高诱注《淮南子·原道训》云："乌号柘桑，其材坚劲。"《四民月令》云："柘染色黄赤。"《相感志》云："柘木，以酒醋调矿灰涂之，一宿则作间道乌木文。"

柘的药用：《嘉祐本草》云："柘木味甘，温，无毒。主补虚劳，取白皮及东行根白皮，煮汁酿酒，主风虚耳聋，补劳损虚羸，腰肾冷。木，主妇人崩中血结，及主疟疾，兼堪染黄。"

柘的形态：《本草衍义》云："柘木，里有纹，亦可旋为器。叶饲蚕曰柘蚕。叶硬，然不及桑叶。"《救荒本草》云："柘树，其木坚劲，皮纹细密，上多白点，枝条多有刺，叶比桑叶甚小而厚，皮颇黄淡，叶梢皆三义，亦堪饲蚕。"《本草纲目》云："柘，喜丛生，干疏而直，叶丰而厚，团而有尖。其实状如桑子而圆粒如椒，名佳子。其木染黄赤色，谓之柘黄。"

按，柘为桑科植物柘 *Cudrania tricuspidata*（Carr.）Bur 一类植物。柘树叶可饲蚕，自古以来，就是桑柘并称。柘树木材名柘木，能治妇人崩中血结，疟疾。柘树皮能涩精止血，治遗精，咯血、吐血。柘树叶煎洗治湿疹疖子。柘树果实，能清热凉血，舒筋活络，治跌打损伤。柘树上寄生木耳名柘耳，能治肺痈、咳痰脓血腥臭。

84 枳棘

北山经，北狱之山，多枳棘[1]。

【注释】

[1] **枳棘** 《韩非子·外储说》云："树枳棘，成而刺人。"刘向《九欢》云："树枳棘与薪柴。"《后汉书》云："我有枳棘，岑君伐之。"又云："枳棘非鸾凤所栖。"

疑枳棘即芸香科植物枸橘，这种植物具有刺状绿色扁形小枝，古书上又称枸橘为枳，故有枳棘之名。

85 刚木

北山经，北狱之山，多刚木[1]。

【注释】

[1] **刚木** 泛指刚硬坚韧的树木。郭璞注云："刚木，檀，柘之属者，檀中车材，柘中弓材。"郝懿行《山海经笺疏》云："案，郭注《中山经》云：'楢，刚木也，中车材。'此《经》云枳棘，刚木，郭云：'檀柘之属者，檀中车材，柘中弓材也。'"

86 赤柳[1]

北山经，湖灌之山，有木焉，其叶如柳而赤理。

【注释】

[1] **赤柳** 原书无此名，为了研究方便，暂拟此名。郝懿行《山海经笺疏》云："案，柳有一种赤者，名赤柳。《晋书·地理志》云：'丹阳，丹阳山多赤柳。'"

按，河南省有一种河柳，亦名红心柳，其幼枝为赤色，初夏枝梢的新叶亦呈赤色，疑赤柳或即红皮柳一类植物。

赤柳疑为杨柳科柳属植物红皮柳 Salix purpurea L. 一类植物。

87 柳

北次二经，湖灌之山，有木焉，其叶如柳而赤理。中山经，鼓钟之山，有草焉，其叶如柳。中次六经，麂山，其木多柳[1]。中次九经，熊山，其木多柳。中次十二经，风伯之山，即公之山、尧山、真陵之山、柴桑之山、荣余之山，其木多柳。海外北经，平丘，爰有杨柳。海外东经，䃤丘，爰有杨柳。

【注释】

[1] **柳** 《说文》："柳，小杨。"《尔雅》云："柽，泽柳。"《诗经·齐风》云："折柳樊圃。"《诗经·小雅》云："菀彼柳斯""杨柳依依。"《大戴礼记》："正月柳稊。"《四民月令》："三月三日及上除日，采柳絮愈疮。"《论语》云："钻燧改火，春取柳、榆木。"《战国策》云："楚有养由基者，去柳叶百步而射之，百发百中。"《管子》云："五沃之土，其木宜柳。"《汉书·五行志》云："昭帝时，上林苑种柳。"枚乘《忘忧馆柳赋》云："于嗟细柳，流乱轻丝。"魏文帝《柳赋序》云："建安五年（200）余年二七，始植斯柳，迄今十五载矣。"《本草经》曰："柳花一名柳絮。"

柳的药用：《本草经》云："柳华，主风水，黄疸。叶，主马疥痂。实，主溃痈，逐脓血。"《名医别录》云："柳华，主痂疥、恶疮、金疮。叶，疗心腹内血，止痛。子汁疗渴。"

柳的形态：陶弘景云："柳，即今水杨柳也，花熟随风，状如飞雪。"《唐本草》注云："柳与水杨全不相似，水杨叶圆阔而赤，枝条短硬。柳叶狭长青绿，枝条长软。"

按，柳为杨柳科柳属植物的泛称。柳属植物有很多种。常见的有垂柳（水柳）Salix babylonica L.、旱柳 Salix matsudana Koidz。

本草所讲的柳，多指垂柳一类植物。柳树种植于河畔，可防止土砂崩溃；木材轻软，昔日用以烧炭供制火药。柳树皮含柳酸及单宁，可供工业用或药用。

[附]《中药大辞典》529 页"水杨柳"条，注明原植物为"水柳 Homonoia riparia Lour."，此乃是大戟科植物的水柳，与本文所讲的杨柳科植物水柳，是两回事。

88 三桑

北次二经，洹山，三桑[1]生之，其树皆无枝，其高百仞。海外北经，跂踵国，三桑无枝，在欧丝[2]东，其木长百仞无枝[3]。大荒北经，竹南，有三桑无枝。

《艺文类聚》卷88引《山海经》曰："东北海外，赤水在圆丘南，有三桑，无枝，皆高百仞。"

【注释】

[1] **三桑**　疑为神话植物。

[2] **欧丝**　《山海经·海外北经》云："欧丝之野，在大踵东，一女子跪据树欧丝。"郭璞注云："言噉（吃的意思）桑而吐丝，盖蚕类也。"

大约在远古的时候，人们谋生很不容易，解决吃与穿的问题，是极其困难的。在穿的方面，凡能提供丝的蚕与桑，都是受人们重视的。为了歌颂蚕与桑能造福于人，劳动人民往往把蚕与桑加以偶像化或神化，所谓"三桑""欧丝"，可能都是由于这个缘故。这也反映了蚕与桑对人民的重要性。

[3] **其木长百仞无枝**　郭璞注《山海经》云："言皆长百仞也。"郝懿行《山海经笺疏》云："案，《海外北经》云：'三桑无枝，在欧丝东，其木长百仞。'即此。"又云："北次二经云：洹山，三桑生之，其树皆无枝，其高百仞即此。"

89　百果树

北次二经，洹山，其上百果树[1]生之。海外东经，两山夹丘，上有树木，一曰嗟丘，一曰百果所生。

【注释】

[1] **百果树**　是一种理想的果树，它可以结各种各样的果实。人们不费力气种植，可以吃到这些果实。这是一种天真烂漫的幻想。这种幻想反映在《山海经》时代，可能因社会动荡不安，人们生活困难而引起的。

90　薯蓣

北次三经，景山，北望少泽，其上多草、薯蓣[1]。中次五经，升山，其草多薯蓣。中次六经，阳华之山，其草多薯蓣。中次十二经，尧山多薯蓣。

【注释】

[1] **薯蓣**　郭璞注《山海经》云："根似羊蹄，可食，曙、豫二音。今江南单呼为薯，音储。语有轻重耳。"郝懿行《山海经笺疏》云："案，《广雅》云：'薯蓣，署预也。'《本草》云：'薯蓣，一名山芋。'皆即今之山药也。此言草薯蓣，别于木薯蓣也，木薯蓣见《中次十一经》'兔床之山'。"

《淮南子·俶真训》云："薯蓣尻治。"高诱注云："褒大意也，署预犹薯蓣耳。"《尔雅》云："诸虑，山蔂。"《太平御览》引《范子计然》云："储蓣本出三辅，白色者善。"《广雅》云："玉延，蓣藇，署预也。"王念孙《广雅疏证》云："今之山药也，根大，故谓之蓣藇，蓣藇之言储与也。"《广韵》云："蓣，署鱼切，似薯蓣而大。"

薯蓣别名很多。《本草经》云："薯蓣，一名山芋。"《名医别录》云："薯蓣，秦、楚名玉延，郑越名土薯。"《异苑》云："署预，野人谓之土薯。"《吴普本草》云："薯蓣，一名诸署，秦、楚名玉延，齐、赵名山芋，郑、越名土薯，一名修脆，一名儿草。"《本草衍义》云："薯蓣，上一字犯宋英宗庙讳（1064—1067，宋英宗名越曙，避曙字讳）；下一字曰预，唐代宗（762—779）名预，故改下一字为药，今人遂呼为山药。"王引之山："此谓药字改于唐，山字改于宋，案，唐韩愈送文畅师北游《诗》云：'山药煮可掘。'则唐时已呼山药，别国异言，古今殊语，不必皆为避讳也。"笔者疑王氏之言不一定对，盖韩诗所言山药，不一定就是本草中的山药，同名异物很多。倘若同为一物，则《衍义本草》之前诸本草为何不引用山药这个名称呢？

薯蓣的药用：《本草经》云："薯蓣味甘，温。主伤中，补虚羸，除寒热邪气，补中益气力，长肌肉。久服耳目聪明，轻身，不饥延年。"《名医别录》云："薯蓣，平，无毒，主头面游风，头风眼眩，下气，止腰痛，补虚劳羸瘦，充五脏，强阴。"《药性论》云："薯蓣，镇心神，安魂魄，开达心孔，多记事，补心气不足。"

薯蓣的形态：《吴普本草》云："薯蓣生临朐钟山，始生赤茎细蔓，五月华白，七月实青黄，八月熟落，根中白，皮黄、类芋。"苏颂《本草图经》云："薯蓣，春生苗，蔓延篱援，茎紫，叶青，有三尖角，似牵牛更厚而光泽，夏开细白花，大类枣花，秋生实于叶间，状如铃，二月、八月采根。"

按薯藇为薯蓣科植物薯蓣 *Dioscorea opposita* Thunb. 一类植物。

薯蓣，一名山药，补脾、止泻、益气，治脾虚泄泻，食少倦怠，咳痰清稀，消渴等症。

91　秦椒

北次三经，景山[1]，其草多秦椒[2]。

【注释】

[1]　**景山**　《太平寰宇记》云："山在闻喜县东南十八里。"按，闻喜县在山西。山西非秦地，则秦椒的秦字，似非由秦地之秦而得名。

[2]　**秦椒**　郭璞注《山海经》云："子似椒而细叶草也。"《诗经·周颂》云："有椒其馨。"《诗经·唐风》云："椒聊之实，蕃衍盈升。"《诗经·陈风》云："贻我握椒。"《毛传》云："椒，芳香也。"《楚辞·离骚》云："杂申椒与菌桂。"五臣注云："椒、菌桂，皆香木也。"又云："怀椒糈而要之。"王逸注云："椒，香物，所以降神。"《尔雅》云："檓，大椒也。"郭璞注云："今椒树丛生，实大者名为檓。"《尔雅》又云："茉，檓醜，其实荥。"郭璞注云："茉，荥子，聚成房貌，今江东亦呼荥檓，似茱萸而小，赤色。"《广雅》云："檓朳，茉荥也。"《说文》云："茉，茉荥。荥，檓实裹如裘者。檓似茱萸，出淮南。"《说文解字系传·通释》云："《说文》无椒字，豆荅字但作尗，则此茉为椒字也。椒性丛生如蔷薇之属作木也。"《范子计然》云："蜀椒出武都，赤色者善。秦椒出天水、陇西，细者善。"

椒的药用：《本草经》云："秦椒，主风邪气，温中，除寒痹，坚发齿，明目。"《名医别录》云：

"秦椒，疗喉痹，吐逆，疝瘕，去老血，产后余疾，腹痛。"

椒作香料：《楚辞·九歌·东皇太一》云："奠桂酒兮椒浆。"《楚辞·湘夫人》云："播芳椒兮成堂。"《楚辞·九章·悲回风》云："折芳椒以自处。"《史记·礼书》云："椒兰芬藏，所以养鼻也。"《孙卿子》曰："芬若椒兰。"《淮南子·人间训》云："申椒杜茝，美人之所怀服。"

椒有毒：《名医别录》云："秦椒有毒。"《尔雅翼》云："椒亦杀人。"张璠《后汉记》云："桓帝宣皇后崩……太尉李固自扶舆起，捣椒自随，谓妻子曰：若太后不得配桓帝，吾不得生还矣。又齐建武中（494—497）欲并诸高武子孙，令太医煮椒二斛，椒熟则一时赐死。"

椒的形态：陶弘景云："秦椒，今从西来，形似椒而大，色黄黑，味亦颇有椒气，或为大椒。"《本草纲目》云："秦椒，花椒也，其叶对生，尖而有刺，四月开细花，五月结实，生青熟红，大如蜀椒。"

按，秦椒为芸香科植物花椒 *Zanthoxylum bungeanum* Maxim 一类植物，是灌木或小乔木，果实熟则裂开，子黑色名椒目。花椒的果实含挥发油，其中有山椒素，能温中驱蛔，适用于虚寒腹痛、恶心呕吐及虫积腹痛。花椒能健胃，可代替豆蔻用于消化不良。椒目能利水，治肿满、小便不利、喘促等症。

［附］按《本草纲目》所讲的秦椒即花椒。崖椒即香椒子（野椒）*Zanthoxylum schinifolium* Sieb. et Zucc。《植物名实图考》所载蜀椒、秦椒、崖椒，实为一物，即竹叶椒 *Zanthoxylum planispinum* Sieb. et Zucc。

92　丹林

北山经，北次三经，谒戾之山[1]，其东有林焉，名曰丹林[2]。

【注释】

［1］**谒戾之山**　郭璞注《山海经》云："今（指晋时）在上党郡涅县。"郝懿行《山海经笺疏》云："案，郭注本《地理志》'谒戾山'，见《水经》。《淮南·地形训》作'褐戾'，谒、褐声相近也，山在今山西乐平县。"

［2］**丹林**　按，枫树、槭树入秋，其叶变红，此等树丛生成林，其叶红色可爱，很像丹林。

疑丹林为金缕梅科植物枫香树属 *Liguidambas* L. 一类植物，或槭树科植物槭属 *Acer* L. 一类植物，如红槭、紫槭等。

93　枸

北次三经，绣山，其木多枸[1]。中次九经，蛇山，其木多枸。

【注释】

［1］**枸**　郭璞注云："木中杖也，音笱。"《说文》云："杖，干也，可为杖。"《名医别录》云："枸核，味苦，疗水，身面痈肿，五月采。"《说文》云："椆，枸也。"又云："枸，大木，可为锄柄。"《说文解字系传·通释》云："椆，枸也。锴按《春秋》《左传》范献子斩雍门之椆以为公琴。

今《字书》或云，即桐也。"又云："杶，木也，从木，屯声，《夏书》曰：'杶干栝柏也。'锴按《字书》杶木似樗，中车辕，实不堪食。"

《山海经》仅言"其木多枸"，但未言明"枸"是什么样子的木。今日所见的各种枸子树，都是蔷薇科植物。

从地理环境来看，《山海经·北山经》的绣山同景山、松山是相连的。郝懿行《山海经笺疏》引高诱注《淮南子·地形训》云："景山在邯郸西南。"又引毕氏云："松山疑即今山西襄垣县好松山。"据此绣山亦应在北方河北邯郸、山西襄垣附近。而这一地带产各种枸子树。

疑枸为蔷薇科植物西北枸子 Cotoneaster zabelii Schneid. 一类植物。

94 芍药

北次三经，绣山，其草多芍药[1]。中次五经，条谷之山，其草多芍药。中次九经，勾祢之山，其草多芍药。中次十二经，洞庭之山，其草多芍药。

【注释】

[1] **芍药** 郭璞注云："芍药，一名辛夷，亦香草属。"郝懿行《山海经笺疏》云："案，《广雅》云：'辪夷，芍药也。'张揖注《上林赋》云：'留夷，新夷也。'新与辛同，留、辪声转。王逸注《楚辞·九歌》云：'辛夷，香草也。'是辪夷即留夷。《楚辞·离骚》之留夷又即《楚辞·九歌》之辛夷与芍药正一物也。"《诗经·郑风》云："赠之以芍药。"陆玑《毛诗草木疏》云："芍药，今药草芍药。"

芍药的异名有辛夷、留夷。《名医别录》云："芍药，一名白木，一名余容，一名犁食，一名解仓，一名铤。"崔豹《古今注》云："芍药，一名可离。"《广雅》云："辪夷，芍药也。"

芍药，古人用作调味品。司马相如《子虚赋》云："芍药之和，具而后御之。"伏俨注《子虚赋》云："芍药以兰桂调食。"文颖云："芍药五味之和也。"扬雄《蜀都赋》云："有伊之徒，调夫五味，甘甜之和，芍药之羹。"枚乘《七发》云："芍药之酱。"张景阳《七命》云："和兼芍药。"韦照云："芍药和齐咸酸美味也。"张衡《南都赋》云："归雁鸣鵙，香稻鲜鱼，以为芍药酸甜滋味。"《论衡·谴告篇》云："酿酒于罃，烹肉于鼎，皆欲其气味调得也，时或咸、苦、酸、淡不应口者，由人芍药失其和也。"嵇康《声无哀乐论》云："大羹不和，不极芍药之味。"

芍药的形态：《本草图经》云："芍药，春生红芽作丛，茎上三枝五叶，似牡丹而狭长，高一二尺，夏开花，有红、白、紫数种，子似牡丹而小，秋采根，根有二种。"

芍药的药用：《本草经》云："芍药主邪气腹痛，除血痹，破坚积，寒热疝瘕，止痛，利小便。"《名医别录》云："芍药，通顺血脉，缓中，散恶血，逐贼血，消痈肿。"

按，芍药有赤、白二种，芍药活血，白芍补血。《名医别录》所言芍药功用，似指赤芍而言。

芍药即今毛茛科植物赤芍药 Paeonia lactifeora Pall.，或川赤芍 Paeonia Veitchii Lynch 一类植物。赤芍有活血功用，凡因瘀血引起疼痛或烦热都可用，如血瘀小腹痛、腰背痛、跌打瘀肿、脑震荡后遗症、冠心病心绞痛等皆可用。

95　条

北次三经，高是之山，其草多条^[1]。

【注释】

[1] **条**　《诗经·秦风》云："终南何有？有条有梅。"王传山《诗经稗疏》云："条有二种：一则《毛传》所云梂也。《尔雅》：'梂，山樗。'樗，今谓之楸，似梓，至秋垂条如线，故谓之条；一则《尔雅》所云：'柚，条。'郭璞注似橙，实酢，生江南者。"

关于条作"柚"的解释，详167"柚"条注 [1]。

"条"的另一条解释是"楸。"

《诗经·秦风》云："终南何有？有条有梅。"《毛传》："条，梂。"《尔雅》云："梂，山樗。"郭璞注云："今之山楸。"陆玑《毛诗草木疏》云："有条有梅。条，梂也，今山楸也，亦如下田楸耳，皮白色，叶亦白，材理好，宜为车板，能（耐）湿，又可为棺木，宜阳共北山多有之。"《尔雅》云："梂，山樗。"郭璞注云："今之山楸。"

楸的药用：《本草拾遗》云："叶，捣敷疮，亦煮汤洗脓血，冬取干叶，汤揉用之；皮，主吐逆，杀三虫及皮肤虫，煎膏粘敷恶疮疽瘘、痈肿、痔、野鸡病，除脓血，生肌肤，长筋骨。"《本草纲目》云："楸，乃外科要药。东晋范汪，名医也，亦称楸叶治疮肿之功，则楸有拔毒排脓之力可知。"

楸的形态：《本草纲目》云："楸有行列，茎、干直耸可爱，至秋垂条如线，谓之楸线，其木湿时脆，燥则坚，故谓之良材。"

按，楸为紫葳科植物楸 *Catalpa bungei* C. A. Mey 一类植物。

96　藻

北次三经，其祠皆一藻^[1]。

【注释】

[1] **藻**　郭璞注《山海经》云："藻，聚藻。"《尔雅》云："莙，牛藻。"郭璞注云："似藻，叶大，江东呼为牛藻。"《广雅》云："麦菜，藻也。"《诗经·小雅》云："鱼在在藻。"《诗经·鲁颂》云："薄采其藻。"《诗经·召南》云："于以采藻。"《左传》云："蘋繁蕰藻之菜。"注云："蕰藻，聚藻也。"《楚辞》云："凫雁皆唼夫梁藻。"《淮南子》云："菓生苹藻。"司马相如《上林赋》云："唼喋菁藻。"《博物志》云："恶草者，水藻也。"《埤雅》云："藻，水草之有文者，出于水下，其字从澡，言自洁如澡也。"《埤雅》引《吕氏春秋》云："菜之美者，昆仑之蘋藻。"

以上各书所讲的藻，似指水藻而言。

藻的药用：孙思邈说："凡天下极冷，无过藻菜，但有患热毒肿并丹毒者，取渠中藻菜切捣傅之，厚三分，干即易，其效无比。"《本草拾遗》云："水藻，味甘，大寒，滑，无毒。去暴热，热痢，止渴，捣汁服之。小儿赤白游疹，火焰热疮，捣烂封之。"

藻的形态：陆玑《毛诗草木疏》云："藻，水草也，生水底，有二种：其一种叶如鸡苏，茎大如箸，长四五尺；其一种茎大如钗股，叶如蓬蒿，谓之聚藻。"《尔雅翼》云："藻生水底，横陈于水，若自澡濯然。"《救荒本草》云："莙草，即水藻也，生陂塘及水泊中，茎如粗浅，长三四尺，叶形如柳叶而狭长，故名柳叶莙；又有叶似莲子叶者，根粗如钗股而色白。"

按，水藻即金鱼藻科植物，如金鱼藻 *Ceratophyllum demersum* L. 等一类植物，是多年生沉水草本，茎细长，分枝，叶轮生；多生于河湖、池沼中，为鱼类的食饵，又可作猪的饲料。

97 莒

北次三经，其祠皆一莒[1]。

【注释】

[1] 莒 即白藏，详64"药蘪"条注 [1]。

山海经植物药名注释　卷四

东山经植物药名注释

98 棘

东次三经，尸胡之山，其下多棘[1]。中次五经，升山，其木多棘。

【注释】

[1] 棘　《太平御览》卷959引《陈留耆旧传》云："夫棘中心赤，外有刺。"《周礼》："树棘以为位，取赤心而外刺。"《韩子》云："以棘刺之端为木猴。"《魏都赋》云："造木猴于棘刺。"《诗经·陈风》云："墓门有刺。"《诗经·小雅》云："在彼杞棘。"《诗经·曹内》："其子在棘。"《诗经·唐风》云："集于苞棘。"《诗经·邶风》云："吹彼棘心。"《楚辞·离骚》云："荆棘生于中庭。"刘向《九欢》云："黎棘树于中庭。"《竹书》云："南庭生棘。"《春秋繁露》云："生以棘楚。"《晋书·艺术传》："有棘生焉。"《左传》云："桃弧棘矢，以共御天事。"《唐本草》注："棘有赤、白二种。"《本草衍义》云："小则为棘，大则为酸枣，其实一本，白棘乃是酸枣未长大的枝上棘也。"

按《本草衍义》所说，棘的果实名酸枣。《说文》云："樲，酸枣也。"《尔雅》云："樲，酸枣。"《孟子》曰："舍其梧槚，养其樲棘。"按酸枣一名樲，樲即棘也。《诗经·郑风》云："园有棘，其实之食。"《毛传》云："棘，枣也。"《诗经·小雅》云："营营青蝇，止于棘。"这个棘也是枣，为青蝇所止。《淮南子·兵略训》云："伐棘枣而为矜。"高诱注云："棘枣，酸枣也。"

酸枣同名异物有二：一是漆树科植物酸枣，果实核果，黄熟时可食，核作念珠或玩耍。二是鼠李科植物酸枣，是棘的果实，其种子名酸枣仁，叶名棘叶，针刺名棘刺，花名棘刺花。兹将棘的酸枣介绍如下。

酸枣的药用：《本草经》云："酸枣味酸，平，主心腹寒热，邪结气聚，四肢酸痛湿痹。"《名医别录》云："酸枣，无毒。主烦心不得眠，脐上下痛，血转久泄，虚汗、烦渴、补中、益肝气，坚筋骨，助阴气，令人肥健。"酸枣的刺，名棘，酸枣的花，名棘刺花。《本草经》云："白棘，主心腹痛、痈肿、溃脓、止痛，一名棘针。"《名医别录》云："白棘，主次刺结，疗丈夫虚损、阴痿、精自出，补肾气，益精髓，一名棘刺。棘刺花，主金疮、内漏。实主明目，心腹痿痹，除热，利小便。"

酸枣的形态：《本草图经》云："酸枣似枣木而皮细，其木心赤色，茎叶俱青，花似枣花，八月结实，紫红色，似枣而圆小，味酸，当月采实，取核中仁，阴干，四十日成。"

陶弘景云："白棘，李云此是酸枣树针。"《本草图经》云："棘，小枣也。丛高三四尺，花、叶、茎、实都似枣，而有赤、白二种。"《本草衍义》云："白棘，乃酸枣未长大时枝上刺也，及至长成，其实大，其刺亦少。"《尔雅翼》云："棘，心赤而外有刺，有赤、白二种，其刺亦有直有钩者。"

按，棘在古书上似无定指，一般泛指有针刺的植物。本草中所讲的棘刺，指鼠李科植物酸枣 Ziziphus jujuba Mill. 一类植物。

酸枣的果实味酸，不堪食用，果实中的种子名酸枣仁，能养心安神敛汗，治血虚心烦不寐，自汗、盗汗、心悸、怔忡。酸枣的叶名棘叶，捣烂敷臁疮。酸枣的刺名棘针，能消肿、溃脓、止痛。酸枣的花名棘刺花，花分泌糖分甚多，为华北重要养蜂植物。《名医别录》谓棘刺花主金疮内漏，明目。

[附]（1）《中药大辞典》2304 页棘叶、棘针，2305 页棘刺花，2534 页酸枣仁以及《中药志》Ⅱ册 28 页大枣，皆用同一个拉丁名 Ziziphus jujuba Mill.。

（2）《本草经》的"酸枣"，按《唐本草》注，并非棘的果实。《唐本草》注云："酸枣，即樲枣实也，树大如大枣，实无常形……今医以棘实为酸枣大误。"陈藏器《本草拾遗》云："酸枣，其树高数丈，径周一二尺，木理极细坚而且重，其树皮亦细，文似蛇鳞，其枣圆小而味酸，其核微圆，其仁稍长，色赤如丹，此医之所重，今市之卖者皆棘子为之。"

按，陈藏器所描述的酸枣树，正是今日漆树科植物南酸枣 Choerospondias axillaris（Roxb）Bustt et Hill 一类植物。

99　菌

东次三经，孟子之山，其草多菌[1]。

【注释】

[1] 菌　《山海经·海内经》云："南海之内，有菌山。"郭璞注云："音芝菌之菌。"《楚辞·离骚》云："矫菌桂以纫蕙""杂申椒与菌桂兮"。王逸注云："菌，薰也，叶曰蕙，根曰薰。"刘逵注《蜀都赋》云："菌，薰也，叶名蕙，根名薰。"《广雅》云："菌，薰也，其叶谓之蕙。"《楚辞·九怀·匡机》云："菌阁兮蕙楼。"《楚辞·九叹·怨思》："菀蘼芜与菌若兮。"《楚辞·七谏·自悲》："饮菌若之朝露兮。"《唐本草》云："菌者竹名。"《本草拾遗》云："地生者为菌，木生者为檽，江东人呼为蕈。"《尔雅》云："中馗，菌。"郭璞注云："地蕈也，盖今江东呼为土菌。"《本草纲目》云："钟馗神名，此菌钉上若伞，其状如钟馗之帽，故名。"《吕氏春秋》云："和之美者，越骆之菌。"《潜夫论》云："负苞，朽木菌也。"《博物志》云："大树断倒者，经春夏生菌。"《齐民要术》云："菌，一名地鸡。"《列子》云："朽壤之上有菌芝者，生于朝，死于晦。"《庄子》云："朝菌不知晦朔。"《广雅》云："朝菌，朝生地。"《玉篇》云："菌，草芝地蕈也。"

《说文》云："蕈，桑蕈也，谓菌生木上也。"《说文解字系传·通释》云："蕈，地蕈。地草似钉盖者名蕈。"又云："蕈，桑蕈，多生桑木者之上也。"又云："蕵，木耳，一名蕳茈。"

宋·陈仁玉《菌谱》有松蕈、竹蕈、黄蕈、紫蕈、果壳蕈等。潘之恒《广菌谱》有杉菌、香蕈、麻菰蕈等。《齐民要术》云："蕈口未开者，内外全白者佳；其口开里黑者，臭不堪食。"吴瑞《日用本草》云："蕈生桐、柳、枳椇木上，紫色者名香蕈，白色者名肉蕈，生山僻处者，有毒。"

按，古书中所讲的"菌"，多数是指担子菌纲伞菌目中伞菌科和牛肝菌科等菌类的统称，一般指具有菌盖和菌柄的肉质腐生菌类。多种伞菌可供食用，如香菇（香蕈）、蘑菇、草菇、牛肝菌、鸡枞、口蘑等。少数种类有毒，如蛤蟆菌，鬼笔鹅膏菌等。

有毒菌不可食：《异苑》云："交州诸郡有菌，以汁涂人躯，便举体菌生，生既遍，便就朽烂，肌肉消腐。"《夷坚志》云："金溪田仆食菌，一家呕血，殒命六人。"《茅亭客话》："淳化中（990—994）有民支氏于照觉寺设斋，寺僧市（买）野菌，有黑而斑者，或黄白而赤者，为斋食众，僧食讫，悉皆吐泻，亦有死者。"

如担子菌纲鬼笔科细皱鬼笔 *Phallus rugulosus* 即有毒，不可食。陈藏器《本草拾遗》云："菌生粪秽处，头如笔，紫色，朝生暮死，名鬼笔菌，主疮疥。"

100 蒲

东次三经，孟子之山，其草多蒲[1]。

【注释】

[1] **蒲** 《毛诗》："有蒲与蕑""依于其蒲"。《说文》云："蒲，水草，似莞。"《说文解字系传·通释》云："蒲，水草也，或以作席。"《尔雅》："莞，苻离，其上蒚。"郭璞注："今水中莞蒲，可作席也。"《周礼·醢人》："深蒲醓醢。"郑司农云："深蒲，蒲蒻入水深，故云深蒲。"

蒲可以织席：《左传》："臧文仲妾织蒲。"陶弘景云："莕多用蒲。"《唐本草》注云："晋、齐间人谓蒲蒻为蒲席。"

蒲的药用：《本草经》云："香蒲主五脏心下邪气，口中烂臭，坚齿，明目，聪耳。"《名医别录》云："败蒲席，平，主筋溢，恶疮。"

蒲的形态：《说文》云："蒲，编有脊，生于水崖，柔滑，可以为席。"《唐本草》注云："此即甘蒲作荐者，春初生，用白为菹，亦堪蒸食，山南名此蒲（指败蒲席）为香蒲，谓菖蒲为臭蒲。"

按，蒲即香蒲科植物各种蒲。如香蒲（宽叶香）*Typha latifolia* L. 及狭叶香蒲 *Typha angustifolia* L 等一类植物。

香蒲灰有利尿作用，适用于小便不利。其花粉名蒲黄，有止血之功。

[附] 古书上的"蒲"，有时亦指树。《艺文类聚》卷60引《三齐略记》云："城东南五十里，有蒲台，高八丈，秦始皇所顿处时，在台下，萦蒲系马，夹道数百步。到今蒲生犹萦，蒲似水杨而劲，堪为箭也。"《尔雅》云："杨，蒲柳。"

101 扶木

东次三经，无皋之山，东望扶木[1]。

【注释】

[1] **扶木** 郭璞注云："扶桑二音。"《洪范·五行传》云："东方之极，自碣石东至日出扶木之野。"《吕氏春秋·求人》云："禹东至扶木之地，日出九津。"高诱注云："扶木，大木；津，崖也。"

《说文解字系传·通释》云："扶，扶桑，神木日所出也。锴按《吕氏春秋》《淮南子》《山海经》《汉武内传》《东方朔》《十洲记》皆曰扶生海东日所出。《山海经》曰：'九日出下枝，一日生上枝。'"详212"扶桑"条注 [1]。

102 北号山木[1]

东次四经，北号之山，临于北海，有木焉，其状如杨[2]，赤华，其实如枣而无核[3]，其味酸甘，食之不疟[4]。

【注释】

[1] **北号山木** 本条原无植物名称。《广群芳谱》称之为北号山木，为了研究方便，本文援用此名。

[2] **其状如杨** 《说文》云："杨，蒲柳也。"崔豹《古今注》云："蒲柳生水边，又曰水杨。"按杨为杨柳科杨属（populus）植物的泛称。常见的杨有山杨、胡杨、响叶杨、银白杨，毛白杨等。

[3] **实如枣而无核** 郝懿行《山海经笺疏》云："案《尔雅》云：'皙，无实枣。'郭注云'不著子者'即此，今乐陵县（山东乐陵县）亦出无核枣。"按无核枣是枣类果形中的一种，果实较小，长圆形，或长圆柱形，果核退化成一薄膜，含糖分多，山东乐陵县产无核枣。

山东乐陵靠近渤海，又产无核枣，此与《山海经》文"北号之山，临于北海，有木焉……其实如枣而无核"正相合。

[4] **食之不疟** 郝懿行《山海经笺疏》云："案，《本草经》腐婢陶注云'今海边有小树，状如支子，茎条多曲，气作腐臭，土人呼为腐婢，用疗疟有效'即此。"

按郝氏所疏，北号山木应是《本草经》的腐婢。

腐婢同名异物有三种：《本草图经》云："腐婢，小豆花也，生汉中，今处处有之；陶隐居以为海边有小木，状似支子，气作臭腐，土人呼为腐婢，疑是此；苏恭（敬）云：山南相承呼为葛花是也……然则三物皆有腐婢名，是异类同名耳。"

陶隐居所注"海边小木，状如支子，气作臭腐，能治疟"与《山海经》文"其状如杨，赤华，其实如枣而无核，其味酸甘"皆不相符，所以郝氏仅凭治疟一点来定本条植物是腐婢，似难成立。

从经文"其实如枣而无核"来看，北号山木应是无核枣树。今日山东的庆云、乐陵等县皆产无核枣，此与郭注《尔雅》"皙，无实枣，不著子者"义合。又庆云、乐陵等地离海很近，和经文"北号之山，临于北海"义合。

疑北号山木为鼠李科植物枣 Ziziphus jujuba Mill. var. inermis（Bunge）Rehd. 一类植物。

103 桢木

东次四经，太山多桢木[1]。

【注释】

[1] **桢木** 郭璞注《山海经》云："女贞也，冬不凋。"郝懿行《山海经笺疏》云："案，《说文》云：'桢，刚木也，上郡有桢林县。'《玉篇》云：'桢，坚木也。'引此经作大山多桢，又引郭注与今本同。"《艺文类聚》卷89女贞条引《山海经》云："太山多贞木。"《本草图经》云："女贞，《山海经》云：'太山多真（疑为桢之误）木。'是此木也。"《典术》云："女贞木，冬不落叶。"司马相如《上林赋》云："豫章女贞。"注云："女贞树冬夏常青，未尝凋落。"汉·郑氏《婚礼谒文赞》曰："女贞之树，柯叶冬生。"《晋宫阁名》曰："华林园，女贞一株。"晋·苏彦《女贞颂》云："女贞之树，一名冬生。"《群芳谱》云："女贞，一名贞木，一名蜡树。"盖桢木凌冬青翠不凋，有守贞之操，故名女贞。

女贞药用：《本草经》云："女贞，主补中，安五脏，养精神，除百疾。"陈藏器《本草拾遗》云："女贞枝叶烧灰淋取汁涂白癜风。"

女贞形态：《唐本草》注云："女贞叶似枸骨及冬青树等，其实九月熟黑似牛李子。"《蜀本草·图经》云："女贞树高数丈，花细青白色。"《本草图经》云："女贞木极茂盛，凌冬不凋，花细青白色，九月而实成，似牛李子；冬青木肌理白如象齿；枸骨，木体白似骨，故以名。《诗经·小雅》云：'南山有枸。'陆玑《疏》云：'山木，其状如栌，一名枸骨，理白。'"《群芳谱》云："女贞树，似冬青，叶厚而柔长，面青背淡，长者四五寸，甚茂盛，凌冬不凋，人亦呼为冬青。"

按，冬青最早见录于《本草拾遗》。陈藏器云："冬青，其叶堪染绯，木肌白有文作象齿笏，冬月青翠，故名冬青，江东人呼为冻生。李邑又云：出五台山，叶似椿，子赤如郁李，与此亦小有异同，当是两种冬青。"

按，桢木为木犀科植物女贞 *Ligustrum lucidum* Ait. 一类植物。女贞木凌冬青翠不凋，有贞守之操，故名女贞。本树能放养白蜡虫，又名白蜡树。女贞的果实名女贞子，能补肝、肾，强腰膝，治阴虚内热，头晕目花，耳鸣，腰膝酸软，须发早白。女贞叶能消肿止痛，治头目昏痛，风热目赤，疮肿溃烂、烫伤、口腔炎。女贞皮晒干磨为粉，油调能敷烫伤。女贞根能治白带。

[附] 女贞和冬青的区别。冬青一名冻青，是冬青科植物冬青 *Ilex chinensis* Sims. 一类植物。《本草纲目》："女贞即今俗呼蜡树者，冬青即今俗呼冻青者，女贞子黑色，冬青子红色。"又云："冻青，亦女贞别种也，山中时有之。但以叶微圆而子赤者为冻青，叶长而子黑者为女贞。"

104 芑

东次二经，余峩之山，其下多芑[1]。东次四经，东始之山，有木焉，其状如杨[2]而赤理，其汁如血，不实，其名曰芑，可以服马[3]。中次十二经，暴山、尧山、柴桑之山、荣余之山，其木多芑。

【注释】

[1] **芑** 郝懿行《山海经笺疏》云："案南山经，虖勺之山，下多荆杞，此经作芑，同声，假借字也，下文并同。"

芑的同名异物很多：如《尔雅》云："芑，白苗。"郭璞注云："芑，白梁粟也。"《名医别录》

云："干地黄，一名芑。"《本草纲目》卷23"黍"条云："白黍曰芑。"《中药大辞典》1286页苦菜异名曰芑。这些植物虽有芑名，但都是草本，与本条言木不合。

李善注《西京赋》引《山海经》本条，"芑"作"杞"，并云杞如杨赤理，是知杞假借作芑也。《诗经·郑风》云："无伐我树杞。"陆玑《毛诗草木疏》云："杞，柳也。"其木人以为车毂，共山淇水傍，鲁国汶水边，纯生杞。"《孟子》云："以人性为仁义，犹以杞柳为杯棬。"赵岐注云："柜柳，杞柳也。"《南史·康绚传》云："武帝筑淮堰堤，并树杞柳。"《本草图以》曰："杞柳，今人取其细条火逼令柔韧，屈作箱箧，河朔尤多。"

按，芑之杞之假借，是杨柳科柳属植物。如杞柳 *Salix purpurea* var. multinervis Matsum 或白箕柳（山柳）*Salix purpurea* var. stipularis Franch 等一类植物。此等柳树，材质轻软，不易挫折割裂，其枝条可编制柳箱、笆斗、簸箕、筐、匾，亦有将不去皮的柳条，编制成油篓、水果篮等器物。

[2] **杨** 详102"北号山木"注[2]。

[3] **可以服马** 郭璞注云："以汁涂之，则马调良。"笔者不同意此说，盖杞柳枝条柔软而坚韧，不易折断，既能编制箱、筐，当然也可以编制马鞭，可以驯服马。

中山经植物药名诠释

105	箪	106	栎木	107	楝
108	植楮	109	蒼棘	110	棕葖
111	荔草	112	禾	113	雕棠
114	赤菽	115	榆	116	菜草
117	芒草	118	蓨	119	楱
120	荀草	121	美枣	122	蔓居木
123	蒐草	124	荴	125	苏
126	葶苎	127	茉	128	芫
129	槐	130	藱冬	131	櫰木
132	芘	133	寇脱	134	蘪
135	栌	136	楠木	137	萧
138	桃林	139	苦辛	140	櫠
141	薯	142	夙条	143	焉酸
144	菖草	145	菟邱	146	黄棘
147	兰	148	无条	149	天楄
150	蒙木	151	牛伤	152	嘉荣
153	帝休	154	楠木	155	婴薁
156	菖草	157	帝屋	158	亢木
159	少辛	160	茵草	161	藜
162	荻	163	蒳柏	164	猿
165	杼	166	橘	167	柚
168	柤	169	栗	170	梅
171	杏	172	寓木	173	椒
174	菊	175	楢	176	高梁山草

105 篸

中山经，甘枣之山[1]，有草焉，葵本[2]而杏叶，黄华而荚实[3]，名曰篸，可以已瞢[4]。

【注释】

[1] **甘枣之山** 郝懿行云："山在山西蒲州境。"

[2] **葵本** 即葵根。葵的种类很多，《本草经》有冬葵子，《名医别录》有葵根云："味甘、寒，无毒，主恶疮，疗淋，利小便，解蜀椒毒。"

[3] **荚实** 郝懿行《山海经笺疏》云："案，《说文》云：'荚，草实。'郑注《地官司徒职》云：'荚物，荠荚王棘之属。'"

[4] **篸（音夺），可以已瞢（音盲）** 《说文》云："瞢，不明也。"《山海经》说篸的根像葵，叶像杏，黄华（花），荚实，可以治目不明。这个"篸"，很像豆科植物决明。

因决明叶圆如杏，黄花，荚果。《本草经》说决明治青盲、目淫肤赤白膜、眼赤痛、泪出，久服益精光。这些性状如功用，皆与《山海经》所说相同。疑"篸"即豆科植物决明 Cassia tora L. 一类植物。

决明子味甘、苦、咸，性微寒，除肝胆热、明目，治肝胆郁热而致的目赤涩痛，羞明多泪。决明子还有消炎泻下作用，可治便闭、高血压。

106 枥木

中山经，历儿之山，其上多枥木[1]，是木也，方茎而圆叶，黄华而毛，其实如楝[2]，食之不忘[3]。

【注释】

[1] **栎木** 《玉篇》云："栎，木名，实如栗。"而本条经文说"其实如楝。"按栗与楝都是圆球形，这就说明栎木的果实是圆球形。

[2] **其实如楝** 郭璞注云："楝，木名，子如指头，白而黏，可以浣衣也，音练或作简。"郝懿行《山海经笺疏》云："案，《说文》云：'楝，木也。'《玉篇》云：'子可以浣衣。'《尔雅翼》云：'木高丈余，叶密如槐而尖，三、四月开花红紫色，实如小铃，名金铃，俗谓之苦楝，可以涑，故名。'"

《本草经》云："楝实，味苦、寒，主温疾伤寒，大热烦狂，杀三虫、疥痬，利小便水道。"《名医别录》云："楝实有小毒，楝根微寒，疗蛔虫，利大肠。"《唐本草》云："楝有两种，有雄有雌，雄者很赤无子有毒，服之多使人吐，不能止，肘有至死者。"

按，楝实是楝科植物楝 *Melia azedarach* L. 一类植物的果实。那么栎木是否就是楝树呢？从植物形态的描述来看不像。楝树叶长无毛，花紫红色，与栎木"圆叶黄花而毛"不合。又楝子苦，所以楝树亦称为"苦楝"。楝子不能吃，与经文"食之不忘"义不合。

[3] **食之不忘** 像楝树子样的果实，食之使人不忘者很少。《本草经》里的龙眼，其果实和楝实的形状、大小相若，能补养心气，有食之不忘的功效，所以，龙眼又名"益智"。

龙眼的果实，呈球形，如楝实，其叶椭圆形，花黄色，与栎木条文"圆叶，黄花，实如楝，服之不忘"义合。疑栎木或是无患子科植物龙眼树。

龙眼的药用：《本草经》云："龙眼，味甘、平。主五脏邪气，安志厌食，久服强魂，聪明，轻身，不老，通神明，一名益智。"《名医别录》云："龙眼，除虫去毒。"

龙眼的形态：《唐本草》注云："龙眼树似荔枝，叶若林檎，花白色，子如槟榔，有鳞甲，大如雀卵。"《本草图经》云："木高二丈许，似荔枝，而叶微小，凌冬不凋，春末夏初生细白花，七月而实成，壳有黄色，文作鳞甲形，圆如弹丸，核若无患而不坚。"

疑栎木或为无患子科植物龙眼 *Euphoria longana* Lam 一类植物。

107　楝

中山经，历儿之山，有木焉，其实如楝[1]。

【注释】

[1] **楝** 郭璞注《山海经》云："楝，木名，子如指头，白而黏，可以浣衣也，音练或作简。"郝懿行《山海经笺疏》云："案，《说文》云：'楝，木也。'《玉篇》云：'子可以浣衣。'《尔雅翼》云：'木高丈余，叶密如槐而尖，三、四月开花红紫色，实如小铃，名金铃子，俗谓之苦楝，可以涑，故名。'《管子》云："五沃之土种楝。"《庄子》云："鹓鶵非练实而不食。"《淮南子·时则训》："七月其木楝。"高诱注云："楝食，凤凰所食。"《风俗通》云："獬豸食楝""蛟龙畏楝"。《齐民要术》云："楝木可椽。"《本草图经》云："楝实即金铃子也。"

楝的药用：《本草经》云："楝实，味苦、寒，主温疾伤寒，大热、烦狂，杀三虫，疥痬，利小便水道。"《名医别录》云："楝根，微寒，疗蛔虫，利大肠。"

楝的形态:《本草图经》云:"楝以蜀川者为佳木,高丈余,叶密如槐而长,三、四月开花红紫色,实如弹丸,生青熟黄,十二月采实。"《尔雅翼》云:"楝实如小铃,名金铃子。"

按,楝为楝科植物楝 Melia azedarach L. 一类植物。

但药用上多用川楝 Melia toosendan Sieb. et Zucc.。川楝的果实名川楝子,味苦,性寒,有毒,除湿热,清肝火止痛、杀虫,治热厥心痛,胁痛,疝痛,虫积腹痛。

川楝或苦楝的根皮,味苦,性寒,有毒,能清热、燥湿、杀虫,治蛔虫、蛲虫、风疹、疥癣。川楝或苦楝的花,亦治风疹、疥癣,烧烟辟蚊虫。

108　植楮

中山经,脱扈之山[1],有草焉,其状如葵叶,而赤华荚实,实如棕荚[2],名曰植楮,可以已瘿(瘿瘘)[3],食之不眯[4]。

【注释】

[1]　**脱扈之山**　《山海经》云:"脱扈之山,在渠猪之山东。"郝懿行《山海经笺疏》云:"案,《史记正义》引《括地志》云:'雷首山亦名渠山,又云薄山,亦名猪山。'即此。"山西永济县南有薄山。

[2]　**棕荚**　郭璞注《山海经》云:"今棕木荚似皂荚也。"郝懿行《山海经笺疏》云:"案,今棕木结实作房如鱼子状,绝不似皂荚也,未知其审。"

[3]　**植楮,可以已瘿**　郭璞注《山海经》云:"瘿,病也。《淮南子》云:'狸头已瘿也。'"郝懿行《山海经笺疏》云:"案,《太平御览》卷742引郭注作瘿瘘也,今本作瘿病,盖《尔雅·释诂文》,非误也。又引《淮南子·说山训》文本作狸头愈瘿,今人正以狸头疗瘿疬,鼠疬即瘘。《说文》云:'瘘,颈肿也。'"

按郝氏所疏,瘿即鼠瘘。植楮可以治鼠瘘。那么,植楮是什么植物呢?

《山海经》说:"植楮,其状如葵叶。"按《本草经》"防葵"条,其叶亦如葵。苏敬《唐本草》注云:"防葵,其茎叶似葵,花、子、根香味似防风,故名防葵。"苏颂《本草图经》云:"防葵,其叶似葵,每茎三叶,一本十数茎,中发一干,其端开花如葱花、景天辈,根似防风,香味如之。"

防葵很像狼毒,医方中亦互用。陶弘景《本草经集注》云:"防葵本与狼毒同根……但置水中不沉尔。"雷敩曰:"凡使防葵,勿误用狼毒,缘真相似。"陈藏器《本草拾遗》云:"防葵、狼毒,形质有别,陶氏以沉浮为别,后人因而用之,将以防葵破坚积为下品之物,与狼毒同功,古今因循,遂无甄别。"《本草纲目》云:"狼毒之乱防葵,其来远矣,不可不辨,古方治蛇瘕,鳖瘕大方中,所用防葵,皆是狼毒也。"

按,狼毒亦可治鼠瘘。《本草经》云:"狼毒主恶疮鼠瘘。"疑植楮或为狼毒。

《山海经》说植楮其状如葵。陶弘景《本草经集注》云:"狼毒出汉中及建平,云与防葵同根。"陶注与《山海经》"其状与葵"相合。

狼毒的药用:《本草经》云:"狼毒味辛、平,主咳逆上气,破积聚饮食寒热水气,恶疮鼠瘘疽蚀鬼精,蛊毒,杀飞鸟走兽,一名续毒。"《名医别录》云:"狼毒主胁下积癖。"《药性论》云:"狼毒治痰饮癥瘕，亦杀鼠。"

狼毒的形态：《本草图经》云："狼毒苗叶似商陆，及大黄，茎叶上有毛，四月开花，八月结实，根皮黄、肉白。"

疑植楮似为大戟科狼毒大戟 *Euphorbia fischeriana* Steud. 一类植物。按植楮和蔺茹声相近，疑植楮或为蔺茹的讹音。详 116 "荬草" 条注 [2]。

[4] **食之不眯** 眯有两个意思，一指草入目中，《说文》云："眯，草入目中也。"一指厌梦。《西山经·西次三经》云："鸺鹠，服之使人不厌。"郭璞注云："不厌梦也，《周书》曰：'服之不眯（眯之误）音莫礼反。'或曰眯，眯目也。"高诱注《淮南子·精神训》"是故觉而若眯（王引之说当作眯）"云："眯……厌也，楚人谓厌为眯（王引之说当作眯）。"

按，"草入目中"并非药物可以预防的，只有"厌梦"可以吃某些东西而预防之，则"食之不眯"应释为"不厌梦也"。

109　蘦棘

中山经，合谷之山，是多蘦棘[1]。

【注释】

[1] **蘦棘** 郭璞注《山海经》云："未详，音瞻。"郝懿行《山海经笺疏》说："案，《本草》云：'天蔓冬，一名颠棘。'即《尔雅》：'髦，颠棘也。'蘦，《玉篇》云：'丁敢切。'疑蘦、颠古字或通。"按郝氏所疏，蘦棘或为颠棘，棘，即刺，颠棘有刺。《尔雅》云："髦，天棘。"郭璞注云："颠棘，细叶有刺，蔓生。"《本草经》云："天门冬，一名颠勒。"陶弘景《本草经集注》云："天门冬，一名颠棘。"

天门冬的药用：《本草经》云："天门冬主诸暴风湿偏痹，强骨髓，杀三虫。"《名医别录》云："保定肺气，去寒热，养肌肤，益气力，利小便，冷而能补。"

天门冬的形态：陶弘景引《桐君录》云："叶有刺，蔓生，五月花白，十月实黑，根连数十枚。"张华《博物志》云："天门冬逆捋有刺，若叶滑者名絺休。"《本草图经》云："天门冬，春生，苗蔓大如钗股，高至丈余，叶如茴香极尖细而疏滑，有逆刺。一有涩而无刺者，其叶如丝杉而细散。"

按，天门冬，是百合科植物天门冬 *Asparagus cochinchinensis*（Lour.）Merr. 一类植物。本品功效同麦门冬相似，能滋阴润燥、清热化痰，适用于肺虚咳嗽，肺痿、肺痈，以及阴虚发热、热病后期便闭等症。

110　棕荚

中山经，脱扈之山，有草焉，实如棕荚[1]。

【注释】

[1] **棕荚** 郭璞注云："今棕木荚，似皂荚也。"郝懿行《山海经笺疏》说："案，今棕木结实

作房如鱼子状，绝不似皂荚也，未知其审。"

按，棕是棕榈科植物，花小，排成圆锥花序，且为一至多枚大而呈鞘状苞片所包围。外果皮多呈纤维质，看起来有点像荚，故有棕荚之名，这个荚当然不是像豆类之荚。

由于棕榈科植物约有236属、3400多种，广布于热带和亚热带，本条棕荚所指何种不详。

棕榈科植物果皮入药有槟榔 *Areca catechu* L. 一类植物的果皮，名"大腹皮"，味辛，性微温，能下气宽中行水，适用于脘腹痞胀、水肿等症。

111 蒚草

中山经，吴林之山，其中多蒚草[1]。中次十二经，洞庭之山，其草多蒚。中次三经，青要之山，有草焉，其状如蒚。

【注释】

[1] **蒚草** 郭璞注《山海经》青要之山云："蒚亦菅字，菅似茅也。"郝懿行《山海经笺疏》："案，《说文》云：'蒚，香草，出吴林山。'本此经为说也。《众经音义》引《声类》云：'蒚，兰也。'又引《字书》云：'蒚与蕑同，蕑即兰也。'是蒚乃香草。中次十二经，洞庭之山，以蒚与蘪芜并称，其为香草审矣。郭注以蒚为菅字，菅乃茅属，恐非也。"

笔者同意郝氏之说。按《山海经》天帝之山，已有菅草，此处蒚当非菅属。《广韵》云："蒚，香草。"《说文解字系传·通释》云："蒚草，出吴林山，从草，奸声。"《众经音义》卷12引《声类》云："蒚，兰也。"同书卷2引《字书》云："蒚与蕑同；蒚，兰也。"《诗经·陈风》云："有蒲与蕑。"《诗经·郑风》云："方秉蕑兮。"陆玑《毛诗草木疏》云："蕑即兰，香草也，其茎叶似药草泽兰，但广而长节，节中赤，高四五尺，汉诸池苑及许昌宫中皆种之，可著粉中，故天子赐诸侯茝兰，芷衣著书中，辟白鱼也。"《广雅》云："蕑，兰也。"

按蒚同前，即兰。《说文》云："兰，香草也。"《易》曰："同心之言，其臭如兰。"《春秋传》曰："刈兰而卒。"《左传》云："兰有国香。"《礼记·内则》云："妇或赐之茝兰则受。"《孔子家语》云："芝兰生于深谷，不以无人而不芳。"《楚辞》云："纫秋兰以为佩。"疏云："芷之书中，辟白鱼。"《淮南子》云："男子树兰，美而不芳。"《文子》云："兰芷不为莫服而不芳。"《楚辞·离骚》云："秋兰兮蘪芜""秋兰兮青青""既滋兰之九畹兮"。《荀子》云："民之好我，芬若椒兰。"《史记·礼书》云："椒兰芬茝，所以养鼻也。"

兰的药用：《本草经》云："兰，主利水道，杀蛊毒，辟不祥，一名水香。"《开宝本草》云："时人煮水以浴疗风。"《素问》云："治之以兰，除陈气也。"

兰亦能除虫：《西京杂记》云："汉诸池苑种兰，可著粉中，故天子赐诸侯茝兰，芷衣，著书中，辟白鱼也。"

兰的形态：陆玑《毛诗草木疏》云："兰，其叶似药草泽兰，但广而长，节节中赤，高四五尺。"《唐本草》注云："此是泽兰香草，八月花白。"《蜀本草·图经》云："叶似泽兰，尖长有岐，花红白而香，生下湿地。"《说文解字系传·通释》云："兰，香草也。锴按《本草》兰叶皆似泽兰方茎，兰圆茎白花紫蕚，皆生泽畔，八月华。《楚辞》曰：'浴兰汤兮沐芳华。'《本草》兰草辟不祥，故洁斋以事大神也。锴又按《本草》兰入药，四、五月采，谓采枝叶也。《春秋左氏传》郑穆公曰：'兰死，吾其死乎，吾所以生也，刈兰而卒。'按，郑穆公曰十月卒，彼时十月，今之八月，非《本草》采用之时者，盖常人候其华实成然后刈取之。"

按《说文解字系传·通释》所言的兰，似为菊科植物兰草 *Eupatorium fortunei* Tuvca.

但郑樵《通志·昆虫草木略》说："兰，即蕙。"寇宗奭《本草衍义》说："兰叶如麦门冬而润且韧，长及一二尺，四时常青，花黄，中间叶上有细紫点。"郑樵、寇宗奭所言之兰，是兰科植物草兰、蕙兰。这种兰仅有花香，其草并不香，亦不能辟虫，此与《本草》的兰义不合。

112　禾

中山经，牛首之山，有草焉，其秀如禾[1]。

【注释】

[1] **禾**　禾在《诗经》里有两种含义。一是粮食作物的统称，另一是粟（小米）的别名。如：《诗经·豳风·七月》："九月筑场圃，十月纳禾稼：黍、稷、重、穋、禾、麻、菽、麦。""禾稼"之"禾"，泛指各种粮食作物，"禾、麻"之"禾"，指粟。

以"禾"作粟的别名：《诗经·大雅·生民》："禾役穟穟。"《尚书》云："唐叔得禾。"《左传》云："郑祭足帅师，取成周之禾。"《吕氏春秋》云："饭之美者，玄山之禾。"《淮南子》云："后稷辟土垦草，而不能使禾冬生。"《说文》云："禾，嘉谷也，以二月而种，八月始熟，得失之中，故谓之禾。"

禾的药用：即指粟的药用。《名医别录》云："粟米，味咸、微寒，无毒。主养肾气，去胃脾中热。陈者味苦，主胃热，消渴，利小便。"《本草图经》云："粟米浸累日令败研澄取之，今人用去疮尤佳。"

禾的形态：即指粟的形状。《唐本草》注云："粟类多种，而并细于诸梁，北土常食。"《本草图经》云："粟米比梁乃细而圆，种类亦多。"

按，粟是禾本科植物粟 *Setaria italica* (L.) Beauv 一类植物，粟又名梁，即小米。

"禾"除上述两种含义外，还有其他的含义，兹举数例如下。

(1)《初学记》卷27引《春秋说题辞》云："粟五变，生为苗，秀为禾。"

(2)《艺文类聚》卷85引《广雅》曰："稻穗谓之禾。"

(3)《尔雅翼》"麻"条注云："《诗》、黍、稷、稻、粱、禾、麻、菽、麦。董仲舒云：禾是粟苗。"

(4)《说文解字系传·通释》："禾，嘉谷也，从二月始生，八月而熟，得时之中和，故谓之禾也。禾木王而生，金王而死。锴曰禾垂穗顾本也，故张衡《思玄赋》曰：发皆梦于木禾，既垂颖而顾本。"

113　雕棠

中山经，阴山，其中多雕棠，其叶如榆叶[1]而方，其实如赤菽[2]，食之已聋[3]。

【注释】

[1] **榆叶** 《本草拾遗》云："榆叶消水肿。"《本草经》云："榆皮主大小便还通，利水道，除邪气。"《齐民要术》说榆仁能制酱，称为榆酱。

按，榆是榆科植物家榆（白榆）*Ulmus pumila* L.一类植物。榆叶呈椭圆状卵形。详115"榆"条注[1]。

[2] **其实如赤菽** 郭璞注云："菽，豆。"赤菽，当为赤豆，赤豆是豆科植物的种子，药用的赤豆有赤小豆和红饭豆。《山海经》说："雕棠，其实如赤豆。"那么，雕棠是不是赤豆植物呢？从药用上看，不像。《本草经》说赤小豆主下水，排痈肿脓血，与《山海经》"食之已聋"不合。赤豆是草本，而雕棠像是木本植物，二者又不相同。

[3] **食之已聋** 像赤小豆样的植物，能治耳聋的很少。《证类本草》通用药"耳聋"条，有十三个药能治耳聋，而这些的果实都不像赤豆。

另有相思子，样子很像赤豆，它的叶子亦似榆叶，《本草纲目》说："相思子能通九窍。"此与"食之已聋"义合。按，相思子有毒，多食能致吐。

相思子的药用：《本草纲目》云："相思子，味苦、平，有小毒，吐人。通九窍，去心腹邪气，止热闷头痛，风痰瘴疟，杀腹脏及皮肤内一切虫，除蛊毒。取二七枚研服，即当吐出。"

相思子的形态：《本草纲目》云："相思子生岭南，树高丈余，白色，其叶似槐，其花似皂荚，其荚似扁豆，其子大如小豆，半截红色，半截黑色，彼人以嵌首饰。"段公路《北户录》云："有蔓生，用子收龙脑香相宜，令香不耗也。"

疑雕棠或为豆科植物相思子 *Abrus precatorius* L.一类植物。其子有小毒，能催吐，祛痰杀虫，用于风痰瘴疟，热闷头痛，虫积，一次只能用7～14粒。过去西南等地，以相思子当作赤小豆用，殊误病人。

不过相思子的颜色并不完全像赤小豆，相思子的上部三分之二呈鲜红色，下部三分之一为黑色。

至于种子全红色如赤小豆的，有海红豆 *Adenanthera pavonina* L. 及红豆树 *Ormosia hosiei* Hemsl. et wils.。这两种树都是豆科植物，其叶皆如榆叶，但它们均不作药用。海红豆全株都有毒，此与《山海经》"食之已聋"不合。

114 赤菽

中山经，阴山多雕棠，其实如赤菽[1]。

【注释】

[1] **赤菽** 郭璞注云："菽，豆也。"《物理论》云："菽者，众豆之总名。"《说文》云："荅，小豆也。"《广雅》云："小豆，荅也。"《吕氏春秋·审时》云："小叔则搏。"崔寔《四民月令》云："六月穜大小豆，麦。"《九章算术·粟米》："菽、荅、麻、麦各四十五。"李籍《音义》云："菽，

大豆也；荅，小豆也。”

赤菽的药用：即赤小豆药用。《本草经》云：“赤小豆，主下水，排痈肿脓血。”《名医别录》云：“赤小豆，主寒热、热中、消渴、止泄、利小便、吐逆、卒澼、下胀满。”《小品方》云：“治痈初作，以赤小豆末和鸡子白如泥，涂之即消。”

赤菽的形态：《本草纲目》卷24“赤小豆”条云：“苗科高尺许，枝叶似豇豆，叶微圆峭而小，至秋开花，似豇豆花而小淡，银褐色，有腐气，结荚长二三寸，三青二黄时即收之。”

按，赤菽即豆科植物赤小豆 *Phaseolus calcaratus* Roxb 或赤豆 P. angularis Wight 一类植物。赤小豆有利水、缓水、消肿、解毒的作用，适用于水肿、黄疸。赤小豆研末，醋调外敷治痈肿初起。又赤小豆芽合猪胰脏煨食，能缓解消渴。

115 榆

中山经，阴山，有木焉，其状如榆。中次七经，大若之山，有草焉，其状叶如榆[1]。

【注释】

[1] **榆** 《尔雅》云：“榆，白枌。”郭璞注云：“枌榆，先生叶，却著荚，皮色白。”《说文》云：“榆，白枌也，榆有刺荚为芜荑。”《说文解字系传·通释》云：“枌榆，锴按《西京杂记》曰，汉太上皇祭枌榆之社也，谓树以枌榆。”《毛诗》云：“隰有榆。”《礼记·内则》云：“枌榆兔薧，滫髓以滑之。”《管子》曰：“五沃之土，其榆条长。”《庄子》曰：“鹊上高城之垝，而巢于高榆之颠。”崔寔《四民月令》云：“榆荚成者收为酱。”桓谭《新论》云：“榆树，何能使之不衰。”《魏志》云：“种榆为篱。”《淮南万毕术》云：“八月榆檽，令人不饥。”嵇叔夜《养生论》云：“豆令人重，榆令人眠。”《博物志》云：“食枌榆，则眠不欲觉。”《石虎邺中记》：“襄国邺路，夹道种榆。”《晋宫阁名》：“华林园，榆十几株。”

榆的药用：《本草经》云：“榆，主大小便不通，利水道，除邪气。其实尤良，一名零榆。”《名医别录》云：“榆，主肠胃邪热气，消肿，性滑利，疗小儿头疮痂疕。花，主小儿痫，小便不利，伤热。”

榆的形态：《本草图经》曰：“榆之类有十数种，叶皆相似，但皮及木理有异尔。白榆，皮白色，即《尔雅》所谓：榆，白枌也；刺榆有针刺柘，名柘榆，一名梗榆，《尔雅》所谓藲、荎，《诗经》：‘山有枢。’陆玑疏云：‘枢，有针刺如柘，其叶如榆；山榆，毋估。’《尔雅》云：‘无姑，其实荑。’郭注云：‘无姑，姑榆也，生山中，叶圆而厚。’”

按，榆为榆科植物白榆 *Ulmus pumila* L. 亦名家榆、白枌、枌榆等一类植物。

榆树的皮，纤维柔韧，可代麻用，磨成粉有黏性，昔日用以合瓦石及制“香”（迷信时代用以烧香进神的），荒年用以充饥。榆皮在医药上，治小便不通，淋浊，水肿，痈疽发背、丹毒、疥癣。

榆树的果荚，古称榆钱，所以《救荒本草》称榆树为“榆钱树”。榆实的种子名榆荚仁，能清热利湿、杀虫，治妇女白带、小儿疳热羸瘦。榆荚仁和面粉等制成酱名榆仁酱，能下气、健胃、消食。

榆树叶能利水、治石淋。榆树花，利水、除热，治小儿痫。

116 菜草

中山经，鼓镫之山[1]，有草焉，名曰菜草[2]，其叶如柳，其本如鸡卵，食之已风。中次十二经，直陵之山，多菜草。

【注释】

[1] **鼓镫之山** 毕沅说："鼓镫之山，即鼓钟之山，在今山西垣曲县。"

[2] **菜草** 郝懿行《山海经笺疏》云："案，《本草经》云：'蔄茹，味辛、寒，除大风。'陶注云：'叶似十戟。'《蜀本》注云：'根如萝卜。'并与此合，岂是与！"

按郝氏所说，菜草似为蔄茹。但《本草纲目》卷18下"土茯苓"条，李时珍曰："《中山经》云：'鼓镫之山，有草焉，名曰菜草，其叶如柳，其本如鸡卵，食之已风。'恐即此也。"

按李时珍所说，菜草是土茯苓。

从土茯苓、蔄茹的形态上来看，土茯苓很不像菜草。土茯苓叶如菝葜叶，呈长圆形，很不像柳叶。土茯苓的根或菝葜根，呈不规则的块状，有结节，全不像鸡卵。李时珍仅凭功效相同这一点，而定菜草是土茯苓，是不足信的。

至于郝氏说菜草可能是蔄茹，倒有点像。《本草经》说蔄茹杀疥虫，排脓恶血，除大风，此与《山海经》"除大风"相合。陶弘景《本草经集注》说蔄茹叶似大戟。按大戟呈披针形，有点像柳叶，此与《山海经》"其叶如柳"相合。《蜀本草·图经》说蔄茹根如萝卜，此与《山海经》"其本（根）如鸡卵"相合。

疑菜草或为大戟科植物蔄茹。

蔄茹之名亦见于《素问注》："蔄茹主散恶血。"《名医别录》云："蔄茹，一名屈据，一名离娄。"《五十二病方》中亦有屈居的记载。《广雅》云："屈居，卢茹也。"《范子计然》云："蔄茹出武都，黄色者善。"

蔄茹药用：《本草经》云："蔄茹，味辛、寒。主蚀恶肉败疮死肌，杀疥虫，排脓恶血，除大风热气。"《名医别录》云："去热痹，破癥瘕，除息肉。"陶弘景云："根亦疗疮。"

蔄茹的形态：《吴普本草》云："蔄茹，一名离楼，一名屈居，叶圆，黄，高四五尺，叶四四相当，四月华黄，五月实黑，根黄有汁。"陶弘景《本草经集注》云："叶似大戟，花黄，二月便生。"《蜀本草·图经》云："叶有汁，根如萝卜，皮黄肉白。"苏颂《本草图经》云："蔄茹，二月生苗，叶似大戟，而花黄色，根如萝卜，皮赤黄，肉白，初断时汁出凝黑如漆，三月开浅红花，亦淡黄，不著子。"

《本草纲目》云："蔄茹，春初生者，高二三尺，根长大如萝卜、蔓菁，状或有歧出者，皮黄赤，肉白色，破之有黄浆汁，茎叶如大戟，而叶长微阔，不甚尖，折之有白汁，抱茎有短叶相对，团而出尖，叶中出茎，茎中分二三小枝，二、三月开细紫花，结实如豆大，一颗三粒相合，生青熟黑，中有白仁如续随子之状，今人往往皆呼其根为狼毒，误矣。狼毒叶似商陆、大黄辈，根无浆汁。"

按《本草纲目》所讲"蔄茹"的形态，很像大戟科植物狼毒大戟 *Euphorbia fischeriana* Steud. 一类植物。疑菜草似为大戟科植物狼毒大戟一类植物，详108"植楮"注［3］。今日市售商品狼毒，分狼毒与白狼毒两类。前者是瑞香科植物瑞香狼毒 *Stellera chamaejasme* L. ，后者是大戟科植物大戟狼毒 *Euphorbia fischeriana* steud. 及月腺大戟 *Euphorbia ebiacteolata* Hayata. 。本草文献所载的狼毒，系瑞香科瑞香狼毒。

117 芒草

中次二经，葌山有木焉，其状如棠而赤叶，名曰芒草[1]，可以毒鱼。海内经，九丘有建木，其叶如芒。

【注释】

[1] **芒草** 郭璞注《山海经》云："音忘。"郝懿行《山海经笺疏》云："案，芒草，亦单谓之芒。《海内经》说建木云：'其叶如芒。'郭注云：'芒木似棠梨。'本此经为说也。又《尔雅》云：'莽，春草。'郭注引《本草》云：'一名芒草。'疑此非也，然芒草即草类，而经言木者，虽名为木，其实则草。"《尔雅》云："莽，春草。"释曰："药草也。"郭璞注云："一名芒草。"《名医别录》云："莽草，一名莽，一名春草。"则芒草即莽草。陶弘景《本草经集注》云："莽草字亦作菵字，今俗呼为菵草也。"《本草图经》《本草衍义》俱云："莽草，亦曰菵草。"

莽草同名异物很多。

《楚辞》云："揽中州主宿莽。"注云："草冬生不死。"《孟子》云："草莽不臣。"赵岐注云："莽，亦草也。"《周礼》蝉氏："除蠹物以莽草熏之。"《方言》云："卉，莽草也。东越、杨州之间曰卉，南楚曰莽。"《说文》云："卉，草总名。"《说文》又云："犬善逐兔草中为莽。"《尔雅》云："莽，数节。"郭璞注云："竹类。"

沈括《梦溪补笔谈》云："世人用莽草，种类最多，有大叶如手掌者，有细叶者，有叶光厚坚脆可拉者，有柔软而薄者，有蔓生者……今莽草蜀道、襄、汉、浙、江、湖间山中有，枝叶稠密，团栾可爱，叶光厚而香烈，花红色，大小如杏花，六出，反卷向上，中心有新红蕊，倒垂下，满树垂动摇摇然，襄、汉间渔人竞采以捣饭饵鱼，皆翻上，乃捞取之。"

吴其濬《植物名实图考长编》云："按，莽草，江西、湖南多有之。其本木也。叶似茶树，江西俗呼为黄藤，其根长而黄，故名。轻生者多服之，与断肠同。其根浸水，一名色如雄黄，种菜者芸虫伤，用以沾晒，则虫立尽。"按，吴其濬所言莽草的形态，实际上是卫矛科植物雷公藤 *Tripterygium wilfordii* Hook.f. ，并非木兰科八角属 *Illicium* L. 的莽草。

莽草的药用：《本草药》云："莽草，味辛，温。主风头痛肿，乳痛，疝瘕，除结气疥瘙，杀虫鱼。"《名医别录》云："莽草，味苦，有毒。疗喉痹不通，乳难，头风痹，可用沐，勿令入眼。"《药性论》云："莽草治瘰疬，除湿风，主头疮白秃，杀虫。"《日华子》云："莽草治皮肤麻痹。浓煎汤淋风虫牙痛。"

莽草有毒，可以杀虫、毒鱼。陶弘景《本草经集注》云："莽草，捣以和米，内（纳）水中，鱼吞即死浮出。"《水经·夷水》注云："人以莽草投渊上流，鱼则多死。"

莽草的形态：《本草图经》云："莽草，木若石南，而叶稀，无花实，五月、七月采叶阴干。一说藤生，绕木石间。"《本草衍义》云："莽草，今世所用者，皆木叶色，如石南，枝梗干则绉，揉之，其嗅如椒。"陶弘景注石南云："似简草，凌冬不凋。"

按，芒即莽草，为木兰科植物红毒茴 *Illicium lanceolatum* A. C. Smith 一类植物。

118 蒨

中次三经，敖岸之山，北望河林，其状如蒨[1]。

【注释】

[1] 蒨　郭璞注《山海经》云："茅鬼，今之蒨草也。"郝懿行《山海经笺疏》云："案蒨，草也。"《尔雅》云："茹藘，茅蒐。"郭璞注《尔雅》云："今之蒨也，可以染绛。"《广雅》云："地血，茹藘，蒨也。"陆玑《毛诗草木疏》云："茹藘，茅蒐，蒨草也，齐人谓之茜。"《名医别录》云："茜，一名茅蒐，一名茹藘，一名蒨。"

按，蒨即茜，详123"蒐"条注 [1]。

119 榉

中次三经，敖岸之山，北望河林，其状如榉[1]。

【注释】

[1] 榉　郭璞注《山海经》云："说者云举，木名也。"郝懿行《山海经笺疏》云："举，木也，举即榉柳。《本草》陶注详之。李善注《思玄赋》及李贤注《后汉书·张衡传》，引此经并无如举二字，盖脱。"《广韵》云："榉，木名。"《名医别录》云："榉树皮大寒。"陶弘景注云："榉树似檀槐，叶如栎槲。"《唐本草》云："榉树所在皆有。"《日华子》云："榉树叶，乡人采叶为睡茶。"《本草纲目》云："榉，其树高举，其叶如柳，故名。"

榉树的药用：《名医别录》云："皮主时行头痛，热结在肠胃。"陶弘景注云："榉树皮，削取里皮，去上甲，煎服之，夏日作饮去热。"《唐本草》云："人取煮汁以疗水及断痢，取嫩叶接，贴火烂疮有效。"

榉树的形态：《唐本草》云："榉树多生溪涧水侧，叶似樗而狭长，树大者连抱，高数仞，皮极粗厚。"《本草纲目》云："榉材红紫，作箱案之类甚佳。"《本草衍义》云："榉木皮，今人呼为榉柳，然叶谓柳非柳，谓槐非槐。木最大者，高五六十尺，合二三人抱。湖南、北甚多，然亦下材也，不堪为器用。"郑樵《通志略》云："榉乃榆类，其实亦如榆钱之状。"《群芳谱》云："榉柳，一名鬼柳。"又引《荆溪疏》云："琼树，榉柳也。"

按，榉为榆科榉属植物大叶榉树 *Zelkova schneidariana* Hand.－Mazz. 一类植物，是高大乔木，木材坚致，其老龄木材带赤色名血榉，此与《本草纲目》所说"榉材红紫"义合。榉树皮，清热利水，治时行头痛、热毒下痢、水肿。叶捣烂，敷肿烂恶疮。

120 荀草

中次三经，青要之山[1]，有草焉，其状如蒙[2]（菌）而方茎，黄华赤实，其本如藁本[3]，名曰荀草[4]，服之美人色。

【注释】

[1] **青要之山** 郝懿行说："山在今河南新安县西北。"

[2] **蒙** 郭璞注云："菅似茅也。"《说文》云："蒙，香草也。"《众经音义》卷2引《字书》云："蒙与蔺同；蒙，兰也。"《一切经音义》引《声类》云："蒙，兰也。"按，兰的品种很多，有泽兰之兰，也有兰科各种植物兰，如蕙兰 *Cymbidium faberi* Rolfe.、建兰 *C. ensifolium* L. 等一类植物。

[3] **其本如藁本** 即根如藁本，藁本是伞形科植物藁本 *Ligusticum sinense* Oliv. 。

[4] **荀草** 郭璞注《山海经》云："或曰苞草。"郝懿行《山海经笺疏》云："案，《本草经》云：'旋花主面皯黑色媚好，一名金沸。'《别录》云：'一名美草，生豫州平泽。'陶注云：'根似杜若，亦似高良姜。'又云：'叶似姜，花赤色，子状如豆蔻。'今案旋花一名金沸，明是黄花。陶注云：'赤色。'误矣。又唐、宋本草或以旋花为金鼓子花，然与本经不合，此皆非矣。唯陶说形状与此经同。《别录》云：'生豫州。'地亦相近，荀、旋声近也。"按郝氏《山海经笺疏》所云，则荀草即旋花。因《本草经》说旋花主面皯黑色媚好，《名医别录》说："旋花，一名美草。"而"荀""旋"音又相近，所以郝氏认为荀草即旋花。但《山海经》的荀草言明状如蒙、方茎、黄华、赤实，根如藁本，而旋花的形态全不像荀草，今日旋花科植物旋花 *Calystegia sepium* L. 是缠绕草本，茎不方，花淡红而不黄，与《山海经》所言荀草形态不相吻合。从植物形态上来看，荀草有点像萱草，"荀""萱"音亦相近，萱草样子有点像兰草，花黄色，功用亦相近，嵇康《养生论》云："合欢蠲忿，萱草忘忧。"晋·周处《风土记》云："怀妊妇人佩其花生男。"所以萱草花一名宜男，苏颂《本草图经》云："萱草主安五脏，利心志，令人好欢乐无忧。"疑荀草似为百合科植物萱草 *Hemerocallis flava* L. 一类植物。《嘉祐本草》云："萱草根，凉，无毒，治沙淋，下水气。主酒胆黄色通身者，取根捣绞汁服，亦取嫩苗煮食之。又主小便赤涩，身体烦热。"《本草衍义》云："萱草根治大热衄血。"

按，萱草根，甘、凉，止血、消肿、利湿热，治衄血、吐血、乳痈肿痛、小便不利、水肿、黄疸、淋病。

121 美枣

中次三经，騩山，其上有美枣[1]。

【注释】

[1] **美枣** 《名医别录》云："大枣，一名干枣，一名美枣，一名良枣。"详17"枣"条注[1]。

122　蔓居木

中次三经，宜苏之山，其下多蔓居木[1]。

【注释】

[1] **蔓居木**　郭璞说未详。郝懿行《山海经笺疏》云："案，《广雅》云：'牡荆，蔓荆也。'蔓，《本草》作蔓。此经蔓居疑蔓荆声之转。蔓荆列《本草》木部，故此亦云蔓居之木也。"照郝氏所说，蔓居即蔓荆。

蔓荆的药用：《本草经》云："主筋骨间寒热，湿痹拘挛，明目，坚齿，利九窍，去白虫。"《名医别录》云："蔓荆实，去长虫，主风头痛，脑鸣，目泪出，益气。"

蔓荆的形态：《本草图经》云："蔓荆苗茎高四尺，对节生枝，初春因旧枝而生叶，类小楝，至夏盛茂，有花作穗，浅红色，花下有青萼，至秋结实，斑黑如梧子许大而轻虚。"

按，蔓荆为马鞭草科植物蔓荆 Vitex trifolia L. 或单叶蔓荆 Vitex rotundifolia L. 等一类植物。

蔓荆的果实名蔓荆子，味苦、辛，性微寒，能疏风散热，治感冒头痛、头眩晕，亦治湿痹拘挛、老年体虚手足抽搐。

123　蒐草[1]

中次四经，厘山，其阴多蒐。中山经，牛首之山，有草焉，名曰鬼草，其叶如葵而赤茎，其秀如禾[2]，服之不忧[3]。

【注释】

[1] **蒐草**　蒐草即茅蒐，又名茹藘，一名蒨。郭璞注《山海经》云："音搜，茅蒐，今之蒨草也。"郝懿行《山海经笺疏》云："案茹藘、茅蒐，见《尔雅》，郭音蒐为搜非也。《毛诗传笺》及《晋语》韦昭注，并以茅蒐秼韐为合声及声转之字，是蒐从鬼得声，当读如鬼，不合音搜，后人借为春蒐之字亦误矣，说见《尔雅》略。"《尔雅》云："茅蒐，茹藘。"郭璞注云："今之蒨也，可以染绛。"《说文》云："茅蒐，茹藘。"《说文解字系传·通释》云："茅蒐，茹藘，人血所生，可以染绛。"《广雅》云："地血，茹藘，蒨也。"茅蒐、茹藘又名茜。《说文》云："茜，茅蒐。"《史记·货殖列传》云："千亩支茜。"徐广注云："茜，一名红花，其花染曾赤黄色。"陆玑《毛诗草木疏》云："茹藘、茅蒐、蒨草也，齐人谓之茜，徐人谓牛蔓。"《名医别录》云："茜，一名茅蒐，一名茹藘，一名蒨。"陈藏器《本草拾遗》云：'苗根即茜根也。'苗、茜二字相似，传写之误。"《蜀本草·图经》云："茜根，染绯草。"苏颂《本草图经》云："茜根亦作蒨。"

茅蒐、茹藘、蒨、茜古作染料名称。《诗经·郑风》云："缟衣茹藘。"《毛传》云："茹藘，茅蒐之染女服也。"《毛诗传笺》云："茅蒐，染巾也。"《诗经·郑风》云："茹藘在阪。"注云："茹藘，女所以为染也。"《诗经·小雅》云："秼韐有奭。"《传》云："秼韐者，茅蒐染草也。"《毛诗传笺》云："秼韐，茅蒐染也。"《礼记·士冠礼》有秼韐，注云："士染以茅蒐。"韦昭注云："茅蒐，合绛

草也。"《周礼》："周官掌染草。"郑注云："染草，兰、蒨（茜）、橡斗之属。"《说文》云："絑，赤缯也，以茜染，故谓之絑。"《述异记》云："洛阳有支茜园。"《汉官仪》云："染园出支茜，供染御服。"

茜的药用：《周礼》："庶氏掌除蛊毒，以嘉草攻之。"注云："嘉草，蘘荷与茜。"《本草经》云："茜根，味苦、寒。主寒湿风痹，黄疸，补中。"《名医别录》云："茜根，止血内崩，下血，膀胱不足，踒跌，蛊毒，久服益精气，轻身。"《说文解字系传·通释》云："徐锴曰：按今医方家，谓茜为地血，食之补血是也。"

茜的形态：《蜀本草·图经》云："染绯草（茜根），叶似枣叶，头尖，下阔，茎叶俱涩，四五寸叶对生节间，蔓延草木上，根紫赤色。"《本草纲目》云："茜草十二月生苗，蔓延数尺，方茎，中空有筋，外有细刺，数寸一节，每节五叶，叶如乌药叶而糙涩，面青背录，七、八月开花，结实如小椒大，中有细子。"

按，蒐为茜草科植物茜草 *Rubia cordifolia* L. 一类植物。其根味苦，性寒，生用凉血活血，炒炭用止血。生用止血痢及血热经闭，跌打损伤。炒炭用疗崩及热证吐血。

[2] **其秀如禾** 郝懿行《山海经笺疏》云："案，《大雅·生民》：'实发实秀。'是禾谓之秀也。"

[3] **服之不忧** 郝懿行《山海经笺疏》云："案，《太平御览》469 卷引《山海经图赞》曰：'焉得鬼草，是树是艺，服之不忧，乐天傲世，如彼浪舟，任波流滞。'"

124 茇

中次四经，柄山有木焉，其状如樗[1]，其叶如桐[2]而荚实，其名曰茇[3]，可以毒鱼。

【注释】

[1] **其状如樗** 《诗经》云："采荼薪樗。"陆玑疏云："樗树及皮皆似漆……吴人以其叶为茗。"《庄子》云："吾有大树，人谓之樗，其木拥肿，不中绳墨。"《尔雅》云："栲，山樗。"郭璞注云："栲似樗。"《唐本草》云："椿木叶主洗疮疥、风疽……樗木根叶尤良。"

按，椿木是楝科植物香椿 *Toona sinensis* （A. Juss.） Roem.。樗是苦木科植物臭椿 *Ailanthus altissima* （Mill.） Swingle。

[2] **其叶如桐** 《诗经》云："椅、桐、梓、漆。"陆玑疏云："桐有青桐、白桐、赤桐。"《尔雅》云："荣，桐木。"郭璞注云："即梧桐。"《本草经》云："桐叶主恶蚀疮；皮主五痔，杀三虫。"

按，桐即梧桐科植物各种桐，如青桐（梧桐）*Firmiana simplex* （L.） W. F. Wight.，或玄参科植物白桐（泡桐）*Paulownia fortunei* （Seem.） Hemsl.。

[3] **茇** 本条毒鱼的"茇"是什么植物呢？郭璞注《山海经》云："茇，一作艾。"郝懿行《山海经笺疏》云："案《尔雅》云：'杬，鱼毒。'《说文》杬以草作芫，疑作艾者，因字形近芫而讹。又《本草·别录》云：'狼跋子，主杀虫鱼。'陶注云：'出交广，形扁扁尔，捣以杂米投水中，鱼无大小，皆浮水而死。'今案，狼跋之名，虽与此经名茇相合，但彼草部，非此木之比也。"

按，毒鱼的植物很多，有芒草（莽草）、芫花、狼跋子、醉鱼草等。郝氏提出芫和狼跋子。

杬：《尔雅》云："杬，鱼毒。"《证类本草》卷14引《名医别录》云："芫花，一名毒鱼，可用毒鱼。"按，芫花是瑞香科植物芫花，其果实是核果革质，而非荚实，此与经义不合，则芰当非芫花。

狼跋子：《证类本草》卷11引《名医别录》云："狼跋子，有小毒，主恶疮蝎痏，杀虫鱼。"陶弘景《本草经集注》云："狼跋子，出交广，形扁扁尔，捣以杂米，投水中，鱼无大小，皆浮出而死，人用苦酒（醋）摩，疗疥亦效。"《唐本草》注云："此今京下呼黄环子为之。亦谓度谷，一名就葛。陶云出交广，今交广送入太常，正是黄环子。"《开宝本草》注云："今案别本注云：'味苦，寒。藤生，花紫色。'"

按，狼跋子即黄环的种子。《唐本草》注云："黄环，其子作角生，似皂角，花实与葛同时，今园庭种之，大者茎径六七寸，所在有之，谓其子名狼跋子。"

黄环见录于《本草经》。《本草经》云："黄环一名凌泉，一名大就。"陶隐居注云："黄环似防己，《蜀都赋》云：'青珠、黄环。'"《唐本草》注云："黄环，襄阳巴西人谓之就葛作藤生，根亦类葛。"《本草纲目》云："黄环，叶黄而圆，故名黄环，亦是葛类，故名就葛。跋乃狼足名，其叶似之，故曰狼跋子。"又引《吴普本草》云："黄环一名生刍，二月生苗，正赤，高二尺，叶黄圆端大，经日叶有汁黄白，五月实圆，三月采根，黄色纵理，如车辐解。"

按，《本草》所述黄环，与豆科植物毒鱼藤很相似。毒鱼藤亦是藤生，花红色，荚果扁平而薄，与陶说狼跋子形扁扁尔相合。毒鱼藤有毒，亦能毒鱼，亦与《山海经》"其叶如桐而荚实，其名曰芰，可以毒鱼"义合。

狼跋子为豆科植物毒鱼藤 *Derris trifoliata* Lour 一类植物的种子。

疑为芰或为狼跋子。

125　苏

中次四经，熊耳之山[1]，有草焉，其状如苏[2]。

【注释】

[1] **熊耳之山**　郝懿行云："山在陕西洛南县东南。"

[2] **苏**　《尔雅》云："苏，桂荏。"郭璞注云："苏，荏类，故名桂荏。"《说文解字系传·通释》云："苏，桂苏，荏也。"郑注《内则》芗无蓼云："芗，苏荏之属也。"枚乘《七发》云："秋黄之苏，白露之茹。"《方言》云："苏，亦荏也，关之东西或谓之苏，或谓之荏；周、郑之间，谓之公蕡；沅、湘之间，或谓之䕯，其小者谓之蘸葇。"《广雅》云："公蕡，蘸葇、芫、䕯、荏、苏也。"

苏可作调味用。张衡《南都赋》云："苏蔱紫姜，拂彻膻腥。"

苏的药用：《素问·移精变气论》云："十日不已，治以草苏。"《名医别录》云："苏味辛温，主下气，除寒中，其子尤良。"

苏的形态：陶弘景云："苏，叶下紫色而的敢甚香者。其无紫色不香似荏者，多野苏，不堪用。"《本草图经》云："白苏，方茎圆叶，不紫亦甚香，实亦入药。"李时珍曰："紫苏，白苏，其茎方，其叶团而有尖，四周有锯齿。肥地者，面、背皆紫；瘠地者，面青、背紫。其面背皆白者，即白苏，乃荏也。八月开细紫花，成穗作房如荆穗。九月半枯时收子，子细如芥子，而色黄赤，亦可取油。"

按，苏是唇形科植物荏（白苏）*Derilla frutescens* (L.) Britt 或紫苏 *Perilla frutescens* (L.) Britt var. Crispa Decne 等一类植物。

按，紫苏味辛，性温，有解表发汗、安胎顺气、解鱼蟹毒之效，适用于外感风寒而兼胸闷呕吐者，妊娠吐呕、鱼蟹中毒等症。苏梗善长顺气安胎，专用于妊娠恶心呕吐，苏子能降气平喘，适用于咳嗽气滞痰壅。

126 葶苎

中次四经，熊耳之山[1]，有草焉，其状如苏[2]而赤华，名曰葶苎[3]，可以毒鱼。

【注释】

[1] **熊耳之山** 晋·郭璞注云："山在上洛县南。"《地名大辞典》云："上洛，亦作上雒，即今陕西商县治。"

[2] **苏** 《名医别录》云："苏，主下气，除寒中。"陶弘景注云："苏叶下紫色而气甚香。"《开宝本草》云："苏，今俗呼为紫苏。"

按，苏为唇形科植物紫苏 *Perilla frutescens* (L.) Britt var. Crispa Decne 一类植物。

[3] **葶苎** 郝懿行《山海经笺疏》云："案，《广雅》云：'苎，苏也。'苎字上疑脱葶字。此经云：其状如苏，是必苏类，其味辛香，故可以毒鱼也。苏颂《本草图经》云：'苏有鱼苏，似茵陈，大叶而香，吴人以煮鱼者，一名鱼蒜，生山石间者，名山鱼苏。'"

郝氏认为葶苎即苏类，其味辛香，故可以毒鱼。验之事实，所有的苏类皆不能毒鱼，郝氏之说不可信。

《本草纲目》卷17下"醉鱼草"条云："按《中山经》云：'熊耳之山，有草焉，其状如苏而赤华，名曰葶苎，可以毒鱼。'其此草之类与。"又云："醉鱼草，多在堑岸边，作小株生，高者三四尺，根状如枸杞，茎似黄荆，有微棱，外有薄黄皮，枝易繁衍，叶似水杨，对节而生，经冬不凋，七、八月开花成穗，红紫色，俨如芫花，鱼人采花及叶以毒鱼。"

葶苎是什么植物呢？按郝懿行所说，葶苎是"苏"。李时珍说葶苎是"醉鱼草"。从毒鱼这一点来看，"苏"不能毒鱼，而"醉鱼草"能毒鱼。此草是马钱科植物醉鱼草 *Buddleja lindleyana* Fort. 。

醉鱼草作小株生，高者三四尺，根状如枸杞，茎似黄荆，有微棱，外有薄黄皮，枝易繁衍，叶似水杨，对节而生，俨如芫花一样，全不似苏。以醉鱼草释葶苎，亦难以成立。

检有毒鱼的植物，尚有荠草、荨麻。荠草不似苏，荨麻有点似苏。李时珍曰："荨麻，川黔诸处甚多。其茎有刺，高二三尺，叶似花桑，或青或紫，上有毛芒可畏，触人如蜂虿螫蠚，以人溺濯之即解。有花无实，昌冬不凋。按投水中，能毒鱼。"（《本草纲目》卷17，第997页）

127 茉

中次五经，首山，其阴，草多茉[1]。中次七经，泰室之山，有草焉，其状如茉。中次九经，九几之山，其草多茉。中次十二经，尧山，其草多茉。

【注释】

[1] 茉　郭璞注《山海经》云："茉，山蓟也。"又云："茉，似蓟也。"郝懿行《山海经笺疏》云："案，茉有赤茉、白茉二种。《尔雅》云：'茉，山蓟、杨枹茉。'"《尔雅》云："术，山蓟。"郭璞注云："今术似蓟，而生山中。"《抱朴子》云："术，一名山精，故《神农药经》曰：必欲长生，常服山精。"《本草经》云："术，一名山蓟。"《名医别录》云："术，一名山姜，一名山连。"《吴普本草》云："术，一名山芥，一名天苏。"《南方草木状》云："药有乞力伽，术也。"《说文解字系传·通释》云："茉，山蓟也，锴曰：今茉，苗似蓟也。"

术的药用：《本草经》云："术，味苦，温。主风寒湿痹，死肌，痉疸，止汗，除热，消食。"《名医别录》云："术，味甘，无毒。主大风在身面，风眩头痛，目泪出，消痰水，逐皮间风水结肿，除心下急满，及霍乱吐下不止，利腰脐间血，益津液，暖胃，消谷，嗜食。"

术的形态：陶弘景《本草经集注》云："术乃有两种：白术叶大有毛，而作桠，根甜而少膏，可作丸散用；赤术叶细无桠，根小苦而多膏，可作煎用。"

李时珍《本草纲目》云："苍术，苗高二三尺，其叶抱茎而生，梢间叶似棠梨叶，其脚下叶有三五叉，皆有锯齿，小刺。根如老姜之状，苍黑色。肉有白有油膏，白术也。"

按，术是菊科植物各种术。如：南苍术（茅苍术）*Atractylodes lancea*（Thunb.）DC.、北苍术 *Atractylodes chinensis* Koidz.、白术 *Atractylodes macrocephala* Koidz. 等一类植物。苍术能祛风燥湿，适用于肌肉风湿痛及胃肠因湿浊所致满闷吐泻，如消化不良、泄泻等症。白术能燥湿利水，补脾益气，适用于脾虚泄泻、水肿、自汗，以及关节风湿痛，配黄芩能安胎。苍术燥散性大，有出血者忌用，白术燥散小，兼有补性，适用于脾虚疾患。

128　芫

中次五经，首山，其阴，草多芫[1]。

【注释】

[1] 芫　郭璞注《山海经》云："芫华中药。"郝懿行《山海经笺疏》云："芫见《本草》，又《尔雅》有杬鱼毒，在释木，亦是也。《说文》云：'芫，鱼毒也。'"《尔雅》云："杬，鱼毒。"郭璞注云："大木，皮厚，汁赤，堪藏卵果。"《说文解字系传·通释》云："按《本草》芫华也可用毒鱼，一名杬，鱼毒。《尔雅》杬字从木，注即云，大木也。"顾野王《玉篇》云："芫本出豫章，煎汁藏果及卵不坏。"洪迈《容斋随笔》云："人有争斗者，取味按擦皮肤，辄作赤肿，如被伤以证人。至如盐擦卵，则又染其外，若赭色也。"

芫的异名很多：《本草经》云："芫花，一名去水。"《名医别录》云："芫花，一名毒鱼，一名杜芫。"《吴普本草》云："芫，一名败花，一名儿草，一名黄大戟。"《本草纲目》云："芫或作杬。"

芫的药用：《本草经》云："芫花主咳逆上气，喉鸣喘，咽肿，短气，蛊毒，鬼疟，疝瘕，痈肿，杀虫鱼。"《名医别录》云："芫花，有小毒。消胸中痰水，喜唾，水肿。"

芫的形态：《吴普本草》云："芫花，叶青，加厚则黑，花有紫、赤、白者，三月落尽，叶乃生。"《本草图经》云："宿根旧枝，茎紫，长一二尺。根入土，深三五寸，白色，似榆根，春生苗，叶小而尖，似杨柳枝叶，二月开紫花，颇似紫荆，而作穗，又似藤花而细。"《本草图经》所述的芫花形态，很像今日的芫花。

按，芫为瑞香科植物芫花 *Daphne genkwa* Sieb. et Zucc. 一类植物。本品味辛，性温，有毒，含有芫花素，刺激性很强烈，内服能引起剧烈水泻与腹痛，吸收后能利尿，自古以来就用作逐水剂。如胸膜积液、肝硬化腹水，均可临时一用。忌甘草。

129　槐

中次五经，首山，条谷之山，历山，其木多槐①。中次七经，放皋之山，有木焉，其叶如槐。

【注释】

[1]　**槐**　《尔雅》云："櫰，槐大叶而黑。"又云："守宫槐，叶昼聂宵炕。"郭璞注云："槐，大叶而黑，名为櫰。江东有树，与此相反，名合昏槐。"又注云："槐叶昼日聂合而夜炕布者，名为守宫槐。"《周礼·秋官》："朝士掌建邦外朝之法面三槐。"注云："槐之言杯也。"《春秋元命包》曰："树槐，听讼其下。"《晏子春秋》云："齐景公有所爱槐。"《庄子》云："槐之生也，入季春五日而免目。"《管子》曰："老槐生火，血为磷。"《三辅黄图》云："元始四年（4），会市列槐树数百行。"《魏都赋》云："槐以荫途。"

槐的药用：《本草经》云："槐实，主五内邪气热，止涎唾，补绝伤，五痔，火疮，妇人乳瘕，子藏急痛。"《名医别录》云："槐实治五痔、疮漏，捣取汁，煎令作丸，大如鼠矢，内窍中，日三易乃愈。又堕胎。枝，主洗疮，及阴下湿痒。皮主烂疮。根主喉痹寒热。"

槐的形态：《本草图经》云："槐有数种，叶大而黑者名櫰槐，昼合夜开者名守宫槐，叶细而青绿者，谓之槐。四月、五月开花，六月、七月结实。"《群芳谱》云："槐，黑者为猪屎槐，材不堪用，四、五月开黄花，未开时状如米粒，采取曝干炒过，煎水染黄甚鲜。"

按，槐为豆科植物槐树 *Sophora japonica* L. 。

槐树的花蕾，置灶上烘之，俟发酵变褐色，移放冷水缸中，再行煮沸，即成黄色染料。槐树花蕾又名槐米，一名槐花，能清热、凉血、止血，炒炭后止血力更强，适用于热证出血，如便血、崩漏，亦可预防高血压出血。

槐树的果实名槐角，一名槐实，味苦，性寒，能凉血止血，适用于痔疮，肠风下血及肝热目疾。

槐枝，《唐本草》名槐嫩蘖，治目赤、心痛、疥疮、痔疮、崩漏、带下。槐叶功用同槐枝，兼能退热。

槐树皮或根皮，能除风湿，消肿止痛；治热病口疮，牙疳，喉痹，疽，痔，烂疮，汤、火烫伤。

槐树根健胃，驱蛔虫。

槐树的树脂名槐胶，治诸风、口噤，四肢筋脉抽掣，腰脊强硬。

槐树上寄生的木耳名槐耳，治痔疮，便血，崩漏，脱肛。

130　蘾冬

中次五经，条谷之山，其草多蘾冬。中次十一经，鲜山，其草多蘾冬。

【注释】

[1] **蘾冬**　蘾音门，蘾冬即门冬。门冬有两种，即天门冬、麦门冬。古本草只讲"门冬"，不分天门冬与麦门冬。陶弘景《本草经集注》序录云："《本经》有直云茱萸、门冬，无以辨山、吴、天、麦之异。"郭璞注《山海经》云："《本草经》曰：'蘾冬，一名满冬，今作门，俗字耳。'"《尔雅》云："蘠蘼，蘾冬。"郭璞注："今门冬也，一名满冬。"《说文解字系传·通释》云："蘠蘼，虋冬也，从草，墙声，臣锴按《尔雅》注：'虋名，一名满冬。'今《本草》有天门冬、麦门冬，并无满冬之名。"郝懿行《山海经笺疏》云："案，蘾当为虋。《尔雅》云：'蘠蘼，虋冬。'郭引《本草》与此同。今检《本草》无满冬之名，必郭所见本，尚有之今阙脱者。"

那么，《山海经》的"门冬"，究竟是天门冬还是麦门冬呢？按《证类本草》卷6"天门冬"条引《山海经》文释之，而"麦门冬"条不引《山海经》文。据《证类本草》所见，《山海经》的"蘾冬"似指天门冬而言。

苏颂《本草图经》云："谨案，天门冬，《尔雅》谓之蘼，一名蘾冬。《山海经》云：'条谷之山，其草多芍药、蘾冬。'是也。"天门冬，《本草经》云："一名颠勒。"《博物志》云："天门冬叶滑者名缔休，一名颠棘。"苏颂《本草图经》引《抱朴子》及《神仙服食方》云："天门冬，一名颠棘，在东岳名淫羊藿，在中岳名天门冬，在西岳名管松，在北岳名无不愈，在南岳名百部，在京陆山阜名颠棘。"

天门冬药用：《本草经》曰："天门冬，味苦、平，主诸暴风湿偏痹，强骨髓，杀三虫，去伏尸，久服轻身益气延年。"《名医别录》云："天门冬，味甘，大寒无毒。保定肺气，去寒热，养肌肤，益气力，利小便，冷而能补，不饥。"《药性论》云："天门冬主肺气咳逆喘息促急，除热，通肾气，疗肺痿生痈吐脓。"

天门冬形态：陶弘景《本草经集注》引《桐君录》云："叶有刺，蔓生，五月花白，十月实黑，根连数十枚。"又引《博物志》云："天门冬逆捋有逆刺，若叶滑者名缔休，一名颠棘，可以浣缣素白如绒纻类，金城人名为浣草。"《唐本草》云："此有二种，苗有刺而涩者，无刺而滑者，俱是门冬，俗云颠刺、浣草。"陈藏器《本草拾遗》云："天门冬陶云百部根亦相类，苗异尔。按天门冬根有十余茎，百部多者五六十茎，根长尖内虚，味苦，天门冬根圆短实润，味甘不同，苗蔓亦别。"苏颂《本草图经》云："天门冬春生，藤蔓大如钗股，高至丈余，叶如茴香，极尖细而疏滑，有逆刺，亦有涩而气刺者，其叶如丝杉而细散，皆名天门冬。夏生白花，亦有黄色者，秋结黑子在其根枝傍。入伏后无花，暗结子。其根白或黄紫色，大如手指，长二三寸，大者为胜，颇与百部根相类，然圆实而长，一二十枚同根。"

疑蘾冬为百合科植物天门冬 *Asparagus cochinchinensis*（Lour.）Merr. 一类植物。

天门冬味甘、苦，性大寒，能养阴清热、润肺滋肾，用于阴虚内热，肺热燥咳痰稠，或咳血、气逆等症。

131　櫄木

中次五经，成侯之山，其上多櫄木[1]。中次十一经，婴䃌之山，其下多櫄。

【注释】

[1]　**櫄木**　郭璞注《山海经》云："似樗树，材中车辕，吴以呼櫄音辒，车或曰辒车。"郝懿行《山海经笺疏》云："案，《说文》云杶或作櫄，即今椿字也。"《尚书·禹贡》曰："杶干栝柏。"《释文》云："杶，本又作櫄。"《尔雅》云："栲，山樗。"郭璞注云："栲，似樗，类漆，俗语云：櫄、樗、栲、漆，相似如一。"《本草纲目》卷35"椿樗"条云："香者名椿。椿，集韵作櫄，夏书作杶，左传作橁。"

按，櫄木即香椿。

椿的药用：《唐本草》云："椿木叶味苦，有毒。主洗疮疥，风疽，水煮叶汁用之。皮主甘䘌。"《本草纲目》云："椿皮色赤而香，樗皮色白而臭，多服微利人，盖椿皮入血分而性涩，樗皮入气分而性利。"

椿的形态：《本草图经》云："椿、樗二木形干大抵相类，但椿木实而叶香，可啖。"《本草衍义》云："椿木叶，椿、樗皆臭，但一种有花结子，一种无花不实。世以无花不实，木身大，其干端直者为椿、椿木用叶。其有花而荚，木身小，干多迂矮者为樗，樗用根、叶、荚。"《本草纲目》云："椿木皮细，肌实而赤嫩，叶香甘可茹。樗木皮粗，肌虚而白，其叶臭恶。"

按，櫄（椿）为楝科植物香椿 *Toona sinensis*（A. Juss.）Roem. 一类植物。

历代本草都把椿、樗合并叙述，其实樗为苦木科植物臭椿 *Ailanthus altissima*（Mill.）Swingle.。详76"樗"条注[1]。

132　芁

中次五经，成侯之山，其草多芁[1]。

【注释】

[1]　**芁**　郝懿行《山海经笺疏》云："案，芁，《说文》训草盛，非草名也。疑芁当为艽字之讹，艽音交，即药草秦艽也，见《本草》。《玉篇》云："艽，秦艽，药同芁。"

《证类本草》卷8引萧炳曰："秦艽，《本经》名秦瓜。"陶弘景《本草经集注》云："秦艽，方家多作秦胶。"《唐本草》注云："本作札，或作纠，作胶，正作艽也。"

秦艽的药用：《本草经》云："秦艽，味苦、平。主寒热邪气，寒湿风痹，肢节痛，下水，利小便。"《名医别录》云："秦艽，味辛、微温，无毒。疗风无问久新，通身挛急。"《药性论》云："秦艽，治五种黄病，解酒毒，去头风。"

秦艽的形态：陶弘景《本草经集注》云："秦艽出甘松龙洞、蚕陵，长大黄白色为佳，根皆作罗文相交，中多衔土。"《本草图经》："秦艽根土黄色而相交纠，长一尺已来，粗细不等，枝干高五六寸，叶婆娑连茎，梗俱青色，如莴苣叶，六月中开花紫色，似葛花，当月结子。"

按秦艽的品种很多，《本草图经》所讲秦艽的形态很像今日的大叶龙胆。

疑艽为龙胆科植物秦艽 *Gentiana macrophylla* Pall. 一类植物。

秦艽味苦、辛，性平，清热燥湿，治风湿性和类风湿性关节炎，中风后偏瘫，阴虚内热，湿热黄疸等。

133 寇脱

中次五经，升山，其草多寇脱[1]。中次九经，熊山，其草多寇脱（通草）。

【注释】

[1] **寇脱** 郭璞注云："寇脱草生南方，高丈许，似荷叶，而茎中有瓤，正白。零桂人植而月灌之，以为树也。"郝懿行《山海经笺疏》云："案，寇脱即活脱也。寇、活声之转。《尔雅》云：'离南，活莌。'郭注与此注同。又云：'倚商，活脱。'亦是也。"

按郭璞所注，寇脱即通脱木。

寇脱的药用：陈藏器云："通脱木无毒，花上粉主诸虫疮、野鸡病（痔疾），取粉纳疮中。"《本草图经》云："通脱木，正元广利方疗瘰疬及李绛兵部方疗胸伏气攻胃咽不散中用之。"

寇脱的形态：陈藏器云："通脱木生山侧，叶似草麻，心中有瓤，轻白可爱，女工取以饰物。"

按，寇脱即五加科植物通脱木 *Tetrapanax papyriferus*（Hook.）K. Koch 一类植物。

本品味甘，性寒，有利尿、下乳之功，适用于产妇乳少，湿温有烦渴，小便不利。

[附] 通草名义演变

"通草"最早见于《本草经》。陶弘景注云："通草，今出近道，绕树藤生，汁白，茎有细孔，两头皆通，含一头吹之，则气出彼头者良。"陶弘景所注通草，实乃木通科植物木通 *Akebia quinata*（Thunb.）Decne.。至于《吴普本草》所说"通草叶青蔓延"，以及《广雅》等所言通草，皆是木通。到唐代《药性本草》《食性本草》、宋初《日华子本草》指出《本草经》中的通草即木通。宋代苏颂《本草图经》说："通草……今人谓之木通，而俗间所谓通草乃通脱木也。"意思是说在宋代时，书本上所讲的通草是木通科植物木通，而民间所讲的通草是五加科植物通脱木。

孙星衍等辑《本草经》"通草"条下释文，把《山海经》的"寇脱"释为木通（即木通科植物木通）是不对的。

134 蘖

中次五经，其祠用蘖[1]酿。

【注释】

[1] **蘖** 郭璞注《山海经》云："以蘖作醴酒也。"郝懿行《山海经笺疏》云："案，蘖，牙米也。见《说文》。今以牙米酿酒极甘，谓之饴酒。"

蘗的药用：《名医别录》云："蘗米，味苦，无毒。主寒中、下气，除热。"《日华子本草》云："蘗米，温。能除烦，消宿食，开胃。"

蘗的形态：陶弘景云："以米为蘗尔。"《唐本草》注云："按《食经》称，用稻蘗，稻即穬谷之名。"

详6"稻"条注[1]。

135　栌

中次六经，白石之山，涧水出于其阴，其中多栌[1]丹。

【注释】

[1]　**栌**　郭璞注《山海经》云："皆未闻。"郝懿行《山海经笺疏》云："栌丹疑即黑丹，栌、卢通也。又《说文》云：'宅栌木出宏农山。'陶注《本草》引李当之曰：'溲疏，一名杨栌。'《别录》云：'生熊耳川谷。'《说文》宅栌或即此。"

栌是什么？各书所说不一，兹略述如下。

(1)《说文》云："栌，樽栌也，一曰宅栌木，出宏农山。"段玉裁注云："疑《周礼》郑注之橐卢。"《周礼》："周官司掌染草。"郑注云："染草，茅蒐、橐卢、豕首、紫荪之属。"王元綖《野蚕录》云："橐卢者，或即橡子之别名，橡子有斗如橐韬，故曰橐，卢为黑色，可以染皂，故曰卢。言橐卢者，犹言皂斗也，然则俗之呼樽栌，呼朴栌者，或亦橐卢之讹与？"郝懿行《尔雅义疏》云："或曰樽栌，或曰朴栌，皆苟栌之转身。"按段氏、王氏、郝氏三家意见，栌似为栎属植物，详67"栎"条注[1]。

(2)崔豹《古今注》云："程雅问曰：'栌木一名无患何也？'答曰：'昔有神筮曰宝眊，能作符，劾百鬼，得鬼则从木为棒杀之，世人相传以此木为众鬼所畏，竞取为四，用以厌鬼，故号无患。'"《证类本草》卷14"无患子"条引《纂文》文同此。《本草拾遗》云："无患一名喋类，一名桓。"详188"桓"条注[1]。

(3)《唐本草》云："杨栌木，味苦，寒，有毒。主疳瘘、恶疮，水煮叶汁洗疮立差（愈），生篱垣间，一名空疏，所在皆有。"

136　楢木

中次六经，经囊山，多楢木[1]。

【注释】

[1]　**楢木**　郭璞注《山海经》云："今蜀中有楢木，七、八月中吐穗，穗成如有盐粉著状，可以酢羹，音备。"郝懿行《山海经笺疏》云："案，《玉篇》云：'楢，木名。'说与郭同，郭注酢，盖作字之讹也。《本草》盐麸子即五楢子，俗伪为五倍子。陈藏器《本草拾遗》云：'盐麸子生吴蜀山谷，树状如椿，七月子成穗。粒如小豆，上有盐似雪可为羹用是也。'《太平御览》引此经作楢，云音谩，或所本异也。《管子·地员》云：'其木乃楢。'"楢木亦名酸桶。《本草拾遗》云："蜀人谓

之酸桶。"《博物志》云:'酸桶,七月出穗,蜀人谓之五倍。穗上有盐著,可为羹,亦谓之酢桶矣,吴人谓之乌盐也。'"《本草纲目》卷32"盐麸子"条注云:"山海经橐山多楷木,后人伪为五倍。"又卷39"五倍子"条注云:"五倍当作五楷,见《山海经》。"李时珍说,肤木即楷木,楷木的种子名盐麸子,楷木叶为虫所结名五倍子。

楷木的药用:《开宝本草》云:"盐麸子(楷木的果实),除痰饮,瘴疟,喉中热结,喉痹,止渴,解酒毒,黄疸,飞尸,蛊毒,天行寒热,痰嗽变白,生毛发,取子干捣为末食之。树白皮,主破血,止血,蛊毒,血痢,杀蛔虫。根白皮,主酒疸。五倍子(楷木叶的虫瘿),疗齿宣,疳䘌,肺脏风毒,流溢皮肤作风湿,癣疮瘙痒,脓水,五痔,下血不止,小儿面鼻疳疮。"《本草纲目》引《本草集议》云:"盐肤子根,能软鸡骨。"

楷木的形态:《本草纲目》云:"肤木即楷木,状如椿,其叶两两相对生,长而有齿,面青背白,正叶之下,节节两边,有直叶贴茎,如箭羽状,五、六月开花,青黄色成穗,一支累累,七月结子,大如细豆而扁,生青熟微紫色,其核淡录,状如肾形,核外薄皮上有薄盐(名盐肤子)。叶上有虫结成瘿名五倍子。"《田居蚕室录》云:"其树三月发叶,子即生,六月摘取,用沸水微煮,其中虫尽死,以供染用。其未摘尽者,明年自破,虫飞出。种虫者,摘其最老之子,悬风处,俟叶发时挂之。"

按,楷木为漆树科植物盐肤木 Rhus chinensis Mill. 一类植物。盐肤木果实名盐肤子。盐肤木叶为倍蚜科昆虫角倍蚜 Melaphis chinensis(Bell)或倍蛋蚜 Melaphis paitan Tsai et Tang 寄生所形成的虫瘿名五倍子,可供染料用及药用。盐肤木叶入晚秋则变红,颇为美观。

五倍子味酸,性平,涩肠止泻,治久泻,久痢,下血脱肛及子宫脱出等症。由五倍子制成百药煎,能敛肺止咳,化痰,收敛,止血;用于久咳,大便出血。

137 萧

中次六经,橐山,其阴多萧[1]。

【注释】

[1] **萧** 郭璞注《山海经》云:"萧蒿,见《尔雅》。"郝懿行《山海经笺疏》云:"萧,荻;郭注云:即蒿也。"萧最早见于《诗经》。《诗经·小雅》云:"采萧获菽。"《毛诗》云:"取萧祭脂。"《淮南子·俶真训》云:"巫山之上,顺风纵火,膏夏,紫芝,及萧、艾俱死。"《尔雅》云:"萧,荻。"《说文》云:"萻,草也,《楚辞》有萻萧。"《说文解字系传·通释》云:"萧,艾蒿。锴曰,古人言萧斧,则谓芟艾之斧也。"陆玑《毛诗草木疏》云:"萧,荻。"郭璞注《尔雅》云:"萧,荻,亦蒿也。"《管子》云:"蔉下于荓,荓下于萧,萧下于薜。"清·王元綎辑《野蚕录》"萧蚕"条云:"萧蚕生蒿上,《尔雅》:'蚖,萧茧。'顾野王《玉篇》云:'蚖,蚕类,食蒿叶。'蒿即萧也。又《诗·幽风》:'春日迟迟,采繁祁祁。'《毛传》云:'繁,白蒿也,所以生蚕,今人犹用之,盖蚕未齐,未可食桑,故以此啖之也。'《本草纲目》云:"曰蘋,曰萧,曰荻,皆老蒿之通名。"

以上各家都说萧即蒿。而蒿的种类极多。《山海经》"萧"所指的蒿,究竟是什么蒿呢?从《尔雅》"萧茧"和《毛传·释幽风》云"繁,白蒿,所以生蚕"来看,则萧似即繁,白蒿也。

但陆玑《毛诗草木疏》对"萧""繁"均有解释。解释"萧"说:"萧,荻,今人所谓荻蒿者是也，或云牛尾蒿，似白蒿，白叶茎粗，科生，多者数十茎，可作烛，有香气，故祭祀以脂爇之为香，许慎以为艾蒿非也。《郊特牲》云："既奠，然后爇萧，合馨香是也。"又解释"蘩"说："蘩，皤蒿，凡艾白色为皤蒿，今白蒿春始生，及秋香美可食，又可蒸食，一名游胡，北海人谓之旁勃。"

陆玑释"蘩"时，未明确说蘩即白蒿。但参考《尔雅》《大戴礼记·夏小正》所说，再来看陆玑释"蘩"的条文，则蘩即白蒿。《尔雅》云："蘩，皤蒿。"《大戴礼记·夏小正》云："蘩，游胡；游胡，旁勃也。"

按以上资料来看，萧即蘩，白蒿也。其功用如下。

蘩能饲蚕，结萧茧。

蘩可以当菜吃：《左传·隐三年》："涧溪沼沚之毛，蘋蘩蕴藻之菜，可荐于鬼神，可羞于王公。"《诗经·召南》云："于以采蘩。"毛传云："蘩，皤蒿也，公侯大夫执蘩菜以助祭。"《毛诗传笺》云："执蘩菜者，以豆荐蘩菹。"

蘩（白蒿）的药用：《本草经》云："白蒿，味甘，平。主五脏邪气、风寒湿痹，补中益气，长毛发令黑，疗心悬、少食、常饥，久服轻身、耳目聪明、不老。"

蘩（白蒿）的形态，《唐本草》云："《尔雅》蘩，皤蒿，即白蒿也。此蒿叶粗于青蒿，从初生至枯，白于众蒿，欲（颇）似细艾者。"《开宝本草》云："叶似艾叶，上有白毛，粗涩，俗呼为蓬蒿。"《孟诜》曰："白蒿，寒，春初，此蒿前诸草生。"苏颂《本草图经》云："白蒿，蓬蒿也。春初最先诸草而生，似青蒿，而叶粗，上有白毛错涩，从初生至枯，白于众蒿，颇似细艾，二月采此。"《本草纲目》云："白蒿有水陆二种，二种形状相似，但陆生辛薰，不及水生者香美……本草白蒿为蒌蒿，生陂泽中，二月发苗，叶似嫩艾而歧细，面青背白，其茎或赤或白，其根白脆，采其根茎，生熟菹曝皆可食。"

按，《本草纲目》所讲的白蒿，很像茶绒蒿，疑萧为菊科植物茶绒蒿 *Artemisia subdigitata* Mattf 一类植物。

138　桃林

中次六经，夸父之山，其北有林焉，名桃林[1]。

【注释】

[1] **桃林**　郭璞注《山海经》云："桃林今宏农湖县阌乡南谷中是也。饶野马、山羊、山牛也。"郝懿行《山海经笺疏》云："案，郡国志宏农郡湖有阌乡，阌俗字也。《水经注》引《三秦记》曰：'桃林塞在长安东四百里。'又引《春秋》文公十三年晋侯使詹嘉守桃林之塞处，此以备秦。《史记·赵世家》正义引《括地志》云：'桃林在陕州桃林县西至潼关，皆为桃林塞地。'又《留侯世家》索隐引应劭《十三州记》：'宏农有桃丘，聚古桃林也。'亦见《郡国志》刘昭注引《博物记》曰：'在湖县休与之山。'"

按，郭璞、郝懿行所注，桃林是地方的名称，该地既以桃林名之，则该地亦当盛产过桃树的。

139　苦辛

中次六经，阳华之山[1]，其草多苦辛[2]，其状如楸，其实如瓜，其味酸甘，食之已疟。

【注释】

[1] **阳华之山**　《山海经》云："夸父之山西九十里曰阳华之山。"郝懿行说："夸父之山在今河南灵宝县东南。"

[2] **苦辛**　《山海经》说苦辛，状如楸，实如瓜，味酸甘，食之已疟。

楸是什么植物呢？郭璞注《山海经》云："楸即楸字也。"郝懿行《山海经笺疏》云："《说文》云：'楸长木貌。'《玉篇》云同，非郭义也。《晏子春秋·外篇》云：'景公登箐室而望见人有断雍门之楸者。'楸即楸也。《左传》有伐雍门之萩之语，萩盖楸之同声假借字也，楸亦音尔。"

按郭璞、郝懿行所注，楸即楸。

《诗经·小雅》云："北山有楸。"陆玑《毛诗草木疏》云："楸，楸属，其树叶木理如楸，山楸之异者，今人谓之苦楸，湿时脆，燥时坚。"《诗经·秦风》云："终南何有，有条有梅。"陆玑《毛诗草木疏》云："稻，今楸也，亦如下田楸耳，皮色白，叶亦白，材理好，宜为车板，能耐湿，又可为棺木，宜阳北山多有之。"《尔雅》云："稻，槐榎。"郭璞注云："今之山楸。"《左传》曰："使择美榎。"疏云："别楸、槐之名也。楸之小叶者名槐。樊光云：'大者，老也，榽，猪皮也，谓树老而皮粗榽者，为楸；小，少也，树小而皮粗榽者为槐。'"

《庄子》云："宋有荆氏者宜楸、柏、桑，其拱把而上者，求狙猿之杙者，斩之……"《汉书·货殖列传》云："山属千章之萩，淮北、荥南、河济之间千树萩，此其人皆与千户侯等。"颜师古注曰："萩即楸字也。"《晋书·凉武昭王传》："河右不生楸、槐、柏、漆，张骏之世，取于秦、陇而植之，终于皆死。"

《齐民要术》云："楸既无子，可于大树四面掘坑，取栽移之。"《本草纲目》云："楸有行列，茎、干直耸可爱，至秋垂条如线，谓之楸线，其木湿时脆，燥时坚，故谓之良材。"

按，《本草纲目》所说的楸，即紫葳科植物楸 *Catalpa bungei* C. A. Mey 一类植物。

现在，再回到"苦辛"题目上来论述。苦辛状如楸，楸即楸，则苦辛的形态似楸。

《山海经》说苦辛"食之已疟"。《本草经》有常山，主寒热温疟，其苗名蜀漆亦主疟。苏颂《本草图经》云："常山，海州（今江苏东海县）出者，叶似楸叶，八尺，有花红色，子碧色，似山楝子而小。"

疑苦辛或为马鞭草科植物海州常山（臭梧桐）*Clerodendrum trichotomum* Thunb. 一类植物。

海州常山的茎叶煎汤，可外用为牛马灭杀虱药，其根叶亦可治疟疾。

140　楸

中次六经，阳华之山，其草多苦辛，其状如楸[1]。

【注释】

[1] **楸**　郭璞注云："楸即楸字。"《说文》云："楸长木貌。"《广韵》云："楸，槮树，长貌。"《玉篇》云："楸，长木。"《楚辞》曰："蔺、构、楸、槮之可哀。"《晏子春秋·外篇》云："景公登青堂，见人有断雍门之楸（楸）者，令诛之。"《左传·襄十八年》云："有伐雍门之楸。"宋玉《九

辩》云："白露既下百草今，奄离披此梧楸。"《经义述闻》引《尔雅下》有王念孙注云："楸、揪为转语。"

按郭璞所注，楸即楸。

楸的形态：陈藏器云："楸，生山谷间，亦植园林以为材用，与梓树本同末异，若柏叶之有松身。"李时珍曰："楸，有行列，茎干直耸可爱，至上垂条如线，谓之楸线。其木湿时脆，燥则坚，故谓之良材，宜作棋、秤，即梓之赤者也。"

楸的药用：《本草拾遗》云："楸木皮，主吐逆，杀三虫及皮肤虫；煎膏粘傅恶疮、疽瘘、痈肿、痔、野鸡病（痔）；除脓血，生肌肤，长筋骨，叶，捣傅疮肿，亦煮汤洗脓血，冬取干叶，汤採用之。《范汪方》诸肿痈溃及内有刺不出者，取楸叶十重贴之。"

按楸即紫葳科植物楸 Catalpa bungei C. A. Mey 一类植物。楸木皮、叶均供药用。楸木皮能治痈肿疮疡、痔瘘、呕吐、咳逆。楸木叶能消肿拔毒，排脓生肌，适用于肿疡、痈疽发背等症。

141 蓍

中次七经，休与之山，有草焉，其状如蓍[1]，中次七经，大騩之山，有草焉，其状如蓍。

【注释】

[1] 蓍 郝懿行《山海经笺疏》云："《说文》云：'蓍，蒿属。'《广雅》云：'蓍，耆也。'"《太平御览》引《尚书·洪范五行传》云："蓍之言为耆者，百年一本生百茎。"《论衡·卜筮篇》云："孔子曰：夫蓍之为言耆也（长寿之意）。"《艺文类聚》卷82引《淮南子》曰："上有丛蓍。"《说文解字系传·通释》云："蓍，蒿叶属，生千岁三百茎，易以为数。"《白虎通》云："蓍之言耆也，故其数奇。"

蓍的药用：《本草经》云："蓍实，味苦、平。主益气，充肤肌，明目聪慧。"《史记·龟策列传》曰："蓍所生，兽无虎狼；虫无毒螫。"《本草纲目》云："蓍叶治疟疾。"

蓍的形态：《史记·龟策列传》曰："蓍百茎共一根。"《本草图经》云："蓍生如蒿，作丛，高五六尺，一本（根）一二十茎，至多者三五十茎，生便条直，所以异于众蒿也，秋后有花，出于枝端，红紫色，形如菊，八月九月采实日干。"

按，蓍为菊科植物蓍 Achillea alpina L. 一类植物。本植物味辛、苦，性微温，有毒，并有麻性，能止痛、解毒，祛风活血；可治风湿痛、跌打损伤、痈肿、瘰块。其果实有益气之功。

142 夙条

中次七经，休与之山[1]，有草焉，其状如蓍[2]，赤叶而本丛生，名曰夙条[3]，可以为竿。

【注释】

[1] **休与之山** 《山海经》云："休与之山东三百里曰鼓钟之山。"吴任臣云："鼓钟之山，今名钟山，在河南陆浑县西南。"毕沅说："别有鼓钟峡在山西垣曲县。"

[2] **蓍** 《说文》云："蓍，蒿属。"《广雅》云："蓍，耆也。"《史记》云："蓍茎长一丈，其聚生自茎，共根。"《本草经》云："蓍实味苦、平。主益气，充肌肤，明目聪慧。"《唐本草》注云："此草所在有之，以其茎为筮。"

按，蓍当为菊科植物蓍 *Achillea alpina* L.。

[3] **凤条** 《山海经》说，凤条状如蓍，赤叶而根丛生，可以为竿。郭璞注云："竿，中箭笴也。"《广雅》云："笴，箭也。"郑玄注《考工记》云："笴，矢干也。"

《山海经》云："可以为竿。"意即"凤条"能制箭。古代制箭用什么材料制作呢?《礼记》云："桑弧，蓬矢。"即古代是以蓬制箭的。按，蓬与艾相近。《楚辞·离骚》云："蓬艾亲人。"《艺文类聚》卷82引曾子曰："蓬生麻中，不扶自直。"古代以蓬制箭，而凤条亦能制箭，疑凤条为藜科植物蓬一类植物。

蓬的品种很多，其茎直立能制箭竿者有灰绿碱蓬 *Suaeda glauca* Bunge 及沙蓬 *Agriophyllum arenarium* Bieb. 等一类植物。

143 焉酸

中次七经，鼓钟之山[1]，有草焉，方茎而黄华，圆叶而三成[2]（叶三重），其名曰焉酸[3]，可以为毒。

【注释】

[1] **鼓钟之山** 吴任目云："今名钟山，在河南陆浑县西南。"

[2] **三成** 郭璞注云："叶三重也。"

[3] **焉酸** 郝懿行云："案焉酸，一本作乌酸。"

有人认为乌酸即乌梅。乌梅味酸，但乌梅是小乔木，茎不方，花白色或粉红，并不黄，与《山海经》所说方茎、黄华叶员而三成不符，当非乌梅。

按，唇形科植物多是方茎。疑乌酸可能是唇形科植物。《山海经》说："焉酸可以为毒。"郭璞注云："为，治。"郝懿行说："案治，去之也""可以为毒"。指焉酸有解毒功用。

唇形科植物紫苏，在《金匮要略方论》中用作治食蟹中毒。而且紫苏是方茎、圆叶，与《山海经》所云焉酸形态亦相似。

疑焉酸似为唇形科植物紫苏 *Perilla frutescens* (L.) Britt. var. cripa Decne 一类植物。详125"苏"条注[2]。

144 菧草

中次七经，姑媱之山[1]，有菧草[2]，其叶胥成[3]（叶相重），其华黄，其实如兔邱[4]（兔丝），服之媚于人[5]。

【注释】

[1] **姑媱之山** 《山海经》云："鼓钟之山，又东二百里曰姑媱之山。"吴任臣说："鼓钟之山，今名钟山，在河南陆浑县西南。"

[2] **䔄草** 《山海经》中有两个䔄草，一是泰室之有䔄草（见156"䔄草"条），一是本条䔄草。《山海经》云："姑媱之山，帝女死焉，其名曰女尸，化为䔄草。"则䔄草是传说中的神话植物。《文选·别赋》云："惜瑶草之徒芳。"李善注云："宋玉《高唐赋》曰：我帝之女，名曰瑶姬，未行而亡，封于巫山之台，精魂为草，实为灵芝。"

按宋玉《高唐赋》所言，䔄草即灵芝。《本草经》云："灵芝，主耳聋，利关节，保神，益精气，坚筋骨，好颜色。"此与《山海经》所谓"䔄草服之媚于人"义合。但是，灵芝的形态和《山海经》的"䔄草"形态不相符，则䔄草当非灵芝也。

《本草纲目》卷21"无风独摇草"条云："按《山海经》云：'姑媱之山，帝女死焉，化为䔄，草叶相重，花黄，实如兔丝，服之媚人。'郭璞注云：'一名荒夫草。'此说与陈藏器'佩之相爱'之语相似，岂即一物与！"

陈藏器《本草拾遗》云："无风独摇草，带之令夫妇相爱，生岭南，头如弹子，尾若鸟尾，两片开合，见人自动，故曰独摇草。"《海药本草》云："谨按《广志》云：'生岭南，又云生大秦国。'性温平，无毒，主头面游风，遍身痒，煮汁淋蘸。《陶朱术》云：'五五日采，诸山野往往亦有之。'"

无风独摇草是什么草，不详。

[3] **其叶胥成** 郭璞注云："言叶相重也。"

[4] **实如兔邱** 《广雅》云："兔邱，兔丝也。"详145"菟邱"条注[1]。

[5] **服之媚于人** 郭璞注云："媚于人，即为人所爱也，传曰，人服媚之如是，一名荒夫草。"

145 菟邱

中次七经，姑媱之山，䔄草，其实如菟邱[1]。

【注释】

[1] **菟邱** 郭璞注云："菟邱，菟丝也。"《广雅》云："菟邱，菟丝也。"《诗经·小雅》云："茑与女萝。"陆玑《毛诗草木疏》云："女萝，今菟丝。"《尔雅》云："女萝，菟丝。"《本草经》云："一名菟芦。"《名医别录》云："一名菟缕，一名唐蒙，一名玉女，一名赤网，一名菟累。"

菟丝的药用：《本草经》云："主续绝伤，补不足，益气力，肥健。汁去面野，久服明目。"《名医别录》云："主养肌，坚筋骨，主茎中寒、精自出，溺有余沥，口苦，燥渴，寒血为积。"陶弘景云："其茎挼以浴小儿，疗热痱。"

菟丝的形态：《淮南子·说山训》云："千年之松，下有茯苓，上有菟丝。"《吕氏春秋·精通》云："人或谓菟丝无根，其根不属地，茯苓是也。"《博物志》云："女萝寄生菟丝，菟丝寄生木上。"陆玑《毛诗草木疏》云："菟丝蔓连草上生，黄赤如金。"《名医别录》云："生朝鲜川泽田野，蔓延草木之上，色黄而细为赤网，色浅而大为菟藟。"《本草图经》云："夏生苗如丝综，蔓延草木之上，或云无根，假气而生（寄生），六、七月结实，极细如蚕子，土黄色。"根据上述资料，菟邱很像今日的菟丝。

按，菟邱为旋花科植物菟丝 *Cuscuta chinensis* Lam 一类植物。其子味辛、甘，性平，能补肾益精、明目、固胎、止泻，适用于肾虚腰痛、目昏糊不明，胎动不安，泄泻等症。

146 黄棘

中次七经，苦山，其上有木焉，名曰黄棘[1]，黄华而圆叶，其实如兰[2]，服之不字[3]（孕）。

【注释】

[1] **黄棘** 《周礼》云："树棘以为位，取赤心而外刺。"诗云："尸鸠在桑，其子在棘。"《名医别录》有棘刺，《唐本草》注云："棘有赤、白二种，亦犹诸棘，色类非一。"按《唐本草》所说，所类非一，亦可能有黄色的棘。《本草经》有白棘，陶弘景注云："李云此是酸枣树针。"未审黄棘是何物。

[2] **其实如兰** 兰的同名异物很多，有泽兰之兰，兰草之兰，还有木兰之兰。《说文》云："兰，香草也。"《说文解字系传·通释》云："兰，香草也，锴按本草，兰叶皆似泽兰，方茎。兰，员茎，白华，紫萼，皆生泽畔，八月华。《楚辞》曰：'浴兰汤兮沐芳华。'《本草》兰草辟不祥，故洁斋以事天神也。又按《本草》兰入药，四、五月采，谓采枝叶也。《春秋左氏传》郑穆公曰兰死吾其死乎，吾所以生也，刈兰而卒。按郑穆公十月卒，彼时十月，今之八月，非《本草》采用之时者，盖常人候其华实成，然后刈取之。"《诗经·郑风》义疏云："兰，香草也，茎叶似泽兰，广而长节，藏衣著书中，辟白鱼。"《九歌》云："浴兰汤兮沐芳。"《楚辞·九歌·少司令》云："秋兰兮蘼芜。"

本草所讲的兰，多指泽兰而言。《本草经》云："兰草，主利水道。杀蛊毒，辟不祥。"《唐本草》注云："此是泽兰香草也，八月花白。"《本草拾遗》云："兰草，主恶气，香泽可作膏，涂发。生泽畔，叶光润阴小紫，五月六月采阴干，妇人和油泽头，故云泽兰。"《蜀本草·图经》云："叶似泽兰尖长而有歧，花红白色而香，生下湿地。"《开宝本草》云："叶似马兰，故名兰草。"

以上诸书所讲的"兰"，都指"泽兰"之"兰"。到宋代寇宗奭又提出像"麦冬"样的兰。《本草衍义》说："兰草，诸家之说异同，是曾未的识，故无定论。其叶不香，惟花香，叶如麦冬而阔且韧，长及一二尺，四时常青，花开时，满室尽香。"《本草衍义》所讲的兰，是盆栽观赏用的兰花，这种兰是兰科植物兰花。而《本草经》所讲的兰是菊科植物的兰草。

此外还有木兰，详147"兰"条注 [1]。

[3] **服之不字** 郭璞注云："字，生也。《易》曰，女子贞不字。""不字"就是不孕。本条经文所云"黄棘"服之不孕，那么黄棘是什么植物呢？按本条经文所说，黄棘有刺，叶员，花黄，实如兰。具有这样形态的植物，有大叶小檗，该植物也是黄茎，有刺，叶圆，花黄，性苦，味寒，在妇女月经期服之，引起月经功能紊乱，也会导致不孕。

疑黄棘或为小檗科植物大叶小檗 *Berberis amurensis* Rupr. 一类植物。

147　兰

中次七经，苦山，有木焉，其实如兰[1]。

【注释】

[1] **兰**　兰的同名异物很多，有泽兰之兰，兰草之兰，木兰之兰。前二种兰，详见146"黄棘"条注 [2]。此处介绍木兰之兰。《山海经》说："苦山，有木焉，其实如兰。"《楚辞》云："朝饮木兰之坠露兮""桂櫂兮兰枻""桂栋兮兰橑"。《蜀都赋》云："其树有木兰，侵桂。"汉·刘向《九欢》云："鹍鸡集于木兰。"任昉《述异记》云："木兰洲在浔阳江中，多木兰。"《本草经》云："木兰，一名林兰。"《名医别录》云："木兰，一名杜兰。"

木兰的药用：《本草经》云："木兰，味苦寒，主身大热在皮肤中，去面热赤疱、酒齄、恶风、癫疾，阴下痒湿，明耳目。"《名医别录》云："木兰，疗中风、伤寒及痈疽水肿，去臭气。"

木兰的形态：《名医别录》云："木兰皮似桂而香。"陶弘景云："状如楠树，皮甚薄，而味辛香。"《唐本草》注云："木兰似菌桂叶。"《蜀本草·图经》云："木兰，高数仞，叶似菌桂叶，有三道纵文，皮如板桂，有纵横文。"按《蜀本草·图经》所说的木兰形状，当指樟属植物而言，盖《本草经》所讲的木兰亦是樟属植物。而今日所讲的木兰，即《本草经》的辛夷。辛夷是木兰科植物木兰 *Magnolia liliflora* Desr 一类植物。辛夷是木兰的花蕾，味辛，性平，能通鼻，治鼻渊头痛。

148　无条

中次七经，苦山有草焉，圆叶而无茎，赤华而不实，名曰无条[1]，服之不瘿[2]。

【注释】

[1] **无条**　《山海经》记载有两个"无条"，除本处外，《西山经》皋涂之山也有"无条"（见41 "无条"），能毒鼠。此处的"无条"能治瘿。按《西山经》天帝之山有个"杜衡"亦治瘿。而治瘿的"无条"圆叶无茎、赤华，与杜衡叶圆无茎、花紫色相同。

疑治瘿的"无条"或为马兜铃科植物杜衡 *Asarum forbesii* Maxim. 一类植物。

[2] **瘿**　详39 "杜衡"条注 [6]。

149　天楄

中次七经，堵山，其上有木焉，名曰天楄，方茎而葵状，服者不噎[1]（食之不噎也）。

【注释】

[1] **天楄，方茎而葵状，服者不哩** 郭璞注《山海经》云："楄音鞭。"郝懿行《山海经笺疏》云："《说文》云：'楄部，方木也。'此木方茎，故以名也。"又云："案，《玉篇》哩因咽，《广韵》楄字两见，并云木名，一云食不哩，一云食之不咽。盖咽、哩声转，或古字通也。《说文》云：'哩饭窒也。'"《说文解字系传·通释》云："楄，方木也，《春秋传》曰：楄部荐幹，锴按《春秋左传》作楄柎是也，又按《周礼·考工记》谓车盖上斗为部方之名也。"

按"方茎"来讲，很多植物都是方茎，如唇形科植物多数是方茎，玄参科植物渐玄参也是方茎。若以"葵状"来讲，葵的品种很多，本草有冬葵、龙葵、防葵、落葵、蜀葵、黄蜀葵、向日葵等。《说文》云："葵，菜也。"《诗经·豳风·七月》云："七月烹葵及菽。"《名医别录》云："冬葵叶为百菜主。"此处，"葵"似指能当菜吃的冬葵而言。

但是另一些古书所讲的葵，似指向日葵而言。例如《左传》云："鲍庄子之知不如葵，葵犹能卫其足。"杜注云："葵，倾菜，向日以蔽其根。"《淮南子·说林训》云："圣人之于道，犹葵之于日。"

疑天楄或是锦葵科植物冬葵 *Malva Verticillata* L. 一类植物。

《本草经》云："冬葵子主五癃，利小便。"《名医别录》云："冬葵子，疗妇人乳难内闭。"所以冬葵性滑利，滑可去滞著，此与"食之不哩（噎）"义合。详80"葵"条注[1]。

[附]《齐民要术》卷10引《南方草木状》云："夫编树，野生，三月花，包仍连著实，五、六月成子及握，煮投下鱼、鸡、鸭羹中好，亦中盐藏。"

按"天楄"和"夫编"字形相似，不知"天楄"是否即"夫编"，待考。

150 蒙木

中次七经，放皋之山[1]，有木焉，其叶如槐，黄华而不实，其名曰蒙木[2]，服之不惑。

【注释】

[1] **放皋之山** 郝懿行说："山在今河南鲁山县北。"

[2] **蒙木** 郝懿行《山海经笺疏》云："案此即槐属，但不实为异。蒙，《玉篇》作樣，云木名，似槐叶黄，叶盖华字之讹也。"

按槐树是豆科植物，开花后结成豆荚状，和一般树木开花结果很不相同，由于槐树不能结成像一般树木样的果实，也可能《山海经》就因此而说它"不实"。

槐树花多呈乳白色，而岭南有一种槐树，其花呈黄色，此和经文"其叶如槐黄华"义合。

关于槐树，详129"槐"条注[1]。

151 牛伤

中次七经，大苦之山，有草焉，其状叶如榆[1]，方茎而苍伤[2]，其名曰牛伤[3]，其根苍文，服者不厥[4]（逆气病），可以御兵[5]。

【注释】

［1］**其状叶如榆** 榆即榆科植物榆树 *Ulmus pumila* L.，其花、叶、皮皆入药。

［2］**苍伤** 郭璞注《方言》云："《山海经》谓刺为伤。"苍伤指能刺伤人的苍色刺。

［3］**牛伤** 郭璞注《山海经》云："牛伤，犹言牛棘。"郝懿行《山海经笺疏》云："案，牛棘见《尔雅》。郭注《方言》云：'《山海经》谓刺为伤也。'即指此。下文讲山亦云反伤亦实。"照郭璞所说，牛伤、牛棘乃同物异名也。牛伤（牛棘）是什么植物呢？《山海经》说牛伤是草，其状如榆，方茎而苍伤，其根苍文。郝懿行《山海经笺疏》云："案，《本草经》续断陶注引李当之云是虎蓟，能疗血。《蜀本草·图经》云：'叶似苎，茎方。'"《范汪方》云："叶似旁翁菜而小厚，两边有刺刺人。"

郝懿行说牛伤是续断。按《本草经》的续断有两种植物。一是菊科植物的续断，叶似蓟有刺，即陶注中的虎蓟；另一种是唇形科植物续断，叶似苎麻而茎方，即《蜀本草·图经》所说的"叶似苎茎方"。菊科植物续断有刺而茎不方，唇形科植物续断茎方但无刺，而《山海经》中的牛伤既有刺，而且茎方。

不过，古人对植物的分辨并不那么精确，多以名称相同，即归类在一起。由于古人把两种不同科属的续断当作同一种植物看待，所以认为续断方茎、有刺。

若从《山海经》的经文"其状叶如榆"来看，续断的形态并不像榆，所以郝懿行把牛伤（牛棘）释为续断，不一定是对的。

牛伤（牛棘）既非续断，那当是什么植物呢？

按《本草经》云："营实，一名牛棘。"《蜀本草·图经》云："营实即蔷薇也，茎间多刺。"而营实的叶子很像榆树叶子，疑牛棘似是营实。

营实的药用：《本草经》云："营实味酸温，主痈疽，恶疮结肉，跌筋，败疮，热气，阴蚀不瘳，利关节。"《名医别录》云："根止泄痢腹痛，五脏客热，除邪逆气，痈癞、诸恶疮、金疮伤挞，生肉复肌。"

营实的形态：陶弘景云："营实即蔷薇子，以白花者为良。"《蜀本草·图经》云："即蔷薇也，茎间多刺，蔓生，子若杜棠子，其花有百叶，八出、六出，或赤或白者。"《本草纲目》云："蔷薇野生林堑间，茎硬多刺，小叶尖薄有细齿，四、五月开花，四出，黄心，有白色、粉红二者，结子成簇，生青熟红，其核有白毛，如金樱子核。"

按牛伤即牛棘，疑为蔷薇科植物多花蔷薇 *Rosa multiflora* Thunb. 一类植物。其果实名营实，其根除风热、湿热、缩小便，治消渴。

［4］**服者不厥** 郭璞注云："厥，逆气病。"《名医别录》云："营实，除邪逆气。"与此义相合。

［5］**可以御兵** 《名医别录》云："营实，主金疮伤挞。"葛洪治金疮方："蔷薇灰末一方寸匕，日三服之。"与此义相合。

152 嘉荣

中次七经，半石之山[1]，其上有草焉，生而秀[2]，其高丈余。赤叶赤华，华而不实，其名曰嘉荣[3]，服之者不霆[4]（不畏雷霆）。中次九经，蛇山、葛山，其草多嘉荣。中次十一经，杳山多嘉荣草。

【注释】

[1] **半石之山** 郝懿行说：“山在河南偃师县东南，见《水经注》。”

[2] **生而秀** 《尔雅》云：“木谓之华，草谓之荣，不荣而实者谓之秀，荣而不实者谓之英。”

[3] **嘉荣** 郭璞注《山海经》云：“初生先作穗，却著叶，花生穗间。”郝懿行《山海经笺疏》云：“案，《尔雅》云：‘草谓之荣，不荣而实者谓之秀。’此草既谓之秀，又名为荣，却又不实，所以异也。”又云：“案，《吕氏春秋·本味》云：‘有荣名曰嘉树，其色若碧。’高诱注云：‘食之而灵。’疑即此草。而灵或之霆字之讹也。又案，《本草经》有蘘荷与巴蕉同类。《太平御览》引干宝《搜神记》以蘘荷为嘉草，盖即嘉荣草也。《秋官庶民》掌除蛊毒，以嘉草攻之，是干宝所本，蘘荷华生根中可食，见《古今注》而不说实状，证之此草有华无实也，因其可食，故《吕氏春秋》谓之荣矣。《名医别录》云：‘蘘草主邪气，辟不祥。’又与此经服者不霆义合。”

按郝氏所疏，嘉荣即嘉草。

按嘉草即蘘荷。《后汉书·马融传》云：“蘘荷，芋渠是也，又谓之嘉草。”《本草拾遗》云：“《周礼》庶氏掌除蛊毒，以嘉草攻之，嘉草、蘘荷与茜，主蛊为最也。”苏颂《本草图经》云：“《周礼·秋官》庶氏掌除蛊毒，以嘉草攻之。宗懔以谓嘉草即蘘荷是也。”

按《名医别录》有白蘘荷与蘘草两种，《本草纲目》并为一条，谓蘘草为蘘荷的别名。陶弘景云：“今人呼赤者为蘘荷，白者为覆蒩。”《说文》作“葍苴”。司马相如《上林赋》作“猼苴”。《楚辞·大招》云：“醢豚苦狗，脍苴蒪只。”王逸注云：“苴蒪，音博，蘘荷也，见本草。”《急就篇》云：“蘘荷冬日藏。”《荆楚岁时记》云：“仲以以盐藏蘘荷，用备冬储，又以防蛊。”潘岳《闲居赋》云：“蘘荷依阴，时藿向阳。”

蘘荷的药用：《名医别录》云：“蘘荷根，主中蛊及疟。”陶弘景云：“蘘荷主中蛊，亦主诸溪毒，沙虱。”《唐本草》注云：“蘘荷根主诸恶疮，杀蛊毒。”

蘘荷的形态：崔豹《古今注》云：“蘘荷似芭蕉而白色，其子、花生根中，根似姜。”《本草图经》云：“蘘荷荆襄江湖之间多种之，春初生，叶似甘蕉，根似姜芽而肥，其叶冬枯。”

按嘉荣为姜科植物蘘荷 *Zingiber mioga*（Thunb.）Rosc. 一类植物，夏季抽花，生穗状花序，此与郭璞注“花生穗间”义合。

[4] **服之者不霆** 郭璞注云：“不畏雷霆霹雳也。”《名医别录》云：“蘘草，主辟邪气不祥。”此与“服之者不霆”义合。

153 帝休

中次七经，少室之山[1]，其上有木焉，其名曰帝休[2]，叶状如杨，其枝五衢，黄华黑实，服者不怒。

【注释】

[1] **少室之山** 郭璞注云：“山在河南阳城西，俗名泰室。”按阳城在河南登封县东南三十五里。

[2] **帝休** 《证类本草》卷12引陈藏器云：“帝休，主不愁，带之愁自销。生少室山、嵩高山。《山海经》云：‘少室山有木名帝休，其枝五衢，黄华黑实，服之不愁。’今嵩山应有此木，人未识，

故宜求之，亦如萱草之忘忧也。"《本草纲目》卷37"帝休"条所引《山海经》文同此。《本草》引文作"服之不愁"，而本条《山海经》文是"服之不怒"。《艺文类聚》卷88 木部上，"帝休"条引《山海经》曰："有木，名帝休，黄花，黑叶（应为实），服之不怒。"

按文献所载，合欢服之不怒。崔豹《古今注》云："合欢，树似梧桐，树叶繁密，互相交结。树之阶庭，使人不忿，嵇康种舍前。"此与经文"其枝五衢（言树枝相互交结），服者不怒"义合。疑帝休或即合欢也。

合欢药用：《本草经》云："合欢，味甘、平。主安五脏，和心志，令人欢乐无忧。久服轻身，明目，得所欲。"嵇康《养生论》云："合欢蠲忿。"

合欢形态：《本草图经》云："合欢，夜合也。木似梧桐，枝甚软弱，叶似皂荚槐等，极细而繁密，互相交结，每一风来，辄自相解了，不相牵缀，其叶至暮而合，故一名合昏，五月花，至秋而实，作荚，子极薄细。"

疑帝休或为豆科植物合欢 *Albizzia julibrissin* Durazz 一类植物。合欢花能安神解郁，合欢皮活血、消痈肿、止痛。合欢花用于虚烦不寐，忿怒忧郁、健忘，其皮治痈肿、骨折、及跌扑扭伤等。

154 栯木

中次七经，泰室之山[1]，其上有木焉，叶状如梨而赤理，其名栯木[2]，服者不妒。

【注释】

[1] **泰室之山** 郭璞注云："即中岳嵩高山也，今在阳城县西。"阳城在今河南登封县北。

[2] **栯木** 《本草纲目》卷36"郁李"条，谓《山海经》栯木即郁李。并说："《尔雅》常棣即此。"《本草经》云："郁李，一名爵李。"《名医别录》《吴普本草》俱云："郁李，一名车下李，一名棣。"《广雅》云："山李，爵棃，郁也。"《嘉祐本草》注云："《尔雅疏》云，常棣一名棣。郭云今山中有棣树，子如樱桃可食。"《诗经·小雅》云："常棣之华。"陆玑疏曰："许慎曰白棣树也，如李而小，如樱桃正白。"《诗经·豳风》云："六月食郁及薁。"注云："郁，郁李也。"《晋宫阁铭》云："华林园中，有车下李三百一十四株，薁李一株。"

郁李药用：《本草经》云："郁李仁，味酸、平。主大腹水肿，面目四肢浮肿，利小便水道。根主齿龂肿、龋齿，坚齿。"《名医别录》云："郁李根，去白虫。"《日华子》云："郁李仁，通泄五脏膀胱急痛，宣腰胯冷脓，消宿食，下气。"

郁李形态：陆玑《毛诗草木疏》云："郁，其树高五六尺，其实大如李，色赤，食之甘。"《蜀本草·图经》云："郁李树高五六尺，叶、花及树并似大李，惟子小若樱桃甘酸。"苏颂《本草图经》云："木高五六尺，枝条花叶皆若李，惟子小若樱桃赤色而味甘酸，核随子熟，六月采根并实。"

疑栯木或为蔷薇科植物郁李 *Prunus japonica* Thunb. 一类植物。郁李仁味辛、苦、甘，性平，能润肠通便、利水消肿，治大肠气滞、燥涩便闭及水肿腹满。

155　蘡薁

中次七经，泰室之山，有草焉，白华黑实，泽如蘡薁[1]。中次七经，少陉之山，有草焉，实如蘡薁。

【注释】

[1] 蘡薁　郭璞注《山海经》云："言子滑泽。"郝懿行《山海经笺疏》云："案，《说文》云：'薁，蘡薁也。'《广雅》云：'燕薁，蘡舌也。'盖即今之山葡萄。《齐民要术》引陆玑《诗义疏》云：'樱薁，实大如龙眼，黑色，今车鞅藤实是。'又引《疏》云：'薁，似燕薁，连蔓生。'皆其形状也。"《说文》云："薁，蘡薁也。"《广韵》云："薁，蘡薁藤也。"谢灵运《山民赋》云："野有蔓草，猪涉蘡薁。"《唐本草》注云："蘡薁与葡萄相似。"《蜀本草·图经》云："葡萄苗叶似蘡薁。"《通志略》云："蘡薁谓之山葡萄。"《本草纲目》云："蘡薁即燕薁。"《广志》云："燕薁似梨早熟。"《广雅》云："燕薁，蘡舌也。"郭璞注《上林赋》云："蒲萄似燕薁。"

蘡薁的药用：《唐本草》注云："实，止渴，悦色，益气；藤，主哕逆，伤寒后呕哕，捣汁饮之良。"郑樵《通志略》云："实，亦堪为酒；茎主呕逆。"《本草纲目》云："藤，止渴，利小便；根，主下焦热痛淋泌，消肿毒。"

蘡薁的形态：《唐本草》注云："蘡薁蔓生，苗叶与葡萄相似而小，亦有茎大如者，冬月叶凋，而藤不死。"郑樵《通志略》云："断其两头节吹之，有汁出如通草。"《齐民要术》引陆玑《诗疏》云："樱薁，实大如龙眼，黑色。"《本草图经》云："江东出一种，实细而味酸，谓之蘡薁子。"

按蘡薁为葡萄科植物蘡薁 *Vitis adstricta* Hance.，一名野葡萄，果实可吃，并有止渴、利尿的功用，亦能酿果酒。藤条代绳索或供制纸。根及全株入药，能除风湿，消肿毒。

[附]

(1) 蘡薁与葡萄、千岁蔂很相似。蘡薁叶深裂，叶背有绒毛。葡萄叶有梨，叶两面无绒毛。千岁蔂叶无裂，叶两面无绒毛。

(2)《诗经·豳风》云："六月食郁及薁。"后世注解《诗经》的人，把"薁"释为"蘡薁"。按蘡薁的果实在八至九月熟，而《诗经》所言的"薁"是在六月与郁李同时熟，并为人们所食。由此可知《诗经》中的"薁"是一种"薁李"，而不是"蘡薁"。《艺文类聚》卷89"夫栘"条云："六月食及薁，薁，夫栘也。《礼记疏》曰：夫栘一名薁李。"《晋宫阁铭》云："华林园中，有车下李三百一十四株，薁李一株。车下李即郁也，薁李即薁也。二者相类而同时熟。"由于薁李同在六月熟，才有六月食郁及薁的说法。《齐民要术》引《诗义疏》曰："蘡薁实如龙眼……《豳》诗曰：'六月食薁。'"《中国农学史》（初稿，1959 年科学出版社出版）上册17～18页，把"六月食郁及薁"的"薁"解释为"薁，又名蘡薁，俗称野葡萄"。这些解释，在时间上不易讲得通。

156　蓇草

中次七经，泰室之山[1]，有草焉，其状如苿[2]，白华黑实，泽如蘡薁[3]，其名曰䔲草[4]，服之不昧[5]。

【注释】

[1] **泰室之山**　郭璞注云：“即中岳嵩高山也，今在阳城县西。”郭懿行说：“山在河南登封县北。”

[2] **苿**　郭璞注云：“苿，似蓟也。”《尔雅》云：“苿，山蓟，杨枹蓟。”按苿是菊科植物。药用的苿，有白苿（于苿）、苍苿、茅苿（产于江苏茅山的苍苿）。

[3] **蘡薁**　《说文》云：“薁，蘡薁也。”《广雅》云：“燕薁，蘡舌也。”《齐民要术》引陆玑《毛诗草木疏》云：“櫻薁，实大如龙眼，黑色。”按蘡薁是葡萄科植物，详115“蘡薁”条注[1]。

[4] **䔲草**　《山海经》有两个䔲草，一是姑媱之山有䔲草（见144“䔲草”条），一是泰室之山有䔲草。泰室山䔲草状如苿，白华（花），疑泰室山的䔲草是菊科植物苍术一类植物。苍术的花是白色，此与《山海经》“其状如苿白华”相合。详127“苿”条注[1]。

[5] **服之不昧**　王念生校注《山海经》云：“昧当作眛。郭注《山海经·海内南经》引《周书》：‘猩猩食之不眛。’孔晁本作‘昧’，误也。”今人袁珂《〈山海经〉写作的时地及篇目考》云：“《山经》所有的‘昧’，都该释为高诱所说的‘楚人谓厌为眛’的‘厌’。”

157　帝屋

中次七经，讲山有木焉，名曰帝屋，叶状如椒[1]，反伤[2]赤实，可以御凶[3]。

【注释】

[1] **椒**　《尔雅》云：“櫬，木椒。”郭璞注云：“今椒树丛生，实大者，名为櫬。”《诗经》云：“椒聊之实。”陆玑疏云：“椒树似茱萸，有针刺，茎、叶坚而滑泽，蜀人作茶，吴人作茗。”《本草经》有秦椒、蜀椒、蔓椒、崖椒。

按“椒”，通常指芸香科植物花椒 *Zanthoxylum bungeanum* Maxim. 。详91“秦椒”条注[2]。

[2] **反伤**　郭璞注云：“反伤，刺下勾也。”又郭璞注《方言》云：“《山海经》谓刺为伤也。”

[3] **帝屋……可以御凶**　帝屋是什么植物呢？郝懿行疏《山海经》云：“案，此别一种椒也。苏颂《本草图经》云：党子出闽中、江东。其木似樗，茎间有刺，子辛辣如椒，主游蛊飞尸。”

据郝氏所说，帝屋即党子。按，党子是食茱萸，食茱萸的果实正绿色，与《山海经》文“赤实”不相合，疑非党子。

从《山海经》所言形态“叶状如椒，反伤（有勾状刺），赤实”，很像“狭叶花椒”。狭叶花椒的叶轴有向下弯的刺，即有勾状刺（反伤），果实呈红色，皆与经文相合。

疑帝屋为芸香科植物狭叶花椒 *Zanthoxylum stenophyllum* Hemsl. 一类植物。其根叶辛、苦、微温，有麻舌感，祛风通络，活血止痛，治心胃气痛，风湿骨痛，腰肌劳损，跌打瘀痛，亦治毒蛇咬伤、破伤风。

158 亢木

中次七经，浮戏之山，有木焉，叶状如樗[1]而赤实，名曰亢木[2]，食之不蛊。

【注释】

[1] **叶状如樗** 樗即臭椿。详76"樗"条注[1]。

[2] **亢木** 郝懿行《山海经笺疏》云："案，《本草经》卫矛一名鬼箭，主除邪，杀蛊。叶状如野茶，实赤如冬青，即此也。"

按郝氏所疏，亢木即卫矛。

陶弘景《本草经集注》云："卫矛茎有羽，状如箭羽，俗皆呼为鬼箭。"《本草经》云："卫矛一名鬼箭。"

卫矛的药用：《本草经》云："卫矛味苦，寒。主女子崩中下血、腹满、汗出，除邪，杀鬼毒、蛊疰。"《名医别录》云："卫矛无毒，主中恶，腹痛，去白虫，消皮肤风毒肿，令阴中解。"《药性论》云："卫矛有小毒，能破陈血，能落胎。主中恶腰腹痛，及百邪鬼魅。"

卫矛的形态：《本草图经》云："三月以后生，茎苗长四五尺许，其干有三羽，状如箭翎。叶亦似山茶，青色，八月、十一月、十二月采条茎，阴干。其木亦名狗骨。"《本草纲目》云："鬼箭生山石间，小株成丛，春长嫩条，条上四面有羽如箭羽，视之若三羽尔。青叶状似野茶，对生，味酸涩。三、四月开碎花，黄绿色，结实大如冬青子。"

疑亢木为卫矛科植物鬼箭羽 Euonymus alatus Reg 一类植物。鬼箭羽木材致密，白色而质韧，可供制弓、杖。根味苦，能活血止痛，古方多用治卒暴心痛。亦可用于经闭。

159 少辛

中次七经，浮戏之山，其东有蛇谷，上多少辛[1]。中次九经，蛇山，其草多少辛。

【注释】

[1] **少辛** 郭璞注云："少辛，细辛也。"郝懿行《山海经笺疏》云："案，《广雅》云：'细条，少辛，细辛也。'是郭所本，又名小辛，见《本草》及《管子·地员篇》。"《管子·地员》云："小辛，大蒙。"《本草经》云："细辛，一名小辛。"《吴普本草》云："细辛，一名细草。"陈承《别说》云："案，细辛非华阴者不得为细草。"《广雅》云："细条，少辛，细辛也。"《博物志》云："杜衡乱细辛也。"《太平御览》引《范子计然》云："细辛出华阴，色白者善。"

细辛的药用：《本草经》云："主咳逆，头痛，脑动，百节拘挛，风湿，痹痛，死肌。久服明目。"《名医别录》云："主温中，下气，破痰，利水道，开胸中滞结，除喉痹，齆鼻，风痫癫疾，下乳结，汗不出，血不行。"陶弘景云："人患口臭者，含之多效。"《药性论》云："细辛治咳逆上气，恶风，风头手足拘急，去皮风湿痹，止眼风泪下，明目，开胸中滞，除齿痛。"《日华子》云："治嗽，消死肌疮肉，胸中结聚。"

细辛的形态：《吴普本草》云："细辛如葵，叶赤黑，一根一叶相连。"《本草图经》云："其根细，而味极辛，故名细辛，今人多以杜衡当之。"《本草衍义》云："今惟华州者佳，柔韧极细直，深紫色，味极辛，嚼之习习如椒。"

按，少辛是马兜铃科植物细辛（华细辛）*Asarum sieboldii* Miq. 一类植物。

细辛全草带根入药，味辛，性温，能解表，散寒止痛，祛痰止咳，适用于痰稀咳嗽，外感风寒感冒引起的头痛、关节痛。龋齿痛时，用细辛塞患处有止痛功效。口腔炎患者，用细辛末密调置纱布贴脐部，连贴三日，可加快炎症消失。

160 蔺草

中次七经，少陉之山[1]，有草焉，名曰蔺草[2]，叶状如葵，而赤茎白华，实如蘡薁，食之不愚[3]（益人智慧）。

【注释】

[1] **少陉之山** 郝懿行案《水经注》云："济水，右受黄水，黄水北至故市县，重泉水出京城西南少陉山。"按，故市县在今河南郑县西北。

[2] **蔺草** 郭璞注《山海经》云："蔺音刚。"郝懿行《山海经笺疏》云："案，蔺草见《玉篇》。"

蔺草是什么草呢？《山海经》说蔺草的形态，叶状如葵而赤茎，白华，实如蘡薁。

按，蘡薁是葡萄科植物野葡萄 *Vitis adstricta* Hance.，那也就是蔺草果实像野葡萄。

野葡萄是木质本，与葡萄很相似。那么蔺草是不是葡萄呢？蔺草是白华，而葡萄的花为淡黄绿色，此点又不像。

按蔺草"赤茎，白华，实如蘡薁"，倒和山葡萄有点像。山葡萄的花序轴具白色丝状毛，看起来似白花。疑蔺草或为葡萄科植物山葡萄 *Vitis amurensis* Rupr. 一类植物。

山葡萄是木质藤本，浆果球形黑色，可生食或酿酒，酒糟能制醋及染料，种子能榨油。叶及酿酒后的沉淀物可提制酒石酸。

[3] **食之不愚** 郭璞注云："言益人智。"《本草经》载葡萄益气倍力强志，盖葡萄一类植物有类似作用，此与"食之不愚"含义亦相近。

161 藜

中次七经，太山有草焉，名曰藜[1]，其叶状如荻而赤华，可以已疽（《太平御览》卷998引作"可以为菹"）。

【注释】

[1] **藜** 藜原是杂草。《月令》云："孟春行秋令，藜、莠、蓬、蒿并兴。"《周礼·地官》言莱田，谓田不耕治则荒，草生藜、莠之类。

藜一名莱，嫩时可食。《诗经·小雅》云："北山有莱。"《齐民要术》引《诗义疏》云："莱，藜也。茎叶皆似莫王刍。今兖州人蒸以为茹。"《大戴礼记·曾子制言篇》云："聚橡、栗、藜、藿而食之。"《韩非子》云："藜藿之羹。"《庄子》云："藜类不掺。"《淮南子》云："藜藿之生，蚑蚑然。"司马迁《自序》云："粝粱之食，藜藿之羹。"

藜在老时，可以为杖。《询刍录》云："古称藜即灰苋，老可为杖。"《晋书·山涛传》云："魏帝以涛母老，赠藜杖一枚。"

藜是什么植物呢？《本草纲目》云："藜，一名莱，即灰藋之红心者，茎叶稍大，河朔人名落藜，南人名胭脂菜，亦名鹤顶草。"

但是《本草纲目》"藜"条和《山海经》的"藜"似非一物。《山海经》的"藜"形态为"其叶状如荻而赤华"。而灰藋的叶不像"荻"（荻即芦），所以《山海经》的"藜"当是另一物。

那么《山海经》的"藜"，究竟是什么植物呢？

郝懿行《山海经笺疏》云："案《本草·别录》云：'芥，一名梨，叶如大青。'即此。"详253"芥"条注[1]。

《本草纲目》卷27"秦荻藜"条云："《山海经》云：'太山有草，名曰藜，如荻，可以为菹。'此即秦荻藜也，盖亦藜类。"

郝氏说"藜"即芥，李时珍说是秦荻藜。究竟谁对呢？从《山海经》"叶状如荻"来看，郝氏说是"芥"不对。《名医别录》云"芥，叶如大青"与《山海经》文"叶如荻"义不合。

比较一下，李时珍说是秦荻藜，有点相似。

秦荻藜药用：《唐本草》载"秦荻藜味辛，温，无毒。主心腹冷胀，下气消食"。《食疗本草》云："秦荻藜于生菜中最香美，其破气；又末之和酒服，疗卒心痛、恹寒满气。又子末以和醋，封肿毒，日三易。"

疑秦荻藜为藜科植物小藜 *Chenopodium serotinum* L. 一类植物。

162 荻

中次七经，太山有草焉，其叶状如荻[1]。

【注释】

[1] **荻** 荻的同名异物有二：一指蒿，一指芦苇的一类植物。

郭璞注《山海经》云："荻亦蒿也，音狄。"郝懿行《山海经笺疏》云："案，荻当为萩，狄亦当为秋，皆字形之讹也。《尔雅》：'萧、萩。'郭注云即蒿。"

按郭璞同郝氏所注，荻属蒿类。但另一些书说荻是芦苇一类。

《玉篇》云："荻，芦荻。"《广韵》云："荻，萑也。"《诗经·秦风》曰："蒹葭苍苍。"陆玑《毛诗草木疏》云："蒹，水草也，坚实，牛食之，令牛肥强，青徐州人谓之蒹，兖州辽东通语也。

葭，一名芦菼，一名蘆，蘆或谓之薍，至秋坚成，则谓之萑，其初生三月中，其心挺出，其下本大如箸，上锐而细，扬州人谓之马尾。"

芦苇种类很多，名称也很复杂。郭璞注《尔雅》云："葭即芦也，苇即芦之成者。菼、葭似苇而小，中实，江东呼为乌蕰，或谓之薍，即菼也。至秋坚成，即谓之萑。"沈括《梦溪补笔谈》云："今世俗只有芦与菼两名，葭、芦、苇皆芦也；菼、蘆、萑自当是菼耳。"《本草图经》云："菼至秋坚成，即谓之萑。"《本草纲目》云："芦有数种，其长丈许，中空，皮色白者，芦也，葭也，苇也；短于苇而中空，皮厚，色青苍者，菼也，葭也，蘆也，萑也；其最短小而中实者，蒹也。"

按菼似是禾本科植物菼 *Miscanthus sacchariflorus* （Maxim） Benth et Hook. f. 一类植物。

菼多生长在路旁和水边，有固沙护堤作用，秆可供造纸和人造丝原料。《名医别录》说："菼皮，味苦，去消渴，去白虫，益气。"

163　蓟柏

中次七经，敏山[1]上有木焉，其状如荆[2]，白华而赤实，名曰蓟柏[3]，服者不寒[4]。

【注释】

[1] **敏山**　郝懿行《山海经笺疏》云："今案，山在河南郑州梅山，盖即敏山。梅、敏声之转也。"

[2] **荆**　多指有刺的植物，详11"荆"条注[1]。

[3] **蓟柏**　郝懿行《山海经笺疏》云："案，《玉篇》云：'蓟俗薊字。'《初学记》卷28引《广志》云：'柏有计柏。'计剑声同，疑是也。"按《史记索隐·贾生列传》："蓟音介。"

根据郝氏所疏，蓟柏即薊柏。《山海经》说蓟柏状如荆，白华，赤实。荆是有刺的植物，而柏科植物各种柏皆无刺，唯桧柏同刺柏的叶子为刺形。疑蓟柏或指桧柏、刺柏。但刺柏果实熟时呈蓝黑色，与《山海经》"赤实"不相符。而桧柏的果实熟时呈褐色，与《山海经》"赤实"比较相近。

疑蓟柏似为柏科植物桧柏 *Sabina Chinensis* （L.） Antoine 一类植物。

桧柏一名圆柏，木材能忍水湿，虽长久浸水亦不易腐朽，可供建筑用；枝叶入药，能祛风寒，活血消肿利尿；根、干、枝叶可提挥发油；种子可提润滑油。

[4] **服者不寒**　郭璞注云："令人耐寒。"按柏树入冬不凋，虽在冰雪严寒之时，枝叶仍保持着青翠的鲜绿色，显示柏树极能耐寒，所以古人有"服者不寒"的联想。

164　猏

中次七经，大騩之山[1]，有草焉，其状如蓍而毛[2]，青华而白实，其名曰猏，服之不夭，可以为（治）腹病[3]。

【注释】

[1] **大騩之山** 郭璞注云："荥阳密县有大騩（音归）山。"荥阳在今河南。

[2] **其状如蓍而毛** 《艺文类聚》卷82引《逸礼》云："蓍，千岁三百茎。"又引《洪范·五行传》云："蓍，百年一本生百茎。"按蓍即今日菊科植物蓍草 *Achillea alpina* L.。详141"蓍"条注[1]。

[3] **蒮，服之不夭，可以为腹病** 郝懿行《山海经笺疏》云："案，《玉篇》蒮，胡恩切，草名，似蓍，花青白。《广韵》同。是蒮当为蒮，今本经注并伪。"孙星衍辑《本草经》卷3"狼毒"条引《山海经》文释"蒮"为"蒮毒"。按，狼毒有两种，一是瑞香科植物瑞香狼毒 *Stellera chamaejasme* L.，一是大戟科植物狼毒大戟 *Euphorbia fischerana* Steud.。这两种狼毒形态都不像蓍，而且无毛，花亦非青色。从药物作用上看，狼毒是峻泻剂，最伤元气，与"服之不夭"义不相合。

笔者认为"蒮"可能是豆科植物黄芪一类植物。黄芪有很多种，其中膜荚黄芪 *Astragalus membranaceus* （Fisch）Bunge 像蓍而有长柔毛，与《山海经》所云"其状如蓍而毛"义合。又《本草经》说："黄芪能补虚。"《名医别录》说，黄芪补虚，损五劳羸瘦，与"服之不夭"义合。《本草经》还说黄芪治五痔，《名医别录》说，黄芪治腹痛，泄痢，此与"可以为腹病"义合。

黄芪味甘，性微温，补气升阳，固表止汗，托疮排脓，利尿消水肿，治血虚衰弱，自汗，久痢脱肛，中气下陷，痈疽溃久不敛，气虚风湿水肿、消渴等症。

165　栩

中次八经，景山，其木多栩[1]。

【注释】

[1] **栩** 郭璞注《山海经》云："栩音橡栎之栎。"郝懿行《山海经笺疏》云："案栩见《尔雅》及陆玑《诗疏》。"栩一名栭，是栎的一种。其实名橡。《诗经·唐风》云："集于苞栩。"陆玑《毛诗草木疏》云："栩，今柞栎也，徐州人谓栎为栩，或谓之为栭，其子为皂，或言皂斗，其壳为斗，可以染皂。今京洛及河内多言杼斗，或云橡斗，谈栎为杼，五方通语也。"《尔雅》云："栩，杼。"孙炎注云："栩，一名杼也。"郭璞注云："今柞树。"《说文解字注》云："柔，栩也；栩，柔也，其实皂，一曰样，今书作橡。柔通谓杼，或名橡。"《说文解字系传·通释》云："栩，杼也，其实皂，一曰样。锴按《尔雅》：'栩，杼。'注曰：'栩，柞树也。'皂亦曰皂斗，俗谓之橡，可染皂，故曰皂。栩亦栗之属。《庄子》曰：'狙公赋杼。'是也。"《庄子·齐物论》云："狙（狙）公赋杼。"司马彪注云："杼，橡子也。"《广雅》云："橡，柔也。"王念孙《广雅疏证》云："柔与杼同。"《淮南子·本经训》云："杼，采实也。"《史记·李斯列传》云："采椽不斫。"《集解》引徐广注云："采一名栎，一名栭。"崔豹《古今注》云："栩实曰橡，又名苧。橡一作样。"《说文》云："样，栩实。"又云："草（皂）斗，橡实也，一曰象斗。"《说文解字系传·通释》云："橡，栩实。《庄子·徐无鬼》云：'居于深山，拾橡、栗而食。'"郑注《周官·染草》云："蓝、蒨、象斗之属。"《大戴礼记·曾子制言》云："聚橡、栗、藜、藿而食之。"《韩非子·外储说》云："橡果枣栗，足以活民。"《吕氏春秋·恃君》云："冬日则食橡、栗。"《庄子》云："尽拾橡、栗。"《后汉书·李恂传》云："恂徒居

新安关下，拾橡实以自资。"《晋书·挚虞传》云："虞从惠帝转入南山中粮绝，饥甚，拾橡实而食之。"

橡实的药用：《唐本草》云："橡实，味苦，微温，无毒，主下痢，厚肠胃，肥健人。其壳为散及煮汁服，亦主痢。并堪染用，一名杼斗。槲、栎皆有斗，以栎为胜。"《日华子》云："橡子涩肠止泻，煮食可止饥。壳止肠风、崩中、带下、冷热泻痢，并染须发。"

橡实的形态：《本草图经》云："橡实，栎木子也，木高二三丈，三四月开黄花，八九月结实。其实为皂斗。槲、栎皆有斗，而以栎为胜。"《本草衍义》云："橡实，栎木子也，叶如栗叶。山中人椿仁为粮，然涩肠，木善为炭，其壳堪染皂。"《本草纲目》云："橡实，其树名栩，其叶如槠叶，而纹理皆斜，四、五月开花如栗花黄色，结实如荔枝核而有尖，其蒂有斗，包其半截，其仁如老莲肉，山人俭岁，采以为饭。"

按，橡实的总苞名橡斗，俗称橡椀，亦称壳斗，山毛榉科石栎属和麻栎属植物的种子都有壳斗，壳斗形状随植物品种不同而各异，其形由浅皿形到球形。所以山毛榉科亦称壳斗科。

疑杼为壳斗科植物橡碗树（麻栎）*Quercus acutissima* Carr. 一类植物。详67"栎"条注 [1]。

166　橘

中次八经，荆山、纶山、铜山，其木多橘。中次九经，葛山、贾超之山，其木多橘。中次十二经，洞庭之山，其木多橘[1]。

【注释】

[1] **橘**　郝懿行《山海经笺疏》云："案，《说文》云：'橘果出江南。'刘逵注《蜀都赋》云：'大曰柚，小曰橘，犍为南安县出黄甘橘也。'《地理志》云：'蜀郡严道巴郡胊忍鱼腹二县出橘，有橘官。'"《尚书·禹贡》："扬州厥包橘柚锡贡。"孔安国传："小曰橘，大曰柚。"《周书》："秋食樝梨橘柚。"《礼记·考工记》云："凡取干之道七：柘为上……橘次之。"《庄子·天运》："樝梨橘柚，其味相反，而皆可于口。"《楚辞·七谏》："斩伐橘柚兮。"崔琦《七蠲》："于斯江泽，实产橘柚。"《史记·苏秦列传》："楚必致橘柚之园。"《盐铁论·相刺》云："橘柚生于江南，而民皆甘之于口。"《焦氏易林》："北山有枣，橘柚于聚。"李尤《德阳殿赋》："橘柚含桃，甘果成丛。"司马相如《上林赋》："卢橘夏熟。"张衡《南都赋》："穰橙邓橘。"《史记·货殖列传》："蜀、汉、江陵千树橘，其人皆与千户侯等。"《东观汉记》："南单于来朝，赐御食及橙、橘。"韩彦直《橘录》序云："橘出温郡，最多种。柑乃其别种，柑自别为八种。橘又自别为十四种。"

橘的药用：《本草经》云："橘柚，主胸中瘕热，逆气，利水谷，久服去臭，下气。"《名医别录》云："橘柚，主下气，止呕咳，除膀胱留热，停水、五淋，利小便，主脾不能消谷，气冲胸中吐逆霍乱，止泄，去寸白。"

橘的形态：《本草图经》云："橘生江南，木高一二丈，叶与枳无辨，刺出于茎间，夏初生白花，六月、七月而成，实至冬而黄熟，乃可啖。"

按，橘为芸香科植物各种橘，如柑橘 *Citrus reticulata* Blanco、红橘 *Citrus tangerina* Tanaka、朱橘 *Citrus erythrosa* Tanaka 等一类植物。

未成熟的橘树果实名青皮，能破气散结，疏肝止痛，消食化滞，常用于胁肋间痛，乳病疼痛，及胃部痞闷作痛。橘树成熟的果皮，以陈者无燥烈性，名陈皮。陈皮能理气健胃，燥湿祛痰，治腹胀、食少、呕吐，胸膈不舒，痰多咳嗽等。

橘子果皮内的纤维管束，成网络状，名橘络，有化痰通络止痛作用。常用于咳嗽，胸胁挫伤痛。

橘子果实内的种子名橘核，能理气散结止痛，治虚寒疝痛。

橘树的叶子，有疏肝理气作用，治胸胁痛。

167　柚

中次八经，荆山、纶山、铜山，其木多柚[1]。中次九经，葛山、贾超之山，其木多柚。中次十二经，洞庭之山，其木多柚。

【注释】

[1]　**柚**　郭璞注《山海经》云："柚似橘而大也，皮厚味酸。"郝懿行《山海经笺疏》云："柚，《说文》云：'柚，条也。'《尔雅》又云似橙而酢，引《夏书》曰：'厥包橘柚。'又《吕氏春秋·本味篇》云：'江浦之橘，云梦之柚。'"《说文》云："柚，条也，似橙而酢。"《尔雅》云："柚，条。"郭璞注云："柚似橙。实酢，生江南。"《禹贡》云："扬州厥包橘柚锡贡。"孔安国传："小曰橘，大曰柚。"《玉篇》云："柚果似橘而大。"《渊鉴类函》卷401引《周书》云："秋食楂、梨、橘、柚。"《庄子》云："其犹柤、梨、橘、柚耶？其味相反，而皆可于口。"《韩非子》云："树橘、柚者，食之则甘，嗅之则香。"《吕氏春秋》云："云梦之柚。"《淮南子》云："夫橘、柚冬生。"《楚辞·七谏》云："斩伐橘、柚兮。"司马相如《子虚赋》云："楂梨楟栗，橘柚芬芳。"《盐铁论·相刺》云："橘柚生于江南，而民皆甘之于口。"《史记·苏秦列传》云："楚必致橘柚之园。"

柚的药用：《列子》云："柚食，其皮汁，已愤厥之疾。"陶弘景云："柚，下气。"《日华子本草》云："柚，消食，解酒毒，去肠胃中恶气，疗妊妇不思食，口淡。"

柚的形态：《列子·汤问》云："吴楚之国，有大木焉，其名为櫾（柚），碧树而冬青，实丹而味酸。"《尔雅》云："櫾，椵。"郭璞注云："柚属也，子大如盂。皮厚二三寸，中似枳，食之少味。"《桂海虞衡志》云："广南臭柚，大如瓜可食，其皮甚厚。"《本草纲目》云："柚树、叶，皆似橙。"

按，柚为芸香科植物柚 *Citrus grandis* （L.） Osbeck.。柚皮，味微苦微辛，香味醇厚，对痰多咳喘，肝胃气痛，疗效优于其他各类橘皮，为医家所喜用，商品名"橘红"，出于化州者名"化橘红"。另外橘皮最外层橙红色薄片，亦名"橘红"，和柚皮名"橘红"是同名异物。

168　柤

中次八经，纶山、铜山，其木多柤[1]。中次九经，葛山、贾超之山，其木多柤。中次十二经，洞庭之山，其木多柤。

【注释】

[1]**柤** 郭璞注《山海经》云："柤似梨，而酢涩。"郝懿行《山海经笺疏》云："案，注与《尔雅》注同。《说文》云：'樝果似梨而酢。'郑注《内则》云：'楂梨之不藏者。'"又云："柤字本当为樝，《淮南子·地形训》正作樝，然樝即楂梨之樝。"《方言》云："柤、樝，取也，南楚之间，凡取物沟泥中谓之柤，或谓之樝。"《群芳谱》云："樝与柤同，又作查。"

按，柤即樝。古书上柤（樝）与梨并列。《渊监类函》卷401引《周书》云："秋食樝、梨、橘、柚。"《礼记·内则》云："樝梨姜桂。"《管子·地员》云："五沃之土，其阳则生柤梨。"《庄子》曰："柤梨橘柚，食之则甘，嗅之则香。"《韩非子》曰："夫姐柤梨橘柚，其味相反，各适其口。"《尔雅》云："樝梨曰钻之。"又云："梨，山樆。"孔颖达云："恐有虫，故梨曰钻看虫孔也。"

柤（樝）即梨属：郑玄注《礼记》云："樝，梨之不藏者也。"《正义》云："樝，梨属，其味不善，故云不藏也。"《风土记》云："柤，梨属，肉坚而香。"《续世说》云："樝是梨中不藏者，便去。"张揖注《子虚赋》云："樝似梨而甘，乃以同类互易其名耳。"《广雅》云："樝，椁梨也。"《初学记》引《广志》云："上党椁梨小而甘。"《说文解字注》云："樝，似梨而酢，即今梨之肉粗味酸者也，陶隐居讥郑公不识樝，恐误。"唐·杜甫诗云："樝梨且缀碧。"王祯《农书》云："樝似小梨，西山、唐、邓间多种之，味劣于梨与木瓜，而入蜜煮汤，则香美过之。"

根据以上资料来看，柤（樝）与梨并列，柤的形状和味道又像梨。所以柤（樝）应是梨的一种或一品种（即梨属 Pyrus linn）。但是后世书中各种梨的名词中，皆无柤（樝）字，而后世本草书中的椁樝、樝子、山樝等果实名词中，常见到"樝"字。

例如山查的别名有山樝、猴樝、鼠樝、茅樝等。山查即《尔雅》"朹，檕梅。"《唐本草》称赤瓜木。宋《本草图经·外类》名棠梂子。山查的果实呈圆球形，味酸涩，全不像梨，而且小得很，和上文"樝""梨属"等资料相比较，都不相同。据此可知《山海经》的"柤"，当非山查（指蔷薇科山楂属 *Crataegus* L. 植物的樝）。

至于樝子和椁樝，本草列入木瓜类。陶隐居在"木瓜"条注云："《礼》云：樝梨曰攒之，郑公不识樝，乃云是梨之不藏者。"陶氏以樝为木瓜，故讥郑玄不识樝恐误。宋景文《笔记》亦云："郑玄注《礼记》谓柤梨之不藏者。今樝与梨绝不类，恐玄所指，非今樝也。"

但在本草书中，皆释"樝"为木瓜的一种，兹介绍于下。

《证类本草》卷23"木瓜"条中，以"椁樝"和"樝子"作为木瓜类药用。《本草纲目》亦将"椁樝"和"樝子"分为两个药。

樝的药用。

（1）椁樝：陶弘景云："解酒去痰。"《本草拾遗》云："食之去恶心，止心中酸水。"《日华子本草》云："煨食止痢。"

（2）樝子：陶弘景云："断痢。"《本草拾遗》云："去恶心咽酸，止酒痰黄水。"《食疗本草》云："煮汁饮，治霍乱转筋，功与木瓜相近。"

樝的形态。

（1）椁樝：《本草图经》云："椁樝，木，叶，花，实，酷类木瓜，但比木瓜大而黄。辨之，惟看蒂间别有重蒂如乳者为木瓜，无此则椁樝也。"郑樵《通志略》云："木瓜短小者，谓之椁樝，亦曰蛮樝。"《本草纲目》云："椁樝乃木瓜而黄色无重蒂者也。"

（2）樝子：《齐民要术》卷10"樧"条引《广志》曰："樧，查子，甚酢，出西方。"《本草拾

411

遗》云："榹子生中都，似楸梓而小。"《本草纲目》云："榹子乃木瓜之酢涩者，小于木瓜，色微黄，蒂核皆粗，核中之子小圆也。"《群芳谱》云："榹与柤同，酢涩而多渣，故谓榹，一名和圆子，一名木桃。"

按本草所言"榹"，为蔷薇科植物榠樝（光皮木瓜）Chaenomeles sinensis koehne 和毛叶木瓜 Chaenomeles cathayensis（Hemsl.）Schneid 一类植物。

榠樝即商品光皮木瓜，详 69 "木瓜"条注 [1]。榹子，一名木桃，一名和圆子，又名狭叶木瓜、毛叶木瓜。

169　栗

中次八经，纶山、铜山，其木多栗[1]。中次九经，葛山、贾超之山，其木多栗。又南山，其上多栗。

【注释】

[1] **栗**　《尔雅》云："栭，栗。"郭璞注云："树似槲樕而庳小，子如细栗。"郑注，栭、栗，音例、而，茅栗也。《诗经·秦风》云："隰有栗。"《诗经·郑风》："东门之栗。"《诗经·鄘风》："树之榛栗。"陆玑疏："栗，周、秦、吴、扬特饶。"《周礼·天官》："馈食之笾，其实栗。"《大戴礼记·夏小正》："八月栗零（落下）而后取之。"《礼记·内则》："栗曰撰之。"《左传》："女挚不过榛栗枣修。"《尚书·逸篇》："西社唯栗。"《论语》："周人以栗。"疏云："周都丰镐宜栗。"《庄子》云："书拾橡栗。"《韩子》曰："橡枣栗，足以活民。"《史记·苏秦列传》："北有枣栗之利，民虽不细作，而足于枣栗矣。"又《史记·货殖列传》云："燕秦千树栗……此其人皆与千户侯等。"《范子计然》云："栗出三辅。"《吕氏春秋》云："果之美者，有箕山之栗。"《说苑》："田饶曰果园梨栗。"《西京杂记》云："上林苑有魁栗、双栗、椇栗、榛栗。"何晏《九州论》云："中山好栗。"《后汉书·马韩传》云："韩国出大栗如梨。"《三秦记》云："汉武帝果园，大栗十五枚一斗。"张衡《南都赋》云："若其园圃，乃有侯桃梨栗。"

栗的药用：《名医别录》云："栗，主益气，厚肠胃，补肾气，令人耐肌。"

栗的形态：《蜀本草·图经》云："树高二三丈，叶似栎，花青黄色，似胡桃花，实大者如拳，小如桃李，又有板栗、佳栗二树皆大，又有茅栗似板栗而细（小），其树虽小，然叶与诸栗不殊。惟春生、夏花、秋冬、冬枯。"《尔雅翼》云："栗之生极谨密，三颗为房，其房为蝟刺，其中果扁者，号为栗楔。"

按栗为壳斗科植物栗 Castanea mollissima Blume 一类植物。

栗树的种仁名栗子，能健脾养胃，补肾强筋，活血止血，治反胃、泄泻，腰脚软弱，止吐血鼻衄，便血。栗子的外果皮名栗壳，治反胃、鼻衄、便血。栗子的内果皮名栗莛，治瘰疬、骨鲠。栗子有刺的总苞（板栗壳斗）名栗毛球，治瘰疬、百日咳、丹毒。栗树花治泻痢，便血，瘰疬，栗树叶外用治漆疮。栗树皮治漆疮，口疮，癞疮，挫伤。栗树根治疝气。

由于栗树子能食救饥，因此栗树在《诗经》时代即为人们所种植。所以《诗经·鄘风》云："树之榛栗。"这里的"树"字，就是种植的意思。

170 梅

中次八经，灵山，其木多梅[1]。中次九经，岷山、崌山、岐山，其木多梅。

【注释】

[1] **梅** 郭璞注《山海经》云："梅似杏而酢也。"郝懿行《山海经笺疏》云："案，郭注《尔雅》：'梅，枏。'云'似杏，实酢'，非也，说见《山海经》注。此梅盖《尔雅》'时，英梅'。《说文》作楳云：酸果是也。见陆玑《诗疏》。"

梅在古书里，有时指"枏木"，有时指"乌梅"。

梅作为枏木：《尔雅》云："梅，枏。"《诗经·秦风》云："终南何有，有条有梅。"《传》注云："梅，枏也。"王船山《诗经稗疏》云："梅亦有二：一则今之所谓梅，冬开白花，结实酸者。一则《传》所谓枏，今西川所出大木，大数十围。"中次九经的岷山、崌山、岐山都在四川，此等山所出之梅，可能指的枏木。详10"枏"条注[1]。

至于乌梅树记载亦早。《诗经·召南》云："摽有梅，其实七分。"《诗经·曹风》云："鸤鸠在桑，其子在梅。"《东方逆传》云："鸠飞集梅树。"张衡《南都赋》云："若其园圃，乃有樱梅。"《尔雅》云："时，英梅。"注云："一名雀梅。"《说文》云："梜，梅也。"又云："梅，或作楳，酸果。"《盐铁论》云："夫李，梅实多者，来年为之衰。"

乌梅味酸：《淮南子·说林训》云："百梅足以为百人酸。"张协《七命》："酤以春梅。"《世说新语》："魏武行役，失汲道，军皆渴，乃令曰：'前有大梅林，饶子甘酸，可以解渴。'"《语林》："范汪能啖（食）梅。"陈暄《食梅赋》："昔咏酸枣之台，今食酸味之梅。"

梅在古代作为调味品：《大戴礼记·夏小正》云："五月煮梅为豆实。"《礼记·内则》云："善用梅。"又云："桃诸，梅诸。"《左传》云："水火醯醢盐梅，以烹鱼肉。"

梅在古代作成干梅名藤：《玉篇》《广韵》云："藤，干梅。"《周礼·天官》曰："馈食之笾，其实枣、栗、桃、干藤。"注云："干藤，干梅也。"《说文解字系传·通释》云："藤，干梅之属，从草撩声。《周礼》曰：'馈食之笾，其实干藤。'后汉长沙王始煮草为榛、臣锴曰今白梅也。勒抱反。"

梅的药用：《本草经》云："梅实，主下气，除热烦满，安心，止肢体痛，偏枯不仁，死肌，去青黑志，蚀恶肉。"《名医别录》云："止下痢、好唾、口干。"《本草拾遗》云："乌梅主痰，主疟瘴，止渴，调中，除冷热痢，止吐逆。梅叶捣碎，汤洗衣易脱也。"

梅的形态：陆玑《毛诗草木疏》云："梅，杏类也。树及叶皆如杏而黑耳。曝干为腊，置羹臛齑中，又可含以香口。"《化书》："梅接杏，而本强者，其实甘。"

按，梅为蔷薇科植物梅 *Prunus mume* Sieb. et Zucc.。梅树果实未成熟者名白梅，已成熟者名乌梅。白梅用盐渍而成，古人用作调味品，所以《尚书》称它为盐梅。白梅味酸、涩、咸，平。治喉痹，泻痢，烦渴，梅核膈气，痈疽肿毒，外伤出血。乌梅味酸、温，收敛生津，安蛔驱虫，治久咳虚热，烦渴，久疟，久泻，久痢，尿血，便血，崩漏，蛔厥腹痛，钩虫病，牛皮癣，胬肉。乌梅核内仁，明目，清暑，除烦。梅树的花蕾名白梅花，能生津止渴，祛暑涤烦。白梅花蒸馏液名梅露，有同样的功用。梅树叶煎浓汁，治霍乱及休息痢。梅树根治风痹瘰疬，休息痢，胆囊炎。梅树的枝梗煎汤治习惯

413

性流产。《本草纲目拾遗》云：“梅梗，诸梅树皆可用，以绿萼为佳。”乌梅同属植物绿萼梅 *P. mume* var. viridicalyx Mak，其花善能调整胃咽食道官能症。

171　杏

中山经，甘枣之山，有草焉，葵本而杏叶。中次八经，灵山，其木多杏[1]。

【注释】

[1] **杏**　《说文》云：“杏，杏果也。”《礼记·内则》云：“桃李梅杏。”《大戴礼记·夏小正》云：“正月梅杏杝桃则华；四月囿（墙囿名囿，藩囿名园）有见杏。”《淮南子》云：“二月其木杏。”《四民月令》：“三月杏花盛。”《管子》曰：“五沃之土，其水宜杏。”《庄子》云：“孔子游淄潍之林，休坐杏壇之上。”《地理志》：“范蠡宅在湖中，有梅杏。”潘岳《闲居赋》云：“梅杏郁棣。”王逸《荔枝赋》云：“魏土送西山之杏。”何晏《九州论》：“魏郡好杏。”《西京杂记》云：“上林苑有文杏。”《释名》云：“杏可以为油。”《荆楚岁时记》云：“寒食有杏酪麦粥。”《齐民要术》云：“杏子仁可以为粥。”

杏的药用：《本草经》云：“杏仁，主咳逆上气，雷鸣，喉痹下气，产乳，金疮，寒心，贲豚。”《名医别录》云：“杏核仁，主惊痫，心下烦热，风气往来，时行头痛，解肌，消心下急满痛，杀狗毒。”

杏的形态：《本草纲目》云：“杏叶皆圆而有尖，二月开花。甘而有沙者为沙杏，黄而带酢者为梅杏，青而带黄者为柰杏。”

按杏为蔷薇科植物杏 *Prunus armeniaca* L. 一类植物。

杏子的果实能食用。杏仁，味苦，性温，有小毒，能止咳平喘，润肠通便，适用于外感咳嗽，肺气上逆喘促，老人肠枯便结，产后便闭等。苦杏仁含有苦杏仁贰，分解时产生有毒的氢氰酸，多服易中毒。

172　寓木

中次八经，龙山，衡山，石山，若山多寓木[1]。中次十经，楮山之寓木。

【注释】

[1] **寓木**　郭璞注《山海经》云：“寓木，寄生也，一名宛童，见《尔雅》。”郝懿行《山海经笺疏》云：“郭注《尔雅》云：‘寄生树，一名茑。’《广雅·释草》云：‘寄屑，寄生也。’释木云：‘宛童，寄生樆也。’樆与茑同。盖与物虽生于木，其质则草，故《广雅》列于释草、释木，而寄生树，今亦谓之寄生草也。”《尔雅》云：“寓木，宛童。”郭璞注云：“寄生树，及茑。”《说文》云：“茑，寄生也。”《诗经·小雅》云：“茑与女萝。”《毛传》云：“茑，寄生也。”陆玑《毛诗草木疏》云：“茑，一名寄生，叶似当卢，子如覆盆子，赤黑甜美。”《广雅》云：“宛童，寄生樆也。”又云：“寄屑，寄生也。”《广韵》云：“寄生，又名寄屑。”《汉书·东方朔传》：“著树名寄生。”《本草经》

云："桑上寄生，一名寓木，一名宛童，一名寄屑。"《名医别录》云："桑寄生，一名茑。"

桑寄生的药用：《本草经》云："桑寄生，主腰痛，小儿背强，痈肿，安胎，充肌肤，坚发齿，长须眉。"《名医别录》云："主金疮，去痹，女子崩中内伤不足，产后余疾，下乳汁。"

桑寄生的形态：陶弘景云："桑寄生，生树枝间，寄根在皮节之内，叶圆青赤，厚泽，易折，傍生枝节，冬夏生，四月花白，五月实赤，大如小豆。"《蜀本草·图经》云："按诸树多有寄生，茎叶并相似，云是乌鸟食一物子，粪落树上，感气而生，叶如橘而厚软，茎如槐而肥脆。"

按，寓木为桑寄生科植物各种寄生。如桑寄生 *Loranthus parasiticus* (L.) Merr.、毛叶桑寄生 *Loranthus yadoriki* Sieb.、槲寄生 *Viscum coloratum* (Kom.) Nakai 等。

桑寄生味苦、甘，性平，补肝肾，强筋骨，除风湿，益血，安胎，治筋骨痿弱，腰膝酸痛，风湿痹痛，胎漏下血，产后乳汁不下，小儿麻痹，肌肤甲错，头发脱落，高血压等症。

173　椒

中次八经，琴鼓之山，其木多椒[1]。中次十经，虎尾之山、楮山，其木多椒。中次七经，讲山，叶状如椒。

【注释】

[1] **椒**　郭璞注《山海经》云："椒为树小而丛生，下有草木则蓋死。"郝懿行《山海经笺疏》云："案樧，大椒，见《尔雅》。李善注颜延之《陶徵士》引此经。"

椒在《诗经》中早有记载。《诗经·周颂》云："有椒其馨。"《诗经·陈风》云："贻我握椒。"毛传云："椒，芳香也。"《诗经·唐风》云："椒聊之实，蕃衍盈升。"《毛传》云："椒聊，椒也。"陆玑《毛诗草木疏》云："椒聊，聊语助也。"

《楚辞·离骚》云："杂申椒与菌桂兮。"五臣注云："椒，菌桂，皆香也。"《楚辞·离骚》云："怀椒糈而要之。"王逸注云："椒，香物，所以降神。"

《尔雅》云："樧，大椒。"郭璞注云："今椒树丛生，实大者名为樧。"《尔雅》又云："椒，樧丑，菜。"李巡曰："椒，茱萸皆有房，故曰菜，菜实也。"郭璞注云："菜，萁子，聚生成房貌，今江东亦呼菜，椒似茱萸而小赤色。"

《说文》云："茉，茉菜。菜，樧实裹如裘者，樧似茱萸，出江南。"《说文解字系传·通释》云："《说文》无椒字，豆菽字但作术，则此茉为椒字也。椒性丛生如蔷薇之属作木也。"

椒，古代多作香料。《楚辞·九歌·东皇太一》云："奠桂酒兮椒浆。"《楚辞·九歌·湘夫人》云："播芳椒兮成堂。"《楚辞·九章·悲回风》云："折芳椒以自处。"《孙卿子》曰："芬若椒兰。"《淮南子·人间训》云："申椒杜茝，美人之所怀服。"《史记·礼书》云："椒兰芬藏，所以养鼻也。"

椒有毒：《尔雅翼》云："椒亦杀人。"张璠《汉记》云："桓帝窦皇后崩……太尉李固自扶舆起，搗椒自随，谓妻子曰：若太后不得配桓帝，吾不得生还矣。"又齐建武中（494—497）欲并诛高武子孙，令太医煮椒二斛，椒熟则一时赐死。

椒的形态：陆玑《毛诗草木疏》云："椒树似茱萸，有针刺，茎叶坚而滑泽，蜀人作茶，吴人作茗，皆合煮其叶以为香。今成皋诸山间有椒，谓之竹叶椒，其树亦如蜀椒，少毒热，不中合药也，或著饮食中。"

按，椒泛指芸香科植物各种椒，如花椒等。详91"秦椒"条注［2］。

174　菊

中次九经，女儿之山，其草多菊[1]。

【注释】

［1］ **菊**　郝懿行《山海经笺疏》云："案大菊，蘧麦。见《尔雅》。"《说文》云："菊，大菊，蘧麦。"又云："蘜，日精也，以秋华也。"《尔雅》云："蘜，治蘠。"郭璞注云："今之秋华菊也。"《礼记》云："季秋之月，菊有黄花。"《大戴礼记·夏小正》云："九月荣鞠。"《楚辞·礼魂》云："春兰兮秋菊""夕餐秋菊之落英"。崔寔《月令》云："九月七日采菊花。"《本草经》云："菊花，一名节华。"《名医别录》云："菊花，一名日精，一名女节，一名女华，一名女茎，一名更生，一名周盈，一名傅延年，一名阴成。"

菊花的药用：《本草经》云："主诸风头眩、肿痛，目欲脱，泪出，皮肤死肌，恶风湿痹。"《名医别录》云："疗腰痛去来陶陶，除胸中烦热，安肠胃，利五脉，调四肢。"《风俗通》云："菊花轻身益气。"

菊花的形态：陶弘景云："菊有两种，一种茎紫气香而味甘，叶可作羹；一种青茎而大，作蒿艾气，味苦，不堪食者，名苦薏。"《本草图经》云："菊花初春布地生细苗，夏茂，秋花，冬实。"

按，菊是菊科植物菊花 *Chrysanthemum marifolium* Ramat.。陶弘景所说的苦薏是菊科植物野菊 *Chrysanthemum indicum* L.。

菊花味甘、苦，性微寒，能疏风散热、解毒、明目，适用于外感风热、头痛、目赤。其中黄菊花疏风散热力较好，白菊花平肝明目较好，野菊花清热解毒力较好，适用于疔疮疖肿、高血压。

175　楢

中次九经，崌山、岐山、玉山、葛山，其木多楢[1]。中次十经，繁缋之山，其木多楢。中次十一经，鲜山、几山，其木多楢。

【注释】

［1］ **楢**　郭璞注云："楢，刚木也，中车材，音秋。"又云："刚木，檀属。"《说文》云："楢，柔木也，工官以为耎轮。"《说文解字系传·通释》云："楢，柔木也，工官以为耎轮。锴曰：工官即今《周礼·考工记》所载是也。耎轮谓车轮外固抱之才也。传曰，冬取柞楢之火，据此即木色黑也。"

按，榆科植物春榆 *Ulmus propinqua* Koidz. 一类植物，亦称楢树。春榆树皮暗褐灰色，与《说文解字系传·通释》所云"木色黑也"义合。春榆树木高达十丈，其功用同白榆。详115"榆"条注［1］。

176　高粱山草

中次九经，高粱之山[1]，有草焉，状如葵而赤华，荚实白柎[2]，可以走马[3]。

【注释】

[1] **高粱之山**　毕沅说："山在今四川剑州北。"

[2] **白柎**　郭璞注云："今江东人呼草木子房为柎。一曰柎，华下鄂。"

[3] **可以走马**　郭璞注云："带之令人便马，或曰马得之而健走。"

高粱山草是什么草呢？《山海经》说："状如葵而赤华。"葵的种类很多，如冬葵、龙葵、红蜀葵、黄蜀葵、菟葵、防葵、紫背天葵。古书所讲的葵，多指"冬葵"。在这些葵中，花赤色者有红蜀葵，疑高粱山草或为红蜀葵。《尔雅》云："菺，戎葵。"释曰："菺，一名戎葵。"郭璞注云："蜀葵也，似葵花如槿花。戎葵盖其所自也，因以名之。"《嘉祐本草》云："蜀葵，味甘、寒，无毒。久服钝人性灵。根及茎并主客热，利小便，散脓血恶汁。叶烧为末，传金疮。"

红蜀葵即锦葵科植物蜀葵 *Althaea rosea* （L.）Cavan 一类植物。蜀葵茎皮纤维可代麻用，种子可榨油。花和种子亦作药用，能利尿通便。

177　椒

中次九经，风雨之山，其木多椒[1]。

【注释】

[1] **椒**　郭璞注《山海经》云："椒木，未详也。音骄。"郝懿行《山海经笺疏》云："案，《说文》云：'椒木，薪也。'疑非此。"

178　榫

中次七经，风雨之山，其木多榫[1]。

【注释】

[1] **榫**　郭璞注《山海经》云："榫木，白理，中柿。善音。"郝懿行《山海经笺疏》云："《说文》云：'榫木，可以为柿。'《玉藻》云：'柿用榫柿。'郑注云：'榫，白理木也。'"徐锴《说文解字系传·通释》云："榫木似檀，亦用于礼也。"

按，郭璞所注，谓"榫木，白理，中柿"。柿是梳子和篦子的总称。意思是榫木能制梳子。而徐锴说榫木似檀。按榆科植物青檀，木材结构细，坚实耐用，供制家具及梳子等器具用材。

疑榉木或为榆科植物青檀 *Pteroceltis tatarinowii* Maxim. 一类植物。青檀树皮可供制宣纸及人造棉。

179 杨

中次九经，风雨之山，其木多杨[1]。东次四经，东始之山，北号之山，有木焉，其状如杨。中次七经，少室之山，有木焉，叶状如杨。海外北经，平丘，爰有杨柳。海外东经，嵯丘，爰有杨柳。大荒南经，大荒之中，维宜芑、苣、穋、杨，是食。

【注释】

[1] **杨** 《诗经·陈风》云："东门之杨。"《毛诗》云："杨柳依依。"《战国策》云："夫杨横树之则生，倒树之亦生。"《楚书》云："杨为使者。"《闲居赋》云："长杨映碧沼，条杨夹广津。"《说文》云："杨，蒲柳。"《尔雅》云："杨，蒲柳。"《三齐略记》云："蒲生犹萦，似水杨而堪为箭。"《古今注》云："蒲柳生水边，亦曰蒲杨，亦曰栘杨。又曰水杨即蒲杨。枝茎劲韧，任矢用。"《本草拾遗》云："叶无风自动，此是栘杨。"《本草图经》云："蒲柳，其枝劲韧，可为箭笴。"

杨的药用：《唐本草》云："水杨叶嫩枝，味苦、平，无毒。主久痢赤白捣和水绞取汁，服一升，日二。白杨树皮味苦，无毒。主毒风，脚气肿，四肢缓弱不随，毒气游易在皮肤中，痰癖等，酒渍服之。"

杨的形态：《唐本草》云："水杨，叶圆阔而赤，枝条短硬，多生水岸傍，其形与杨柳相似，故名水杨。"《本草图经》云："白杨，株大叶圆如梨，皮白，木似杨，故名白杨。"《本草拾遗》云："白杨树大，皮白，或云叶无风自动，此是栘杨，非白杨也。"

按，杨为杨柳科杨属植物的泛称，常见的有银白杨 *Populus alba* L.（似《本草图经》所讲的白杨）、毛白杨 *Populus tomentasa* Carr.、响叶杨 *Populus adenopoda* Maxim.（似《本草拾遗》所讲的栘杨）等十多种。杨树生长快，性好湿润，能插枝繁殖，可供制造火柴杆、纸及编织家具用。

180 芑

中次九经，騩山，其木多芑[1]。

【注释】

[1] **芑** 郝懿行《山海经笺疏》云："案芑盖芑字之讹，芑又杞之假借字也。《南次二经》云：'厍勺之山，其下多荆杞。'《中次十一经》云：'历石之山，其木多荆芑。'并以荆芑连文，此误审矣。"

按郝氏所说，芑为芑之讹。详104"芑"条注[1]。

181 龙修

中次九经，贾超之山，其中多龙修[1]。

【注释】

[1] **龙修** 郭璞注《山海经》云："龙须也，似莞而细，生山石穴中，茎倒垂，可以为席。"郝懿行《山海经笺疏》云："案，龙修、龙须声转耳。《广雅》云：'龙木，龙修也。'《述异论》：'周穆王东海岛中养八骏处，有草名龙刍，龙刍亦龙须也，须、刍声相近。'"按郭璞所注，龙修即龙须。《本草经》中石龙刍的别名为龙须，其云："石龙刍一名龙须，一名龙珠，一名草续断。"《名医别录》云："龙须，一名龙华，一名悬莞，一名草毒。"《广雅》云："龙木，龙须也。"崔豹《古今注》云："孙兴公问曰：'世称黄帝炼丹于凿砚山，乃得仙，乘龙上天，群臣援龙须，须坠而生草曰龙须，有之乎？'答曰：'无也，有龙须草，一名晋云草，故世人为之妄传。'"《水经注·河水》云："自洮嶂南北三百里中，地草遍是龙须，而无樵柴。"吴其濬《植物名实图考长编》云："按《东阳记》：'仙姥岩下不生蔓草，尽出龙须。'《肇庆志》：'龙须草出广宁，生芋石间，似蒲而细。'《祁阳志》以为即阖也。'"

龙须的药用：《本草经》云："石龙须，主心腹邪气，小便不利，淋闭，风湿鬼疰恶毒。"《名医别录》云："补内虚不足，痞满，身无润泽，出汗，除茎中热痛，杀鬼疰恶毒气。"又云："主疗蛔虫及不消食尔。"

龙须的形态：陶弘景云："石龙刍，茎青细相连，实赤。"《蜀本草·图经》云："茎如綖，丛生，俗名龙须草，今人以为席者。"郭璞注《山海经》云："龙须，似莞而细，生山石穴中，茎倒垂，可以为席。"《本草纲目》云："龙须丛生，状如棕心草及兔茈，苗直上，夏月茎端开小穗花，结细实，并无枝叶，今吴人多栽莳织席。"根据各家本草所讲龙须的形态，龙修很像今日的石龙刍。

按，龙修为灯心草科植物石龙刍 Juncus effusus L. var. decipiens Buchen f utilis Mak 一类植物。石龙刍一名龙须草，味苦，性微寒，能利水通淋，适用于淋病，小便不利。

和龙须草同科植物灯心草 Juncus effusus L. var. decipiens Buchen 一类植物也能利尿通淋，并有清心火的作用，可治小儿心热烦燥夜啼。

另有禾本科植物蓑草 Eulaliopsis binata（Retz.）C. E. Hubb.，一名龙须草，可供制绳索，编蓑衣织草鞋等。

182 枝句

中次十经，繁缯之山，其草多枝句[1]。

【注释】

[1] **枝句** 郭璞注《山海经》云："今山中有此草。"郝懿行《山海经笺疏》云："案《说文》积多小意而止也，一曰木也。椒，积椒也，一曰木名。然则枝句即积椒之省文。盖草木通名耳。"《说文解字注》云："按积椒字或作枳枧，或作枳枸，或作枳句，或作枝句，皆诘诎不得伸之意。"《说文解

字系传·通释》云："椒，积椒。锴曰积椒之果，其状诘屈，亦取此为名。按本草枳椇树径尺，叶似桑柘，子作房，似珊瑚，核在其端，人噉之，即积椒也。"《急就篇》云："沽酒酿醪稽极程。"王伯厚云："稽极当作积椒，盖诎曲为酒经程，寓止酒之义。"《诗经·小雅》云："南山有枸。"《毛传》云："枸，枳枸。"《礼记·曲礼》云："妇人之挚，椇榛脯，修枣栗。"注云："椇，枳也，有实。"《庄子·山木》云："腾猿得枯棘枳枸之间，处势不便，未足以逞其能。"宋玉《风赋》云："枳句来巢，空（孔）穴来风。"陆玑《毛诗草木疏》云："枸树木名，谓之木蜜，古语云：'枳椇来巢'。言其味甘，故飞鸟慕而巢之。"《玉篇》云："枳椇似橘而屈曲者也。"

枝句的药用：《唐本草》云："枳椇，味甘，无毒。主头风，少腹拘急。其木皮温，无毒。主五痔，和五脏。以木为层，屋中酒则味薄。"《本草拾遗》云："木密，味甘、平，无毒。止渴除烦，润五脏，利大小便，去膈上热，功用如蜜。树生南方，枝叶俱可噉，亦煎食如饴，今人呼白石木蜜。子名枳椇，味甜。"崔豹《古今注》云："木蜜生南方，合体甜软可咬，味如蜜，老枝煎取倍甜，止渴也。"

枝句的形态：陆玑《毛诗草木疏》云："南山有枸，枸树山木，其状如栌，一名枸骨，高大如白杨，理白可为函板，枝柯不直，子著枝端，大如指，长数寸，噉之甘美如饴，八九月熟，江南特美，今官园种之，谓之木密。"《古今注》云："一名树蜜，一名木饧，实形卷曲，核在实外，一名白石，一名木枳椇。"《广雅》云："枳椇实如珊瑚。"《齐民要术》引《广志》曰："枳柜叶似蒲柳，子似珊瑚，其味如蜜，十月熟，树干者美，出南方，邛郸枳椇大如指。"《唐本草》云："其树径尺，木名白石，叶如桑柘，其子作房似珊瑚，核在其端。"《埤雅》云："椇木高大似白杨。子依房生，著枝端，大如指，长数寸，噉之甘味如饴，今俗谓之枅栱。"

苏颂《本草图经》云："其木径尺，名曰白石，叶如桑枳，其子作房似珊瑚，核在其端，人多食之。即《诗经·小雅》所谓'南山有枸'是也。陆玑云：'枸，枝枸也，木似白杨，所在山中皆有。枝枸不直，噉之甘美如饴，八九月熟，谓之木蜜。本从南方来，能败酒，若以为屋、柱，则一屋之酒皆薄。'"

按，枝句为鼠李科植物拐枣（枳椇）Hovenia dulcis Thunb. 一类植物。果梗经霜有甜味，可食，俗名拐枣、鸡爪梨，能止渴，除烦热，解酒醉。其枝熬膏，亦能解酒醉，其根治虚劳吐血，风湿筋骨痛。

183　欿

中次十经，丙山，其木多欿[1]。

【注释】

[1] 欿　郭璞注《山海经》云："欿，义所未详。"郝懿行《山海经笺疏》云："案《方言》云：'欿，长也，东齐曰欿。'郭注云：'欿，古趫字。'然则欿杻长杻也，杻为木多曲少直，见陆玑《毛诗草木疏》，此杻独长，故著之，侯孜。"

184　莽草

中次十一经，朝歌之山，有草焉，名曰莽草[1]，可能毒鱼。

【注释】

[1] **莽草** 郭璞注《山海经》云："今用之杀鱼。"郝懿行《山海经笺疏》云："案《秋官》'翦氏掌除蠹物，以莽草熏之。'郑注云：'药物杀虫者。'《本草》云：'莽草。'《别录》云：'一名葽，一名春草。'《尔雅》云：'葽，春草。'郭注引《本草》云：'一名芒草。'是芒草即莽草。《中次二经》注：'葰山有芒草，可以毒鱼也。'芒又通作茵。《水经·夷水注》云：'邺人以茵草投渊上流，鱼则多死。'是也。"《方言》云："苏芬，莽草也。"孙炎注《尔雅》云："葽，春草，药草，莽草也。"陶弘景《本草经集注》云："莽字亦作茵字，今俗呼茵草也。"《范子计然》云："莽草出三辅，青色者善。"

莽草的药用：《本草经》云："莽草，味辛，温。主风头痛肿，乳痈，疝瘕，除结气，疥瘙，杀虫鱼。"《名医别录》云："莽草，苦，有毒。疗喉痹不通，乳难，头风痒，可用沐，勿令入眼。"陶弘景注云："人用捣以和米，内（纳）水中，鱼虾即死浮出，人取食之无妨。"沈括《梦溪补笔谈》云："莽草，襄、汉渔人竟采以捣饭，饵鱼，皆翻上，乃捞取之。"

莽草的形态：《本草图经》云："莽草，木若石南而叶稀，无花实，五月、七月采叶阴干。"《本草衍义》云："莽草，诸家皆谓之草，而本草居木部。今世所有皆木，叶如石南，枝梗干则皱，揉之，其嗅如椒。"

按莽草是八角科八角属植物狭叶茴香 *Illicium lanceolatum* A. C. Smith. 一类植物。莽草果实似八角茴香，旧时误以"毒八角茴香 *Illicium religiosum* Sieb. et Zucc"为莽草。莽草果实有 10~13 个木质蓇葖，顶端有长而弯曲的头尖，剧毒，误食能致死。莽草根浸水汁如雄黄，可作农药杀虫剂。

莽草果含有芳香油，气味和形态都很像八角（大茴香），但莽草果剧毒，切勿误作"八角"代用品。

莽草同名异物很多。吴其濬《植物名实图考》卷24 毒草类"莽草"条所绘的"莽草图"及其说明，正是卫矛科植物雷公藤 *Tripterygium wilfordii* Hook. f.，并非木兰科植物八角茴香属（*Illicium* L.）的植物，详117"芒草"条注 [1]。

又有人把雷公藤当作蓼科植物杠板归 *Polygonum perfoliatum* L. 的异名，这样以讹传讹，以致说杠板归也能毒鱼了。

185 櫧

中次十一经，前山，其木多櫧[1]。

【注释】

[1] **櫧** 郭璞注《山海经》云："似柞子可食，冬夏生，作屋柱难腐。音诸或作储。"郝懿行《山海经笺疏》云："案，《上林赋》云：'沙、棠、栎、櫧。'李善注云：'櫧似枰，叶冬不落。'《汉书·音义》云：'櫧似檀，叶冬不落也。'《玉篇》亦云：'櫧，木名，冬不凋。'郭云'或作储'者，声近假借字。"周处《风土记》云："吴越之间，名柞为枥，又名櫧。"陈藏器《本草拾遗》云："櫧子小如橡子，树皮如果，冬月不凋，生江南。"

櫧的药用：《本草拾遗》云："櫧子中仁，食之不饥，令人健行，止泄痢，破恶血，止渴。"皮、叶，煮汁饮，止产妇血。"吴瑞《日用本草》云："嫩叶贴臁疮，一日三换，良。"

楮的形态：《本草拾遗》云："楮子，小于橡子，树如栗，冬月不凋，生江南。"《本草纲目》云："楮木，大者数抱，高二三丈，叶长大如枫叶，梢尖而厚、坚、光泽，锯齿峭利，凌冬不凋，三四月开白花，成穗如栗花，结实大如楤子，外有小苞，霜后苞裂而坠，子圆褐而有尖，大如菩提子。肉仁如杏仁，生食苦涩，煮炒乃带甘。甜楮粒小，木纹细白。若楮子粒大，木文粗赤，俗名血楮。甜楮子粒小，木纹细白，俗名面楮。"

按楮为山毛榉科植物苦槠 Castanopsis sclerophylla（Lindl.）Schottky 一类植物。

苦槠，木材坚实耐用，供建筑及车辆用，壳斗和树皮可提栲胶。种子味甘可食，亦可作豆腐。吴其濬《植物名实图考长编》云："楮之名见《山海经》。余过章贡间，闻舆人之诵曰，苦槠豆府配盐幽菽（豆豉），得其腐而烹之，至舌而涩，至咽而屡，津津焉有味回于齿颊。"

186　木薯萸

中次十一经，兔牀之山，其木多薯萸[1]。

【注释】

[1]　薯萸　郭璞注《山海经笺疏》云："案，木薯萸未闻其状。"

按，大戟科植物木薯，其根似薯蓣，新鲜的木薯含有剧毒的氰酸，生食少量亦可中毒致死，但经煮沸或晒干后，则毒性被破坏，能食。

木薯原产于南美，我国古代是否有木薯不详。假如《山海经》"木薯萸"为大戟科植物木薯，则古代文献应有"木薯萸"中毒记载，同时也应有今日的大戟科植物木薯的存在。但今日我国的木薯系由海外侨胞从南美移植于广东的，文献中又无"木薯萸"中毒的记载，所以《山海经》"木薯萸"当非大戟科植物的木薯。

笔者怀疑，《山海经》的"木薯萸"可能是茯苓一类植物。茯苓的形态似薯蓣，其质是木质，不像薯蓣是可以吃的，故以木薯萸名之。

疑木薯萸或为伞菌纲多孔菌科茯苓 Poria cocos（Schw.）Wolf 一类植物。

茯苓是多孔菌科的菌核，菌核成团块状，质坚硬，球形，椭圆形或长圆形，大小轻重不等，小者如拳，大者如升、斗，外皮薄，黑褐色粗皱，内部白色或带粉红色，有红筋。多生于赤松或马尾松根上，入土 20 ~ 30 cm。

茯苓性平，味甘淡，健脾利湿，治脾虚泄泻，水肿，小便不利。尤以茯苓皮利水效力较佳。

187　鸡谷

中次十一经，兔床之山，其草多鸡谷[1]，其木如鸡卵，其味酸甘，食者利于人。中次十一经，妪山，其草多鸡谷。

【注释】

[1] **鸡穀** 郝懿行《山海经笺疏》云："案，《广雅》云：'鸡狗獳，哺公也。'说者谓即蒲公英。《唐本草》云：'蒲公草，一名耩耨草。'耩耨与狗獳声相近，穀字古有构音，构、狗之声又相近，疑此经鸡穀，即《广雅》鸡狗矣。下文夫夫山又作鸡鼓，亦即鸡穀也。又《本草·别录》云：'黄精，一名鸡格，格、穀声转，疑亦近是。'"

按郝氏所云，鸡穀即蒲公英。但是《山海经》说："鸡穀，其本（根）如鸡卵，其味酸甘，食之利于人。"从《山海经》条文来看，鸡穀并不像蒲公英，蒲公英根呈条状，味极苦，不能吃，和《山海经》文不合。

按，根如鸡卵，味甜，能食的植物很多。如：芜菁、莱菔、乌芋（荸荠）等皆是。但乌芋球茎略扁，不像鸡卵，莱菔味辣，也不甜。唯有芜菁的根像鸡卵，有甜味，可以吃。

芜菁，一名蔓菁，古书称为须、葑（苇）、荛。

《尔雅》云："须，薞芜。"郭璞注云："薞芜似羊蹄，叶细，味酸可食。"《诗经·谷风》云："采葑采菲。"毛苌注云："葑，须也。"孙炎云："葑，一名葑苁。"陆玑《毛诗草木疏》云："葑，芜菁也，幽州人谓之芥。"郑注《礼坊记》云："葑，蔓菁也，陈、宋之间谓之葑。"扬雄《方言》云："苇荛，蔓菁也，陈、楚谓之苇，齐、鲁谓之荛，关西谓之芜菁，赵、魏谓之大芥。"《齐民要术》引《字林》云："苇，芜菁苗也。"《广雅》云："苇、荛，芜菁也。"孙愐《唐韵》云："苇，蔓菁苗也。"刘禹锡《嘉话录》云："诸葛亮所止，令兵士独种蔓菁者，取其才出甲，可生啖之，叶舒可煮食之，至今蜀人呼为诸葛菜。"

芜菁的药用：《名医别录》云："芜菁，味苦，温，无毒。主利五脏，轻身益气，可长食之。芜菁子，主明目。"

芜菁的形态：《广志》云："芜菁有紫花者，白花者。"《本草图经》云："芜菁即蔓菁也，四时仍有，春食苗，夏食心，亦谓之苔子，秋食茎，冬食根。南人取北种种之，初年相类，至二三岁，则变为菘矣。"

疑鸡穀或为十字花科植物芜菁 *Brassica rapa* L. 一类植物。

188 桓

中次十一经，袟筒之山，其上多桓[1]。

【注释】

[1] **桓** 郭璞注《山海经》云："桓叶似柳，皮黄不措，子似楝，煮酒中饮之，辟恶气，浣衣去垢，核坚正黑，可以间香缨，一名栝楼也。"郝懿行《山海经笺疏》云："案，机柏，《广韵》引此《经》作'机桓'。《玉篇》云：'桓木叶似柳，皮黄白色。'与郭义合，是此经及注并当作桓，今本作柏，字形之讹也。且柏已屡见，人所习知，不须更注。注所云云，又非是柏也。郭云皮黄不措，措当为楷，与皵同，见《玉篇》。子似楝，当从木旁为楝。陈藏器《本草拾遗》云：'无患子，一名桓，引《博物志》云：桓叶似榉柳叶，核坚正黑如瑿，可作香缨及浣垢。'案所引正与郭注合，或即郭所本也，郭云间香缨间字疑讹。又云一名栝楼，《本草拾遗》云：'一名噤娄也。'"《本草纲目》卷35"无患子"云："别名桓。"

按，陈藏器云："桓即无患子。"《酉阳杂俎》云："无患子，今释子取以为念珠。"《九域志》云："象州岁贡槵子念珠十串。"

无患子的药用：陈藏器《本草拾遗》云："无患子有小毒，主澣（浣）垢，去面䵟，喉闭，飞尸，研内（纳入）喉中，立开，子中仁烧令香，辟邪恶气。"

无患子的形态：《本草拾遗》云："子黑如漆珠子，生深山大树。"《博物要览》云："槵子木，生山中，树甚高大，枝叶皆如椿，其叶对生，五、六月开白花，结实如弹丸，生青熟黄，老则纹皱。黄时肥如油炸之形。味辛，气腥，且硬，其蒂下有二小子，相粘承之。实中一核，坚黑如珠，其子可作素珠，碾碎可洗真珠。"

按，无患为无患子科植物无患子 *Sapindus mukorossi* Gaertn. 一类植物，是高大落叶乔木，过去南方常植于庙寺旁。其外果皮富有油脂，可供制肥皂之用，核坚而黑，过去多用作念珠。核中仁能消积辟恶，治疳积蛔虫病，腹中气胀、口臭等症。果肉有清热化痰、消积、止痛之功，适用于喉痹肿痛、胃痛、疝痛、风湿痛、食滞、虫积等症。无患子树苗能治百日咳，无患子树叶及根能治蛇伤。无患子树皮煎汁洗疥癞、疳疮，亦可含漱治白喉。

189　苴

中次十一经，依轱之山，其上多苴，虎首之山，多苴，卑山，其上多苴，雅山，其下多苴，鲜山、区吴之山、求山、服山，其木多苴[1]。

【注释】

[1]　苴　郭璞注《山海经》云："未详。"郝懿行《山海经笺疏》说："案，《经》内皆云其木多苴，疑苴即柤之假借字也。"《管子·地员》云："苴草林木蒲苇之所茂。"《灵枢经·痈疽》云："草苴不成，五谷不殖。"《楚辞·九章》云："草苴比而不芳。"王逸注云："生曰草，枯曰苴。"《诗经·大雅》云："如彼栖苴。"《毛传》云："苴，水中浮草。"诸书所讲的"苴"，皆指枯草而言。而《山海经》说："其木多苴。"则《山海经》所讲的"苴"，当然不是枯草，应为木类"柤"的假借字。关于"柤"的介绍，详168"柤"条注[1]。

苴的另一种含义指雌大麻种子。《诗经·豳风》云："九月叔苴。"苴即麻子，在《诗经》时代被当作粮食。详28"麻"条注[1]。

190　樞

中次十一经，虎首之山，多樞[1]，丑阳之山，其上多樞。中次十二经，龟山多樞。

【注释】

[1]樞　郭璞注云："樞，未详也，音雕。"郝懿行《山海经笺疏》云："案，《说文》云：'樞，

木也。'《类篇》云：'椆，寒而不凋。'"

按，《说文》和《类篇》所言"椆"的形态，都是常绿的植物。椆和壳斗科植物栎属（Quercus L.）椆亚属（Quercus subgen）的"椆"同名。椆亚属植物叶亦常绿。

常见的椆有青椆、铁椆、竹叶椆、栎子椆等。

疑椆为壳斗科植物青椆 Quercus myrsinaefolia Bl 一类植物。

青椆亦名面槠，其种仁名槠子。《本草纲目》云："槠子，处处山谷有之。其木大者数抱，高二三丈，叶长大如栗，叶稍尖而厚坚光泽，锯齿峭利，凌冬不凋，三、四月开白花成穗，如栗花；结实大如槲子，外有小苞，霜后苞裂子坠，子圆褐而有尖，大如菩提子；内仁如杏仁，生食苦涩，煮炒乃带甘，亦可磨粉。甜槠子，粒小，木文细白，俗名面槠。苦槠子，粒大，木文粗赤，俗名血槠，其色黑者名铁槠。"

槠子亦供药用：《本草拾遗》云："槠子，味苦涩，止泻痢，食之不饥，令健行，能除恶血，止渴。"又云："槠子，小于橡子，树如栗，冬月不凋，生江南。"《日用本草》云："槠子嫩叶贴腀疮，一日三换良。"

191　累

中次十一经，卑山，其上多累[1]。

【注释】

[1] **累**　郭璞注《山海经》云："今虎豆、狸豆之属。累，一名膝，音诔。"郝懿行《山海经笺疏》云："案，《尔雅》云：'欇，虎累。'郭注云：'今虎豆缠蔓林树而生，荚有毛刺。'《古今注》云：'虎豆似狸豆而大也。郭云，累一名膝者。'《广雅》云：'藟，藤也。'《尔雅》云：'欇，虎累。'"郭璞注云："今虚豆缠蔓林树而生，荚有毛刺，今江东呼为欇欇。"《尔雅》又云："诸虑，山累。"郭璞注云："今江东呼藟为藤，似葛而粗大。"《广雅》云："藟，藤也。"王念孙《广雅疏证》云："藟与纍同，藟亦作累，累一名膝，膝亦作滕（藤）。"《玉篇》云："草蔓延如藟者为藤。"

根据以上资料来看，累的写法有藟、纍、蔂，它的意义是藤本植物的泛称。古人对一些蔓生攀缘生藤本植物，多以藟名之。如《尔雅》所云"欇"是豆科植物，有蔓生攀缘性，称为虎累。所云"诸虑"，是薯蓣科植物，有蔓生攀缘性，称为山蔂。又如，《诗经》有"葛蔂"："莫莫葛藟""绵绵葛藟""葛藟累之""葛藟荒之"。《说文解字系传·通释》云："葛，蔓也。"陆玑《毛诗草木疏》云："藟，一名巨爪。"《左传》云："葛藟犹能庇其本根。"刘向《九欢》云："葛藟累于桂树兮。"又如《本草经》的"蓬蔂"、《名医别录》的"千岁蔂，一名累芜"，都是蔓生藤本植物，所以蔂为藤本植物的通称。

《山海经》："卑山，其上多累。"即指山上多藤本植物，郭璞说其种若虎豆、狸豆之属。

按，崔豹《古今注》云："虎豆，一名虎沙，似狸豆而大，实如小儿拳，亦可食。狸豆，一名狸沙，一名猎沙，叶似葛而实大如李核，可啖食也。"

藟的药用：《名医别录》云："主补五脏，益气，续筋骨，长肌肉，去诸痹。"又云："藟根，主缓筋，令不痛。"

蓪的形态：陶弘景云："作藤生，树如葡萄，叶如鬼桃，蔓延木上，汁白。"《本草图经》云："作藤生，蔓延木上，叶如葡萄而小，四月摘其茎，汁白而甘，五月开花，七月结实，八月采子，青黑微赤，冬惟凋叶，此即《诗经》葛蓪者也。"

按，蓪为葡萄科植物葛蓪 Vitis flexuosa Thunb. 一类植物。

葛蓪很像葡萄，但叶不同，葡萄叶有 3～5 裂缺，葛蓪叶不裂开，无缺刻。葛蓪亦似蘡薁，但蘡薁叶背面有绒毛，叶有深缺刻，葛蓪叶两面平滑无毛，亦无缺刻开裂。

葛蓪的果实味甘可食，能益气，茎藤能续筋骨，止痹痛。葛蓪能治病后体虚，关节酸痛，跌打损伤。

192　帝女之桑

中次十一经，宣山，其上有桑焉，大五十尺[1]，其枝四衢[2]，其叶大尺余，赤理，黄华，青柎，名曰帝女之桑[3]。

【注释】

［1］**大五十尺**　郭璞注云："围五丈也。"

［2］**其枝四衢**　郭璞注云："言枝交互四出。"

［3］**帝女之桑**　郭璞注云："妇女主蚕，故以名桑。"郝懿行《山海经笺疏》云："案，李善注《南都赋》引此经及郭注，并与今本同。《艺文类聚》卷88引郭氏赞云：'爰有洪泽，生滨沧潭，厥围五丈，枝相交参，园客是采，帝女所蚕。'"

疑帝女之桑或为神话植物。

盖古人生活困难，解决穿、吃、住的问题很不容易。在穿的方面，能提供丝的蚕与桑，在人们心目中是有崇高地位的。为了歌颂蚕与桑能够造福于人，劳动人民往往把蚕与桑偶像化。帝女之桑也可能是由于这个原因所致，这也反映蚕与桑对人们有很大的贡献。

193　羊桃

中次十一经，丰山[1]，其木多羊桃[2]，状如桃而方茎，可以为皮张[3]。

【注释】

［1］**丰山**　郝懿行说："丰山，在南阳县。"

［2］**羊桃**　郭璞注《山海经》云："一名鬼桃。"郝懿行《山海经笺疏》云："案，《本草》云：'羊桃，一名鬼桃。'郭注《尔雅》及此注所本也。"《诗经·桧风》云："隰有苌楚""猗傩其实"。《毛诗草木疏》引舍人云："苌楚，一名铫芅。"陆玑《毛诗草木疏》云："苌楚今羊桃是也。"《尔雅》云："苌楚，桃弋。"郭璞注云："今羊桃也，或曰鬼桃。"《说文》云："长楚，铫芅，羊桃也。"东方逯《楚辞·七谏》云："列树苦桃。"注云："本草谓羊桃味苦。"《本草经》云："羊桃，一名鬼

桃，一名羊肠。"《名医别录》云："羊桃，一名苌楚，一名铫（音姚）弋，一名御弋。"

羊桃的药用：《本草经》云："羊桃，味苦、寒，主燥热，身暴赤色，风水积聚，恶疡，除小儿热。"《名医别录》云："羊桃有毒，去五脏五水，大腹，利小便，益气，可作浴汤。"《唐本草》云："羊桃，人取煮以洗风痒及诸疮肿极效。"《本草拾遗》云："羊桃，味甘，无毒。主风热羸老，浸酒服之。"

羊桃的形态：郭璞注《尔雅》云："今羊桃也，叶似桃，华白，子如小麦，亦似桃。"陆玑《毛诗草木疏》云："羊桃叶长而狭，华紫赤色，其枝茎弱，过一尺引蔓于草上，今人以为汲灌，重而善没，不如杨柳也。"《蜀本草·图经》云："羊桃叶、花似桃，子细如枣核，苗长弱，即蔓生，不能为树，今呼为细子，根似牡丹。"《群芳谱》云："羊桃福州产，其花五瓣色青黄。"陈嵘《中国树木分类学》836页"猕猴桃"，一名羊桃、鬼桃，其植物形态同陆玑所说羊桃义合。猕猴桃之名见于《开宝本草》。《本草衍义》云："猕猴桃……十月烂熟，色淡绿，生则极酸，子繁细，其色如芥子，枝条柔弱，高二三丈，多附木而生。"

按，郭璞所注羊桃，应为猕猴桃科植物猕猴桃 Actinidia chinensis Planch. 一类植物。

陆玑所疏和《蜀本草图经》所云羊桃花紫赤，当是毛花杨桃 Actinidia eriantha Benth. 一类植物。

《群芳谱》所云羊桃花青黄，疑为多花猕猴桃 Actinidia latifolia（Gardn. et Champ.）Merr. 一类植物。

另有酢浆草科植物五敛子 Averrhoa carambola L. 亦称羊桃。但五敛子是常绿灌木或小乔木，与陆玑的疏文及《蜀本草·图经》所说"苗长弱蔓生"不合，而猕猴桃是木质藤本，与陆玑的疏文"其枝茎弱，过一尺引蔓于草上"义合。

[3] **可以为皮张** 郭璞注云："治皮肿起。"《名医别录》载"羊桃去五脏五水，大腹，利小便"与"治皮肿起"义合。

194　香

中山经，几山，其草多香[1]。

【注释】

[1] **香** 即香草的泛称，郝懿行《山海经笺疏》云："案，草多香者，即如下文洞庭之山，其草多蘪芜、蘪芜、芍药、芎䓖之属也。"

195　桂竹

中次十二经，云山有桂竹[1]，甚毒，伤人必死。

【注释】

[1] **桂竹** 郭璞注《山海经》云："今始兴郡桂阳县出桂竹，大者围二尺，长四丈，又交趾有篥竹，实中劲强，有毒，锐以刺虎，中之则死，亦此类也。"郝懿行《山海经笺疏》云："案，始兴郡

桂阳见《晋书·地理志》。《吴都赋》注引《异物志》曰：'桂竹生于始尖小桂县，大者围三尺，长四五丈。'又云：'篃竹大如戴槿，实中劲强，交趾人锐以为矛甚利。笋竹有毒，夷人以为觚，刺兽中之刚必死。'并与郭注合，又郭注篃疑当为篃，笔当为桂。"

《说文解字系传·通释》云："薊，古文毒，锴曰竹亦有毒，南方有竹，伤人则死。"郭璞说交趾有篃竹实中，劲强，有毒……"按交趾是在南方，此与徐锴说"南方有竹，伤人则死"是一致的。

在郭璞注文中，讲篃竹"实中"，意即篃竹是实心的，与一般空心竹有别。那么桂竹、篃竹既是实心，而且有毒，未必是真正的禾本科植物桂竹 Phyuostachys makinoi Hayata 一类植物。今日禾本科桂竹是空心的，一般无毒。

笔者怀疑桂竹、篃竹，可能是桑科植物毒箭木，毒箭木是高大乔木，高达 30 m，外形似桂树，有剧毒，把毒箭木树汁以涂箭，用以射野生动物，中之则死，其树汁接触人体伤处，亦能中毒，肌肉松弛，心跳减慢，重则心跳慢到停止而死亡。

毒箭木产于南方，有毒，其木实中劲强，此与郭璞注及徐锴所说相近。

疑桂竹或为桑科植物毒箭木 Antiaris toxicaria（Perr）Lesch 一类植物。

196　扶竹

中次十二经，龟山，其下多扶竹[1]。

【注释】

[1]　**扶竹**　郭璞注《山海经》云："扶竹，邛竹也，高节，实中，中杖也，名之扶老竹。"《文选·蜀都赋》云："于是乎邛竹缘岭，菌桂临崖。"刘逵注云："邛竹，出兴古盘江以南，竹中实而高节，可以作杖。"《汉书》云："张骞至大夏，见邛竹枝，问之，云贾人市之身毒国。"晋·戴凯之《竹谱》云："邛竹，高节，实中，状如人刻，俗谓之扶老竹。《山海经》谓之扶竹也。"

以上各家皆说扶竹实中可以作杖，但竹子一般都是中空的，没有实中的。说扶竹实中，则扶竹可能是棕榈科植物棕竹，棕竹的茎圆柱形，有节，实中，其秆可作手杖及伞柄。

按郭璞所注，扶竹即邛竹。刘逵说邛竹出兴古（今贵州普安）、盘江（今贵州盘江），竹中实而高节，可以作杖，这和棕竹产于我国西南部是一致的。宋·景文公《益部方物赞》曰："叶棕身竹，族生不漫，有皮无枝，实中而干。"李衍《竹谱》云："棕榈竹两浙、两广、安南、七闽皆有之。高七八尺，叶似棕榈而尖，小如竹叶。自地而生，每一叶脱落，即成一节，肤色青，一如竹枝。"

疑扶竹即棕榈科植物棕竹 Rhapis excelsa（Thunb.）Henry ex Rehd. 一类植物。

棕竹一名筋斗竹，秆可作手杖及伞柄，根入药治劳伤，叶鞘纤维炒炭有止血之功，治鼻衄、咯血、产后血崩。

197　筇竹

中次十二经，丙山多筇竹[1]。

【注释】

[1] **筀竹** 郝懿行《山海经笺疏》云："案，筀亦当为桂，桂阳所生竹，因以为名也。"
筀竹的药用：汪颖《食物本草》云："筀笋，治小儿痘疹不出，煮粥食之，解毒。"

按，筀竹即禾本科植物桂竹 *Phyllostachys makinoi* Hayata 一类植物。

198 美木

中次十二经，风伯之山，多美木[1]。

【注释】

[1] **美木** 好木材的泛称。

199 鸡鼓

中次十二经，夫夫之山，其草多鸡鼓[1]。

【注释】

[1] **鸡鼓** 郝懿行《山海经笺疏》云："案，即鸡毂也。毂、鼓声相转。"详187"鸡毂"条注[1]。

200 梨

中次七经，泰室之山，有木焉，叶状如梨。中次十二经，洞庭之山，其木多梨[1]。

【注释】

[1] **梨** 《说文》云："梨，果名。"《尔雅》云："梨，山樆。"疏云："其在山之名则曰樆，人植之曰梨。"《周书》云："秋食楂梨橘柚。"《礼记·内则》云："楂、梨、姜、桂。"《庄子·天运篇》云："楂梨橘柚，其味相反，而皆可于口。"《韩非子》曰："树枏梨橘柚，食之则甘。"《孔子家语》云："其妻以蒸梨不熟而出之。"《史记·货殖列传》："淮北常山以南、河济之间千株梨，（《史记会注》《汉书补注》作"千树萩"，《太平御览》引作"千株梨"）其人与千户侯等。"《文士传》云："孔融四岁，与诸兄食梨，辄取其小者。"辛氏《三秦记》云："汉武帝御宿园有大梨。"《魏文帝诏》曰："真定郡梨，甘若蜜，脆若凌，可以解烦。"何晏《九州论》曰："真定好梨。"张衡《南都赋》云："若其园圃，乃有侯桃梨栗。"晋·左思《蜀都赋》云："紫梨津润。"段龟龙《凉州记》云："吕光时，敦煌太守宋歆献同心梨。"《西京杂记》云："上林苑有青梨。"《说苑》云："田饶曰果园梨栗。"

梨的药用：《名医别录》云："梨，味甘，微酸，多食令人寒中，金疮乳妇，尤不可食。"《唐本草》云："梨削贴烫火疮不烂，止痛。又主热嗽止渴。叶主霍乱吐痢不止，煮汁服之。"《本草图经》云："梨，医家相承用乳梨、鹅梨。乳梨出宣城，皮厚而肉实，其味极长。鹅梨出近京州郡及北都，皮薄而浆多，味差，短于乳梨，其香则过之。咳嗽热风痰实药多用之。"《物类相感志》云："梨与萝卜相同收藏，或削梨蒂种于萝卜上藏之，皆可经年不烂。"

梨的形态：《本草纲目》云："梨树高二三丈，尖叶光腻，有细齿，二月开白花如雪六出。上已无风，则结实必佳。"又云："梨品甚多，必须棠梨桑树接过者，则结子早而佳。梨有青、黄、红、紫四色，乳梨即雪梨，鹅梨即锦梨，消梨即香水梨也。"

按，梨为蔷薇科植物各种梨。如白梨 *Pyrus bretschneideri* Rehd.、沙梨 *Pyrus pyrifolia*（Burm. F.）Nakai、秋子梨 *Pyrus ussuriensis* Maxim 等。

梨的果实能清热、生津、润燥、化痰，治热病伤津烦渴，痰热咳嗽，便闭。其果皮名梨皮，能清热、生津、润肺，治暑热烦渴、咳嗽、吐血。其木皮名梨木皮，能解伤寒时气。梨树枝，煮汁饮治吐泻。梨树叶治食菌中毒，小儿疝气。梨树根能止咳，疗疝气。

201 蘪芜

中次十二经，洞庭之山，其草多蘪芜[1]。西山经，天帝之山，有草焉，其臭如蘪芜。西山经，浮山，有草焉，臭如蘪芜。东次四经，泚山，其中多茈鱼，其臭如蘪芜。

【注释】

[1] **蘪芜** 郭璞注《山海经》云："蘪芜，似蛇床而香也。"郝懿行《山海经笺疏》云："案，《淮南·说林训》：'蛇床似蘪芜而不能香。'高诱注云：'蛇床臭，蘪芜香。'《尔雅》云："薜莐，蘪芜。"郭璞注云："香草，叶小如萎状。"《管子》曰："五沃之土生蘪芜。"《广志》曰："蘪芜，香草，魏武帝以藏衣中。"《楚辞·九歌》曰："苑蘪芜与菌若兮""秋兰兮，蘪芜"。《本草经》曰："蘪芜，一名薇芜。"司马相如《上林赋》云："被以江离，揉以蘪芜。"《淮南子·泛沦训》云："夫乱人者，蛇床之与蘪芜也。"《名医别录》云："蘪芜，一名江离，芎𦭖苗也。"又云："芎𦭖，其叶名蘪芜。"《吴普本草》云："蘪芜，一名芎𦭖。"

蘪芜的药用：《本草经》云："主咳逆，定惊气，辟邪恶，除蛊毒鬼疰，去三虫。"《名医别录》云："主身中老风，头中久风，风眩。"《履巉岩本草》："除脑中风冷，治面上游风去来，目泪出，多涕唾及头面诸风。"

蘪芜的形态：《名医别录》云："一名江离，芎𦭖苗也。"《淮南子·说林训》云："蛇床似蘪芜而汉有芳。"高诱注云："蛇床臭，蘪芜香。"《唐本草》注云："此有二种，一种似芹叶，一种如蛇床，香气相似。"《蜀本草·图经》云："蛇床似小叶芎𦭖，花白。"《本草纲目》云："嫩苗未结根时，则为蘪芜，既结根乃为芎𦭖，大叶似芹者为江离，细叶似蛇床者为蘪芜。"

按，蘪芜即伞形科植物川芎 *Ligusticum wallichii* Fnanch 一类植物的苗叶，味辛，性温，无毒，散脑中风寒，治头风眩晕，流泪，多涕唾。

202　箇

中次十二经，暴山，其木多箇^[1]。

【注释】

[1] 箇　郭璞注《山海经》云："箇亦筱类，中箭，见《禹贡》。"郝懿行《山海经笺疏》云："《说文》云：'籇，箇籇也，引《夏书》曰：惟箇籇楛。'戴凯之《竹谱》云：'箇籇二竹，亦皆中矢，出云梦之泽，皮特黑涩。'又云：'篃亦箇徒，槩节而短，江汉之间，谓之敁竹。敁，苦怪反。篃是箭竹类，一尺数节，叶大如屦，可以作逢，亦中作矢，其笋冬生。'引此经云：'其竹名篃。'据《竹谱》所说，篃即籕也。郭氏说籕，已见西山经首英山注，与《竹谱》小异。"《尚书·禹贡》云："扬州厥贡箇籇。"注云："箘籇皆美竹，出云梦之泽。"《吕氏春秋》曰："和之美者，越籇之箇。"高诱注曰："箇，竹笋也。"王念孙《广雅疏证》卷10上《释草》云："箇、籇、箭也。"子引之述云："箇之言圆也。《说文》云：'圜谓之困，方谓之京。'是困、圜声近义同。箭竹小而圆，故谓之箇也。"《夏书》云："惟箇籇楛。"《说文》云："箇，籇也。"晋·戴凯之《竹谱》云："箇、籇二竹，亦皆中矢，皆出云梦之泽，皮特黑涩。"

从《竹谱》"箇竹皮特黑涩"来看，疑箇为禾本科植物紫竹 *Phyllostachys nigra* Munro 一类植物。

203　檿

中次十二经，阳帝之山，其木多檿^[1]。

【注释】

[1] 檿　郭璞注《山海经》云："檿，山桑也。"《尔雅》云："檿桑，山桑。"《说文》云："檿，山桑也。"《诗经·大雅》云："其檿其柘。"《毛传》云："檿，山桑，与柘皆美材，可为弓干，又可蚕也。"

檿桑古代用以制弓：《礼记·考工记》云："弓人取干之道凡七，柘为上……檿桑又次之。"郭璞注《尔雅》云："檿，桑材，中作弓及车辕。"《说文解字系传·通释》云："锴按《尔雅》：'檿桑，山桑。'中弓、车辕。《国语》：'檿弧箕服。'是也，今人以为弹。"陈琳《武库赋》云："弩则幽都筋骨，恒山檿干。"

檿桑美桑：《尚书·禹贡》云："厥贡檿丝。"孔颖达疏云："《尔雅·释木》：'檿，山桑也。'郭璞曰：'柘属也。'檿丝是蚕檿桑所得丝，韧、中琴瑟弦也。"苏轼注云："檿丝出东莱，以织缯，坚韧异常，东莱人谓之山茧。"颜师古《汉书·五行志》注云："檿，山桑之有点文者。"王铚《暑窗臆说》云："《尔雅》：'蟓，桑茧。'即今山桑檿丝。"朱骏声《说文通训定声》云："檿，山桑，叶小于桑，而多缺刻，出今山东、登、莱间。蚕丝坚韧，谓之山茧。"《登州府志》云："檿丝出栖霞县，文登、招远等县亦有之。其茧生山桑，不浴不饲，居民取之，织为绸，久而不敝。"

按，檿为桑科植物山桑 *Morus mongolica* var. diabolica Koidz 一类植物，用途同桑，详60"桑"条注 [1]。

一、海外南经植物药名诠释

204 三株树

海外南经，厌火国，三株树[1]，在厌火北，生赤水上，其为树如柏叶，皆为珠[2]。一日其为树若慧[3]。

【注释】

[1] **三株树** 郝懿行《山海经笺疏》云："案，《初学记》二十七卷引此《经》作珠。《淮南子·地形训》及《博物志》同。"

[2] **其为树如柏叶，皆为珠** 郝懿行《山海经笺疏》云："案，即琅玕树之类。《山海经·海内西经》云：'开明北有珠树。'"

按郝氏所说，三株树为琅玕树一类。琅玕树是什么呢？《山海经》所讲的琅玕，似指矿物。如《山海经·西次三经》云："槐江之山，其上多青雄黄，多藏琅玕、黄金、玉。"又《山海经·大荒西经》云："鏖山，爰有琅玕。"又《山海经》云："昆仑山有琅玕。"

苏颂《本草图经》云："今秘书中有《异鱼图》载琅玕青色，生海中，云海人于海底以纲持得之，初出水红色，久而青黑，枝柯似珊瑚，而上有孔窍如虫蛀，击之有金石之声，乃与珊瑚相类。"又引《尚书·禹贡》云："雍州厥贡璆琳、琅玕。"

按苏颂《本草图经》所云，琅玕似珊瑚一类。疑三株树为珊瑚一类物品。

[3] **其为树若慧** 郭璞注《山海经》云："如彗星状。"郝懿行《山海经笺疏》云："案，彗，扫竹也，见《说文》。彗星为欃枪，见《尔雅》。"

二、海外西经植物药名诠释

205 雄常树

海外西经，肃慎国，有树名雄常[1]。

【注释】

[1] **雄常** 郭璞注《山海经》云：“雄常或作雒常。其俗无衣服，中国有圣帝代立者，则此木生皮可衣也。”郝懿行《山海经笺疏》说：“案，雒常，《淮南子·地形训》谓之雒棠。”《广韵》云：“樃，青木皮叶可作衣，似绢，出西域。”

按郭璞所注，雄常树皮可以为衣，古人以植物皮的纤维纺织为衣，有麻、葛。麻是草类，而葛是木质。古代用葛的皮纤维纺织为衣是最多的，《诗经》记载葛的种植和纺织有四十多处。例如《诗经·周南》云：“葛之覃兮，为絺为绤。”絺、绤都是葛的纤维，纺织成粗细不同品种的葛布。《说文解字注》云：“葛，絺、绤草也。”《左传》宣公八年（前601）：“冬，葬敬嬴，旱无麻，始用葛茀。”《越绝书》云：“葛山者，勾践罢吴，种葛，使越女织治葛布，献于吴王夫差。”《吴都赋》云：“蕉葛升越，弱于罗纨。”《吴越笔记》云：“高州多种葛，雷州人市之为絺绤。”《洛南县志·物产》云：“葛可为布，诸山之产最多。”

葛原是野生，由于葛可为布，葛就被人们家种了。《诗经·周南》云：“葛之覃兮，施于中谷。”曹植诗云：“种葛南山下，葛蔓自成荫。”

葛的根可作药用：《本草经》云：“葛根味甘，平。主消渴，身大热，呕吐、诸痹，起阴气，解诸毒。葛榖主下痢十岁已上。一名鸡齐根。”《名医别录》云：“葛根无毒。疗伤寒，中风，头痛，解肌，发表出汗，开腠理，疗金疮，止痛胁风痛。生根汁大寒，疗消渴，伤寒，壮热。叶主金疮，止血。花主消酒。一名鹿藿，一名黄斤。”

葛的形态：苏颂《本草图经》云：“春生苗，引藤蔓长一二丈，紫色。叶颇似楸叶而青。七月著花似豌豆花，不结实，根形如手臂，紫黑色。”《救荒本草》云：“苗引藤蔓，长二三丈，茎淡紫色，叶颇似楸叶而小，色青，开花似豌豆花，粉紫色，结实如皂荚而小，根形如手臂。”

疑雄常树为豆科植物葛属（*Pueraria* DC.）一类植物，如野葛 *Pueraria lobate*（Willd.）Ohwi 等。

葛属植物茎皮纤维供织布和造纸原料，根可制葛粉。根和花皆供药用，能解热透疹，生津止渴，解毒，止泻。种子可榨油。

三、海外北经植物药名诠释

206　寻木

海外北经，寻木[1]长千里，在枸缨南，生河上西北。

【注释】

[1] **寻木**　郝懿行《山海经笺疏》云："案，《穆天子传》云：'天子乃钓于河，以观姑繇之木。'郭注云：'姑繇大木也。'引此《经》云：'寻木长千里，生海边。'谓木类。《吴都赋》又作栖木。刘逵注引此《经》，亦作栖木非也。李善注《东京赋》引此《经》仍作寻木。郭氏《游仙诗》亦作寻木也。《广韵》云：'栖，木名，似槐''寻，长也'。引此《经》。"

《艺文类聚》卷89引《吴都赋》云："亦犹棘林之萤耀，与夫寻木之龙烛。"刘逵注云："《山海经》云：'栖木长千里。'"陈藏器《本草拾遗》云："栖木皮、叶，煮洗蛇咬，亦可作屑傅之。栖，大木也，出江南。"

栖是什么木呢？苏颂《本草图经》注"秦皮"云："秦皮，俗呼为白栖木。"《本草纲目》卷35木部"秦皮"条云："并入《拾遗》栖木。"则栖木即秦皮。

陈藏器《本草拾遗》说栖木皮叶煮洗蛇咬。沈括《梦溪笔谈》亦云秦皮能治蛇癫疮。沈括说："予家祖茔在钱塘西溪，尝有一田家忽病癫，通身溃烂，号呼欲绝。西溪寺僧识之曰：'此天蛇毒耳，非癫也。'取木皮煮饮一斗许，令其恣饮，初日疾减半，两三日顿愈。验其木，乃今之秦皮也。"

按苏颂、沈括、李时珍诸家所说，栖木即秦皮。

李时珍曰："秦皮，本作梣皮，其木小而岑高，故因以为名，人讹为栖木，又讹为秦木。"

《淮南子》云："夫梣木色青，愈翳而羸蜗愈睆。"高诱注云："梣苦枥木也。生于山，剥其皮以水浸之，正青，用洗眼，愈人目中肤翳。"

《名医别录》云："秦皮，一名梣皮，一名石檀。"

秦皮的药用：《本草经》云："秦皮味苦，微寒。主风寒湿痹，洗洗寒气，除热目中青翳白膜。久服，头不白，轻身。"《名医别录》云："秦皮大寒，无毒，疗男子少精，妇人带下，小儿痫，身热，可作洗目汤，皮肤光泽，肥大，有子。《本草纲目》云："《老子》云：天道贵涩，此药乃服食及惊痫、崩、痢所宜。《淮南子》云：梣皮色青，治目之要药也。又《万毕术》云：梣皮止水，谓其能收泪也。"

秦皮的形态：《唐本草》云："此树似檀，叶细，皮有白点而不粗错，渍皮水渍便碧色，书纸看皆青色者是。"苏颂《本草图经》云："秦皮，其木大都似檀，枝干皆青绿色，叶如匙头，虚大而不光，并无花实，根似槐根，二月、八月采皮，阴干。其皮有白点而不粗错，俗呼为白栖木。"

疑栖木为木犀科植物梣皮 *Fraxinus chinensis* Roxb. 一类植物。梣皮，木材坚硬有弹力，可制车辆、农具，枝叶能放养白蜡虫，又名白蜡树。其小叶者即药用的秦皮 *Fraxinus bungeana* DC.，取其皮浸水中，渍出汁呈碧色，写在纸上即呈青色，此乃秦皮的特点。

秦皮味苦、涩，性寒，能清热燥湿、止泻痢、明目，用于湿热下痢，治热痢后重，亦用于肝热目赤、肿痛生翳。

207 甘柤

海外北经，平丘爰有甘柤[1]。海外东经，嗟丘，爰有甘柤。大荒南经，有盖犹之山者，其上有甘柤，枝干皆赤，黄叶，白华，黑实。大荒西经，有沃之国，爰有甘柤。大荒东经，东荒之中，中容之国，东北海外，爰有甘柤。大荒西经，有沃之国，爰有甘柤。

【注释】

[1] **甘柤** 郭璞注《山海经》云："其树枝干皆赤，黄华，白叶，黑实。《吕氏春秋》曰：'其山之东有甘柤焉。'音与柤梨之柤。"

郝懿行《山海经笺疏》云："案，甘柤形状见大荒南经，郭云黄华白叶，当为黄叶白华，字之讹也。其山即箕山，籀文箕作其也。又案《吕氏春秋·本味篇》云：'箕山之东，青鸟之所，有甘樝焉。'郭引作甘柤，柤依本字当为樝。《淮南·地形训》正作樝，然樝即樝梨之樝。柤训木闲假借为樝，即如此，郭以柤梨音甘柤，不几于文为赘乎？推寻文义，樝与樝字形相近，疑此《经》甘柤当为甘樝字之讹也。"

按郝氏所说，甘柤当为甘樝字之讹。

《唐本草》有杨樝，《嘉祐本草》有黄樝，杨樝、黄樝枝干不赤，叶不黄，花不白，实不黑，与《山海经》甘柤的形态不符合，不知郝氏所讲的甘樝是什么植物。

柤与樝同义字，甘柤即甘樝，《太平御览》引《山海经》"甘柤"作"甘樝"。《太平御览》引晋傅玄《赋》云："甘樝列于昆仑。"

柤（樝）原是梨属（详168"柤"条注[1]）。但是甘柤形态为"枝干皆赤，黄叶，白华，黑实"，全不像梨。《山海经》说"甘柤"叶黄。按，有生命的植物叶子，在阳光下都是青绿色的，因含有叶绿素。叶绿素是植物光合作用的工厂，没有叶绿素的植物，就不能独立的生活。所以《山海经》的"甘柤"，赤枝干、黄叶、白华、黑实似乎是幻想出的植物。

在《山海经》产甘柤的地方，同时也产甘华、百果、视肉、青鸟、青马等很多奇异的东西。《山海经》的作者把这些地方描写成人间乐园，这反映在《山海经》时代，人们因社会动乱不安，生活困难，想找到一个安定的乐园，以逃避当时不能安定而又困苦的生活。

208 甘华

海外北经，平丘，爰有甘华[1]。海外东经，嗟丘，爰有甘华。大荒东经，东荒之中，东北海外，爰有甘华。大荒西经，王母之山，爰有甘华。大荒南经，有盖犹之山，东又有甘华，枝干皆赤，黄叶。有南类之山，爰有甘华。大荒西经，有沃之国，爰有甘华。

【注释】

[1] **甘华** 郭璞注《山海经》云："亦赤枝干，黄华。"郝懿行《山海经笺疏》云："案，黄华亦当为黄叶，见大荒南经。"

疑甘华亦为神话植物。

四、海外东经植物药名诠释

209　杨桃

海外东经，螫丘，爰有杨桃[1]。

【注释】

[1] **杨桃** 今本作杨柳，另一本作杨桃。郝懿行《山海经笺疏》云："案《淮南子·地形训》，作杨桃。"

《齐民要术》卷10引《临海异物志》曰："杨桃似橄榄，其味甜，五月、十月熟。谚曰杨桃无魇，一岁三熟，其色青黄，核如枣核。"《临海异物志》所讲的杨桃，很像五敛子。五敛子浆果椭圆形，有3~5棱，熟时味甜微酸，此与"杨桃似橄榄，其味甜"相似。

五敛子一年内开花数次，自夏至秋相继不绝，秋冬果熟，此与"杨桃五月、十月熟，一岁三熟"义合。

五敛子的药用：《岭南杂记》云："五敛子能解肉食之毒。有人食猪肉，咽喉肿痛欲死，仆饮肉汁亦然，人教取杨桃食之，须臾乃起。又能解蛊毒、岚瘴。"《南越笔记》云："五敛子能辟岚瘴之毒。中蛊者，捣自然汁饮，毒即吐出。脯之或白蜜渍之，持至北方，不能水土与疟者，皆可治。"《本草纲目》云："五敛子，主风热，生津，止渴。"

五敛子的形态：《南方草木状》云："五敛子大如木瓜，黄色，皮肉脆软，味极酸。上有五棱如刻者，南人呼棱为敛，故以为名。"《桂海虞衡志》云："五敛子形甚诡异，瓣五出。闽中谓之杨桃。"《海槎余录》云："土果曰杨桃，大如拳，绿色明润，五棱并起剑脊，中核如花红子。"《南越笔记》云："树高五六丈，大者数围，花红色，一带数子，七八月间熟，色如腊。一名三敛子，亦曰山敛。敛，棱也。有五棱者，名五敛。"

按杨桃为酢浆草科植物五敛子 *Averrhoa carambola* L. 一类植物。杨桃果实能解食毒，亦可制作罐头、果干、果糕、蜜饯等，盐渍后，可做菜吃。杨桃鲜果能生津止渴、散风热，叶能利尿、清热、止痛、止血。

210　甘果

海外东经，螫丘，爰有甘果[1]。

【注释】

[1] **甘果** 泛指甘美的果子，详89"百果树"注 [1]。

211 薰华草

海外东经，䠝丘北，有薰华草[1]。

【注释】

[1] **薰华草** 郭璞注《山海经》云："薰华草，或作堇华草。"郝懿行《山海经笺疏》说："案，木堇见《尔雅》。堇，一名蕣，与薰声相近。"《尔雅》云："椴，木槿。"又云："榇，木槿。"郭璞注云："似李树，花朝生夕落，可食也。"《说文》云："蕣，木槿也，朝华暮落。"《毛诗》云："颜如舜华。"注云："木槿也。"《礼记》云："仲夏之月，木槿荣。"《吕氏春秋·仲夏纪》云："木堇荣。"高诱注云："木堇朝荣暮落，是月荣华，可用作蒸，杂家谓之朝生，一名蕣。"东方朔云："木槿，夕死朝荣。"《广志》曰："日及，木槿也。"《玄中记》云："君子之国，多木槿之华。"晋·羊徽《木槿赋》云："有木槿之初荣。"晋·潘尼《朝菌赋序》曰："朝菌者，盖朝华而暮落，世谓之木槿，或谓之日及，诗人以为舜华，宣尼以为朝菌。"《岭表录异》云："朱槿花，暮落朝开，插枝即活，故名之槿。"

木槿的药用：《本草拾遗》云："木槿皮，止肠风泻止，痢后热渴，作饮服之，令人得睡，并妙用。"《本草纲目》云："木槿皮，治赤白带下，肿痛，疥癣，洗目令明，润燥活血。木槿子，治偏正头风，烧烟熏患处；又治黄水脓疮，烧存性，猪骨髓调涂之。"

木槿的形态：《罗浮山记》云："木槿，一名赤槿，华甚丹，四时敷荣。"《南方草木状》云："朱槿花茎叶皆如桑，叶光而厚，树高止四五尺，一名赤槿，一名日及。"《本草衍义》云："木槿花如小葵，淡红色，五叶成一花，朝开暮敛。"《本草纲目》云："槿，小木也，可种可插，其木如李，其叶末尖而有桠齿，其花小而艳，或白或粉红。"

按薰华草疑为锦葵科植物木槿 *Hibiscus syriacus* L. 一类植物。

木槿栽在篱垣，可供观赏，其内皮纤维适合编制篾衣及造纸原料。木槿花、皮、根，能清热利湿，治痔疮肠风泻血、下痢脱肛、白带。其皮兼治疥癣。其叶主肠风，痢后热渴，嫩叶可代茶叶。木槿子（朝天子）治偏正头风，烧烟熏患处。子炒炭研细末，治黄水脓疮。

212 扶桑

海外东经，下有汤谷，汤谷上有扶桑[1]，十日所浴[2]。

【注释】

[1] **扶桑** 郭璞注《山海经》云："扶桑，木也。"《初学记》卷1引《山海经》作"扶桑木"。《楚辞·离骚》云："总余辔乎扶桑。"《淮南子·天文训》云："日出于旸（汤），浴于咸池，拂于扶

桑，是谓晨明。"《艺文类聚》卷88引《十州记》云："扶桑在碧海中，上有天帝宫，东王所治。"李善注《思玄赋》引《十州记》云："扶桑，叶似桑，树长千丈，大二十围，两两同根生，更相依倚，是以名之扶桑。"《说文解字系传·通释》云："锴按《十州记》曰：以其树相扶，故曰扶桑，葚如中国桑葚而金色，作扶字。"《太平御览》卷973引《汉武内传》云："药有扶桑、丹葚。"《齐民要术》卷10引《玄中记》云："天下之高者，有扶桑无枝木焉，上至于天，盘蜿而下屈，通三泉。"晋张载《安石榴赋》云："似西极之若木，譬东谷之扶桑。"

按，扶桑原是古人心目中的神树，而本草中有一种朱槿，形象似扶桑，亦以扶桑名之。《本草纲目》云："扶桑，产高方，乃木槿别种，其枝柯软弱，叶深绿，微涩如桑，其花有红、黄、白三色，红色者尤贵，呼为朱槿。"又云："东海日出处有扶桑树，此树花光艳照日，其叶似桑，因以比之。"

扶桑的药用：《本草纲目》云："治痈疽腮肿，取叶或花同芙蓉叶、牛蒡叶、白蜜研膏敷之。"

本草中的扶桑是锦葵科植物朱槿 Hibiscus rosa-sinensis L. 一类植物。扶桑茎皮纤维可代麻制绳索，织麻袋；根、叶及花入药，能利水、解毒消肿，治痈疽、腮肿。

[2] **十日所浴** 古人配日用十天干，那时人们认为甲日的太阳是一个，乙日的太阳又是一个，丙日的太阳又是一个，于是就有"十日"之说。"浴"的意思是指太阳从水中冒出来，好像洗了一个澡似的。登至太山顶上观看日出，可以见到这种情景。

213　大木

海外东经，在黑齿北，居水中，有大木[1]，九日居下枝，一日居上枝。

【注释】

[1] **大木** 郭璞注《山海经》云："……传曰，天有十日，日之数十。此云九日居下枝，一日居上枝。大荒经又云：一日方至，一日方出……"

郝懿行《山海经笺疏》云："《吕氏春秋·求人篇》云：'尧朝许由于沛泽之中曰，十日出而焦火不息。'《淮南子·兵略训》云：'武王伐纣，当战之时，十日乱于上。'《竹书》云：'帝勤八年，天有妖孽，十日并出。'又云：'桀时三日并出，纣时二日并出。'是皆变怪之征，非常所有，即与此经殊旨。"

疑大木为神话植物。

五、海内南经植物药名诠释

214　建木

海内南经，有木，其状如牛，引之有皮，若缨黄蛇，其叶如罗，其实如栾，其木若蓲，其名曰建木[1]，在窫窳西弱水上。

【注释】

[1] **建木** 郭璞注《山海经》云："建木，青叶，紫茎，黑华，黄实，其下声无响，立无影也。"《淮南子·地形训》云："建木在都广，众帝所自上下，日中无影，呼而无响。"

按，建木亦属神话树。在神话传说中，远古人和上天的神，可以互通的，途径是高山和大树，建木就是通往天上的大树中的一种。

215 罗

海内南经，丹山，有木，其叶如罗[1]。

【注释】

[1] **罗** 郭璞注《山海经》云："如绫罗也。"郝懿行《山海经笺疏》说："案郭说非也，上世淳朴，无绫罗之名，疑当为网罗也。"笔者既不同意郭璞之注，也不同意郝氏所说"疑当为网罗"。哪有叶子像网罗呢？按，《说文》《尔雅》罗皆释为檖。笔者同意罗即檖。《说文》云："檖，罗也。"《尔雅》云："檖，罗。"郭璞注云："檖，今杨檖也，实似梨而小，酢，可食。"郑注："山梨也。"左思《蜀都赋》云："橙、柿、樗、楟。"注云："楟，一名檖。"《汉书·司马相如传》云："亭、柰、厚朴。"张氏注云："亭，山梨也。"《诗经·秦风》云："隰有树檖。"陆玑《毛诗草木疏》云："檖，一名赤罗，一名山梨。今人谓之杨檖。其实如梨，但实甘小，异耳。一名鹿梨，一名鼠梨，今齐郡、广县、尧山、鲁国、河内、北中今有人亦种之，极有美者，亦梨之脆美者。"马瑞辰《毛诗传笺通释》云："隰有树檖。《传》：檖，赤罗也。瑞辰按……《毛传》言赤罗者，罗与檖一声之转。赤罗，犹言红梨耳。《尔雅·释木》又云：梨，山樆。释文：樆本作离。离与罗亦一声之转。"《埤雅》云："檖，一名罗，其文细密如罗，故曰罗也。"陈启源《毛诗稽古编》云："檖名赤罗，又名山梨，又名杨檖，名鹿梨，名鼠梨，实大如杏可食。"《本草》通称为鹿梨。

鹿梨的药用：《本草图经》云："鹿梨，人取其皮治疮癣及疥癞，云甚效。"又云："鹿梨煨食治痢。"

鹿梨的形态：《本草图经》云："江宁府信州，出一种小梨名鹿梨，叶如茶，根如小拇指。"《本草纲目》云："鹿梨，一名山梨，野梨也，处处有之。梨大如杏，可食，其木纹细密，赤者纹急，白者纹缓。"

疑罗或为蔷薇科植物鹿梨 *Pyrus calleryana* Dcne. 一类植物。鹿梨又名山梨、豆梨、杨檖、赤罗、鼠梨。

鹿梨树，其根皮捣烂，醋和，麻布包擦癣甚效。

216 栾

海内南经，丹山，有木，其实如栾。大荒南经，云雨之山，有木名曰栾[1]，黄本赤枝青叶。群帝焉取药。

【注释】

[1] **栾** 郭璞注《山海经》云："栾，木名，黄本，赤枝，青叶，生云雨云，或作卵，或作麻，音銮。"又云："言树、花、实，皆为神药。"郝懿行《山海经笺疏》云："案，《玉篇》：'栾木似栏。'郭说栾生云雨山者，见大荒南经。"又云："栾实，如建木实也。"《说文》："栾木似栏。"《说文解字系传·通释》云："栾，栾木似栏，错曰，栏，木兰也。"《救荒本草》云："栾树，叶似楝叶。"《礼纬》云："天子树松，诸侯柏，大夫栾，士槐，庶人杨。"疏引《春秋纬》云："天子坟高三仞树以松，诸侯丰之树以柏，大夫八尺树以栾，士四尺树以槐，庶人无坟树以杨柳。"沈括《补笔谈》云："栾，有一种树生，其实可作数珠者，谓之木栾，即本草栾华是也。"

栾的药用：《本草经》云："栾华味苦，寒，主目痛泪出，伤背，消目肿。"《唐本草》云："南人取花以合黄连作煎，疗目赤烂大效。"

栾的形态：《唐本草》云："栾华，叶似木槿而薄细，花黄似槐而小长大，子壳似酸浆，其中有实，如熟豌豆，圆黑坚硬，堪为数珠者，五月、六月花可收，其花以染黄色甚鲜好。"

按，栾为无患子科植物栾树 *Koelreuteria paniculata* Laxm. 一类植物，花可作黄色染料，叶可作青色染料，过去佛教取本树子作念珠。古代墓地植本树作为纪念，并以此表示等级，如《礼纬》所云"天子树松，诸侯柏，大夫栾，土槐，庶人杨"。

217 蕳

海内南经，丹山，有木，其状若牛，其木若蕳[1]。

【注释】

[1] **蕳** 郭璞注《山海经》云："蕳，亦木名，未详。"郝懿行《山海经笺疏》云："案，蕳，刺榆也。《尔雅》云：'樞，荎。'郭璞注引《诗》云：'山有蕳，今之刺榆。'《齐民要术》云：'刺榆，木甚牢韧，可以为犊车材。'《本草拾遗》云：'江东有刺榆，无大榆，皮入用不滑，刺榆秋实。'《诗经·唐风》云：'山有蕳。'陆玑疏云：'蕳，其针刺如柘，其叶如榆，沦为茹，美滑于白榆，针刺如柘，故有柘榆之称。'《广雅》云：'柘榆，梗榆也。'《方言》："凡草木刺人者，自关而东，或谓之梗（刺）。"郭璞注云："梗，今之梗榆也。"《说文》云："梗，山枌榆，有束（刺），荚可为芜荑也。"颜师古注《急就篇》云："刺榆，亦可以为芜荑。"

按，蕳（樞）为榆科刺榆属植物刺榆 *Hemiptelea davidii*（Hance）Planch. 一类植物。木材淡褐色，质坚而致密，所以《齐民要术》说："刺榆，木甚牢韧，可以为犊车材。"《诗经·唐风》所云："山有樞，隰有榆。"樞即刺榆。详115"榆"条注 [1]。

六、海内西经植物药名诠释

218 木禾

海内西经，昆仑之虚，上有木禾[1]，长五寻，大五围。海内西经，开明北，有木禾。

《齐民要术》卷10引《山海经》云："木禾，二月生，八月熟。"

【注释】

[1] **木禾** 郭璞注《山海经》云："木禾，谷类也，生黑水之阿，可食，见《穆天子传》。"郝懿行《山海经笺疏》云："案，《穆天子传》云：'黑水之阿，爰有野麦，爰有答堇，西膜之所谓木禾。'郭注引此《经》。李善注《思玄赋》亦引此《经》及郭注。"

按，郭璞所注，木禾亦是谷类的通称。但《山海经》所言形状"长五寻，大五围"，则木禾又像是神话植物。

219 珠树

海内西经，开明北，有珠树[1]。

【注释】

[1] **珠树** 郝懿行《山海经笺疏》云："案，《海外南经》云：'三珠树生赤水上。'，即此《淮南子·地形训》云：'昆仑之上，有珠树。'又云：'曾城九重珠树在其西。'"《庄子·天地》云："黄帝游乎赤水之北，登乎昆仑之丘而南望，还为，遗其玄珠。"《本草纲目》云："珠树即琅玕也。"

疑珠树为珊瑚一类物品。

220 文玉树

海内西经，开明北，有文玉树[1]。

【注释】

[1] **文玉树** 郭璞注《山海经》云："文玉树为五彩玉树。"郝懿行《山海经笺疏》云："案，《淮南子》云：'昆仑之上有玉树。'王逸注《离骚》引《括地象》云：'昆仑有琼玉之树。'"王逸注《楚辞·九歌》云："琼芳，琼玉枝也。"

疑文玉树为珊瑚一类物品。

221 玗琪树

海内西经，开明北，有玗琪树[1]。

【注释】

[1] **玗琪树** 郭璞注《山海经》云："玗琪，赤玉属也。吴天玺（276），临海郡吏伍曜，在海水际，得石树，高二尺余，茎叶紫色，诘曲倾靡，有光彩，即玉树之类也。于其两音。"郝懿行《山海经笺疏》云："案，郭注见《宋书·符瑞志》唯二尺作三尺，茎叶作枝茎，诘曲作诘屈为异，其余则同。但据郭所说，则似珊瑚树，恐非玗琪树色。玗琪见《尔雅·释地》。"按郭璞所注，玗琪树亦是珊瑚之类。详228"琅玕树"条注 [1]。

222　不死树

海内西经，开明北，有不死树[1]。

【注释】

[1] **不死树** 郭璞注："不死树，言长生也。"《淮南子》云："昆仑之上有不死树。"《博物志》云："员丘山上有不死树，食之乃寿。"汉·张衡《思玄赋》云："登阆风之层城兮，构不死而为床。"李善注《思玄赋》引《山海经》云："不死树，食之长寿。"又引《古今通论》云："不死树在层城西。"《吕氏春秋·本味》云："菜之美者，寿木之华。"高诱注云："寿木，昆仑山上木也。华，食也，食其实者不死，故曰寿木。"

按，"不死树"应是传说的神话植物，它的产生与神仙思想有关，原来古人祈求健康长寿是很自然的愿望。但是，经过道家煽扬，即为权贵们所重视，这些权贵们只愁生命太短，不能永享富贵，于是到处寻求长生不死之药，而"不死树"就是他们幻想的东西。

223　离朱

海内西经，昆仑之虚，开明北……有离朱[1]、木禾、柏树。海外北经，务隅之山，爰有离朱。

【注释】

[1] **离朱** 离朱有三种解释：一说是木名，一说是鸟名，一说是人名。

离朱是木名：郭璞注云："离朱，木名也，见《庄子》。"

离朱是鸟名：离朱目力好，鸟的目力亦好，离朱当为鸟名。

离朱是人的名称：《庄子·天地》云："黄帝遗其玄珠，使知索之而不得，使离朱索之而不得，使喫诟索之而不得也，乃使象罔，象罔得之。"《淮南子·原道训》云："离朱之明，察箴（针）末于百步之外。"《列子·汤问篇》云："离朱子羽方昼拭眥，扬眉而望之，弗见其形。"汉·赵岐注《孟子》云："黄帝亡其玄珠，使离朱索之，离朱即离娄也，能视于百步之外，见秋毫之末。"

按郭璞所注，离朱为木名，是什么木，不详，亦可能是神话植物。

224 柽木

海内西经，开明北，有柽木[1]。

【注释】

[1] **柽木** 郭璞注《山海经》云："柽木，食之令人智圣也。"《说文》云："柽，河柳也。"《尔雅》云："柽，河柳。"郭璞注云："今河傍赤茎小杨。"《诗经·大雅》云："其柽其椐。"陆玑《毛诗草木疏》云："皮正赤如绛。一名雨师，枝叶似松。"《尔雅翼》云："柽叶细如丝，婀娜可爱，天之将雨，柽先起气以应之，故一名雨师。"《汉书·西域传》云："鄯善国多葭苇柽柳。"《广韵》云："柽，河柳也。"《南都赋》云："柽似柏而香。"《南越志》云："绥南县多柽。"段成式《酉阳杂俎·木篇》云："赤白柽，出凉州，大者为炭，入以炭汁，可煮铜为银。"

柽的药用：《开宝本草》云："赤柽木，无毒，主剥驴马血入肉毒，取以火炙用熨之，亦可煮汁浸之。其木中脂，一名柽乳，入合质汗用之。"

柽的形态：《本草图经》曰："赤柽木生河西沙地，皮赤叶细，即是今所谓柽柳者。"《本草衍义》云："赤柽木又谓之三春柳，以其一年三秀也，花肉红色，成细穗。"崔豹《古今注》云："赤杨霜降则叶赤，材理亦赤也。"梁江淹《柽颂》云："柽，一名朱杨。"《汉书·司马相如列传》云："檗，离朱杨。"

按，柽为柽柳科植物柽柳 *Tamarix chinensis* Lour. 一类植物。本树耐碱力大，在淤黄河一带土质呈碱性，他树不易生长，而本树生长则旺盛。又本树一年能开三次花，故有"三春柳"之称。其老枝供编制筐篮。

柽柳亦名西河柳，味甘、辛，性温，能发汗，解热，透疹，利尿，可用于麻疹初期发热和疹出不透。（疹已出，体弱者忌用）亦可治外感咳嗽和慢性支气管炎，外用能治癣湿。

225 曼兑

海内西经，开明北有曼兑[1]，一日挺木牙交[2]。

【注释】

[1] **曼兑** 疑即兑草。《名医别录》云："兑草，味酸、平，无毒。主轻身益气长年。生蔓草木上，叶黄有毛，冬生。"

[2] **挺木牙交** 郭璞注《山海经》云："《淮南》作璇树，璇玉类也。"郝懿行《山海经笺疏》云："案，《淮南子》云：'昆仑之上有璇树'。盖璇树一名挺木牙交，故郭氏引之。疑经文上、下，当有脱误。或挺木牙交四字即璇树二字之形讹，亦未可知。璇当为琁。高诱注《淮南子·地形训》云'琁音穷'，是也。明藏本牙作互。臧庸曰：'挺木牙关为曼兑之异交，兑读为锐。'挺当为梃字之讹也。"

226 不死之药

海内西经，昆仑之虚，开明东，有巫彭、巫抵、巫阳、巫履、巫凡、巫相[1]，夹窫窳之尸，皆操不死之药[2]以距之[3]。

【注释】

[1] **巫彭……巫相** 郭璞注《山海经》云："皆神医也。《世本》曰：'巫彭作医。'《楚辞》曰：'帝告巫阳。'"郝懿行《山海经笺疏》云："案，《说文》云：'古者巫彭初作医。'郭引《楚辞》者《招魂篇》文也，余详大荒西经。"

《山海经·大荒西经》："大荒之中，有山名曰丰沮、玉门，日月所入，有灵山，巫咸、巫即、巫盼、巫彭、巫姑、巫真、巫礼、巫抵、巫谢、巫罗、十巫，从此升降，百药爰在。"郭璞注云："群巫上下，此山采之也。"《说文》云："古者巫咸初作巫。"

《史记·封禅书》云："伊陟赞巫咸，巫咸之兴自此始。"注云："巫咸，按《尚书》巫咸殷臣名，《楚辞》以巫咸神。"《楚辞·离骚》云："巫咸将夕降兮。"《越绝书》："虞山者，巫咸所出也。"

在原始社会瓦解后，出现私有制和剥削的关系，于是产生了支管祈祷、祭祀的"巫"。巫代表氏族显贵的利益行事，把人们幻想中的"神"加以人格化，主持祭祀，兼用迷信替人治病。所谓操的"不死之药"，都是一些幻想的东西。

[2] **不死之药** 是一种神话的传说。《淮南子·览冥训》云："羿请不死之药于西王母，姮（嫦）娥窃以奔月。"唐章怀太子注《后汉书·天文志》引张衡说："羿请无死之药于西王母，姮娥窃以奔月。"《史记·封禅书》云："蓬莱、方丈、瀛州，此三神山者，其传在渤海中，诸仙人及不死之药皆在焉。"

[3] **以距之** 郭璞注《山海经》云："为距却死气，求更生。"

227 服常树

海内西经，昆仑之虚，开明东，有服常树[1]。

【注释】

[1] **服常树** 郭璞注《山海经》云："服常木未详。"郝懿行《山海经笺疏》云："案，《淮南子》云：'昆仑之上，沙棠、琅玕在其东。'疑服常即沙棠也。服，《玉篇》《广韵》并作棚，云木出昆仑也。"

按《山海经·西次三经》云："昆仑之丘，有木焉，其状如棠，华黄，赤实，其味如李而无核，名曰沙棠。"《汉书·司马相如传》云："沙棠栎楮。"《艺文类聚》卷87云："沙棠，如棠，味如李，无核。《吕氏春秋》果之美者，沙棠之实。"高诱注《吕氏春秋·本味》云："沙棠，木名也。"《艺文类聚》卷87引晋·张协《都蔗赋》曰："皋苏妙而不逮，何况沙棠与椰实。"《本草纲目》卷31 沙棠果条："沙棠，今岭外宵乡浣水罗浮山中皆有之，木状如棠，黄花，赤实，其味如李而无核，食之却水病。"

按，李时珍所云沙棠果，很像沙梨。沙棠的花近黄色，果皮赤褐色。

郝懿行认为服常树或即沙棠，沙棠很像沙梨。疑服常树或为蔷薇科植物沙梨 *Pyrus serotina* Rehd. 一类植物。

228　琅玕树

海内西经，开明东有琅玕树[1]。

【注释】

[1] **琅玕树**　《尚书·禹贡》云："雍州厥贡璆琳琅玕。"《尔雅·释地》云："西北之美者，有昆仑墟之璆琳琅玕。"《说文》云："琅玕似珠。"《庄子》云："积石千里，天为生食，其树名琼枝，高百仞，以璆琳琅玕为实。"《本草图经》引《异鱼图》云："琅玕青色，生海中，云海人于海底以纲挂得之。初出水红色，久而青黑，枝柯似珊瑚，而上有孔窍如虫蛀，击之有金石声，乃与珊瑚相类。"

按《异鱼图》所言形状，琅玕应是珊瑚的一种。《唐本草》云："珊瑚，味甘、平，无毒。主宿血，去目中翳，鼻衄，末，吹鼻中，生南海。"

珊瑚的形态：《本草图经》云："珊瑚生海底，作枝柯状，明润如红玉，中多有孔，亦有无孔者。按《海中经》曰：取珊瑚，先作铁网沉水底，珊瑚贯中而生，岁高三二尺，有枝无叶，因绞网出之，皆摧折在网中，故难得完好者。"又云："汉积翠池中有珊瑚，高一丈二尺，一本三柯，上有四百六十三条，云是南越王赵佗所献，夜有光影。"

按珊瑚为矾花科动物桃色珊瑚等珊瑚虫分泌的石灰质骨骼。

桃色珊瑚 *Corallium juponicum* Kis hinouze 是水生群栖腔肠动物，群体呈树枝状，枝的表面有多数水螅体，称为珊瑚虫，虫体能分泌石灰质而形成骨骼，其名珊瑚。

229　树

海内西经，昆仑之虚，开明南有树[1]。

【注释】

[1] **树**　郝懿行《山海经笺疏》云："案，树盖绛树也。《淮南子》云：'昆仑之上，绛树在其南。'"

疑绛树或即朱树。《艺文类聚》卷89引《山海经》曰："昆仑山上有朱树。"详242"朱木"条注[1]。

230　秩树

海内西经，昆仑之虚，开明南有秩树[1]，于表池树木。

【注释】

[1] **秩树** 郭璞注《山海经》云："木名未详。"

疑秩树或为神话植物。

七、海内经植物药名诠释

231 膏菽

海内经，西南黑水之间，有都广之野，爰有膏菽[1]。

【注释】

[1] **膏菽** 郭璞注《山海经》云："言味好皆滑如膏。《外传》曰：'膏粱之子，菽豆粢粟也。'"赵岐注《孟子》云："膏粱细粟如膏者也。"《说文》云："尗，豆也。"《尚书·大传》："火昏中可以种黍菽。"《淮南子·主术训》云："大火中则种黍菽。"《诗经》云："采萧获菽""七月烹葵及菽""中原有菽，庶民采之"。《毛诗传笺》云："菽，大豆也。"《诗经·生民》："艺之荏菽。"《毛诗传笺》云："荏菽，大豆也。"《尔雅》云："戎菽，荏菽。"孙炎注云："大豆也。"

菽的药用：《本草经》云："大豆，味甘平，涂痈肿，煮汁饮，杀鬼毒，止痛。"《名医别录》云："逐水胀，除胃中热痹，伤中，淋露，下瘀血，散五脏结积，内寒。杀乌头毒。"

菽的形态：《吕氏春秋》云："大菽则圆。"《素问·藏气法时论》："大豆咸。"《氾胜之书》云："高田可种大豆。"《淮南子·主术训》云："菽，夏生冬死。"《本草纲目》云："大豆苗高三四尺，叶圆有尖，秋开小白花，成丛，结荚长寸余，经霜乃枯。"《春秋》："定元年十月，陨霜杀菽。"

按，菽为豆科植物各种豆的统称，大菽多指大豆 *Glycine max* (L.) Merr 一名黄豆，黑大豆、大青豆。

大豆能活血、利水、祛风、解毒，治水肿胀满、风毒脚气、黄疸浮肿，生大豆研末能外敷痈肿。大豆油能润肠治肠梗阻。大豆制成豆豉，能解表和中健胃，治感冒发热无汗、热病虚烦不眠、血尿，合麦芽能退乳，哺乳妇女忌用。制成大豆黄卷，能解表、清热、利湿，治湿热内蕴。豆卷的功效似豆豉，但豆豉偏于解表发汗，豆卷偏于清解湿热。

232 灵寿木

海内经，西南黑水之间，有都之广野，灵寿[1]实华。

【注释】

[1] **灵寿** 郭璞注《山海经》云："灵寿，木名也，似竹有枝节。"郝懿行《山海经笺疏》云："案，《尔雅》云：'椐，樻。'即灵寿也。《诗》释文引《毛诗草木疏》云：'节中肿似扶老，即今灵寿是也，今人以为马鞭及杖，宏农共北山皆有之。'"

按，郭璞同郝懿行所注，灵寿木即古书上所讲的"椐"。《诗经·大雅》云："其柽其椐。"《毛传》云："椐，樻也。"陆玑《毛诗草木疏》云："椐，樻，节中肿似扶老，即今灵寿是也。今以为马鞭及杖，宏农共北山皆有之。"《尔雅》云："椐，樻。"郭璞注云："肿节可以为杖。"《汉书·孔光传》云："光称疾辞位，太后诏赐灵寿杖。"孟康曰："扶老，杖也。"颜师古注《汉书·孔光传》说："灵寿木似竹有节，长不过八九尺，围可三四寸，自然有合杖之制，不须削理也。"服虔曰："灵寿，木名。"汉·李尤《灵寿杖铭》："亭亭寄干，实曰灵寿。"王粲颂曰："寄干坚正，不待矫揉。"《说文解字注》引常璩云："朐忍县有灵寿木。"又引刘逵云："灵寿木出涪陵。"《水经注》云："巴乡村侧有溪，溪中多灵寿木。"

陈藏器《本草拾遗》云："灵寿木根皮，味苦，平。止水。作杖，令人延年益寿。生剑南山谷。圆长皮紫。"

按颜师古所注，灵寿木很像棕竹 *Rhapis excelsa*（Thunb.）Henry ex Rehd. 一类植物。

疑灵寿木或为棕榈科植物棕竹一类植物。详196"扶竹"条注［1］。

233　冬夏不死草

海内经，西南黑水之间，有都广之野，草木所聚，此草也，冬夏不死[1]。

【注释】

［1］**冬夏不死**　此条所讲的"草木所聚，此草也，冬夏不死"，类似今日的常绿植物。常绿植物叶的寿命是二三年或更长，每年都有部分新生和部分脱落。由于陆续更新，故终年保持常绿，表现冬夏不死的状态。

八、大荒南经植物药名诠释

234　木叶

大荒南经，有盈民之间于姓，黍食，又有人方食木叶[1]。

【注释】

［1］**木叶**　郝懿行《山海经笺疏》云："案，《吕氏春秋·本味篇》高诱注云：'赤木、玄木，其叶皆可食，食之而仙也。'又《穆天子传》云：'有模堇，其叶是食。'明后亦此类。"

按，《山海经·大荒东经》有"中容人食兽木实"。郭璞注云："此国中有赤木、玄木，其华实美，见《吕氏春秋》。"《吕氏春秋·本味》云："指姑之东，中容之国，有赤木、玄木之叶焉。"高诱注云："赤木、玄木，其叶皆可食，食之而仙。"

疑赤木、玄木皆为神话植物。

235　甘木

大荒南经，有不死之国，阿姓，甘木[1]是食。

【注释】

[1] **甘木** 郭璞注《山海经》云："甘木即不死树，食之不老。"郝懿行《山海经笺疏》云："案不死树在昆仑山上，见《海内西经》。不死民见《海外南经》。"详222"不死树"条注[1]。

236 谷

大荒南经，有载民之国，盼姓，食谷[1]，不绩不经服也[2]，不稼不穑食也[3]。大荒西经，西北海之外，有西周之国，姬姓，食谷。有先民之国食谷。大荒北经，有儋耳之国，任姓，愚号子食谷。

【注释】

[1] **谷** 是粮食的总称。狭义的谷子指小米，也指稻米。

[2] **不绩不经服也** 郭璞注《山海经》云："言自然有布帛也。"

[3] **不稼不穑食也** 郭璞注《山海经》云："言五谷自生也，种之为稼，收之为穑。"

237 枫木

大荒南经，有宋山者，有木生山上，名曰枫木[1]。枫木，蚩尤所弃其桎梏，是为枫木。

【注释】

[1] **枫木** 郭璞注《山海经》云："蚩尤为黄帝所得，械而杀之，已摘弃其械，化而为树也。"郝懿行《山海经笺疏》云："案，《尔雅》云：'枫，欇欇。'郭注云：'枫树似白杨，叶圆而歧，有脂而香，今之枫香是。'《广韵》引此《经》云：'变为枫木脂入地，千年化为虎魄。'此说恐非也。虎魄，松脂所化，非枫也。又引孙炎云：'欇欇生江上，有寄生，枝高三四尺，生毛，一名枫子，天旱以泥泥之即雨。'《南方草木状》云：'五岭之间多枫木，岁久则生瘤瘿，一名遇暴雷骤雨，其树赘暗长三五尺，谓之枫人。'《述异记》云：'南中有枫子，鬼木之老者，为人形。'然则枫亦灵怪之物，岂以其蚩尤械所化，故与郭注摘弃之。摘当为擿字之讹也。"《艺文类聚》卷89引《山海经》曰："黄帝杀蚩尤，弃其械，化为枫树。"《楚辞·离骚·招魂》："湛湛江水，上有枫。"王瓘《广轩辕本纪》云："黄帝杀蚩尤于黎山之丘，掷其械于大荒之中，宋山之上，其械化为枫木之林。"《尔雅》："枫，欇欇。"郭注云："天风则鸣故曰欇，欇树似白杨，叶圆而歧，有脂而香。"《说文解字系传·通释》云："枫木厚叶弱枝，善摇，一名欇。锴曰，今人谓其上瘤为欇，欇遇风雨则长，或三四尺，亦曰枫人。"《晋宫阁名》："华林园枫香三株。"

枫的药用：《唐本草》云："枫树皮，味辛平，有小毒，主水肿，下水气，煮汁用之。枫香脂，味辛、苦、平，无毒，主瘾疹、风痒、浮肿、齿痛，一名白胶香。"《本草拾遗》云："枫皮性涩，止水痢。"

枫的形态：《南方草木状》云："枫香树，子大如鸭卵，二月花发，乃连著实，八、九月熟。"《唐本草》云："枫树高大，叶三角，商洛之间多有，五月斫树为坎，十二月采指。"

按，枫为金缕梅科植物枫香树 Liquidambar taiwaniana Hance epith mut.。枫树入秋叶红可爱，俗称的枫树，除本种植物外，亦指槭树科的槭属树木。槭树叶入秋亦变红，但槭树果实是翅果，而枫树果实为集合果，球形、有刺，中药称之为路路通，有利尿、消水肿作用。

238　嘉谷

大荒南经，有小人名曰焦侥之国，几姓，嘉谷[1]是食。

【注释】

[1]　**嘉谷**　指谷中之优良者，《诗经·大雅》云："荓厥丰草，种之黄茂。"《毛传》云："黄，嘉谷也。"孔颖达疏："谷之黄色者，唯黍、稷耳。黍、稷，谷之善者，故云：'黄，嘉谷也。'以黍、稷为民食之主，故举以为言。"

按，古代所讲的嘉谷，是指黍、稷。

239　芑

大荒南经，大荒之中维宜芑[1]是食。

【注释】

[1]　**芑**　芑的同名异物很多。本条"芑"拟释两种植物，即粟与苦菜。从本条文义来看，把"芑"释为粟是对的。郭璞注《山海经》引《管子》说地所宜云："其种穋杞黑黍，皆禾类也。"

（1）芑为粟的品种之一：《诗经·生民》云："维穈维芑。"芑、穈是粟的两个品种，《尔雅》云："穈，赤苗；芑，白苗。"郭璞注云："穈，赤粱粟也；芑，白粱粟也。"《说文》云："芑，白苗，嘉谷。"按郭璞注《尔雅》所云，芑即白粱粟。

白粱米的药用：《名医别录》云："白粱米，味甘，微寒，无毒。主除热，益气。"

白粱米的形态：《唐本草》注云："白粱，穗大多毛且长。诸粱都相似，而白粱谷粗扁长，不似粟圆也，米亦白而大，食之香美。"

按，白粱应为禾本科植物粟 Setaria italica。粟在古代亦称"禾""稷""谷"，今北方通称"谷子"，去壳名"小米"。粱是粟的特别好的品种，今已无此差别。

（2）芑是苦菜：《诗经·大雅》："丰水有芑。"《诗经·小雅》云："薄言采芑。"《毛传》云："芑，菜也。"朱熹集注云："芑，苦菜也。"《本草经》云："苦菜，一名荼草。"《唐本草》注云："苦菜，诗云：谁谓荼苦。"《尔雅》云："荼，苦菜。"《说文解字系传·通释》云："荼，苦荼也。锴按，即今茶茗也，又菜名，今野苦苣也。"《诗经》曰："有女如荼。"《周礼》有掌荼下士掌聚荼。《国语》曰："白羽之矰，望之如荼。"《荆楚岁时记》引犍为舍人曰："杏华如荼可耕。"《月令》云："王瓜生，苦菜秀。"《名医别录》云："苦菜，一名游冬。"

苦菜的药用：《本草经》云：“苦菜，味苦、寒。主五脏邪气，厌谷，胃痹。”《名医别录》云：“疗肠澼，渴，热中疾，恶疮。耐饥寒。”《本草衍义》云：“折之白乳汁出，常常点瘊子自落。”

苦菜的形态：《名医别录》云：“生山陵道傍，凌冬不死。”陶弘景引《桐君录》云：“苦菜，三月生扶疏，六月华，从叶出，茎直黄，八月实黑，实落根复生，冬不枯。”《颜氏家训》按《易通卦验玄图》云：“苦菜生于寒秋，经冬历春，得夏乃成，一名游冬。叶似苦苣而细，断之有白汁，花黄似菊。”陆玑《毛诗草木疏》云：“荬菜似苦菜也，茎青白色，摘其叶有白汁出，脆，可生食，亦可蒸为茹，青州人谓之荬，西河雁门荬尤美。”

按荬为苦菜，即菊科植物苦苣菜 *Sonchus oleraceus* L. 一类植物。苦菜，味苦，性寒，有清热、凉血、解毒的作用，能治黄疸、痢疾、血淋、痔疾、肿疖、蛇伤等症。

240　苣

大荒南经，大荒之中，维宜苣[1]是食。

【注释】

[1]　**苣**　郭璞注《山海经》云：“苣，黑黍，今字作禾旁秬。”苣即秬，是黍的品种之一。《诗经·生民》云：“天降嘉谷，维秬维秠。”注曰：“皆赤黑黍，但其中米异耳。”又《诗》云：“秬鬯一卣。”郑氏注云：“酿黍为酒，秬如黑黍，秠一稃二米。”《素问·五常政大论》曰：“其谷黅秬。”又《气交变大论》云：“其谷秬。”《尔雅》云：“秬，黑黍。”李巡疏曰：“黑黍，一名秬黍，秬即黑黍之大名也。”郭璞注云：“汉和帝（89—104）任城（山东济宁）生黑黍，或三四实，实二米。”《吕氏春秋·本味》云：“伊尹曰：南海之秬。”高诱注云：“秬，黑黍也。”

黍的药用：《名医别录》云：“黍米，味甘、温，无毒。主益气、补中，多食令人烦。”陶弘景云：“黑黍名秬，共酿酒祭祀用之。”孟诜云：“黍米……不得与小儿食之，令不能行。若与小猫、犬食之，其脚便躃曲行不正。”

黍的形态：《说文》云：“黍，禾属而黏者也，以大暑而种，故谓之黍。”陶弘景曰：“其苗如芦而异于粟粒亦大。”《尔雅翼》云：“屈原死，楚人以菰叶裹黍祠之，谓角黍。”

按苣（秬）为禾本科植物黍 *Panicum miliaceum* L. 的种子黏者，聚穗，秆上有毛。若种子黏，散穗，秆上无毛，称为稷。黍米能补中益气，止吐逆胃痛、咳嗽、泻痢，小儿口疮。黍茎及根能利尿，消水肿，妊娠尿血。详251“黍”条注〔1〕。

241　穆

大荒南经，大荒之中，维宜穆[1]是食。

【注释】

[1]　**穆**　郭璞注《山海经》引《管子》说地所宜云：“其种穆黑黍，皆禾类也。”《诗经·豳风·七月》云：“黍稷重穋，禾麻菽麦。”《诗经·鲁颂·閟宫》云：“黍稷重穋，稙稺菽麦。”《毛传》

云："先种曰稙，后种曰稚；先熟曰穋，后熟曰重。"按穋为早熟谷物的统称。

242 朱木

大荒南经，丘山，爰有朱木[1]，赤枝，青华，玄实。大荒西经，盖山之国，有树，赤皮枝干，青叶，名曰朱木。

《艺文类聚》卷89引《山海经》曰："昆仑山上有朱树。"

【注释】

[1] **朱木** 郭璞注《山海经》云："朱木，或作朱威木也。"按文献所述，朱木很像苏方木。《艺文类聚》卷89引《世说新语》云："朱木，松柏属。"《诸蕃志》云："苏木，树如松柏。"《山海经》云："昆仑山上有朱树。"《唐本草》云："苏方木自昆仑来。"《山海经》曰："朱木，赤枝……赤皮枝干。"《诸蕃志》云："苏木，其色红赤，可以染绯紫。"《广西通志》云："苏木枝正赤色。"《山海经》曰："朱木，玄实。"《南方草木状》云："苏枋树，黑子。"《事物绀珠》云："苏木，子初青熟黑。"

苏方木的药用：《唐本草》云："苏方木，味甘、咸、平，无毒。主破血，产后血胀闷欲死者，水煮（若）酒煮五两，取浓汁服之效。"

苏方木的形态：《唐本草》云："树似庵萝，叶若榆叶而无涩，抽条长丈许，花黄，子生青熟黑。"徐表《南海记》云："苏木生海畔，叶似绛，木若女贞。"

按，苏方木为豆科植物苏木 *Caesalpinia sappan* L. 一类植物。苏木树枝去皮煎液，可入红色染料。自树根可制得黄色染料。其干材削为短段，可作药用，治产后瘀阻，自滞经闭，及跌扑损伤，瘀滞作痛等症。

九、大荒西经植物药名诠释

243 柜格之松

大荒西经，西海之外，大荒之中，有方山者，上有青树[1]，名曰柜格之松[2]。

【注释】

[1] **青树** 郝懿行《山海经笺疏》云："案，《初学记》卷一引此《经》作'青松。'"

[2] **柜格之松** 疑即松树的一种。详14"松"条注[1]。

244 百药

大荒西经，大荒之中，有灵山、巫咸、巫即、巫盼、巫彭、巫姑、巫真、巫礼、巫抵、巫谢、巫罗十巫，从此升降，百药[1]爰在。

【注释】

[1] **百药**　是各种药物的泛称。这条经文原是神话的传说，所讲的"百药"当属神话的内容。详226"不死之药"条注[2]。

245　白柳

大荒西经，海山，有沃之国，爰有白柳[1]。《初学记》卷28引《山海经》云："大荒西经，决（沃）民之国有白柳。"

【注释】

[1] **白柳**　疑为杨柳科植物旱柳。按旱柳木材白色。有关柳的介绍，详87"柳"条注[1]。

246　白木

大荒西经，海山，有沃之国，爰有白木[1]。

【注释】

[1] **白木**　郭璞注《山海经》云："树色正白，今南方有文木，亦黑木也。"按，树色正白的植物很多，如桦木科植物白桦 *Betula platyphylla* Suk. 一类植物。

十、大荒北经植物药名诠释

247　竹林

大荒北经，卫于山，丘方员三百里，丘南帝俊竹林[1]在焉，大可为舟。

【注释】

[1] **竹林**　郭璞注《山海经》云："言舜林中，竹一节，则可为船也。"郝懿行《山海经笺疏》云："案，《初学记》引《神异经》云：'南方荒中有沛竹，其长百丈，围二丈五六尺，厚八九寸，可以为船。'《广韵》引《神异经》云：'箐竹，一名太极，长百丈，南方以为船。'《玉篇》云：'等竹长千丈，为大船也，生海畔。'即此类。"

248　棠木

大荒北经，大荒之中，有山名衡天，有先民之山，有棠木[1]千里。

【注释】

[1] 橠木　郝懿行《山海经笺疏》云："案，《大戴礼·五帝德篇》云：'东至于蟠木。'《史记·五帝纪》同，疑即此也。"《说文解字系传·通释》云："橠，橠也。锴按《尔雅》橠亦桃名也。"

按，橠木亦是《山海经》的神话植物，详255"盘桃"条注 [1]。

249　寻竹

大荒北经，有岳之山，寻竹[1]生焉。

【注释】

[1] **寻竹**　郭璞注《山海经》云："寻，大竹名。"郝懿行《山海经笺疏》云："案《玉篇》作筹云：竹长千丈，可以为大船也。"《楚辞·七谏》："便娟之条竹。"《汲冢周书》："路人大竹。"注云："路人东方蛮贡大竹。"《本草纲目》云："寻竹可以为舟船。"

疑寻竹为禾本科植物毛竹 *Phyllostachys pubescens* Mazel.，通常高二三丈，大者有高达七八丈，可作栋梁、桅杆等用。

250　若木

大荒北经，大荒之中，洞野之山，上有赤树，青叶赤华，名曰若木[1]。海内经，南海之外，黑水青水之间，有木名曰若木。

【注释】

[1] **若木**　郭璞注《山海经》云："生昆仑西附西极，其华光赤下照地。"《文选·月赋》注引《山海经》云："若木，日之所入处。"《楚辞·离骚》："折若木以拂日兮。"王逸注云："若木在昆仑西极，其华照下地。"《淮南子·地形训》："若木在建木西，末有十日，其华照下地。"高诱注云："若木端有十日，状如莲华。"晋·张载《安石榴赋》云："似西极之若木，譬东谷之扶桑。"晋·张协《安石榴赋》云："脐绛采于扶桑，接朱光于若木。"

按，若木亦是古人心目中的神树，和扶桑相似。扶桑是东极的大树，若木是西极的大树。

十一、大荒东经植物药名诠释

251　黍

大荒东经，有芍国黍[1]食。有司幽之国食黍。有黑齿之国，姜姓黍食。有国曰玄股黍食。

大荒南经，大荒之中，有不庭之山，姚姓黍食。有季禺之国，颛顼之子食黍。

有盈民之国，于姓黍食。有蒇民之国，桑姓食黍。有国曰颛顼生伯服食黍。

大荒北经，有胡不与之国，烈姓黍食。有大人之国，厘姓黍食。有叔歜国，颛顼之子黍食。有毛民之国，依姓食黍。有齐州之山，威姓，少昊之子食黍。西北海外，流沙之东，有国曰中𫍙，颛顼之子食黍。

海内经，有都广之野，爰有膏黍。

【注释】

[1] 黍　郭璞注《山海经》云："言此国中，惟有黍谷也。"郝懿行《山海经笺疏》云："案，芶国盖即濊貊也。《后汉书·乌桓传》云：'其土地宜穄及东墙，今穄似黍而大，即黍之别种也。'《众经音义》引《仓颉篇》云：'穄，大黍也，东方地宜穄黍，故兹篇所记，并云黍食矣。'"

黍在古代是人们生活中的主要粮食之一。《诗经·豳风》云："黍稷重穋，禾麻菽麦。"《诗经·周颂》云："丰年多黍多徐。"《诗经·小雅》云："黍稷稻粱，农夫之庆。"黍与稷在《诗经》中出现的次数很多，说明黍在当时成为民之主食。于省吾《商代的谷类作物》一文，谓殷代甲骨文记黍的有百余见。

《礼记》曰："仲夏之月，农乃登黍。"《说文》曰："以大暑而种，故谓之黍。"《吕氏春秋》曰："饭之美者，南海之柜。"注云："柜，黑黍。"《尔雅》曰："柜，黑黍。"《淮南子》曰："渭水多力而宜黍。"《艺文类聚》卷85引晋·稽含《孤黍赋》曰："余慎终屋之南荣，有孤黍生焉。"

黍米的药用：《名医别录》云："黍米，味甘温，无毒。主益气补中，多热，令人烦。"孟诜："黍米，性寒……小儿食之，令不能行。若与小猫、犬食之，其脚便踾曲行不正。"

黍的形态：陶弘景《本草经集注》云："黍苗如芦而异于粟，粒亦大，今人多呼秫粟为黍，非矣。"《唐本草》云："黏者为秫，不黏者为黍，可食。"《本草纲目》云："稷之黏者为黍，粟之黏者为秫，粳之粘者为糯。"又云："稷与黍一类二种，黏者为黍，不黏者为稷。"胡先骕《经济植物学》云："河北人之区别黍、稷，谓黍秆生而有毛，稷（穄）秆无毛；黍穗聚，而稷穗散。"

黍生长期短：郭义恭《广志》云："三月种者为上时，五月即熟。四月种者为中时，七月即熟。五月种者为下时，八月乃熟。"由于黍生长期短，高寒地区也可种，《孟子·告子下》云："夫貉（地名），五谷不生，惟黍生之。"汉代赵岐注云："貉在北方，其气寒，不生五谷，黍早熟，故独生之也。"

按，黍为禾本科植物稷 *Panicum miliaceum* L. 一类植物。黍在我国西北、华北各地种植甚广，谷粒供食用或酿酒。

252　扶木

大荒东经，大荒之中，有山名曰孽摇頵羝，上有扶木[1]，柱三百里，其叶如芥。有谷曰温源谷[2]。汤谷上有扶木，一日方至，一日方出[3]。

【注释】

[1] **扶木** 郝懿行《山海经笺疏》说:"扶木,当为榑木。"《淮南子·地形训》云:"扶木在阳州,日之所曤(照)。"高诱注云:"扶木,扶桑也,在汤谷之南海外。"《说文解字系传·通释》:"唬,厚怒声,错曰:东方朔《十洲记》:'扶木,声若牛唬。'"

[2] **温源谷** 郭璞注《山海经》云:"温源即汤谷也。"又云:"扶桑在上。"郝懿行《山海经笺疏》云:"案,《说文》云:'日初出东方,汤谷所登,榑桑,叒木也',即此。叒通作若。'李善注《海赋》及注《孙楚为石仲容与孙皓书》引此《经》,并作'旸谷,上有扶木'。其注《欢逝赋》引此《经》又作'汤谷上于扶桑。郭注:上于,扶桑在上也'。又注枚乘《七发》引此《经》云:'汤谷上有扶木。扶木者,扶桑也。'盖亦并引郭注之文。"

[3] **一日方至,一日方出** 郭璞注《山海经》云:"言交会相代也。"

按,以上所注,扶木、榑木皆扶桑的异名,详212"扶桑"条注[1]。

253　芥

大荒东经,大荒之中,有山,上有扶木,其叶如芥[1]。

【注释】

[1] **芥** 郭璞注《山海经》云:"叶似芥菜。"《齐民要术》引崔寔云:"七月、八月种芥。"《尔雅翼》引《左传》云:"季郈之鸡斗季氏芥。"

芥的药用:《名医别录》言芥有两条。一条云:"芥,味辛,温,无毒。归鼻,除肾经邪气,利九窍,明耳目,安中,久食温中。"另一条云:"芥,味苦、寒,无毒,主消渴,止血,妇人痰,除痹,一名梨,叶如大青。"

芥的形态:《本草经集注》陶弘景注云:"芥似松而有毛。"《唐本草》注云:"芥有三种,叶大子粗者,叶堪食;叶小子细者,叶不堪食,其子但堪为齑尔;又有白芥子,粗大白色。"

按,芥为十字花科植物芥菜 Brassica juncea (L.) Czern et coss 或白芥 Brassica alba (L.) Boiss 一类植物。

芥的子可供药用:今药用有白芥子、黄芥子两种,药用以白芥子为主,黄芥子大都作调味品用。

按,白芥子之名始见于《唐本草》。《唐本草》注云:"白芥子粗大白色如白粱米,甚辛美,从戎中来。"《本草拾遗》云:"白芥生太原,如芥而叶白,为茹,食之甚美。"《日华子》云:"白芥能安五脏,功用与芥颇同,子烧及服,可辟邪魅。"《开宝本草》云:"白芥,味辛、温,无毒,主冷气。色白,甚辛美,从西戎来,子主射工及痓气,上气,发汗,胸膈痰冷,面黄,生河东。"《本草纲目》云:"白芥以八、九月下种,冬生可食,至春深茎高二三尺,其叶花而有丫,如花芥,叶青白色,茎易起而中空,性脆,三月开黄花,香郁,结角如芥角,其子大如粱米,黄白色,又有一种茎大而中实者尤高,其子亦大,然入药胜于芥子。"

254　百谷

大荒东经,壑明山,爰有百谷。海内经,西南黑水之间,有都广之野……百谷^[1]自生，冬夏播琴^[2]。

【注释】

[1] **百谷**　郝懿行《山海经笺疏》云："刘昭注《郡国志》引《博物记》云：'扶海洲上有草名蒒，其实食之如大麦，从七月稔熟，民敛获，至冬乃讫，名曰自然谷，或曰禹余粮。'即此之类。杨慎补注云：'《齐民要术》引此作'百谷自生'，云'穄即穄字'，此言非也，穄盖谷字之讹，古无此字。《论衡·偶会篇》云：'禄恶殖不滋之穄。'是也，其字从殷从禾，不从木。"

按：此处"百谷"，是各种粮食作物的泛称。《诗经·周颂》云："率时农夫，播厥百谷。"又云："播厥百谷，实函斯活。"《诗经·小雅》云："播厥百谷，即庭且硕。"《诗经·豳风》云："亟其乘屋，其始播百谷。"

[2] **播琴**　郭璞注云："播琴犹播殖，方俗言耳。"郝懿行《山海经笺疏》云："案，毕氏云：'播琴，播种也。'《水经注》云：'楚人谓冢为琴。冢、种声相近也。'今按毕说是也。又刘昭注《郡国志》'铜阳'引《皇览》曰：'县有葛陵乡城东北有楚武王冢，民谓之楚武王岑。'然则楚人盖谓冢为岑。岑、琴声近。疑初本之岑形声伪转为琴耳。"

毕氏即清初毕沅，所引《水经注》见于卷21《汝女》云："铜阳：县有葛陵城……城之东北有楚武王冢，民谓之楚王琴。"

刘昭引的《皇览》即魏、张揖等《皇览》《史记·楚世家》集解引《皇览·冢墓记》云："楚武王冢，在汝南郡铜阳县（今河南新蔡）葛陵乡城东北，民谓为楚王岑。"

原来楚人称冢为琴，冢声同种，岑声同琴，所以播种名播琴，这是楚国地方土话。所以郭璞说："播琴犹播殖，方俗言耳。"由于《山海经》文中挟有楚国地方土话，故提示《山海经》的作者是楚国人。

〔附二〕山海经植物佚文补遗

　　下列植物药名，不见于今本《山海经》，而是从其他书转引《山海经》文中摘录的。

255　盘桃（大桃树）	256　干腊	257　木香
258　丁香	259　零陵香	260　益智子
261　樆木	262　毒草	

255　盘桃（大桃树）

王充《论衡·订鬼篇》引《山海经》云："沧海之中，有度朔之山，上有大桃木，其屈蟠三千里，其枝间东北曰鬼门，万鬼所出入也，上有二神人，一曰神荼，一曰郁壘，主阅领万鬼。恶害之鬼，执以苇索，而以食虎，于是黄帝乃作礼，以时驱之，立大桃人，门户画神荼，郁壘与虎，悬苇索，以御凶魅。"

《艺文类聚》卷86引《山海经》曰："桃树屈蟠三千里。"

《初学记》卷28引《山海经》云："东海有山，名度索山，有大桃树，屈盘三千里，曰盘桃[1]。"

【注释】

[1]　**盘桃**　或名大桃树，或称大桃木，是神话植物。

关于大桃木的神话传说，古书多有记载。有些书所记并未注明出于《山海经》，兹摘录如下。

汉·应劭《风俗通义》卷8"桃梗"条云："谨按黄帝书上古之时有荼（神荼）与郁壘，昆弟二人，性能执鬼，度朔山上，章桃树下，简阅百鬼无道理，妄为人祸害，荼与郁壘缚以苇索，执以食虎，于是县官常以腊除夕饰桃人乘苇茭画虎于门，皆追效于前事，冀以卫凶也。桃梗，梗者更也，岁终更始受介祉也。"《本草纲目》卷38"桃符"条引《风俗通》部分同此。

北魏·贾思勰《齐民要术》卷10"桃"条云："汉旧仪曰：'东海之内，度朔山上，有桃屈蟠三千里，其卑枝间东北鬼门，不鬼所出入也，上有二神人，一曰神荼，二曰郁壘，主领万鬼，鬼之恶害人者，执以苇索以食虎，黄帝法而象之，因立桃梗门户上，画神荼、郁壘，持苇索以御凶鬼，画虎于门，当食鬼也。"《太平御览》卷967载《汉旧仪》引《山海经》文同此。

此外，刘昭注《后汉书·礼仪志》引《山海经》文、《史记·五帝纪》注《海外经》文、李善注陆玑《挽歌诗》引《海外经》文皆大同小异。

《玉烛宝典》："户上着桃板辟邪，取《山海经》神荼、郁壘居东海蟠桃树主领众鬼之义。"《庄子》云："插桃枝于户，而鬼畏之。"

256 干腊

《初学记》卷28引《山海经》云："云山之上，其实干腊[1]。"

【注释】

[1] **干腊** 郭璞注云："腊，干梅也。"陆玑《毛诗草木疏》云："梅，杏类也。曝干为腊。"按，"腊"，即是干梅，详170"梅"条注[1]。

郝懿行《山海经订伪》云："今案中次十二经，有云山，无此文。"

257 木香

李珣《海药本草》引《山海经》云："木香[1]，生东海昆仑山。"

【注释】

[1] **木香** 《本草经》云："木香，味辛。主邪气，辟毒疫温鬼，强志，主淋露，久服不梦寤魇寐。"

《名医别录》云："木香，温，无毒。主疗气劣，肌中偏寒，主气不足，消毒，杀鬼毒、精物、温疟、蛊毒，引药之精，轻身致神仙，一名蜜香。"

陶弘景《本草经集注》云："此即青木香也。永昌不复贡，今皆从外国船上来，乃云大秦国。以疗毒肿，消恶气，有验。"

《唐本草》注云："此有二种，当以昆仑来者为佳，出西胡来者不善。叶似羊蹄而长大，花如菊花，其实黄黑。"《隋书》云："樊子盖为武威太守车驾西巡，将入吐谷浑（青海及四川松潘县一带），子盖以彼多瘴气，献青木香以御雾露。"萧炳云："青木香功用与此同。又云昆仑船上来，形如枯骨者良。"《南州异物志》云："青木香出天竺，是草根，状如甘草。"《诸番志》云："木香出大食麻啰扶国，施曷奴发亦有之，以状如鸡骨者为上。"《蜀本草》云："今苑中种之，花黄，苗高三四尺，叶长八九寸，皱软而有毛。"

苏颂《本草图经》云："木香生永昌山谷，今惟广州船上来，根窠大类茄子，叶似羊蹄而长大，花如菊，实黄黑。亦有叶如山芋，而开紫花者，不拘时用，采根芽为药，以其形如枯骨者良，江淮间亦有此种，名土青木香。"

按苏颂所云，木香有二种：一种是"根窠大类茄子，叶似羊蹄而长大，花如菊"，即今日菊科植物各种木香，如广木香（云木香）、川木香、土木香等；另一种"叶如山芋，而开紫花者"，即今日马兜铃科植物青木香。《诸悉志》所云："树如中国丝瓜。"亦可能是马兜铃科植物青木香。陈承《别说》云："《图经》所载广州一种，乃是木类；又载滁州、海州者乃马兜铃根。"

按古代所讲的木香，包括两种科属植物：一是菊科植物各种木香，如广木香 *Saussurea lappa* clarke 等一类植物；一是马兜铃科植物青木香 *Aristolochia debilis* Sieb. et Zucc. 一类植物。

258　丁香

《海药本草》云："按《山海经》云：'丁香[1]生东海及昆仑国。'"

【注释】

[1]　**丁香**　陈藏器《本草拾遗》云："丁香及其母丁香主发变白，以生姜汁研，拔去白发，涂孔中即异常黑也。"《药性论》云："丁香臣，能主冷气腹痛。"《蜀本草》注云："母丁香击之则顺理，而折两向，疗呕逆甚验。"《开宝本草》云："丁香，味辛，温，无毒。主温脾胃，止霍乱、拥胀、风毒诸肿，止疳䘌，能发诸香。其根疗风热毒肿。生交广南番，二月八月采。"

丁香树形态：苏颂《本草图经》曰："丁香木类桂，高丈余，叶似栎，凌冬不凋，花圆细黄色，其子出枝蕊上，如钉子，长三四分，紫色，其中有粗大如山茱萸者，谓之木丁香，二月、八月采子及根。"《海药本草》云："二月、三月花开紫白色，至七月方始成实，大者如巴豆为之母丁香，小者实为之丁香。"

丁香为桃金娘科植物丁香 *Syzygium aromaticum*（L.）Merr et Derry 的花蕾。

按，丁香树原产于非州，广栽于亚州热带，我国广东各地均有栽培。《开宝本草》云："丁香生交广南蕃。按，广州送丁香图树，高丈余，叶似栎、叶，花圆细黄色，凌冬不凋。"在《山海经》时代，我国是否已有丁香树，这是个疑问。今本《山海经》没有"丁香"的记载。不知李珣《海药本草》是根据什么版本援引的。

259　零陵香

《海药本草》云："谨按《山海经》云：零陵香[1]生广南山谷。"

【注释】

[1]　**零陵香**　即"薰草"的异名，详30"薰草"条注[2]。

260　益智子

《开宝本草》云："按《山海经》云：'益智子[1]生昆仑国。'"

【注释】

[1]　**益智子**　《南方草木状》云："益智子如笔毫头，长七八分。二月花连著实，五六月熟，味辛，杂五味中芬芳，亦可盐曝。出交趾、合浦。建安八年（203），交州刺史张津尝以益智子粽饷魏武帝。"

《异物志》云："益智类蘘荷，实长寸许，如枳椇子，味辛辣，饮酒食之佳。"

《齐民要术》云："益智子扁涎秽。"顾微《广州记》云："益智叶如蘘荷，茎如竹箭，子从心出，一枝有十子，子肉白滑，四破去之或外皮，蜜煮为粽，味辛。"

陈藏器《本草拾遗》云："益智子，止呕哕。《广志》云：'叶似蘘荷，长丈余。其根上有小枝，高八九尺，无叶萼，子丛生，大如枣，中瓣黑皮白，核小者名益智。'含之摄涎秽，出交趾。"

《开宝本草》云："益智子，味辛、温，无毒。主遗精虚漏，小便余沥，益气安神，补不足，安三焦，调诸气。夜多小便者，取二十四枚，碎，入盐同煎服，有奇验。"

苏颂《本草图经》云："益智子生昆仑国，今岭南州郡往往有之。叶似蘘荷，长丈余，其根旁生小枝，高七八寸，无叶，花萼作穗生其上，如枣许大，皮白，吕人黑，人细者佳，含之摄涎唾，采无时，卢循为广州刺史，遗刘裕益智粽，裕答以续命汤，是此也。"

按，益智是姜科植物益智 *Alpinia* Sp.，味辛，性温，可暖肾、缩小便、温脾、摄唾涎、止泄泻，治脘腹冷痛、遗尿、尿有余沥、遗精、多唾、泄泻等症。

261 檔木

《广韵》四十七寝沈纽下云："檔，木名。《山海经》云：'煮其汁，味甘，可为酒。'"

262 毒草

韩鄂《岁华纪丽》引《山海经》云："狼山多毒草[1]，盛夏鸟过之不能去。"

【注释】

[1] **毒草** 是有毒植物的泛称。

[附二]《山海经》研究资料

1. 《山海经》概述

《山海经》包括山经、海经、大荒经 3 个部分，山经又分南、西、北、东、中次序分篇，除此尚有一篇海内经。该书主要记载了地理、物产、动物（鸟、兽、虫、鱼）、植物（草、木）、矿物（金、银、铜、铁、玉、石）、医药、氏族、民情习俗、祭祀、以及传奇神怪小说等，内容庞杂，牵涉面较广，对研究各种古代历史，都有参考价值。

《山海经》为何时何人所作不详，书名最早见于《史记·大宛列传》，但未言何人所作，西汉刘歆曾校过此书，他在《上山海经表》中说："校秘书太常属臣望所校《山海经》，凡三十二篇，今定为十八篇……禹别九州，任土作贡，而益等类物善恶，著《山海经》。"按刘歆所说，《山海经》是夏禹、伯益所作。王充《论衡·别通篇》、赵煜《吴越春秋》亦认为是禹、益所作。《水经注》亦云大禹所著。《博物志》云："太古书今见存有《神农经》《山海经》。"

清乾隆四十六年（1781）毕沅作《山海经》新校正序云："《山海经》作于禹、益，述于周秦，其学行于汉，明于晋，而知之者魏郦道元也。"近人张心澂《伪书通考》（1957 年商务印书馆本，668～703 页），认为《山海经》不是禹益所作，而是先秦甚至秦汉以后的作品，因为禹、益时代不可能产生这样卷帙浩繁的巨著。禹、益时代，人们的生活区域主要在黄河流域，而书中却有长江流域，甚至长江以南的资料。从产物上看，书中很多地方出产铁，而铁在春秋时才有，在战国时大量使用，因此有人认为此书产生于战国期间，其中有后人增添资料。

由于《山海经》记载的地理资料较多，后魏·郦道元注《水经》时，大量引用《山海经》资料近 80 次之多。

又由于《山海经》记载药物亦很多，历代本草学家引用《山海经》资料有 100 余处。

根据清·毕沅新校《山海经》的本子统计，全书记载实物名称共有 772 种，其中言明医药功用的实物有 139 种，在这 139 种名物中，其名称、主治、功用、使用方法、治疗术语等，均与《神农本草经》不同。在用药方法上有佩、服、食、席、浴、养、涂等法，后世本草多言"服食"，很少用席、养等方法。

有关《山海经》中药物主治功用概况，另撰文述之。

2. 《山海经》的药物考察

经统计，《山海经》全书记载实物名称共有 772 种，其中言明医药功用的实物有 139 种，在这 139 种名物中，其名称、主治、功用、使用方法、治疗术语等，均与《神农本草经》不同。在用药方法上有佩、服、食、饮、席、浴、养、涂等法，后世本草多言"服食"，很少用席、养等方法。

例如：薰草，佩之已疠；鬼草，服之不忧；杜衡，食之已瘿；帝台之浆水，饮之者不心痛；溪边，席其皮不蛊；黄灌，浴之已疥；朏朏养之可以已忧；流赭以涂牛马无病。

《山海经》的药物，分散在各篇文句之中，都是孤立的，彼此无联系，毫无系统可言。这些零散的药物，可以说是本草的萌芽，犹如万里长江源头的涓滴一样。

《山海经》中药物功用大都是一物有一种功用，少数者，一物有两种功用。

例如杜衡，既可已瘿，又可走马；植楮可以已瘕，食之不眯；肥遗，食之已疠，可以杀虫。

《山海经》中对有些药物功用也有一些解释。例如沙棠能御水，因为沙棠体轻；䔄草服之媚于人，是因䔄草为帝女的化身。

为了研究方便，本文将《山海经》中零散的药物，按功用归类如下。

（一）有预防功用的药物

《山海经》讲预防，不用"防"字，多用"无""不""御"等字，此与后世本草中所用主治中的述语不相同。兹按其预防功用，列举如下。

（1）预防内科病。

巴蛇（《本草纲目》[以下简称《纲目》]引作蚺蛇）君子服之，无心腹之疾。

箴鱼，食之无疫疾。

青耕，可以御疫。

育沛，佩之无瘕疾。

三足鼈，食之无蛊疫。

亢木，食之不蛊。九尾狐，食者不蛊。

溪边，席其皮不蛊。帝合之棋服之不蛊。

鰡鰡鱼，食之不瘅。疟木，食之不疟。

（2）预防外科病。

赤鱬，食之不疥。鯩鱼，食之不疣。

鮭，食之无肿疾。虎蛟，食者不肿。

鰧鱼，食之不痈。鹘鸰，食之不疽。

无条，服之不瘿。

（3）预防自然灾害。

沙棠，可以御水。

丹木、窃脂、鰡鰡鱼、蜼、鹮、蝹渠、鸣鸰等，皆可以御火。

朣疏，可以避火。鹜雉，养之禳火灾。

牛伤、飞鱼、鯩鱼可以御兵。

灌、帝屋、孟槐、天狗、鹘鸰、冉遗鱼可以御凶。

瑾瑜玉，君子服之，以御不详。白玉髓以御不详。（《纲目》616页引）

（二）有治疗功用的药物

《山海经》讲治疗，不用"治"字，多用"已"或"为"，此与后世本草中所用主治的述语全不相同。兹按主治类别分述如下。

（1）治内科病的药物。

胐胐，养之已忧。倏鱼，食之可以已忧。

白鸡，食之已风。

荣草，食之已风。土茯苓，食之已风。

领胡，食之已狂。文鳐鱼，食之已狂。鲭鱼，食之已狂。

白鵺，可以已瘤。

鸳鹮，食之已喝。

筿，可以已蠹。

魮鱼，食之已疬疾。

鲻鱼，食之已呕。

莘荔，食之已心痛。

嚣，食之已腹痛。

猨，可以为腹病。（为即治）

飞鱼，食之已衕。嚣，可以止衕。

沙棠果，食之却水病。

羊桃，可以为皮胀。（为即治）

肥遗，食之已疠。珠鳖鱼，食之无疠。

薰草，佩之可以已疠。器酸，食之已疠。

丹木，食之已瘅。蓳，服之已瘅。

苦辛，食之已疟。

焉酸，可以为毒。（为即解）

（2）治外科病的药物。

何罗鱼，食之已痈。三足鱼，可以已肿。

梨，可以已疽。

天婴，可以已痤。

栎，食之已痔。虎蛟，食之已痔。飞鱼，食之已痔。

植楮，可以已癙。

鰧鱼，可以为瘘。（为即治）

杜衡，食之已瘿。薤，食之已瘿。

鳈鱼，食之已疣。鳙鱼，食之已疣。

豪鱼，可以已白癣。修辟，食之已白癣。

条，食之已疥。黄雚，浴之已疥。

文茎，可以已聋。雕棠，食之已聋。

白䳍，食之已嗌痛。

（三）有其他功用

（1）有兴奋功用的药。

鮯鱼，食者不睡。鹭鸼，食之无卧。

人鱼，食之无病疾。旋龟，佩之不聋。

蔺草，食之不愚。栎木，食之不忘。

灌灌，佩之不惑。条，食之使人不惑。蒙木，服之不惑。

䔄草，服之不昧。迷谷，佩之不迷。

植楮，食之不眯。耳鼠，食之不眯。

蛮蚳，食之不眯。鵸鵌，服之不眯。

当户，食之不眴目。

（2）有抑制作用药物。

鯊鱼，食之不骄，灵猫，食之不妒。

黄鸟，食之不妒。类，食之不妒。

栯木，服者不妒。鬼草，服之不忧。

帝休，服者不怒。（“怒”，《纲目》引作“愁”）

文鳐鱼，食之已狂。獜，食者不风。

鵸鵌，服之使人不厌。

䳋訑，佩之不畏。

飞鱼，服之不畏雷。独足鸟（《纲目》引名作“橐蜚”）服之不畏雷。

（3）有强壮作用的药。

怀木，食之多力。

嘉果，食之不劳。白蓉，可以释劳。

蒉草（《纲目》作“蘋”），食之已劳。

祝馀、丹木、鵬鵬，食之不饥。

白蓉，食者不饥。猩猩，可以辟谷。

蓟柏，服者不寒。

沙棠，食之使人不溺。猩猩，食之善走。

鸡谷，食者利于人。

（4）有增强美容作用的药物。

荀草，服之美人色。

䔄草，服之媚于人。

（5）有利于延续种族的药物。

无名木，食之宜子孙。鵸，食之宜子孙。蜀鹿，佩之宜子孙。

蓇，服之不夭。

（6）有避孕功用的药物。

蓇蓉，食之使人无子。

黄棘，服之不字（字即孕）。

（7）毒人药。

师鱼、鮨鮨鱼，食之杀人。

（8）解毒药。

焉酸，可以为毒。（为即解）

耳鼠，可以御百毒。

（9）杀鼠。

礜石、无条，可以毒鼠。

（10）杀虫。

肥遗，可以杀虫。

（11）毒鱼。

莽草、芒草，醉鱼草（《纲目》引名作"莩苄"）、芨，可以毒鱼。

（12）兽医药。

流赭，以涂牛马无病（"流赭"，《纲目》引作"代赭"）。芑，可以服马。

杜衡、无名草可以走马。

駮，是食虎豹。

（13）其他。

山狢，见则天下大风。

凤凰，见则天下安宁。（《纲目》引）

（四）治疗病种不明的药物

旋龟，可以为底。

𩿨鸟，食之已垫。

鹠鹠，可以已寓。

羬羊，其脂可以已腊。

黄蓶，可以已肘。

牛伤，服者不厥。

嘉荣，服之者不霆。

天楄，服之不咽。

𩶆鱼，食之不糟。

鸰鹠，食之不潖。

3. 《山海经》和《神农本草经》的讨论

《山海经》是我国古代各科汇编的文献，它记载了我国古代地理、动物、植物、矿物、医药、氏族、民情习俗、祭祀、小说以及传奇神怪等，内容庞杂，涉及面很广，对研究我国古代自然科学史，有重要参考价值。

《山海经》和《神农本草经》都是我国较早的古书，晋代张华《博物志》云："太古书，今见存者，有《神农经》（指《神农本草经》）和《山海经》。"

《山海经》记载动物、植物、矿物品名772种。其中有139种讲到医药功用，在这139种中，有44种和《神农本草经》药物相近或相同。后世作《神农本草经》药物注解时，都引用《山海经》资料来注释。兹将唐慎微《证类本草》（简称《证类》）、李时珍《本草纲目》（简称《纲目》），孙星衍《神农本草经》（简称《孙本》）等所引《山海经》资料作为《神农本草经》药物注解者，摘录如下。

丹砂 《山海经》云：丹粟，粟砂。（《孙本》3页）

雄黄 《西山经》云：高山，其下多雄黄。（《孙本》59页）

空青 曾青，《西山经》云："皇人之山，其下多青。郭璞云：空青、曾青之属。（《孙本》7页）

硝西 《北山经》云：京山，其阴有玄硝。（《孙本》6页）

慈石 《北山经》云：灌题之山，其中多磁石。（《孙本》60页）

矾石 李时珍引《山海经》云：女床之山，其阴多涅石。郭璞注云：矾石也。（《纲目》706页）

礜石 李时珍引《西山经》云：皋涂之山有白石，其名曰礜，可以毒鼠。（《纲目》671页）

青琅玕 苏颂引《山海经》云：昆仑山有琅玕。（《纲目》617页，《证类》132页）

代赭 苏颂引《山海经》云：《西山经》石郎之山，其阴灌水出也，而北流于愚水，其中有流赭，以涂牛马无病。（《纲目》663页，《证类》128页）

白垩 苏颂引《山海经》云：大次之山，其阳多垩。又北山经，天池之山，其中多黄垩。又中山经葱聋之山，其中有大谷多白、黑、青、黄垩。（《纲目》576页，《证类》132页）

戎盐 《北山经》云：景山南望盐贩之泽。（《孙本》98页）

蘪芜　《山海经》云：臭如蘪芜。（《孙本》26 页，《证类》213 页，《纲目》787 页）

白芷　《西山经》云：号山，其草多药蘺。郭璞云：药，白芷。蘺，香草。（《孙本》68 页）

芎䓖　《西山经》云：号山，其草多芎䓖。（《孙本》25 页）

络石　《西山经》云：上申之山多络石。（《孙本》26 页）

乌韭　《西山经》云：萆荔，状如乌韭。（《孙本》112 页）

紫草　《山海经》云：劳山多茈草。郭璞云：一名紫萸，中染紫也。（《孙本》70 页）

通草　《中山经》云：升山其草多寇脱。（《孙本》64 页）

狼毒　《中山经》云：大騩之山有草焉，其状如蓍而毛。青华而白实，其名曰狼，服之不夭，可以为腹病。（《孙本》110 页）

术　《中山经》云：首山草多术。（《孙本》13 页）

麦门冬　《中山经》云：青要之山是多仆累。（《孙本》17 页）

天门冬　《山海经》云：条谷之山，其草多芍药，门冬。（《证类》147 页）

署预　《山海经》云：景山北望少泽，其草多薯藇（音同署预）。（《证类》160 页，《纲目》1223 页）

石龙刍　李时珍引《山海经》名龙条。（《纲目》889 页）

芫花　《山海经》云：首山，其草多芫。（《纲目》991 页）

细辛　李时珍引《山海经》云：浮戏之山多少辛。（《纲目》786 页）

藁本　《山海经》名藁茇。（《纲目》799 页）

莽草　《山海经》名芒草。（《纲目》994 页）

芍药　《北山经》云：繡山，其草多芍药。（孙本 65 页）又《山海经》云："条谷之山，其草多芍药。"（《证类》147 页"天门冬"条下图经引）

秦椒　《北山经》云：景山多秦椒。（《孙本》81 页）

木香　李珣引《山海经》云：生东海昆仑山。（《证类》160 页，按李珣所引"《山海经》云"，系后人注文，非《山海经》原文。）

女贞实　苏颂引《山海经》云：太山多桢木。桢木即女贞。（《证类》306 页，《纲目》1447 页）

楝实　《中山经》云：其实如楝。（《孙本》116 页）

栾华　《山海经》云：云雨之山，有木名栾。黄本赤枝青叶。（《孙本》119 页）

桑上寄生　《中山经》云：龙山上多寓木。（《孙本》42 页）

桂　《南山经》云：招摇之山，多桂。（《孙本》38 页）

郁　李时珍曰：郁，《山海经》作栯。（《纲目》1445 页）

鸡头　《山海经》祠鬼神皆用雄鸡。（《纲目》1670 页）

羚羊　《山海经》作羬。（《纲目》1773 页）

犀　《山海经》有白犀。（《纲目》1767 页）

鸓鼠　《山海经》云：耳鼠状如鼠，兔首、麋耳，以其尾飞，食之不眯。（《纲目》1689 页）

蛇蜕　《中山经》云：来山多空夺。郭璞云：即蛇皮脱也。（《孙本》122 页）

石蜜　《中山经》云：平逢之山多沙石，实惟蜂蜜之庐。（《孙本》48 页）

蛞蝓　苏敬引《山海经》云：猼，彘身，人面，音如婴儿，食人兽。（《证类》432 页。按《唐本草》注，苏敬把蛞蝓当作兽，其余各种本草皆作虫类）。又孙行衍引中山经云：青要之山多仆累。（《孙本》89 页）

《山海经》收载实物 772 种，注明医疗功用的有 139 种，在这 139 种药物中，同《神农本草经》相似或相同的药名，只有上述 44 种。若把两本书比较一下，有很多不同点，兹分别介绍如下。

（一）《山海经》的物品和《神农本草经》的药品暗合的很少

《山海经》中记载名物有 772 种，而各家《神农本草经》注文引用《山海经》资料只有 44 处，《神农本草经》载药物是 365 种，那就有 321 种药物不见于《山海经》的物品中。这就提示《神农本草经》的药物，大都是在《山海经》后为人们所发现其医疗功用的。《神农本草经》注文引用《山海经》的 44 个药物有下列几个特点。

（1）名称大都不相同：在这 44 个药物中，除雄黄、芍药、芎䓖、蘼芜、秦椒、乌韭等名称相同外，其余名称皆不相同。

（2）功用不明：《神农本草经》注文所引的 44 个药物，除礜石、代赭、狼毒、鸓鼠、荭草 5 个药在《山海经》中注明功用外，其余 39 个药物在《山海经》中均未注明功用。

（3）所讲的功用对不上号：《神农本草经》注文所引《山海经》资料，言明有医疗功用的只有上述 5 个药。可是这 5 个药在《山海经》中所注明的功用，和《神农本草经》中所讲的功用全对不上号。例如《山海经》说：代赭，涂牛马无病；狼毒，服之不夭，可以为腹病；鸓鼠，食之不眯。这些功用，在《神农本草经》中皆无。

（二）药物来源与《神农本草经》不同

《山海经》的药物有 139 种，其中动物药 76 种、植物药 55 种、矿物药 5 种，另有类别不详者 3 种。《神农本草经》载药 365 种，植物药 252 种，动物药 67 种，矿物药 46 种。

在《山海经》中，以动物药为最多，而《神农本草经》中以植物药为最多。这说明在《山海经》时代，人们尚未完全摆脱游牧生活，而在《神农本草经》时代，人们已开始农业生活了。

（三）药物分类不同

《山海经》中所言药物主治功用是分散的，并没有分类的迹象，纯属自然状态。而《神农本草经》中的药物有上中下三品的分类。

（四）理论有无不同

《山海经》中的药物主治，只讲简单的使用方法，纯属原始状态。

《神农本草经》中的药物，有君臣佐使配伍、七情合和、四气、五味等理论。

（五）主治病名多寡不同

《山海经》中药物主治病名只有数种，而《神农本草经》药物主治病名有 170 多种。

（六）治疗术语不同

《山海经》中药物治疗，不言"治"，多简称"为""已"（西汉时多用已，如《淮南子》云："鸡头已瘘。"）等字。在预防方面，亦不言"预防"，而用"不""无""御"等字。

（七）药物使用方法不同

《山海经》中药物使用方法有食、饮、服、席、佩、涂、浴、养等用法。

（八）制剂的有无

《山海经》中没有讲到炮炙和制剂，但是《神农本草经》有炮炙和制剂。

（九）掺杂神仙思想有无

《山海经》中的药物功用是表现药物原始状态的，并没有讲到久服延年、成神仙的话。而《神农本草经》掺杂道家思想，很多药物杂有"久用延年益寿，不老神仙"等语。

根据上述资料看，《山海经》中的药物内容不及《神农本草经》药物内容完备而系统。《山海经》的出现要比《神农本草经》更早，更原始。

4.《山海经》与《五十二病方》

1979 年 11 月文物出版社，出版了《五十二病方》（以下简称《病方》）。关于《病方》成书年代，其抄写时间不晚于秦汉之际，成书年代早于《黄帝内经》。笔者将《山海经》与《病方》有关医药的内容作一对照，以供研究《病方》成书年代作参考。

（一）从医巫斗争剧烈的程度，来看《病方》成书的年代

《中国医学史》（北京中医学院主编，1978 年，上海科学技术出版社版，第 10 页）云："春秋时期，在医学领域中也是医与巫剧烈斗争时期。"《病方》中虽有巫术祝由治法，但在全书中占的比例不大。《病方》载方 283 首，应用祝由治病之方 29 首，占全方 10% 左右。从整体来讲，本书治病，主要是以医药为主，并不像春秋时期医与巫剧烈斗争局面下的产物，这就提示《病方》的成书时间可能在春秋以后的战国时代。

（二）从《病方》与《山海经》的关系，来探讨《病方》成书的年代

按《山海经》以记山、川为主，在记述山、川的同时，也附记些物产、医药等内容，但医药资料是零星分散的，不像《病方》所记，很集中、很有系统。由于《山海经》是记载山脉河流为主的专书，不是医药专书，那就不能强求一致了。

《病方》与《山海经》所记内容重点虽然不同，但是两书所用的词汇和术语是极其相似的，从它们所用词汇与术语的共性，可以看出《病方》与《山海经》在成书年代有相联的关系。现在把两书所用的词汇及术语择录部分内容比较如下。

1. 两书所记病名相同的很多

如《病方》有：疥、疣、痔、蛊、嗌痛、瘫、疽、肿等病名。而《山海经》同样有记载。如：条，食之已疥；滑鱼，食之已疣；栎，食之已痔；冗木，食之不蛊；白鵺，食之已嗌痛；天婴，可以已座（瘫）；黎，可以已疽；三足龟，可以已肿。

2. 两书所记药名相同的亦很多

如甘草、黄蓍、术、芍药、蘪芜、椒、桂、朴、梓、柞、榆等，两书都有

记载。

3. 两书所记治疗术语相同的亦很多

（1）把病治好，两书皆称为"已"。

《病方》113 页："令痛肿者皆已。"123 页："久疟不已，乾剞灶，溃以傅之，已。"

《山海经》云："苦辛，食之已疟""丹木，食之已瘅"。

（2）两书称服药为食。

《病方》28 页："汁、滓皆索，食之自恣。"

《山海经》云："雕棠，食之已聋""杜衡，食之已瘿"。

（3）两书称喝药汤为饮。

《病方》89 页："饮药浆。"97 页："取其汁尽饮之。"

《山海经》云："帝台之浆，饮之者，不心痛。"

（4）两书对局部用药称为涂。

《病方》62 页："以清（酒）煮胶，以涂之。"112 页："蛇啮，以桑汁涂之。"

《山海经》云："流赭，以涂牛马无病。"

（5）两书都有浴法治疥。

《病方》122 页："居二日乃浴，疥已。"

《山海经》云："黄雚，浴之已疥。"

4. 两书皆无方剂名称记载

而《黄帝内经》《伤寒论》《金匮要略》都有方剂名称。如麻黄汤、桂枝汤、五苓散等。

5. 两书皆无阴阳、五行、脏腑等名称记载，更无阴阳、五行、脏腑的联系

对于某些相对性的事物，皆以牝、牡名之。

《病方》128 页："瘕有牝牡，牡高肤，牝有空（孔）。"90 页："牝痔有空（孔）而栾（弯曲）""牝痔有数窍"。

《山海经》云："北山经，鹍鸰，自为牝、牡""类，自为牝、牡"。

6. 两书对动物、植物名称皆用古名

（1）两书称猪为彘。

《病方》记有彘膏、彘肉、彘矢。

《山海经》云："北山经，其祠用一彘""中山经，有兽焉，其状如彘"。

（2）两书称野鸡为雉。

《病方》104页："取雉弍。"

《山海经》云："西山经，有鸟状如雉。"

（3）两书称桃树为桃枝。

《病方》83页："取桃支（枝）东乡（向）者。"

《山海经》云："西山经，嶓冢之山，其上多桃枝。"

（4）两书称白芷为茝。

《病方》113页："白茝、白衡……凡五物等。"

《山海经》云："北次三经，其祠皆一茝。"

（5）两书称紫草为茈。

《病方》113页："痈首，取茈半斗，细劗。"

《山海经》云："西山经，劳山多茈草""北山经，敦薨之山，其下多茈草""中山经，隅阳之山，其草多茈"。

按：《病方》113页痈首方注［1］释茈为柴胡。但是郭璞《山海经注》、郝懿行《山海经笺疏》、王念孙《广雅疏证·释草》，孙星衍《神农本草经》卷2，皆释为紫草。本文从郭璞注为正。

（6）两书皆记有仆累。

《病方》107页："冶仆累。"

《山海经》云："中山经，青要之山，是多仆累。"

按《病方》107页释"仆累"为"麦门冬"别名。但郭璞、郝懿行注《山海经》释"仆累"为"蜗牛"。本文并存二说。

（7）两书称豆为菽。

《病方》67页："黑菽三升。"97页："取大菽一斗。"

《山海经》云："中山经，阴山多雕棠，其实如赤菽。"

（8）两书称茅草为菅。

《病方》52页："以菅裹。"

《山海经》云："南山经，白菅为席""西山经，天帝之山，其下多菅"。

（9）两书称根为本。

《病方》104页："夏日取堇叶，冬日取其本。"

《山海经》云："西山经，嶓冢之山，有草，其本如桔梗。"

（10）两书称花为华。

《病方》121页："芫华一齐。"

《山海经》云："黄蓳，白华而赤实。"

两书所记动、植物名称，用古代词汇作为名称的例子很多，由于篇幅所限，此处从略。

7. 两书对同种属的植物，皆用泛称性名词称之

（1）对各种椒，皆用"椒"名之。

《病方》71 页："椒、合而一区。"94 页："冶桂、姜、椒。"

《山海经》云："中山经，景山多椒，琴鼓之山，其木多椒。"

（2）对苍术、白术皆以术名之。

《病方》34 页："术根去皮。"35 页："冶术。"105 页："术一参。"

《山海经》云："中山经，首山多术。尧山，其草多术。女几之山，其草多术。"

（3）对白芍、赤芍皆以芍药名之。

《病方》94 页："肾疝倍芍药。"47 页："屑芍药。"95 页："以芍药煮。"

《山海经》云："北山经，绣山，其草多芍药。条谷之山，其草多芍药。"

（4）对各种桂，皆以桂名之。

《病方》记载桂有十起。

《山海经》云："南山经，招摇之山多桂""西山经，皋涂之山，其上多桂"。

8. 两书对植物形态都有描述

《病方》68 页："毒堇……堇叶异小，赤茎，叶纵缝者（叶脉），其叶、实味苦。前【日】至可六七日秾……生泽旁。"

《山海经》云："西山经，昆仑之丘，有木焉，其状如棠；华黄，赤实。其味如李而无核，名曰沙棠。可以御水，食之使人不溺。"

9. 两书都有巫的记载

《病方》127 页有"巫咒"记载。

《山海经》云："海内西经，有巫彭、巫抵……诸巫，皆操不死之药。"

10. 两书都记有"桃能辟鬼"的神话

《病方》126 页："魅：禹步三，取桃东枝，中别□□□之倡而笄门户上各一。"

《山海经》云："沧海之中，有度朔之山，上有大桃木，其屈蟠三千里，其枝向东北曰鬼门，万鬼所出入也，上有二神人，一曰神荼，一曰郁垒，主阅领万鬼。恶害之鬼，执以苇索，而以食虎，于是黄帝乃作礼，以时驱之，立大桃人，门户画神荼、郁垒与虎，悬苇索，以御凶魅。"（今本《山海经》脱此文，此据王充《论

衡·订鬼篇》所引)

总之，从上述大量事实来看，《病方》与《山海经》非常相近，而与《黄帝内经》反而不相近，这就提示了《病方》与《山海经》可能是同时代的作品。

另外从"桃能辟鬼"的神话，亦可寻出一些旁证。因"桃能辟鬼"的传说亦见于《庄子》和《战国策》。

《庄子》云："插桃枝于户，连灰其下，童子入不畏，而鬼畏之。"

《战国策》中亦有同样记载，说齐闵王时，齐国孟尝君将要去秦国，苏秦用"桃梗"和"土偶"对话的寓言，来劝阻孟尝君。而"桃梗"就是以桃树刻削为人，立于门户以御凶魅的。

苏秦既引"桃梗"的神话游说孟尝君，那么"桃梗"的神话，在苏秦时代是流行的。由于"桃梗"神话的流行，所以《病方》中就会有"桃枝笄门户"的记载。

由于《山海经》与《病方》所记医药在内容和形式上极为相似，所言物名相同，所言"桃能辟鬼"的神话又相似，则《病方》成书年代与《山海经》很可能是相近的。

5. 从医药角度探讨《万物》与《山海经》的时代关系

《万物》是阜阳出土的汉简。1988 年 4 期《文物》刊登"阜阳汉简《万物》"全文，共有 133 简，附有注释。本文以《山海经》勘比，讨探《万物》与《山海经》的时代关系。

《山海经》是以记述山川为主，并附记一些水土、草木、禽兽、昆虫、麟凤及神话、医药等内容，而《万物》以载药物内容为主，记其他事物内容极少。所以《万物》可以视为古代药书专著。

兹将两书的病名、植物名、动物名、矿物名、医药用的术语、语句格式等相似的例子列举如下。

（一）两书所记病名相同的例子

（1）两书记有"痔"病。W018："鱼舆黄土之已痔也。"（W 表示《万物》，W018 表示简的编号，下同）。《山海经》："南山经，虎蛟，可以已痔。"

（2）两书记有"惑"。W012："驳（鸹）鸟之解惑也。"《山海经》："南山经，灌灌，佩之不惑。”

（3）两书记有"卧"。W042："之令人垂卧也。"《山海经》："南山经，鹭鸼，食之无卧。"

（4）两书记有"睡"。W041："囷土之已睡也。"《山海经》："中山经，鲐鱼，食者不睡。"

（5）两书记有"忧"。W119："□□平少长□忧解。"《山海经》："中山经，鬼草，服之不忧。"

（6）两书记有"心痛"。W007："石鼠矢已心痛。"《山海经》："西山经，蓇荔……食之已心痛。"

（7）两书记有"损劳"。W035："理石朱臾可以损劳也。"《山海经》："西山经，嘉果，食之不劳。"

（8）两书记有"痤"。W013："□□可以已痤也。"《山海经》："中山经，天婴，可以已痤。"

（9）两书记有"瘘"。W024："□□陈叔可以已瘘。"《山海经》："中山经，腾鱼，可以为瘘。"

（10）两书记有"蛊"。W037："□已蛊也。"《山海经》："中山经，亢木，食之不蛊。"

（11）两书记有"盲"。W014："□以寒水洒目盲也。"《山海经》："中山经，箨，可以已盲。"

（二）两书所记矿物名相同的例子

（1）两书记有"盐"。W009："盐与戴□醯。"《山海经》："北山经，南望盐坂之泽。"

（2）两书记有"金"。W030："□贝金也。"《山海经》："南山经，多黄金。"

（3）两书记有"银"。W118："□为银也。"《山海经》："西山经，多银。"

（4）两书记有"玉"。W048："□玉者以越金。"《山海经》："西山经，多玉。"

（三）两书所记植物名相同的例子

（1）两书记有"芒草"。W057："杀鱼者以芒草也。"《山海经》："中山经，芒草，可以毒鱼。"

（2）两书记有"兰"。W040："为毋忘甾与兰也。"《山海经》："中山经，有木焉，其实如兰。"

（3）两书记有"蒲"。W015："啮煮陈蒲也。"《山海经》："东山经，其草多蒲。"

（4）两书记有"黎"。W052："□□□以饶地之黎也。"《山海经》："中山经，黎，可以已疽。"

（5）两书记有"龙须"。W072："□龙须与盐之已生蚕也。"《山海经》："中山经，多龙修。"郭璞注云："龙修，龙须也。"

（6）两书记有"芫"。W038："草以元根也。"《山海经》："中山经，多芫。"

（7）两书记有"细辛"。W016："半夏细辛□。"《山海经》："中山经，其草多少辛。"郭璞注云："少辛，细辛也。"

（8）两书记有"蒠"。W017："兰蒠鼠齿之已踵也。"《山海经》："西山经，蒠草，食之已劳。"

（9）两书记有"药与葵"。W073："□者，以河中药与葵也。"《山海经》："西山经，多药。"又："北山经，多葵。"

（10）两书记有"椒"。W066："杀鼠以蜀椒颠首也。"《山海经》："中山经，多椒。"

（11）两书记有"梓"。W004："梓根汁可为坚体也。"又W076："梓荚莎根可以□。"《山海经》："中次九经，其木多梓。"

（12）两书记有"累"。W011："醯腹累也。"又W049："与复累之令甲能湿也。"《山海经》："中山经，多累。"

（13）两书记有"杏"。W018："蜱蛸杏核之已痈耳也。"《山海经》："中山经，多杏。"

（14）两书记有"梅"。W013："四每之已□□□。"又W034："□□与每实也。"《山海经》："中山经，多梅。"

（15）两书记有"黍"。W078："黍□。"W087："□可以舂黍也。"《山海经》："东山经，其祠用黍。"

（16）两书记有"禾"。W019："㺄膏之美禾也。"《山海经》："中山经，有草其秀如禾。"

（17）两书记有"叔"。W024："□□□叔（菽）可以已瘘。"《山海经》："中山经，阴山有赤菽。"

（18）两书记有"瓜实"。W082："□瓜实也。"《山海经》："中山经，多苦辛，其实如瓜。"

（四）两书所记动物名相同的例子

（1）两书记有"麂"。W064："肥麂者之以半夏鼠壤。"《山海经》："南山经，有兽曰麂。"

（2）两书记有"马"。W006："令马□□□□也。"《山海经》："北山经，堤山多马。"

（3）两书记有"犀"。W090："□犀也。"《山海经》："中山经，其兽多犀。"

（4）两书记有"牛"。W035："牛胆皙目可以登高也。"《山海经》：中山经有兽状如牛。"

（5）两书记有"羊"。W040："使韦□□以殺羊。"《山海经》："西山经，多羚羊。"

（6）两书记有"鼠"。W123："□可以出鼠也。"《山海经》："西山经，无条，可以毒鼠。"

（7）两书记有"兔"。W009："兔白可以为裘也。"《山海经》："东山经有兽状如兔。"

（8）两书记有"鸟"。W124："□鸟之□。"又W077："宿鸟可以辛□。"《山海经》："南山经，柜山有鸟兽。"

（9）两书记有"鱼"。W018："鱼与黄土之已痔也。"《山海经》："东山经，有鱼焉。"

（10）两书记有"鳖"。W058："食齐之致鳖也。"《山海经》："西山经，多鲜鱼，状如鳖。"

（11）两书记有毒蛇。W067："蒿已蚖也。"《山海经》："海内西经，有蝮蛇。"按，"蚖"与"蝮"均是毒蛇，皆称为虺。

（12）两书记有"贝"。W030："□贝金也。"《山海经》："西山经，多文贝。"

（13）两书记有"龟"。W033："使人倍力者以羊与龟。"《山海经》："西山经，多龟。"

（14）两书记有"蚁"。W086："比浮之已。"（按《本草纲目》"蚁"条云：蚍蜉，即大蚂蚁）《山海经》曰："朱蚁。其状如蚁。"

（15）两书记有"蜜"。W017："美糗以蜜。"又W075："□蜜已肠癖也"。《山海经》："中山经，有蜂蜜之庐。"

（五）两书所记治疗术语相同的例子

（1）两书称治疗为"已"。W007："石鼠矢已心痛也。"《万物》书中用"已"

字有 35 条。《山海经》："西山经，杜衡。食之已瘿。"

（2）两书对抑制某病的发展，称为"止"。W008："燔牡厉止气臾也。"《山海经》："北山经，嚣，可以止洞。"

（3）两书称用药为"服"。W032："服乌喙百日，令人善趋也。"《山海经》："中山经，黄棘，服之不字（孕）。"

（4）两书称吃药为"食"。W069："□□□毋食以蚕。"《山海经》："东山经，箴鱼。食之毋疫疾。"

（5）两书称喝液体制剂为"饮"。W039："□包鱼饮酒也。"《山海经》："中山经，帝台之浆，饮之者不心痛。"

（6）两书将治某病，称作"为"。W040："为毋忘眣与兰也。"《山海经》："中山经，蓣，可以为腹病。"郭璞注云："为，治也，一作已。"

（7）两书将制备，称为"为"。W056："兔白可以为裘也。"又 W118："□为银也。"《山海经》："中山经，夙条，可以为箭。"

（8）两书记有"浴"的疗法。W061："□□实也益气斋出以屋浴实也。"《山海经》："西山经，黄蘿，浴之已疥。"

（9）两书称药物产生某些作用为"使"。W010："东与醯，使人不龟手也。"又 W031："□姜叶使人忍寒也。"《山海经》："西山经，菁蓉，食之使人无子。"

（10）两书将药物有预防作用，或能排除某些有害的作用，称为"不"。W020："终身不座也。"又 W043："□橐令人不萝咢也。"《山海经》："南山经虎蛟，食者不肿。"

（11）两书将药物有毒害虫鼠的作用称为"杀"。W057："杀鱼者以芒草也。"W016："杀虻。"W066："杀鼠以蜀椒颠首也。"《山海经》："西山经，肥遗，可以杀虫。"

（12）两书将强壮作用，称为"多力"或称"走"。W033："使人倍力者，以羊与龟。"W060："乌喙与□使马益走也。"《山海经·西山经》："槐木，食之多力。"《山海经·南山经》："猩猩，食之善走。"

（六）两书对动物、植物名称皆用古字的例子

（1）两书称猪为"彘"。W021："石番彘膏已□□。"又 W064："□□肥彘者之以半夏鼠壤。"《山海经》："北山经，其祠用一彘。"

（2）两书称豆为"菽"。W024："□□□叔（菽）可以已瘘。"《山海经》："中山经，多雕棠，也实如赤菽。"

（3）两书称紫为"茈"。W002："茈藆（蔓）之□□已辟也。"《山海经》："东山经，多茈蠃，茈鱼；中山经多茈草。"

（七）两书文字语句格式相同的例子

（1）两书记有"可以已某某"。W087："□可以已□也。"又W013："□□可以已痤也。"《山海经》："西山经，薰草可以已病。"

（2）两书记有"使人"。W031："姜叶使人忍寒也。"《山海经》："西山经条，使人不惑。"W004："马胭潜居水中，使人不溺死也。"《山海经》："西山经，沙棠，使人不溺。"

（八）两书有巫神的记述

《万物》W070："□事到，高悬大镜也。"《本草纲目》谓："悬大镜，可辟邪魅。"

《山海经》："海内西经，有巫彭、巫抵……诸巫，皆操不死之药。"

从以上所举的例子来看，《万物》和《山海经》，在病名、药物名称、治疗术语、文字语句格式上都是相同的，在动、植物名称上用的字都是古字，治疗术语也是古代的术语。例如两书所言医病的术语，无"治""疗""主"等词，而是用"已""为""使""不"等词。这些词，在后世医药文献中均不见用。

按汉代刘秀校《山海经》说："《山海经》是古代禹、益所著。"据近代考证，《山海经》中记载铁很多，铁在战国时才流行，所以一般认为《山海经》产生于战国。《山海经》中无麦的记载，说明《山海经》不产于北方。而且《山海经》有神巫的记载，此与战国时楚地巫风流行很相近。这就提示《山海经》是楚地产物。而安徽阜阳在古代属楚地，所以《万物》亦可能是战国时流行于楚地的药书。

6. 孙星衍等释《山海经》"硌石"质疑

《山海经》卷2《西次四经》："上申之山，无草木，而多硌石。"

郭璞注："硌，磊硌，大石貌也，音洛。"

郝懿行《山海经笺疏》："案，《老子》下篇云：'不欲琭琭如玉珞。'珞如石珞，本或作落，依字当为硌也。《玉篇》引《老子》正作硌云：'硌山上大石。'李善注《鲁灵光殿赋》引此郭注作礌硌大石也。"

以上所注，硌石应是矿物。但孙星衍等辑《神农本草经》"络石"注："案《西山经》云：'上申之山多硌石。'疑即此。郭璞云：'硌磊，大石貌。'非也。"

孙氏释"硌石"为《神农本草经》"络石"，可商。《山海经》："上申之山，无草木，而多硌石。"上申之山既无草木，则硌石当属矿物石类。

《神农本草经》"络石"是植物，而非石类。《名医别录》："络石生太山川谷，或石山之阴，或高山岩石上，或生人间，正月采。"陶弘景《本草经集注》："或云是石类，既云生人间，则非石，犹如石斛等，系石以为名尔。"《唐本草》注："络石生阴湿处，冬夏常青，实黑而圆，其茎蔓延，绕树、石侧，若在石间者，叶细厚而圆短；绕树生者，叶大而薄，人家亦种之，俗名耐冬，山南人谓之石血，疗产后血结大良。以其苞络石木而生，故名络石。"《本草拾遗》："络石……在石者良，在木者随木有功，生山之阴，与薜荔相似。"《蜀本草·图经》："络石生石间，凌冬不凋，叶似细橘，蔓延木石之阴，茎节著处，即生根须也，包络石傍，花白子黑，今所在有之，六月、七月采茎叶日干。"以上各种本草皆说络石是植物，而不是矿物。今日药店所出售的络石有两种植物：一种是桑科植物络石藤，一种是夹竹桃科植物络石藤。

《神农本草经》"络石"是植物，而《山海经》"硌石"是矿物，二者不能连系，故孙氏所释是错误的。

7. 孙星衍等释《山海经》"寇脱"质疑

孙星衍等注《神农本草经》"通草"："《中山经》云：'升山，其草多寇脱。'郭璞云：'寇脱草生南方，高丈许，似荷叶，而茎中有瓤，正白，零陵人植而日灌之，以为树也。'"

孙氏引《山海经》"寇脱"释《神农本草经》"通草"，看似正确，其实不然。

《山海经》记载"寇脱"有两处：《山海经》卷5《中次五经》："升山，其草多寇脱。"《中次九经》："熊山，其草多寇脱。"郭璞释"寇脱"和孙氏引郭璞注同。

按郭璞所注，寇脱即五加科植物通脱木。通脱木见于唐代陈藏器《本草拾遗》。陈氏说："通脱木生山侧，叶似草麻，心中有瓤，轻白可爱，女工取以为饰物。"《本草纲目》卷18下"通脱木"条云："《山海经》名寇脱，又名倚商。"

通脱木今日又名通草。通草，古今本草中含义全不相同，《神农本草经》"通草"指的是木通科植物木通，而不是五加科的通脱木。陶弘景注《神农本草经》说："通草，今出近道，绕树藤生，汁白，茎有细孔，两头皆通，含一头吹之，则气出彼头者良。"从陶弘景所注，则《神农本草经》的"通草"，实际是木通科植物"木通"。《吴普本草》："通草叶菁，蔓延。"所以《吴普本草》的通草，也是木通。木通是蔓延藤状，与通脱木"干通直，叶似萆麻，心中有瓤"截然不同。

陈嵘《中国树木分类学》"木通"注："另一供药用及装饰用之通草，乃五加科之通脱木，今称通草。而木通则古称通草，两者迥异，不可不辨也。"

孙星衍等辑《神农本草经》"通草"条引《山海经》"寇脱"释之，仅从表面名称相同而连系，未有从实物本质去研究，显然是错误的。

8.《山海经》"萆荔""乌韭"释

《山海经》卷2《西山经》云："小华之山，其草有萆荔，状如乌韭，而生于石上，亦绿木而生，食之已心痛。"

在讲"萆荔"之前，先把"乌韭"的同名异物和同物异名介绍一下。

本草中的"乌韭"，因生长地方不同，名称各异，生在石上名乌韭，生在古墙上名垣衣，生在屋瓦上名屋游。

乌韭、垣衣、屋游三者各有很多别名，有些别名相互通用，极易混肴，三者所指实物不全相同，兹将三者简介如下。

（1）乌韭：郭璞注《山海经》云："乌韭，在屋者曰昔邪，在墙者曰垣衣。"《唐本草》注云："其生石上者多昔邪，一名乌韭。"又云："此物即石衣也，一曰石苔，又名石发，生岩石阴不见日处，与卷柏相类也。"《本草拾遗》云："乌韭生大石及木间阴处，青翠茸茸者，似苔而非苔也。"《日华子》云："石衣即阴湿处山石上苔，长者可四五寸，又名乌韭。"《广雅》云："石发，石衣也。"

由于石衣，石发生在水中者，其名称又不同，如：《尔雅》云："薄，石衣也。"郭璞注云："水苔也，一名石发，江东食之。"《风土记》云："石发，水苔也。"

石发和水苔又各有很多同名异物和同物异名，为了避免问题扯远，此处从略，话题回到乌韭上。

乌韭形态：《唐本草》注云："乌韭即石衣也，与卷柏相类也。"陈藏器《本草拾遗》云："乌韭，青翠茸茸，似苔而非苔也。"今日蕨类植物乌蕨亦名乌韭，生阴湿岩石上，全草可供药用，治烫火伤，民间用作解毒及治黄疸病，但乌蕨的形态和陈藏器《本草拾遗》所讲的乌韭形态并不相同，盖古今乌韭名同而实异。

（2）垣衣：《广雅》云："昔邪，乌韭也，在屋曰昔邪，在墙曰垣衣。"《名医别录》云："垣衣，一名昔邪，一名乌韭，一名垣羸，一名天韭，一名鼠韭。"《唐本草》注云："垣衣即古墙北阴青苔衣也，其生石上者名昔邪，一名乌韭，屋上者名屋游。"《酉阳杂俎》引梁简文帝《咏蔷薇诗》云："依簷映昔邪。"

垣衣形态：《唐本草》注云："垣衣即古墙北阴青苔衣也。"日华子云："垣衣此是阴湿地被，日晒起苔藓是也。"按苔藓是植物界的一个门类的泛称。苔藓植物门分为苔纲和藓纲两纲，全世界约有 4 万多种，我国苔类约 600 种，藓类约 1500 种。

（3）屋游：陶弘景《本草经集注》云："屋游，此瓦屋上青苔衣，剥取煮服之。"《蜀本草·图经》云："古瓦屋北青苔衣也。"

乌韭除作昔邪、垣衣的名称外，又是麦门冬的异名，《说文解字系传·通释》云："萆历似乌韭，乌韭即麦门冬。"《太平御览》卷 989 "麦门冬"条云："麦门冬，秦名乌韭。"《本草纲目》卷 16 "麦门冬"条释名云："麦门冬，秦名乌韭。"按徐锴《说文解字系传》所注，本条"乌韭"应释"麦门冬"才对。（详下文）

关于"莫荔"，晋·郭璞和清·郝懿行皆释为薜荔。

郭璞注《山海经》云："莫荔，香草也。蔽戾两音。"郝懿行《山海经笺疏》云："莫荔，《说文》作莫藶，《离骚》作薜荔，并古字通。"又云："案《说文》云：'莫藶似乌韭。'藶当为历，徐锴《系传》正作历。其以乌韭为麦门冬，谬也。麦门冬叶虽如韭，不名乌韭，《广雅》云：'昔邪，乌韭也。'《本草》云：'乌韭生山谷石上。'《唐本草》苏恭（敬）注，谓之石苔。然则此物盖与今石华相类，苍翠茸茸如华附石，其味清香，故《离骚》：'贯薜荔之落蕊。'王逸注云：'薜荔，香草也，绿木而生。'是薜荔即莫荔。郭注本王逸为说也。"

按郝氏《山海经笺疏》，薜荔即莫荔，对不对呢？笔者认为不对，薜荔又名木莲，《本草纲目》卷 18 下"木莲"条云："木莲名薜荔，木馒头，鬼馒头，音壁利，《山海经》作草（莫）荔。"陈藏器《本草拾遗》云："薜荔贪绿树木，三五十年渐大，枝叶繁茂，叶长二三寸，厚若石韦，生子（实）似莲房，打破有白汁，停久如漆，中有细子，一年一熟。"苏颂《本草图经》"络石"条云："薜荔与此极相类，但茎叶粗大如藤状。"

《尔雅翼》云："今薜荔叶厚实而圆，多蔓，好生岩石上，若冈，故云冈薜荔兮为帐也。或贪绿上木，古木之上有绝大者，开花结实，上锐而下平，外青而中瓤，经霜则瓤红而甘，鸟鸟所啄，童女亦食之，谓之木馒头，亦曰鬼馒头，其状如饼中馒头也，食之发瘴。"

诸书所讲薜荔的形态，全不像乌韭。《唐本草》注乌韭谓之石苔，薜荔一点也不像石苔。

"䔖荔"既然不像本草所说的薜荔，那么会不会和《楚辞》所说的"薜荔"相同呢？答，非也。《楚辞·离骚》云："贯薜荔之落蕊。"王逸《章句》曰："薜荔，香草，绿木而生。蕊，实也。贯香草之实，执持忠伇貌也。薜荔虽有实，然所取芳者不于实。"按王逸所注，"薜荔"的形态有蕊有实，和一般名为木莲的薜荔相同，由于薜荔是藤状，蔓生若罔，故《楚辞》云："罔薜荔兮为帐""被薜荔兮女萝"。所以《楚辞·离骚》讲的"薜荔"仍是木莲。

假如《山海经》的"䔖荔"就是今日"薜荔"，那么《山海经》的"乌韭"就不是郝氏《山海经笺疏》中所释的"乌韭"了。郝氏《山海经笺疏》中引《唐本草》注以乌韭谓之"石苔"，"石苔"全不像薜荔，所以《山海经》中的"乌韭"当另是一物。

笔者认为郝氏《山海经笺疏》中所释的"薜荔"和"乌韭"二者必有一误。

从《山海经》"生于石上，亦绿木而生，食之已心痛"来看，䔖荔是像薜荔的，但是郝氏《山海经笺疏》释此文又说："案《本草》陶注云：'垣衣主治心烦咳逆。'"郝氏的意思是䔖荔、薜荔、乌韭、垣衣同为一物，故以本草垣衣的"主治心烦咳逆"来释"䔖荔食之已心痛"。其实"垣衣"和"薜荔"的形态相差甚远。

总之，郝氏对䔖荔、乌韭的解释不能自圆其说。

笔者对䔖荔、乌韭另作解释如下。

䔖荔可能是《神农本草经》的蠡实：《名医别录》云："蠡实，一名荔实。"《说文》云："荔，似蒲而小，根可为刷。"《广雅》云："马薤，荔也。"《颜氏家训》云："《月令》云：'荔挺出。'郑康成注云：'荔挺，马荔也。'《易统验玄图》云：'荔挺不出，则国多火灾。'"《吴普本草》云："蠡实，一名剧荔华。"司马相如《子虚赋》云："高燥则生葴、析、苞、荔者也。"苏颂《本草图经》云："蠡实，马蔺子也。"《齐民要术》引《广州记》云："东风草，香气似马蔺。"

蠡实亦名荔，又称马蔺，《本草图经》云："马蔺叶似薤而长厚，三月开紫碧花，五月结实作角子如麻大而赤色有棱，根长通黄色，人取以为刷。"所以䔖荔可释为荔实（马蔺子）。

关于乌韭，同名异物很多，除上述昔邪、垣衣名乌韭外，麦门冬亦称乌韭。《太平御览》卷989"麦门冬"条云："秦名乌韭。"《说文解字系传·通释》云：

"草，雨衣，一曰衰衣，从草，卑声，一曰革历，似乌韭。臣锴按，春秋左传齐师遇雨，陈成子衣制杖戈注云：制雨衣，制与草声相近。乌韭，即麦门冬。"

按徐锴《说文解字系传》所释，革历草能制雨衣，而革历像乌韭，乌韭名麦门冬，换言之，革历草的形态像麦门冬。所以本条的乌韭应释为麦门冬，不能释为垣衣。

再看"革历"即"荜荔"的同声名也，荜即雨衣的意思，说明荜荔是能够编制雨衣的草，这种草和《神农本草经》"蠡实"（荔实）极相似，蠡实又名马蔺，《本草图经》说马蔺叶似薤而长厚，也像麦冬，麦冬又名乌韭，换言之，荜荔即荔实，它们形态皆像乌韭。此与《山海经》"其草有荜荔，状如乌韭"相合。又《名医别录》云"蠡实（荔实）治心烦满"，亦与《山海经》"食之已心痛"相合。

如果把荜荔释为蠡实（荔实，马蔺子），乌韭释为麦冬，全文都能讲得通。如把荜荔释为薜荔，乌韭释为垣衣，薜荔和垣衣毫无相似之处，根本讲不通，而且薜荔是木本藤生，也不是草，又不能编制雨衣，和《山海经》"其草荜荔"并不相合。

9.《山海经》"荣草"释

本文发表在中华文史论丛，1980 年第 3 辑 186 页。

《山海经·中山经》："鼓镫之山，有草焉，名曰荣草，其叶如柳，其本如鸡卵，食之已风。"又《中次十二经》："真陵之山，多荣草。"

荣是什么草呢？

《本草纲目》卷 18 下"土茯苓"条云："按《中山经》云：'鼓镫之山，有草焉，名曰荣草，其叶如柳，其本如鸡卵，食之已风。'恐即此也。"

李时珍说荣草似即土茯苓，又引陶弘景注石部"禹余粮"云："南中平泽有一种藤生，叶如菝葜根，作块有节，似菝葜而色赤，味亦如薯蓣，即今土茯苓也。"

按土茯苓是百合科植物，叶子很像樟树的叶子，中有三道纵纹，全不像柳叶，而且土茯苓的根是不规则的块状，表面多刺状结节，也不像鸡卵。此等形态和《山海经》"其叶如柳，其本如鸡卵"很不相合。李时珍说荣草是土茯苓，难以取信。

郝懿行《山海经笺疏》云："按《本草经》云：'藺茹，味辛，寒，除大风。'陶注云：'叶似大戟。'《蜀本》注云：'根如萝卜。'并与此合，岂是与！"

据郝氏所说，荣草似是藺茹。《神农本草经》云："藺茹杀疥虫，排脓恶血，除大风。"此与《山海经》"除大风"相合。陶弘景《本草经集注》云："菌茹，叶似大戟。"按大戟叶呈披针形，有点像柳叶，此与《山海经》"其叶如柳"相合。《蜀本草·图经》云："菌茹，根如萝卜。"此与《山海经》"其本（根）如鸡卵"相合。

故疑《山海经》所云荣草，或为大戟科植物菌茹。

10.《山海经》"蒌"释

《山海经》卷轮船《中次七经》："大騩之山，有草焉，其状如蓍而毛，青华而白实，其名曰蒌，服之不夭，可以为腹病。"

郝懿行《山海经笺疏》云："案《玉篇》云：'蒌，胡恳切，草名，似蓍，花青白。'《广韵》同，是蒌当为蒌，狼当为很，今本《经》注并伪。"

孙星衍等辑《神农本草经》卷3"狼毒"条（1955年商务版110页）引《中山经》云："大騩之山有草焉，其状如蓍而毛，青华而白实，其名曰蒌，服之不夭，可以为腹病。"

按孙氏所引，则《山海经》的"蒌"当为狼毒。今日的狼毒有两种，一是瑞香科植物瑞香狼毒，另一种是大戟科植物狼毒大戟。这两种狼毒形态都不像蓍，而且无毛，花亦非青色。从药物作用上看，狼毒是峻泻剂，最伤人正气，与《山海经》"服之不夭"相抵牾。

笔者认为"蒌"可能是豆科植物黄芪一类植物，黄芪有五种，其中金翼黄芪像蓍而有毛，与《山海经》"其状如蓍而毛"义合。又《神农本草经》云："黄芪能补虚。"《名医别录》云："黄芪补虚损五劳羸瘦。"此与"服之不夭"义合。《神农本草经》云："黄芪治五痔。"《名医别录》云："黄芪治腹痛、泄痢。"此与"可以为（治）腹病"义合。

11.《山海经》"寻木"释

《山海经·海外北经》："寻木，长千里，在拘缨南，生河上西北。"

郝懿行《山海经笺疏》云："案《穆天子传》云：'天子乃钓于河，以观姑繇之木。'郭注云：'姑繇，大木也。'引此《经》云：'寻木长千里，生海边。'谓木类。《吴都赋》又作㭨木。刘逵注引此《经》，亦作㭨木非也。李善注《东京赋》引此《经》仍作寻木。郭氏《游仙诗》亦作寻木也。《广韵》云：'㭨，木名，似槐。寻，长也，引此《经》。"

按郝氏所疏，没有言明"寻木"是什么木。

《艺文类聚》卷89引《吴都赋》云："亦犹棘林之萤耀，与夫寻木之龙烛。"刘逵注云："《山海经》云：'栟木长千里。'"

陈藏器《本草拾遗》云："栟木皮、叶，煮洗蛇咬，亦可作屑傅之。栟，大木也，出江南。"

苏颂《本草图经》云："秦皮，俗呼为栟木。"《本草纲目》卷35木部"秦皮"条注云："并入《拾遗》栟木。"

按《本草纲目》《本草图经》《本草拾遗》诸书所说，栟木似乎是秦皮。

陈藏器《本草拾遗》说栟木皮、叶，煮洗蛇咬。而沈括《梦溪笔谈》亦云秦皮能治蛇癞疮。沈括说："予家祖莹在钱塘西溪，尝有一田家忽病癞，通身溃烂，号呼欲绝。西溪寺僧识之曰：'此天蛇毒耳，非癞也。'取木皮煮饮一斗许，令其恣饮，初日疾减半，两三日顿愈。验其木，乃今之秦皮也。"

《广韵》云："栟木名，似槐。"苏颂《本草图经》云："秦皮……根似槐根，二月、八月采皮，阴干。其皮有白点而不粗错，俗呼为白栟木。"

按以上诸书所云，《山海经》"寻木"似可释为木犀科植物秦皮一类植物。

12. 郝懿行《山海经笺疏》释"櫰木"为"接骨木"质疑

《山海经》卷2《西山经》云："中曲之山，有木焉，其状如棠而圆叶，赤实，实大如木瓜，名曰櫰木，食之多力。"

文中的"櫰（音怀）木"是什么木呢？

郝懿行《山海经笺疏》云："案《尔雅》云：'櫰，槐大叶而黑。'非此也。櫰，通作槐。《广雅》云：'櫰，续断也。'《本草·别录》云：'续断，一名接骨，一名槐。'陶注云：'有接骨树。'颜师古注《急就篇》云：'续断即今所呼续骨木。'据诸书所说，接骨木即此经櫰木与！"

郝氏在《山海经笺疏》中讲到三个植物，即槐、续断、接骨木，最后确定"接骨木"是此经櫰木。

说《尔雅》"櫰，槐大叶而黑"不是《山海经》"櫰木"是对的，因为《尔雅》的"槐"指豆科植物槐树，槐树果实为荚果，不像木瓜，与《山海经》"实大如木瓜"不合。

《广雅》"櫰，续断也"和《名医别录》"续断一名接骨，一名槐"，皆指《神农本草经》的"续断"。《神农本草经》的"续断"即今日川续断科植物川续断，《神农本草经》说"续断久服益气力"，此与《山海经》"食之多力"相合，但川续断的果实是瘦果椭圆楔形，长约 3～5 mm，与《山海经》文"实大如木瓜"全不相符，则《神农本草经》的"续断"当非《山海经》的"櫰木"。

至于颜师古所注《急就篇》"续断一名接骨木即今所呼续骨木也"，按，颜氏为唐代人，颜氏所云"即今"指唐代，《唐本草》除载《神农本草经》的"续断"外，尚新添当时应用的"接骨木"。《唐本草》云："接骨木味甘、苦，平，无毒。主折伤，续筋骨，除风，疗龋齿，可作浴汤。"《唐本草》又注云："叶如陆英，花亦相似，但作树高一二丈许，一名木蒴藋。"苏颂《本草图经》云："接骨木高一二丈许，花、叶都类陆英、水芹辈，故一名木蒴藋。"

按，接骨木即今忍冬科植物接骨木。但接骨木的果实是有细皱纹的核果，极小，直径约一分五厘，和《山海经》所云"实如木瓜"全不相同，所以郝氏以"接骨木"释《山海经》的"櫰木"似难成立。

《山海经》"櫰木"既然不是槐树、续断、接骨木，那么"櫰木"是什么植物呢？

从《山海经》所云"赤实，实大如木瓜"来看，櫰木有点像山楂，山楂是红色的，与"赤实"义合，木瓜果实呈黄色，与"赤实"不相符。又山楂果实的形状似棠梨，此与"其状如棠"义合。

从功用上来看，山楂能健胃助消化、增进饭量，饭量多，力气也大，此与"食之多力"义合。

根据这几点理由，疑"櫰木"是山楂。

关于山楂，古籍早有记载。《尔雅》云："朹，系梅。"注云："朹音求，树如梅，其子大如指头，赤色，似小奈，可食。"《唐本草》云："赤爪实，一名羊梂，一名鼠查。"《本草纲目》云："赤爪、棠梂、山楂，一物也。"

13. 《山海经》物品名录

《山海经》包括山经、海经、大荒经三个部分，山经又分南、西、北、东、中次序分篇，此外尚有一篇海内经。该书主要记载地理、物产、动物（鸟、兽、虫、鱼）、植物（草、木）、矿物（金、银、铜、铁、玉、石）、医药、氏族、民情习俗、祭祀，以及传奇神怪小说等，内容庞杂、牵涉方面较广，对研究古代各种历史都有参考价值。

《山海经》为何时何人所作不详，书名最早见于《史记·大宛列传》，但未言何人所作，西次刘歆曾校过此书，他在《上山海经表》中说："校秘书太常属臣望所校《山海经》，凡32篇，今定为18篇……禹别九州，任土作贡，而益等类物善恶，著《山海经》。"按刘歆所说，《山海经》是夏禹、伯益所作。王充《论衡·别通篇》、赵煜《吴越春秋》亦认为是禹、益所作。《水经注》亦云大禹所著。《博物志》云："太古书今见存有《神农经》《山海经》。"

清乾隆四十六年（1781）毕沅作《山海经》新校正序云："山海经作于禹、益，述于周秦，其学行于汉，明于晋，而知之者魏郦道元也。近人张心澂《伪书通考》（1957年商务印书馆本，668～703页）认为《山海经》不是禹、益所作，而是先秦甚至秦汉以后的作品，因为禹、益时代不可能产生这样卷帙浩繁的巨著。禹、益时代人们的活动区域主要在黄河流域，而书中却有长江流域，甚至长江以南的资料。从产物上看，书中很多地方出产铁，而铁在春秋时才有，在战国时大量使用。因此有人认为此书产生于战国期间，其中有后人增添的资料。

由于《山海经》记载的地理资料较多，后魏·郦道元注《水经》时，大量引用《山海经》资料近80次之多。

又由于《山海经》记载药物亦很多，历代本草学家引用《山海经》资料有100余处。

笔者把《山海经》中的名物摘录出来，分为两大类，每一类又按植物、动物、矿物来分，并把历代本草中引用《山海经》的资料摘录出来，进行比勘，以便于了解《山海经》时期中国本草医药的原始状况，此事虽至烦琐，但对于研究我国植物史、动物史、矿物史、医药史以及民情原始习俗等都有帮助。

一、《山海经》中实物名录

现在根据毕沅新校《山海经》的本子（光绪十九年鸿文书局据毕氏灵岩山馆本校印），把有关《山海经》中的实物名称摘录如下。

（一）实物名录一（原书注明有医疗功用的名物）

1. 植物类

祝馀　南山经，招摇之山有草焉，其状如韭，而青华，其名曰祝馀，食之不饥。

条 西山经，符禺之山，其草多条，其状如葵而赤，花黄，实如婴儿舌，食之使人不惑。

萆荔 西山经，小华之山，其草有萆荔，状如乌韭，而生于石上，亦缘木而生，食之已心痛。

条 西山经，石脆之山，其草多条，其状如韭而白华，黑实，食之已疥。

黄雚 西山经，竹山有草焉，其名曰黄雚，其状如樗，其叶如麻，曰华而赤实，其状如赭紫赤色，浴之已疥，又可以已胕。

薰草 西山经，浮山有草焉，名曰薰草，麻叶而方茎，赤华而黑实，臭如蘼芜，佩之可以已疠。

菁蓉 西山经，嶓冢之山，有草焉，其叶如蕙，其本（根）如桔梗，黑华而不实，名曰菁蓉，食之使人无子。

杜衡 西山经，天帝之山，有草焉，其状如葵，其臭如蘼芜，名曰杜衡，可以走马，食之已瘿。

无条 西山经，皋涂之山，有草焉，其状如藁茇，其叶如葵而赤背，名曰无条，可以毒鼠。

蕡草 西山经，昆仑之邱，有草焉，名曰蕡草，其状如葵，其叶如葱，食之已劳。

植楮 中山经，脱扈之山，有草焉，其状如葵叶，而赤华荚实，实如棕荚，名曰植楮，可以已瘨（鼠瘘），食之不眯。

鬼草 中山经，牛首之山，有草焉，名曰鬼草，其叶如葵而赤茎，其秀如禾，服之不忧。

荣草 中山经，鼓镫之山，有草焉，名曰荣草，其叶如柳，其本如鸡卵，食之已风。中次十二经，真陵之山，多荣草。

荀草 中次三经，青要之山，有草焉，其状如葼而方茎，黄华赤实，其本如藁本，名曰荀草，服之美人色。

葶苎 中次四经，熊耳之山，有草焉，其状如苏而赤华，名曰葶苎，可以毒鱼。

苦辛 中次六经，阳华之山，其草多苦辛，其状如橚，其实如瓜，其味酸甘，食之已疟。

夙条 中次七经，休与之山，有草焉，其状如蓍，赤叶而本丛生，名曰夙条，可以为竿。

蒚草 中次七经，姑媱之山，有蒚草，其叶胥成（叶相重），其华黄，其实如兔邱（兔丝），服之媚于人。

焉酸 中次七经，鼓钟之山，有草焉，方茎而黄华，圆叶而三成（叶三重），其名曰焉酸，可以为毒（治毒）。

无条 中次七经，苦山有草焉，圆叶而无茎，赤华而不实，名曰无条，服之不瘿。

牛伤 中次七经，大苦之山，有草焉，其状如榆，方茎而苍伤，其名曰牛伤，其根苍文，服者不厥（逆气病），可以御兵。

嘉荣 中次七经，半石之山，其上有草焉，生而秀，其高丈余。赤叶赤华，华而不实，其名曰嘉荣，服之者不霆（不畏雷霆）。中次九经，高梁之山多嘉荣，中次九经，葛山，其草多嘉荣。中次十一经，杏山多嘉荣。

菻草 中次七经，泰室之山，有草焉，其状如荗，白华黑实，泽如蘡薁，其名曰菻草，服之不昧。

蒵草 中次七经，少陉之山，有草焉，名蒵草，叶状如葵，而赤茎白华，实如蘡薁，食之不愚（益人智慧）。

猿 中次七经，大騩之山，有草焉，其状如蓍而毛，青华而白实，其名曰猿（狼毒），可以为（治）腹病。

无名草 中次九经，高梁之山，有草焉，状如葵而赤华，荚实白柎，可以走马。

蓧 中山经，甘枣之山，有草焉，葵本而杏叶，黄华而荚实，名曰蓧，可以已瞢。

迷榖 南山经，招摇之山，有木焉，其状如榖而黑理，其华四照，其名曰迷榖，佩之不迷。

白䓘 南经，仑者之山，有木焉，其状榖而赤理，其汁如漆，其味如饴，食者不饥，可以释劳，其名曰白䓘，可以血玉。

文茎 西山经，符禺之山，其上有木焉，名曰文茎，其实如枣，可以已聋。

枳木 西山经，崇五之山，有木焉，圆叶而白柎，赤华而黑理，其实如枳，食之宜子孙。

嘉果 西次三经，不周之山，爰有嘉果，其实如桃，其叶如枣，黄华而赤柎，食之不劳。

丹木 西次三经，峚山，其上多丹木，圆叶而赤茎，黄华而赤实，其味如饴，食之不饥。

櫰木　西次四经，中曲之山，有木焉，其状如棠，而圆叶赤实，实大如木瓜，名曰櫰木，食之多力。

沙棠　西次三经，昆仑之邱，有木焉，其状如棠，华黄赤实，其味如李而无核，名曰沙棠，可以御水，食之使人不溺。

丹木　西次四经，崦嵫之山，其上多丹木，其叶如穀，其实大如瓜，赤符（柎）而黑理，食之已瘅（疸），可以御火。

无名木　东次四经，北号之山，有木焉，其状如杨赤华，其实如枣而无核，其味酸甘，食之不疟。

茞（音起）　东次四经，东始之山，有木焉，其状如杨而赤理，其汁如血不实，其名曰茞，可以服马。中次十二经，柴山之桑多茞，荣余之山多茞。

栃木　中山经，历儿之山，其上多栃木，是木也，方茎而圆叶，黄华而毛，其实如楝，食之不忘。

雕棠　中山经，阴山，其中多雕棠，其叶如榆叶而方，其实如赤菽，食之已聋。

芒草　中次二经，荔山有木焉，其状如棠而赤叶，名曰芒草，可以毒鱼。海内经，九丘有建木，其叶如芒（芒木似棠梨）。

茇　中次四经，柄山有木焉，其状如樗，其叶如桐而荚实，其名曰茇，可以毒鱼。

黄棘　中次七经，苦山，其上有木焉，名曰黄棘，黄华而圆叶，其实如兰，服之不字（孕）。

天楄　中次七经，堵山，其上有木焉，名曰天楄，方茎而葵状，服者不哽（食不噎也）。

蒙木　中次七经，放皋之山，有木焉，其叶如槐，黄华而不实，其名曰蒙木，服之不惑。

帝休　中次七经，少室之山，其上有木焉，其名曰帝休，叶状如杨，其枝五衢，黄华黑实，服者不怒。

栯木　中次七经，泰室之山，其上有木焉，叶状如梨而赤理，其名栯木，服者不妒。

帝屋　中次七经，讲山有木焉，名曰帝屋，叶状如椒，反伤赤实，可以御凶。

亢木　中次七经，浮戏之山，有木焉，叶状如樗而赤实，名曰亢木，食之不蛊。

蓟柏　中次七经，敏山上有木焉，其状如荆，白华而赤实，名曰蓟柏，服者不寒（令人耐寒）。

羊桃　中次十一经，丰山，其木多羊桃，状如桃而茎，可以为皮张（治皮肿胀起）。

梨　中次七经，太山有草焉，名曰梨，其叶状如荻而赤华，可以已疽（《太平御览》卷998引作"可以为菹"）。

莽草　中次十一经，朝歌之山，有草焉，名曰莽草，可以毒鱼。

鸡榖　中次十一经，兔床之山，其草多鸡榖，其本如鸡卵，其味酸甘，食者利于人。又妪山多鸡榖。

桂竹　中次十二经，云山有桂竹，甚毒，伤人必死。

以上植物部分录55种，其中草类30种，木类24种，竹1种。草类中同名者有"条"和"蓇草"，木类中有丹木。又"无名木""无名草"及"疟木"三者在原书中是没有名称的，这3个名字，是笔者命的名字。

2. 动物类

猩猩　南山经，招摇之山有兽焉，其状如禺而白耳，伏行人走，其名曰猩猩，食之善走。

鹿蜀　南山经，杻杨之山，有兽焉，其状如马而白首，其文如虎而赤尾，其音如谣，其名曰鹿蜀，佩之宜子孙。

类（灵猫）　南山经，亶爰之山，有兽焉，其状如狸而有髦，其名曰类，自为牝牡，食者不妒。

猾褢　南山经，基山有兽焉，其状如羊，九尾四耳，其目在背，其名猾褢。佩之不畏。

九尾狐　南山经，青丘之山，有兽焉，其状如狐而九尾，其音如婴儿，能食人，食者不蛊（说文云：蛊腹中虫也）。

羬羊　西山经，钱来之山，有兽焉，其状如羊而马尾，名曰羬羊，其脂可以已腊（治体皱腊）。中次四经，柄山，其中多羬羊。

溪边　西山经，天帝之山，有兽焉，其状如狗，名曰溪边，席其皮者不蛊。

天狗　西次三经，阴山有兽焉，其状如狸而白首，名曰天狗，其音如榴榴，可以御凶。

谨　西山经，翼望之山有兽焉，其状如狸，一目而三尾，名曰谨，其音如夺百声，是可以御凶，服之已瘅。

朧疏　北山经，带山，有兽焉，其状如马，一角有错（甲错），其名曰朧疏，可以辟火。

孟槐　北山经，谯明之山，有兽焉，其状如貆（韵）而赤豪，其音如榴榴，名曰孟槐，可以御凶。

耳鼠　北山经，丹熏之山，有兽焉，其状如鼠而兔首麋身，其音如獋犬，以其尾飞，名曰耳鼠，食之不睬（大腹），又可以御百毒。

领胡　北次三经，阳山，有兽焉，其状如牛而赤尾，其颈臋，其状如句瞿，其名曰领胡，其鸣自詨，食之已狂。

𪊨（音那）　中山经，甘枣之山，有兽焉，其状如軏鼠而文题，其名曰𪊨，食之已瘿。

朏朏　中山经，霍山，有兽焉，其状如狸而白尾有鬣，名曰朏朏，养之可以已忧。

蛮蚳　中次二经，昆吾之山，有兽焉，其状如彘而有角，其音如号，名曰蛮蚳，食之不眯。

猭（音各）　中次十一经，依轱之山，有兽焉，其状如犬，虎爪有甲，其名曰猭，善駚坒（跳跃自扑），食者不风（不畏天风）。

蛫（音诡）　中次十二经，即公之山有兽焉，其状如龟而白身赤首，名曰蛫，是可以御火。

鹔鸼　南山经，基山，有鸟焉，其状如鸡，而三首六目六足三翼，其名曰鹔鸼，食之无卧（使人少眠）。

灌灌　南山经，青丘之山有鸟焉，其状如鸠，其音若呵，名曰灌灌，佩之不惑。

鶌渠　西山经，松果之山，有鸟焉，其名曰鶌渠，其状如山鸡，黑身赤足，可以已皲（皮皱起）。

鸥　符禺之山，其鸟多鸥，其状如翠而赤喙，可以御火。

肥遗鸟　西山经，石脆之山，有鸟焉，其状如鹑，黄身而赤喙，其名曰肥遗，食之已疠，可以杀虫。

橐𩇕　西山经，瀚次之山，有鸟焉，其状如枭，人面而一足，曰橐𩇕，冬见夏蛰，服之不畏雷。

栎鸟　西山经，天帝之山有鸟焉，其状如鹑，黑文而赤翁，名曰栎，食之已痔。

数斯 西山经，皋涂之山，有鸟焉，其状如鸥而人足，名曰数斯，食之已瘿。

赤鷩 西山经，小华之山。鸟多赤鷩，可以御火。

鸓 西山经，翠山，其鸟多鸓，其状如鹊赤黑而两首四足，可以御火。

鸱鵌 西次三经，翼望之山，有鸟焉，其状如乌，三首六尾而善笑，名曰鸱鵌，服之使人不厌，又可以御凶。

当扈 西次四经，上申之山，其鸟多当扈，其状如雉，以其髯飞，食之不眴目。

鶺鴒 北山经，带山有鸟焉，其状如乌，五采而赤文，名曰鶺鴒，是自为牝牡，食之不疽。

凤凰 南次三经，丹穴之山，有鸟焉，其状如鸡而五采，名曰凤凰，见则天下安宁。

白鵺 蔓联之山，有鸟焉，群居而朋飞，其毛如雌雉，名曰白鵺，其鸣自呼，食之已风。

白鵫 北山经，单张之山，有鸟焉，其状如雉，而文首白翼黄足，名曰白鵫，食之已嗌（咽）痛，可以已瘟（痴病）。

鶑鹛 北次二经，北嚣之山，有鸟焉，其状如乌人面，名曰鶑鹛，宵飞而昼伏，食之已暍（中热）。

寓鸟 北山经，虢山，其鸟多寓，状如鼠而鸟翼，其音如羊，可以御兵。

嚣鸟 北次二经，梁渠之山，有鸟焉，其痕状如夸父，四翼一目犬尾，名曰嚣，其音如鹊，食之已腹痛，可以止衕（止洞下）。

鸥鹛 北山经，马成之山，有鸟焉，其状如乌，首白而身青足黄，名曰鸥鹛，其鸣自詨，食之不饥，可以已寓（疣病）。

鸱鹛 北次三经，小候之山，有鸟焉，其状如乌而白文，名曰鸱鹛，食之不灂（不瞑）。

黄鸟 北次三经，轩辕之山，有鸟焉，其状如枭而白首，其名曰黄鸟，其鸣自詨，食之不妒。

鵸 中次三经，畛水，其中有鸟焉，名曰鵸，其状如凫，青身而朱目赤尾，食之宜子。

駃鸟 中次五经，机谷多駃鸟，其状如枭而三目有耳，其音如录，食之已垫。

鸰鸄 中次六经，廆谷，其中有鸟焉，状如山鸡而长尾，赤如丹火而青喙，名曰鹆鹕，其鸣自呼，服之不眯。

窃脂 中次九经，崛山，有鸟焉，状如鸮而赤身白首，其名曰窃脂，可以御火。

青耕 中次十一经，堇理之山，有鸟焉，其状如鹊，青身白喙白目白尾，名曰青耕，可以御疫，其鸣自叫。

鴢鵌 中次十一经，丑阳之山，有鸟焉，其状如乌而赤足，名曰鴢鵌，可以御火。

玄龟 南山经，宪翼之水，其中多玄龟，其状如龟而鸟首虺尾，其名曰旋龟，其音如判木（如破木声），佩之不聋，可以为底（治病使愈）。

鲑 南山经，柢山多水无草木，有鱼焉，其状如牛，陵居蛇居有翼，其羽在鲑（胁）下，其音如留牛，其名曰鲑，冬死而夏生，食之无肿疾。

赤鱬 南山经，即翼之泽，其中多赤鱬，其状如鱼而人面，其音如鸳鸯，食之不疥（搔也）。

虎蛟 南次三经，浪水中有虎蛟，其状鱼身而蛇尾，其音如鸳鸯，食者不肿，可以已痔。

文鳐鱼 西山经，泰器之山，多文鳐鱼，状如鲤鱼，鱼身而鸟翼苍文，而白首赤喙，常行西海，游于东海，以夜飞，其音如鸾鸡，其味酸甘，食之已狂，见则天下大穰（丰年）。

冉遗鱼 西次四经，陵羊之泽，是多冉遗之鱼，鱼身蛇首六足，其目如马耳，食之使人不眯，可以御凶。

䰷鮛鱼 西山经，鸟鼠同穴之山，汉水多䰷鮛之鱼，其状如覆铫（温器），鸟首而鱼翼鱼尾，音如磬石之声，是生珠玉。

滑鱼 北山经，求如之山，滑水中多滑鱼，其状如鳝赤背，其音如梧，食之已疣。

鲦鱼 北山经，芘湖之水，其中多鲦鱼，其状如鸡而赤毛，三尾六足四首（首为目之误），其音如鹊，食之可以已忧。东山经，汜水，其中多箴，其状如鲦。

何罗鱼 北山经，谯明之水，其中多何罗之鱼，一首而十身，其音如吠犬，食之已痈。

鳛鳛鱼 北山经，涿光之山，嚣水中多鳛鳛之鱼，其状如鹊而十翼，鳞皆在羽端，其音如鹊，可以御水，食之不瘅（胆）。

鮓鮓鱼 北山经，雁门之水，其中多鮓鮓之鱼，食之杀人。

鰼鱼 北山经，狱法之山，滾泽水中多鰼鱼，其状如鲤而鸡足，食之已疣。

鮨鱼 北山经，嚣水，其中多鮨鱼，鱼身而犬首，其音如婴儿，食之已狂。

鮆鱼 北山经，晋水中多鮆鱼，其状如鲦而赤鳞，其音如叱，食之不骄。

人鱼 北次三经，决决之水，其中多人鱼，其状如䱱鱼四足，其音如婴儿，食之无痴疾。

鮹父鱼 北山经，留水，其中有鮹父之鱼，其状如鲋鱼，鱼首而彘身，食之已呕。

师鱼 北山经，历虢之水，其中有师鱼，食之杀人。

箴鱼 东山经，汜水，其中多箴鱼，其状如鲦，其喙如箴，食之无疫疾。

珠鳖鱼 东次二经，澧水，其中名珠鳖鱼，其状如肺而有目，六足有珠，其味酸甘，食之无疠。

鱃鱼 东次四经，苍体之水，其中多鱃鱼（鳙鱼），其状如鲤而大首，食者不疣。

茈鱼 东次四经，泚水，其中多茈鱼，其状如鲋，一首而十身，其臭如蘼芜，食之不糟（放屁）。

豪鱼 中山经，渠猪之水，其中是多豪鱼，状如鲔，赤喙尾赤羽，可以已白癣。

鲋飞鱼 中山经，劳水是多飞鱼，其状如鲋鱼，食之已痔衕。

豚飞鱼 中次三经，正回之水，其中多飞鱼，其状如豚而赤文，服之不畏雷，可以御兵。

修辟 中次六经，橐山，其中多修辟之鱼，状如黾而白喙，其音如鸱，食之已白癣。

鲐鱼 中次七经，耒儒之水，其中多鲐鱼，黑文，其状如鲋（鲫鱼），食者不睡（《太平御览》作"不肿"）。

䱤鱼 中次七经，合水多䱤鱼，状如鳜居逮，苍文赤尾，食之不痈（肿），可以为瘘（颈肿疾）。

鳛鱼 中次七经，休水，其中多鳛鱼，状如鳌蜼而长距，足白而对，食者不蛊疾，可以御兵。北次三经，龙候之山，决决之水，其中多人鱼，其状如鳛鱼。

三足龟 中次七经，狂水，其中多三足龟（贲龟），食者无大疾，可以已肿。

三足鳖 中次十一经，从水，其中多三足鳖，枝尾，食之无蛊疫。

巴蛇 海内南经，苍梧之山，巴蛇食象，三岁而出其骨，君子服之，无心腹之疾。

以上动物部分共录 76 种。兽类 19 种，鸟类 25 种，鱼类 28 种，龟 2 种，鳖 1 种，蛇 1 种。而同名者，在鸟类中有鹕鶏，在鱼类中有飞鱼。

3. 矿物类

育沛　南山经，丽䧹之水，其中多育沛（琥珀），佩之无瘕疾。

流赭　西山经，禺水，其中有流赭，以涂牛马无病。

礜　西山经，皋涂之山，有白石焉，其名曰礜，可以毒鼠。

瑾瑜玉　西山经，钟山之阳，瑾瑜之玉为良，坚粟精密，浊泽而有光，君子服之，以御不详。

器酸　北次三经，条菅之水，其中多器酸（未详），三岁一成，食之已疠。

4. 类别不详

天婴　中山经，金星之山，多天婴（未详），其状如龙骨，可以已痤（痈痤）。

帝台之棋　中次七经，休与之山，其上有石焉，名曰帝台之棋，五色而文，其状如鹑卵，服之不蛊。

帝台之浆　中次十一经，高前之山，其上有水焉，其寒而清，帝台之浆也，饮之者不心痛。

以上矿物类和未知名类共录 8 种，水 1 种，土 1 种，玉 1 种，石 2 种，未详何物者 3 种。

《山海经》所载说明产地性状和用途的名物中，动物有 76 种，植物有 55 种，矿物有 5 种，未知名的有 3 种，合计 139 种。

（二）实物名录二（原书未注明有何功用的名物）

《山海经》虽记载很多名物，但有些只有名称产地和形态的叙述，未说明有何用，如龙骨、芍药、蘪芜、芎劳、蕙、桂、白垩等。我们为了了解祖先对自然界事物记载之丰富材料，不妨一一摘录如下，以供读者研究。又书中有些名物常常有多处记载。例如"青膜"就十数处记载，如骄山其下多青膜，宜诸之山多青膜，隅阳之山多青膜，岐山多青膜，美山其下多青膜，灵山其下多青膜，石山多青膜，师每之山多青膜，原山其阳多青膜，瑶碧之山，其阴多青膜，即谷之山，其阴多青膜，婴山，其下多青膜，鲲山其下多青膜，衡山其上多青膜。像这样的例子极多，我们为节省篇幅起见，每一个名物只录一个产地，其他的产地就不记了。现在仍按植物、动物、矿物及类别不详 4 项来摘录。

1. 植物类

菅　南山经，白菅为席。西山经，天帝之山，其下多菅。

桔梗　西山经，嶓冢山有草焉，其本如桔梗。

蕙　西山经，嶓冢山有草焉，其叶如蕙，天帝之山，其下多蕙，中次五经，升山，其草多蕙。西次二经，中皇之山，其下多蕙。

藁茇　西山经，皋涂之山有草焉，其状如藁茇。

茆　西次四经，阴山，其草多茆。

蕃　西次四经，阴山，其草多蕃。

芷草　西次四经，劳山多芷草。北山经，郭薨之山多芷草。中次九经，隅阴之山，其草多芷。

芎䓖　西次四经，号山，其草多芎䓖。中次十二经，洞庭之山多芎䓖。

药虈　西次四经，号山，其草多药虈（药，白芷，叶即虈）。

华草　北山经，单狐之山，其上多华草。

蘽　北山经，丹熏之山，其草多蘽。中次九经，崃山，其草多蘽。

葱　北山经，边春之山多葱。北单之山多葱。

葵　北山经，边春之山多葵。中次七经，堵山，有木焉，方茎而葵状。

韭　北山经，边春之山多韭。北单之山多韭。中次九经，崃山，其草多韭。中次十一经，视山，其上多韭，鸡山多韭。

薯蓣　北次三经，景山，其草多薯蓣。中次五经，升山，其草多薯蓣。中次十一经，兔床之山，其木多薯蓣。中次十二经，尧山多薯蓣。

秦椒　北次三经，景山，其草多秦椒。

芍药　北次三经，绣山，其草多芍药。中次五经，条谷之山，其草多芍药。中次九经，勾欄之山，其草多芍药。中次十二经，洞庭之山，其草多芍药。

条　北次三经，高是之山，其草多条。

菌　东次三经，孟子之山，其草多菌。

蒲　东次三经，孟子之山，其草多蒲。

棕荚　中山经，脱扈之山有草焉，实如棕荚。

蓇草　中山经，吴林之山，其中多蓇草。中次十二经，洞庭之山，其草多蓇。

禾　中山经，牛首之山有草焉，其秀如禾。

蒼棘　中山经，合谷之山，是多蒼棘。

赤菽　中山经，阴山多雕棠，其实如赤菽。

蒐　中次四经，厘山，其阴多蒐（茅蒐）。

苏　中山经，熊耳之山有草焉，其状如苏。

柞草　中山经，苟床之山，其阴多柞草。

茱　中山经，苟床之山多茱。中次十二经，尧山其草多茱。中次五经，首山，其阴，草多茱。中次七经，泰室之山，有草焉，其状如茱。

芫　中山经，苟床之山，其阴多芫。中次五经，首山，其阴，草多芫。

蘦冬　中次五经，条谷之山，其草多蘦冬。中次十一经，其草多门冬。

芀（音交）　中次五经，成候之山，其草多芀。

寇脱　中次五经，升山，其草多寇脱。中次九经，熊山，其草多寇脱（通草）。

櫼（楸）　中次六经，阳华之山，其草状如櫼。

蓍　中山经，休与之山，有草焉，其状如蓍。中次七经，大騩之山，有草也，其状如蓍。

兰　中次七经，苦山有木焉，其实如兰。

蘡薁　中次七经，少陉之山有草焉，实如蘡薁。中次七经，泰室之山，有草也，白华里实，泽如蘡薁。

荻　中次七经，太山有草焉，其叶状如荻。

菊　中次九经，女几之山，其草多菊。

药（白芷）　中次九经，峡山，其草多药（白芷）。

龙修　中次七经，贾超之山，其中多龙修（即龙刍）。

少辛　中次七经，浮戏之山，其草多少辛（细辛）。中次九经，高梁之山，其草多少辛。

枝句　中次十经，繁绩之山，其草多枝句。

鸡鼓　中次十二经，夫夫之山，其草多鸡鼓。

蘪芜　中次十二经，洞庭之山，其草多蘪芜。

藁本　中次三经，青要之山，有草焉，其本和藁本。

菟邱　中次七经，姑媱之山，蓄草，其实如菟邱（菟丝）。

蒨　中次三经，敖岸之山，北望河林，其状如蒨。

举　中次三经，敖岸之山，北望河林，其状如举。

萧　中次六经，橐山，其阴多萧。

累　中次十一经，卑山，其上多累。

曼兑　海内西经，开明北有曼兑。

嘉谷 大荒南经，宋山有嘉谷。

不死之药 海内西经，开明东有不死之药。（原注为却死气求更生之药）。

百谷 大荒东经，鏊明山爰有百谷。

苣 大荒南经，大荒之中有苣（黑黍）。

穋 大荒南经，大荒之中有穋（禾名）。

百药 大荒西经，灵山，百药爰在。

膏菽 海内经，肇山，爰有膏菽。

膏稻 海内经，肇山，爰有膏稻。

膏黍 海内经，肇山，爰有膏黍。

膏稷 海内经，肇山，爰有膏稷。

九枸 海内经，武夫之邱有九枸，其实如麻，其叶如芒。

桂 南山经，招摇之山多桂。

梂木 南山经，堂庭之山多梂木。

怪木 南山经，猿翼之山多怪木。

梓枬 南次二经，虖勺之山，其上多梓枬。又《艺文类聚》引《山海经》曰："摇碧山、朝歌山、脆多枬。"中次十一经，朝歌之，其上多梓枬。

荆杞 南次二经，虖勺之山，其下多荆杞。西山经，小华之山，其木多荆杞。中次九经，騩山，其木多荆芑（杞）。中次十二经，暴山多荆芑。

榖 南山经，命者之山，有木焉，其状如榖。东次二经，曹夕之山，其下多榖。中次十一经，游戏之山多榖。

樱枬 西次二经，底阴之山，其木多樱枬。

松 西山经，钱末之山，其上多松。

枣 西山经，符禺之山，有木焉，其实如枣。

棕枬 西山经，石脆之山，其木多棕枬。北山经，敦薨之山，其上多棕枬。中次六经，夸父之山，其木多棕枬。中次十二经，暴山多棕枬。

乌韭 西山经，小华之山，其草如乌韭。

杻橿 西山经，英山多杻橿，钤山多杻橿。中次九经，女几之山，其木多杻橿。中次十一经，丰山多杻橿。

乔木 西山经，竹山，其上多乔木。

盼木 西山经，浮山多盼木，枳叶而无伤，木虫居之。

麻 西山经，浮山有草焉，其叶如麻。海内经，九丘有建木，其实如麻（似麻子)。

棫 西山经，羭次之山多棫。

榖柞 西山经，大时之山多榖柞。中次五经首山，某阴多榖柞。中次八经，衡山上多榖柞，中次八经，仁举之山，其木多榖柞。

桃枝 西山经，嶓冢之山，其上多桃枝钩端。中次八经，龙山，其草多桃枝。中次九经，高梁之山，其木多桃枝。

桂木 西山经，皋涂之山，其上多桂木。

棕 西山经，高山，其木多棕。北次三经，高是之山，其木多棕。西次四经，号山，其木多棕。

豫章 西次二经，底阳之山，其木多豫章。中次九经，蛇山多豫章。中次九经，玉山，其木多豫章。

枳 西山经，崇吾之山有木焉，其实如枳。北山经，北岳之山多枳。

桃 西山经，不周之山有嘉果，其实如桃。中次八经，灵山，其木多桃。

榣木 西山经，槐江之山，其阴多榣木之有若。

棠 西山经，昆仑之丘有木焉，其状如棠。中次九经，岷山，其木多棠。西次二经，中皇之山，其下多棠。

桑 西次四经，鸟山，其上多桑。东山经，岳山，其上多桑。中次十一经，鸡山多桑。中次十二经，即公之山多桑。柴桑之山多桑。东山经，姑八之山，其下多桑。

木瓜 西次四经，中曲之山，有木焉，其状如棠而圆叶赤实实大如木瓜。

楮 西次四经，鸟山，其上多楮。西次二经，莱山，其木多楮。中次十二经，阳帝之山多楮。柴桑之山多楮。

榛 西次四经，上申之山多榛。

楛 西次四经，上申之山，其木多楛。

松 西次四经，白玉之山，上多松。中次十一经，翼望之山，其上多松。中次十一经，皮山，其木多松。

栎 西次四经，白玉之山，下多栎。中次九经，句䅶之山多栎。

柒木 西次四经，刚山多柒木（漆木）。西次四经，英鞮之山，上多漆木。

机木 北山经，单狐之山多机木。中次八经，大尧之山，其木多机。中次十一经，族篪之山多机。

棕 北山经，涿光之山，其下多棕。

漆　北山经。虢山，其上多漆。东山经，姑儿之山，其上多漆。西次四经，号山，其木多漆。

梄　北山经，虢山，其下多梄。

李　北山经，边春之山多李。中次八经，灵山，其木多李。北山经，灌题之山，其上多。北山经，北狱之山多。

刚木　北山经，北狱之山多刚木。

柳　中次六经，厖山，其木多柳。北次二经，湖灌之山，有木焉，其叶如柳。中次十二经，即公之山多柳。尧山多柳，真陵之山多柳。柴桑之山多柳，荣余之山多柳。

三桑　北山经，洹山，其上三桑生之。大荒北经，附禺之山，有三桑无枝。

百果树　北山经，洹山，其上百果树生之。

枸　北次三经，绣山，其木多枸。中次九经，蛇山多枸。

樗　东山经，岳山，其下多樗。北山经，丹熏之山多樗。北山经，灌题之山多樗。

棘　东次三经，尸胡之山，其下多棘。中次五经，升山，其木多棘。北山经，北岳之山多棘。

梓桐　东山经，孟子之山，其木多梓桐。

杨　东山经，北号之山有木焉，其状如杨。中次七经，少室之山，有木焉，叶状如杨。中次九经，风雨之山，其木多杨。

桢木　东次四经，太山多桢木。

杏　中山经，甘枣之山，有草焉，其叶如杏。中次八经，灵山真木多杏。

杻木　中山经，甘枣之山，其上多杻木。中次八经，陆𨞓之山，其木多杻。中次十经，涿山，其木多杻。中次十二经，即公之山多杻。真陵之山多杻。阳帝之山多杻。

櫙　中山经，历儿之山，其上多櫙。中次八经，陆𨞓之山，其木多櫙。中次十二经，阳帝之山多櫙，北山经，涿光之山，其下多櫙，西山经，瀚次之山多櫙。

楝　中山经，历儿之山有木焉，其实如楝。

榆　中山经，阴山有木焉，其叶如榆。中次七经，大苦之山，有草焉，其状叶如榆。

美枣　中山经，騩山，其上有美枣。

栌丹　中次六经，白石之山，其中多栌丹。

蔓居木　中次三经，宜苏之山，其下多蔓居木。

棕浮　中山经，熊耳之山，其下多棕浮。

槐　中山经，苟床之山，其木多槐。中次五经，首山，其阳，木多槐。中次五经，条谷之山，其木多槐。

桐　中次五经，条谷之山，其木多桐。北山经，虢山，其下多桐。

梨　中次七经，泰室之山有木焉，叶状如梨。中次十二经，洞庭之山，其木多梨。

柏　中次七经，讲山多柏，师每之山多柏。中次十一经，前山多柏。北山经，丹重之山多柏。两次四经，白玉之山多柏。

柘　中次七经，讲山多柘。中次八经若山多柘。中次九经，嵊山，其木多柘。东山经，姑儿之山，其下多柘。北次三经，发鸠之山，其上多柘木，中次十经，楮山多柘。中次九经，句尔之山，其木多柘。

椒　中次八经，琴鼓之山，其木多椒。中次七经，讲山有木焉，叶状如椒。

荆　南次二经，虖勺之山，其下多荆。中山经，敏山上有木焉，其状如荆。

杼　中次八经，景山，其木多杼。

橘櫐　中次九经，贾超之山，葛山其木多橘櫐，荆山多橘櫐。中次十二经，洞庭之山，其木多橘柚。

栗　中次九经，贾超之山，其木多栗。

梓桑　中次九经，隅阳之山，其木多梓桑。

梅　中次八经，灵山，其木多梅，岷山多梅。中次九经，崌山多梅。中次九经，岐山多梅。

寓木　中次八经，衡山多寓木，若山多寓木。中次八经，龙山，上多寓木。中次十经，楮山多寓木。

钩端　中山经，高梁之山，其木多钩端。中次八经，龙山，英草多钩端。中次九经，高梁之山，其木多钩端。

檀　中次八经，灌山多檀，嵊山多檀。中次八经，景山多檀。中次九经，嵊山，其木多檀。中次十一经，几山，其木多檀。中次十二经，即公之山多檀。

栯杻　中次九经，崌山，其木多栯杻。岐山多杻栯。中次九经，玉山，其木多栯杻，中次九经，葛山，其木多栯杻。

梓　中次九经，岐山，其木多梓，卑山多梓。中次九经，崌山，多梓。

樿　中次九经，风雨之山，其木多樿。

椒　　中次九经，风雨之山，其木多椒。

樗柳　　中次九经，熊山，其木多樗柳。

椒椐　　中次十经，虎尾之山，其木多椒椐，楮山多椒椐。

梓檀　　中次十经，丙山，其木多梓檀。

弞杻　　中次十经，丙山，其木多弞杻。

漆梓　　中次十一经，翼望之山，其下多漆梓。

美梓　　中次十一经，堇理之山，其上多美梓。鸡山多美梓。

楮　　中次十一经，前山，其木多楮。

举　　中次三经，熬岸之山，北望河林，其状如举。

苴　　中次十一经，依轱之山，其木多苴。虎首之山多苴，卑山多苴，雅山多苴。

橆木　　中次五经，成侯之山，其上多橆木。

梓橆　　中次十一经，婴䃌之山，其下多梓橆。

椆椐　　中次十一经，虎首之山，多椆椐。丑阳之山多椆椐。中次十二经，龟山，其木多椆椐。

美桑　　中次十一经，雅山，其上多美桑。

帝女之桑　　中次十一经，宣山，其上多桑焉，大五十尺，其枝四衢，其叶大尺余，赤理黄华青柎，名曰帝女之桑。

蕭　　中次十一经，求山，其木多蕭。

楢　　中次十一经，几山，其木多楢。

香　　中次十一经，几山，其草多香。

柤　　中次十二经，洞庭之山，其木多柤。中次九经，贾超之山，其木多柤。

蕭箘　　中次十二经，暴山，其木多蕭箘。

㯯　　中山经，阳帝之山，其木多㯯。

杨柳　　海外北经，平丘，爰有杨柳。海外东经，䃌丘，爰有杨柳。

甘柤　　海外北经，平丘，爰有甘柤，海外东经，䃌丘，爰有甘柤。大荒东经，东北海外，有甘柤。大荒南经，盖犹之山有甘柤。枝干皆赤黄叶白华黑实。

甘华　　海外北经，平丘，爰有甘华，海外东经，䃌丘，爰有甘华。大荒东经，东北海外，有甘华。大荒南经，盖犹之山，有甘华，校干皆赤黄叶。

杨桃　　海外东经，夹丘上，爰有杨桃。

甘果　　海外东经，夹丘上，爰有甘果，海外东经，䃌丘，爰有甘果。

薰华草 海外东经，在跂丘北有薰华草，朝生夕死。

离俞 大荒南经，阿山，爰有离俞，大荒北经，附禺之山有离俞。

扶桑 海外东经，汤谷上有扶桑。

建木 海内经，九丘有木，青叶，紫茎，玄华，黄实，名曰建木。海内南经，丹山，有木，其叶如罗，其实如栾，其木若蘆，其名曰建木。

蘆（刺榆） 海内南经，丹山，有木，若蘆。

木禾 海内西经，昆仑之虚，上有木禾，长五寻，大五围。

离朱 海外南经，狄山，爰有离朱（木名）。海外北经，务隅之山，爰有离朱。

三株树 海外南经，南山有三株树，其为树如柏叶皆为珠，一曰其为树苟慧（如慧星状）。

珠树 海内西经，开明北有珠树。

文玉树 海内西经，开明北有文玉树。

玗琪树 海内西经，开明北有玗琪树。

不死树 海内西经，开明北有不死树。

柏树 海内西经，开明北有柏树。

圣木 海内西经，开明北有圣木。

梴木 海内西经，开明北有梴木。

常树 海内西经，开明东有常树。

琅玕树 海内西经，开明东有琅玕树。

扶木 大荒东经，孽摇颥羝，上有扶木，其叶如芥。汤谷上有扶木。

甘木 大荒南经，翠山有甘木。

枫木 大荒南经，宋山者有木生山上名曰枫木。

栾 大荒南经，云雨之山，有木名曰栾，黄本赤枝青叶，群帝焉取药。海内南经，丹山，有木，其实如栾。

朱木 大荒南经，岳山，爰有朱木，赤枝青华玄实。大荒西经，常阳之山，有树赤皮支干青叶名曰朱木。

柜格之松 大荒西经，有方山者，上有青树。名曰柜格之松。

白柳 大荒西经，鏊山，爰有白柳。

白木 大荒西经，鏊山，爰有白木。

槃木 大荒北经，衡天山有槃（音盘）木。

若木 大荒北经，洞野之山，上有赤树，青叶赤华，名曰若木。海内经，南海之外有若木。

九楄 海内经，武夫之邱有九楄。

桓 中次十一经，族篪之山多桓。

鸟秩树 海内西经，开明南有鸟秩树。

扶竹 中次十二经，龟山，其下多扶竹。

筀竹 中次十二经，丙山多筀竹。

寻竹 大荒北经，有岳之山，寻竹生也。

竹 中山经，大尧之山多竹，从山多竹。中次十二经，夫夫之山多竹。

竹箭 中次四经，牡山，其下多竹箭。中次十二经，暴山，其木多竹箭。

竹䇠 中次四经，牡山，其下多竹䇠。

箭䇠 西山经，招水其阳多箭䇠。

楠木 中次六经，橐山，其木多楠木。

芑木 东山经，东始之山，有芑木焉，其状如杨而赤理。

檀楮 西山经，鸟危之山多檀楮，莱山多檀楮。

稌 南山经，虘山，糈用稌米。（糈，祭神用的米）

稻 南山经，虘山，一璧稻米。

稷 西次三经，崇吉之山，糈用稷米。

烛 西山经云：祠之用烛，烛者百草之末灰。

明组 海内北经，明组（海藻）邑居海中。

帝药 大荒南经，巫山有帝药。

黍 大荒南经，成山有黍。

2. 动物类

蜚 东次四经，太山有兽焉，其状如牛而白首一目而蛇尾，其名曰蜚，见则天下大疫。

柞牛 西山经，小华之山，其兽多柞牛。

夔牛 中次九经，岷山，其兽多夔牛。

夔 大荒东经流波山，其上有兽，状如牛苍身而无角一足，其声如雷，其名曰夔，其皮为鼓。

犁牛 东山经，食水，其多鳙鳙之鱼，其状如犁牛。

牦牛 中山经，荆山，其中多牦牛。

辇 西山经，黄山有兽焉，其状如牛而苍黑，大目，其名曰辇。

旄牛 西山经，翠山，其阴多旄牛。

兕旄牛 北山经，敦薨之山，其兽多兕旄牛。

兕牛 中山经，美山，其兽多兕牛。

犀兕 西山经，嶓冢之山，兽多犀兕。

犀牛 海内南经，苍梧之山，有犀牛，其状如牛而黑。

犀渠 中次四经，厘山有兽焉，其状如牛苍身，其音如婴儿，是食人，其名曰犀渠。

白犀 中次八经，琴鼓之山，其兽多白犀。

犀象 中山经，鬲山，其兽多犀象。

象 南次三经，祷过之山，其下多象。

犀 南次三经，祷过之山，其下多犀。

兕 南次三经，祷过之山，其下多兕。海内南经，桂林，兕，其状如牛，苍黑，一角。

精精 东次三经，蚳隅之山，有兽焉，其状如牛而马尾，名曰精精，其鸣自叫。

軨軨 东次二经，空桑之山有兽焉，其状如牛而虎文，其音如钦，其名曰軨軨，其鸣自叫见则天下大水。

那父 北山经灌题之山有兽焉，其状如牛而白尾，其音如叫，名曰那父。

窫窳 北山经，少咸之山，有兽焉，其状如牛而赤身人面马足，名曰窫窳，其音如婴儿，是食人。海内南经，丹山，有窫窳，其状如龙首，食人。海内经，九丘有窫窳，龙首，是食人。

合窳（音于） 东次四经，剡山有兽焉，其状如彘而人面，黄身而赤尾，其名曰合窳，其音如婴儿，是兽也，食人，亦食虫蛇，见则天下大水。

穷奇 西次四经，邽山，其上有兽焉，其状如牛，猬毛，名曰穷奇，音如獆狗，是食人。海内北经，蛇巫之山，有穷奇，状如虎，有翼，食人。

獒狠 西次三经，三危之山，其上有兽焉，其状如牛白身四角，其豪如披蓑，其名曰獒狠，是食人。

诸怀 北山经，北狱之山，有兽焉，其状如牛而四角，人目彘耳，其名曰诸怀，其音如鸣雁，是食人。

獂 北山经，乾山有兽焉，其状如牛而三足，其名曰獂，其鸣自叫。

马　北山经，罴差之山多马，隄山多马。

天马　北次三经，马成之山，有兽焉，其状如白犬而黑头，见人则飞，其名曰天马，其鸣自叫。

水马　北山经，滑水中多水马，其状如马，文臂（前腿）牛尾，其时如呼（如人叫呼）。

駮马　北次二经，敦头之山，旄水中多駮马，牛尾而白身一角，其音如呼。

毛马　海内经，大元之山，有毛马，蹄善走。

旄马　海内南经，苍梧之山有旄马，其状如马，四节有毛。

青马　海外东经，夹丘上，爰有青马。大荒南经，盖犹之山有青马。

三青马　大荒东经，东北海外，有三青马。

三青兽　大荒南经，南海之外，有三青兽。

马腹　中次二经，蔓渠之山有兽焉，其名曰马腹，其状如人面虎身，其音如婴儿，是食人。中次四经，釐举之山，其中多马肠（腹）之物。

駏驴　海外北经，北海内有兽焉，其状如马，名曰駏驴。

駮　海外北经，北海内有兽焉，其名曰駮，状如白马锯牙，食虎豹。西次四经，中曲之山，有兽焉，其状如而白身黑尾，一角虎牙爪，音如鼓，其名曰駮，是食虎豹。

雷兽　大荒东经，东海中有夔，以其皮为鼓，橛（击）以雷曾之骨。

蛩蛩　海外北经，北海内有兽焉，状如马，名曰蛩蛩。

狓狓　东次二经，磹山有兽焉，其状如马而羊目四角牛尾，其音如獆狗，其名曰狓狓，见则其国多狡客。

三骓　大荒东经，甘华爰有三骓。大荒南经，盖犹之山，有赤马名曰三骓。大荒西经，鏊山，有三骓。

孰湖　西次四经，崦嵫之山，有兽焉，其状马身鸟翼人面蛇，是好举人（喜举抱人），名曰孰湖。

吉量　海内北经，昆仑虚北，有文马缟身朱鬣，目若黄金，名曰吉量。

羊　西山经，钱来之山有兽焉，其状如羊。

麢羊　西山经，大次之山，其兽多麢羊。北山经，涿光之山，其兽多麢羊。

䴥　北次三经，归山有兽焉，其状如麢羊而四角马尾而有距，其名曰䴥，善还（旋舞），其鸣自叫。

葱聋　西山经，符禺之山，其兽多葱聋，其状如羊而赤鬣。

517

土蝼　西次三经，昆仑之丘，有兽焉，其状如羊而四角，名曰土蝼，是食人。

辣辣　北次三经泰戏之山有兽焉，其状如羊一角一目，目在耳后其名曰辣辣，其鸣自叫。

狍鸮　北山经，钩吾之山有兽焉，其状如羊身人面，其目在腋下，虎齿人爪，其音如婴儿，名曰狍鸮，是食人。

𤝮　南山经，洵山有兽焉，其状如羊而无口，不可杀也，其名曰𤝮。

彘　浮玉之山，有兽焉，其状如虎而牛尾，其音如犬吠，其名曰彘，是食人。

豪彘　西山经，竹山有兽焉，其状如豚而白毛，大如笄而黑端，名曰豪彘。

白豪　西山经，鹿台之山，多白豪。

闻獜　中次十一经，几山，有兽焉，其状如彘，黄身白头白尾，名曰闻獜，见则天下大风。

狪狪　东山经，秦山，有兽焉，其状如豚而有珠，名曰狪狪，其名自叫。

当康　东次四经，钦山有兽，其状如豚而有牙，其名曰当康，其鸣自叫，见则天下大穰（丰年）。

无犬　大荒西经，金门之山有赤犬名曰天犬。

獜狗　西次四经，邽山，其上有兽，音如獜狗。北山经，丹熏之山，有兽焉，其音如獜犬。

菌狗　海内经，巴遂山有兽如兔名曰菌狗。

蜪犬　海内北经，昆仑虚北蜪犬如犬青食人。

从从　东山经，枸状之山，有兽焉，其状如犬六足，其名曰从从，其鸣自叫。

狋即　中次十一经，鲜山有兽焉，其状如膜犬，赤喙赤目白尾，名曰狋即，见则其邑有火。

狡　西山经，玉山有兽焉，其状如犬而豹文，其角如牛，其名曰狡，其音如犬吠。

獭　中次四经，厘山潇潇之水，有兽焉，名曰獭，其状如獳犬而有鳞，毛如彘鬣，中次十一经，视水多颉（獭）。

狼　大荒南经，氾天之山，爰有狼。

狚狼　中次九经，高梁之山，有兽焉，其状如狐而白尾长耳，名狚（音巴）狼，见则国内有兵（兵乱）。

白狼　西次四经，盂山，其兽多白狼。

猲狙　东次四经，北号之山有兽焉，其状如狼赤首鼠目，其音如豚，名曰猲狙，是食人。

虎，白虎　西山经，女状之山，其兽多虎。西次四经，盂山，其兽多白虎。

文虎　海外南经，狄山，爰有文虎。

玄虎　海内经，幽都之山，上有玄虎（黑虎）。

罗罗　海外北经，北海内有兽焉，状如虎，名曰罗罗。

驳吾　海内北经，昆仑虚北，有珍兽大若虎，吾采华具，尾长于身，名曰驳吾。

獨狢　北次二经，北嚻之山，有兽焉，其状如虎而白身，犬首、马尾、彘鬣，名曰獨狢。

开明兽　海内西经，昆仑南渊滨有开明兽，身大类虎。

豹　西山经，底阳之山，其兽多豹。

玄豹　中次十一经，即谷之山多玄豹（黑豹）。海内经，幽都之山有玄豹。

猛豹　西山经，南山多猛豹。

蜼豹　海外南经，汤山，爰有蜼豹，狄山有难豹（猕猴类）。

鳌蜼　中次七经，休水，其中多鯑鱼，状如鳌蜼。

猿蜼　中次九经，鬲山，其兽多猿蜼（似猕猴）。

雍和　中次十一经，丰山，有兽焉，其状如蝯，赤目赤喙黄身，名曰雍和，见则国有大恐。

孟极　北山经，石者之山，有兽焉，其状如豹而文题（额）白身，名曰孟极，是善伏，其鸣自呼。

诸犍　北山经单张之山有兽焉，其状如豹而长尾人首牛耳一目，名曰诸犍，善吒，行则衔其尾，居则蟠其尾。

如狰　西次三经，章莪之山有兽焉，其状如赤豹五尾一角，其音如系石，其名如狰。

狪　北山经，堤山有兽焉，其状如豹而文首，名曰狪。

罴　北山经，伦山，有兽焉，其状如麋，其川在尾上，其名曰罴。

熊　西山经，嶓冢之山，兽多熊。中次九经，鬲山多熊。海外南经，狄山，爰有熊罴。

狐　大荒东经，青邱之国有狐九尾。

玄狐　海内经，幽都之山，上有玄狐（黑狐）蓬尾。

朱獳　东次二经，耿山有兽焉，其状如狐而鱼翼，其名曰朱獳，其鸣自叫，见则其国有恐。

獂獂 东次二经，姑逢之山，有兽焉，其状狐而有翼，其音如鸿雁，其名曰獂獂，见则天下大旱。

蛮姪 东次二经凫丽之山有兽焉，其状如狐而九尾九首虎爪，名曰蛮姪，其音如婴，是食人。

狸力 南山经，柜山有兽焉，其状如反有距，其音如狗吠，其名曰狸力，见则其县多土功。

梁渠 中次十一经，历石之山，有兽焉，其状如狸而白首虎爪，名曰梁渠，见则其国有大兵。

貆 北山经，谯明之山有兽焉，其状如貆。

貉 中山经，扶猪之山，有兽焉，其状如貉。

麐 中山经，扶猪之山，有兽焉，其状如貉而人目，其名曰麐。

蚨鼠 中山经，甘枣之山有兽焉，其状如蚨鼠。

狙如 中次十一经，倚帝之山，有兽焉，其状㺁鼠，虫（兽的通称）大荒西经，桂山有虫，状如兔，胸以后者裸不见青，如猿状。白耳白喙，名曰狙如，见则其国有大兵。

猥 西次四经，邽山，其上有兽，其状如牛，猥毛。

橐驼 北山经，虢山，其兽多橐驼。北次三经，饶山，其兽多橐驼。

鹿 东次三经，孟子之山，其兽多鹿。

豕鹿 中次八经，琴鼓之山，其兽多豕鹿。中次九经，玉山，其兽多豕鹿。中次十二经，江浮之山，其兽多豕鹿。

白鹿 西次四经，上申之山，兽多白鹿。

夫诸 中次三经，敖岸之山，有兽焉，其状如白鹿而四角，名曰夫诸，见则其邑大水。

㻬如 西山经，皋涂之山，有兽焉，其状如鹿而白尾马足人手而四角，名曰㻬如。

麋鹿 西山经，西皇之山，其兽多麋鹿。东次三经，孟子之山，其兽多麋鹿。中次十三经，暴山多麋鹿。

麋 东次三经，孟子之山，其兽多麋，中次九经，崃山，其阴多麋。

麢麋 中次十一经，朝歌之山，其兽多麢麋。

闾 北山经，县雍之山，其兽多闾，中次二经，辉诸之山，其兽多闾，中次九经，风雨之山，其兽多闾。

婴胡 东次三经，尸胡之山有兽焉，其状如麋而鱼目，名曰婴胡，其鸣自叫。

麈 中次九经，风雨之山，其兽多麈。中次九经，崃山，其阴多麈。

闾麈 中山经，美山多闾麈，纶山，其兽多闾麈，中次十一经，即谷之山，多闾麈。

麠 西山经，翠山，其阴多麠。中次十二经，阳帝之山多麠。

麖 中次五经，尺山，其兽多麖，中次八经，女几之山，其兽多麖。

麂 中次八经，女几之山，其兽多麂。

麛 中次十二经，暴山，其兽多麛。

麝 西山经，翠山，其阴多麝。中次十二经，阳帝之山多麝。

麢㕙 中山经，崐山，其兽多麢㕙。中次八经，伦山，其兽多麢㕙。中次九经，玉山，其兽多麢㕙，中次十一经，即谷之山多麢㕙。

飞鼠 北山经，天池之山有兽焉，其状如兔而鼠首，以其背飞，其名曰飞鼠（一本作飞兔）。

犰狳 东次二经，余峨之山，有兽焉，其状如兔而鸟喙，鸱目蛇尾，见人则眠（佯死），名曰犰狳，其鸣自叫，见则螽蝗为败（蝗虫伤败田苗）。

猩猩 海内经，武夫之丘，有青兽，人面，名曰猩猩。

白猿 南山经，堂庭之山多白猿。南次三经，发爽之山多白猿。

朱厌 西山经，小次之山有兽焉，其状如猿而白首赤足，名曰朱厌，见则大兵。

山猇 北山经狱法之山有兽焉，其状如犬而人面善投，见人则笑，其名山猇，其行如风（快速），见则天下大风。

猾裹 南次二经，尧光之山，有兽焉，其状如人而彘鬣冗居而冬蛰，其名曰猾裹，其音如斫木（如人斫木声），见则县有大繇（作役，或曰其县是乱）。

举父 西山经，崇吾之山，有兽焉，其状如禺而文臂豹虎而善投，名曰举父。

夸父 西次十一经，梁渠之山，有鸟焉，其状如夸父。东山经，犲山，有兽焉，其状如夸父而彘毛，其音如呼，见则天下大水。

禺 西山经，崇吾之山，有兽焉，其状如禺。

长右 南次二经，长右之山有兽焉，其状如禺而四耳，其名长右，其音如吟，见则郡县大水。

足訾 北山经，蔓联之山，有兽焉，其状如禺而有鬣牛尾文臂马蹄，见人则呼，名曰足訾，其鸣自呼。

幽頞 北山经边春之山有兽焉，其状如禺而文身善笑，见人则卧，名曰幽頞，其鸣自呼。

嚻 西山经，㺀次之山，有兽焉，其状如禺而长臂善投，其名曰嚻。

怪兽 南山经，猿翼之山多怪兽。南次三经，愚桑之山多怪兽。

文文 中次七经，放皋之山有兽焉，其状如蜂，枝尾而反舌，善呼，其名曰文文。

双双 大荒南经，有三青兽相并，名曰双双。

蛊雕 南次二经，泽更之水有兽焉，名曰蛊雕，其状如雕而有角，其音如婴儿之音，是食人。

山膏 中次七经，苦山有兽焉，名曰山膏，其状如逐（豚），赤若丹火，善詈（骂）。

趹踢 大荒南经，有兽左右有首，名曰趹踢。

居暨 北次二经，梁渠之山，有兽多居暨，其状如彙而赤毛，其音如豚。

彙 北次二经，梁渠之山，有兽，其状如彙（彙音谓，似鼠赤毛，如刺猬）。

屏蓬 大荒西经鏖鏊钜山有兽，名曰屏蓬。

视肉（《纲目》作"封"） 海外北经，务（《纲目》作"敦"）隅之山，爰有视肉。

狼 中次十一经，樂马之山，有兽焉，其状如彙，赤如丹火，其名曰狼，见则其国大疫。

鸡 其山经，基山有鸟焉，其状如鸡。

鸩 中次十一经，瑶碧之山，有鸟也，其状如雉，恒食蜚，名曰鸩。南山经，青丘之山，有鸟焉，其状如鸠。中次八经，琴鼓之山，其鸟多鸩，中次九经，玉山，其鸟多鸩。

鴸 南山经，柜山有鸟焉，其状如鸱而人手，其音如痹，其名曰鴸，其鸣自号也，见则其县多放士。

瞿如 南次三经，祷过之山有鸟焉，其状如鸡而白首三足人面，其名曰瞿如，其鸣自号也。

鸳鸯 南次三经，浪水中有虎蛟，其音如鸳鸯。

颙 南次三经，中谷有鸟也，其状如枭，人面四目而有耳，其名颙，其鸣自号也，见则天下大旱。

凤凰 南次三经，丹穴之山有鸟焉，其状如鸡而五采，多曰凤凰。

怪鸟 南次三经，灌湘之山多怪鸟。

枭 南山经，令丘之山有鸟焉，其状如枭。

鹓雏 南次三经，佐水有凤凰鹓雏。

山鸡 西山经，松果之山有鸟焉，其状如山鸡。

鹑卵 中次七经，休与之山，有石焉，其状如鹑卵。

尸鸠 西山经，南山，鸟多尸鸠。

白翰 西山经，嶓冢之山，鸟多白翰。

鹑 西山经，天帝之山有鸟焉，其状如鹑。

鸱 西山经，皋涂之山有鸟焉，其状如鸱。

鹰鹯 西次三经，槐江之山，鹰鹯之所宅也。

鹦鹉 西山经，黄山有鸟焉，其状如鸮，青羽赤喙，人舌能言，名曰鹦鹉。

就 中次十二经，暴山，其上多就。

鸾鸟 西山经女床之山有鸟焉，其状如翟而五采文，名曰鸾鸟，见则天下安宁，大荒南经，襄山鸾鸟自歌。大荒西经，榣山有鸾鸟，大荒北经，附禺之山有鸾鸟。

凫徯 西山经，鹿台之山有鸟焉，其状如雄鸡而人面，名曰凫徯，其名自叫，见则有兵。

罗罗 西山经莱山，其鸟多罗罗，是食人。

蛮蛮 西山经崇吾之山有鸟焉，其状如凫而一翼一目，相得乃飞，名曰蛮蛮，见则天下。

雕 西山经，钟山有鸟焉，其状如雕。

鸡鸟 西山经，钟山有鸡鸟。

大鹗 西山经，钟山有大鹗，其状如雕而黑文，白首，赤喙而虎爪，其音如晨鹄，见则有大兵。

钦原 西次三经，昆仑之丘有鸟焉，其状如蠭，大如鸳鸯，名曰钦原，蠚鸟兽则死，蠚木则枯。

胜遇 西山经，玉山有鸟焉，其状如翟而赤，名曰胜遇，是食鱼，其音如录。

鹤 西山经，章莪之山有鸟焉，其状如鹤。

毕方 西次三经，章莪之山有鸟焉，一足赤文青质而白喙，名曰毕方，其鸣自叫，见则其邑有讹火。海外南经，南山有毕方鸟。

鹩 西次三经，三危之山有鸟焉，其状如鹩。

乌　西山经，翼望之山有鸟焉，其状如乌。

雉　西山经，上申之山有鸟焉，其状如雉。

白雉　西次四经，盂山，其鸟多白雉。

白翟　西次四经，盂山，其鸟多白翟。北山经，县雍之山，其鸟多白翟。

鸮　西次四经，白于之山，其鸟多鸮。中次九经，崌山，有鸟也状如鸮。

自号　西次四经，崦嵫之山，有鸟焉，其状如鸮，而人面蜼身，犬尾，其各自号。

蕃鸟　北山经，涿光之山，其鸟多蕃。

𣫍斯　北山经，灌题之山有鸟焉，其状如雌雉而人面，见人则跃（跳），名曰𣫍斯，其鸣自呼也。

白鵺　北山经，县雍之山，其鸟多白鵺。

鹎　北次三经，归山有鸟焉，其状如鹊，白身赤尾六足，其名曰鹎，是善惊，其鸣自叫。

酸与　北次三经，景山有鸟焉，其状如蛇而四翼六目三足，名曰酸与，其鸣自叫，见则其邑有恐。

精卫　北次三经，发鸠之山有鸟焉，其状如乌，文首白喙赤足，名精卫，其鸣自叫。

鹠　北山经，饶山，其鸟多鹠。

蚩鼠　东山经，枸状之山有鸟焉，其状如鸡而鼠毛，其名曰蚩鼠，见则其邑大旱。

鹒鹕　东次二经泺水，其中多鹒鹕，其状如鸳鸯而人足，其鸣自叫，见则其国多土功。

絜钩　东次二经，碙山有鸟焉，其状如凫而鼠尾，善登木，其名曰絜钩，见则其国多疫。

凫　东次二经，碙山有鸟焉，其状如凫。

跂雀　东次四经，北号之山有鸟焉，其状如鸡而白首鼠足而虎爪，其名曰跂（音祈）雀，亦食人。

鹠　中山经，辉诸之山，其鸟多鹠。

驾鸟　中山经，青要之山，是多驾鸟。

鸷　中山经，夸父之山，其鸟多鸷。中次九经，岷山，其鸟多鸷。

白鹎　中次九经，风雨之山，其鸟多白鹎。

翰 中次九经，岷山，其鸟多翰（白翰）。

跂踵 中次十经，复州之山有鸟焉，其状如鸮而一足彘尾，其名曰跂踵，见则其国大疫。

鹳鸽 中山经，又原之山，其鸟多鹳鸽。中次十一经，衡山，其鸟多鹳鸽。

婴勺 中次十一经，支离之山有鸟焉，其名曰婴勺，其状如鹊赤目赤喙白身，其尾若勺，其鸣自呼。

比翼鸟 海外南经，南山，比翼鸟在其东，其为鸟青赤，两鸟比翼。

鸥 海外东经，汤谷有鸥（说文云，鸥，水鸮也）。

鸱久 海外南经，汤山，爰有鸱久。海外北经，务隅之山，爰有鸱久。大荒南经，阿山有鸱久。大荒北经，附禺之山，有鸱久。

灭蒙鸟 海外西经，灭蒙鸟在结匈国北，为鸟青赤尾。

青鸟 海外北经，平丘，爰有青鸟。大荒西经，鏊有青鸟。大荒西经，玄月之山有青鸟。

孟鸟 海内西经，疏属之山，孟鸟，其鸟文赤黄青。

狂鸟 大荒西经，幕鹒山有五采之鸟，有冠，名曰狂鸟。

鸟鹤 海内西经，开明南有鸟鹤。

始鸠 海内东经，勃海间有始鸠。

韩雁 海内东经，勃海间有韩雁。

五采鸟 大荒东经，待山有五采之鸟。

三青鸟 大荒东经，鏊明山，爰有三青鸟。西次三经，三危之山，三青鸟居之。

鹰贾 大荒南经，阿山，爰有鹰贾。

黄鸟 大荒南经，荣山有黄鸟，大荒西经，玄丹之山，有黄鸟，大荒北经，附禺之山，爰有黄鸟。

歌舞鸟 大荒南经，大荒之中山爰有歌舞鸟。

皇鸟 大荒西经，榣山有五采之鸟，名曰皇鸟。

凤鸟 大荒西经，榣山有五采之鸟，名曰凤鸟。大荒南经，襄山，凤鸟自午。海内经有凤鸟，见则天下和。

大鸷 大荒西经，鏊山有鸟焉，名曰大鸷。

少鸷 大荒西经，鏊山有鸟赤首黑目，名少鸷。

鸣鸟 大荒西经，弇州之山，五采之鸟，仰天（张口嘘天），名曰鸣鸟。

青鸾　大荒西经，玄丹之山，爰有青鸾（音文）。

黄鹜　大荒西经，玄丹之山，爰有黄鹜（音敖）。

白鸟　大荒西经，金门之山，有白鸟，青翼黄尾玄啄。

蜀鸟　大荒西经，大荒之山，有青鸟，身黄赤足六首，名曰蜀鸟。

琅鸟　大荒北经，附禺之山，爰有琅鸟。

玄鸟　大荒北经，附禺之山，爰有玄鸟（黑鸟）。海内经，幽都之山有玄鸟。

翠鸟　海内经，巴遂山有翠鸟（《尔雅》有鹬翠）。

孔鸟　海内经，巴遂山有孔鸟（孔雀）。

翳鸟　海内经，蛇山有五彩之鸟，名曰翳鸟（王逸云：凤皇别名）。

怪鱼　南山经，猿翼之水多怪鱼。

大鱼　中次十一经，澧水多大鱼。

鱄鱼　南次三经，黑水中有鱄鱼，其状如鲋而彘毛，其音如豚，见则天下大旱。

鲜鱼　西山招水，其中多鲜鱼，其状如鳖，其音如羊。

陵鱼　海内北经，陵鱼人面手足鱼身，在海中。（即鲮鲤）

人鱼　西山经，洛水，其中多人鱼。中次四经，熊耳之山，浮，濠之水，其中多人鱼。中次十一经，潕水，其中多人鱼。

鲤鱼　西山经，泰器之山，多文鳐鱼，其状如鲤鱼。

大鳊　海内北经，大鳊居海中。（鳊即鲂也）。

鳛鱼　西次三经，桃水中多鳛鱼，其状如蛇而四足，是食鱼。

鱼妇　大荒西经，大荒之山，有鱼偏枯名曰鱼妇。

鳖䰽之鱼　西次四经，滥水，多鳖之鱼，其状如覆铫。鸟首而鱼翼鱼尾，音如磬石之声。是生珠玉。

嬴鱼　西次四经，洋水，其中多嬴鱼，鱼身而鸟翼，音如鸳鸯，见则其邑大水。

鳛鱼　西次四经，鸟鼠同穴之山渭水，其中多鳛鱼其状如鳝鱼，动则其邑有大兵。

鳝　北山经，滑水中多滑鱼，其状如鳝。

滑鱼　北山经，滑水中，多滑鱼。

赤鲑　北山经，敦梦之水多赤鲑。

鮷　北次二经，湖灌水中多鮷（鳝，鳝鱼）。海外西经，大运山有鮷。

龟　北次三经，洧水，其中多龟。

鳌蜼　中山经，休水，其中多䲙鱼，状如鳌蜼。

鳠　北次三经，洧水，其中有鳠。

蒲夷鱼　北次三经，绳水，其中多蒲夷之鱼。

鯈鯈　东山经，食水，其中多鯈鯈之鱼，其状如犁牛，其音如彘鸣。

鳡鱼　东山经，减水，其中多鳡鱼。

堪孖鱼　东山经，犲山，其下多水，其中多堪孖之鱼。

寐鱼　东次三经，南水多寐鱼。

鳣　东次三经，碧阳之水，其中多鳣，西次四经，渭水，其中多骚鱼，其状如鳣。

鲐鲐　东次三经，深泽之水有鱼焉，其状如鲤而六足鸟尾，名曰鲐鲐之鱼，其鸣自叫。

鲋　东山经，泚水，其中多茈鱼，其状如鲋。

薄鱼　东次四经，女烝之山石膏水出焉，其中多薄鱼，其状如鳣鱼而一目，其音如欧（如呕吐声），见则天下大旱。

鳍鱼　东次四经，子桐之水，其中多鳍鱼，其状如鱼而鸟翼，出入有光，其音如鸳鸯，见则天下大旱。

鲔　渠猪之水，其中多豪鱼，状如鲔。东次三经，碧阳之水，其中多鲔。

鳜　中次七经，合水多䲢，状如鳜。

文鱼　中次八经，睢水，其中多文鱼（有斑彩）。

鲛鱼　中次八经，漳水，其中多鲛鱼（鲨鱼）。

鳖鱼　中次九经，岷山江水其中多鳖鱼。

黾（蛙）　中次六经，橐水，其中多修辟之鱼，状如黾。

活师　东山经，食水，其中多活师（即科斗虫）。

龟　西次四经，崦嵫之山，其阳多龟。

蠵龟　东次三经，跂踵之山，其下有深泽，其中多蠵龟。

龙龟　北山经，隈水，其中多龙龟。

旋龟　中次六经，豪水，其中多旋龟，其状鸟首而鳖尾，其音如判本。

良龟　中次九经，岷山江水，其中多良龟。

鼍　中次九经，岷山江水，其中多鼍。

蛟　中次十一经，觊水，其中多蛟，视水其中多蛟。帝苑之水，其中多蛟。

六首蛟 海内西经，开明南，有六首蛟。

赢母 西次三经，丘时之水，其中多赢母。

茈赢 南次二经，洵水，其中多茈赢。东山经，激水，其中多茈赢。

文贝 北山经，尾鱼水中多文见，大荒南经，阿山，爰有文贝（紫贝）。大芒北经，附禺之山，有文贝。

美贝 东山经，泚水，其中多美贝。

黄贝 西次四经，洋水，其中多黄贝。

蜄珧 东次二经，峄皋之水，其中多蜄（蚌）、珧（小蚌）。

蛇 中次九经，宣余之水，其中多蛇（水蛇，公蛎蛇）。

空奇（蛇蜢） 中次九经，峡山，多空奇。

蝮蛇 海内西经，开明南有蝮蛇。

白蛇 西山经，泰冒之山，多白蛇。

黑蛇 海内南经，苍梧之山，其为蛇，青黄赤黑，一曰黑蛇。海内经九丘有黑蛇（巴蛇）青首食象。

黄蛇 大荒北经，卫于山有黄蛇。大荒南经，蜮山，有黄蛇。

儵蠕 东山经，独山，末涂之水，其中多儵蠕，其状如黄蛇鱼翼，出入有光，见则其邑大旱。

大青蛇 大荒北经，不咸山有大青蛇，黄头，食麈。

委雉（委蛇） 大荒南经，阿山，爰有委维。

蝡蛇 海内经，灵山有赤蛇，在木上，名曰蝡蛇木食。

育蛇 大荒南经，宋山者有赤蛇，名曰育蛇。

化蛇 中次二经，阳水，其中多化蛇，其状如人面而豺身，鸟翼而蛇行，其音如叱呼，见则其邑大水。

玄蛇 大荒南经，荣水有玄蛇，食麈，海内经，幽都之山有玄蛇。

长蛇 北山经，大咸之山，有蛇名曰长蛇，其毛如彘豪，其音如鼓柝。

大蛇 南山经，禺槀之山多大蛇。北次三经，浴水有大蛇，赤首白身，其音如牛，见则其邑大旱。

飞蛇 中山经，柴桑之山多飞蛇。

鸣蛇 中次二经，鲜水，其中多鸣蛇，其状如蛇而四翼，其音如磬，见则其邑大旱。中次十一经，帝困之山，其下多鸣蛇。

象蛇 北次三经，阳山有鸟焉，其状如雌雉而五彩以文是，自为牝牡，名曰象蛇，其鸣自叫。

众蛇　西山经，诸次之山，是多众蛇。

怪蛇　南山经，猿翼之山多怪蛇，中次十二经，荣余之山多怪蛇。

积蛇　西山经，騩山，其下多积蛇。

肥遗蛇　西山经，太华之山有蛇焉，名曰肥遗，六足四翼，见则天下大旱。北山经，肥水，其水多肥遗之蛇。北山经，嚣水，有蛇一首两身，名曰肥遗，见则其国大旱。

蝮虫　南山经，猿翼之山多蝮虫（蝮蛇）。

飞虫　北次三经，神囷之山，其下有飞虫。

螽蝗　东次二经，余峨之山，有兽焉，名曰犰狳，见则螽蝗为败。

蜚　大荒北经，不咸山有蜚。

琴虫　大荒北经，不咸山有虫，兽首，蛇身，名曰琴虫。

仆累　中次三经，青要之山，是多仆累（蜗牛）。

蒲卢　中次三经，青要之山，是多蒲卢（螟蛉）。

蛭　大荒北经，不咸之山有蛭。

怪虫　中次十二经，荣余之山多怪虫。

大蟹　海内北经，大蟹在海中，大荒东经，海内有大蟹。

猎猎　大荒北经，衡天山有黑虫如熊状，名曰猎猎。

蛴　海内北经，昆仑东北有朱蛾，其状如蛴。

蜂　中次七经，放皋之山有兽，其状如蜂。

大蠹　海内北经，昆仑东北有大蠹，其状如螽。

朱蛾　海内北经，昆仑东北有朱蛾，其状如蛾。

水蚤　北山经，彭𣲔之山水，其水多水蚤。

射蜮　大荒南经，蜮山，有射蜮。

以上共录动物 316 种：兽类 150 种，鸟类 86 种，鱼类 35 种，蛙 2 种，龟鳖 5 种，鼍 1 种，蛟 2 种，贝 6 种，蛇 22 种，虫类 17 种。

3. 矿物类

黄金　南山经，庭之山多黄金，虖勺中多黄金。西山经皋涂之山，其阴多黄金，騩山多黄金。中皇之山，其上多黄金。

赤金　南山经，杻阳之山，其阳多赤金。中次八经，仁岑之山，其阴多赭。

白金　南山经，杻阳之山，其阴多白金。

铜　西山经，松果之山多铜，符禺之山多铜。

铁　西山经，泰冒之山多铁，符禺之山多铁，英山多铁，竹山多铁，龙首之山多铁。

银　西山经，大时之山多银。数历之山多银。

金　西山经，泰冒之山多金，西皇之山多金。

赤铜　西山经女床之山，其阳多赤铜。

赤银　北山经，少阳之山，其下多赤银。

锡　中山经，朝歌之山多锡。

白锡　中山经，灌山多白锡。

赤锡　中山经，龙山，其下多赤锡。

美铜　中山经阳帝之山多美铜。

金玉　南山经，招摇之山多金玉。

水玉　南山经，堂庭之山多水玉。中次十一经，帝苑之水，其中多水玉。

玉　南山经，基山，其阳多玉。北次二经，管涔之山，其下多玉。

青䰍　南山经，青邱之山，其阴多青䰍。

白玉　南山经，滽水，其中多白玉。

沙石　南次二经，夷山多沙石。

丹粟　南山经，英水多丹粟，西山经南山多丹粟。

砆石　南次二经，会稽之山，其下多砆石。

博石　南次二经，漆吴之山多博石。

丹䰍　南次三经，鸡山之下多丹䰍。

丹货　海内经，多山，有丹货。

洗石　西山经，钱来之山，其下多洗石。中次八经琴鼓之山，其下多洗石。

琈珬玉　西山经，石脆之山，其阳多琈珬玉。中次六经，傀山，其阴，多琈珬之玉。

苍玉　西山经，渭山其阳多苍玉。北次二经，胜水，其中多苍玉。

环　海外西经，大运山，有环（玉空边等为环）。

玉璜　海外西经，大运山有玉璜（半璧曰璜）。

婴垣玉　西山经，瀹次之山，其阳多婴垣之玉。

黄玉　西山经，翠山多黄玉。

采石　西山经，騩山多采石。

藻玉　西山经，泰冒之山多藻玉。

白珠　西山经，数历之山水中多白珠。

青碧　西山经，商山多青碧，泾水中多青碧。

雄黄　西山经，高山，其下多雄黄。

美玉　西山经，苕水中多美玉。

垩　西山经，大次之山，其阳多垩。

碧　西山经，大次之山，其阴多碧。

青雄黄　西山经，轩辕之山多青雄黄。皇人之山，其下多青雄黄（雌黄）。

藏琅玕　西山经，槐江之山多藏琅玕。

青石　西山经，嬴母之山多青石。

瑶碧　西次三经，章莪之山多瑶碧。北山经，丹熏之山，多瑶碧。大荒西经，鏊山有瑶碧。

婴短玉　西山经，泑山多婴短之玉。

硌石　西次四经，上申之山多硌石（磊硌水石）。

茈碧　西山经，罢父之山，其中多茈碧。

泠石　西次四经，号山多泠石。中次四经，甘水，其中多泠石。中次十一经，柴桑之山，其下多泠石。

砥砺　西次四经，崦嵫之山水，其中多砥砺。中次八经，郁水，其中砥砺，中次九经，高梁之山，其下多砥砺。

茈石　北山经，单狐之山，漨水中多茈石。

盐　北山经，景山，南望盐贩之泽。

文石　北山经，单狐之山，漨水中多文石。

磁石　北山经，匠韩之水多磁石。灌题之山多磁石。

美赭　北山经，汾水，其中多美赭。中次九经，贾超之山，其阴多美赭。

黄垩　北山经渑水中多黄垩，贲闻之山多黄垩。

涅石　北山经贲闻之山多涅石，孟门山多涅石。

赭　北山经，景山，其阴多赭，中次八经，若山，其上多赭，中次八经，仁举之山，其阴多赭，中次十一经，皮山多赭。

玄礵　北次三经，京山，其阴多玄礵。

砥　北山经，锡山，其下有砥。

碧玉　北山经，维龙之山，其上有碧玉。东次二经，碧山，多碧水玉。

石玉　北山经，白马之山，其阳多石玉。

礨石　北次三经，肥水中多礨石。

婴石　北次三经，燕山多婴石。

箴石　东山经，高氏之山多箴石，凫丽之山多箴石。

美石　东山经，独山，其下多美石。中次八经，崑山多美石。

白垩　东山经，峄皋之山，其下多白垩。

砺石　中山经阴山多砺石，蛊尾之山多砺石。

礝石　中次四经，扶猪之山，其上多礝石。

涂石　中次四经，箕尾之山多涂石。

庳石　中次五经，葱聋之山多庳石。

黑垩　中次五经，葱聋之山，其中有大谷，多白、黑、青、黄垩。

美垩　中山经，朝歌之山多美垩，视山多美垩。

璇玉　中山经，黄酸之山，其中多璇玉。

青　西山经，皇人之山，其下多青。

麋石　中次六经，涧水，其中多麋石。

碧绿　中次六经，縠水，其中多碧绿。

鸣石　中次六经，共水多鸣石。

珚玉　中次六经，縠水多珚玉，湖水多珚玉。

麋玉　中次七经，大苦之山多麋玉。

玄石　中次七经，婴梁之山多玄石。

青垩　中山经，大騩之山多青垩。

白珉　中山经岐山多白珉，琴鼓之山多白珉。

邽石　中次八经，若山多邽石，灌山，其上多邽石。

石涅　中次九经女几之山，其上多石涅，风雨之山，其下多石涅。

瑊石　中次九经，葛山，其下多瑊石。

封石　中次十经，虎尾山多封石，中次十一经，游戏之山多封石，又婴候之山，其上多封石。

珉　中山经，翼望山多珉，即谷之山多珉。

脆石　中山经，沨水，其中多脆石。

砥石　中山经大騩之山多砥石，历山多砥石。

酸石　中次十二经，风伯之山多酸石。

石赭　中山经，柴桑之山，其下多石赭。

遗玉　海外北经，平丘，爰有遗玉。海外东经，瑳丘，爰有遗玉。大荒东经，甘华，爰有遗玉。

甘水　海内西经，开明北有甘水。又《艺文类聚》引《山海经》曰："轩丘风卵，民食之，甘露民饮之。"

丹　大荒南经，隗山，其西有丹。

琁瑰　大荒西经，鏊山，爰有琁瑰。

琅玕　大荒西经，鏊山，爰有琅玕。

白丹　大荒西经，鏊山，爰有白丹。

青丹　大荒西经，鏊山，爰有青丹。

璿瑰　大荒北经，卫于山有璿瑰。海内经，鸟山有璿瑰。

磬石　西山经，泾水多磬石，鸟危之山多磬石。

以上共录矿物 99 种：金属 13 种，玉石 85 种，水 1 种。

4. 类别不详

女床　西山经，鸟危之山多女床。

覆銚　西山经，鸟鼠同穴之山汉水多鰠 鮀之鱼，其状如覆銚。

玉荅　西山经，崦嵫之山，其阴多玉荅。

錞干　中山经，婴梁之山多錞干。

牙交　海内西经，开明北有牙交。

离俞　大荒南经，岳山爰有离俞。

委维　大荒南经，泛天之山，爰有委维。

延维　大荒南经，岳山，爰有延维。

丹货　海内经，鸟山，爰有丹货。

蓬尾　海内经，幽都之山，上有蓬尾。

吁咽　狄山，爰有吁咽。

虖文　海外南经，汤山，爰有虖文。

以上所录 12 种是类别不详的。每一种都有若干处记载，例如"视肉"：海外南经狄山爰有视肉、汤山爰有视肉，海外东经夹丘上爰有视肉，海外北经务隅之山爰有视肉、平丘爰有视肉，海外西经开明北有视肉、开明南有视肉，大荒东经鏊明山爰有视肉，大荒南经泛天之山爰有视肉、岳山爰有视肉、盖犹之山有视肉、南类之山爰有视肉，大荒西经鏊山有视肉，大荒北经卫于山有视肉。仅一个"视肉"，就有14处记载,像这样的例子很多,为了节约篇幅,本文对每个实物品名只录其一二个产地。

二、小结

所录《山海经》物产,总计如下。

《山海经》记载物产共约772种。

(一)言明医疗功用者139种

1. 植物55种

(1)草类30种

(2)木类24种

(3)竹类1种

2. 动物76种

(1)兽类19种

(2)鸟类25种

(3)鱼类28种

(4)龟鳖3种

(5)蛇类1种

3. 矿物5种

(1)玉石3种

(2)水土2种

4. 类别不详者3种

(二)功用不明者约633种

1. 植物204种

(1)草类63种

(2)木类134种

(3)竹类7种

2. 动物316种

(1)兽类150种

(2)鸟类86种

(3)鱼类35种

(4)蛙2种

(5)龟鳖6种

（6）蛇类 22 种

（7）蛟 2 种

（8）贝类 6 种

（9）虫类 17 种

3. 矿物 99 种

（1）金属 13 种

（2）玉石 85 种

（3）水 1 种

4. 类别不详者 12 种

［注］：本材料仅就毕氏校注《山海经》本为根据，该书是光绪十九年鸿文书局据毕氏灵岩山馆本校印。

《五十二病方》药物注释

前　言

1973 年长沙马王堆发掘汉墓，其墓为西汉初诸侯王国长沙国丞相封轪（dài）侯利苍的家族墓。利苍官拜长沙丞相轪侯是在汉高帝（公元前 206—公元前 195）至高后（公元前 187—公元前 180）年间。这次发掘出土了最古老的帛书医方。该医方原无书名，由于医方是以 52 个病归类的，所以马王堆汉墓帛书整理小组即以《五十二病方》定为该帛书医方的书名。

《五十二病方》有目录和正文两部分。目录和正文是用带有隶草笔意的篆书写的。全文都是竖行书写，自右向左顺序排列。每整行约有 32 个字，正文现存 459 行。

全书包括 52 个病，正文中每个病前都有抬头小标题，各个小标题的次序和目录中的病名次序大体是相同的。每个病名标题下分别记载不同的方子，每个方子的开头冠以"一"字作为标记。

各个病名标题下所载方子数目不定，多则二十几个，少则一两个，所载方子共有 283 个。但将目录和正文进行对比，发现正文部分因残损，导致 5 个病有目无文，因此原书实有的方子数应比 283 个要多。

1979 年《五十二病方》由文物出版社出版，采用现代简化字，改成横排，印成单行本，并在书末第 196～208 页附有《五十二病方》现存药名表。该药名表共载药名 247 个（其中桑实未见），这 247 个药名是从 283 个方子中的药名摘录汇集而来的。由于《五十二病方》原书实有方数应多于 283 个，所以原书实有的药数亦应多于 247 种。

这 247 种药物，从它们的来源看，有矿物药、植物药、动物药及器物和加工品。其中矿物药有 21 种，约占 8.5%；植物药有 121 种，约占 49%；动物药有 60 种，约占 24%；器物和加工品有 31 种，约占 12.5%；待考药品 14 种，约占 6%。

在这 247 种药物中，大部分药物都见于古代文献，只有少数待考药物未见古代文献记载。

由于《五十二病方》是现存最早的方书，该方书中所载的药物应是人们最早使用的药物。这些药物填补了我国早期本草史的一大空白。该病方是研究我国古代药物起源与发展的极其宝贵的资料。

《五十二病方》的出现证明我国古代药物并不是通过"神农尝百草"突然产生的，而是广大劳动人民在与疾病长期作斗争的过程中不断总结和发展而来的。

《五十二病方》中的 100 多种药物都不见于《神农本草经》，说明我国最早出现的药物并非始载于《神农本草经》，有大量药物在《神农本草经》以前就已存在。

《神农本草经》中记载的很多药物名称，例如大豆、赤小豆、雷丸、蜣螂、芎䓖等都是后来用的名称，它们最早使用的名称是大菽、赤苔、雷矢、庆良、靡芜等，而《五十二病方》中所用的药名就是它们最早使用的名称。

《五十二病方》中没有提到五脏六腑和十二经，而《神农本草经》多次提到脏腑和十二经，如关于玉泉，《神农本草经》云："主五脏六腑百病。"关于大枣，《神农本草经》云："安中养脾，助十二经。"

以上事实都证明，《五十二病方》成书时间早于《神农本草经》。因此，《五十二病方》是我国现存最早有关药物的文献。

为方便研究中药史，笔者将古代文、史、哲及古医书中有关药物的资料按照《五十二病方》药物次序编排，把它们汇集在一起，供读者研究和参考应用。

此外，这些资料也可帮助读者理解《五十二病方》的药物，这些资料能够起到注释作用，因此，本稿的书名暂定为《〈五十二病方〉药物注释》。

由于本人学识水平有限，书中收录的资料有不全或错误之处，敬希读者指正为盼。

尚志钧

于芜湖皖南医学院弋矶山医院

1982 年 2 月 5 日

《〈五十二病方〉 药物注释》 说明

解题：《五十二病方》（以下简称《病方》）载有 283 方。在这 283 方中，应用的药物有 247 种，其中有半数药名未见于《神农本草经》和《名医别录》。这就说明，在先秦时期，有很多民间习用药未被《神农本草经》收录。这些未被收录的民间药对研究我国先秦时期的药物学史有很重要的参考价值。为大家研究方便起见，本书对《病方》中所存的药物进行注释，以便为大家提供一些药物学的史料。

对每个药物分三方面进行注释。

第一，列举方名，并注明该方在《病方》中的行次。凡含有相同药物的方子均罗列在一起。

第二，摘录古代文献中有关该药的历史资料，题名为"文献摘要"。在这个标题下，摘录三类文献内容。

（1）非医药书的文献摘要。有字书，如《说文解字》（以下简称《说文》）、《尔雅》、《广雅》、《玉篇》、《集韵》等。有经史书，如《诗经》《礼记》《山海经》《楚辞》等。有诸子书，如《庄子》《淮南子》《抱朴子》等。

（2）本草文献摘要。有《神农本草经》《名医别录》《吴普本草》《唐本草》等。

（3）方书文献摘要。有《金匮要略》《肘后方》《千金方》《外台秘要》等。

第三，添加"按语"。从药名、主治、功用等几方面介绍后世方书、本草与《病方》中药物的关系。

本书注释的药物以《病方》附表（1979 年文物出版社出版的《病方》第 196 ~ 208 页）所列的 247 种药物为主。为方便检寻，将每个药标以自然序码并按表中所列的目次分为 15 类。因第七类植物待考药和第十五类待考药物中有很多是不了解的，故未作注释。

1979 年文物出版社出版的《病方》中有些药物的注释与本书所释略有出入，如第二类草类药第 36 号青蒿，原书释为蔽。又第 63 号仆累，原书释为草类麦门冬，而本书释为蜗牛。类似此例很多。

本书仅对药名进行注释，至于病名、器物名，本书未进行注释。由于本人学术水平有限，注释错误一定是难免的，敬希读者指正为盼。

目　录

第一类　矿物药（21 种）

第三类 谷物类（15 种）

第四类　菜类药（10 种）

第五类　木类药（29 种）

第六类　果类药（5 种）

第七类　诗考植物药（5 种）

第八类　人部药物（9 种）

第九类　禽类药（6 种）

第十类　兽类药（23 种）

第十一类　鱼类药（3 种）

第十二类　虫类药（16 种）

第十三类　器物、物品类药（30 种）

第十四类　泛称类药（10 种）

第十五类　诗考药名（14种）

附篇　尚志钧撰写的与《五十二病方》有关的书籍及论文

第一类　矿物药（21种）

1　消石	2　恒石	3　澡石
4　封殖土	5　灶末灰、灶黄土	6　瓮韲处土
7　囷土	8　井中泥	9　久溺中泥
10　冻土	11　盐	12　戎盐
13　礜	14　丹沙（丹）	15　青（空青）
16　雄黄	17　水银	18　铁
19　锻铁者灰	20　金鎔、鎔末	21　湮汲水、湮汲

1　消石

【《病方》】　22 行："久伤者稍（消）石直（置）温汤中，以酒痈。"

【文献摘要】　《范子计然》云："硝石，出陇道。"

《神农本草经》："消石，味苦寒。主五脏积热，胃胀闭，涤去蓄结饮食，推陈致新，除邪气。"

《吴普本草》："消石，神农苦，扁鹊甘。"

《名医别录》："消石，辛，大寒，无毒。疗暴伤寒，腹中大热，止烦满，消渴，利小便及瘘蚀疮。能化成七十二种石，一名芒消，生益州及五都、陕西、西羌，采无时。"

《武威汉代医简》第 46 简，以消石治伏梁裹脓在胃肠之外；第 50 简，以消石治金创内漏血不出；第 86 甲简，以消石治大风。

《外台秘要》："疗恶寒啬啬，似欲发背，或已生疮肿瘾疹书：消石二两，以暖水一升和令消，待冷，取故青布，折三重，可似赤处方圆，湿布拓之，热即换，频易，立差。"

【按语】　消石异名很多，《名医别录》谓消石名芒消，但该书另有"芒消"条。又《名医别录》称朴消名消石，是消石有同名异物现象。《本草纲目》说："诸消，自晋、唐以来，诸家皆执名而猜，都无定见。惟马志《开宝本草》，以消石为地霜炼成，而芒消、马牙硝为朴消炼出者，一言足破诸家之惑矣。诸家盖因消石一名芒消，朴消一名消石朴，二名相混，遂致费辨不决。"今日所用硝石主要含硝酸钾，并夹杂少量硝酸钠、氯化钠；朴硝主要成分为含水硫酸钠，杂有硫酸钙、硫酸铁、硫酸钾；而芒硝、马牙硝的主要成分为较纯的硫酸钠。它们都是针芒状结晶，外观相似，加之古人炼制不纯，因此在应用和名称方面出现混乱。试看《神农本草经》所讲消石功用"涤去蓄结饮食"，显然是泻下剂的芒硝作用，倘若真正是含纯硝酸钾的硝石，大量服之，岂不要中毒。而《名医别录》所言消石功用乃是指含钾盐的硝石功用，因钾盐能利尿，亦能溶解多种无机盐，所以该书说消石能化72种石。陶弘景说："真消石，强烧之，紫青烟起。"此因硝酸钾强烧时产生紫色钾焰及氧化氮气体所致。

《外台秘要》以消石溶液作疮肿外敷用，《武威汉代医简》亦以消石作外用，这和《病方》的用法相同，而本草未载这种功用。

2　恒石

【《病方》】　56 行："狂犬啮人：取恒石两，以相靡（磨）殴（也），取其靡（磨）如糜（糜）者，以傅犬所啮者，已矣。"

【文献摘要】　《病方》56 行注②，释恒石疑即长石。

《神农本草经》云："长石，味辛，寒。主身热，四肢寒厥，利小便，通血脉，明目，去翳眇，下三虫，杀蛊毒。久服不饥。一名方石，坐山谷。"

《名医别录》："长石，味苦，无毒。主胃中结气，止消渴，下气，除胁肋肺间邪气。一名土石，一名直石，理如马齿，方而润泽玉色，生长子山及太山临淄，采无时。"

《吴普本草》："长石，一名方石，一名直石，生长子山谷，如马齿，润泽玉色长鲜，服之不饥。"

《武威汉代医简》第 13 简："治金创止惷令创中温方：曾青一分，长石二分，凡二物，皆治，合和，温酒饮一刀，日三，创立不惷。"

【按语】　《病方》释恒石为长石，本草不言长石能治狂犬咬伤。《肘后方》卷7 疗狾犬咬人方："末矾石，内（纳入）疮中裹之，止疮不坏，速愈，神妙。"《证类本草》卷 3 "矾石"条引文同。窃疑恒石或即矾石。矾石，战国时称为涅石，《山海经·西山经》云："女床之山，其阴多石涅。"郭璞注云："即矾石也。楚人名为涅石，秦人名为羽涅。"

《淮南子·俶真训》云："以涅染缁。"高诱注云："涅，矾石也。"《玉篇》云："硂，矾石也。"《神农本草经》云："矾石，一名羽涅。"按郭璞所注《山海经》，羽涅是秦人对矾石的称呼。涅石是楚人对矾石的称呼。《神农本草经》不言矾石一名涅石。盖著《神农本草经》的人不知南方楚人有涅石之名。

"涅"和"恒"字形很相近，传抄极易舛误。疑恒石或是涅石。涅石亦能治疗狂犬病。《五十二病方》又出在南方长沙，长沙为古之楚地。从地方相同、功用相同、字形相近等几方面来看，恒石似为涅石的笔误。

3 澡石

【《病方》】 186 行："膏瘇，澡石大若李樺，已食饮之，不已，复之。"

【按语】 本草文献未见有澡石记载。从药用上看，《病方》以澡石治膏瘇，说明澡石有利尿作用。《神农本草经》云："滑石，主癃闭，利小便。"此说法与《病方》相近。《名医别录》云："滑石，一名液石。"《范子计然》云："滑石，白滑者善。"《南越志》云："肯城县出肯石，即滑石也。"从澡石、液石、滑石等名词上来看，澡、液、滑三字含义略有相似之处。澡有洗涤的意思，《东观汉记》："以乎饮水澡颊。"液有渍的意思，《礼记·考工记》云："弓人，凡为弓，冬析干，而春液角。"疏云："液，渍液之义。"滑有柔泽之义，《礼记·内则》云："枣栗饴蜜以甘之，堇荁枌榆以滑之。"是澡、液、滑同有洗涤、柔泽之义。根据药效与字义的分析，疑澡石或为滑石。

另外从"澡"的字形来看，"澡"与"藻""璪"字形相似。古时三字互用。

（1）澡通藻。《礼记·丧服小记》："带澡麻。"释文云："澡，本作藻。"

此"藻"含义有三。

1）指文辞的藻饰。

2）指古代帝王冕上系的五彩丝线。《礼记·玉藻》："天子玉藻。"孙希旦《礼记集解》云："王祭天之冕，其旒前后各有十二，每旒之上，以五彩丝线系五彩玉为饰谓之藻。"

3）指有藻纹的玉。《山海经·西次二经》云："泰冒之山多藻玉。"郭璞注云："藻玉，玉有符彩者。"

（2）澡通璪。《集韵》云："澡，璪或字。"

此"璪"含义有二。

1）璪，指有雕刻饰文的玉。《说文》云："璪，玉饰如水藻之文。"段玉裁注云："璪谓雕饰玉之文，玉文皆如水藻。"

2）璪，指衣服上的图文。《虞书》曰："璪火粉米。"这里的"璪"指古代官员衣服上所绣的水藻及火焰形图文。

综上所述，"澡"的通假字"藻""璪"所指的实物有以下 4 种。

（1）指有雕饰藻文的璪玉。

（2）指绣有水藻图文的衣服。

（3）指系五彩玉的五彩丝线。

（4）指有自然藻文的玉。

其中（1）、（4）均属玉，（1）是人工雕有藻文的璪玉。（4）是有天然藻文的藻玉。其（4）藻玉和《病方》澡石在字形、字义、字声方面皆有相似之处。玉和石原是同类，古来并称，古人称玉为温润而有光泽的美石。从药效上讲，藻玉既属玉，本草古籍亦曾记载玉类能治瘰症。

《证类本草》卷3"玉泉"条引《名医别录》云："玉泉疗妇人带下十二病，除气瘰。"此与《病方》云澡石治膏瘰相近。疑澡石或为《山海经》泰冒之山的藻玉。

4　封殖土

【《病方》】 45～46行："婴儿索痉，取封殖土治之，□□二，盐一，合挠而烝（蒸），以扁（遍）熨直育（肯）挛筋所。"

【文献摘要】 《方言》云："楚郢以南，蚁土谓之封。"郢音颖，古代楚国故都，今湖北江陵北十里。

《说文》："埴，粘土也。"

《释名·释地》云："土黄而细密者曰埴。埴，腻也，粘泥如脂之腻也。"

《庄子·马蹄》云："陶者曰：'我善为埴。'"注云："埴土，可以为陶器。"

《本草拾遗》云："蚁穴中出土，取七枚如粒，和醋，搽狐刺疮。"《本草纲目》卷7转载陈藏器《本草拾遗》"蚁垤土，一名蚁封"。按：蚁垤土，《证类本草》引陈藏器作蚁穴中出土。

【按语】 封，有堆积隆起状的意思。《后汉书·顺帝纪》："苏勒国献师子，封牛。"注云："封牛，其领上肉隆起，若封然。"蚁穴中出土，堆积呈隆起状名蚁封。

殖、埴，古字通用，《释名》谓土黄细密为埴。《庄子》注埴土细密可以制陶器。蚁穴中出的土细埴，称为封殖土。

陈藏器谓蚁穴中出土，和醋搽狐刺。李时珍转引陈藏器"蚁穴中出土"云："又死胎在腹，及胞衣不下，炒三升，囊盛，拓心下，自出也。"此与《病方》以封殖土作热熨法的用法相近。

5 灶末灰、灶黄土

（1）灶末灰

【《病方》】 57 行："狂〔犬〕啮人者，取灶末灰三指最（撮）□□水中，以饮病者。"

【文献摘要】《本草拾遗》云："灶中热灰，和醋，熨心腹冷气痛及血气绞痛，冷即易。"

《肘后方》卷7云："凡犬咬人，取灶中热灰，以粉疮，傅之。"

【按语】 灶末灰，即《肘后方》《本草拾遗》所载的灶中热灰。本草不言灶末灰治狂犬咬伤，但《肘后方》记载其治犬咬伤。

灶末灰是灶中燃烧的灰烬，不是灶心土（伏龙肝）。《病方》58行注④释灶末灰即伏龙肝，可疑。按：《病方》115行白处方有灶黄土（即伏龙肝）。

（2）灶黄土

【《病方》】 115 行："白处方，取灌青，其一名灌曾，取如□□盐廿分斗一，灶黄土十分升一，皆冶，而□□指，而先食饮之。"422行："久疕不已，干夸（刳）灶，渍以傅之，已。"

【文献摘要】《释名》曰："灶，造也，创食物也。"

《墨子》曰："灶必为屏，心突高出屋四尺，慎无失火，失火者斩。"

《鲁连子》曰："灶五突，分烟者众也。"

《名医别录》云："伏龙肝，味辛，微温。主妇人崩中，吐血，止咳逆，止血，消痈肿毒气。"陶弘景注云："此灶中对釜月下黄土也。取捣筛合葫，涂痈甚效。以灶有神，故号伏龙肝。并以迂隐其名尔。"

《肘后方》云："治诸痈疽发背及乳房，釜下土捣取末，鸡子中黄和，涂之，佳。"

《千金方》云："灸疮痛肿急痛，灶中黄土，水煮令热，淋之即良。"

【按语】 灶黄土即灶心土，《名医别录》名伏龙肝，与灶末灰不是同一种东西。《名医别录》谓灶黄土能消痈肿毒气。《肘后方》以灶黄土治诸痈疽发背及乳房疾病，此与《病方》以灶黄土外用治白处、久疕不已的用法甚近。

疕，《周礼·医师》："凡邦之有疾病者，疕疡者造焉。"注云："疕，头疡，亦谓秃。"疏云："疕，头疡，谓头上有疮含脓血者，秃而不含脓血者。"《说文》云：

"疕，头疡也。"

6 瓮䉛处土

【《病方》】 61 行："犬筮（噬）人伤者，取丘（蚯）引（蚓）矢二升，以井上瓮䉛处土与等，并熬之，而以美（醢）口口口口之，稍垸，以熨其伤。"

【文献摘要】 《集韵》："瓮，即罂。"

《说文》："罂，汲瓶也。"段玉裁注云："甀瓮之本义为汲器。罂，俗作瓮。"

《庄子·至乐》："得水则为䉛。"按：䉛同继。

【按语】 井上瓮，指井上提水用的陶器。瓮䉛即瓮底。瓮䉛处土，即井上提水用陶瓮底部沉积的泥土。

瓮䉛处土，本草不载。

7 囷土

【《病方》】 315 行："烝（蒸）囷土，裹以熨之。"

【按语】 囷土，《病方》315 行注①释囷应为圈字。

按：囷音迷，《玉篇》释为地名。囷和囷字形相近。囷是古"渊"字。《元包经》："物萌于囷。"囷，疑为囷之讹。囷土，或是水渊深处土。《病方》315 行"烝囷土，裹以熨之"，是治热者（烫火伤）方。取水深处土寒凉，对抗热者之意。

8 井中泥

【《病方》】 101 行："蚖，取井中泥，以还（环）封其伤，已。"

【文献摘要】 《肘后方》云："治妊娠得时疫病，令胎不伤，取井底泥傅心下。"

《千金方》云："蝎螫人，以井底泥涂傅之，温则易之。"

《证类本草》卷 5 云："井底沙，至冷，主治汤火烧疮用。"该书"井中苔及萍"条，陶隐居云："井底泥至冷，亦疗汤火灼疮。"

【按语】 井中泥即井底泥。

《千金方》以井底泥涂敷蝎螫，此与《病方》以井中泥涂蚖蛇噬伤的用法相近。按：井底泥，陶弘景作《本草经集注》时已在井中苔下注之。唐慎微作《证类本草》时，将井底泥改名井底沙并作为主药收入书中。

9 久溺中泥

【《病方》】 330 行："胕伤，取久溺中泥，善择去蔡、沙石，置泥器中，旦以苦酒□□，以泥〔傅〕伤。"

【文献摘要】 《名医别录》云："溺坑中青泥，疗喉痹，消痈肿，若已有脓即溃。"

《本草纲目》："尿坑泥，主蜂蝎诸虫咬，取涂之。"

【按语】 久溺中泥，《病方》330 行注②释为《唐本草》的溺白垽。按：溺白垽即尿桶底沉积的尿垢，不会杂有蔡（杂草）、沙石。《病方》讲取久溺中泥，善择去蔡、沙石，说明久溺中泥应是尿坑中的泥，即《名医别录》所说的溺坑中青泥，不是溺白垽。溺白垽出于《名医别录》，《本草纲目》误注出典为《唐本草》。《病方》所释承袭《本草纲目》之误。

《病方》以久溺中泥治胕伤，此与《名医别录》以溺坑中青泥疗喉痹、消痈肿的用法相近。

【附】 胕：音行，脚胫也。《史记·龟策列传》："壮士斩其胕。"《说文》云："胕，胫耑也。"段玉裁注云："耑犹头也，胫近膝者曰胕，言胫则统胕，言胕不统胫。"《揣骨新编》云："骭骨即胕骨，在膝下里侧，外为腓肠。"宋慈《洗冤集录》云："膝盖下生者胫骨，胫骨旁生者胕骨。"综观上面所云，"胕"当是胫骨内侧处，"胕伤"即是胫骨内侧处受伤。

10 冻土

【《病方》】 431 行："涿（冻疮），烝（蒸）冻土，以熨之。"

【按语】 冻土，后世方书、本草皆未见录。

涿（瘃），《说文》云："瘃，中寒肿覈。"段玉裁注云："赵充国传，手足皲瘃。文颖曰：'瘃，寒创也。'按：肿覈者，肿而肉中鞕，如果中有覈也。覈、核，古今字。"《诸病源候论》卷 35 云："严冬之月，触冒风雪寒毒之气，伤于肌肤，血气壅涩，因即瘃冻，燄赤疼肿，便成冻疮，乃至皮肉烂溃，重者支节堕落。"按汉代《说文》所云，瘃是中寒肿覈，亦即冻疮初起肿的硬块为瘃。到隋代《诸病源候论》，瘃即成为冻疮的病名。

11 盐

【《病方》】 30 行："痉者，燸（熬）盐令黄，取一斗，裹以布，卒（淬）醇酒中，入即出，蔽以市，以熨头。"

45～46 行："索痉者，取封殖土冶之，□□二，盐一，合挠而烝（蒸）以扁（遍）熨直宵（肯）挛筋所。"

151 行："瘅病，盐隋（脽）炙尻。"又 169 行，治瘅病用美盐。

135 行："冥（螟）者，以鲜产鱼，□而以盐财和之，以傅虫所啮。"

80 行："癅（厲），濡，以盐傅之，令牛虵（舐）之。"

【文献摘要】《名医别录》云："食盐，味咸，温，无毒。主杀鬼蛊邪疰毒气，下部䘌疮，伤寒寒热，吐胸中痰癖，止心腹卒痛，坚肌骨，多食伤肺喜咳。"

《外台秘要》："治天行后两胁胀满，小便涩，熬盐熨脐下。"

《梅师方》："治吴公咬人，痛不止，嚼盐沃上，及以盐汤浸疮极妙。"

《肘后方》："治耳卒疼痛，以盐蒸熨之。"又云："手足忽生疣目，以盐傅疣上，令牛舐之，不过三度。"

【按语】《病方》以盐蒸熨，炙癃闭，治䘌疮，并以盐涂厲处，令牛舐。

后世医家一直都在沿用这些治法，如《肘后方》《梅师方》《外台秘要》等书所记的一些治法与《病方》大体相似。这里提示《病方》与后世的《肘后方》《千金方》《外台秘要》等存在递嬗关系。盖与《病方》同时代方书见录于《汉书艺文志》的有 36 家，868 卷。《肘后方·序》云："余既穷览坟索，以著述余暇，兼综术数，省仲景、元化、刘戴、秘要、金匮、绿秩、黄素方，近将千卷……选而集之，使种类殊分，缓急易简，凡为百卷……今采其要约，以为《肘后救卒》三卷。"这就说明，今日《肘后方》几乎是从千卷古方书中摘录而成，因此今日《肘后方》包含《汉志》所载诸逸医方的内容，也包含《病方》的内容。

12 戎盐

【《病方》】 169 行："赣戎盐若美盐，盈隋（脽），有（又）以涂隋（脽）口下及其上，而暴（曝）。"

【文献摘要】《神农本草经》："戎盐，主明目，目痛，益气，坚肌，去毒蛊。"

《名医别录》："戎盐，味咸，寒，无毒。主心腹痛。溺血，吐血，齿舌出血，一名胡盐。"

《武威汉代医简》第16简："治目恿方：以春三月上旬治药，曾青四两，戎盐三两，皆冶，合以乳汁和，盛以铜器，以傅目，良。"

《日华子本草》："戎盐……即西蕃所出食者，号戎盐，又名羌盐。"

【按语】 戎盐，《名医别录》："一名胡盐。"而《病方》169行注①云："戎盐，又名胡盐，见《神农本草经》。"所注《神农本草经》疑为《名医别录》之误。

又《病方》中的"美盐"疑为"羌盐"之误。

《日华子本草》云："戎盐，又名羌盐。"美、羌字形相似，易舛误。

13 礜

【《病方》】 40 行："诸伤，风入伤，伤痏痛，口礜。"60 行："狂犬伤，冶礜。"350 行："加（痂）、燔礜。"421 行："疕，黎卢二，礜一，豕膏和，而膝以熨疕。"

【文献摘要】 《山海经·西山经》："皋涂之山，有白石焉，其名曰礜，可以毒鼠。"郭璞注云："今礜石，毒鼠，蚕食而肥。"

《急就篇》云："黄芩茯苓礜柴胡。"

《神农本草经》："礜石，味辛，大热。主寒热鼠瘘，蚀疮，死肌，风痹，腹中坚。一名青分石，一名立制石，一名固羊石，出山谷。"

《名医别录》："礜石，主邪气，除热，明目，下气，除膈中热，止消渴，益肝气，破积聚，痼冷腹痛，去鼻中息肉。久服令人筋挛。一名白礜石，一名太白石，一名泽乳，一名食盐，生汉中及少室，采无时。"

《吴普本草》云："白礜石，一名鼠乡。神农、岐伯：辛，有毒；桐君：有毒；黄帝：甘，有毒。李氏云：或生魏兴，或生少室，十二月采。"

《说文》："礜，毒石也，出汉中。"《范子计然》："礜石，出汉中，白色者善。"《淮南子·地形训》："九百岁生白礜。"高诱注："白礜，礜石也。"又《淮南子·说林训》："人食礜石而死，蚕食而肥。"高诱注云："礜石，出山阴，一曰能杀鼠。"

《武威汉代医简》第86甲简："大风方：雄黄、丹沙、礜石、☒兹石、玄石、消石……"

《肘后方》："治风毒脚弱痹满上气，白礜石二斤，附子三两，豉三升，酒三斗，渍四五日，稍饮之。"

《胡洽方》："露宿丸，治大寒冷积聚，礜石炼、干姜、桂、桔梗、附子炮、皂荚各三两，捣、筛，蜜丸如梧子大，酒下十丸，加至一十五丸。"

【按语】 礜石为砷黄铁矿，是毒砂的矿，有剧毒。《山海经》、郭璞、高诱并云礜石毒鼠。《神农本草经》说礜石主鼠瘘、蚀疮。《肘后方》说礜石治风毒，此与《病方》以礜石治诸伤、风入伤、疕（头疮）、加（痂）的用法相近。

14 丹沙 （丹）

【《病方》】 130 行："白毋奏（腠），取丹沙与鳝鱼血，若以鸡血，皆可。"318 行："般（瘢）者，以水银二，男子恶四，丹一，并和……傅之。"454 行："疕，治以丹……"

【文献摘要】 《子虚赋》："其土则丹青赭垩。"注云："丹，丹砂。"

《神农本草经》："丹沙，味甘，微寒。主身体五脏百病，养精神，安魂魄，益气明目，杀精魅邪恶鬼……能化为汞。"

《名医别录》："丹沙……除中恶、腹痛、毒气、疥瘘、诸疮……作末名真朱，光色如云母，可析者良，生符陵山谷，采无时。"

《吴普本草》："丹沙，神农：甘；黄帝：苦，有毒；扁鹊：苦；李氏：大寒。或生武陵，采无时。能化朱成水银。畏慈石，恶咸水。"

《肘后方》云："面多䵟䵴，或似雀卵色者……以丹沙治之。"

《武威汉代医简》第 86 甲简："大风方：雄黄、丹沙、礜石……"

【按语】 丹沙，《病方》有时亦称丹。《说文》云："丹，巴越之赤石也。"段玉裁注云："巴郡、南越，皆出丹沙。《蜀都赋》：'丹沙赩炽，出其坂，谓巴也。'《吴都赋》：'赩丹明玑，谓越也。'"

《神农本草经》谓丹沙能化为汞。汞的古字为澒。《说文》云："澒，丹砂所化为水银也。"《淮南子·地形训》："赤天七百岁生赤丹，赤丹七百岁生赤澒。"高诱注云："赤丹，丹沙也。"《管子·地数》："山上有丹沙者，其下有鉒金。"

丹沙，古代多作外用。《周礼·疡医》："凡疗疡，以五毒攻之。"郑康成注云："今医方有五毒之药，作之合黄堥（音武），置石胆、丹沙、雄黄、礜石、慈石其中，烧之三日三夜，其烟上著（升华），以鸡羽扫取之，以注创，恶肉破骨则尽出。"《名医别录》谓丹沙治疥瘘诸疮，《肘后方》谓丹沙治面多䵟䵴，此与《病方》以丹沙配制外用药治疗皮肤病的用法相近。

15　青（空青）

【《病方》】　96 行："蚖，青傅之。"

【文献摘要】　《说文》："青，东方色也，木生火，从生丹，丹青之信，言必然。"古书言青，多指空青。

《周礼·职金》："掌凡金、玉、锡、石、丹、青之戒令。"注云："青，空青也。"

《山海经·西山经》："皇人之山，其下多青。"郭璞注云："空青，曾青之属。"

《范子计然》云："空青出巴郡。"

《子虚赋》云："其土则丹青赭垩。"注云："青，艧青空青也。"

《神农本草经》："空青，味甘，寒。主青盲，耳聋，明目，利九窍，通血脉，养精神……能化铜、铁、铅、锡作金。"

《名医别录》："空青，益肝气，疗目赤痛，去肤翳，止泪出，利水道，下乳汁，通关节，破坚积。令人不忘，志高神仙。"

《吴普本草》："空青，神农：甘；一经：酸。久服有神仙玉女来侍，使人志高。"

《肘后方》："若口喎僻者，取空青末，着口中久咽即愈。"

《千金方》卷 25 云："众蛇毒，铜青傅疮上。"

【按语】　空青是天然的碱式碳酸铜矿，铜青是碱式醋酸铜。《本草图经》谓空青状若杨梅，故别名杨梅青，为治眼翳障要药。《千金方》谓铜青治毒蛇咬伤，研末敷患处，此与《病方》治蚖咬伤，以青敷之的用法同。

16　雄黄

【《病方》】　338 行："加（痂），冶雄黄，以鬶膏修……以傅之。"408 行："干骚（瘙）方，以雄黄二两，水银两少半……而傅之。"

【文献摘要】　《山海经·西山经》："高山，其下多雄黄。"郭璞注云："晋大兴三年（320）高平郡界（山东金乡西北）有山崩，其中出数千斤雄黄。"

《神农本草经》："雄黄，味苦，平、寒。主寒热鼠瘘，恶疮疽痔死肌。杀精物恶鬼、邪、百虫毒，胜五兵。炼食之，轻身神仙。"

《名医别录》："雄黄，疗疥虫蟨疮……杀诸蛇虺毒，生武都敦煌之阳。"

《武威汉代医简》第 86 甲简：“大风方、雄黄、丹沙、礜石、☑兹石、玄石、消石……”

《肘后方》有恶疮雄黄膏方，疗癞疥、恶疮。

郑康成注《周礼·疡医》：“今医方有五毒之药，作之合黄垫（有盖瓦合），置石胆、丹砂、雄黄、礜石、慈石其中，烧之三日三夜，其烟上著，以鸡羽扫取之，以注创（疮），恶肉破骨则尽出。”

【按语】 雄黄是二硫化砷，难溶于水，烧之则成剧毒的氧化砷（砒霜），因此雄黄忌火。《肘后方》以雄黄疗癞疥、恶疮，此与《病方》以雄黄治痂、干瘙（癞疥）的用法同。

17　水银

【《病方》】 治干骚（瘙）方，408 行：“以雄黄二两，水银两少半，头脂一升……傅之。”治痂，361 行：“以水银、谷汁和而傅之。”又 345 行：“善酒，靡（磨）之血，以水银傅。”

治般（瘢），318 行：“以水银二，男子恶四，丹一……傅之。”

治痈，374 行：“取水银靡（磨）掌中，以和药，傅。”

【文献摘要】 《说文》：“澒，丹沙所化为水银也。”

《淮南子·地形训》：“白礜，九百岁生白澒，白澒九百岁生白金。”高诱注云：“白澒，水银也。”

《广雅·释器》：“水银谓之澒。”

《抱朴子》：“丹沙烧之成水银，积变又还成丹沙。”

《神农本草经》：“水银，味辛，寒。主疥瘘、痂疡、白秃，杀皮肤中虱，堕胎，除热。杀金银铜锡毒。镕化还复为丹，久服神仙不死。”

《名医别录》：“水银，有毒，以傅男子阴，阴消元气。一名汞，生符陵平土，出于丹沙。”

《本草图经》：“《广雅》：水银谓之澒，丹灶家乃名汞。”

《小品方》：“治癞疵疥恶疮方，水银、矾石、蛇床子、黄连各二两，四物捣筛，以腊月猪膏七合，并下水银搅万度，不见水银，膏成，傅疮。”

《肘后方》：“治恶疮方，水银、黄连、胡粉熬令黄，各二两，下筛，粉疮。”

【按语】 水银很少有天然存在的，多由丹沙制成。提取时必须有升华装置才行。《病方》中应用水银，说明我国很早就开始应用升华法。

水银可杀虫灭疥，治疗多种皮肤病。水银的这些功效，过去一直认为最早记载于《神农本草经》，今从《病方》用水银治多种皮肤病来看，《病方》应为最早记载水银治疗皮肤病的文献。

《病方》《神农本草经》《小品方》《肘后方》等书都记载了水银能治多种皮肤病，这就提示水银入药的历史悠久。

18　铁

【《病方》】　75 行："毒乌彖（喙）者，煮铁，饮之。"

【文献摘要】　《说文》："铁，黑金也。九江谓铁曰锴。"

《山海经·西山经》："太冒之山多铁，符禺之山多铁，英山、竹山、龙首之山多铁。"

《神农本草经》："铁，主坚肌耐痛，生平泽。"又云："铁精，平，主明目，化铜。"

《名医别录》云："生铁，微寒。主疗下部及脱肛。"

《肘后方》："若被打，瘀血在骨节，及胁外不去，以铁一斤，酒三升，煮取一升服之。"

《千金方》："治耳聋，烧铁令赤，投酒中饮之，仍以慈石塞耳。"

【按语】　后世方书、本草皆未载铁能解乌喙毒。

19　锻铁者灰

【《病方》】　446～448 行："去人马疣方：取段（锻）铁者灰三……再三傅其处而已。"

【文献摘要】　《名医别录》："锻灶灰，主癥瘕坚积，去邪恶气。"陶弘景注云："即今锻铁灶中灰尔，兼得铁力，以疗暴癥大有效。"

《本草图经》："铁落者，锻家烧铁赤沸，砧上打落细皮屑，俗呼为铁花是也。"又云："锻灶中飞出如尘，紫色而轻虚，可以莹磨铜器者为铁精。"

【按语】　《病方》所言锻铁者灰，究竟是锻灶灰、铁落、铁精三者中哪一种呢？从《病方》使用方法看，只有锻铁者灰可以调敷。铁皮屑（铁落）不可调敷。铁精也呈灰状，但与其名称不符。笔者认为锻铁者灰应是《名医别录》中的锻铁灶中灰，即锻灶灰。

人马疣是古代皮肤病的病名。《黄帝虾蟆经·虾兔图随月生毁日月飤（蚀）避灸判（刺）法第一》："'月毁十八日'条：使人病胀、痔、溏、瘕，泄痢不止，其即生马尤、疽、瘘。"

"马疣"像什么呢？《病方》449行："去人马疣，疣，其末大本（根）小□□者，取夹□白柎□，绳之以坚……疣去矣。"按《病方》所记，马疣是带蒂的疣。

20　金镕、镕末

【《病方》】　242行，治牡痔方："……即取蓑（镕）末、菽酱之宰（滓）半，并春，以傅痔空（孔）。"

345行，治加（痂）方："……以金镞（镕）冶末皆等，以龥膏膳而傅。"

【文献摘要】《说文》："镕，可以句鼎耳及炉炭。一曰铜屑。"段玉裁注："句，读如钩，钩鼎耳，举之。钩炉炭，出之之器也。《食货志》：'民盗摩线以取镕。'"

《集韵》："钩镕，取炭器。"

【按语】　按《说文》所释，镕释为句炉炭，一曰铜屑。《病方》释为铜屑。《唐本草》收载赤铜屑，谓攻腋臭神效。《外台秘要》引《崔氏方》，取铜屑和酢热揩狐臭。此与《病方》治牡痔和痂甚相似。

21　湮汲水、湮汲

【《病方》】　114行："瘨（癫）疾，取犬尾及禾在圈垣上［者］，段冶，湮汲以饮之。"154行："治人病马不痫者，湮汲水三斗，以龙须一束并煮⊠。"

57行："狂犬啮人者，孰澡（操）湮汲，注音（杯）中……"

51~52行："婴儿瘛者……为湮汲三浑，盛以杯。"

【按语】《病方》52行注④云："湮汲，疑即《名医别录》所载地浆。据陶弘景注：'此掘黄土作坎，深三尺，以新汲水注入搅浊，少顷取清用之，故曰地浆，亦曰土浆。'三浑，疑澄清三次。"

按：湮汲，本草无此名。从字义上看，"湮"是湮没水中。"汲"，《说文》云："引水于井也。"湮汲似从井内湮没处引取水，不用井水面的水。又《病方》51~52行方中有"为湮汲三浑"。浑，坠也。《尔雅·释诂》注：浑，水落貌。为湮汲三浑，即引取井深处水，再倾注三次。这种做法盖为当时祝由所需。方中"为湮汲三浑，盛以杯，因唾匕"一句说明当时祝由的做法。

第二类 草类药（51种）

22　甘草

【《病方》】　1 行："[诸伤]，□□膏、甘草各二，桂、畺（姜）、椒……"
17 行："伤者，以续□根一把，独□长支（枝）者二廷（梃），黄鈴（芩）二梃，甘草□廷（梃），秋乌豪（喙）二……"23 行："令金伤毋痛方，取鼢鼠（鼹鼠），干而冶；取彘鱼，燔而冶；□□薪（辛）荑、甘草……"44 行："伤胫者，冶黄黔（芩）、甘草相半，即以彘膏财足以煎之……傅。"275 行："雎（疽），以白蔹、黄耆（耆）、芍药、甘草四物者（煮），□、畺（姜）、蜀焦（椒）、树（茱）臾（萸）……"

【文献摘要】　《尔雅》："蘦，大苦。"孙炎注："本草云蘦，今甘草也。"郭璞注云："今甘草也，蔓延生，叶似荷青黄，茎赤有节，节有枝相当。"《尔雅疏》引《诗经·唐风》："采苓采苓，首阳之巅。"首阳，苏颂云："在河东，蒲坂县。"按：蒲坂县在今山西永济北卌里虞都镇。

《广雅》："美丹，甘草也。"

《诗经·邶风·简兮》："隰有苓。"《传》云："苓，大苦。"此与《尔雅》"蘦，大苦"相同。蘦、苓古字通用。按：后世本草并无蘦、苓为甘草别名的记载。

《淮南子·览冥训》："甘草，主生肌肉之药。"

《神农本草经》："甘草，味甘，平。主五脏六腑寒热邪气，坚筋骨，长肌肉，倍力，金疮肿，解毒。久服轻身延年。"

《名医别录》："甘草，无毒。温中，下气，烦满，短气，伤脏咳嗽，止渴，通经脉，利血气，解百药毒。为九土之精，安和七十二种石，一千二百种草。一名蜜甘，一名美草，一名蜜草，一名蕗草。生河西川谷积沙山及上郡，二月、八月除日采根，暴干，十日成。"

《武威汉代医简》第 53 简："治金创止痛方：石膏一分，姜二分，甘草一分，桂一分，凡四物皆冶，合和，以方寸匕，酢浆饮之，日再，夜一，良甚，勿傅也。"

《伤寒论》中有一物甘草汤、甘草附子汤、甘草干姜汤、甘草泻心汤等方。

《肘后方》："食牛羊肉中毒者，煮甘草汁，服之一二升，当愈。"

《千金方》云："有人中乌头、巴豆毒，甘草入腹即定。"

【按语】《病方》谓甘草治诸外伤及痈疽等，这与《淮南子》言"甘草主生肌肉"和《神农本草经》言甘草"长肌肉、倍力、金疮肿"的说法相似。甘草的功效自古以来就被劳动人民所认识。今日以甘草、乌贼骨等治胃溃疡，此与古人以甘草治外伤、痈疽、金疮肿的用法相同。

23 乌喙

【《病方》】 413 行，干骚（瘙）方："取犁（藜）卢二齐（份），乌豪（喙）一齐（份），礜一齐（份），屈居□齐，芜华一齐，并和以车故脂……"280 行，治疽方："乌豪（喙）十四果（颗）……"367 行，治痈方："痈种（肿）者，取乌豪（喙）、黎卢，冶之……以慰种所。"16 行，治金伤方："金伤者，以方（肪）膏、乌豪（喙）□□皆相煎，钛（施）之。"259 行治痔，67 行治巢者（瘜肉突出），350 行、353 行治痂。

【文献摘要】《说文》："蒴，乌喙也。"

《说文解字系传·通释》："蒴，乌喙也。锴云：'按本草即乌头也，有大毒，故苏秦云：饥食乌喙，与饿死同患。'"

《战国策·燕策》："人之饥，所以不食乌喙者，以为虽偷充腹，而与饿死同患也。"

《急就篇》："乌喙附子椒芜华。"颜师古注云："乌喙形似乌之觜也。"

《淮南子·缪称训》："天雄、乌喙，药之凶毒者也，良医以活人，则天雄与乌喙异也。"

《后汉书·霍谞传》："犹疗饥于附子，食蒴犹言食乌喙也。"

《名医别录》："乌喙，味辛，微温，有大毒。主风温，丈夫肾湿，阴囊痒，寒热历节，掣引腰痛，不能行步，痈肿脓结，又堕胎。生朗陵山谷，正月、二月采，阴干，长三寸已上为天雄。"

《吴普本草》："乌喙，神农、雷公、桐君、黄帝：有毒。十月采，形如乌头，有两歧相合，如乌之喙，名曰乌喙也。所畏恶使，尽与乌头同。"

《肘后方》："治阴肿痛，若有息肉突出，以苦酒三升，渍乌喙五枚三日，以洗之，日夜三四度。"

【按语】 《病方》谓乌喙治干瘙、痈肿、金伤、息肉等。本草不言乌喙治痒和痈肿，但《肘后方》载有乌喙治痈肿、痒痛、息肉等方，此与《病方》内容相近。

《武威汉代医简》第6简治伤寒遂风方，第42简治鲁氏青行解腹方，第55简治□□□溃方，第79简治久咳上气方，皆用乌喙，说明在汉代乌喙是常用药。

24　续断根

【《病方》】 17行："伤者，以续断根一把，独□长支者二廷，黄鈴（芩）二梃，甘草□廷，秋乌豪二……"

【文献摘要】 《急就篇》："远志续断参苦根。"颜师古注："续断，一名接骨。"

《太平御览》引《范子计然》云："续断出三辅。"

《广雅》："怀，续断也。"

《神农本草经》："续断，味苦，微温。主伤寒，补不足，金疮，痈伤，折跌，续筋骨，妇人乳难。久服益气力。一名龙豆，一名属折。"陶隐居引《桐君药录》云："续断生蔓延，叶细如荏，大根，横有白汁，七月、八月采根。"

《本草图经》引《范汪方》云："续断，即是马蓟，与小蓟菜相似，但大于小蓟耳，叶似旁翁而小厚，两边有刺刺人，其花紫色。"（《太平御览》引文同）

【按语】 《神农本草经》《名医别录》并云续断治金疮、痈伤、折跌、续筋骨，此与《病方》云续断治伤者的说法相似。

《武威汉代医简》第85乙简治湿而养（痒）黄汁出方、第84乙简建威耿将军方皆用续断，以治内伤及男子不育，此用法与《病方》治伤者略异。

25　黄芩

【《病方》】 290行："治血雎始发……戴糁、黄芩、白蔹（蔹）……"68行："夕下（皮肤病），以黄枔（芩），黄枔（芩）长三寸，合卢大如□□豆卅，去皮而并冶……所治药傅之。"17行："伤者……黄鈴（芩）……以傅之。"19行："□

者，黄黔（芩）……涅之。”44 行：“伤胫者，冶黄黔（芩）、甘草相半……傅。”262 行：“巢塞直者（痔瘘）……黄黔（芩）而娄（屡）傅之。”

【文献摘要】《说文》：“莶，黄莶也。”段玉裁注云：“《本草经》《广雅》皆作黄芩，今药中黄芩也。”

《广雅》：“菇葿、黄文、内虚、黄芩也。”

《诗经·小雅》：“呦呦鹿鸣，食野之芩。”《传》云：“芩，草也。”陆玑疏云：“芩草，茎如钗股，叶如竹，蔓生泽中下地咸处，为草真实，牛马皆喜食之。”

《太平御览》引《范子计然》：“黄芩出三辅，色黄者善。”

《急就篇》：“黄芩茯苓礜柴胡。”

《神农本草经》：“黄芩，味苦，平。主诸热，黄胆，肠澼，泄痢，逐水，下血闭，恶疮，疽蚀，火疡。一名腐肠。”

《名医别录》：“黄芩，大寒，无毒。疗痰热，胃中热，小腹绞痛，消谷，利小便，女子血闭，淋露下血，小儿腹痛。一名空肠，一名内虚，一名黄文，一名经芩，一名妒妇。其子主肠澼脓血，生秭归川谷及冤句，三月三日采根，阴干。”

《吴普本草》：“黄芩，又名印头，一名内虚。二月生赤黄叶，两两四四相值，其茎空中，或方圆，高三四尺，花紫红赤，五月实黑根黄，二月、九月采。”

《武威汉代医简》第 15 简以黄芩治金创内痉创养不恿，第 46 简以黄芩治伏梁裹脓在胃肠之外，第 82 简以黄芩治久泄肠澼。

《伤寒论》中的泻心汤四方皆用黄芩，主诸热，利小肠。

《肘后方》：“治恶疮卅年不愈者，大黄、黄芩、黄连各一两，为散，洗疮净，以粉之，日三，无不差。”又方：“疗人阴生疮，取黄檗一两，黄芩一两，切，作汤洗之。”

【按语】《神农本草经》谓黄芩治恶疮、疽蚀、火疡，《肘后方》谓黄芩治恶疮，此与《病方》云黄芩治疽、痔瘘的说法相近。

26 茉、林根

【《病方》】 332 行：“胻久伤者痈，痈溃，汁如靡（糜）。治之，煮水二［斗］，郁一参，茉一参……即炊汤，汤温适，可入足……入足汤中。”26 行：“令金伤毋痛，荠孰（熟）干实，熠（熬）令焦黑，冶一；林根去皮，冶二……已饮，有顷不痛。”

【文献摘要】《说文》：“茉，山蓟也。”

《尔雅》："术，山蓟。"郭璞注："今术似蓟，而生山中。"

《山海经·中山经》："首山之阴，草多荒。"郭璞注云："荒，山蓟也。"

《四民月令》："二月采术。"

《范子计然》："术出三辅，黄白色者善。"

《列仙传》曰："涓子饵术，接食其精。"

《抱朴子·内篇》曰："术，一名山精。"

《神药经》曰："必欲长生，当服山精。"

《南方草木状》："药有乞力伽，即术也。"

《神农本草经》："术，味苦，温。主风寒温痹，死肌，痉疸，止汗，除热，消食。作煎饵，久服轻身，延年不饥。一名山蓟。"

《名医别录》："术，味甘，无毒。主大风在身面，风眩头痛，目泪出，消痰水，逐皮间风水结肿，除心下急满，及霍乱吐下不止，利腰脐间血，益津液，暖胃，消谷，嗜食。一名山姜，一名山连。生郑山山谷、汉中、南郑。二月、三月、八月、九月采根。"

《吴普本草》曰："术，一名山连，一名山芥，一名天苏，一名山姜。"

《武威汉代医简》第6简："治伤寒逐风方：附子三分，蜀椒三分，泽泻五分，乌喙三分，细辛五分，荒五分，凡六物皆冶，合方寸匕，酒饮，日三饮。"第8简，以荒治声音嘶嗄如雁。第9简，以荒治石癃。

《肘后方》：神明白膏，由当归、细辛、术、蜀椒……制成，主痈肿、疽痔、癣疥。

《千金方》："风瘙瘾疹，白术为末，酒服方寸匕，日二服。"

【按语】 方书谓术能治痈肿、疽等，此与《病方》功用相似，但本草不载此等功用。

27 雷矢

【《病方》】 456行："疡者，痈而溃，用食叔（菽）、雷矢各……以傅痈空（孔）中。"48行："婴儿病间（痫）方：取雷矢三果（颗），治……以浴之。"

【文献摘要】 《急就篇》："雷矢萑菌荩兔卢。"颜师古注："雷矢，即雷丸也，又名雷实。"

《范子计然》："雷矢出汉中，色白者善。"

《神农本草经》："雷丸，味苦，寒。主杀三虫，逐毒气，胃中热，利丈夫，不利女子，作摩膏，除小儿百病。"

《名医别录》："雷丸，味咸，微寒，有小毒。逐邪气，恶风，汗出，除皮中热，结积，蛊毒，白虫，寸白自出不止。久服令人阴痿。一名雷矢，一名雷实。赤者杀人，生石城山谷及汉中土中，八月采根，暴干。"

《吴普本草》："雷丸，神农：苦；黄帝、岐伯、桐君：甘，有毒；扁鹊：甘，无毒；李氏：大寒。"

《药性论》："雷丸，君，恶葛根，味苦，有小毒。能逐风。芫花为使。主癫痫、狂走，杀蛔虫。"

【按语】《唐本草》注云："雷丸，竹之苓也，无有苗蔓，皆零，无相连者。"李时珍曰："竹苓，苓亦屎也，古者屎、苓字通用。"《病方》《急就篇》《范子计然》均以雷矢为正名。《神农本草经》《名医别录》《吴普本草》均以雷丸为正名，以雷矢为别名。《病方》谓雷矢治疠痈、婴儿痫。本草仅言雷丸治虫，不言治痫，更无疠者病名记载。

28 橐莫（橐吾）

【《病方》】 60行："狂犬伤人，冶礜与橐莫，[醯]半音（杯），饮之。女子同药。"

【文献摘要】 《急就篇》："半夏皂荚艾橐吾。"颜师古注："橐吾，似款冬，而腹中有丝，生陆地，花黄色，一名兽须。"

《急就篇》："款东贝母姜狼牙。"颜师古注："款东，即款冬也，亦曰款冻，以其凌寒叩冰而生，故为此名也。生水中，华紫赤色，一名兔奚，亦曰颗东。"

《楚辞·九怀》："款冬而生兮，凋彼叶柯。"

《范子计然》："款冬花出三辅。"

《尔雅》："兔奚，颗冻。"释曰："药草也。"郭璞注："款冻也，紫赤花，生水中。"

《广雅》："苦萃，款冻也。"

董仲舒曰："荸荠死于盛夏，款冬华于严冬。"

《西京杂记》："款冬华于严冬。"

《款冬赋·序》："仲冬之月，水凌盈谷，积雪被崖，款冬炜然，始敷华艳。"

《武威汉代医简》第80甲简："治久咳上气汤方，茈□七束，门冬一升，款东一升，橐吾一升，石膏半升，白□一束，桂一尺，蜜半升，枣卅枚，半夏十枚，凡十物皆父且。"

《神农本草经》："款冬花，味辛，温。主咳逆上气，善喘，喉痹，诸惊痫，寒热，邪气。一名橐吾，一名颗冻，一名虎须，一名兔奚。"《名医别录》云："款冬，味甘，无毒，主消渴，喘息，呼吸。一名氐冬，生常山山谷及上党水傍，十一月采花阴干。"

《艺文类聚》引吴氏曰："款冬十二月花，花黄白。"

【按语】 橐吾，《神农本草经》云其为款冬别名。《急就篇》《本草经集注》和《武威汉代医简》第 80 甲简的方中既有橐吾又有款东，说明三者视款东、橐吾为二物。《神农本草经》将橐吾和款冬视为一物。苏颂《本草图经》谓款冬实物有两种：一种是根紫色，茎青紫，叶似草薢，十二月开黄花，青紫萼，去土一二寸，初出如菊花，萼通直而肥实，无子；另一种是红花，叶如荷而斗直，大者容一升，小者容数合，即唐注所谓大如葵而丛生者是也，十一月采花。

按《急就篇》颜师古注：花黄，生陆地，腹中有丝为橐吾；花紫赤，生水中，名款冬。如此说来，橐吾即黄花款冬。

《病方》谓橐吾治狂犬伤，本草无此记载。

29 牛膝

【《病方》】 342 行："加（痂）：冶牛膝，燔髫灰等，并□□孰洒加（痂）而傅之。"

【文献摘要】《说文》："牼，牛膝下骨也。"

《广雅》："牛茎，牛膝也。"

《抱朴子·黄白篇》："俗人见方用鼠尾、牛膝，皆谓之血气之物也。"

《神农本草经》："牛膝，味苦，主寒温痿痹，四肢拘挛，膝痛，不可屈伸，逐血气，伤热火烂，堕胎。久服轻身耐老，一名百倍。"

《名医别录》："牛膝，味酸，平，无毒。疗伤中少气，男子阴消，老人失溺，补中续绝，填骨髓，除脑中痛、腰脊痛，妇人月水不通，血结，益精，利阴气，止发白。生河内川谷及临朐。二月、八月、十月采根，阴干。"

陶隐居注："其茎有节似牛膝，故以为名也。"

《吴普本草》："牛膝，神农：甘；一经：酸；黄帝、扁鹊：甘；李氏：温；雷公：酸，无毒。生河内或临邛。叶如夏蓝，茎本赤。二月、八月采。"

《武威汉代医简》第 84 简："白水侯所奏治男子有七疾方：栝楼根十分，天雄五分，牛膝四分，续断四分，□□五分，昌蒲二分，凡六物皆并冶，合和，以方寸匕一，为后饭，愈，久病者卅日平复，百日毋疾苦。建威耿将军方，良。禁，千金不传也。"

《肘后方》以牛膝等配制丹参膏，治恶肉、恶核、瘰疬、风结、诸脉肿。

《千金方》："治风瘙瘾疹，牛膝，末，酒服方寸匕，日三，并主骨疽癫病及痞瘤。"

【按语】 本草不言牛膝治痂。《肘后方》谓牛膝治恶肉、恶核肿，《千金方》谓牛膝治风瘙瘾疹、癫病，此与《病方》所言内容略相近。

30 合卢

【病方】 68 行："夕下，以黄柃（芩），黄柃（芩）长三寸，合卢大如□□豆卅，去皮而并冶……"

【按语】 合卢是什么药，不详。

31 芍药

【《病方》】 271 行，雎（疽）病："冶白蔹（莶）、黄蓍、芍乐（药）、桂、畺（姜）、椒、朱（茱）臾（萸）……饮之。"72 行，毒乌喙者："屑勺（芍）药，以□半柸（杯），以三指大捽（撮）饮之。"

【文献摘要】《诗经·郑风》云："赠之以芍药。"陆玑疏云："芍药，今药草。"崔豹《古今注》："芍药，一名可离，故将别以赠之。"

《山海经·北次三经》："■山，其草多芍药。"郭璞注："芍药，一名辛夷，亦香草属。"

枚乘的《七发》："芍药之酱。"司马相如的《子虚赋》："芍药之和。"扬雄的《蜀都赋》："甘甜之和，芍药之羹。"张衡的《南都赋》："香稻鲜鱼，以为芍药酸甜滋味。"王充的《论衡·谴告篇》："咸、苦、酸、淡不应口者，由人芍药失其和也。"

《神农本草经》："芍药，味苦，平。主邪气腹痛，除血痹，破坚积，寒热疝瘕，止痛，利小便，益气。"

《名医别录》："芍药，味酸，微寒，有小毒。通顺血脉，缓中，散恶血，逐贼血，去水气，利膀胱、大小肠，消痈肿，时行寒热，中恶腹痛，腰痛。一名白木，一名余容，一名犁食，一名解仓，一名铤。生中岳川谷及丘陵。二月、八月采根，暴干。”

《吴普本草》：“芍药，神农：苦；桐君：甘，无毒；岐伯：咸；李氏：小寒；雷公：酸。”

《药性论》：“芍药，消瘀血，能蚀脓。”

《武威汉代医简》第 55～56 简：“治……溃医不能治禁方，其不愈者：半夏、白敛、芍药、细辛、乌喙、赤石脂、贷赭、赤豆、初生未卧者蚕矢，凡九物皆并冶，合其分各等，合和。”

《伤寒论》中治伤寒的方多用芍药，以其主寒热，利小便故也。

【按语】 古代文献记载芍药可作调味品。本草谓芍药散恶血，逐贼血，蚀脓，消痈肿，此与《病方》谓芍药主治疽病义合。《名医别录》谓芍药利膀胱、大小肠，此与《病方》谓芍药治乌喙毒义合。

32 䗪芜本（芎䓖）

【《病方》】 259 行，治痔：“䗪芜本、方（防）风、乌喙、桂皆等……恒先食食之。”76 行，治毒乌喙者：“取䗪芜本若□齐一……傅宥（痏）。”

【文献摘要】 《说文》：“营䓖，香草也。”段玉裁注：“《左传》作鞠穷。贾逵云：‘所以御湿。’”

《山海经·西山经》：“号山，其草多芎䓖”“■山，其草多芎䓖”。郭璞注：“芎䓖，一名江蓠。”

《淮南子·氾论训》：“夫乱人者，若芎䓖之与藁本，蛇床之与麋芜。”

《尔雅翼》：“芎䓖之苗叶为蘼芜，其叶盖似蛇床而香，故蛇床乱蘼芜。”

《子虚赋》：“芎䓖昌蒲，江离蘼芜。”

《甘泉赋》：“排玉户而飏金铺兮，发兰蕙与芎䓖。”

《神农本草经》：“芎䓖，味辛，温。主中风入脑，头痛，寒痹，筋挛缓急，金疮，妇人血闭无子。”

《名医别录》：“芎䓖，无毒。除脑中冷动，面上游风去来，目泪出多涕唾，忽忽如醉，诸寒冷气，心腹坚痛，中恶，卒急肿痛，胁风痛，温中内寒。一名胡穷，一名香果。其叶蘼芜。生武功川谷、斜谷西岭。三月、四月采根，暴干。”

《吴普本草》：“芎䓖，神农、黄帝、岐伯、雷公：辛，无毒；扁鹊：酸，无毒；李氏：生温，熟寒。或生胡无桃山阴，或太山。叶香细青黑，文赤如藁本，冬夏丛生，五月花赤，七月实黑，茎端两叶，三月采，根有节，似马衔状。”

【按语】 麋芜本，即芎䓖。《名医别录》谓芎䓖叶为麋芜，则芎䓖当是麋芜根。根、本，古字通用。《山海经》："嶓冢之山，有草也，其本如桔梗。"郭璞注云："本即根也。"《武威汉代医简》中多处记载了芎䓖的应用，如第11~12简："治久瘀方：干当归二分，芎䓖二分，牡丹二分，漏庐二分，桂二分，蜀椒一分，䖟一分，凡七物皆治，合以淳酒和，饮一方寸匕，日三饮，倍愚者卧药中，当出血久瘀。"又第57~67简中以芎䓖配千金膏药，第89简中以芎䓖配制百病膏药。

《病方》以麋芜本治痔及乌喙毒。《神农本草经》《名医别录》不言麋芜本治痔及乌喙毒。后世《日华子本草》记载芎䓖治痔瘘、脑痈、发背、瘰疬、瘿赘、疮疥及排脓、消瘀血。

33 疾黎（蒺藜）

【《病方》】 81行："瘹（厉），以疾黎、白蒿封之。"

【文献摘要】 《说文》："荠，蒺藜也。"

《诗经·小雅》："楚楚者茨。"《诗经·鄘风》："墙有茨，不可扫也。"《尔雅》："茨，蒺藜。"郭璞注："布地蔓生，细叶，子有三角，刺人。"

《易》："据于蒺藜。"疏云："蒺藜之草有刺，不可践也。"《尔雅翼》引赵简子曰："植蒺藜者，夏不得休息，秋得其刺焉。"

《神农本草经》："蒺藜子，味苦，温。主恶血，破癥结积聚，喉痹，乳难。久服长肌肉，明目轻身。一名旁通，一名屈人，一名止行，一名豺羽，一名升推。"

《名医别录》："蒺藜子，味辛，微寒，无毒。身体风痒，头痛，咳逆伤肺，肺痿，止烦，下气。小儿头疮，痈肿阴癀，可作摩粉。其叶主风痒，可煮以浴。一名即藜，一名茨。生冯翊平泽或道旁，七月、八月采实，暴干。"

《肘后方》："葛洪治卒中五尸，捣蒺藜子，蜜丸，服如胡豆二丸，日三。"

《外台秘要》："治一切丁肿，蒺藜子一升，作灰，以酽酢和，封头上，如破，涂之佳。"

《千金方》："治遍身风痒，生疮疥，以蒺藜子苗煮汤洗之，立差。"

【按语】《病方》以蒺藜治虿。《广雅疏证》引《通俗文》云："长尾为虿，短尾为蝎。"《太平御览》引《诗义疏》云："虿，一名杜伯，幽州谓之蝎。"《说文》："虿作蠆，云毒虫也。"《广雅》云："杜伯、蠚、虿蠆、虸、蚩、蝎也。"《庄子·天运篇》："其知惛于厉虿之尾。"郭何注："厉音赖，即蠆字也。"方书、本草不言蒺藜治虿。

34 蒿

【《病方》】 191 行："弱（溺）□沧者方……先取鹊棠下蒿。"

【文献摘要】 《说文》："蒿，菣也。"又云："菣，香蒿也。"

《诗经·小雅》："食野之蒿。"陆玑疏云："青蒿也，荆豫之间，汝南、汝阴皆云菣。"

《尔雅》："蒿，菣。"释曰："蒿，一名菣。"孙炎注云："荆楚之间，谓蒿为菣。"郭璞注："今人呼青蒿香中炙啖者为菣。"

【按语】 按蒿是草名，其类繁多。今有青蒿、白蒿、角蒿、臭蒿、蒌蒿、牡蒿、马先蒿、茵陈蒿等。按陆玑所疏，古代的蒿是指青蒿，详见 36 "青蒿"条。

35 白蒿

【《病方》】 81 行："瘤（瘤），以疾黎、白蒿封之。"

【文献摘要】 《说文》："蘩，白蒿也。"

《尔雅》："蘩，皤蒿。"

《诗经·幽风·七月》："采蘩祁祁。"《传》云："蘩，白蒿也。"

《诗经·召南·采蘩》："于以采蘩。"《传》云："蘩，皤蒿也。"按《传》所云："皤蒿即白蒿。"

陆玑《毛诗草木疏》云："蘩，皤蒿。凡艾白色为皤蒿。今白蒿春始生，乃秋香美，可生食，又可蒸食，一名游胡，北海人谓之旁勃。"则游胡、旁勃亦为白蒿的异名。

《大戴礼记·夏小正》："蘩，游湖；游湖，旁勃也。"

《太平御览》引《神仙服食经》云："十一月采彭勃。彭勃，白蒿也。"彭勃音旁勃。

《神农本草经》："白蒿，味甘，平。主五脏邪气，风寒温痹，补中益气，长毛发令黑，疗心悬，少食常饥，久服轻身，耳目聪明，不老。"

《名医别录》："白蒿，无毒。生中山川泽，二月采。"

《本草图经》："白蒿，蓬蒿也。春初最先诸草而生，似青蒿而叶粗，上有白毛错涩。从初生至枯，白于众蒿，颇似细艾，二月采。"

【按语】 白蒿异名有蘩、蘩、皤蒿、游湖、旁勃、彭勃、蓬蒿。《病方》以白

本草古籍辑注丛书·第二辑

蒿封廪，本草无此记载。

按文献所载，白蒿有水、陆两种。陆生艾蒿，辛香不美，叶似细艾有白毛，粗于青蒿，从初生至秋，白于众蒿，即《尔雅》："蘩，由胡。"《左传》："苹、蘩、蕴、藻之菜。"蘩指水生的白蒿。

陆生艾蒿、水生蒌蒿并称为白蒿。

36 青蒿

【病方】 248～251 行："［牝］痔，以煮青蒿大把二……"

【文献摘要】《说文》："蒿，菣也""菣，香蒿也"。

《尔雅》："蒿，菣。"释曰："蒿，一名菣。"孙炎注："荆楚之间，谓蒿为菣。"郭璞注："今人呼青蒿香中炙啖者为菣。"

《诗经·小雅》："食野之蒿。"陆玑疏："青蒿也，荆豫之间，汝南、汝阴皆云菣。"

《广雅》："草蒿也。"

《神农本草经》："草蒿，味苦，寒。主疥瘙痂痒恶疮，杀虱，留热在骨节间，明目。一名青蒿，一名方溃。"

《名医别录》："草蒿，无毒。生华阴川泽。"

《本草拾遗》："蒿，主鬼气尸疰伏连，妇人血气，腹内满，及冷热久痢，秋冬用子，春夏用苗，并捣绞汁服。"

《肘后方》："葛氏治金刃初伤，取生青蒿，捣傅上，以帛裹创，血止即愈。"又方："治蜂螫人，嚼青蒿傅疮上，即差。"

【按语】 蒿，一名菣。陆玑、郭璞所注谓蒿多指青蒿而言。本草谓青蒿即草蒿。苏颂《本草图经》云："草蒿即青蒿，春生苗，叶极细，嫩时，人亦取杂诸香菜食之。至夏高三五尺，秋后细淡黄花，花下便结子，如粟米大，八、九月间采子，阴干。"

《神农本草经》谓青蒿主疥瘙痂痒恶疮，此与《病方》以青蒿治牝痔的用法相近，都是外用青蒿以治疮。

37 兰 38 兰根

【《病方》】 143 行："疯：取兰……"81 行："蚖：螫（齑）兰……"415 行：

"干骚（瘙）方：取阑（兰）根、白付……"140行："［□䖪者］：螯兰……"

【文献摘要】 文献中所讲的兰有两种，一是兰草的兰，一是泽兰之兰，但古书对这两种兰往往混淆不分。

《说文》："兰，香草也。"段氏注："《易》曰：'其臭如兰。'《左传》曰：'兰有国香。'说者谓似泽兰也。"

《离骚》："纫秋兰以为佩""秋兰兮麋芜""既滋兰之九畹兮"。

《山海经·中山经》："吴林之山，多兰草。"

《易经·系辞》："其臭如兰。"《礼记》："佩悦兰芷。"

《左传》："兰有国香，人服媚之。"

《家语》："芝兰生于深林，不以无人而不芳。"

《文子》："兰芷不为莫服而不芳。"

《汉书·司马相如传》："衡兰芷若。"注云："即今泽兰。"

《毛诗草木疏》："兰为王者香，其茎叶皆似泽兰，广而长节，节中赤，高四五尺。"

《诗经·陈风·泽陂》："有蒲与蕑。"《传》云："蕑，兰也。"

《诗经·郑风·溱洧》："方秉蕑兮。"《传》云："蕑，兰也。"《正义》引《义疏》云："蕑，即兰，香草也。茎叶似泽兰，广而长节，藏衣，着书中，辟白鱼，是其杀蠹毒也。"

《广雅》："蕑，兰也。"

《神农本草经》："兰草，味辛，平。主利水道，杀蠹毒，辟不祥。久服益气，轻身不老，通神明，一名水香。"

《名医别录》："兰草，无毒。除胸中痰癖。生大吴池泽。四月、五月采。"

《本草拾遗》："兰草，主恶气，香泽可作膏涂发，生泽畔，叶光润阴小紫，五月、六月花白。"

【按语】 文献中所言之兰多指兰草而言。《神农本草经》以兰草杀蠹毒、辟不祥，这和《病方》以兰治蚖、䖪的用法相同。

39 菫、菫叶

【《病方》】 90行："蚖：以菫一阳筑封之，即燔鹿角，以弱（溺）饮之。"329行："脧膫：夏日取菫叶，冬日取其本，皆以甘［口］沮（咀）而封之。"

【文献摘要】 《说文》："菫，草也，根如荠，叶如细柳蒸食之，甘。"

《尔雅》:"啮，苦堇。"注:"今堇葵也，叶似柳，子如米汋，食之滑。"《楚辞》:"堇荼茂兮。"

《诗经·大雅》:"堇荼如饴。"《传》曰:"堇，菜也。"

《礼记·内则》:"堇荁枌榆。"注曰:"荁，堇类。冬用堇，夏用荁。"

《广雅》:"堇，蘴也。"《说文》:"蘴，堇草也，一曰拜商蘴。"《尔雅》:"拜，荻蘴。"郭璞注云:"荻蘴亦似藜。"

《唐本草》:"堇汁，味甘，寒，无毒。主马毒疮，捣汁洗之，并服，堇菜也。出《小品方》。《万毕方》云:'除蛇蝎毒及痈肿。'"

【按语】 堇，即堇菜。《唐本草》以堇菜汁治马毒疮，并除蛇蝎毒及痈肿，此与《病方》以堇治蚖、胅朘的用法相似。

40 毒堇

【《病方》】 164~166 行:"瘅:毒堇不暴。以夏日至到［时取］毒堇，阴干用。毒堇□□堇叶异小，赤茎，叶从（纵）縺者，□叶，实味苦。"

【文献摘要】 《说文》:"芨，堇草也。"

《尔雅》:"芨，堇草。"疏:"芨，一名堇草。"郭璞注:"乌头苗也，江东呼为堇。"

《淮南子·说林训》:"蝮蛇螫人，傅以和堇则愈。"

《国语·晋语》:"晋骊姬谗申生，置鸩于酒，置堇于肉。"贾逵注:"堇，乌头也。"

《证类本草》引"唐·李宝臣":"为娅人置堇于液，宝臣饮之，即喑三日死。"又引"唐·武后":"置堇于食，贺兰氏食之暴死。"

《唐本草》:"按国语置堇于肉，注云乌头也。"《尔雅》云:"芨，堇草。"郭璞注云:"乌头苗也。此物本出蜀汉，其本名堇，今讹为建，遂以建平释之。石龙芮叶似堇，故名水堇。"

《太平御览》引崔寔《四民月令》:"三月可采乌头。"

《淮南子·主术训》:"天下之物，莫凶于鸡毒。"高诱注:"鸡毒，乌头也。"

《神农本草经》:"乌头，味辛，温。主中风、恶风，洗洗出汗，除寒湿痹，咳逆上气，破积聚寒热。其汁煎之名射，杀禽兽。一名奚毒，一名即子，一名乌喙。"按，高诱注《淮南子·主术训》云:"鸡毒，乌头也。"鸡毒、奚毒音同。

《吴普本草》:"乌头，一名茛，一名千秋，一名毒公，一名果负，一名耿子。

神农、雷公、桐君、黄帝：甘，有毒。正月始生。叶厚茎方，中空，叶四四相当，与蒿相似。"

《肘后方》："葛氏治痈发、乳肿方，桂心、甘草各二分，乌头一分，炮，捣为末，和若酒，涂纸覆之，脓化为水。"

《千金方》："治耳聋耳痒，用生乌头掘得，乘湿削如枣核大，塞之。"

【按语】 堇有毒，故称为毒堇。毒堇，即乌头。古人用堇敷蝮蛇螫人，此与《病方》用堇治蚖，及堇有毒，以毒堇名之义合。

《蜀本草》云："乌头、附子、侧子、天雄、乌喙五物同出而异名，苗高二尺许，叶似石龙芮及艾，其花紫赤，其实紫黑。"

41 葵、葵干、葵茎、陈葵

【《病方》】 治瘅，170 行："亨（烹）葵而饮其汁。"109 行："尤（疣），葵茎磨……"420 行："疕，釐葵，渍以水，夏日勿渍，以傅之。"404 行："蟨蚀口鼻，冶陈葵……"355 行："痂，取陈葵茎，燔冶之……以傅痏。"

【文献摘要】 《诗经·豳风·七月》："七月烹葵及菽。"

《礼记·周官》："醯人朝事之豆，其实葵菹。"

《士虞礼记》："夏用葵，冬用苴。"郑注云："夏秋用生葵，冬春用干苴。"

《左传》："鲍庄子之知，不如葵，葵犹能卫其足。"杜注："葵倾叶向日，以蔽其根。"

《淮南子·说林训》："圣人之于道，犹葵之于日也。"

《广雅》："蕗，葵也。"

《外台秘要》："治口吻疮，掘经年葵根，烧灰傅之。"

【按语】 葵有多种，如冬葵、蜀葵、菟葵、苋葵。《唐本草》注："冬葵即常食者葵根也。《左传》能卫其足者是也。余数种多不入药用。"

按《唐本草》所注，文献上所言之葵即冬葵。冬葵主恶疮，疗淋，主五癃，利小便，此与《病方》以葵、葵种、葵茎治瘅、疕、蟨蚀口鼻的用法很相似。

42 葵种、陈葵种

【《病方》】 171 行："亨（烹）葵，热歠其汁。"168 行："以水一斗，煮葵种一斗……"173 行："瘅，弱（溺）不利……葵种一升……"192 行："治膏溺，煮陈葵种而饮之。"153 行："入病马不痫者，治荚蓂少半升、陈葵种一……"

【文献摘要】《神农本草经》："冬葵子，味甘，寒。主五脏六腑寒热，羸瘦，五癃，利小便。久服坚骨，长肌肉，轻身延年。"

《名医别录》："冬葵子，疗妇人乳难内闭。生少室山，十二月采之。葵根，味甘，寒，无毒。主恶疮，疗淋，利小便，解蜀椒毒。叶为百菜主，其心伤人。"

《本草图经》："冬葵子，古方入药用最多，苗叶作菜茹，更甘美。"

《肘后方》："治卒关格，大小便不通，支满欲死，葵子二升，水四升，煮取一升，顿服。"

【按语】葵种即冬葵子。《病方》言葵种治癃溺不利，冬葵子确有利尿作用。

43 龙须

【《病方》】154 行："人病马不痫：湮汲水三斗，以龙须一束并煮……"

【文献摘要】《山海经·中山经》："贾超之山，其中多龙修。"郭璞注云："龙须也，似莞而细，生山石穴中，茎倒垂，可以为席。"

《广雅》："龙木，龙须也。"

《古今注》："龙须，一名缙云草。"

《神农本草经》："石龙刍，味苦，微寒。主心腹邪气，小便不利，淋闭风湿，鬼疰恶毒。久服补虚羸，轻身，耳目聪明，延年。一名龙须，一名草续断，一名龙珠。"

《名医别录》："石龙刍，微温，无毒。补内虚不足，痞满，身无润泽，出汗，除茎中热痛，杀鬼疰恶毒气。一名龙华，一名悬莞，一名草毒。九节多味者良。生梁州山谷、湿地。五月、七月采茎，暴干。"又云："一名方宾。"

《吴普本草》："龙刍，一名龙多，一名龙须，一名续断，一名龙本，一名草毒，一名龙华，一名悬莞。神农、李氏：小寒；雷公、黄帝：苦，无毒；扁鹊：辛，无毒。生梁州，七月七日采。"

《本草拾遗》云："石龙刍治淋及小便卒不通，弥败有垢者方尺，煮汁服之。"

《蜀本草·图经》："茎如綖，丛生，俗名龙须草，今人以为席者，八月、九月采根，暴干。"

【按语】龙须即《神农本草经》中记载的石龙刍。《病方》云龙须治癃，此与《神农本草经》言石龙刍治淋的说法相同。

44　景天

【《病方》】　176 行："瘛，取景天长尺，大围束一……煮之……不过三饮而已。"

【文献摘要】　景天的同名异物者有二：一指萤火虫，一指植物景天。

《艺文类聚》引《吴普本草》云："萤火，一名景天。"

《广雅》云："景天，萤火，蟒也。"

但《病方》治瘛，取景天长尺，大围束一。此显然系植物景天，当非萤火虫。萤火虫岂能有一尺长。

《神农本草经》："景天，味苦，平。主大热火疮，身热烦邪恶气。花，主女人漏下赤白，轻身明目。一名戒火，一名慎火。"

《名医别录》："景天，酸，无毒。主诸蛊毒、痂、疕，寒热风痹，诸不足。久服通神不老。一名火母，一名救火，一名据火。生太山川谷。四月四日、七月七日采，阴干。"

《本草图经》："慎火草，春生苗，叶似马齿而大，作层而上，茎极脆弱，夏中开红紫碎花，秋后枯死，亦有宿根者。四月四日、七月七日采其花并苗、叶，阴干。"

【按语】　陶隐居谓景天可疗金疮止血，《药性论》谓景天治风疹恶痒、小儿丹毒，《神农本草经》谓景天治大热火疮，《名医别录》谓景天治蛊毒痂疕，以上内容皆与《病方》载景天可治瘛的内容不同。

45　石韦

【《病方》】　185 行："石瘙，三温煮石韦若酒而饮之。"

【文献摘要】　《神农本草经》："石韦，味苦，平。主劳热邪气，五癃闭不通，利小便水道，一名石䩺。"

《名医别录》："石韦，味甘，无毒。止烦，下气，通膀胱满，补五劳，安五脏，去恶风，益精气。一名石皮。用之去黄毛，毛射人肺，令人咳，不可疗。生华阴山谷石上，不闻水及人声者良。二月采叶，阴干。"

陶隐居云："石韦，蔓延石上生，叶如皮，故名石韦。"

《唐本草》注："石韦，丛生石傍阴处，不蔓延生。生古瓦屋上名瓦韦，用疗淋亦好。"

《药性论》："石韦治劳及五淋。"

《本草图经》："石韦，丛生石上，叶如柳，背有毛，而斑点如皮，故以名。"

【按语】 《神农本草经》谓石韦治五癃闭不通，利小便，《名医别录》谓石韦通膀胱满，《药性论》谓石韦治五淋，此与《病方》言石韦治石癃的说法相似。

46　酸浆

【《病方》】 193～194 行："种（肿）橐：治之，取马矢粗者三斗，孰析，沃以水，水清，止；浚去汁，洎以酸浆□斗……"

【文献摘要】 酸浆的同名异物者有二：一为酸浆草，一为酢浆。

（1）酸浆草。《神农本草经》："味酸，平。主热烦满，定志，益气，利水道，产难，吞其实立产，一名醋浆。"

《名医别录》："酸浆，寒，无毒。生荆楚川泽及人家田园中，五月采，阴干。"

《本草经集注》："酸浆叶亦可食，子作房，房中有子如梅李大，皆黄赤色，小儿食之能除热，亦主黄病多效。"

《蜀本草》："根如菹芹，白色，绝苦，捣其汁，治黄病多效。"

《本草图经》："酸浆，苗似水茄而小。"

《尔雅》："葴（音针），寒浆。"郭璞注："今酸浆草，江东人呼为苦葴是也。小者为苦蘵。"

（2）酢浆。《说文》："酨，酢浆。"《说文》又云："酸，酢也，关东谓酢为酸。"酢浆即酸浆。

《尚书》孔注云："盐咸梅醋，盖今之酢，古之梅也。"惠士奇曰："古有梅而无酢，五味调和，须之而成，食乃甘，于是始有酢浆为酨。"

《楚辞·招魂》："大苦咸酸。"注云："酸，以酢浆烹之为羹也。"

《名医别录》："醋，味酸，温，无毒，主消痈肿，散水气，杀邪毒。"

《药性论》："头垢治噎，酸浆水煎膏用之。"

《本草拾遗》："苏云：葡萄、大枣皆堪作酢。绿渠是荆楚人，土地俭啬，果败犹取以酿醋。"

陶弘景注："醋逾久逾良，亦谓之醯，以有苦味，俗呼为苦酒。"

《肘后方》："治痈已有脓，当坏，以苦酒和雀屎傅痈头上如小豆大即穿。"

《千金方》："治身体、手、足卒肿大，醋和蚯蚓屎傅之。"

【按语】 《病方》中所记载的酸浆究竟是酸浆草还是酢浆？从《病方》的原文"泊以酸浆□斗"来看，酸浆是用斗来量的，推测酸浆是液体，故以斗计量。上文用马屎粗者三斗，则用酸浆当不会少于三斗。若用的是酸浆草，其文不会讲"泊以酸浆□斗"。笔者怀疑《病方》中所说的酸浆不是酸浆草，而是醋溶液（酢浆）一类东西，酢酸、酢浆即酸浆。《武威汉代医简》第52～53简："治金创上恚（痛）方：石膏一分，姜二分，甘草一分，桂一分，凡四物皆，以方寸寸（匕），酢浆饮之，日再，夜一，良，甚勿传也。"此方以酢浆（酸浆）为饮料。由此可知，在汉代酸浆是指酢浆，而不是指酸浆草。

又《神农本草经》谓酸浆草一名酸浆，说明酸浆草的名称是因像酸浆而得名的，换句话说，酸浆古来即有，若原先没有酸浆一物存在，酸浆草的名称也不会产生。

从功效上看，《神农本草经》《名医别录》皆无酸浆草治肿的记载，而《名医别录》和方书皆言酸浆能消痈肿，此与《病方》言酸浆治肿橐的说法相似。

47 茹卢本（茜根）

【《病方》】 412行："干骚方：取茹卢本，畜之，以酒渍之，后日一夜，而以［涂］之。"

【文献摘要】 《说文》："茅蒐，茹藘，人血所生，可以染绛。"又云："茜，茅蒐也。"《尔雅》："茹藘，茅蒐。"郭璞注："今之蒨也，可以染绛。"

《说文解字系传·通释》："锴云：按今医方家谓蒐为地血，食之补血是也。"

《广雅》："地血、茹藘，蒨也。"

《诗经·郑风·东门之墠》："茹藘在阪""缟衣茹藘"。陆玑疏云："茹藘、茅蒐，蒨草也，一名地血，齐人谓之茜，徐州人谓之牛蔓。"

《史记·货殖列传》："千亩栀茜，其人与千户侯等。"徐广注云："茜，一名红蓝，其花染缯赤黄。"

《神农本草经》："茜根，味苦，寒。主寒湿风痹，黄疸，补中。"

《名医别录》："茜根，无毒。止血，内崩下血，膀胱不足，踒跌，蛊毒。久服益精气，轻身，可以染绛，一名地血，一名茹藘，一名茅蒐，一名蒨。生乔山川谷。三月三日采根，暴干。"

《本草拾遗》："周礼庶氏掌除蛊毒，以嘉草攻之。嘉草、襄荷与茜，主蛊为最也。"

591

《蜀本草·图经》："染绯草，叶似枣叶，头尖，下阔，茎叶俱涩；四五叶对生节间，蔓延草木上，根紫赤色，八月采根。"

【按语】 茹卢本即茹藘根，《神农本草经》名茜根。《名医别录》以茹藘作为茜根的异名。《病方》以茹卢本治干瘙，本草无此记载。

48 藘茹（卢茹）

【《病方》】 250～252 行："牝痔方：取藘茎干冶二升……以为浆，饮之。藘者，荆名卢茹，其叶可烹而酸，其茎有刺（刺）。"413 行："干骚（瘙）方：取犁卢二齐，乌豙一齐，礜一齐，屈居□齐，芫华一齐……"

【文献摘要】 《广雅》："屈居，卢茹也。"王念孙《广雅疏证》："卢与藘同。"

《太平御览》引《吴普本草》："藘茹，一名离楼，一名屈居。叶圆黄，高四五尺，叶四四相当，四月华黄，五月实黑，根黄有汁。"

两书都有屈居药名，屈居既名卢茹，又名藘茹。其音近，藘茹有时亦写成藘茹，故卢茹即藘茹。本草多以藘茹为正名。

《范子计然》："藘茹出武都，黄色者善。"《太平御览》引《建康记》云："建康出草卢茹。"

《神农本草经》："藘茹，味辛，寒。主蚀恶肉、败疮、死肌，杀疥虫，排脓恶血，除大风热气，善忘不乐。"

《名医别录》："藘茹，味酸，微寒，有小毒。去热痹，破癥瘕，除息肉。一名屈据，一名离娄。生代郡川谷，五月采，阴干，黑头者良。"陶弘景注云："今第一出高丽，色黄，初断时汁出凝黑如漆，故云漆头；次出近道名草藘茹，色白，皆烧烁头令黑，以当漆头，非真也。叶似火戟，黄花，二月便生，根亦疗疮。"

《素问》治妇人血枯，用四乌鲗骨一藘茹为丸服。王冰注云："藘如，取其散恶血。"

《肘后方》治恶疮蚀肉，用雄黄散，雄黄六分，藘茹、矾石各二分，纳疮中，日二。

《千金方》卷 23 有藘茹膏，以藘茹、雄黄、水银等治疥。

《本草图经》："藘茹，二月生苗，叶似大戟，而花黄色，根如萝卜，皮赤黄肉白，初断时汁出，凝黑如漆，三月开浅红花，亦淡黄色，不着子。又有一种草藘茹，色白，采者烧铁烁头令黑，当以漆头，非真也。"

【按语】 《病方》有藘居。藘，荆名卢茹。《广雅》云："屈居，卢茹也。"

《吴普本草》云："藺茹，一名屈居。"《名医别录》云："藺茹，一名屈据。"则屈居、菌居、屈据、卢茹、藺茹皆同物异名也。《武威汉代医简》第 69 简云："鼻中当胄（腐）血出，若脓出，去死肉。药用代庐如……"代庐如，即代地所产的庐如。《名医别录》谓藺茹出代郡（今河北蔚县），此观点与第 69 简的观点相似。《吴普本草》云："桔梗，一名卢如。"可见卢如又是桔梗的异名。

《神农本草经》谓藺茹主蚀恶肉，《名医别录》谓藺茹除息肉，《千金方》谓藺茹膏治疥瘙，这些说法皆与《病方》谓菌居治痔、干瘙的说法相似。

49　防风

【《病方》】　259 行："痔者：冶麋芜本，方（防）风、乌豕、桂皆等。渍以淳酒而垸之，大如黑叔（菽）而吞之。始食一，不智（知）益一。"

【文献摘要】　《范子计然》："防风出三辅，白者善。"

《神农本草经》："防风，味甘，温。主大风头眩痛，恶风风邪，目盲无所见，风行周身，骨节疼痹烦满。久服轻身。一名铜芸。"

《名医别录》："防风，味辛，无毒。主胁痛，胁风头面去来，四肢挛急，字乳金疮内痉。叶主中风，热汗出。一名茴草，一名百枝，一名屏风，一名藺根，一名百蜚。生沙花川泽及邯郸、琅邪、上蔡。二月、十月采根，暴干。"

《吴普本草》："防风，一名迴云，一名回草，一名百枝，一名藺根，一名百韭，一名百种。神农、黄帝、岐伯、桐君、雷公、扁鹊：甘，无毒；李氏：小寒。或生邯郸、上蔡。正月生，叶细圆，青黑黄白，五月花黄，六月实黑，三月、十月采根，日干，琅琊者良。"

《武威汉代医简》第 6～7 简："治伤寒逐风方：付子三分，蜀椒三分，泽泻五分，乌喙三分，细辛五分，苵五分，凡六物皆冶合，方寸匕，酒饮，日三饮。"第 8～10 简记载用防风治诸瘙。第 85 乙简记载用防风治七伤："桔梗十分，牛膝、续断、防风、远志、杜仲、赤石脂、山茱臾、柏实各四分，肉从容、天雄、署与、蛇☒，凡十五物，皆并冶……"

《肘后方》载木占斯散，言用防风治痈肿。该书又载丹参膏，言用防风治恶肉、恶核、瘰疬。

《千金方》："附子、天雄毒，并用防风煎汁饮之。"

《唐书·甄权传》："权，后以医显者，义兴许裔宗。裔宗仕陈，为新蔡王外兵参军，王太后病风，不能言，脉沉难对，医家告术穷。裔宗曰：饵液不可进，即以黄芪、防风煮汤数十斛，置床下，气如雾熏薄之，是夕语。"

【按语】 本草古籍未载防风可外用。《肘后方》载用防风等配制木占斯散、丹参膏以外用，治痈肿、恶肉、恶核、瘰疬，此与《病方》载用防风治痔的内容相近。

《武威汉代医简》第6、第8、第77、第85乙、第91甲5个简方中都有防风。张仲景《金匮要略》中的桂枝芍药知母汤、薯蓣丸、竹叶汤等方中也有防风，说明在汉代防风已是常用药。

50 艾

【《病方》】 209行："颓（癞）：取枭垢，以艾裹，以久（灸）颓者中颠，令阑（烂）而已。"265～267行："胸养（痒）：治之以柳蕈一捼、艾二凡二物。为穿地，今广深大如盍……置艾其中，置柳蕈艾上，而燔其艾、蕈……令烟熏直（脽）。"

【文献摘要】 《诗经·王风》："彼采艾兮，一日不见，如三岁兮。"

《孟子》："七年之病，求三年之艾也。"

《楚辞·离骚》："扈服艾以盈腰兮，谓幽兰其不可佩。"

《四民月令》："三月可采艾。"

《师旷占》："艾先生，则岁多病。"

《尔雅》："艾，水台。"郭璞注："今艾蒿。"张华《博物志》："削冰令圆，举以向日，以艾于后承其影，则得火。"

《急就篇》："半夏皂荚艾橐吾。"

《思玄赋》："珍萧艾于重笥兮，谓蕙茝之不香。"（珍、笥、蕙茝，另本作宝、筬、兰蕙）。

《名医别录》："艾叶，味苦，微温，无毒。主灸百病，可作煎，止下痢，吐血，下部䘌疮，妇人漏血，利阴气，生肌肉，辟风寒，使人有子。一名水台，一名医草。生田野，三月三日采暴干。作煎，勿令见风。"

《素问》："脏寒生满病，其治宜艾焫。"

《肘后方》云治虫食其肛，不知痛痒处，烧艾于管中熏之。

【按语】 "艾"这一名称最早见于《诗经》。《孟子》《尔雅》中皆有记载。艾作药用最早记载于《素问》。《急就篇》亦将艾作为药物收录，不知《神农本草经》为何不载。《名医别录》云艾治下部䘌疮，《肘后方》谓艾能熏虫，治其食肛痛痒，此与《病方》所载艾的功效基本相同。

51 白苣

【《病方》】 271 行："睢（疽）病，冶白苣、黄蓍、芍乐、桂、姜、椒、朱臾，凡七物。骨睢（疽）倍白苣。"276 行："睢（疽），以白蔹，黄耆（者）、芍药、甘草四物者（煮）……日四饮，一欲溃，止。"283 行："益（嗌）疸者，白蔹三，罢合一，并冶……饮之。"290 行："血睢（疽）始发……戴糁（椮）黄芩、白菿（蔹）。"

【文献摘要】 《说文》："苣，白苣也。"菄、苣音同。

《尔雅》："菄为菟核。"《玉篇》："菄，白蔹也。"

《广雅》："乌眼，蔹也。"

《诗经·唐风·葛生》："蔹蔓于野。"陆玑疏："蔹，似栝楼，叶盛而细，其子正黑如燕薁，不可食也，幽州人谓之乌眼。"

《毛诗陆疏广要》曰："本草蔹有赤、白、黑三种，疑此是黑蔹也。"

《神农本草经》："白蔹，味甘，平。主痈肿疽疮，散结气，止痛，除热，目中赤，小儿惊痫，温疟，女子阴中肿痛。一名菟核，一名白草。"

《名医别录》："白蔹，味苦，微寒，无毒。下赤白，杀火毒。一名白根，一名昆仑。生衡山山谷，二月、八月采根，暴干。"

《本草图经》："白蔹，二月生苗，多在林中，作蔓赤茎，叶如小桑，五月开花，七月结实，根如鸡鸭卵，三五枚同窠，皮赤黑肉白，二月、八月采根，破片，暴干。濠州有一种赤蔹，功用与蔹同，花实亦相类，但表里俱赤耳。"

《武威汉代医简》第 55～56 简："治☒溃医不能治禁方，其不愈者：半夏、白蔹、芍药、细辛、乌喙、赤石脂、贷赭、赤豆、初生未卧者蚕矢，凡九物，皆并冶，合，其分各等，合和。"

《肘后方》："治发背，白蔹末傅并良。"又云："消痈肿用白蔹二分，藜芦一分，为末，酒和如泥，贴上，日三，大良。"

《外台秘要》："备急治汤火灼烂，用白蔹末傅之。"

【按语】 白苣，亦名白蔹。《神农本草经》《肘后方》谓白蔹治痈肿疽疮，此与《病方》谓白蔹治疸的说法相同。《武威汉代医简》第 55 简"治☒溃医不能治禁"亦用白蔹，说明白蔹在汉代主要用于外证。

52 黄蓍

【《病方》】 271 行:"雎(疽)病,冶白蓥,黄蓍、芍乐、桂、姜、椒、朱臾……肉疽倍黄蓍。"275 行:"雎(疽),以白蔹、黄耆(者)、芍药、甘草……"289 行"血雎(疽):戴糂(椹)、黄芩、白蔹……"

【文献摘要】 蓍的同名异物者有二:一是卜筮用的蓍,即《神农本草经》的蓍实;一是药用的黄耆。文献所载多是卜筮的蓍。《论衡·卜筮篇》:"子路问孔子曰:猪肩羊膊,可以得兆,雈苇藁芼,可以得数,何必以蓍龟。"《左传》:"蓍短龟长,不如从长。"《诗经·曹风》:"浸彼苞蓍。"《洪范·五行传》:"蓍之言为耆也,百年一本生百茎。"《广雅》:"蓍,耆也。"《说文》:"蓍,蒿也。"陆玑《毛诗草木疏》:"蓍似藾萧,青色,生千岁,三百茎。"《博物志》:"蓍一千年而三百茎,其本以老,故知吉凶。"

本草将药用黄蓍称作黄耆。

《神农本草经》:"黄耆,味甘,微温。主痈疽,久败疮,排脓止痛,大风癞疾,五痔鼠瘘,补虚,小儿百病。一名戴糂。"

《名医别录》:"黄耆,无毒。主妇人子脏风邪气,逐五脏间恶血,补丈夫虚损,五劳羸瘦,止渴,腹痛泄痢,益气,利阴气。生白水者冷,补。其茎叶疗渴及筋挛,痈肿疽疮。一名戴椹,一名独椹,一名芰草,一名蜀旨,一名百本。生蜀郡山谷,白水汉中。二月、十月采,阴干。"

《本草图经》:"黄耆,根长二三尺已来,独茎作丛生,枝干去地二三寸,其叶扶疏,作羊齿状,又如蒺藜苗,七月中开黄紫花,其实作荚子,长寸许,八月采根用,其皮折之如绵。"

《金匮要略》中的黄耆芍药桂枝苦酒汤、桂枝加黄耆汤、黄耆桂枝五物汤等皆用黄耆。

《肘后方》:"治痈疽生臭恶肉者,傅黄耆散。蔄茹、黄耆止一切恶肉。"
刘涓子治痈疽发坏,出脓血,生肉,有黄耆膏。

【按语】 《神农本草经》云黄耆主痈疽久败疮,排脓止痛,《肘后方》云黄耆治痈疽生臭恶肉,刘涓子谓黄耆治痈疽发坏出脓血,能生肉,以上说法与《病方》谓黄耆治疽的说法相同。

53 葶藶（荙）

【《病方》】 341 行："加（痂），冶亭磿（荙）、莁夷、熬叔□□皆等……乃傅。"

【文献摘要】 《尔雅》："蕈，亭历。"郭璞注："实，叶皆以芥，一名狗荠。"

《广雅》："狗荠、大室，亭历也。"

《说文解字系传·通释》："蕈，葶历也，臣锴按《尔雅》注：'实、华皆似芥。'《西京杂记》云：'葶历死于盛夏。'"

《月令》："孟夏之月，靡草死。"郑玄注："靡草，荠、葶苈之属也。"

《淮南子·天文训》："五月为小刑，荠、麦、亭历枯。"

《淮南子·缪称训》："大戟去水，亭历愈胀。"

《后汉书·华佗传》注云："饮以亭历，犬血散，立愈。"

《神农本草经》："葶苈，味辛，寒。主癥瘕积聚，结气，饮食寒热，破坚逐邪，通利水道。一名大室，一名大适。"

《名医别录》："葶苈，味苦，大寒，无毒。下膀胱水，伏留热气，皮间邪水上出，面目浮肿，身暴中风热痱痒，利小腹，久服令人虚。一名丁历，一名蕈（音典）蒿。生藁城平泽及田野，立夏后采实，暴干。"

《本草图经》："葶苈，初春生苗叶，高六七寸，有似荠，根白，枝茎俱青，三月开花，微黄，结角，子扁小如黍粒，微长，黄色，立夏后采实，暴干。"

《尔雅补郭》："葶苈有二种：一种叶近根生，角细长，俗谓之狗荠，其味微甜；一种单茎向上，叶端出角，粗且短，其味至苦，郭云实叶似芥，乃甜葶芥也。"

《武威汉代医简》第 69~71 简："鼻中当颐（腐）血出，若脓出，去死肉，药用代庐如、巴豆各一分，并合和，以絮裹药塞鼻，诸息肉皆出。不出更饮调中，药用亭磿二分，甘遂二分，大黄一分，冶，合和，以米汁饮一刀圭，日三四饮，徵出乃止。即鼻不利，药用利庐一本，亭磿二分，付子一分，皂荚一分，皆并父且，合和，以醇醯渍卒时，去宰，以汁灌其鼻中。"

《金匮要略》中的葶苈大枣泻肺汤、《伤寒论》中的大陷胸丸皆用葶苈泻水和痰饮。

【按语】 葶苈，《病方》作"亭磿"，《武威汉代医简》第 70、第 71 简作"亭磿"，《流沙坠简》医方简中亦作"亭磿"，现存古代文献皆作"葶苈"。

《病方》载以葶苈治痂，《武威汉代医简》载以葶苈治鼻诸息肉。但其他古代医方、本草皆言葶苈利水除胀，不载葶苈能治痂。

54 藜芦

【《病方》】 366 行："痈种（肿）者，取乌豙、黎卢，冶之……" 421 行："疣，黎卢二，礜一，豸膏和，而膝以熨疣。" 350 行："痂方，燔礜，冶乌喙，黎卢、蜀叔、庶、蜀椒、桂各一合，并和……布炙以熨。" 362 行："加方，财冶犁卢，以蜂胎弁和之。" 413 行："干骚方，取犁卢二齐，乌喙一齐，礜一齐……" 418 行："干骚方，豸膏一升，冶黎卢二升，同傅之。"

【文献摘要】《急就篇》："牡蒙甘草菀藜芦。"

《太平御览》引《范子计然》云："藜芦出河东，黄白者善。"

《广雅》："藜芦，葱苒也。"

《神农本草经》："藜芦，味辛，寒。主蛊毒，咳逆，泄痢肠澼，头疡、疥瘙、恶疮，杀诸虫毒，去死肌。一名葱苒。"

《名医别录》："藜芦，味苦，微寒，有毒。疗哕逆，喉痹不通，鼻中息肉，马刀烂疮，不入汤。一名葱葵，一名山葱。生太山山谷。三月采根，阴干。"

《吴普本草》："藜芦，一名葱葵，一名丰芦，一名惠葵。神农、雷公：辛，有毒；岐伯：咸，有毒；李氏：大毒，大寒；扁鹊：苦，有毒。大叶，根小相连。"

《本草图经》："藜芦，三月生苗，叶青，似初出棕心，又似车前，茎似葱白，青紫色，高五六寸，上有黑皮裹茎，似棕皮，其花肉红色，根似马肠根，长四五寸许，黄白色，二月、三月采根，阴干。"

《武威汉代医简》第 69～71 简："治鼻诸息肉：药用利庐一本，亭磨二分，付子一分，皂荚一分，皆并父且，合和，以淳醯渍卒时，去宰，以汁灌其鼻中。"

张仲景以藜芦甘草汤，治病人手指、手臂肿动，身体𥆧𥆧。

《肘后方》："治痒疽疮，藜芦二分、附子八分，为末，傅之""藜芦末，以腊月猪膏和，涂白秃"。又载消肿方，云："白敛二分，黎芦一分，为末，酒和如泥，贴上，日三，大良。"

【按语】《病方》中含有藜芦的方共有 6 个，多作外用，以治痈肿、疣、痂、干瘙，疣即头疡。《神农本草经》以藜芦治头疡、疥瘙、恶疮，《名医别录》以藜芦治鼻中息肉、马刀烂疮，这些用法与《病方》以藜芦治痈肿、疣、痂、干瘙的用法相似。

55 蛇床实

【《病方》】 360 行："治干加（痂）冶蛇床实，以牡蠡膏膳，先括加溃，即傅……"

【文献摘要】《尔雅》："盰，虺床。"郭璞注："蛇床也，一名马床。"

《广雅》："蛇粟，马床，蛇床也。"

《淮南子·氾论训》："夫乱人者，若芎劳之与藁本，蛇床之与蘪芜。"

《淮南子·说林训》："蛇床似蘪芜而不能芳。"

《山居赋》："五华九实。"自注以蛇床实为九实之一，即蛇粟也。

《神农本草经》："蛇床子，味苦，平。主妇人阴中肿痛，男子阴痿湿痒，除痹气，利关节、癫痫恶疮。久服轻身，一名蛇米。"

《名医别录》："蛇床子，味辛、甘，无毒。温中下气，令妇人子脏热，男子阴强，好颜色，令人有子。一名蛇粟，一名虺床，一名思益，一名绳毒，一名枣棘，一名墙蘪。生临淄川谷及田野，五月采实，阴干。"

《太平御览》引《吴普本草》："蛇床，一名蛇珠。"

《蜀本草·图经》云："蛇床似小叶芎劳，花白，子如黍粒，黄白色。生下湿地。"

《本草图经》："蛇床，三月生，苗高三二尺，叶青碎作丛似蒿枝，每枝上有花头百余，结同一窠，似马芹类，四、五月开白花，又似散水子，黄褐色如黍米，至轻虚。"

《金匮要略》："温中坐药蛇床子散方：蛇床子为末，以白粉少许，和令匀，相得如枣大，绵裹内之，自然湿矣。"

《肘后方》："蛇床疗癗癣疥恶疮。合黄连治卒得恶疮。"

《千金方》："治小儿癣疮，杵蛇床末，和猪脂涂之。"

【按语】《神农本草经》《肘后方》以蛇床子治痒、恶疮，此与《病方》以蛇床实治干痂的用法相似。

56 茈（紫草）

【《病方》】 368 行："痈首，取茈半斗，细劑，而以善截六斗……"

【文献摘要】 茈，《病方》368 行注①云"茈，即柴胡"。笔者认为单言茈，应指茈草。茈字后所结合的字不同，其名称含义各异，如茈姜、茈綦、茈蠃、茈菀、茈胡等。

司马彪注《上林赋》："茈姜，紫色之姜。"

郭璞注《尔雅》："綦，月尔。綦即紫綦也，似蕨可食。"

郭璞注《山海经·南山经》："茈蠃紫色之。"

《说文》："菀，茈菀。"段玉裁注云："《本草经》作紫菀，古紫通用茈。"

《急就篇》："黄芩茯苓礜茈胡。"

综上所述，单字茈不能释为柴胡，如茈字后有胡字，可以释为柴胡。

《武威汉代医简》第3～5简治久咳上气方：茈胡、桔梗、蜀椒各二分，桂、乌喙、姜各一分。《流沙坠简》中的医方简中亦载有茈胡。如果茈字后无其他字跟随，应释为紫草。

本文拟释茈为紫草。《说文》："茈，茈草也。"段玉裁注云："《周礼注》云：'染草，茅蒐、橐卢、豕首、紫茢之属。'按：紫茢即紫綦也，紫綦即紫草也。《广雅》云：'茈莫，茈草也。'古茢、莫同音。茈、紫同音。"

《说文解字系传·通释》："茈，茈草也。锴曰，即今染紫草也。司马相如《上林赋》书茈姜字如此。"

《山海经·西山经》："劳山多茈草。"郭璞注云："一名紫莫，中染紫也。"

《广雅》："紫草，一名茈莫。"

《博物志》："平民阳山紫草特好，魏国以染色殊黑。"

《神农本草经》："紫草，味苦寒。主心腹邪气，五疸，补中，益气，利九窍，通水道。一名紫丹，一名紫芙。"

《名医别录》："紫草，无毒。疗腹肿胀满痛，以合膏，疗小儿疮及面齄。生砀山山谷及楚地，三月采根，阴干。"

《唐本草》："紫草，苗似兰香，茎赤节青，花紫白色而实白。"

韦宙《独行方》云煮紫草汤饮可治豌豆疮。

【按语】 茈即紫草。《名医别录》谓紫草疗小儿疮及面齄，韦宙《独行方》谓紫草治豌豆疮，此与《病方》谓茈治痈的说法相近。

57 白芷（芷）

【《病方》】 372 行："痈，白芷、白衡、菌桂、枯姜、薪雒，凡五物等。已冶……以和药傅。"

【文献摘要】 白茝即白芷，古书又称其为药。

（1）古书有关药的记载。《山海经·西山经》："号山，其草多药。"郭璞注："药，白芷。"

《淮南子·修务训》："身若秋药被风。"高诱注："药，白芷。"

《楚辞·九歌》："辛夷楣兮药房。"王逸注："药，白芷。"

《七谏》："捐药芷与杜衡兮。"

王褒《九怀》："芷蒥兮药房。"

（2）古书有关芷的记载。《说文》："芷，蘺也，楚谓之蓠，晋谓之虈，齐谓之茝。"

《释文》："茝本又作芷。"

《礼记·内则》："妇或赐之饮食衣服布帛，佩帨芷兰。"

《尔雅》："蕲茝，蘪芜。"

《子虚赋》："衡兰芷若，罗列并陈。"

《楚辞·九章》："揽大薄之芷兮。"

王褒《九怀》："结荣芷兮委逝。"

《荀子》："兰槐之根是为芷。"

《楚辞·九歌》："沅有芷兮。"

《楚辞·离骚》："杂杜衡与芳芷""扈江离与辟芷兮"。

（3）古书有关白芷的记载。《楚辞芳草谱》："楚辞以芳草比君子，而言芷者最多……芷可作面脂，其叶可用沐浴。"

《思玄赋》："珍萧艾于重笥兮，谓蕙芷之不香。"

《楚辞·招魂》："菉苹齐叶兮，白芷生。"

《范子计然》："白芷，出齐郡，以春取黄泽者善也。"

《神农本草经》："白芷，味辛，温。主女人漏下赤白，血闭，阴肿，寒热，风头侵目泪出，长肌肤，润泽，可作面脂，一名芳香。"

《名医别录》："白芷，无毒。治风邪久渴，吐呕，两胁满，风痛头眩，目痒，可作膏药面脂，润颜色。一名白茝，一名蘺，一名莞，一名符蓠，一名泽芬。叶名蒚（音历）麻。可作浴汤，生河东川谷下泽。二月、八月采根，暴干。"

《本草图经》："白芷，生河东，吴地尤多，根长尺余，白色，粗细不等，枝干去地五寸已上，春生，叶相对婆娑，紫色，阔三指许，花白微黄，入伏后结子，立秋后苗枯，二月、八月采根，暴干，以黄泽者为佳。"

《武威汉代医简》第 56～57 简:"千金膏药方:蜀椒四升,芎劳一升,白芷一升,付子卅果,凡四物皆治,父且,置铜器中,用淳醯三升渍之卒时,取豕膏猪肪三斤先煎之……治创恿、喉痹、嗌恿、齿恿。"

《肘后方》:"刘涓子疗痈疽发坏,出脓血,生肉。黄耆膏:黄耆、白芷……为膏,傅疮中。"

【按语】 白芷有很多异名,如药、茝、蒻、莞、苻蓠、泽芬、藁麻等。古人视白芷为香草,方书、本草记载其可作药用。

58 白衡(杜衡)

【《病方》】 372 行:"痈,白莒、白衡、菌桂、枯姜、薪雉,凡五物等。已治……以和药傅。"

【文献摘要】 文献中载有杜衡,而不载白衡,疑白衡即杜衡。

杜衡的同名异物者有二:一为杜若,一为马蹄香。《艺文类聚》卷 81 "杜若"条视杜衡、杜若为一物。苏颂《本草图经》云:"杜若一名杜衡,而草部中品自有'杜衡'条,即《尔雅》所谓土卤者也。杜若即《广雅》所谓楚衡者也,其类自别,古人多相杂引用。故《九歌》云'采芳洲兮杜若',《离骚》云'杂杜衡与芳芷',王逸辈皆不分别。"

兹将有关杜衡的文献摘录如下。

《山海经·西山经》:"天帝之山,有草焉,其状如葵,其臭如蘼芜,名曰杜衡,可以走马,食之已瘿。"

《楚辞·离骚》:"畦留夷与揭车兮,杂杜衡与芳芷。"

《九歌·山鬼》:"被石兰兮带杜衡。"

《风赋》:"猎蕙草,离秦衡。"

《七谏》:"弃捐药芷与杜衡兮。"

《子虚赋》:"衡兰芷若。"

《范子计然》:"杜衡、杜若出南郡汉中,大者大善。"

《名医别录》:"杜衡,味辛,温,无毒。主风寒咳逆,香人衣体。生山谷。三月三日采根,熟洗,暴干。"

《药性论》:"杜衡,使,能止气奔喘促,消痰饮,破留血,主项间瘤瘿之疾。"

【按语】《病方》以白衡治痈,而本草中无杜衡治痈的记载。按《唐本草》注及已云:"今以当杜衡非也,疗瘫必须用之。"又《唐本草》注杜衡云:"今俗以及已代之，谬矣。"根据《唐本草》所注，及已在唐代是当作杜衡用的。杜衡、及已二者形态极相似。但杜衡主风寒咳逆，香人衣体，并不外用，而及已主诸恶疮、疥痂、瘘蚀，常外用，此用法与《病方》以白衡治痈相近，故疑《病方》中所载的白衡或是及已一类药物。

59 半夏

【《病方》】 378 行："颐痈者，冶半夏一，牛煎脂二，醯六……以傅。"

【文献摘要】 《礼记·月令》："二月半夏生。"

《范子计然》："半夏出三辅，色白者善。"

《神农本草经》："半夏，味辛，平。主伤寒寒热，心下坚，下气，喉咽肿痛，头眩，胸胀，咳逆，肠鸣，止汗。一名地文，一名水玉。"

《名医别录》："半夏，生微寒，熟温，有毒。消心腹胸膈痰热满结，咳嗽上气，心下急痛，坚痞，时气呕逆，消痈肿，堕胎，疗痿黄，悦泽面目，生令人吐，熟令人下。用之汤洗令滑尽。一名守田，一名示姑。生槐里川谷，五月、八月采根，暴干。"

《吴普本草》："半夏，一名和姑，生微邱，或生野中，叶三三相偶，二月始生，白华员上。"

《药性论》："半夏新生者，摩涂痈肿不消。"

《武威汉代医简》第 55 简："治□□溃……半夏、白敛……凡九物，皆并冶，合其分各等，合和。"第 80 简云半夏治咳逆上气。

《肘后方》："末半夏，鸡子白和涂，水磨傅，治诸痈疽。"

【按语】 张仲景《伤寒论》《金匮要略》中载有用半夏治反胃呕逆、膈间支饮、眩悸等的方剂十余首，但书中无用半夏治颐痈的记载。《名医别录》谓半夏消痈肿，《肘后方》谓半夏治痈疽，《药性论》谓新生半夏摩涂治痈肿，以上说法与《病方》谓半夏治颐痈的说法相同。

60 狼牙根

【《病方》】 389 行："鬖（漆疮）……时取狼牙根。"

【文献摘要】 《范子计然》："狼牙出建康及三辅，色白者善。"

《神农本草经》："牙子，味苦，寒。主邪气热气，疥瘙，恶疡疮痔，去白虫。

一名狼牙。"

《名医别录》："牙子，味酸，有毒。一名狼齿，一名狼子，一名犬牙。生淮南川谷及冤句，八月采根，暴干，中湿腐烂生衣者杀人。"

《吴普本草》："狼牙，一名支兰，一名狼齿，一名犬牙，一名抱子。神农、黄帝：苦，有毒；桐君：酸；岐伯、雷公、扁鹊：苦，无毒。生冤句，叶青，根黄赤，六月、七月华，八月实黑，正月、八月采根。"

《本草经集注》云："牙子，其根牙，亦似兽之牙齿也。"

《药性论》："狼牙，使，味苦，能治浮风瘙痒，杀寸白虫，煎汁洗恶疮。"

《蜀本草·图经》："狼牙，苗似蛇莓而厚大，深录色，根萌芽若兽之牙。二月、三月采牙，日干。"

《金匮要略》："狼牙汤，狼牙三两，水四升，煮半升，以绵缠如茧，浸汤沥阴中，日四，治妇人阴疮。"

《肘后方》："金创出血，狼牙草，茎叶熟捣贴之。"

《千金方》："治小儿阴疮，浓煮狼牙草洗之。"

【按语】《病方》谓狼牙治鬃（漆疮），《神农本草经》谓牙子治疥瘙，《药性论》谓狼牙治浮风瘙痒，各书所载功用皆相近。《神农本草经》《名医别录》均以牙子为正名，以狼牙为别名。《金匮要略》《肘后方》《千金方》等皆以狼牙为正名，此与《病方》以狼牙为正名相同。

61　服零（茯苓）

【《病方》】 411 行："干骚方，以般服零，撮取大者一枚，捣……脂弁之，以为大丸……"

【文献摘要】《淮南子·说林训》："茯苓掘，兔丝死。"

《淮南子·说山训》："千年之松，下有茯苓，上有兔丝。"高诱注云："伏苓，千岁松脂也。"

《史记·龟策列传》："伏灵在菟丝之下，状如飞鸟之形。"

《太平御览》引《范子计然》："茯苓出嵩高、三辅。"

《太平御览》引《典术》："茯苓者，松脂入地千岁为茯苓，望松树赤者下有之。"

《神农本草经》："茯苓，味甘，平。主胸胁逆气，忧恚，惊邪，恐悸，心下结痛，寒热烦满，咳逆，口焦，舌干，利小便。久服安魂养神，不饥延年。一名茯菟。"

《名医别录》："茯苓，无毒。止消渴，好唾，大腹淋沥，膈中痰水，水肿，淋结，开胸腑，调脏气，伐肾邪，长阴，益气力，保神守中。"

《吴普本草》："伏苓，通种。桐君：甘；雷公、扁鹊：甘，无毒。或生益州大松根下，入地三丈一尺，二月、七月采。"

张仲景的《金匮要略》《伤寒论》中有 15 个方子，如茯苓甘草汤、苓桂甘草汤、苓桂术甘汤等用到茯苓，这些都是泻水饮的方子。

《肘后方》："鼠瘘方，石南、生地黄、雌黄、茯苓、黄连各二两为散，傅疮上，日再。"

【按语】 《神农本草经》《名医别录》《伤寒论》《金匮要略》谓茯苓为治水饮主药，但未言外用之法。唯《肘后方》以茯苓配制鼠瘘方，外用敷疮上，此与《病方》以茯苓治干瘙的用法略相近。

62 白柎

【《病方》】 415 行："疥，取兰根、白付，小刌一升，舂之，以截、沐相半洎之……以傅疥而炙之。"449 行："去人马疣。疣，其末大本小□□者，取夹□、白柎□，绳之以坚絜……疣去矣。"

【文献摘要】 《子虚赋》云："其土，则雌黄、白坿。"注云："白坿，即白石英，或云即石灰。"

《山海经·中次九经》："高粱之山，有草焉，状如葵而赤华，荚实白柎，可以走马。"

《山海经·西山经》："崇丘之山，有木焉，圆叶而白柎，赤华而黑理，其实如枳，食之宜子孙。"郭璞注云："今江东人呼草、木子房为柎。"

《集韵》："草木子房为柎，一云花下萼。"

《山海经》不仅载有白柎，还载有赤柎。

《山海经·西次三经》："不周之山，爰有嘉果，其实如桃，其叶如枣，黄华而赤柎，食之不劳。"

按《山海经》所云，白柎、赤柎皆为花萼之房。《名医别录》载有青符、白符、赤符、黑符、黄符五色符，柎与符音同，疑白柎、赤柎或即五色符中的白符、赤符。

《名医别录》："五色符，味苦，微温。主咳逆、五脏邪气，调中，益气，明目，杀虱。青符、白符、赤符、黑符、黄符，各随色补其脏。白符，一名女木，生巴郡山谷。"

【按语】《名医别录》谓五色符能杀虱，此与《病方》记载用白柎治疥、去疣的内容相近。

《病方》415 注①云："白付，应为白附子。一说，即《证类本草》卷卅引《名医别录》云：'白符，一名女木，生巴郡山谷。'"按，司马相如《子虚赋》云："其土，则雌黄、白坿。"注云白坿是白石英或石灰，则白坿应为矿物。

63　仆累

【《病方》】　339 行："加（痂），冶仆累，以攻（釭）脂膳而傅。傅，炙之，三四傅。"

【文献摘要】《病方》339 行注①云："仆累，即仆垒，据《吴普本草》系麦门冬别名。"但据郭璞注《山海经》，仆累是蜗牛。

《山海经·中山经》："青要之山，是多仆累。"郭璞注："仆累，蜗牛也。"郝懿行疏："案蜗牛名蚹蠃，见《尔雅》。郭注西次三经，槐江之山，云蠃母即蜉螺是矣，又声转为蚹蠃。"

孙星衍等辑《神农本草经》卷 1 "门冬"条："中山经云：青要之山，是多仆累。据吴普说即麦门冬也。"孙书卷 3 "活蝓"条："中山经云：青要之山，是多仆累。郭璞云：仆累，蜗牛也。"孙氏以《山海经》同一个仆累既释为麦门冬，又释为蜗牛，说明孙氏对仆累未加研究，否则不会以同一条仆累分别释作两物。

笔者认为仆累有同名异物现象。《山海经》的仆累应释为蜗牛，《吴普本草》的仆累是麦门冬的异名。

说《山海经》中的仆累是蜗牛，除郭璞所注外，也可从《山海经》词义上了解仆累是动物，而不是植物。如果是植物，则《山海经》文句应作"其草多仆累"，不应单言"是多仆累"。按《山海经》惯例，记载植物多冠有"其草""其木"字样，例如《山海经·中次五经》："条谷之山，其草多薲冬（门冬）。"《山海经·中次十一经》："鲜山，其草多薲冬。"再从《山海经》本条全文来看，"青要之山，实维帝之密都，北望河曲，是多驾鸟；南望墠堵，是多仆累"。驾鸟、仆累两句前皆无"其草"字样。驾鸟是动物，仆累也是动物，因此郭璞释仆累为蜗牛是对的。

那么《病方》中的仆累是什么呢？笔者认为是蜗牛。因蜗牛可以治外证疮疡，此与《病方》以仆累治痂的用法近似。而方书、本草中皆无麦门冬外用的记载。又《病方》与《山海经》都是先秦时期的著作，两者同出于楚地，且两书中有很多词极相似，故《病方》的仆累和《山海经》的仆累似应是同一物。而《吴普本草》成书比《山海经》《病方》要晚几个世纪。药物的同物异名现象随着时间、空间的改变愈来愈多。麦门冬的异名不仅有仆累，还有禹余粮。《名医别录》云"麦门冬，一名禹余粮"，而《神农本草经》中载有禹余粮，不能因异名相同，就把《神农本草经》中的禹余粮释为麦门冬，不然就不对了。

【按语】 郭璞注《山海经》时释仆累为蜗牛。《名医别录》云："蜗牛，味咸，寒。主贼风喎僻，踠跌，内肠下脱肛，筋急及惊痫。"《证类本草》引《集验方》云取活蜗牛汁涂发背疮，此与《病方》以仆累治痂的用法略相近。

64 郁

【《病方》】 332 行："胕久伤者痈，痈溃，汁如靡。治之，煮水二〔斗〕，郁一参、苵（术）一参……"

【文献摘要】 《病方》332 行注②云："郁，即郁金。"《周礼·郁人》注云："筑郁金煮之，以和鬯酒。"按：郁，繁体字作鬱。《说文》云："郁香，芳草也，十二叶为贯，筑以煮之为郁。"又云："鬯，酿郁草。"段玉裁注云："郑注序官郁人云：郁，郁金香草，宜以和鬯。"

若依郑注释郁为郁金也不准确，因《本草衍义》说郁金不香。而《说文》云："郁，芳草也。"则《说文》所讲的郁不一定是郁金。

或有人说，郁是否为郁金香呢？郁金香有香气。陈藏器《本草拾遗》云："郁金香，平，入诸香用之。"但陈藏器所讲的郁金香原生大秦国。《开宝本草》引《魏略》云："郁金香生秦国。"陈藏器亦云："郁金香生大秦国。"在《病方》产生的时代是否有大秦国郁金香输入中国是个疑问。《本草纲目》卷 14 "郁金"条云："昔人言是大秦国所产郁金花香……其大秦三代时未通中国，安得有此草？"因此将《病方》中的郁释为郁金或郁金香都不是合理的解释。

郁的另一种解释为郁李。

《诗经·豳风·七月》："六月食郁及薁。"《毛传》云："郁，棣属。"《尔雅》："常棣，棣。"郭璞注："今山中有棣树，子如樱桃，可食。"陆玑《毛诗草木疏》云："郁，其树高五六尺，其实大如李，色赤，食之甘。"

《广雅》："山李、爵李，郁也。"《神农本草经》："郁李，一名爵李。"郁，即郁李。

《史记·司马相如列传》："隐夫郁棣。"注云："郁，车下李也。"《名医别录》谓郁李一名车下李，一名棣。

《本草纲目》卷36云："郁，《山海经》作栯。"

《山海经·中次七经》："太室之山，其上有木焉，叶状如梨而赤理，其名栯木，服者不妒。"

【按语】 从文献角度看，《诗经》云"六月食郁"，这是关于郁最早的记载。《毛传》、陆玑、郭璞、张揖《广雅》等并释郁为郁李。《病方》中的郁或为郁李。《神农本草经》云："郁李，根主齿龈肿。"此说法与《病方》言郁治胕久伤者痈的说法相近。

65　鱼衣

【《病方》】　312行："闌（烂）者，燔鱼衣，以其灰傅之。"

【文献摘要】　《周礼·醢人》载有箈菹，郑众注云："箈，水中鱼衣。"箈即苔。水中鱼衣乃水中苔的一种。

苔，本作箈，《说文》云："箈，水青衣也。"《尔雅释文》云："箈，或音丈之反。"箈与治古同音，故疾言之则为箈，徐言之则为陟厘。陆龟蒙《苔赋》："高有瓦松，卑有泽葵，散岩窦者曰石发，补空田者曰垣衣。在屋曰昔邪，在药曰陟厘。"

《名医别录》："陟厘，味甘，大温，无毒。主心腹大寒，温中消谷，强胃气，止泄痢。生江南池泽。"

《唐本草》注云："陟厘乃水中苔。今取以为纸，青黄色，体涩。"《小品方》："陟厘，水中粗苔也。"《范东阳方》云："陟厘，水中石上生发如毛，录色。"

【按语】　鱼衣或为水苔的一种。苔因生长环境不同，其名称各异，在水名陟厘，在石名石濡，在瓦曰屋游，在墙曰垣衣，在地曰地衣。《病方》中的鱼衣疑即本草中的陟厘。

66　犬尾

【《病方》】　114行："癫疾者，取犬尾及禾在圈垣上者，段冶，溲汲以饮之。"

【文献摘要】　犬尾即狗尾，或即狗尾草。

《诗经·豳风·七月》："四月秀葽。"《太平御览》引韦昭《毛诗答杂问》云："甫田维莠，今之狗尾是也。"《说文解字系传·通释》："《字书》云：葽，狗尾草也。"

《广雅》云："葽，秀也。"

《说文》："莠，禾粟下扬生莠也。"段玉裁注云："莠，今之狗尾草，茎、叶、穗皆似禾。故曰恶莠，恐其乱苗，苗者禾也。凡禾穗下垂。故《淮南》谓之向根，《张衡赋》美其顾本。莠则穗同而扬起不下垂，故《诗》刺其骄骄桀桀。"

《本草纲目》卷16有狗尾草。李时珍曰："莠草，秀而不实，故字从秀。穗形像狗尾，故名狗尾。其茎治目痛，故方士称为光明草、阿罗汉草。原野垣墙多生之，苗叶似粟而小，其穗亦似粟，黄白色而无实。采茎筒盛，以治目病。"

【按语】 犬尾即狗尾，疑犬尾即狗尾草。狗尾草古名莠，又名葽。《病方》用以治癫，《本草纲目》无此记载。

67 蔄（蔪）根

【《病方》】 109 行："尤（疣），以杀本若道旁蔄（蔪）根二七，投泽若渊下。"

【文献摘要】 《尔雅》记载蔪有二，即"蔪，王蔧"和"蔪，山苗"。另有《集韵》释蔪为车前药草。陆玑疏："写舄，一名车前，一名当道，喜在牛迹中生，故曰车前、当道也。"《尔雅注》："今车前草，大叶长穗，好生道边。"《病方》所言"道旁蔄"与《尔雅注》所言"好生道边"及陆玑疏所言"一名当道"应为同一植物，该植物似为车前。又《本草纲目》释王蔧为地肤子，地肤子苗可制扫帚。《病方》104 行言用扫帚治疣，此与《病方》109 行言蔪根治疣的说法相近。

《尔雅》："蔪，王蔧。"郭璞注云："王帚也，似黎，其树可以为扫蔧，江东呼之曰落帚。"

《说文解字系传·通释》："蔪，王蔧也。锴曰：今落帚草也。"

《本草纲目》卷16"地肤"条以"王蔧（《尔雅》）""王帚（郭璞）"作为地肤子的别名，这就意味着蔪即地肤子。

《神农本草经》："地肤子，味苦，寒。主膀胱热，利小便，补中，益精气。久服耳目聪明，轻身耐老，一名地葵。"

《名医别录》："地肤子，无毒。去皮肤中热气，散恶疮疝瘕，强阴。久服使人润泽。一名地麦。生荆州平泽及田野，八月、十月采实，阴干。"

《本草经集注》云："今田野间亦多，皆取茎苗为扫帚。"

《蜀本草·图经》："叶细茎赤，初生薄地，花黄白，子青白色。"

《本草图经》："根作丛生，每窠有二三十茎，茎有赤有黄，七月开黄花，其实地肤也。"

《肘后方》："地肤，治积年久疹，腰痛有时发动。六月、七月取地肤子干末，酒服方寸匕，日五六服。"

【按语】《病方》以蕳根治疣。但方书、本草未记载地肤子治疣。

蕳的同名异物者有山莓。《尔雅》云："蕳，山莓。"郭璞注云："今之木莓也，实似藨莓而大，亦可食。"《尔雅正义》："蕳，一名山莓，即今所谓普盘也，树高四五尺，叶似樱桃而狭长，四月华白色，实如缺盆，俗亦呼为木莓。《尔雅》谓之山莓者，所以别于藨莓也。"《本草纲目》卷 18 释蕳、山莓、木莓为悬钩子别名。《本草拾遗》云："悬钩根皮，味苦，平，无毒。主子死腹中不下，破血，杀虫毒，卒下血，妇人赤带下，久患痢，不问赤白脓血腹痛，并浓煮服之。子如梅，酸美，人食之，醒酒止渴，除痰唾，去酒毒。茎上有刺如钩。生江淮林泽，取茎烧为末，服之，亦主喉中塞也。"

68　苦

【《病方》】　74 行："毒乌喙者：以□汁粲叔（菽）若苦，已。"

【文献摘要】　《说文》："苦，大苦，苓也。"段氏注云："见《邶风》《唐风》《毛传》《释草》苓作蘦。孙炎注云：'今甘草也。'"沈括《梦溪笔谈》："《尔雅》：'蘦，大苦。'注云：'蔓延生，叶似荷青黄，茎赤有节，此乃黄药也，其味极苦，谓之大苦。'郭云甘草非也。甘草枝叶全不同。"

《楚辞·招魂》："大苦咸酸。"注云："大苦，豉也。"

《诗经·唐风》："采苦采苦。"郑玄注云："苦，苦茶也。"《尔雅》："荼，苦菜。"

按：单言苦，或释为大苦，或释为苦茶（苦菜）。若苦与其他字相合，则名称更多，如：大苦（甘草、黄药、豉）、苦心（沙参）、苦参、苦草、苦茶（苦菜）、苦苣、苦豆（胡芦巴）、苦茄、苦瓠、苦堇、苦蕲（水芹）、苦蒇（苦耽）、苦薏（野菊）、苦芺（苦板）、苦辛（木类）、苦萃（款冻）等。大苦又有 3 种同名异物者，即甘草、黄药、豉。

那么《病方》所用的苦是什么呢？《病方》所用的苦，应是豉。其理由如下。

从文献角度来看，注大苦为豉的是《楚辞》。《楚辞》和《病方》在产生的时代和地区方面都相近，两书所言的苦当是豉。

从服药方法来看，《病方》谓"以□汁粲（吞）菽若苦"，说明苦是可以吞的，而豆豉也是可以吞的。黄药、甘草多是煮服，不好整吞。

从药效来看，《病方》用苦解乌喙毒。敦煌出土的《本草经集注》载豉解蜀椒毒及服药过剂闷乱者，并载大豆解乌头毒。《神农本草经》谓："乌头，一名乌喙。"而豉是大豆制的，把苦释为豉，可解释《病方》用苦解乌喙毒。

《说文》："尗（豉），配盐幽尗（豆）也。"

《广雅》："䜱谓之䜭。"王念孙《广雅疏证》："此谓豆豉也。《说文》作尗，配盐幽尗也。《徐锴传》云：'幽谓造之幽暗也，䜭犹寝也。'"

《楚辞·招魂》："大苦咸酸，辛甘行些。"王注："大苦，豉也。辛谓椒姜也，甘谓饴蜜也。言取豉汁调和以椒、姜、咸、酢，和以饴蜜，则辛、甘之味皆发而行也。"

《释名》："豉，嗜也。五味调和，须之而成，乃可甘嗜，故齐人谓豉，声同嗜也。"

《齐民要术》卷8详载做豉法，并详细援引《食经》做豉法。

《食疗本草》："豉以大豆为黄蒸，第一斗加盐四升，椒四两，春三日，夏两日，冬五日即成。"

《名医别录》："豉，味苦，寒，无毒。主伤寒头痛，寒热瘴气，恶毒烦躁满闷，虚劳喘吸，两脚疼冷。又杀六畜胎子诸毒。"

《武威汉代医简》第14～15简："治金创肠出方：冶龙骨三指撮，和以豉汁饮之。"

《肘后方》："中射罔（乌头煎汁名射罔）毒，蓝汁、大豆、猪犬血并解之。"又方："食马肉洞下欲死者，豉二百粒，杏子廿枚，哎咀，蒸之，五升饭下，熟，合捣之，再朝服，令尽。"

【按语】 文献以苦名物，名称极多。《病方》以苦解乌喙毒。《本草经集注》《肘后方》并言豉能解毒，《楚辞》注亦以大苦为豉的别名，故《病方》所用的苦当是豉。

69 蓝黄

【《病方》】 341 行："加（痂），冶亭磨（苈）、蓝黄，熬叔……乃傅。"352

行："加（痂），冶莁荑、苦瓠瓣……傅之。"356 行："濡加（痂），冶莁荑半参……干而傅之。"

【文献摘要】 《尔雅·释草》："莁荑，蔱蘠。"郭璞注："一名白蕢。"

《本草图经》："《尔雅·释木》云：'无姑，其实荑。'郭璞云：'无姑，姑榆也，生山中，叶圆而厚，剥取皮合渍之，其味辛香，所谓芜荑也。'又《释草》云：'莁荑，蔱蘠。'注云：'一名白蕢。'而与《本经》一名蕨瑭相近。苏恭云：'蔱蘠、蕨瑭，字之误也。'然莁荑草类，芜荑乃木也，明是二物，或气类之相近欤。"

【按语】 多数本草文献把莁荑、芜荑视为一物。《尔雅·释木》载有芜荑，《尔雅·释草》载有莁荑。苏颂《本草图经》根据《尔雅·释草》《尔雅·释木》将莁荑、芜荑载为二物，认为莁荑不是《神农本草经》所载的芜荑。但其他本草文献皆以莁荑、芜荑为一物。

70　漏芦

【《病方》】 398 行："虫蚀，燔扁（漏）篕（芦）冶之，以牡猪膏……"

【文献摘要】 漏芦的同名异物者有二：一为《神农本草经》所言的漏芦，一为飞廉的异名。陆羽《茶经》引《凡将篇》云："漏芦、飞廉，犹《神农本草》之分为二也。《广雅》云'飞廉、漏芦、伏猪、木禾也'，犹《名医别录》之合为一也。"《名医别录》云："飞廉，一名漏芦，一名天荠，一名伏猪，一名伏兔，一名飞雉，一名木禾。"由此可知，漏芦为飞廉的别名。

《神农本草经》："漏芦，味苦、咸，寒。主皮肤热，恶疮，疽痔，湿痹，下乳汁。久服轻身益气，耳目聪明，不老延年。一名野兰。"

《名医别录》："漏芦，大寒，无毒。止遗溺，热气疮痒如麻豆，可作浴汤。生乔山山谷，八月采根，阴干。"

陶隐居注云："漏芦，疗诸瘘疥。今市人皆取苗用之，俗中取根名鹿骊根，苦酒摩，以疗疮疥。"

《本草图经》："漏芦，旧说茎叶似白蒿，有荚，花黄生荚端，茎若筋大，其子作房，类油麻房而小，七、八月后皆黑，异于众草。"

《武威汉代医简》第 11 ~ 12 简："治久瘀方：干当归二分，芎劳二分，牡丹二分，漏庐二分，桂二分，蜀椒一分，虻一分，凡七物皆冶合，以淳酒和，饮一方寸匕，日三。"

【按语】 漏芦的同名异物者有二，《病方》所用漏芦是哪一种？从功效来看，《病方》用漏芦治虫蚀。《神农本草经》所载漏芦不治虫蚀，但飞廉治虫蚀。《唐本草》注云："飞廉，用叶、茎及根疗疳蚀，杀虫。"《千金翼方》云："飞廉治疳䘌蚀口齿及下部。"此内容与《病方》所载以漏芦治虫蚀症相符。疑古代飞廉、漏芦因外形相似而互用。

71 荚蓂

【《病方》】 153 行："瘩，治荚蓂少半升、陈葵种一……"

【文献摘要】《说文》："荚，草实也。"又云："蓂，析蓂，大芹也。"

《玉篇》《广韵》并云："茆，蓂，荚实也。"

《广雅》："析蓂，马辛也。"

《尔雅》："菥蓂，大荠。"郭璞注云："似荠细叶，俗呼之曰老荠。"

《吕氏春秋·任地》："孟夏之日，杀三叶而获大麦。"高诱注云："三叶，荠、亭历、菥蓂也。"

《论衡·是应篇》云："夫蓂，草之实也，犹豆之有荚也。"又云："儒者论太平瑞应……蓂荚，屈轶之属。"

《竹书纪年·帝尧陶唐氏》："有草夹阶而生，月朔，始生一荚。月半，而生十五荚。十六日以后，日落一荚，及晦而尽。月小，则一荚焦而不落，名曰蓂荚，一曰历荚。"

《南都赋》云："其园圃则有菥蓂、芋瓜。"

《神农本草经》："菥蓂子，味辛，微温。主明目、目痛，泪出，除痹，补五脏，益精光。久服轻身不老。一名蔑菥，一名大蕺，一名马辛。"

《名医别录》："菥蓂，无毒。疗心腹腰痛。一名大荠，生咸阳川泽及道傍，四月、五月采，暴干。"

【按语】 荚蓂即菥蓂。《病方》用以治癃，本草无此记载。按：菥蓂很像葶苈。陈藏器云："菥蓂大而扁，葶苈细而圆。"苏颂《本草图经》云："菥蓂、葶苈，实叶皆似荠，一名狗荠，大抵二物皆荠类，故人多不能细分，乃尔致疑也。"唐代和宋代医药学家不能细分菥蓂、葶苈，则汉代及汉以前人对菥蓂、葶苈更易混用。葶苈能泻水治癃，混用时，人们亦以为菥蓂可以治癃。

72 商陆

【《病方》】 274 行："雎（疽）始起，取商（商）牢渍醢中，以熨其种（肿）处。"

【文献摘要】《尔雅》："蓫薚，马尾。"郭璞注："《广雅》曰：'马尾，蔏陆。'《本草》云：'别名薚。'今关西亦呼为薚，江东呼为当陆。"

《广雅》："常蓼、马尾、蔏薩也。"

《周易·夬卦》："苋陆夬夬。"郑玄注："苋陆，商陆也。"《子夏传》："苋陆，水根草茎，刚下柔上。"马融、郑玄、王肃皆云："苋陆，一名章陆。"宋衷云："苋，苋菜。陆，商陆也。"

《玉篇》："葦柳，当陆别名。"又云："蓟，章薩也。"《本草图经》："商陆，俗名章柳根。"

《本草经集注》云："商陆花名葛。"《说文》："葛草，枝枝相值，叶叶相当。"

《神农本草经》："商陆，味辛，平。主水胀疝瘕痹，熨除痈肿，杀鬼精物。一名葛根，一名夜呼。"

《名医别录》："商陆，味酸，有毒。疗胸中邪气，水肿，痿痹，腹满洪直，疏五脏，散水气，如人形者有神。生咸阳川谷。"

《唐本草》："商陆有赤、白二种，白者入药用，赤者甚有毒，但贴肿外用，若服之伤人，乃至痢血不已而死也。"

《开宝本草》："商陆，一名白昌，一名当陆。"

《孙真人食忌》："主一切热毒肿，章陆根和盐少许傅之，日再易。"

【按语】《病方》所言商牢即商陆，商陆的异名有蓫薚、薚、葛、马尾、常蓼、苋陆、当陆、章陆、章柳根。《神农本草经》云熨除痈肿，《唐本草》云商陆贴肿外用，《孙真人食忌》谓商陆主一切热毒肿，以上说法与《病方》言商陆可熨其肿处的说法相同。

第三类　谷物类（15种）

73　麦

【《病方》】 304行：“雎（疽）发，煮麦，麦孰（熟），以汁洒之……”

【文献摘要】 麦有小麦、大麦、穬麦、青稞等多种。中国古代很多文献载有麦。小麦常简称为麦。大麦，为有稃大麦和无稃大麦的统称，多指有稃大麦；无稃大麦叫做穬麦、稞麦，西藏称青稞。

《诗经》：“爰采麦矣”“芃芃其麦”“丘中有麦”“无食我麦”“禾麻菽麦”“麻麦幪幪”“植稚菽麦”。

《周礼·天官》：“食医……雁宜麦。”

《礼记·王制》：“夏荐麦。”

《大戴礼记·夏小正》：“三月祈麦实。”

《春秋左传》：“郑祭足帅师取温之麦。”

《庄子》：“青青之麦，生于陵坡。”

《管子·地员》：“斥埴宜大菽与麦。”

《吕氏春秋·任地》：“来兹美麦。”

《淮南子·坠形训》：“济水通和而宜麦。”

《初学记》引《周书》云：“凡禾麦居东方。”又引《范子计然》云：“东方多麦。”

《广雅》：“大麦，麰也；小麦，来也。”

《博物志》：“人啖麦，令人多力健行。”

《名医别录》：“小麦，味甘，微寒，无毒。主除热，止躁渴、咽干，利小便，养肝气，止漏血、唾血。以作曲，温，消谷，止痢。以作面，温，不能消热止烦。”

《日华子本草》："麦麸凉，治时疾，热疮烂，扑损，伤折，瘀血，醋炒贴罨。"

【按语】　单言麦，多指小麦而言。《日华子本草》谓小麦麸治热疮烂，醋炒贴罨。《病方》煮麦治疽，其义相近。

74　赤苔（赤小豆）

【《病方》】　3行："诸伤，即以赤苔一斗……饮其汁，汁宰（滓）皆索，食之自次（恣），解痛。"

【文献摘要】　《本草经集注》"稷"条云："董仲舒云：'小豆，一名苔。'"

《四民月令》："六月籴大小豆麦。"

《广雅》："小豆，苔也。"

《说文》："苔，小叔也。"

《吕氏春秋·审时》："小叔则摶。"

《九章算术·粟米》："菽、苔、麻、麦各四十五。"

《音义》云："菽，大豆也；苔，小豆也。"

《山海经·中山经》："阴山多雕棠，其实如赤菽。"

《神农本草经》："赤小豆，主下水，排痈肿脓血。"

《名医别录》："赤小豆，味甘，酸，平，无毒。主寒热，热中，消渴，止泄，利小便，吐逆，卒澼，下胀满。"

《药性论》云："赤小豆，使，味甘，能消热毒痈肿……捣薄涂痈肿上。"

《武威汉代医简》第55~56简："治……溃医不能治禁方，其不愈者：半夏、白菽、芍药、细辛、乌喙、赤石脂、代赭、赤豆、初生未卧者蚕矢，凡九物，皆并冶，合，其分各等，合和。"

《小品方》："赤小豆末法，治诸肿毒，欲作痈疽者，以小和涂，便可消散毒气。"

【按语】　赤苔即赤小豆。《神农本草经》谓赤小豆主下水，排痈肿脓血，《药性论》谓赤小豆消热毒痈肿，散恶血不足，《小品方》谓赤小豆治诸肿毒欲作痈疽者，以上内容与《病方》所载赤苔治诸伤、解痛的内容基本相同。

75　菽，菽汁，良菽

【《病方》】　85行："蛭食（蚀）人胻股（膝），产其中者，并黍、叔（菽）、秝三，炊之……" 74 行："毒乌豪（喙）者，以□汁粲叔（菽）若苦，已。"293 行："气雎（疸）始发……令叔□熬……" 326 行："胂膫，取陈黍、叔（菽），冶，以犬胆和，以傅。" 341 行："加（痂），冶亭磨（苈）、荳夷（黄）、熬叔（菽）……乃傅。"

451～453 行："治疥，煮叔（菽），取汁洒……而洒以叔（菽）汁……" 456 行："疕者，痛而溃，用良叔（菽）、雷矢……捣之，以傅痈空（孔）中。"

【文献摘要】 《艺文类聚》引杨泉《物理论》云："菽者，众豆之总名。"

《说文》："尗，豆也。"段氏注云："尗，豆，古今语。《战国策》：韩地五谷所生，非麦而豆，民之所食，大抵豆饭藿羹。《史记》豆作菽。"又豆字下段氏注云："吴氏师道云：'古语只称菽，汉以后呼豆。'"

《说文通训定声》："古谓之尗，汉谓之豆。今字作菽，菽者，众豆之总名。"

《淮南子·主术训》："大火中则种黍菽。"

《檀弓》："啜菽饮水。"

《初学记》引《周书》云："菽居北方。"

《诗经·小雅》："中原有叔，庶民采之。"《笺》云："叔，大豆也。"

《诗经·豳风》："七月烹葵及菽。"

《诗经·小明》："采萧获菽。"

《诗经·大雅》："艺之荏菽。"

《尔雅》："荏菽，戎菽也。"《郑笺》云："戎菽，大豆也。"疏引孙炎云："大豆也。"

《汉书·五行志》："刘向以为……菽，草之强者。"颜师古注云："菽，大豆也。"

《九章算术·粟米》："菽、荅、麻、麦各四十五。"李籍《音义》云："菽，大豆也。"

《本草经集注》"稷米"条引董仲舒云："菽是大豆。"

《广雅》云："大豆，菽也。"

《神农本草经》："生大豆，涂痈肿，煮汁饮，杀鬼毒，止痛。"

《名医别录》云："生大豆，味甘，平。逐水胀，除胃中热痹伤中，淋露，下瘀血，散五脏结积内寒，杀乌头毒。久服令人身重，炒为屑，味甘，主胃中热，去肿，除痹，消谷，止腹胀。生太山平泽。九月采。"

【按语】 菽的含义有二：一是豆的总称；一是指大豆。《广雅》云："大豆，叔也；小豆，荅也。"《神农本草经》谓大豆涂痈肿，《名医别录》云大豆杀乌头毒，以上内容与《病方》所载内容基本相同。

76 叔本

《病方》未见有叔本，《病方》57 页第 109 行有杀本，其注②云："杀，应读为椒、菽。《说文》："椒，似茱萸，出淮南。"不知叔本是否即杀本之误。

77 大叔

【《病方》】 286 行："诸疽初发者，取大叔（菽）一斗，熬孰（熟）……取其汁尽饮之。"

【文献摘要】 《管子·地员》："五谷之状，类类然，不忍水旱，其种大叔、细叔。"

《吕氏春秋·审时》："大叔则圆。"

【按语】 大叔疑即大豆。《神农本草经》以大豆涂肿，此与《病方》用大叔治疽的用法基本相同。

78 黑叔

【《病方》】 259 行："痔者，冶麋芜本……渍以淳酒而垸之，大如黑叔而吞之。"161 行："痿，痛于胲及衷，痛甚，弱（溺）[时] 痛益甚……[治] 之，黑叔（菽）三升……"

【文献摘要】 《本草图经》："大豆有黑、白二种，黑者入药，白者不用。"

《日华子本草》云："黑豆调中下气，通关脉，制金石药毒，治牛马温毒。"

《肘后方》：治疟，用乌豆、乌梅、常山……治之。

《千金方》：治身肿浮，乌豆一升，水五升，煮取三升汁，去滓，纳酒中温服。

【按语】 黑叔疑即大豆中的黑豆，又称乌豆，其功用与大豆同。《千金方》以乌豆治身肿浮，此与《病方》以黑叔治痿的用法基本相同。

79 蜀叔（巴豆）

【《病方》】 350 行："加（痂），燔，冶乌豪（喙）、黎卢、蜀叔、庶、蜀椒、桂各一合，并和，以头脂……炙以熨。"

【文献摘要】 蜀叔或即巴菽。蜀指古代蜀国，即今成都；巴指古代巴国，即今重庆。巴菽不仅出重庆，也出成都。左思《蜀都赋》云："其中有巴菽、巴戟。"蜀都即今成都，说明成都也产巴菽。

《淮南子·说林训》："鱼食巴菽而死，鼠食之而肥。"

《华阳国志》云："江阳郡有巴菽。"

《广雅》云："巴菽，巴豆也。"

《论衡·言毒篇》："草木之中，有巴豆、野葛，食之凑懑，颇多杀人。"

《博物志》："《神农经》云：药种有五物，二曰巴豆，藿汁解之。"

《神农本草经》："巴豆，味辛，温，主伤寒温疟寒热。破癥瘕结聚，坚积留饮，痰癖，大腹水胀，荡练五脏六腑，开通闭塞，利水谷道，去恶肉，除鬼毒蛊疰邪物，杀虫鱼，一名巴椒。"

《名医别录》："巴豆，生温，熟寒，有大毒，疗女子月闭烂胎，金创脓血，不利丈夫阴，杀班猫毒。可练饵之，益血脉，令人色好，变化与鬼神通。生巴郡川谷。八月采阴干。用之去心皮。"

《本草经集注》云："巴豆出巴郡，似大豆，最能泻人，新者佳。"

《日华子本草》云："巴豆治恶疮息肉及疗癫丁肿。"

《武威汉代医简》第69~71简："鼻中当胬（腐）出血，若脓出，去死肉，药用代庐如巴豆各一分，并合和，以絮裹药塞鼻，诸息肉皆出。"

《肘后方》以巴豆配制赵泉黄膏方，外擦皮肤，治贼风走游皮肤。

《千金方》以巴豆、腻粉擦治疥疮瘙痒。

【按语】 蜀叔疑即巴菽，巴、蜀同为古代国名，巴为重庆，蜀为成都，两地皆产巴菽。《广雅》云："巴菽，巴豆也。"《神农本草经》以巴豆去恶肉，《名医别录》以巴豆治金疮脓血，二者与《病方》以蜀叔治痂的用法基本相同。

80 稷

【《病方》】 189 行："女子瘘，以醯、酉（酒）、三乃（汍）煮黍稷而饮其汁。"

【文献摘要】 《诗经·小雅·甫田》："黍稷稻粱，农夫之庆。"

《诗经·唐风·鸨羽》："王事靡盬，不能蓺稷黍。"

《诗经·大雅·生民》："茀厥丰草，种之黄茂。"《毛传》云："黄，嘉谷也。"孔颖达疏："谷之黄色，唯黍、稷耳。"

《周礼·夏官》:"河南曰豫州……其谷宜五种。"郑玄注云:"五种黍、稷、菽、麦、稻。"

《淮南子·时则训》:"首稼不入。"高诱注云:"百谷惟稷先种,故曰首稼。"

张衡《南都赋》:"其原野则有桑、漆、麻、苎、菽、麦、稷、黍。"

《范子计然》:"南方多稷。"

稷的别名有粢。《说文》云:"粢,稷也,或作粢。"

《礼记·曲礼》:"祭宗庙,稷曰明粢。"

《左传》:"桓二年,粢食不凿。"注云:"粢,稷也。"

《唐本草》:"稷,即穄也。今楚人谓之稷。"

《本草图经》:"稷米,今所谓穄米。"

《吕氏春秋》:"饭之美者,有阳山之穄。"高诱注云:"关西谓之糜。"

《说文》:"穄,糜也。"段氏注云:"此谓黍之不黏者也。"《广雅》:"糜,穄也。"

《一切经音义》引《仓颉篇》:"穄,大黍也,似黍而不黏,关西谓之糜。"陶隐居注"黍"条云:"穄米与黍米相似,而粒殊大,食不宜人,言发宿病。"

古代江东地区又以稷为粟的别名。

《尔雅》:"粢,稷。"郭舍人注:"稷,粟也。今江东呼粟为稷。"

《穆天子传》:"膜稷三十年。"郭璞注:"稷,粟也。"

《急就篇》:"稻黍秫稷粟麻粳。"颜师古注云:"稷粟一种,但二名耳。"

《名医别录》云:"稷米,味甘,无毒。主益气,补不足。"

《本草纲目》:"稷与黍一类二种。黏为黍,不黏为稷。"

《九谷考》:"稷,北方谓之高粱,或谓之红粱。"

【按语】 稷的异名有粢、穄、糜。稷又是粟的别名。

《本草纲目》谓稷与黍一类二种。黏者为黍,不黏者为稷。近人胡先骕《经济植物学》:"河北人之区别黍、稷,谓黍秆生而有毛,稷(穄)秆无毛;黍穗聚,稷穗散;米黏者为黍,不黏者为稷。"

《病方》谓稷治女子癃,本草无此记载。

81 黍、美黍米、陈黍

【《病方》】 85 行:"蛭食(蚀)人胕股[膝],产其中者,并黍、叔(菽)、秫三,炊之……"189 行:"女子癃,以醯、酉(酒)三乃(汛)煮黍稷而饮其汁。"241 行："牡痔，多空（孔）者，享（烹）肥鞠，取其汁渭（渍）美黍米三斗，炊之……以傅孔。"326 行："胕瘇，取陈黍、叔（菽），冶，以犬胆和，以傅。"428 行："涿（瘃），先以黍潘孰洒涿（瘃）……"

【文献摘要】《说文》："黍，禾属而粘也，从大暑而种，故谓黍。"又云："孔子曰：'黍，可以为酒。'"

《氾胜之书》："黍，暑也，种者必待暑。"

《诗经·豳风·七月》："黍稷重穋，禾麻菽麦。"又云："禾黍油油。"

《诗经·生民》："诞降嘉谷，维秬维秠。"

《尔雅》云："秬，黑黍；秠，一稃二米。"郭璞注云："汉和帝时，任城生黑黍，或三四实，实二米，得黍三斛八斗。"郑氏注《周氏邕人》："酿黍为酒，秬如黑黍，一稃二米。"

《周礼·夏官》："其谷宜五种。"郑玄注云："五种：黍、稷、菽、麦、稻。"

《太平御览》引《淮南万毕术》云："门冬，赤黍，薏苡为丸，令妇人不妒。"

《名医别录》云："黍米，味甘，温，无毒。主益气，补中多热，令人烦。"又云："丹黍米，味苦，微温，无毒。主咳逆霍乱，止泄，除热，止烦渴。"

陶隐居注云："北人作黍饭，方药酿黍米酒，则皆用秫黍也。"

孟诜云："黍烧为灰，和油涂杖疮，不作瘢，止痛。"

《肘后方》："治汤火所灼未成疮，黍米、女曲等分，各熬令焦，杵下，以鸡子白傅。"

【按语】 孟诜及《肘后方》皆记载黍能疗疮，此与《病方》记载黍治外证基本相同。又《淮南万毕术》言黍令妇人不妒，说明黍很早入药，《病方》亦多用黍治病，不知《神农本草经》为何不录黍为药物。

82 秫

【《病方》】 85 行："蛭食（蚀）人胕股［膝］，产其中者，并黍、叔（菽）、秫三，炊之……"309 行："热者，煮秫米期足，毚（才）孰（熟），浚而熬之，令为灰，傅之。"

【文献摘要】《说文》："秫，稷之黏者也。"

程瑶田《九谷考》："稷，北方谓之高粱，或谓之红粱。其黏者，黄、白二种，所谓秫也。以秫为黏，于是他谷之黏者，亦假借通称之曰秫。崔豹《古今注》所谓秫为黏稻是也。孙炎注《尔雅》谓黏粟为秫。"

《尔雅》:"众,秫。"孙炎注:"秫为黏粟。"

《急就篇》:"稻、黍、秫、稷、粟、麻粳。"颜师古注云:"秫似粟而黏,亦可为酒。"

《氾胜之书》:"粱是秫粟。"又云:"四月种秫。"

《本草图经》:"丹黍米有二种:米黏者为秫,可以酿酒,不黏为黍,可食。如稻之粳、糯者。"又云:"北人谓秫为黄米,亦谓黄糯,酿酒比糯稻差劣也。"

《嘉祐本草》作者掌禹锡按颜师古《刊谬正俗》云:"今之所谓秫米者,似黍米而粒小者耳,亦堪作酒。"

《名医别录》云:"秫米,味甘,微寒,止寒热,利大肠,疗漆疮。"

《唐本草》注云:"此米(指秫米)功用是稻秫也。今大都呼粟糯为秫。稻秫为糯矣。北土亦多以粟秫酿酒,而汁少于黍米也。"

《本草纲目》云:"秫即粱米、粟米之黏者,有赤、白、黄三色,皆可酿酒熬糖作糍糕食之。"

【按语】 秫的同名异物者很多,《说文》以稷之黏者为秫,崔豹《古今注》以稻之黏者为秫,孙炎注《尔雅》以粟之黏者为秫。《本草图经》以黍之黏者为秫。又云北人谓秫为黄米。《本草纲目》谓秫为粱米、粟米之黏者。程瑶田《九谷考》谓稷之黏者为秫。似乎秫为黏性谷物的通称。此处当从《说文》为正。

孟诜谓秫能杀疮疥毒热,其说与《病方》相近。

83 蘗米

【《病方》】 307 行:"阑(烂)者,爵(嚼)蘗米,足(捉)取汁而煎,令类胶,即冶厚柎和傅。"311 行:"热者,冶蘗米,以乳汁和,傅之,不痛,不瘢。"

【文献摘要】 《说文》:"蘗,牙米也。"段氏注云:"牙同芽,芽米者,生芽之米也。芽米谓之蘗,犹伐木余谓之蘗,庶子谓之孽也。"

《广雅》:"萌芽、甾梦、孽也。"

《论衡·初禀篇》:"草木出土为栽蘗。"

《东京赋》云:"寻木起于蘗栽。"

《玉篇》:"蘗,曲也。芽生谷也。"

《名医别录》:"蘗米,味苦,无毒。主寒中,下气,除热。"陶隐居注云:"此是以米为蘗尔,非别米名也。末其米脂,和傅面,亦使皮肤悦泽。"

《唐本草》注云:"陶称以米为蘗,其米岂更能生乎,止当取蘗中米尔。"

《本草衍义》："蘖米，此则粟蘖也。今谷神散中用之，性又温于大麦蘖。"

《武威汉代医简》第 83 简："公孙方：礜石二分半，牡曲三分，禹余量四分，黄芩七分，蘖米三分，厚朴三分，凡六物皆冶，合和，丸以白蜜，丸大如梧实，旦吞七丸，餔吞九丸，暮吞十一丸，服药十日知，小便数多，廿日愈。"

【按语】 蘖米，《病方》用以治烂者、热者（烧灼），本草无此记载。

84 青粱米

【《病方》】 93 行："蚖，以青粱米为鬻（粥），水十五而米一，成鬻（粥）五斗……即封涂。"

【文献摘要】 《说文》："粱，禾米也。"段氏注云："生曰苗，秀曰禾，稿、实并刈曰禾，其实曰粟，粟中人曰米，米可食曰粱。"

《氾胜之书》："粱是秫粟。"

《礼记·内则》："饭黍、稷、稻、粱、白黍、黄粱。"

《素问·生气通天论》："高粱之变。"

《汉书·食货志》："食必粱肉。"

《尔雅·释草》："虋，赤苗。"郭璞注云："今之赤粱粟。"又云："芑，白苗。"郭璞注云："今之白粱粟，皆好谷。"

《国语·晋语》："夫膏粱之性难正也。"

《名医别录》云："青粱米，味甘，微寒，无毒。主谓痹，热中，消渴，止泄痢，利小便，益气，补中，轻身，长年。"

《唐本草》注云："青粱壳粗，有毛，粒青，米亦微青，而细于黄白粱也。谷粒似青稷而少粗，夏月食之，极为清凉。"

《本草图经》："青粱，壳穗有毛，粒青，米亦微青，而细于黄白米也。黄粱穗大毛长，壳米俱粗于白粱。白粱穗亦大，毛多而长，壳粗扁长，不似粟圆也。大抵人多种粟，而少种粱也。"

《本草纲目》："粱即粟也，自汉以后，始以大而毛长者为粱，细而毛短者为粟。今则通呼为粟，而粱之名反隐矣。"

【按语】 《病方》以青粱米治蚖伤，本草无此记载。孟诜谓青粱米蒸暴，餐之不饥。日华子谓青粱米健脾，治泄精。

85 庶（蔗）

【《病方》】 350 行："加（痂），燔礜，冶乌豙（喙）、黎（藜）卢、蜀叔（菽）、庶、蜀椒、桂各一合，并和……"

【文献摘要】《病方》350 行注①云："庶，疑为蔗（甘蔗）。"

《说文》："蔗，薯蔗也。"又云："薯，薯蔗也。"段氏注云："或作诸蔗，或都蔗，或作竿蔗，或干蔗，或作甘蔗，或作邯睹。服虔《通俗文》曰：'荆州竿蔗。'"

《山家清供》："蔗能化酒，芦菔能化食也。《楚辞》有蔗浆，恐即此也。"

《楚辞·招魂》："胹（煮）鳖炮羔（羊子），有柘浆些。"注云："柘，薯蔗也，言取薯蔗，为浆饮也。"

《世说新语》："扶南蔗，一丈三节。"

《汉书·郊祀乐歌》："太尊蔗浆析朝酲。"

《都蔗赋》："挫斯蔗而疗渴，若漱醴而含蜜。"

《南方草木状》："诸蔗，一曰甘蔗，基甘，笮取其汁，曝数日成饴。"

《名医别录》："甘蔗，味甘，平，无毒。主下气和中，助脾气，利大肠。"

陶隐居注云："广州一种数年生，皆如大竹，长丈余，取汁以为沙糖，甚益人。又有荻蔗，节疏而细，亦可啖也。"

《蜀本草·图经》："甘蔗叶似荻，高丈许。有竹荻二蔗。竹蔗茎粗，出江南；荻蔗茎细，出江北。霜下后收茎，笮其汁为沙糖。"

【按语】《病方》以庶治加（痂），本草无此记载。《病方》350 行注释庶为蔗。按：此方中庶与诸药合用，若将庶释为甘蔗，因甘蔗含糖汁，纤维多，不好研，故笔者疑庶为䗪，即䗪虫。䗪虫晒干好研。䗪虫能活血，可治痂。又《武威汉代医简》第 47 简、第 50 简治金创内漏血不出方中有䗪虫。《神农本草经》云："䗪虫，一名地鳖。"由以上文献记载可知，䗪虫入药由来久矣。

按：䗪，古写作蟅。蟅的释文有三：一释为蝗虫，一释为负蠜，一释为地鳖虫。

（1）释蟅为蝗虫。《说文》："蟅，螽也。"段氏注云："螽，各本讹作虫，今正。《方言》曰：'蟒，宋、魏之间谓之𧕴，南楚之外谓之蟅蟒，或谓之蟘。'郭注：'即蝗也。'"后世方书、本草皆未记载蝗虫作药用。

（2）释蟅为负蠜。《广雅》云："负蠜，蟅也。"按：负蠜的同名异物者有二。

王念孙《广雅疏证》云:"蟠,一作蟠。《尔雅》:'蟠,鼠负。'郭璞注云:'瓮器底虫,蛜威委黍。'注云:'旧说鼠妇别名。'"《神农本草经》云:"鼠妇,一名负蟠。"《尔雅》云:"草虫,负蠜。"郭璞注云:"常羊也。"《毛诗》云:"喓喓草虫。"《传》云:"草虫,常羊也。"陆玑云:"小大长短如蝗也。"孙星衍等《神农本草经》"䗪虫"条释负蠜为䗪虫殊误。

(3)释䗪为地鳖虫(䗪虫)。《神农本草经》:"䗪虫,味咸,寒,主心腹寒热洗洗,血积癥瘕,破坚下血闭,生子大良。一名地鳖。"《名医别录》:"䗪虫,有毒。一名土鳖。生河东川泽及沙中,人家墙壁下土中湿处,十月采,暴干。"《吴普本草》:"䗪虫,一名土鳖。"陶隐居注:"䗪虫,形扁扁如鳖,故名土鳖,而有甲不能飞,小有臭气。"

《唐本草》注云:"䗪虫好生鼠壤之中及屋壁下,状似鼠妇,而大者寸余,形小似鳖,无甲,但有鳞也。"

《药性论》云:"䗪虫,治月水不通,破留血积聚。"

《本草衍义》云:"乳脉不行,研一枚,水半合,滤清服,勿使服药人知。"

《武威汉代医简》第46～47简用䗪虫等治伏梁裹脓在胃肠之外。第50简以䗪虫等治金创内漏血不出。

张仲景治杂病方中有大黄䗪虫丸,该药主久瘕积结,又大鳖甲丸及治妇人药中并用䗪虫,因其有破坚积下血之功也。

按以上所述,《病方》350行治痂方中用的庶似应释为䗪虫。因《武威汉代医简》第46、第47、第50简中已载䗪虫,张仲景治杂病方中亦用䗪虫,《神农本草经》中亦记载䗪虫,说明在古代䗪虫是常用药,因此推测《病方》中用的庶为䗪虫。

86 □豆

内容暂缺。

87 霍(藿)

【《病方》】 187行:"女子瘅,取三岁陈霍(藿),烝(蒸)而取其汁,□而饮之。"

【文献摘要】《广雅》:"豆角谓之荚,其叶谓之藿。"王念孙疏云:"藿,《说文》作藿，云菽之少也，藿为豆叶，而云菽之少者，菽之少时叶嫩可食。"

《说文》："藿，菽之少也。"段氏注云："少，读养幼之少。《毛诗传》曰：'藿犹苗也。'李善引《说文》作豆之叶也，与《士丧礼注》合。"

《诗经·小雅·白驹》："食我场苗，食我场藿。"

《传》云："藿犹苗也，是菽之少名藿也。"

《礼记·铏笔》："牛藿、羊苦、豕薇。"郑注云："藿，豆叶也。"

《诗经·小雅·小宛》："中原有菽，庶民采之。"

《传》云："菽，藿也。"

《正义》云："经言采之，明采取其叶，故言藿也。"

《诗经·豳风·七月》："七月烹葵及菽。"释文云："菽，藿也。"

《韩非子·五蠹》："尧之王天下也，粝粢之饭，藜藿之羹。"

《韩策》："民之所食，大抵豆饭藿羹。"

《唐本草》注赤小豆云："《别录》云：'叶名藿，止小便数，去烦热。'"

《食医心镜》："主小便数，小豆叶一斤，于豉汁中煮调和作羹食之。煮粥亦佳。"

【按语】　按《名医别录》所云，藿为赤小豆叶，能止小便数，去烦热，《食医心镜》亦谓赤小豆主小便数，此与《病方》谓陈藿治女子癃的说法相似。

第四类　菜类药（10种）

88　姜、干姜、枯姜

【《病方》】　271 行："睢（疽）病，冶白芡（蔹）、黄蓍（耆）、芍乐（药）、桂、畺（姜）、椒、朱（茱）臾……并以三指大最（撮）一入杯酒中，日五六饮之。"249 行："牝痔，取弱（溺）五斗，以煮青蒿大把二、鲋鱼如手者七，冶桂六寸。干薑（姜）二果（颗），十沸……以熏痔。"372 行："痛，白茝、白衡、菌桂、枯畺（姜）、薪（新）雉，凡五物等，已冶……以和药傅。"

【文献摘要】　《论语》："不撤姜食。"

《礼记》："燕食三十一物，终于姜桂。"

《吕氏春秋》："和之美者，杨朴之姜，招摇之桂。"

宋玉曰："姜桂因地而生，不因地而辛。"

《急就篇》："葵韭葱薤蓼苏姜。"颜师古注云："姜，御湿菜也，辛而不荤，故亦者不撤焉。"

《孝经援神契》："撤姜御湿。"又云："椒姜御湿，菖蒲益聪。"

《南都赋》："苏荔紫姜，拂撤膻腥。"

《蜀都赋》："甘蔗辛姜，阳蒟阴敷。"

《博物志》："妊娠不可食姜，令子盈指。"

《神农本草经》："干姜，味辛，温。主胸满咳逆上气，温中，止血，出汗，逐风湿痹，肠澼下痢，生者尤良。久服去臭气，通神明。"

《名医别录》："生姜，味辛，微温。主伤寒头痛，鼻塞，咳逆上气，止呕吐。生犍为川谷及荆州、扬州，九月采。"

《武威汉代医简》第 4 简载用姜治久咳上气，第 8 简载用生姜治声音嘶嗄如雁，第 52 简载用生姜治金创止痛，第 79 简载用生姜治久咳上气，第 82 简载用生姜治久泄肠澼。

【按语】 《病方》载用姜治疽，用干姜治牝痔，用枯姜治痈，《武威汉代医简》载用姜治金创止痛，但后世方书、本草皆无此记载。

89 薤

【《病方》】 43 行："伤胫（痉）者，择薤一把，以敦（淳）酒半斗者（煮）溃（沸），［饮］之，即温衣陕（夹）坐四旁，汗出到足，乃已。"78 行："瘛，⊠以财锹薤……"182 行："瘁，取赢牛二七，薤一扽，并以酒煮而饮之。"433 行："涿（瘃），咀鏨（薤），以封之。"

【文献摘要】 薤，本作藠。

《说文》云："藠，鸿荟。"释曰："藠，一名鸿荟。"郭璞注云："即藠菜也。"又云："蒉，山藠。"

《山海经》云："丹熏之山，其草多韭藠。"

《礼记·内则》："脂用，膏用藠。"

《急就篇》："葵韭葱藠蓼苏姜。"颜师古注云："藠，一名鸿会。"

《广雅》云："韭藠荞，其华谓之菁。"

《素问·脏器法时论》："肺色白，宜食苦，麦、羊肉、杏、薤皆苦。"

《神农本草经》云："薤，味辛。主金疮疮败，轻身，不饥耐老。"

《名医别录》云："薤，味苦，温，无毒。归于骨，菜芝也，除寒热，去水气，温中，散结，利病人，诸疮中风寒水肿，以涂之。生鲁山平泽。"

《金匮要略》云："胸痹之病，喘息咳唾，胸背痛，短气。栝楼薤白白酒汤主之。"

《肘后方》："猘犬咬方，捣薤汁傅之。又饮一升，日三，疮乃差。"凡猘犬咬人，每到七日，辄当饮薤汁三二升。"

《葛氏方》："治疥疮，煮薤叶洗亦佳，捣如泥傅之亦得。"

【按语】 《唐本草》注云："薤有赤白二种，白者补而美，赤者主金疮及风。"而《病方》言薤治伤痉，此与《唐本草》注所言相似。《病方》谓薤治瘛、瘁、瘃，后世方书、本草皆未见用。

90　葱

【《病方》】　150 行："痒，☐干葱☐盐隋（膎）炙尻。"434 行："践而涿（瘃）者，燔地穿而入足，如食顷而已，即☐葱封之，若烝葱尉之。"

【文献摘要】　《说文》："葱生山中者名茖，细茎大叶者是也。"

《尔雅》："茖，山葱。"

《山海经·北山经》："边春之山，多葱。"

《管子》："齐威公五年，北征山戎，出冬葱与戎菽。"

《礼记·少仪》曰："为君子择葱，绝其本末。"

《四民月令》："二月别小葱，六月别大葱。"

《急就篇》："葵韭葱薤蓼苏姜。"颜师古注："葱，青白杂色之名也。"

《广雅》："蕫葰，葱也。"

《齐民要术》引《广志》云："葱有冬春二种。"

《神农本草经》："葱实，味辛，温。主明目，补中不足。其茎可作汤，主伤寒，寒热出汗，中风面目肿。"

《名医别录》："葱白，平。主伤寒，骨肉痛，喉痹不通，安胎，归目，除肝邪气，安中，利五脏，益目精。葱根，主伤寒头痛。葱汁，平，温。主溺血，解藜芦毒。"

《食疗本草》："葱白，治疮中有风水肿疼，取青叶、干姜、黄柏相和煮作汤浸洗之，立愈。"

《肘后方》："脑骨破及骨折，葱白细研，和蜜厚封损处，立差。"

《外台秘要》："治大小肠不通，捣葱白以酢和封小腹上。"

《梅师方》："治胎动不安，以银器煮葱白羹服之。"又云："治惊金疮出血不止，取葱炙令热，挼取汁傅疮上，即血止。"

【按语】　《病方》以干葱炙尻治癃，此与《外台秘要》以葱白治大小肠不通的方法相似。

91　芥、芥衷荚

【《病方》】　194 行："种（肿）橐者，黑实橐，不去。治之，取马矢粗者三斗，孰析，沃以水，水清，止；浚去汁，洎以酸浆☐斗，取芥衷荚。壹用，智（知）；

四、五月用，种（肿）去。"

【文献摘要】 《说文》："芥，菜也。"

《左传》："季氏与郈氏斗鸡，季氏金其距，郈氏芥其羽。"注云："施芥于羽，令卒。"

《四民月令》："六月大暑中伏后，可收芥子，七月、八月可种芥。"

《广雅》："苏、菜、芥、莽、蘆、毛，草也。"

《孟子·万章》："一介不以与人。"赵岐注云："介，草也。"

《名医别录》云："芥，味辛，温，无毒。归鼻，主除肾邪气，利九窍，明耳目，安中，久食温中。"又云："子主痊气发无常处及射工毒，丸服之，或捣为末，醋和涂之，随手有验。"

孟诜云："芥，煮食之，亦动气，生食发丹石，不可多食。"

《日华子本草》云："芥子，治风毒肿。"

《肘后方》："治痈肿杂效方，以家芥子并柏叶捣傅之，大验。"

《千金翼方》："以猪胆汁和芥子末，贴一切痈肿。"

【按语】 古书所讲的芥，一指草，一指菜。《名医别录》记载芥有2种，一种是药用的芥，即"味苦寒，无毒。主消渴，止血，妇人疾，除痹。一名梨。叶如大青"者；另一种是有名无用类中记载的芥。陶弘景谓药用芥似松而有毛，味辣，好作菹，亦生食，其子可藏冬瓜。《唐本草》注谓芥有3种："叶大粗者，叶堪食，子入药用，熨恶疰至良；叶小子细者，叶不堪食，其子但堪为虀尔；又有白芥子粗大白色，如白粱米，甚辛美，从戎中来。"

《病方》所用的芥当非草芥之芥，应如《左传》中所言有辛味的芥，亦即后世药用的芥。后世用芥治痈肿，此与《病方》用芥治肿橐（阴囊肿）的用法相似。

92 荠

【《病方》】 5行："治诸伤：冶齐□，□淳酒渍而饼之……"21行："久伤者，荠、杏霾中人，以职膏弁，封痏，虫即出。"25行："令金伤毋伤痛，取荠熟干实……"

【文献摘要】 荠的同名异物者有二：一为蒺藜，一为荠菜。

（1）蒺藜。《说文》："荠，蒺藜也。"又云："《诗》曰'墙有荠'，莿菜也。"段玉裁注云："《诗·鄘风》《小雅》皆作茨。《释草》《传》《笺》皆曰茨，蒺藜也。《易》曰："据于蒺藜。"

《说文解字系传·通释》："荠，蒺藜也。《诗》曰：'墙有荠。'锴曰：'此今药家所用蒺藜也。今人以此家为荠菜。'"

《说文通训定声》："荠，蒺藜也。"

按：《病方》另有蒺藜药名，如81行载"治瘕，以蒺藜、白蒿封之"，则《病方》中的荠非是蒺藜，应为荠菜。

（2）荠菜。《诗经·谷风》："谁谓荼苦，其甘如荠。"

《尔雅翼》："荠之为菜，其甘如荠。"又引《师旷占》云："荠为甘（甜）草，葶苈为苦草。"又引《祭统》曰："荠与亭历，其死同时。"

《吕氏春秋·任地》："孟夏之昔，杀三叶。"高诱注云："昔，终也；三叶，荠、亭历、菥蓂也。"

《月令》："孟夏之月，靡草死。"郑注引旧说云："靡草，荠、葶苈之属也。"

《淮南子·天文训》云："五月为小刑，荠、麦、亭历枯。"

《物类相感志》："三月三日收荠菜花置灯擎上，则飞蛾蚊虫不投。"

《白虎通德论》："阊阖风至，生荠、麦。"

《易纬通卦验》："立冬，不周风至，始水，荠、麦生。"

《急就篇》："芸蒜荠芥茱萸香。"颜师古注云："荠，甘菜也，其实名蒫。"

《尔雅》："蒫，荠实。"郭璞注云："荠子，味甘。"按：蒫即荠菜的种子，一名荠实。但荠实又是荭草种子的别名。《说文》云："虋，荠实。"段氏注云："今《释草》：红，茏古，其大者虋。"《尔雅》云："红，茏古，其大者虋。"虋是荭草，其种子一名荠实。

《名医别录》："荠，味甘，温，无毒。主利肝气，和中。其实主明目，目痛。"

陈士良云："实亦呼菥蓂子，主壅，去风毒邪气，明目，去障翳，解热毒，久食视物鲜明，四月八日收实，良。其花抟去，席下辟虫。"

《日华子本草》云："荠菜，利五脏，根疗目疼。"

【按语】《病方》81行载有蒺藜，则此处荠当指荠菜。荠菜子名蒫，一名荠实。荠实亦是荭草种子的别名。

《病方》以荠实治金创伤痛，本草用其治青盲目痛。

93 署薢（署预）

【《病方》】 251行："牝痔，取萆茎干冶二升，取署薢汁二斗以渍之，以为浆，饮之，病已而已。"

【文献摘要】《山海经·北山经》："景山，北望少泽，其草多薯蓣。"郭璞注："根似芋，可食，今江南人单呼为薯。"

《太平御览》引《范子计然》云："储蓣本出三辅，白色者善。"

《淮南子·俶真训》云："薯蓣患治。"高诱注云："褒大意也，薯预犹薯蓣耳。"

《尔雅》："薯藇，山薯。"

《广雅》："玉延，藷蓣，薯预也。"

《异苑》云："薯预，野人谓之土薯。"

《神农本草经》云："薯预，味甘，温。主伤中，补虚羸，除寒热，邪气，补中，益气力，长肌肉。久服耳目聪明，轻身不饥，延年，一名山芋。"

《名医别录》云："薯预，平，无毒。主头面游风，风头眼眩，下气，止腰痛，补虚劳羸瘦，充五脏，除烦热，强阴。秦楚名玉延，郑越名土薯。生嵩高山谷，二月、八月采根，暴干。"

《吴普本草》："薯预，一名诸薯，齐越名山芋，一名修脆，一名儿草。神农：甘，小温；桐君、雷公：甘，无毒。或生临朐、钟山。始生赤茎细蔓，五月华白，七月实青黄，八月熟落，根中白，皮黄，类芋。"

《本草衍义》云："薯蓣，上一字犯宋英宗庙讳（宋英宗名赵曙，需避曙字讳）；下一字曰蓣，唐代宗名豫，故改下字为药，今人遂呼为山药。"

《药性论》："薯预，能补五劳七伤，去冷风，止腰痛，钲心神，安魂魄，开达心孔，多记事。"

《武威汉代医简》第 85 简："治七伤方：桔梗十分，牛膝、续断、防风、远志、杜仲、赤石脂、山朱臾、柏实各四分、肉从容、天雄、薯欤、蚖☐，凡十五物，皆并冶……"

《肘后方》以薯预治腰痛阴痿。

【按语】《病方》以薯蓣（薯预）治痔。后世医方、本草皆不用其治痔。

94 苦瓠

【《病方》】352 行："治痂，冶莁夷，苦瓠瓣，并以彘职膏弁，傅之。"376 行："身有休痛种者方，取牡☐一，夸就☐炊之……"217 行："颓者，穿小瓠壶，令其实，尽容颓者肾与膲，即令颓者烦夸，东乡坐于东陈垣下，即内肾膲于壶空中……"

【文献摘要】《诗经·卫风》:“齿如瓠犀。”《尔雅·释草》及《毛传》曰:“瓠犀,瓠瓣也。”

《诗经·邶风》:“匏有苦叶。”《传》云:“匏,谓之瓠,瓠叶苦,不可食。”

《诗经》:“幡幡瓠叶,采之烹之。”陆玑疏云:“匏叶少时可为羹,又可淹煮,极美。”

《庄子·逍遥游》:“五石之瓠,虑以为大樽,而浮乎江湖。”

《风俗通》:“烧穰,可以杀瓠。”

《说文》:“瓠,匏也”“匏,大腹也”“瓢,瓠也”。

《说文解字系传·通释》:“瓠,匏也。锴曰:‘瓜根柢柔弱。’《楚辞》:‘干弃周鼎而宝康瓠。’康,空也。康瓠,空瓠也。”

《广韵》:“瓠,音壶,又音护。瓠𤬪,瓢也。”

《尔雅》:“瓠栖瓣。”

《诗经·豳风·七月》云:“八月断壶。”《传》云:“壶,瓠也。”陆玑疏云:“壶,瓠也”“匏,瓠也”。

《古今注》:“匏,瓠也,壶芦,瓠之无柄者也。瓢亦瓠也。”

《广雅》:“匏,瓠也。”

《楚辞·九怀》:“援匏瓜兮接粮。”

《国语·鲁语》:“苦匏不材,于人共济而已。”韦注:“材读若裁。不裁于人,言不可食也,共济而巳,佩匏可以渡水也。”

《神农本草经》:“苦瓠,味苦,寒。主大水,面目四肢浮肿,下水,令人吐。”

《名医别录》:“苦瓠,有毒。生晋地川泽。”

孟诜云:“瓠,冷,主消渴、恶疮。”

【按语】《病方》以苦瓠治痂,孟诜《食疗本草》谓瓠主恶疮,此与《病方》以苦瓠治痂意近。

瓠的同物异名者很多。《本草纲目》云:“长如越瓜,首尾如一者为瓠,瓠之一头有长柄者为悬瓠。无柄而圆大形扁者为匏,匏之有短柄大腹者为壶,壶之细腰为蒲芦。”

95 颤(堇)葵

【《病方》】 402 行:“戜(蟘)食(蚀)口鼻,冶颤(堇)葵□□□,以桑薪燔□□其□□令汁出,以羽取☐。”

【文献摘要】 《说文》："菫，草，根如荠，叶如细柳，蒸食之甘。"

《诗经·大雅》："菫茶如饴。"

《传》曰："菫，菜也。"

《尔雅》："啮，苦菫。"郭璞注："今菫葵也。叶似柳，子如米汋，食之滑。"

孟诜云："菫，久食除心烦热，令人身重懈惰，又令人多睡。又捣敷热肿，良。"

《食疗本草》云："菫菜，味苦，主寒热，鼠瘘，瘰疬，生疮……"

《千金方》云："菫葵，苦，平，无毒。久服除人心烦急，动痰冷，身重多懈惰。"

《唐本草》云："菫汁，味甘，寒，无毒。主马毒疮。捣汁洗之，并服之，菫菜也，出《小品方》。《万毕方》云：'除蛇蝎毒及痈肿。'"

【按语】 郭璞谓菫葵叶似柳，食之滑，《说文》言菫草叶如细柳，蒸食之，二者所言似是同一物也。

又孟诜所言菫的功用与《千金方》所言菫葵的功用相同，说明菫即菫葵。而孟诜又称菫葵为菫菜。《唐本草》谓菫菜汁主马毒疮，《食疗本草》谓菫菜主瘰疬生疮，二者所言与《病方》言菫葵治蟖的内容相符。

96 兔肉

【《病方》】 94 行："治蚖，烹三宿雄鸡二……兔□肉陀臝中，稍沃以汁，令下盂中，熟，饮汁。"

【文献摘要】 《名医别录》："兔肉，味辛，平，无毒。主补中益气。"

《本草经集注》："兔肉，妊娠不可食，令子唇缺。"

《本草拾遗》："兔肉久食弱阳，令人色痿。"

《药性论》："腊月兔肉作酱食，去小儿豌豆疮。"

《梅师方》："兔肉合干姜拌食之，令人霍乱。"

【按语】 兔□肉，《病方》95 行注②云："兔字下一字，或疑为头字。兔头，《广雅·释草》云'瓜属'。"笔者疑此处所指为兔头肉。

97 陵茇（菱芰）

【《病方》】 351 行："痂，以小童溺渍陵（菱）茇（芰），以瓦器盛，以布盖，置突上五六日，［以傅］之。"353 行："痂，乌喙四果（颗）、陵（菱）茇（芰）

一升半……以傅之。"410 行："干瘙方，熬陵（菱）朿（芰）一参，令黄，以淳酒半斗煮之，三沸止，盅其汁，夕毋食，饮。"419 行："身疕，疕毋名而养（痒），用陵（菱）叔［朿（芰）］熬，冶之，以犬胆和，以傅之。"

【文献摘要】 陵或作陵，或作薐，或作菱。

《字林》："楚人名薐曰芰，可食。"

《国语·楚语》："楚令尹屈到嗜芰。"韦注云："芰，薐也。"

《说文》："薐，芰也。楚谓之芰，秦谓之薢茩。"

《广雅》："陵、芰，薢茩也。"

《尔雅》："薐，蕨攗。"郭璞注云："今水中芰。"

《周官·笾人》："加笾之实，薐芡栗脯。"郑注云："薐，芰也。"

《楚辞·离骚》："制芰荷以为衣兮。"王逸注云："芰，陵也，秦人曰薢茩。"

《楚辞·招魂》："涉江采菱发阳阿。"注云："阳阿，采菱曲也。"

谢翱《楚辞芳草谱》："薐生水中，实二角或四角，一名芰。"

《汉书·龚遂传》："遂为渤海太守……秋冬课收敛，益蓄果实菱芡。"

《三国·典略》："齐师伐梁，梁以粮运不继，调市人馈军，建康孔奂，以菱屑为饭，用荷叶裹之，一宿间得数万裹。"

《酉阳杂俎》："今人但言菱芰，诸解草木书，亦不分别，惟王安贫《武陵记》言：四角、三角曰芰，两角曰薐。"

《名医别录》："芰实，味甘、平，无毒。主安中，补五脏，不饥轻身，一名菱。"

《本草经集注》："庐江间最多，皆取火燔，以为米充粮，今多蒸暴蜜和饵之，断谷长生。"

《蜀本草·图经》："芰，生水中，叶浮水上，其花黄色，实有二种，一四角，一两角。"

【按语】 芰即菱角，本草谓以代粮。《病方》用其治痂、干瘙、身疕，本草对此皆无记载。

第五类 木类药（29种）

98　桂

【《病方》】　271 行："雎病，冶白芷、黄蓍、芍乐、桂、畺、椒、朱臾，凡七物……"299 行："☐雎，橿、桂、椒☐居四☐。"303 行："雎☐桂、椒☐。"350行："痂，燔䂪，冶乌豢、黎卢、蜀叔、庶、蜀椒、桂各一合，并和，以头脂☐☐☐布炙以熨。"249 行："牝痔，取弱五斗，以煮青蒿大把二、鲋鱼如手者七，冶桂六寸，干薑二果……以熏痔。"259 行："牝痔，冶蘪芜本、方风、乌豢、桂皆等，渍以淳酒而垸之，大如黑叔而吞之。"67 行："巢者，取牛胆、乌豢、桂，冶等，毂……"1 行："诸伤，☐☐膏、甘草各二，桂、畺、椒……"441 行："蛊，渍女子未尝丈夫者［布］☐☐音，冶桂入中，令毋臭，而以☐饮之。"

【文献摘要】《山海经·南山经》："招摇之山多桂。"

《楚辞·远游》："嘉南州之炎德兮，丽桂树之冬荣。"

《庄子》："桂可食，故伐之；漆可用，故割之。"

《说文》："桂，江南木，百药之长""梫，桂也"。

《尔雅》："梫，木桂。"郭璞注："南人呼桂，厚皮者为木桂，叶似枇杷而大。"

《尸子》："春华秋英曰桂。"

《吕氏春秋》："桂枝之下无杂木，辛螫故也。"

《南方草木状》："桂出合浦，生必以高山之巅，冬夏常青，其类自为林，间无杂树。"

《神农本草经》："牡桂，味辛，温。主上气咳逆结气，喉痹，吐吸，利关节，补中益气，久服通神，轻身不老。"

《名医别录》："桂，味甘、辛，大热，有小毒。主温中利肝、肺气，心腹寒热，冷疾，霍乱转筋，头痛，腰痛，出汗，止烦止唾，咳嗽，鼻衄，能堕胎，坚骨节，通血脉，理疏不足，宣导百药，无所畏。久服神仙不老。生桂阳。二月、八月十月采皮，阴干。"又云："牡桂，无毒。主心痛，胁风，胁痛，温筋，通脉，止烦出汗。生南海山谷。"

《唐本草》注云："《尔雅》云：'梫，木桂。'古方亦用木桂，或云牡桂，即今木桂，及单名桂者是也。"郭璞注《尔雅》谓南人呼桂厚皮者为木桂。木桂与牡桂音相近。

《肘后方》："治卒心痛，桂心八两，㕮咀，水四升，取一升，分三服。"又方："治反腰有血痛，捣桂，筛三升许，以苦酒和，涂痛上，干后涂。"

【按语】《病方》以桂治疽（疽）、痂、牝痔、巢者、诸伤、蛊等。《武威汉代医简》第8简用桂治声音嘶嗄，第9～10简用桂治诸癃，第44～45简用桂治心腹大积恿，第52简以桂治金创恿，第79简用桂治久咳上气，第80简用桂治久咳逆上气，第82简用桂治久泄肠澼。《伤寒论》中有43个方用到桂枝，说明桂在古代应用很广。《名医别录》云："桂，宣导百药。"

99 菌桂

【《病方》】 372行："痈，白茝、白衡、菌桂、枯畺、薪雏，凡五物……"227行："颓，冶困（菌）［桂］尺，独□一升，并冶，而盛竹甬（筒）中，盈筒……"

【文献摘要】 《离骚》："杂申椒与菌桂兮，岂维纫夫蕙茝""矫菌桂以纫蕙"。王逸注云："茝、桂，皆香木。"

《文选·蜀都赋》："其树有木兰梫桂""菌桂临崖"。晋·刘逵注引《神农本草经》云："菌桂出交趾，圆如竹，为众药通使。"

《说文解字系传·通释》："菌桂为诸药先聘通使，是为江南百药之长也。"

《神农本草经》："菌桂，味辛，温。主百病，养精神，和颜色，为诸药先聘通使。久服轻身，不老，面先光华媚好，常如童子。"

《名医别录》："菌桂，无毒。生交趾，桂林山谷岩崖间，无骨，正圆如竹，立秋采。"

《本草经集注》云："《蜀都赋》云：'菌桂临崖。'俗中不见正圆如竹者，惟嫩枝破卷成圆，犹依桂用，非真菌桂也。《仙经》乃有用菌桂云：'三重者良。'则明非今桂矣。"

《唐本草》注云："菌者竹名，古方用筒桂者是，故云三重者良。"

《本草拾遗》："筒卷者即菌桂也，以嫩而易卷。古方有筒桂，字似菌字，后人误而书之，习而成俗。"

《本草图经》："旧说菌桂正圆如竹，有二三重者，则今所谓筒桂也。筒、菌字近，或传写之误耳。"

【按语】《病方》以菌桂治痈、㾽。本草无此记载。

100　美桂

【《病方》】　407 行："戝食（蚀）齿，以榆皮、白□、美桂，而并□□□□傅空（孔）□。"

【文献摘要】《吕氏春秋》云："物之美者，招摇之桂。"

《山海经·南山经》："招摇之山多桂。"

《说文》："桂，江南木，百药之长。"

《尔雅》："梫，木桂。"郭璞注："南人呼桂，厚皮者为木桂，叶似枇杷而大。"

《名医别录》："桂，味甘、辛，大热，有小毒。主温中，利肝、肺气，心腹寒热，冷疾，霍乱转筋，头痛，腰痛，出汗，止烦止唾，咳嗽，鼻齆，能堕胎，坚骨节，通血脉，理疏不足，宣导百药，无所畏，久服神仙不老。生桂阳。二月、八月、十月采皮，阴干。"

【按语】　美桂，疑是桂的品质最优者。

101　辛夷

【《病方》】　23 行："令金伤毋痛方，取鼢鼠干而治；取彘鱼，燔而冶；□□、薪夷、甘草各与鼢鼠等……"372 行："痈，白茝、白衡、菌桂、枯畺、薪雉，凡五物……"

【文献摘要】《楚辞·九章》："露申辛夷，死林薄兮。"

《楚辞·九歌》："乘赤豹兮从文狸，辛夷车兮结桂旗。"王逸注云："辛夷，香草也。"

《上林赋》："杂以留夷。"张揖注云："留夷，辛夷也。"

《甘泉赋》云："列新雉于林薄。"颜师古注："新雉，即辛夷也，为树甚大，其木枝叶皆芳，一名新矧。"

《神农本草经》："辛夷，味辛，温。主五脏身体寒热，风头脑痛面䵟，久服下气轻身，明目，增年耐老。一名辛矤，一名侯桃，一名房木。"

《名医别录》："辛夷，无毒。温中，解肌，利九窍，通鼻塞，涕出，治面肿，引齿痛，眩冒，身兀兀如在车船之上者，生须发，去白虫。可作膏药。用之去心及外毛，毛射人肺，令人咳。生汉中川谷。九月采实，暴干。"

《本草拾遗》："辛夷是未发花时，如小桃子，有毛，未折时取之，所云用花开者及在二月，此殊误尔。此花江南地暖，正月开，北地寒二月开。初发如笔，北人呼为木笔。其花最早，南人呼为迎春。"

《药性论》："辛夷能治面生䵟皰，面脂用主光华。"

《日华子本草》："通关脉，明目，治头痛憎寒，体噤，瘙痒。入药微炙，已开者劣，谢者不佳。"

【按语】《病方》载以辛夷止金疮痛并治痈，而本草未记载该内容。

102 椒 103 良椒 104 蜀椒

【《病方》】 1 行："诸伤，□□膏、甘草各二，桂、畺、椒☒毇一垸音酒中，饮之。"179 行："瘁……茜荚一、枣十四、豪之朱臾、椒，合而一区，燔之坎中……"271 行："雎病，冶白芩、黄耆、芍乐、桂、畺、椒、朱臾，凡七物……"299 行："☒雎，櫃、桂、椒□居四☒……"303 行："雎，☒桂、椒☒"275 行："雎，以白荍、黄莒（者）、芍药、甘草四物者（煮），□、畺、蜀焦（椒）、树（朱）臾四物而当一物……"

【文献摘要】《说文》："茱，茱萸也。"

《尔雅》："椒、榝，丑莍。"郭璞注云："莍，茱萸子聚生成房貌。"

《诗经·周颂》："有椒其馨。"

《诗经·陈风》："贻我握椒。"

《诗经·唐风》："椒聊之实。"

《楚辞·离骚》："杂申椒与菌桂""怀椒糈而要之""椒专佞以慢慆兮"。

《楚辞·九歌》："折芳椒以自处""播芳椒兮盈堂""奠桂酒兮椒浆"。

《山海经》："虎尾之山，其木多椒、椐""琴鼓之山，其木多椒"。

《荀子·礼论》："椒兰分芷。"

《史记·礼书》："椒兰分芷，所以养鼻也。"

《四民月令》："过腊一日，进椒酒。"

《淮南子·人间训》："申椒杜茝，美人所怀服。"

《九叹》："握申椒与杜若兮，冠浮云之峨峨。"

《风土记》："三香，椒、榝、姜也。"

《范子计然》："秦椒出天水陇西，细者善；蜀椒出武都，赤色者善。"

《神农本草经》："蜀椒，味辛、温。主邪气咳逆，温中，逐骨节皮肤死肌，寒湿痹痛，下气。久服之，头不白，轻身增年。"

《名医别录》："蜀椒，大热有毒。除六腑寒冷，伤寒，温疟，大风，汗不出，心腹留饮宿食，肠澼下痢，泄精，女子字乳余疾，散风邪瘕结，水肿，黄疸，鬼疰蛊毒，杀虫鱼毒。开腠理，通血脉，坚齿发，调关节，耐寒暑，可作膏药，多食令人乏气。口闭者杀人。一名巴椒，一名蘑藙。生武都川谷及巴郡。八月采实，阴干。"

《肘后方》："治金疮中风，蜀椒量疮口大小，用面作馄饨，煻火中炮令熟，开一孔，当疮上掩之，引风出。"

《药性论》："椒目，治十二种水气。"

《外台秘要》："治疮肿，生椒末面，釜下土末之，以大醋和傅。"

【按语】　古书单言椒。本草分秦椒、蜀椒。秦椒大，产秦岭，一名榝；蜀椒小，产四川蜀地，一名蘑藙。《病方》出于长沙，长沙与四川相近，该地所用之椒当为蜀椒。又《病方》载椒治诸伤、瘵、疽等，此与其他医方、本草所载内容基本相同。《病方》单言椒，似指蜀椒而言。《武威汉代医简》有10多个方子用蜀椒：第6～7简以蜀椒治伤寒逐风；第8简以蜀椒治声音嘶嗄；第11～12简以蜀椒配制百病膏药方；第57简以蜀椒配制千金膏药方；第79简以蜀椒治久咳上气；第87简以蜀椒治痂及创；第89简以蜀椒配制百病膏药方。以上用法与《病方》所载椒的用法基本相同。

105　茜莢

【《病方》】　179行："瘵，坎方尺有半，深至肘，即烧陈蒿其中，令其灰不盈半尺，薄洒之以美酒，□茜莢一，枣十四，豪之朱臾、椒，合而一区，燔之炊中，以隧下。已，沃。"

【文献摘要】　茜，释义有三。

（1）莸草。《尔雅·释草》："茜，蔓于。"《说文》："莸，水边草也。"段玉裁注："《汉书·子虚赋音义》曰：'轩于，莸草也，生水中，扬州有之。'《释草》：

'茜，蔓于。'茜即茷，蔓于即轩于。"按段氏注，茜即茷草。

《本草拾遗》："茷草，味甘，大寒，无毒。主湿痹，消水气，合赤小豆煮食之，勿与盐。主脚气顽痹虚肿，小腹急，小便赤涩，捣叶傅毒肿。又绞取汁服之，主消渴。生水田中，似结缕，叶长，马食之。《尔雅》云：'茷，蔓于。'注云：'生水中，江东人呼为茜。'《证俗》云：'蓨，水草也。'"

（2）缩酒。《说文》："茜，礼，祭刺茅加于裸圭，而灌鬯酒，是为茜，像神饮也。"《周礼·甸师》："祭祀共萧茅。"郑大夫云："萧或为茜，茜读为缩。刺茅立之祭前，沃酒其上，酒渗下去，若神饮之，故谓之缩。缩，浚也。故齐桓公责楚不贡，苞茅不入，王祭不共，无以缩酒。"

（3）皂荚。《病方》179 行注③云："茜，应为蒩（糟）字。蒩荚，当即皂荚。见《神农本草经》。"

【按语】 茜的释义有三，即茷草、缩酒、皂荚。缩酒是祭神时沃酒于茅的操作，与《病方》中的茜荚无关联。皂荚的皂字与蒩字无关联，古代词典（《尔雅》《说文》等）对此无记载，《神农本草经》"皂荚"条亦无有关蒩的记载。

笔者倾向于茷草之茜，古代词典对此有记载。从功效方面来说，茷草能消水气，此与《病方》言茜荚可治瘿的说法相似。

106　荆

【《病方》】　184 行："血瘊，煮荆，三温之而饮之。"435 行："□蛊者，燔扁辐以荆薪，即以食邪者。"359 行："痂方，取三岁织猪膏，傅之。燔胕（腐）荆箕，取其灰……"

【文献摘要】　《山海经·中山经》："敏山，上有木焉，其状如荆。"

《说文》："荆，楚木也。"又云："楚，丛木，一名荆。"

《诗经·小雅》："楚楚者茨，言抽其棘。"

《广雅》："楚，荆也。"又云："牡荆，蔓荆也。"

《艺文类聚》引《广志》曰："楚，荆也。牡荆，蔓荆也。赤茎大实者，名曰牡荆，又有山荆。"

《南方草木状》："荆，宁蒲有三种：金荆可作枕，紫荆堪作床，白荆堪作履。"

《汉书·郊祀志》："以牡荆画幡。"李奇注："牡荆作幡柄也。"

本草载有牡荆、蔓荆。

《神农本草经》："蔓荆实，味苦，微寒。主筋骨间寒热，拘挛，明目，坚齿，利九窍，去白虫。久服轻身耐老。小荆实亦等。"

《名医别录》："蔓荆实，味辛，平，温，无毒。治长虫，主风头痛，脑鸣，目泪出，益气。令人光泽脂致。"又云："牡荆实，味苦，温，无毒。主除骨间寒热，通利胃气，止咳逆下气。生河间、南阳、冤句山谷，或平寿、都乡高岩上及田野中，八月、九月采实，阴干。"

《唐本草》注引《名医别录》云："荆叶，味苦，平，无毒。主久痢霍乱转筋，血淋，下部疮湿䘌。薄脚，主脚气肿满。其根，味甘、苦，平，无毒。水煮服，主心风头风，肢体诸风，解肌发汗。"

《千金方》："疗九窍出血方，荆叶捣取汁，酒和服二合。"

【按语】 单言荆字，指荆棘、荆薪、荆叶。含荆字的药物名称有蔓荆、牡荆。从其功效上看，此处荆当指牡荆。《病方》谓煮荆治血癃，《名医别录》谓荆叶治血淋，《千金方》谓荆叶治九窍出血，三者所言略相近。

107 柳蕈

【《病方》】 267 行："胸养（痒），治之以柳蕈一捼、艾二，凡二物。为穿地，令广深大如盅。燔所穿地，令之干，而置艾其中，置柳蕈、艾上，而燔其艾、蕈……令烟熏直（脏）。"

【文献摘要】 《说文》："蕈，桑荑也""荑，木耳"。段玉裁注："荑之桑者曰蕈，蕈之生于田中者曰菌。"

《说文解字系传·通释》："蕈，桑荑，多生桑、楮之上。"

《尔雅》："蕈，石衣。"孙炎注："地蕈子也。"郭璞注云："地蕈似钉盖，江东名为土蕈，可啖。"

《药性论》云："蕈、耳……槐木上草覆之即生蕈。"

宋·陈仁玉《菌谱》载有十蕈，一为合蕈，二为稠膏蕈，三为松蕈，四为麦蕈，五为玉蕈，六为黄蕈，七为紫蕈，八为四季蕈生林木中，九为鹅膏蕈，十为杜蕈。

《日用本草》："蕈生桐、柳、积椇木，紫色者名香蕈，白色者名肉蕈。"

《活人心统》："柳树蕈五七个，煎汤服，止反胃吐痰。"

《本草纲目拾遗》："柳蕈，陈氏笔记云：'柳树上蕈也，煎服治心痛。'"

《本草拾遗》："土菌，一名地蕈，地生者为菌，木生者为檽（耳），江东人呼为蕈。"

【按语】　木耳生在木上为蕈，《尔雅》以石衣为蕈，《说文》以桑耳为蕈。有些书以所生木而名之，如松蕈、皂荚树上蕈、柳蕈等。《活人心统》《本草纲目拾遗》载有柳蕈，但两书所载柳蕈的功效和主治与《病方》所载并不相同。

108　朱臾

【《病方》】　271 行："睢病，冶白薟、黄蓍、芍乐、桂、畺、椒、朱臾、凡七物……"275 行："睢，以白菣、黄蓍、芍药、甘草四物者（煮），□、畺、蜀焦（椒）、树（茱）臾四物而当一物……"

【文献摘要】　《说文》："茱，茱萸，茮属。"又云："萸，茱萸也。"

《尔雅》："茱、樲，丑茱。"郭璞注："茱，朱臾子聚生成房貌。"

《急就篇》："芸蒜荠芥茱萸香。"颜师古注："茱萸似椒而大，食者贵其馨烈，故云茱萸香也。"

《上林赋》："众香发越，茱萸之名越椒。"

《广雅》："杬、椴、梲、越椒，茱萸也。"

《齐民要术》："调食使茱萸。"

《神农本草经》："吴茱萸，味辛，温。主温中下气，止痛，咳逆，寒热，除湿血痹，逐风邪，开腠理。根杀三虫。一名藙。"

《名医别录》："吴茱萸，大热，有小毒。去痰冷，腹内绞痛诸冷，实不消，中恶，心腹痛逆气，利五脏。根白皮杀蛲虫，治喉痹咳逆，止泄注，食不消，女子经产余血，疗白癣。生上谷川谷及冤句。九月九日采，阴干。"

《外台秘要》："治痈疽发背及发乳房，茱萸一升，捣之，以苦酒和贴痈上。"

张仲景云呕而胸满者，茱萸汤主之。

【按语】　茱萸有山茱萸、吴茱萸两种，古书所言茱萸是指吴茱萸。吴茱萸有香气。《风土记》曰："俗尚九月九日谓为上九，茱萸到此日气烈，熟色赤可折，其房以插头，云辟恶气御冬。"颜师古注《急就篇》云："食者贵其馨烈，故云茱萸香也。"张仲景的茱萸汤中用的是吴茱萸。古书单言"茱萸"2 字，即指吴茱萸。《武威汉代医简》第 85 乙简载有山茱萸，第 91 甲简载有茱萸。第 91 甲简中的茱萸即指吴茱萸。因为第 91 甲简是个价目单，单内有"牛膝半斤直五十，卑肖半斤直廿五，茱萸二升半廿五，防风半斤百，慈（磁）石一斤半百卅，席（䗪）虫半升廿五，小椒一升半五十，山茱萸二升半直五十，黄芩一斤直七十，黄连半斤直百，河菣半斤直七十五，续断一斤百。子威取"等内容。此单中既有茱萸，又有山茱萸，则茱萸当指吴茱萸。《病方》中的茱萸亦是指吴茱萸。《病方》以茱萸治疽，《外台秘要》以茱萸治痈，两书用法相近。

109　蓬蘽

【《病方》】　273 行："三汋煮蓬蘽，取汁四斗，以洒雎（疽）痈。"

【文献摘要】　李当之云："蓬蘽，即人所食莓。"

《说文解字系传·通释》："莓，马莓。按《尔雅》：'藨，麃。'注曰：'麃，即莓盆，华紫，俗名蚕莓，可食，即蓬蘽，殷王女所食。'"

《神农本草经》："蓬蘽，味酸，平。主安五脏，益精气，长阴，令坚强志，倍力，有子。久服轻身不老，一名覆盆。"

《名医别录》："蓬蘽，味咸，无毒。又疗暴中风，身热大惊。一名陵蘽，一名阴蘽。生荆山平泽及宛句。"

陶弘景云："蓬蘽是根名，覆盆是实。"

《唐本草》注："覆盆、蓬蘽，一物异名。"

《蜀本草》："今据蓬蘽，即莓也。按《切韵》莓音茂，其子覆盆也。"

《日华子本草》："莓子是蓬蘽子也。"

《开宝本草》："蓬蘽乃覆盆之苗，覆盆乃蓬蘽之子。"

《本草图经》："蓬蘽，覆盆苗茎也。苗短不过尺，茎叶皆有刺，花白，子赤黄如半弹丸大，而下有茎承，如柿蒂状，小儿多食其实。五月采其苗，叶采无时，江南人谓之莓。"

【按语】　蓬蘽种类多，异名亦多，总称为莓，同一名称在不同时期所指的东西也不一样。《本草纲目》云："蓬蘽凡五种，诸家所说，皆未可信也。一种蔓苊繁，茎有倒刺逐节生叶，叶大如掌，状类小葵叶，面青背白，厚而有毛，六、七月开小白花，就蒂结实，三四十颗成簇，生则青黄，熟则紫黯，微有黑毛，状如熟椹而扁，冬月苗叶不凋者，俗名割田藨（音苞），即本草所谓蓬蘽也。陶弘景以蓬蘽为根，覆盆为子；马志、苏颂以蓬蘽为苗，覆盆为子；苏恭以为一物；大明以树生为覆盆，皆臆说，不可据。"盖同名异物或同物异名现象在不同时代、不同地区都存在，各人以当时所见为主。李时珍以当时所见的品种为是，斥责前人之非。

110　厚柎

【《病方》】　307 行："阑者（火伤），爵蘽米，足（捉）取汁而煎，令类胶，即治厚柎和傅。"

【文献摘要】《说文》："柎，阑足也。"段玉裁注："凡器之足曰柎。《诗·小雅》：'鄂不韡韡。'《传》云：'鄂犹鄂鄂然，言外发也。'《笺》云：'承华（花）者曰鄂。'郭璞云：'江东呼草木子房为柎。'草木子房如石榴房、莲房之类，与花下鄂一理也。"

《山海经·西山经》："崇丘之山，有木焉，圆叶而白柎。"郭璞注："今江东人呼草、木子房为柎。"

《集韵》："草木子房为柎，一云花下萼。"

《管子·地员》："朱跗黄实。"注云："跗通柎，花足也。"

【按语】《病方》307行注②云："厚柎，应即厚朴，见《神农本草经》，但无治火伤的记载。"

笔者持有不同意见。第一，《神农本草经》中"厚朴"条未载厚柎的别名。第二，柎、朴字义各不相同。《说文》云："朴，木皮也。"又云："柎，阑足也。"段玉裁注云："郭璞云：'江东呼草木子房为柎。'如石榴房、莲房之类。"第三，《病方》谓厚柎治火伤，而厚朴不治火伤。

厚柎似可释为肥厚的草木子房，像石榴房、莲房之类。草木子房中含有鞣质，适合治火伤，此特点与《病方》以厚柎治阑（烂）相吻合。

111 芜荑

【《病方》】327行："胕瘇：取无（芜）夷（荑）中核，冶，貒膏以糯热膏沃冶中，和，以傅。"

【文献摘要】《尔雅·释木》："无姑，其实夷。"郭璞云："无姑，姑榆也。生山中，叶圆而厚，剥取皮合渍之，其味辛香，所谓芜荑也。"

《急就篇》："芜荑盐豉醯酢酱。"颜师古注："芜荑，无姑之实也。"

《说文》："梗，山枌榆，有刺。荚可分芜荑也。"段玉裁注："按《齐民要术》分姑榆、刺榆、山榆为三，云刺榆木甚坚韧，山榆可以为芜荑。"

《广雅》："山榆，毋估也。"

《范子计然》云："芜荑在地，赤心者善。"

《神农本草经》："芜荑，味辛。主五内邪气，散皮肤骨节中淫淫温行毒，去三虫，化食。一名无姑，一名蕨薚。"

《名医别录》："芜荑，平，无毒。逐寸白，散肠中喝喝喘息。生晋山川谷，三月采实，阴干。"

《本草经集注》："芜荑，今惟出高丽，状如榆荚，气臭如犰，彼人皆以作酱食之，性杀虫，置物中亦辟蛀，但患其臭。"

孟诜云："芜荑，主热疮，捣和猪脂涂差。"

陈藏器云："芜荑，作酱食之，主五鸡病。除疮癣。其气膻者良。此山榆人也。"

【按语】 芜荑、莁荑，《病方》《尔雅》《本草纲目》皆作三物。莁荑是草，芜荑是木。又《本草衍义》云："芜荑有大小两种。小芜荑即榆荚也，揉取仁酝为酱，味尤辛。入药当用大芜荑。"孟诜、陈藏器谓芜荑主热疮，除疮癣，此与《病方》谓芜荑治胕瘲的说法基本相同。

112　朴

【《病方》】　341 行："治痂，冶亭磿（苈）、莁夷（荑），熬叔□□皆等，以牡□膏、鳣血膳。〔先〕以酒洒，燔朴炙之，及傅。"

【文献摘要】 《说文》："朴，木皮也。"

《洞箫赋》："秋蜩不食，抱朴以长吟兮。"李善注："抱音附。《仓颉篇》：'朴，木皮也。'"

《说文解字系传·通释》："朴，木皮也。锴曰：'今药有厚朴，一名厚皮，是木之皮也。古质朴之字多作朴。'"

《广雅》："重皮，厚朴也。"

《急就篇》："芎䓖厚朴桂栝楼。"颜师古注："凡木皮皆谓之朴，此树皮厚，故以厚朴为名。"

《上林赋》："亭奈厚朴。"颜师古注："朴，木皮也。此药以皮为用而皮厚，故名厚朴。"

《范子计然》云："厚朴出洪农。"

《神农本草经》："厚朴，味苦，温。主中风伤寒头痛，寒热惊悸气，血痹死肌，去三虫。"

《名医别录》："厚朴，大温，无毒。主温中益气，消痰下气，疗霍乱及腹痛，胀满，厚肠胃。一名厚皮，一名赤朴。其树名榛。其子名逐折，疗鼠瘘，明目，益气。生交阯、冤句。三、九、十月，采皮阴干。"

《吴普本草》："厚朴，一名厚皮。"

《日华子本草》："厚朴……入药去粗皮，姜汁炙，或姜汁炒用，又名烈朴。"

《本草纲目》："厚朴，其木质朴而皮厚，味辛烈，而色紫赤，故有厚朴、烈朴诸名。"

《武威汉代医简》第42～43简："治鲁氏青行解腹方：麻黄卅分，大黄十五分，厚朴、石膏、苦参各六分，乌喙、付子各二分，凡七物，皆并冶，合和，以方寸匕一饮之，良甚，皆愈，伤寒逐风。"第83简："公孙方：樊石二分半，牡曲三分，禹余量四分，黄芩七分，蘖米三分，厚朴三分，凡六物皆冶，合和，丸以白蜜，丸大如梧实，旦吞七丸，餔吞九丸，暮吞十一丸，服药十日知，小便数多，廿日愈。"

【按语】 《病方》以朴治痂，文献多释朴为厚朴，厚朴气味辛烈。《病方》云"燔朴炙之"，或借其辛烈之气也。

113　大皮桐　114　桐木

【《病方》】 348行："治痂，大皮桐，以盖而约之，善。"365行："痛自发者，取桐本一节所，以泽泔煮▢。"233行："颓，女子月事布，渍，炙之令温▢四荣▢……"

【文献摘要】 《说文》："桐，荣也。"又云："荣，桐木也。"

《尔雅》："荣，桐木。"郭璞注："即今梧桐。"

《毛诗》："树之榛栗，椅桐梓漆""其桐其椅，其实离离""梧桐生矣，于彼朝阳"。

《山海经·中山经》："条谷之山，其木多桐。"

《孟子》："拱把之桐梓。"

《庄子》："空门来风，桐乳致巢""鹓雏发南海而飞于北海，非梧桐不止"。

《吕氏春秋》："成王与唐叔虞燕居，翦桐叶为圭。"

《淮南子》："桐木成云""以百斧击桐薪""智者有所不足，故桐不可以为弩"。

《七发》："龙门之桐，高百尺而无枝。"

《七命》："寒山之桐，出自大冥。"

《神农本草经》："桐叶，味苦，寒。主恶蚀疮著阴。皮主五痔，杀三虫。花主傅猪疮，饲猪肥大三倍。"

《名医别录》："桐叶，无毒。疗贲豚气病。生桐柏山谷。"

《本草经集注》云："桐树有四种：青桐、梧桐、白桐、岗桐……今此云花，便应是白桐。"

《本草图经》："桐类有四：青桐枝叶俱青而无子；梧桐皮白叶青而有子；白桐有花与子，其华二月舒，黄紫色，一名椅桐，又名黄桐，则药中所用华叶者是也；岗桐似白桐，惟无子，即是作琴瑟者。"

《本草纲目》："《本经》桐叶，即白桐也。桐花成筒，故谓之桐。其材轻虚，色白而有绮文。故俗谓之白桐、泡桐，古谓之椅桐。"

【按语】 桐树有多种，药用者以白桐为主。《神农本草经》谓桐主恶蚀疮，此与《病方》谓大皮桐、桐本（根）治痂、痈的说法相似。

115 梓叶

【《病方》】 305 行："治疽，灸梓叶，温之。"

【文献摘要】 《说文》："梓，楸也。"又云："楸，梓也。"段玉裁注："《左传》《史》《汉》以萩为楸。如秦、周伐雍门之萩。"

《尔雅》："椅，梓。"郭璞注："即楸。"

《诗经·鄘风》："树之榛栗，椅桐梓漆。"陆玑疏："梓者，楸之疏理白色而生子者为梓。"

《山海经·中山经》："纶山，其木多梓……"

《埤雅》："梓为百木长，故呼梓为木王。"

《尔雅翼》："屋室有此木，则余材皆不震""梓荚细如箸……其实一名豫章"。

《古今注》："梓实曰豫章。"

《神农本草经》："梓白皮，味苦，寒。主热，去三虫。叶捣敷猪疮，饲猪肥大三倍。"

《名医别录》："梓白皮，无毒。疗目中疾。生河内山谷。"

《本草经集注》："梓亦有三种，当用拌素不腐者。叶，疗手脚火烂疮。"

《唐本草》注："嫩叶主烂疮。"

《日华子本草》："梓树皮有数般，惟楸梓佳，余即不堪。"

《本草图经》："梓之入药，当用有子者为使，楸梓，宫寺及人家园亭多植之。"

《海上集验方》："疗毒肿，不问硬软，取楸叶十重薄肿上，即以旧帛裹之，日三易。"

【按语】 梓的品种良多，日华子谓以楸梓为佳。《神农本草经》谓梓叶捣敷猪疮，陶弘景谓叶疗手脚火烂疮，《唐本草》谓嫩叶主烂疮，崔元亮谓叶疗毒肿，此皆与《病方》谓梓叶治疽的说法相似。

116　桑汁　117　桑薪　118　桑炭

【《病方》】 363 行："蛇啮，以桑汁涂之。" 402 行："或食口鼻……以桑薪燔□□其□□令汁出。" 372 行："疽……并以金铫焗桑炭……"

【文献摘要】 《说文》："桑，蚕所食叶木""葚，桑实也"。

《集韵》："葚，桑实也。"

《尔雅》："桑瓣有葚栀。"郭璞注："瓣，半也。一半有葚，一半无葚名曰栀。"

《诗经·小弁》："维桑与梓。"《诗经·氓》："无食桑葚。"陆玑疏："鸠食桑葚，多则醉伤其性。"

《山海经·东山经》："姑儿之山，其下多桑柘。"又《山海经·西山经》云："鸟山，其上多桑。"

《氾胜之书》："种桑法，五月取葚。"

《礼记·月令》："季春无伐桑柘。"

《四时月令》："四月宜饮桑葚酒。"

《孟子》："五亩之宅，树之以桑，五十者可以衣帛矣。"

《神农本草经》："桑根白皮，味甘，寒。主伤中，五劳六极，羸瘦崩中，脉绝，补虚益气。叶，主除寒热出汗。桑耳，黑者主女子漏下赤白汁，血病，癥瘕积聚，阴痛，阴阳寒热无子。五木耳名檽，益气不饥，轻身强志。"

《名医别录》："桑根白皮，无毒。去肺中水气，唾血，热渴，水肿，腹满，胪胀，利水道，去寸白，可以缝金疮，采无时，出土上者杀人。叶汁，解蜈蚣毒。桑耳，味甘，有毒。疗月水不调，其黄熟陈白者，止久泄，益气不饥。其金色者，治癖饮积聚，腹痛，金疮。一名桑菌，一名木麦。五木耳，生犍为山谷，六月多雨时采，即暴干。"

《肘后方》："蜂螫人，谷树、桑树白汁涂之。"

《灵枢经》："治寒痹内热，用桂酒法，以桑炭炙布巾熨痹处。"

【按语】 《肘后方》以桑汁涂蜂螫，《病方》以桑汁涂蛇啮，二者用法相似。

119　榆

【《病方》】 407 行："或食齿，以榆皮、白□、美桂，而并……"

【文献摘要】 榆的品种很多，陆玑《毛诗草木疏》云："榆有十种，叶皆相似，皮及木理异。"邢昺《尔雅疏》："榆有十种，今人不能尽别。"

《尔雅》释榆有三种。

（1）枌榆。《尔雅》："榆，白枌。"《诗经·陈风》："东门之枌。"《传》云："枌，白榆也。"《山海经·中山经》："阴山有木焉，其叶如榆。"《说文解字系传·通释》："榆木，白枌。又云：'枌，榆也。'锴按《尔雅》：'榆，白枌。'注曰：'枌榆先生叶，却着荚，皮色白。'《西京杂记》曰：'汉太上皇祭枌榆之社也，谓树以枌榆。'"

《神农本草经》："榆皮，味甘，平。主大小便不通，利水道，除邪气。久服轻身不饥。其实尤良。一名零榆。"

《名医别录》："榆皮，无毒。主肠胃邪热气，消肿，性滑利。疗小儿头疮痂疕。花，主小儿痫，小便不利，伤热。生颍川山谷，二月采皮取白，暴干，八月采实，并勿令中湿，湿则伤人。"

《养生论》："榆令人瞑。"

《本草经集注》："榆，初生荚仁，以作糜羹，令人多睡。"

《食疗本草》："捣榆白皮为末，涂诸疮癣妙。"

（2）刺榆。《尔雅》："藲，荎。"郭璞注："今之刺榆。"《山海经·海内南经》："苍梧之山，其木若蘆。"《诗经·唐风》云："山有枢。"《说文》："梗，山枌榆，有束（刺）。"段玉裁注："山枌榆，又枌榆之一种也。有刺，故名梗榆，即《齐民要术》所谓刺榆者也。《方言》：'凡草木刺人，自关而东，或谓之梗。'郭注：'今云梗榆是也。'"

《说文》："梗，荚可为芜荑也。"《说文解字系传·通释》："梗，山枌榆，有束，荚可为芜荑也。锴曰：束音刺，芜荑即榆荚所为也。"《广雅》："柘榆，梗榆也。"

《本草拾遗》："榆荚，主妇人带下……四月收实作酱，似芜荑，杀虫。"

（3）山榆。《尔雅》："无姑，其实夷。"郭璞注："无姑，姑榆也，生山中，叶圆而厚，剥取皮合渍之，其味辛香，所谓芜荑也。"《急就篇》云："芜荑盐豉醯酢酱。"颜师古依郭璞《尔雅》注："以为芜荑，无姑之实。"《广雅》云："山榆，毋姑也。"毋姑、无姑音同。《齐民要术》将榆分为姑榆、刺榆、山榆3种，云刺榆木甚坚韧。山榆可作芜荑。

【按语】 榆的同名异物和同物异名者很多，如郭璞谓无姑为姑榆，《广雅》谓无姑为山榆，《齐民要术》谓榆分为山榆、姑榆、刺榆 3 种。《本草图经》谓白榆的皮入药用。《食疗本草》以白榆的皮为末涂疮癣，此与《病方》以榆皮治或食齿的用法相近。

120 芫华

【《病方》】 413 行：“干骚方，取犁卢二齐，乌豙一齐，礜一齐，屈居□齐，芫华一齐，并和以车故脂……以麾其骚。”

【文献摘要】 芫的同名异物者有芫木和毒鱼的芫。

（1）芫木。《玉篇》：“芫木出豫章，煎汁藏果及卵不坏。”郭璞注《尔雅》云：“芫木，子似栗，生南方，大木，皮厚，汁赤，堪藏卵果。”颜师古注《急就篇》云：“郭景纯（即郭璞）说，误耳。其生南方用藏卵果，自别一杬木，及左思《吴都赋》所谓绵杬椿栌者，非鱼毒之杬。”

（2）毒鱼的芫。《说文》：“芫，鱼毒也。”《尔雅·释木》：“杬，鱼毒。”《山海经》：“首山，其草多芫。”《范子计然》：“芫华出三辅。”《急就篇》：“乌喙附子椒芫华。”颜师古注：“芫草，一名鱼毒，渔者煮之，以投水中，鱼则死而浮出，故以为名，其根曰蜀桑，其华可以为药。芫字或作杬。”

《史记·扁鹊仓公列传》：“临淄女子病蛲瘕，以芫花一撮，出蛲可数升，病已。”《容斋随笔》：“人与人争斗者，取芫叶挼，擦皮肤，辄作赤肿如被伤以诬人。”《神农本草经》：“芫花，味辛，温。主咳逆上气，喉鸣喘咽肿，短气，蛊毒，鬼疟疝瘕，痈肿，杀虫鱼。一名去水。”《名医别录》：“芫花，味苦，微温，有小毒。消胸中痰水，喜唾，水肿，五水在五脏，皮肤及腰痛，下寒毒肉毒。久服令人虚。一名毒鱼，一名杜芫。其根名蜀桑根，疗疥疮，可用毒鱼。生淮源川谷。三月三日采花，阴干。”《吴普本草》：“芫花，一名败华，一名儿草，一名黄大戟。二月生，叶加厚则黑，华有紫赤白者，三月实落尽，叶乃生。”又云：“芫花根，一名赤芫根。神农：辛；雷公：苦，有毒。生邯郸，八月、九月采，阴干，久服令人泄。”

【按语】 文献上所讲的芫华有二，一为芫木，一为毒鱼的芫花。芫花可供药用，逐水，杀虫鱼力强。《名医别录》说芫花根疗疥疮。疥疮与《病方》中的干瘙相似，都有瘙痒感觉。芫花外用有止痒功效。民间以芫花和甘草共煮成汤，外用洗皮肤治瘙痒极效，所用浓度及量按皮肤粗嫩不同和痒的程度不同而选用。一般从低浓度开始，不效则提高浓度，洗到不痒为止，浓度过高或久洗会损伤皮肤，切忌内服。

121　槐本、枝叶

【《病方》】　426 行：“露疕，以槐东乡本、枝、叶，三沥煮，以汁☒。”

【文献摘要】　《说文》：“槐，槐木也。”

《山海经·中山经》：“苟床之山，其木多槐。”

《尔雅》：“櫰，槐大叶而黑。”郭璞注：“槐树叶大色黑者，名为櫰。”《尔雅》又云：“守宫槐，叶昼聂宵炕。”郭璞注：“槐叶昼日聂合，而夜炕布者，名为守宫槐。”

《齐民要术》：“槐子熟时多收，擘取数曝，勿令虫生。”

《神农本草经》：“槐实，味苦，寒。主五内邪气热，止涎唾，补绝伤，五痔，火疮，妇人乳瘕，子脏急痛。”

《名医别录》：“槐实，味酸、咸，无毒。主五痔，以七月七日取之，捣取汁，铜器盛之，日煎，令可作丸，大如鼠屎，内窍中，三易乃愈。又堕胎，久服明目，益气，头不白，延年。枝，主洗疮及阴囊下湿痒。皮主烂疮。根主喉痹，寒热。生河南平泽，可作神烛。”

《本草图经》：“今医家用槐者最多，春采嫩枝，煨为黑灰，以指齿去蚛。烧青枝取沥，以涂癣。取花之陈久者，筛末，饮服以治下血。”

《日华子本草》：“槐皮浸洗五痔，并一切恶疮。”

《千金翼方》：“治蠼螋疮，槐白皮醋浸，半日洗之，及诸恶疮。”

【按语】　《名医别录》谓槐枝主洗疮，槐皮主烂疮，《日华子本草》以槐皮治一切恶疮，此与《病方》以槐本（根）、枝、叶治露疕的用法相近。

122　干莓　123　莓茎

【《病方》】　458 行：“□筮，取莓茎暴干之……”460 行：“筮，毋□□，已饮此，得卧，卧臂（觉），更得……干莓用之。”

【文献摘要】　《说文》：“莓，马莓也。”

《说文解字系传·通释》：“莓，马莓。按《尔雅》：‘莀，虇。’注曰：‘莀，即莓，华紫，俗名蚕莓，可食，即蓬蘽，殷王女所食。’”

《广雅》：“蕻盆、陆英，莓也。”

《本草纲目》以莓命名有五：称蓬蘽为寒莓，称覆盆子为大麦莓，称悬勾子为山莓（木莓），称蘮田藨为莓。另有蛇莓（地莓、蚕莓）。

《名医别录》："蛇莓汁，大寒，主胸腹大热不止。"

《本草经集注》："蛇莓，园野亦多，子赤色，极似莓，而不堪啖，疗溪毒、射工、伤寒大热，甚良。"

《蜀本草·图经》："蛇莓生下湿处，茎端三叶，花黄子赤，若覆盆子，根似败酱，二月、八月采根，四月、五月收子。"

《日华子本草》："蛇莓，味甘、酸、冷，有毒。通月经，熁疮肿，傅蛇、虫咬。"

《肘后方》："治毒攻手足肿痛，蛇莓汁服三合，日三。"

【按语】 《病方》以莓茎治□笟。莓有多种，《日华子本草》谓蛇莓敷蛇、虫咬。疑《病方》中的莓茎或是蛇莓。

124 杞本

【《病方》】 73 行："毒乌豪者，取杞本长尺，大如指，削，舂木臼中，煮以酒□。"

【文献摘要】 杞的同名异物者有三：一为杞柳，一为山木，一为枸杞。

（1）杞柳。《郑诗》："无伐我树杞。"陆玑疏云："杞，杞柳也。其木，人以为车毂，共山洪水傍，鲁国汶水傍，纯生杞也。"《孟子》："告子曰：'以人性为仁义，犹以杞柳为杯棬。'"

（2）山木。《诗经》云："南山有杞。"《国语·楚语》："若杞、梓皮革焉。"

（3）枸杞。《说文》："杞，枸杞。"又云："檵，枸杞也。"《尔雅》："杞，枸檵。"郭璞注："今枸杞也。"《诗经·小雅·四牡》："集于苞杞""言采其杞"。《传》云："杞，枸杞也。"陆玑疏："杞，其树如樗，一名苦杞，一名地骨，春生作羹茹，微苦，其茎似莓。子秋熟正赤，茎叶及子，服之轻身益气。"《广雅》："榾乳，苦杞也。"又云："地筋，枸杞也。"《玉篇》："榾，榾杞也。"

《神农本草经》："枸杞，味苦，寒。主五内邪气，热中，消渴，周痹。久服坚筋骨，轻身不老。一名杞根，一名地骨，一名枸忌，一名地辅。"

《名医别录》："枸杞根，大寒，子微寒，无毒。主风湿，下胸胁气，寒热，头痛，补内伤，大劳，嘘吸，坚筋骨，强阴，利大小肠。一名羊乳，一名却暑，一名仙人杖，一名西王母杖。生常山平泽及诸丘陵阪岸。冬采根，春夏采叶，秋采茎实，阴干。"

《本草经集注》："枸杞根、实，为服食家用。"

《药性论》："枸杞根皮，细剉，面拌，熟者吞之，主肾家风，良。"

《本草图经》："枸杞，春生苗，叶如石榴叶而软薄，堪食，俗呼为甜菜。其茎干高三五尺，作丛，六月、七月生小红紫花，随便结红实，形微长如枣核，其根名地骨……今人相传谓枸杞与枸棘二种相类，其实形长，而枝无刺者真枸杞也，圆而有刺者，枸棘也。"

《食疗本草》："枸杞根，去骨热，消渴。"

《千金方》："满啮有血，枸杞和根苗煎汤，食后吃，又治骨槽风。"

【按语】 杞的同名异物者有三：即杞柳、山木、枸杞，药用的是枸杞。杞本应是枸杞根，《病方》以枸杞根治乌喙毒，方书、本草无此记载。

125 竹

【《病方》】 325 行："般（瘕），取秋竹者（煮）之，而以气熏其痏，已。"

【文献摘要】 《说文》："竹，冬生草也。"

《尔雅》："荡，竹。"

《山海经·中山经》："大尧之山多竹，从山多竹。"又云："龟山多扶竹。"

《竹谱》："植物之中，有名曰竹，不刚不柔，非草非木。"

《神农本草经》："竹叶，味苦，平。主咳逆上气，溢筋急，恶疡，杀小虫。根作汤，益气，止渴，补虚，下气。汁，主风痉。实，通神明，轻身益气。"

《名医别录》："苦竹叶及沥疗口疮、目痛，明目，利九窍。"

《肘后方》："小儿身中恶疮，煮取竹汁，日澡洗。"

《孙真人食忌》："卒得恶疮不识者，烧苦竹叶，和鸡子黄傅。"

【按语】 《神农本草经》谓竹能治恶疡，《名医别录》谓竹能疗口疮，《肘后方》谓竹能治恶疮，此与《病方》谓竹治瘕的说法相似。

126 椒

【《病方》】 109 行："尤，以杀（椒）本若道旁蕳根二七，投泽若渊下。"

【文献摘要】 《礼记·内则》："三牲用藙。"郑注："藙，煎茱萸也。《汉律》会稽献也。《尔雅》谓之椒。"按郑注，藙即椒。但许慎《说文》云："椒，似茱萸，出淮南。"对于椒的解释，许慎所言与郑注不同。

《本草图经》："食茱萸，蜀人呼其子为艾子，盖《礼记》所谓藙者，藙、艾声讹，故云耳。"

《本草纲目》云："《礼记》三牲用藙，是食茱萸也。"又云："此即榝子也，蜀人呼为艾子，楚人呼为辣子，古人谓之藙及榝子。"按《本草纲目》所云，榝亦为食茱萸。

《唐本草》："食茱萸，味辛、苦，大热，无毒。功用与吴茱萸同，少为劣尔。疗水气，用之乃佳。"

《本草拾遗》："食茱萸，杀鬼魅及恶虫毒，起阳，杀牙虫。"

《胜金方》："治蛇咬毒，茱萸一两为末，冷水调，分为三服，立差。"

【按语】 按《本草纲目》所云，榝即藙，藙即食茱萸。榝本，当是食茱萸根。

第六类 果类药（5种）

127 杏核

【《病方》】 21 行："久伤者，荠、杏核中仁，以职膏弁，封痏，虫即出。"

【文献摘要】 《说文》："杏，杏果也。"

《礼记·内则》："桃、李、梅、杏。"

《管子·地员》："五沃之土，其木宜杏。"

高诱注《淮南子》："杏有核在其中。"

《神仙传》云："董奉居庐山，不交人，为人治病不取钱，重病得愈，使种杏五株，轻病为栽一株，数年之中，杏有数万株，郁然成林。"

《神农本草经》："杏核仁，味甘，温。主咳逆上气，雷鸣，喉痹，下气，产乳，金疮，寒心，贲豚。"

《名医别录》："杏核仁，味苦，冷利有毒。主惊痫，心下烦热，风气去来，时行头痛，解肌，消心下急，杀狗毒。五月采之。其两人者杀人，可以毒狗。花，味苦，无毒，主补不足，女子伤中，寒热痹厥逆。实，味酸，不可多食，伤筋骨，生晋山川谷。"

陈藏器云："杏仁杀虫，烧令烟未尽，细研如脂物，裹内蟹齿孔中，主产门中虫疮痒不可忍者，去人及诸畜疮中风。"

《肘后方》："箭镝及诸刀刃在喉咽胸鬲诸隐处不出，杵杏仁傅之。"

《千金方》："治破伤风肿，厚傅杏仁膏，燃烛遥炙。"

《必效方》："治金疮中风，角弓反张，杵杏仁碎之，蒸令溜，绞取脂服一小升，兼以疮上摩，效。"

【按语】 医方、本草皆言杏仁治金疮风肿，杀虫，此与《病方》谓杏仁治久伤者说法相似。

128 桃枝、桃叶、桃东枳

【《病方》】 225 行："颓，以奎蟊盖其坚（肾），即取桃枝东乡者……" 417 行："干骚方，煮桃叶，三沥，以为汤，之温内，饮热酒，已，即入汤中。" 442 行："魅，禹步三，取桃东枳（枝），中别为□□□之倡而斡门户上各一。"

【文献摘要】 《说文》："桃，桃果也。"

《尔雅》："旄，冬桃。"郭璞注："子，冬熟。"《尔雅》又云："樕，山桃。"郭璞注："实如桃而小，不解核。"

《毛诗》："园有桃，其实之殽。"

《山海经·西山经》："嶓冢之山，其上多桃枝。"又云："不周之山（在甘肃境），有嘉果，其实如桃。"

《礼记》："王吊则巫祝以桃茢前引。"注云："茢者，桃枝作帚也。"

《典术》："桃木，味辛气恶，能厌伏邪气百鬼。"

《玉烛宝典》："户上着桃板辟邪。"

《博物志》："桃根为印，可以召鬼。"

《神农本草经》："桃核仁，味苦，平。主瘀血、血闭瘕邪气，杀小虫。桃花，杀疰恶鬼，令人好颜色。桃枭，微温，主杀百鬼精物。桃毛，主下血瘕，寒热积聚无子。桃蠹，杀鬼邪恶不祥。"

《名医别录》："茎白皮，味苦、辛，无毒。除邪鬼中恶腹痛，去胃中热。桃叶，味苦、辛，平，无毒。主除尸虫，出疮中虫。"

《葛氏方》："卒中瘑疮，瘑疮常对在两脚，杵桃叶以苦酒和傅皮亦得。"

《伤寒类要方》："凡天时疫疠者，常以东行桃枝细剉煮浴佳。"

【按语】 《葛氏方》杵桃叶治瘑疮，此与《病方》以桃叶治干瘙的用法相近。《病方》以桃枝驱魅（小儿鬼），这是过去民间的迷信做法。

129 李

【《病方》】 34 行："伤而颈（痉）者，以水财煮李实，疾沸而抒，浚取其汁，寒和，以饮病者。" 186 行："膏癊，澡石大若李樺，已食饮之，不已，复之。" 347 行："取庆良……礜大如李。"

【文献摘要】 《说文》："李，李果也。"

《尔雅》："休，无实李。痤，接虑李。驳，赤李。"郭璞注："李之无实名休，一名赵李。痤即麦李，与麦同熟。李之子赤者名驳。"

《间居赋》："房陵朱仲之李。"

《荔枝赋》："房陵缥李。"

《齐民要术》："李性耐久，树得卅年老，虽枝枯，子亦不细。"

《说林》："立夏日俗尚啖李，时人语曰：'立夏得食李，能令颜色美。'"

《名医别录》："李核仁，味苦，平，无毒。主僵仆跻、瘀血、骨痛。根皮，大寒，主消渴，止心烦，逆奔气。实，味苦，除痼热调中。"

《本草经集注》："李类又多，京口有麦李……凡实熟，食之皆好。"

《开宝本草》："李类甚多，有录李、黄李、紫李、生李、水李并堪食，味极甘美。"

《本草图经》："李之无实者，一名越李。李痤，接虑李，即今之麦李，细实有沟道，与麦同熟，故名之。驳，赤李，其子赤者是也。又有青李、录李、赤李、房陵李、朱仲李、马肝李、黄李，散见书传。"

【按语】 《病方》煮李实治伤而痉，本草无此记载。

130 枣 131 枣种

【《病方》】 173 行："痔，弱（溺）不利，胀盈者方，取枣种粗屑二升，葵种一升，合挠，三分之……" 244 行："牡痔居窍旁，大者如枣，小者如枣核……" 246 行："牡痔之居窍廉，大如枣核……" 261 行："痔未有巢者，煮一斗枣，一斗膏，以为四斗汁，置般中而踞之，其虫出。"

【文献摘要】 《说文》："枣，羊枣也。"段玉裁注："羊枣，即木部之樗，盖此当云枣木也。枣树随地有之，尽人所识，赤心而外束，非羊枣也。"

《尔雅》："枣，壶枣。边，要枣。栲，白枣。樲，酸枣。杨彻，齐枣。遵，羊枣。洗，大枣。"

《毛诗》："八月剥枣，十月获稻。"

《山海经·西山经》："符禺之山，有木焉，其实如枣。"

《孟子》："养其樲棘。"樲即酸枣。

《国策》："苏秦说燕文侯曰：'北有枣栗之利，民虽不由田作，枣栗之实，足食于民矣。'"

《埤雅》：“大曰枣，小曰棘。棘，酸枣也。枣，性高故重刺。棘，性低故并刺。”

《素问》言枣为脾之果，脾病宜食之。

《神农本草经》：“大枣，味甘，平。主心腹邪气，安中养脾，助十二经，平胃气，通九窍，补少气少津液，身中不足，大惊，四肢重，和百药。久服轻身长年。叶覆麻黄，能令出汗。”

《名医别录》：“大枣，无毒。补中益气，强力，除烦闷，疗心下悬，肠澼。久服不饥神仙。一名干枣，一名美枣，一名良枣。八月采，暴干。”

《吴普本草》：“枣，主调中，益脾气，令人好颜色，美志。”

《武威汉代医简》第 80 简：“治久咳逆上气汤方：茈菀七束，门冬一升，款东一升，橐吾一升，石膏半升，桂一尺，蜜半升，枣卅枚，半夏十枚，白口一，凡十物，皆父且。”第 77 简：“☑四两，消石二两，人参、防风、细辛各一两，肥枣五。”

张仲景的《伤寒论》中有 40 余首方用到大枣，如十枣汤由芫花、甘遂、大戟各等分，肥大枣 10 枚组成，可治心下痞硬满。

【按语】《病方》以枣治癃，《伤寒论》以十枣汤泻水，方中大枣扶脾制水，两书所述大枣的用法相似。

第七类　待考植物药（5种）

132　独□　　　　　　133　逸华　　　　　　134　隐夫木

135　骆阮（白苦、苦浸）　　136　采根

132 独□

【《病方》】 17 行：“伤者，以续断根一把，独□长支（枝）者二梃……”227 行：“颓，冶菌桂尺、独□一升，并冶……”

【按语】 独□，究系何物不详。

133 逸华

【《病方》】 152 行：“华，以封隋（脽）及少［腹］☒。”

【按语】 逸华，不详。

134 隐夫木

【《病方》】 188 行：“女子瘗，煮隐夫木饮之。”

【文献摘要】 司马长卿《上林赋》：“于是乎卢橘夏熟，黄甘橙楱。枇杷橪柿，亭奈厚朴。樗枣杨梅，樱桃蒲陶。隐夫薁棣，荅遝离支。”此赋提到很多植物，其中有“隐夫薁棣”。魏·张揖注曰：“隐夫，未详。薁，山李也。”晋·郭璞注曰：“棣，实似樱桃也。”唐·颜师古注云：“隐夫，未详。薁，即今之郁李也。棣，今之山樱桃。”可见从魏、晋到唐，人们都不知道隐夫是什么植物。

《上林赋》将隐夫与薁棣排在一起，关于薁、棣的解释如下。

（1）薁。陆玑《毛诗草木疏》谓之薁李，张揖曰山李，颜师古曰郁李，《神农本草经》名爵李，《名医别录》名车下李，又名棣。

（2）棣。《尔雅·释木》：“唐棣，栘；常棣，棣。”《说文》：“棣，白棣也。”段玉裁注曰：“花赤者为唐棣，花白者为棣。唐棣或作棠棣。唐棣（棠棣）、常棣

（棣）皆今郁李之类。”据段氏所云，棣为白花郁李之类，移为赤花郁李之类。

郭璞注《尔雅》云：“唐棣（棠棣），似白杨，江东呼为扶移。”江东与长沙同为中国南方。疑由于方言的差异，隐夫或被讹传为扶移，疑二者为一物，即赤花的唐棣。唐棣又名棠棣，即扶移。

《嘉祐本草》：“扶移木皮，味苦，平，有小毒。去风血，脚气疼痹，踠损瘀血，痛不可忍，取白皮火炙，酒浸服之。和五木皮煮作汤，捋脚气疼肿，杀瘚虫风瘙。烧作灰，置酒中，令味正，经时不败。生江南山谷。树大十数围，无风叶动，花反而后合。《诗》云：‘棠棣之华，偏其反而。’郑注云：‘棠棣，移也，一名移杨。’崔豹云：‘移杨圆叶，弱蒂，微风大摇。’”

《濒湖集简方》云：“妇人白崩：扶移皮半斤，牡丹皮四两，升麻、牡蛎各一两。每用一两，酒二钟，煎一钟，食前服。”

【按语】　颜师古谓薁为郁李。棣为常棣，是白花郁李之类。而赤花郁李之类，郭璞谓棠棣，江东名扶移。江东与长沙同在中国南方，疑隐夫音被讹为扶移。《嘉祐本草》谓扶移可药用。《濒湖集简方》谓扶移治妇人白崩，此与《病方》谓隐夫木治女子癃的说法相近。

135　骆阮（白苦、苦浸）

【《病方》】　257 行：“牡痔，穿地深尺半，袤尺，[广] 三寸，[燔]□炭其中段骆阮少半斗，布炭上，［以］布周盖、坐以熏下窍。”又云：“骆阮，一名曰白苦、苦浸。”

【文献摘要】　骆阮，又名白苦、苦浸（蔈）。在这 3 个药名中，骆阮、白苦不易理解，唯苦浸（蔈）可能为后世本草所载的苦参，因为在古代“参”字写作“蔈”或“葠”。

《说文·草部》：“蔈，人蔈，药草。出上党，从草，蔈声。”

《本草纲目·草部》“人参”条：“人蔈，音参，或省作蔈。人蔈……神草，蔈字从浸，亦浸渐之义。蔈即浸字，后世因字文繁，遂以参星之字代之，从简便尔。然承误日久，亦不能变矣。惟张仲景《伤寒论》尚作蔈字。”

《广雅》：“葠，地精，人参也。”王念孙《广雅疏证》云：“盖葠即蓡字，后人病其重复而删改之耳。”又云：“鹿肠，元蓡也。”王念孙疏云：“蓡与参同。”（按，元参即玄参，清代《广雅》刻本因避讳改）

根据李时珍、王念孙训诂，蔈、葠、蓡、蓡，皆参也。《病方》中的苦浸

（薲）似可释为苦参。参字在古代皆作薲，后人因其字文繁，改为薓或葠，俗作参，今简化为参。《康熙字典》仍作薓，其"薓"条有："《本草》人薲、元薲、沙薲、丹薲、苦薲。"（其中元薲的元字即玄字，因避康熙帝玄烨的玄字讳，改为元）这5个薲字是参字的古体字，近代字典均作参。

汉代关于参的记载内容有很多，兹摘录如下。

《太平御览》引《春秋运斗枢》云："摇光星散为人参。"又引《礼斗威仪》云："乘木而王有人参。"

《潜夫论·思贤》："治疾当用真人参，反得支罗。"

《急就篇》："远志续断参土瓜。"颜师古注："参谓人参、丹参、紫参、玄参、沙参、苦参也。"

《武威汉代医简》第43简："治鲁氏青行解腹方：麻黄卅分，大黄十五分，厚朴、石膏、苦参各六分，乌喙、付子各二分，凡七物，皆并冶，合和，以方寸匕一饮之，良甚，皆愈伤寒逐风。"

张仲景的《金匮要略》中载有苦参汤，苦参煎汤熏洗，治狐惑蚀于下部。

《神农本草经》云："苦参，味苦，寒。主心腹结气，癥瘕积聚，黄疸，溺有余沥，逐水，除痈肿，补中，明目，止泪。一名水槐，一名苦薏。"

按上述文献所载，人参、苦参在汉代已是常用药了。

下面介绍一下骄槐与骆阮的关系。《神农本草经》："苦参，一名水槐。"《名医别录》："苦参，一名地槐，一名骄槐。"陶弘景注："苦参叶极似槐树，故有槐名。"

与"槐"字相似的字有"蚭"字。《颜氏家训》卷3云："吾初读《庄子》'蚭二首'，韩非子曰：'虫有蚭者，一身两口，争食相龁，遂相杀也。'芒然不识此字何音，逢人辄问，了无解者。按《尔雅》诸书，蚕蛹名蚭，又非二首两口贪害之物。后见《古今字诂》，此亦古之虺字，积年凝滞，豁然雾解。"《一切经音义》卷46引《庄子》作"虺二首"。

《说文》："蚭，蛹也。"段氏注云："《颜氏家训》曰：《庄子》蚭二首，蚭即古虺字。"按：虺，一名蚖，是一种有毒的蝮蛇。《诗经·斯干》："维虺维蛇。"疏："《释鱼》云：蝮，虺。舍人曰：蝮，一名虺。孙炎曰：江淮以南，谓虺为蝮，广三寸，头如拇指，有牙最毒。"《广韵》："蚖，毒蛇，本草蚖与蝮同类，即虺也。"

根据以上所述，蚭、虺、蚖为同物异名者，骆阮（蚖）为骆蚭（槐）的另一种写法。骆蚭（槐）与骄槐名称相近，则骆阮（蚖）亦可能是苦参的别名。

【按语】 骆阮，又名白苦、苦浸（蔑）。浸（蔑），《说文》作薽，后人因其字文繁，改为蔑或蔑，近世改用俗字参，现在简化为参。疑苦浸（蔑）或即苦参。

汉代文献载有多种参。《武威汉代医简》及《金匮要略》均载有苦参。《金匮要略》用苦参汤熏洗狐惑蚀下部，《病方》用骆阮（苦浸）熏痔，两书所载治法极相近。

《病方》中的苦浸又名白苦。《证类本草》卷8"苦参"条引《名医别录》云："苦参，一名白茎，一名禄白。"

《证类本草》卷8"苦参"条中有4种药图，说明有4种不同品种的苦参。苏颂谓苦参其根黄色；刘松石在《保寿堂方》中云治梦遗食减用白色苦参（《本草纲目》卷13"苦参"条附方引）。文献所载苦参有黄、白两种。疑《病方》所用苦参是白色。

136 采根

【《病方》】 461行："□噬……干莓用之。□□根，干之，剟取皮□□采根☑。"

【按语】 此条中的采根似采取根之义，并非药名。

【附】 采杙

【《病方》】 218行："颓……而以采为四寸杙二七，即以采木椎窫（剟）之。一□□，再磨之，已剟，辄接（插）杙垣下，以尽二七杙而已。"

【文献摘要】 文中云"采为四寸杙"，杙是什么？

《尔雅·释宫》："橛，谓之杙，在墙谓之楎，在地谓之臬。"

《周礼》："祭祀共其享牛求牛，以授人而尸之。"注云："职读为橛，橛谓之杙，可以系牛。"

《本草纲目》："桃橛，一名桃杙，橛音厥，即杙也，人多削桃木钉于地上，以钲家宅，三载者尤良。"

【按语】 采杙，是以采木削制为杙。此处的杙是指一种木桩，将这种桩钉于地上，用于系拴牛、马。《病方》中将其用作击颓器物。

第八类　人部药物（9种）

137 发、人发、鬙

【《病方》】 8 行："诸伤，燔白鸡毛及人发，冶［各］等……" 11 行："止血出者，燔发，以安其痏。" 342 行："治痂，冶牛膝，燔鬙灰等……"

【文献摘要】《说文》："发，头上毛也。" 段玉裁注："各本作根也。"《说文》又云："鬙，乱发也。"

《庄子·逍遥游》："穷发之北。" 注云："发犹毛也，北极之下，无毛之地。"

《神农本草经》："发髲，味苦，温。主五癃，关格不通，利小便、水道，疗小儿痫，大人痓，仍自还神化。"

按：发髲音发被。《说文》云："髲，益发也。" 段玉裁注云："言人发少，聚他人发益之。"

《名医别录》："发髲。小寒，无毒。合鸡子黄煎之，消为水，疗小儿惊热。" 又云："乱发，微温。主咳五淋，大小便不通，小儿惊痫，止血鼻衄，烧之，吹内立已。"

《日华子本草》云："发，温，止血闷、血运，金疮，伤风，血痢。入药烧灰勿令绝过。"

《唐本草》注："乱发灰，疗转胞，小便不通，赤白痢，哽噎，鼻衄，痈肿，狐尿刺，尸疰，丁肿，骨疽，杂疮，古方用之也。"

《武威汉代医简》第 85 简："吕功君方：▨分，人发一分，炊之□焦一，□□二分，□一分，凡八物冶，合和，温酒饮方寸匕一，日三饮之。"

《肘后方》："以乱发、生地等，配制地黄膏，疗一切疮已溃者，及炙贴之无痂。"

【按语】《病方》将发燔烧后治诸伤、痂，止血，后世方书、本草皆有类似记载。

138 男子洎

【《病方》】 15行："令伤毋瘢（瘢），以男子洎傅之，皆不瘢。"

【文献摘要】《说文》："洎，灌釜也。"段氏注云："灌者，沃也。沃，今江苏俗云燠。"

《周礼·士师》："洎镬水。"注云："洎谓增其沃汁。"

《左传·襄二十八年》："去其肉，而以其洎馈。"疏云："洎者添釜之名，添水以为肉汁，遂名肉汁为洎。"男子洎疑指人精。

《本草经集注》："人精和鹰屎，亦灭瘢。"

《肘后方》："治汤火灼令不痛，又速愈瘢痕，以人精和鹰屎白，日傅上，痕自落。"

《千金方》："去面上鼾，人精和鹰屎白傅之，三日愈。"

孙真人云："治金疮血出不止，以精涂之。"

洎，另一种解释为鼻液。按：洎，从水，从自。《说文》云："自，鼻也，象鼻形。"段玉裁注："此以鼻训自，而又曰象鼻形""自读若鼻"。段氏在鼻字条注云："自本训鼻。""自"旁加水为"洎"，"洎"有鼻液的含义。

古书中记载鼻液有很多异名，如泗、洟、涕等。

《诗经·陈风》："涕泗滂沱。"《毛传》："自目曰涕，自鼻曰泗。"

《礼记·檀弓》："垂涕洟。"《礼记·正义》云："目垂涕，鼻垂洟。"

《易萃上六》："赍咨涕洟。"郑注："自目曰涕，自鼻曰洟。"

《马王堆帛书六十四卦释文》："《周易·萃卦·上六》云'赍咨涕洟'，帛书本涕洟作涕洎。"按：涕洟即鼻涕，则涕洎当是鼻涕。《说文解字注》："洟，鼻液也。"又云："涕，泣也。"

段玉裁注云："古书、弟、夷二字多相乱，于是自鼻出者曰涕，而自目出者，别制泪字。王褒《童约》：'月泪下落，鼻涕长一尺。'"

根据上述资料，男子洎似应释为鼻液。

【按语】《病方》言男子洎治瘢，其他方书、本草未见有鼻液灭瘢的记载。

【附】 男子恶

【《病方》】 318行："瘢（瘢）者，以水银二，男子恶四，丹一，并和，置突

［上］二、三月，盛，即□□□囊而傅之。"

【文献摘要】《吴越春秋·勾践入臣》："太宰嚭捧溲恶以出。"注云："恶，大溲。"男子恶是男子大便，即人屎。

《名医别录》："人屎寒。主疗时行大热狂走，解诸毒，宜用绝干者，捣末，沸汤沃服之。"

《唐本草》注："人屎，破丁肿，开以新者封之一日，根出。"

《日华子本草》云："粪清，冷，治天行热狂热疾，中毒，并恶疮。"

《肘后方》："治发背欲死，烧屎作灰，醋和如泥，傅肿处，干即易。"

《本草衍义》："人屎，治一切痈疖热毒肿，脓血未溃，疼痛。"

【按语】男子恶疑为男子大便，本草称为人屎。后世方书、本草以人屎治痈疖毒肿，此与《病方》以男子恶治瘕略有相似之处。

139　溺

【《病方》】90 行："虫，以堇一阳筑封之，即燔鹿角，以弱（溺）饮之。"192 行："膏溺，是胃（谓）内复。以水与溺者陈葵种而饮之。"249 行："痔，取溺五斗，以煮青蒿大把二……以熏痔。"264 行："血痔，以溺熟煮一牡鼠，以气熨。"418 行："干瘙，煮弱（溺）二斗，令二升；豕膏一升，冶黎卢二升，同傅之。"71 行："毒乌豙者，炙□□，饮小童弱（溺）若产齐赤。"351 行："治痂，以小童弱（溺）渍陵枝（芰）……"337 行："治痂，以少（小）婴儿弱（溺）渍殺羊矢，卒其时，以傅之。"

【文献摘要】《史记·范雎蔡泽列传》："醉更溺雎。"注云："溺，溲也。"《广雅·释言》："尿，溲也。"溺即尿。

《名医别录》："人溺，疗寒热头疼，温气，童男者尤良。"

《唐本草》注云："尿，主卒血攻心被打，内有瘀血，煎服之。"

《日华子本草》："小便，凉。蛇、犬等咬，以热尿淋患处。"

《肘后方》："中诸毒药及野葛已死方：新小便和人屎绞取汁一升，顿服。"

《千金方》："杖疮肿毒，服童便良。"又云："诸蛇毒人，梳垢一团，尿和傅上，仍炙梳出汗，熨之。"

《救急方》："痔疮肿痛，用热童尿，入矾三分，服之，一日二三次，效。"

【按语】《病方》谓溺治虫、膏溺、痔、干瘙、乌喙毒、痂，后世方书、本草谓人溺治蛇咬，解药毒，治痔，但无治膏溺及痂的记载。

140　头垢

【《病方》】　172 行：“瘅，以酒一音（杯），渍襦颈及头垢中，令沸而饮之。”

【文献摘要】　《名医别录》：“头垢，主淋闭不通。”

《本草经集注》：“术云：头垢浮针，以肥腻故尔。今当用悦泽人者。其垢可丸。又主噎，亦疗劳复。”

《药性论》：“头垢治噎，酸浆水煎膏用之。”

《日华子本草》：“头垢，温，治中蛊毒及蕈毒，米饮或酒化下，并得以吐为度。”

葛稚川云：“治紧唇，以头垢傅之”“食六畜乌兽毒，幞头垢一钱匕”。

《鬼遗方》：“治竹木刺在肉中不出，以头垢涂之即出。”

《小品方》：“菜毒脯毒，以头垢枣核大，含之咽汁，能起死人。或白汤下亦可。”

【按语】　《名医别录》谓头垢主淋闭不通，此与《病方》谓头垢治瘅的说法相似。

【附】　头脂

【《病方》】　350 行，治加（痂）方：“燔礜，冶乌豙（喙）、黎（藜）卢、蜀叔（菽）、庶、蜀椒、桂各一合，并和，以头脂□□□布炙以熨，卷（倦）而休。”

408 行，干骚（瘙）方：“以雄黄二两，水银两少半，头脂一升，□［雄］黄靡（磨）水银手☒。”

【文献摘要】

对于头脂有 3 种解释。

（1）头垢。在《病方》第 202 页附表 2 “《五十二病方》现存药名”中，头脂、头垢被视为一物。

《病方》172 行载用头垢治瘅法，350 行载用头脂作油膏基质以调药治痂，两处所载药物的主治及用法不同，名称亦异，故两者可能不是同一药物。

《病方》350 行载以头脂治痂，《病方》408 行载以头脂治干瘙，两方均用头脂作油膏基质，调配油膏外用，而且用量很大，治干瘙方中用头脂一升，这不是从头皮上刮取头垢能解决的，故释头脂为头垢难以成立。

（2）动物头部脂肪。脂，《说文》云：“脂，戴角脂，无角者膏。”《病方》称有角动物脂肪为脂，如牛脂、羊脂，称无角动物脂肪为膏，如猪膏、豚膏、豹膏、蛇膏。如把头脂释为头部脂肪，则头脂当指有角动物，如牛、羊的头部脂肪。但实际上牛、羊头部脂肪极少，难以提供脂肪作为基质用。

（3）头骨髓。《说文》："髓，骨中脂也。"可见头骨中的髓亦可称头脂。骨髓具有油脂样滋润作用，可以作为油膏基质与药末调和，制成外用膏剂，此用法与《病方》350 行用头脂治痂和 408 行用头脂治干瘙的用法相同。

严格地讲，头骨多呈扁形，其中并无骨髓。由于头骨构成颅腔，腔内藏有脑，古人称脑为髓，亦称其为脑髓，《内经》有"脑为髓之海"的说法。

动物的头"脑"也可以入药。《病方》432 行："治瘃（冻疮），以生兔脑涂之。"《病方》246 行："治牡痔，以龟脑与地胆虫相拌和傅之。"说明《病方》亦将动物的"脑"作药用，因此头脂可以释为头骨中脑髓。

不过这里有个疑问，《病方》432 行治瘃用兔脑，246 行治牡痔用龟脑，而 350 行治痂、408 行治干瘙用头脂，为何不以"头脑"为名称呢？同一《病方》中，为何两方用"脑"，而另外两方用"头脂"呢？这可能是因为《病方》中的方子来源于不同的医家，有的医家以动物脑为名，有的医家以脑髓为脂而命名，故以头脂名之。

【按语】 头脂可释为三物，即头垢、头部脂肪、头颅内脑髓。《病方》350 行治痂方和 408 行治干瘙方均以头脂为基质，将药调成油膏制剂，所用头脂量很大，如治干瘙方中用头脂一升，此非是从头部刮的头垢，或从头部取得的脂肪能解决的，只有用动物头颅内的脑髓才可解决。又《病方》432 行治瘃方、246 行治牡痔方分别用兔脑、龟脑，说明在当时动物的头脑是供药用的。由于《病方》中的方子出自不同的医家，各医家对同一药物的称呼不同，故《病方》中有兔脑、龟脑、头脂等不同名称出现。

141　燔死人头

【《病方》】　240 行："牡痔，取内户旁祠空中黍腏，燔死人头皆冶，以膱膏濡，而入之其空（孔）中。"

【文献摘要】《战国策》："头颅僵仆，相望于竟。"

《说文》："顶颅，首骨也。"《广雅》："顶颅，髑髅也。"《说文》："髑髅，顶也。"

按：头顶骨，本草名之为天灵盖。

《开宝本草》："天灵盖，味咸，平，无毒。主传尸、尸疰，鬼气伏连，久瘅劳疟，寒热无时者。此死人顶骨十字解者，烧令黑，细研，日饮和服，亦合诸药为散用之。"

《日华子本草》："天灵盖治肺痿，乏力羸瘦，骨蒸劳热及盗汗等，入药酥炙用。"

《外台秘要》："治犬咬，众治不差，毒攻人烦乱，唤已作犬声者，天灵盖烧灰为末，水服方寸匕，以活止。"

姚僧垣《集验方》："小儿白秃，大豆，髑髅各烧灰等分，以腊猪脂和涂。"

《梅师方》："诸犬咬疮不差，吐白沫者，为毒入心，叫唤似犬声，以髑髅骨烧灰，研，以东流水调服方寸匕。"

【按语】 后世方书以髑髅骨烧灰治疮，此用法与《病方》以燔死人头治痔略相似。

142 死人胻骨

【《病方》】 357 行："治痂，死人胻骨，燔而冶之，以识（臟）膏☐。"

【文献摘要】 《说文》："胻，胫专也。"段玉裁注："专犹头也，胫近膝者曰胻。如股之外曰髀也。言胫则统胻，言胻不统胫。"《说文》云："胫，胻也。"段玉裁注云："膝下踝上曰胫，胫之言茎也，如茎之载物。"

《史记·龟策列传》："壮士斩其胻。"注云："胻，脚胫也。"

《素问·脉要精微论》："病足胻肿若水状。"

《春秋繁露·五行逆顺》："民病是胻痛。"

《广雅》："股脚踦胻胫也。"

《洗冤集录》："膝盖下生者胫骨，胫骨旁生者胻骨。"

《揣骨新编》："骭骨即胻骨，在膝下里侧。"

【按语】 胻骨，文献所言部位各异。兹以最早文献《素问》和《史记》所言为正，盖胻骨即脚胫骨。《病方》以胻骨燔之治痂，但后世方书、本草未载此用法。

143 人泥

【《病方》】 306 行："☐阑（烂）者方，以人泥涂之，以犬毛若羊毛封之。"

【文献摘要】 《病方》释人泥为"人垢"。

《金匮要略》："治马肝毒人未死方，人垢取方寸匕，服之佳。"

按：《金匮要略》言用人垢取方寸匕，则人垢似是固体，否则不会讲"取方寸匕"。但《病方》以人泥涂之，则人泥不是固体，当为半固体，否则不会讲"涂之"。《病方》中用于涂法的药多是半固体。如 93 行治蚖，以青粱米为粥封涂；133 行治大带者，以清煮胶以涂之；340 行治痂，刑赤蝎，以血涂之；343 行，炙牛肉，以久脂涂其上；363 行，蛇啮，以桑汁涂之；380 行，涂若以豕矢；432 行治瘃，以生兔脑涂之。试看青粱米粥、煮胶、血、脂、桑汁、豕矢（猪屎）、生兔脑等都是半固体，故在使用时才可用涂法。同样推知，人泥当是半固体，否则不会用涂法。笔者设想，人泥可能是粪坑底的泥。《名医别录》云："东向圊厕溺坑中青泥，疗喉痹，消痈肿，若已有脓即溃。"溺坑中青泥既能用于消痈肿，当然亦可涂阑（烂）者。

【按语】 人泥到底是什么东西的问题有待进一步研究。

144 乳汁

【《病方》】 311 行："阑（烂）者，冶蘖米，以乳汁和，傅之，不痛，不瘢。"

【文献摘要】 乳汁简称为乳，常用的乳汁有人乳、牛乳、马乳、羊乳。

《魏书·王琚传》："常饮牛乳，色如处子。"

《南史》载宋何尚之患积年劳病，饮妇人乳而瘥。

《太平广记》："贞观中（627—649），太宗苦于气痢，众医不效，有术士进以乳汁煎荜拨，服之立差。"

《名医别录》："人乳汁，主补五脏，令人肥白悦泽。"又云："首生男乳，疗目赤痛多泪，解猪肝牛肉毒，合豉，浓汁服之，神效，又取和雀屎，去目赤努肉。"

《日华子本草》："人乳，冷，益气，治瘦悴，悦皮肤，润毛发，点眼止泪，并疗赤目，使之明润也。"

《千金方》："治月经不通，饮人乳汁三合。"

《千金翼方》："漆疮，羊乳傅之。"

陈藏器云："羊乳补虚，小儿含之，主口疮。"

《食疗本草》："小儿口中烂疮，取牡羊生乳含，五六日差。"

【按语】 《名医别录》《日华子本草》并谓人乳汁疗目赤痛、多泪，《千金翼方》谓羊乳敷漆疮，陈藏器、《食疗本草》谓羊乳主口中烂疮，这和《病方》以乳汁治烂者略相似。

第九类　禽类药（6种）

145　鸡　146　乌雄鸡

【《病方》】 95 行："治蚖，亨（烹）三宿雄鸡二，洎水三斗……熟，饮汁。"
439 行："病蛊者，以乌雄鸡一、蛇一……令鸡、蛇尽焦，即出而治之。令病者每旦以三指三撮药入杯酒若粥中而饮之。"112 行："颠疾，白鸡、犬矢……即孰（熟）所冒鸡而食之。"258 行："痔者，以酱灌黄雌鸡，令自死，以菅裹，涂上〈土〉，炮之。涂干，食鸡。"

【文献摘要】《说文》："鸡，知时畜也。"

《淮南子·泰族训》："雄鸡夜鸣耳。"

《神农本草经》："丹雄鸡，味甘，微温。主女人崩中漏下，赤白沃，补虚，温中止血，通神，杀毒，辟不祥。头主杀鬼。"

《名医别录》："丹雄鸡，微寒，无毒。主久伤乏疮""乌雄鸡肉微温，主补中止痛""白雄鸡肉，味酸，微温。主下气，疗狂邪，安五脏伤中消渴""黄雌鸡，味酸、甘，平。主伤中消渴，小便数不禁，肠澼泄利，补益五脏，续绝伤，疗劳，益气"。

《日华子本草》："乌雄鸡，温，无毒。止肚痛，除风湿麻痹，补虚羸，安胎，治折伤并痈疽，生暑竹木刺不出者""白雄鸡调中，除邪，利小便，去丹毒""黄雌鸡，止劳劣，添髓，补精，助阳气，暖小肠，止泄精，补水气"。

《本草拾遗》云："鸡，主马咬疮。"

【按语】《病方》以雄鸡治蚖，以乌雄鸡治蛊，以白雄鸡治颠疾，以黄雌鸡治痔，后世方书、本草皆未载此用法。

147　白鸡毛

【《病方》】 9 行："诸伤，燔白鸡毛及人发，冶［各］等。百草末八灰……饮之。"328 行："胕瘰，取雄式，熟煮余疾，鸡羽自解……皆燔冶，取灰，以猪膏和傅。"258 行："痔者……以羽熏纂。"

【文献摘要】《神农本草经》："鸡翮羽，主下血闭。"

孟诜云："刺在肉中不出者，取鸡尾二七枚，烧作灰，以男子乳汁和，封疮刺当出。"

《日华子本草》："鸡翼，治小儿夜啼，安席下，勿令母知。"

《葛氏方》："疗痈已有脓，当使坏方，取白鸡两翅羽各一枚，烧，服之，即穿。"

《古今录验》："主肿大如斗，取鸡翅毛，其毛一孔生两毛者佳，左肿取左翅，右肿取右翅，双肿取两边翅，并烧灰，研，饮服。"

《经验后方》："治诸痈不消，已成脓，惧针不得，欲令速决，取白鸡翅下第一毛，两边各一茎，烧灰，研，水调，服之。"

【按语】 后世医方、本草谓鸡羽烧灰，可封疮刺和治痈脓溃脓，此与《病方》谓烧鸡毛治诸伤、胕瘰、痔等略相似。

148　鸡血

【《病方》】 131 行："白疕，取丹沙与鳝鱼血，若以鸡血，皆可。"

【文献摘要】《名医别录》："乌雄鸡血，主踒折骨痛及痿痹""黑雌鸡血，无毒。主中恶腹痛及踒折，骨痛，乳难"。

《本草拾遗》："雄鸡胠血，涂白癜风、疬疡风。"

《日华子本草》："朱雄鸡冠血，疗白癜风。"

《肘后方》："卒得浸淫疮转有汁，多起于心，以鸡冠血傅之，差。"

《子母秘录》："治小儿下血，雌鸡翅下血，服之。"

《钱相公箧中方》："主蜈蚣、蜘蛛毒，以鸡冠血傅之。"

【按语】《病方》谓鸡血治白疕（类似白癜风），《本草拾遗》《日华子本草》等本草古籍均有类似记载。

149 鸡卵

【《病方》】 202 行："治癫，破卵音（杯）醯中，饮之。" 310 行："阑（烂）者，以鸡卵弁兔毛，傅之。"

【文献摘要】 《神农本草经》："鸡子，主除热火疮，痫痓，可作虎魄神物。鸡白蠹肥脂。"

《名医别录》："卵白微寒，疗目热赤痛，除心下伏热，止烦满咳逆，小儿下泄，妇人产难，胞衣不出。醯渍之一宿，疗黄疸，破大烦热。卵中白皮，主久咳结气。得麻黄、紫菀，和服之，立已。"

《药性论》："鸡子治漆疮涂之。"

《日华子本草》："鸡子治男子阴囊湿痒。和粉炒干，止小儿疳痢及妇人阴疮。鸡子黄炒，取油和粉傅头疮。"

《武威汉代医简》第 57 ~ 67 简："千金膏药方：蜀椒四升，芎䓖一升，白芷一升，付子卅果，凡四物皆冶，父且，置铜器中，用淳醯三升，渍之卒时，取豮猪肪三斤，先煎之，先取鸡子中黄者，置杯中挠之三百，取药成以五分匕一，置鸡子中复挠之二百，薄以涂其痈。"

《传信方》："取鸡子黄、乱发于铁铫中炭火熬，初甚干，少顷即发焦，遂有液出，以液尽为度，取涂热疮上，即以苦参末粉之。"

《葛氏方》："治男子阴卒肿痛方，取灶中黄土末，以鸡子黄和傅之。蛇床子末，和鸡子黄傅之亦良。"

《千金方》："鼠瘘，以卵一枚，米下蒸半日，取出黄，熬黄令黑，先拭疮上，汁令干，以药内疮孔中，三度即差。"

【按语】 《病方》以卵治癫和烂者，后世方书、本草皆载有类似用法，如《葛氏方》以鸡子治男子阴卒肿痛，《药性论》以鸡子治漆疮，《日华子本草》以鸡子治男子阴囊湿痒，《千金方》以鸡子治鼠瘘等。

150 鸡矢

【《病方》】 382 行："鬃，奚（鸡）矢，鼠襄（壤）涂漆王。" 399 行："虫蚀，取雄鸡矢，燔，以熏其痈。"

【文献摘要】 《神农本草经》："屎白，主消渴，伤寒寒热。"

《名医别录》："屎白，微寒，破石淋及转筋，利小便，止遗溺，灭瘢痕。"

《药性论》："鸡矢能破石淋，利小便。"

陈藏器云："鸡屎炒服之，主虫咬毒。鸡矢和黑豆炒，浸酒，主贼风，风痹，破血。"

《日华子本草》："鸡粪，傅疮痍，灭瘢痕。朱雄鸡粪治白虎风，并傅风痛。"

《肘后方》："治射工水弩毒，白鸡矢，白者二枚，以小饧和调，以涂疮上。"

《经验后方》："治蜈蚣咬人，痛不止，烧鸡屎，酒和服之，佳。又取鸡屎和醋傅之。"

【按语】 《病方》以鸡矢治虫蚀，《肘后方》《日华子本草》《经验后方》等书中有类似的记载。《病方》以鸡屎治漆，后世方书、本草未载此用法。

151 雉

【《病方》】 328 行："胻膫，取雉弌，孰（熟）者（煮）余疾……"

【文献摘要】 《玉篇》："雉，野鸡也。"

《说文》："雉有十四种，卢诸雉、乔雉、鳪雉、鷩雉、秩秩海雉、翟山雉、翰雉、卓雉……"

《尔雅》："雉有十五种，诸雉、山雉、鹨雉……"

《周礼·疱人》："共六禽，雉是其一。"

《广雅》："野鸡，雉也。"

《史记·封禅书》："野鸡夜雊。"《集解》引如淳云："野鸡，雉也。吕后名雉，故曰野鸡。"

《名医别录》："雉肉，味酸，微寒，无毒。主补益气力，止泄痢，除蚁瘘。"

《唐本草》注云："雉，温，主诸瘘疮。"

《食医心镜》："治产后下痢，腰腹痛，野鸡一只，作馄饨食之。"

【按语】 《病方》谓雉治胻膫（小腿部烧伤），但后世方书、本草无此记载。

第十类　兽类药（23种）

152 羊肉

【《病方》】 100 行："治蚖，煮羊肉，以汁□之。"

【文献摘要】 《说文》："羊，祥也。孔子曰：'牛羊之字，以形举也。'" 段玉裁注："《考工记》注曰：'羊，善也。'"

《山海经·西山经》："大次之山，其兽多灵羊。"

《礼记·曲礼》："羊曰柔毛。"《礼记·月令》："食麦与羊。"

《淮南子·时则训》："食麦与羊。"

《名医别录》："羊肉，味甘，大热，无毒。主缓中、字乳余疾，及头脑大风汗出，虚劳寒冷，补中益气，安心止惊。"

《唐本草》注："羊肉，热病差后，食之发热，杀人。"

孟诜云："羊肉，温。主风眩瘦病，小儿惊痫，丈夫五劳七伤，脏气虚寒。"

《日华子本草》："羊肉治脑风并大风，开胃肥健。"

《金匮要略》："寒疝腹中痛，及胁痛里急者，当归生姜羊肉汤主之。"

《肘后方》："治卒身而肿满，以商陆根一斤，刮去薄皮，切之，煮令烂，去滓，纳羊肉一斤，煮食之。"

《千金方》："治被打头青肿，贴新羊肉于肿上。"

【按语】 《病方》以羊肉汁治蚖，后世方书、本草无此记载。

153 羊矢、羖羊矢

【《病方》】 337 行："治痂，以少（小）婴儿弱（溺）渍羖羊矢，卒其时，以傅之。"

【文献摘要】 羖羊，在不同书中，含义各异。

《尔雅》："夏羊，牡羭，牝羖。"

段氏《说文解字注》："羖，夏羊，牡（雄）曰羖。"

按：羖音古，夏羊即黑羊。郭璞注《尔雅》云："白者吴羊，黑者夏羊。"同是羖羊，《尔雅》《说文》所云互异。

《广雅》："羖羊牂曰羯。"

《急就篇》："羘羖羯羠羳羝羭。"颜师古注云："羖，夏羊之牡也。"

《名医别录》："羊屎，燔之。主小儿泄痢，肠鸣，惊痫。"

《唐本草》注云："羊屎烧之熏疮，疗诸疮中毒痔瘘。"

《本草拾遗》："羊屎烧灰，沐发长黑。"

《日华子本草》："牯羊粪烧灰，理聤耳并罯刺。"

《武威汉代医简》第48～49简："去中冷病后不复发方：穿地长与人等，深七尺，横五尺，用白羊矢干之十余石，置其坑中，纵火其上，羊矢尽，索横木坑上，取其卧，人卧其上，热气尽乃止。其病者慎勿出得见。"

《外台秘要》："疗毒热病攻，手足肿疼痛欲脱方，猪膏和羊屎涂之亦佳。"

《集要方》："里外臁疮，羊屎烧存性，研末，入轻粉涂之。"

《圣惠方》："头风白屑，乌羊粪，煎汁洗之。"

《普济方》："小儿头疮，羊粪煎汤洗净，仍以羊粪烧灰，同屋上悬煤，清油调涂。"

【按语】 羖音古，羖羊即黑雄羊，《日华子本草》作牯羊。《病方》谓羖羊粪治痂，本草古籍无类似记载，但后世方书用其治头风白屑、小儿头疮，此与《病方》用法略相似。

154 肥羭

【《病方》】 241 行："治痔，多空（孔）者，亨（烹）肥羭，取其汁渍美黍米三斗……以傅痔空（孔）。"

【文献摘要】 肥羭，不同书对其释义各不相同。

《尔雅》："夏羊，牡羭，牝羖。"

《说文》："羭，夏羊，牝曰羭。"段玉裁注云："牝，各本作牡，误。按《释兽》：'夏羊牝羭，牡羖。'自郭所据，牝、牡字已互讹，引立者多误，因之窜改《说文》，今正。"

《急就篇》："羘殺羯羠羘羝羭。"颜师古注云："羭,夏羊之牝(雌)也。"

按郭璞注《尔雅》云："白者吴羊,黑者夏羊。"又按《说文》云："夏羊,牝曰羭。"羭,即黑雌羊。

【按语】《病方》谓肥羭治痔,后世方书、本草未见类似记载。

155 羊毛

【《病方》】 306 行:"阑(烂)者方,以人泥涂之,以犬毛若羊毛封之。"

【文献摘要】《礼记》:"羊泠,毛而毳羶不可食。"

孟诜云:"羊毛,醋煮裹脚,治转筋。"

《广济方》:"殺羊须烧灰油调,涂小儿口疮、蟚蜎尿疮。"

《圣惠方》:"面上耳疮浸淫,水出久不愈,用殺羊须、荆芥、干枣烧存性,入轻粉少许,每洗拭,清油调搽二三次。"

【按语】《病方》谓羊毛治烂者,后世方书、本草未见类似记载。

156 羊尻

【《病方》】 437 行:"蛊者,燔北乡(向)并符,而烝(蒸)羊尻(尻),以下汤敦(淳)符灰,即□□病者,沐浴为蛊者。"

【文献摘要】《说文》:"尻,𦜕也。"又云:"𦜕,脾也。"段玉裁注云:"按《释名》,以尻与臀别为二。《汉书》:'结股脚,连脽尻。'每句皆合二物也。尻,今俗云沟子是也。《通俗文》《埤苍》皆云:'尻骨谓之八髎。'"

《释名》:"尻,瘳也。"

《洗冤录》:"尻骨谓之尾骶,脊骨尽处也。"

【按语】《病方》437 行注②释尻为臀部,但《说文》释尻为𦜕。《释名》谓尻与臀别为二。《洗冤录》谓尻为尾骶,则羊尻亦可释为羊尾骶,但后世方书、本草皆无羊尻治蛊的记载。

157 犬胆

【《病方》】 419 行:"身疕,用陵荍熬,冶之,以犬胆和,以傅之。"326 行:"胻膫,取陈黍、叔,冶,以犬胆和,以傅。"

【文献摘要】《神农本草经》:"狗胆,主明目。"

《名医别录》：“狗胆，主痂疡恶疮。”

《药性论》：“狗胆亦可单用，味苦，有小毒，主鼻齆，鼻中息肉。”陈藏器云：“狗胆涂恶疮。”

孟诜云：“狗胆去眼中脓水。”

《食疗本草》：“狗胆主恶疮痂痒，以胆汁傅之。”

《日华子本草》：“狗胆主扑损瘀血刀箭疮。”

【按语】《名医别录》以犬胆治痂疡恶疮，《食疗本草》以犬胆治恶疮痂痒，此与《病方》以犬胆治身疣、胕瘰的用法相似。

158　犬毛

【《病方》】　306 行：“阑（烂）者方，以人泥涂之，以犬毛若羊毛封之。”

【文献摘要】《唐本草》注云：“犬毛主产难。”

《本草拾遗》：“犬颈下毛，主小儿夜啼，绛袋盛，系著儿两手。”

《梅师方》：“治热油汤火烧疮痛不可忍，取狗毛细剪，以烊胶和毛傅之，至疮落渐差。”

【按语】《病方》以犬毛治烂者，后世方书亦有类似记载。

159　犬屎

【《病方》】　113 行：“颠疾，白鸡、犬矢……即以犬矢湿之。”

【文献摘要】《名医别录》：“犬屎中骨，主寒热，小儿惊痫。”又云：“狗屎，主丁疮，水绞汁服，主诸毒不可入口者。”

《本草拾遗》：“犬屎，主瘭疽彻骨痒者，当烧作灰，涂疮，勿令病者知。”又云：“犬屎和腊月猪脂傅瘘疮，又傅溪毒、丁肿出根。”

《外台秘要》：“疗食鱼肉等成癥结在腹，并诸毒气方，狗粪五升，烧末之，绵裹，酒五升，渍再宿，取清，分十服，日再，已。”

《梅师方》：“食郁肉漏脯中毒，烧犬屎末，酒服方寸匕。”

【按语】《病方》谓犬屎治颠疾，后世方书、本草未见类似记载。

160　犬

【《病方》】　41 行：“伤而颈（痉）者，小刌一犬，渜与薛（蘖）半斗，毋去其足……"

【文献摘要】 《说文》："犬，狗之有悬蹄者也。孔子曰：'视犬之字，画狗也。'"又云："狗，孔子曰：'狗，叩也，叩气吠以守。'"

《神农本草经》："牡狗阴茎，味咸，平。主伤中，阴痿不起，令强，热大生子，除女子带下十二疾，一名狗精。"

《名医别录》："狗肉，味咸，酸，温。主安五脏，补绝伤，轻身益气。"

孟诜云："犬肉益阳事，补血脉，厚肠胃，实下焦，填精髓。"

《日华子本草》："犬肉，暖，无毒。补胃气，壮阳，暖腰膝，补虚劳，益气力。"

【按语】 《病方》谓犬治伤而痉，本草中未见类似记载。

161 马矢

【《病方》】 193 行："肿囊，取马矢粗者三斗，孰析，沃以水，不清，止；浚去汁，洎以酸浆□斗，取芥衷夹，壹用，智（知），四、五月，肿去。"

【文献摘要】 《名医别录》："马屎名马通，微温。主妇人崩中，止渴，及吐下血，鼻衄，金创止血。"又云："屎中栗，主金创，小儿客忤，寒热不能食。"

《食疗本草》："患丁肿、中风疼痛者，炒驴、马粪熨疮满五十遍，极效""患杖疮并打损疮，中风疼痛者，炒马、驴湿粪，分取半，替换热熨之，冷则易，满五十过，极效"。

陈藏器云："马屎绞取汁，主伤寒时疾，服之当吐下，亦生产后诸血气及时行病起。"

《金匮要略》："救小儿卒死而吐利不知是何病者，马矢一丸，绞取汁以灌之。"

《肘后方》："救卒死而四肢不收失便者，马矢一升，水三斗，煮取二斗以灌之。"

《梅师方》："治吐血不止，烧白马粪，研以水，绞取汁服一升。"

【按语】 《食疗本草》以马屎治丁肿，此与《病方》以马屎治肿囊略相似。

162 牛肉、牛胆

【《病方》】 340 行："治痂，冶牛膝、燔鬌灰等，并□□，孰洒痂而傅之。炙牛肉，以久脂涂其上。虽已，复傅，勿择（释）。"67 行："巢者，取牛胆、乌喙、桂，冶等……"

【文献摘要】 《说文》："牛，事也，理也。"段玉裁注云："事也者，谓能事其事也，牛任耕。理也者，谓其文理，可析也，疱丁解牛，依其天理。"

《名医别录》："牛肉，味甘，平，无毒。主消渴，止唍泄，安中益气，养脾胃，自死者不良""牛自死谓疫死，肉多毒"。

《本草拾遗》："牛肉，平。消水肿，除湿气，补虚，令人强筋骨壮健。"又云："黄牛肉，小温，补益腰脚。"

《日华子本草》云："水牛肉，冷，微毒。"又云："黄牛肉，温，微毒，益腰脚，大都食之发药毒。"

《肘后方》："治伤寒时气，毒攻手足肿疼痛欲断，牛肉裹肿处止。"又云："治水病差后，食牛羊肉，自补，稍稍饮之。"

《说文》："胆，食肉也。"段玉裁注："食肉必用手，故从丑肉。"

《集韵》："胆，脒或字。"《说文》："脒，嘉善肉也。"

牛胆应是牛肉之善者。

【按语】 《病方》谓牛肉治痂，后世方书、本草无类似记载。

163 黄牛胆

【《病方》】 225 行："癫，以奎蠹盖其坚（肾）……壹射以三矢，□□饮乐（药），其药曰阴干黄牛胆。"

【文献摘要】 《神农本草经》："牛胆可丸药。"

《名医别录》："牛胆，味苦，大寒。除心腹热，渴利，口焦燥，益目精。"

《药性论》："青牛胆，君，无毒。主消渴，利大小肠。"又云："腊月牯牛胆中盛黑豆一百粒后，一百日开取，食后夜间吞二七枚，镇肝明目。"

《唐本草》注云："乌牛胆，主明目及痔湿，以酿槐子服之弥佳。"

《肘后方》："谷胆，苦参三两，龙胆一合，末，牛胆为丸，如梧子，以生麦汁服五丸，日三服。"

《姚氏方》："疗黑面方，牯牛胆、牛胆、淳酒三升，合煮三沸，以涂面良。"

《经验方》："痔漏张用方，犍牛儿胆、猬胆各一个，用腻粉五十文，射香二十文，将猬胆汁、腻粉、射香和匀，入牛胆内，悬于檐前四十九日，熟旋取为丸如大麦，用纸撚送入疮内后，追出恶物是验，疮口渐合，生面盖疮内一遍，出恶物。"

【按语】 《病方》谓黄牛胆治癫，后世方书、本草未见类似记载。

164　兔皮

【《病方》】　139 行："蠪者，入⊠兔皮⊠。"

【文献摘要】　《说文》："兔，兔兽也。象兔踞，后其尾形。"段玉裁注云："其字兔之蹲，后露其尾之形也。"

《古乐府》："雄兔脚扑朔，雌兔眼迷离。"

《礼记·内则》："食兔去尻。"

《风俗通》："食兔髌，令人面生髌骨。"

《名医别录》："兔头骨，平，无毒。主头眩痛癫疾。肉，味辛，平，无毒。主补中益气。"

《唐本草》注："兔皮毛合烧为灰，酒服，生产难后，胞衣不出，及余血抢心胀欲死。头皮，主鬼疰毒气在皮中针刺者。"

《外台秘要》："必效，疗妇人带下，取兔皮烧令烟绝，捣为末，酒服方寸匕，以差为度。"

【按语】　《病方》以兔皮治蠪者，后世方书、本草未载此用法。

165　兔毛

【《病方》】　310 行："阑（烂）者方，以鸡卵并兔毛，傅之。"

【文献摘要】　《唐本草》注："兔皮毛合烧为灰，酒服主产难后，胞衣不出，及余血抢心胀欲死。"

《本草拾遗》："毛烧灰，主灸疮不差。"

《药性论》云："腊毛煎汤洗豌豆疮及毛傅良。"

《百一方》："火烧已破方，取兔腹下白毛，烧胶以涂毛上，贴疮立差，待毛落即差。"

【按语】　《病方》以兔毛治烂者，后世方书未载此用法。

166　兔产脑

【《病方》】　432 行："治瘃，以兔产齿（脑）涂之。"

【文献摘要】　《名医别录》："兔脑主冻疮。"

《博济方》："治产前滑胎，腊月兔头脑髓一个，摊于纸上，令匀，候干，剪作符字于面上，书生字一个，觉母阵痛时，用母钗子股上夹定，灯焰上烧灰，盏盛，煎丁香，酒调下。"

《胜金方》："治发脑、发背及痈疽、热节、恶疮等。腊月兔头细剉，入瓶内密封，惟久愈佳，涂帛上厚封之。热痛傅之如冰，频换差。"

《圣惠方》："手足皲裂，用兔脑髓生涂之。"

【按语】 兔产脑，即生的兔脑（新鲜的兔脑）。瘃即冻疮。《病方》谓兔的生脑治冻疮，后世方书、本草均有类似记载。

167 鹿角

【《病方》】 90 行："蚖，以堇一阳筑封之，即燔鹿角以溺饮之。"

【文献摘要】《说文》："鹿，鹿兽也，象头角四足之形。"

《尔雅》："鹿，牡曰麚，牝曰麀，子曰麛。"

《神农本草经》："鹿角，主恶疮，痈肿，逐邪恶气，留血在阴中。"

《名医别录》："鹿角，味咸，无毒。除小腹血急痛，腰脊痛，折伤恶血，益气。"

《唐本草》注："鹿角，主猫鬼中恶，心腹疰痛。"

孟诜云："鹿角锉为屑，白蜜淹之，微火熬，令小变，暴干更捣筛，服之，令人轻身益气强骨。"

《日华子本草》："角疗恶疮痈肿热毒，醋摩敷。"

《小品方》："痈结肿坚如石，或如大核，色不变，鹿角、白敛捣末，醋调傅。"

《肘后方》："治卒心腹烦满，鹿角、青布、乱发灰煮服之。"又云："丹者恶毒之疮，五色无常，烧鹿角和猪脂傅之。"

【按语】《病方》谓鹿角治蚖，后世方书、本草无类似记载。

【附】 鹿肉

【《病方》】 99 行："治蚖，煮鹿肉若野彘肉，食［之］，啜汁。"

【文献摘要】《名医别录》："鹿肉，温。补中，强五脏，益气力。生者疗口僻，割薄之。"

孟诜云："鹿肉，主补中，益气力。又鹿生肉主中风，口偏不正，以生椒同捣傅之，专看正即速除之。"

《日华子本草》："鹿肉，无毒。补益气，助五脏，生肉贴偏风，左患右贴，右患左贴。头肉治烦懑多梦。"

《食疗本草》："鹿肉，九月后，正月前食之，则补虚羸瘦弱，利五脏，调血脉，自外皆不得食，发冷痛。"

《孙真人食忌》："鹿肉解药毒，不可久食。"

【按语】《病方》谓鹿肉治蛕，后世方书、本草无类似记载。

168　狸皮

【《病方》】　100 行："治蛕，燔狸皮，冶灰，入酒中，饮之。"

【文献摘要】《说文》："狸，伏兽，似貙。"段玉裁注："狸，善伏之兽，即俗所谓野猫。"

《尔雅》："貙似狸。"又云："狸，狐貒貈丑。"

《礼记》："食狸去正脊。"

《淮南方》："狸头治鼠瘘。鼠啮人疮，狸逾之。"

《名医别录》："狸骨，味甘，温，无毒。主风疰、尸疰、鬼疰毒气在皮中，淫跃如针刺者，心腹痛走无常处，及鼠瘘恶疮，头骨尤良。肉疗诸疰。"

《药性论》："狸头骨炒末，治噎病不通食饮。"

孟诜云："炙狸骨和麝香、雄黄为丸服，治痔及瘘疮。"

《日华子本草》："狸骨治游风恶疮，头骨最妙。"

《本草图经》："狸类甚多，以虎斑文者堪用，猫斑者不佳。《华佗方》有狸骨散，治尸疰。肉主疰，可作羹臛食之。"

《肘后方》："治鼠瘘肿核痛，若已有疮口脓血出者，取猫一物，理作羹如食法，空心进之。"

《外台秘要》："治痔发疼痛，狸肉作羹食之，良。"

【按语】《病方》谓狸皮治蛕，后世方书、本草无类似记载。

169　猪肉

【《病方》】　404 行："戚食（蚀），猪肉肥者……"

【文献摘要】《说文》："猪，豕而三毛丛尻者。"段玉裁注："三毛丛尻，谓一孔生三毛也，今之豕皆然。"

《尔雅·释兽》："豕子，猪。"

《方言》："猪，关东、西谓之彘。燕、朝鲜之间谓之豭。南楚谓之豨。吴、扬谓之猪。"

《玉篇》："猪，豨之总名。"

《名医别录》："豭猪肉，味酸，冷，疗狂病。凡猪肉味苦，主闭血脉，弱筋骨，虚人肌，不可久食。病方金疮者尤甚。"

《本草经集注》："猪肉不宜食，人有多食，皆能暴肥。"

《食疗本草》："猪肉，味苦，微寒，压丹石，疗热。闭血脉，虚人，动风，不可久食。"

陈藏器云："猪肉寒，主压丹石，解热宜肥，热人食之，杀药动风。"

《日华子本草》："猪，凉，微毒。肉疗水银风。久食令人虚肥，动风气。"

《金匮要略》："猪肉共羊肝和食之，令人心闷。"又云："猪肉和葵食之少气。"

《千金方》："被打头青肿，炙猪肉热揾之。"

【按语】 《病方》谓猪肉治蛫食，后世方书、本草无类似记载。

170　豶矢

【《病方》】　316 行："阑（烂）者，浴汤热者熬豶矢，渍以盬（醯）封之。"317 行："阑（烂）者，以汤大热者熬豶矢，以酒挐封之。"380 行："鬈，唾曰：'涂若以豕矢。'"

【文献摘要】　《说文》："豶，豕也。后蹄废谓之豶。"段玉裁注云："废，钝置也。豶之言滞也。豕前足仅屈伸，后足行步蹇劣，故谓之废。"

《说文》："豕，豶也。"段氏注："《小雅》传曰：'豕，猪也。'"

《尔雅·释兽》："豕子，猪。"

《方言》："猪，关东、西谓之豶。"

按：豶、豕皆为猪的异名。

《名医别录》："猪屎，主寒热，黄疸，温痹。"

《本草经集注》："猪屎汁，疗温毒热。"

孟诜曰："母猪粪一升，宿浸去滓，顿服，治毒黄热病。"

《肘后方》："小儿头生白秃，发不生，腊月猪屎烧末傅之。"

【按语】 《病方》以猪屎治烂者，后世方书、本草未载此用法。

171　野豶肉

【《病方》】　99 行："治蚖，煮鹿肉若野豶肉，食［之］，歠（歠）汁。"

【文献摘要】《唐本草》:"野猪黄,味辛、甘,平,无毒。主金疮,止血。生肉,疗癫痫。水研如枣核,日二服,效。"

《食疗本草》:"野猪,主补肌肤,令人虚肥。胆中有黄,研如水服之,治痓病。其肉尚胜诸猪。"又云:"齿作灰服,主蛇毒""野猪肉胜家猪也。又胆治恶热毒邪气"。

《食医心镜》:"野猪主久痔,野鸡下血不止,肛边痛。"

《日华子本草》:"野猪主肠风泻血,炙食不过十顿。"又云:"野猪肉食胜圈豢者。"

《本草图经》:"野猪黄主金疮。"

【按语】《病方》谓野猪肉治蚖,后世方书、本草无类似记载。

172　鼢鼠

【《病方》】　23行:"令金伤毋痛方,取鼢鼠,干而冶……取三指撮一,入温酒一杯中而饮之。"

【文献摘要】《说文》:"鼢,地中行鼠,伯劳所化也,一曰偃鼠。"

《尔雅》:"鼠属,鼢鼠。"郭璞注:"地中行者。"

《广雅》:"鼹鼠,鼢鼠。"

《庄子·逍遥游》:"偃鼠饮河,止于满腹。"

《名医别录》:"鼹鼠,味咸,无毒。主痈疽诸瘘蚀恶疮,阴蜃烂疮。在土中行,五月取,令干,燔之。"

《本草经集注》:"鼹鼠,俗中一名隐鼠,一名鼢鼠,形如鼠,大而无尾,黑色长鼻甚强,常穿耕地中行,讨掘即得。"

《本草拾遗》:"鼹鼠肉,主风。久食主疮疥痔瘘。膏堪摩诸恶疮。"

按:鼹鼠有同名异物者。《本草图经》云:"兽类中一种,名鼹鼠,似牛而鼠首,足黑色,大者千斤,多伏于水,又能堰水放沫,出沧州及胡中。彼人取其肉食之,皮可作秋鞯用,是二物一名也。"

【按语】《本草衍义》云:"鼹鼠,鼢鼠也,其毛色如鼠。今京畿田中甚多,脚绝短,但能行,尾长寸许,目极小,项尤短。"《病方》谓鼢鼠能令金伤无痛,但后世本草无类似记载。

173　牡鼠

【《病方》】　264 行："血痔，以溺熟煮一牡鼠，以气熨。"

【文献摘要】　《说文》："鼠，穴虫之总名也，象形。"《说文解字系传·通释》："鼠，上象齿，下象腹爪尾，鼠好啮伤物，故象齿。"段玉裁注云："鼠，上象首，下象足尾。"

《名医别录》："牡鼠，微温，无毒。疗踒折，续筋骨，捣傅之，三日一易。四足及尾，主妇人堕胎易出。肉，热，无毒。主小儿哺露大腹，炙食之。"

《本草经集注》："牡鼠，父鼠也。鼠目，主明目，夜见书术家用之。腊月鼠，烧之辟恶气，膏煎之，疗诸疮。"

孟诜云："腊月新死鼠一枚，油一大升煎之，使烂，绞去滓，重煎成膏，涂冻疮及折破疮。"又云："牡鼠，主小儿痫疾，腹大贪食。"

陈藏器云："雄鼠脊骨末长齿，多年不生者效。"

《日华子本草》："鼠，凉，无毒。治小儿惊痫疾，以油煎令消，入蜡，傅汤火疮，生捣署折伤筋骨。"

《本草图经》："牡鼠肉，主骨蒸劳极，四肢羸瘦，杀虫，亦主小儿疳瘦。腊月取鼠，以油煎为膏，疗汤火疮灭瘢。"

《葛氏方》："鼠瘘溃烂，鼠一枚，乱发一鸡子大，以三岁腊猪脂煎，令消尽，以半涂之，以半酒服。"

《肘后方》："蛇骨刺人痛甚，用死鼠烧傅。"

《千金方》："治痈疮中冷，疮口不合，用鼠皮一枚，烧为灰，细研，封疮口上。"

《外台秘要》："治鼻中外查瘤，脓血出者，正月取鼠头烧作灰，以腊月猪膏傅疮上。"

【按语】　牡鼠，陶弘景云"父鼠也"，即雄鼠。《病方》以牡鼠治血痔，后世方书、本草以鼠治鼠瘘、痈疮不合、鼻中外查瘤脓血出者，两种用法略相似。

174　牡鼠矢

【《病方》】　349 行："治痂，燔牡鼠矢，冶，以善醯膳而封之。"

【文献摘要】　牡鼠即雄鼠。《本草经集注》："牡鼠，父鼠也，其矢两头尖，专疗劳复。"

《名医别录》："牡鼠粪，微寒，无毒。主小儿痫疾，大腹，时行劳复。"

《日华子本草》："雄鼠粪头尖硬者，是治痫疾，明目，葱豉煎服，治劳复。"

《本草图经》："牡鼠粪，主伤寒劳复。张仲景《伤寒论》及古今各方多用之。"

《肘后方》："食马肝中毒，取牡鼠矢二七枚，两头尖者是，水和饮之，未解者更作。"

《千金方》："治鼠瘘，以新鼠屎一百粒，置密器中五六十日，杵碎，即傅疮孔。"

《外台秘要》："治劳复方，用鼠屎头尖者廿一枚，豉五合，水二升，煮取一升，顿服。"

《梅师方》："治狂犬咬人，取鼠屎二升，烧末，研傅疮上。"

【按语】《病方》以牡鼠屎外用治痂，《千金方》以鼠屎外用治鼠瘘，两书所载用法略相似。

第十一类　鱼类药（3种）

175　鳣鱼血　　　　176　鲋鱼　　　　　177　鱥鱼

175　鳢鱼血

【《病方》】 130 行："白瘢，取丹沙与鳢鱼血，若以鸡血，皆可……"341 行："治痂，冶亭磿、莁夷，熬叔□□皆等，以牡□膏、鳢血善。[先] 以酒洒，燔朴炙之，乃傅。"

【文献摘要】 鳢的同名异物者有四，即鲤鱼、鳇鱼、鱣（鳝）鱼、鼍。

（1）鲤鱼。《说文》："鳣，鲤也。"段玉裁注云："郑曰：'大鲤也。'盖鲤与鳣，同类而别异……凡鲤曰鲤，大鲤曰鳣。"《尔雅》："鲤，鳣。"舍人注云："鲤，一名鳣。"《诗经·卫风·硕人》："鳣鲔发发。"《毛传》云："鳣，鲤也。"

（2）鳇鱼。《山海经·东山经》："碧阳之水，其中多鳣鲔。"郭璞注："鲔即鱏也，似鳣而长鼻，体无鳞甲，一名鳇也。"郝懿行疏云："鳣鱼，一名鲟鳇鱼，鳣鲔同类，故亦同名。"郭璞注《尔雅·鳣》云："今江东呼为黄鱼。"黄鱼即鳇矣。陆玑云："鳣身形似龙，锐头，口在颔下，背上腹下皆有甲，纵广四五尺，今于孟津东石碛上钓取之，大者千余斤。"郭璞注《尔雅》云："鳣，大鱼，似鱏而短鼻，口在颔下，体有邪行甲，无鳞，肉黄，大者长二三丈，此即今江中及关东之黄鱼也。"陈藏器云："鳣鱼肝，无毒。主恶疮疥癣，勿以盐炙食……今明鳇鱼体有三行甲，上龙门化为龙也。"

（3）鱣（鳝）鱼。陈藏器引《魏武四时食制》："鱣，鳣鱼，大如五斗，躯长一丈，即鳣鱼也。"又云："古书云有多用鳣鱼字为鱣，既长二三丈，则非鱣鱼，明矣。"按陈藏器所云，鱣亦曾为鳣的异名。《说文》："鱣，鱣鱼也。"段玉裁注："今人所食之黄鳝也……各本此下有'皮可为鼓'四字，由古以鼍皮冒鼓……《吕览》等皆假鱣为鼍，而妄增，今删正。"

（4）鼍。《证类本草》卷20"鳣鱼"条引陈藏器云："《本经》以鳣为鼍仍足鱼字，殊为误也。"从陈藏器所云来看，《神农本草经》以鳣为鼍的异名。

【按语】 《说文》《尔雅》《毛传》均释鳣为鲤鱼，陆玑、郭璞释鳣为鳇鱼，陈藏器、李时珍皆从陆玑、郭氏所注，以鳣鱼为鳇鱼。

《病方》的成书时间在秦汉以前，与《尔雅》等成书时间相近，故《病方》中所用鳣鱼似为鲤鱼。

176 鲋鱼

【《病方》】 249 行："牝痔，取溺五斗，以煮青蒿大把二，鲋鱼如手者七，冶桂六寸，干姜二颗，十沸……以熏痔。"

【文献摘要】 《说文》："鲋，鲋鱼也。"

《楚辞·大招》："煎鰿膗雀。"王逸注："鰿，鲋也。"《广雅》云："鰿，鲋也。"

《山海经·东山经》："泚水，其中多茈鱼，其状如鲋。"

《吕氏春秋》："鱼之美者，有洞庭之鲋。"

刘逵注《吴都赋》引郑注云："所生无大鱼，但多鲋鱼耳。"

《名医别录》："鲫鱼，一名鲋鱼""鲫鱼，主诸疮，烧以酱汁和涂之，或取猪脂煎用，又主肠痈"。

《俾雅》："鲫鱼旅行，以相即也，故谓之鲫；以相附也，故谓之鲋。"

孟诜云："鲫鱼，平胃气，调中，益五脏，和莼作羹食，良。骨，烧为灰，傅䘌疮上，三五度差。"

陈藏器云："鲫鱼肉，主虚羸，五味熟煮食之。鲙亦主赤白痢及五野鸡病。"

《蜀本草》："鲫鱼，味甘温，止下痢，多食亦不宜人。"

《日华子本草》："鲫鱼，平，无毒。温中下气，补不足，作鲙疗肠澼，水谷不调及赤白痢。烧灰以傅恶疮，良。酿白矾烧灰治肠血痢。"

《肘后方》："恶核肿结不散，捣鲫鱼以傅之。"

《外台秘要》："患肠痔，大便常有血，食鲫鱼羹及随意任作饱食。"

【按语】 鲋鱼即鲫鱼。《外台秘要》谓鲫鱼治肠痔，陈藏器谓鲫鱼主野鸡病（痔的异名），此与《病方》谓鲋鱼治痔的说法相同。

177 彘鱼

《病方》23 行:"令金伤毋痛方,取鼢鼠,干而冶;取彘鱼,燔而冶。"

书中"彘鱼"注②云:"彘鱼,疑即《名医别录》鮧鱼,彘、鮧,古脂部字,音近相通。"该注表明两字音近相通,故疑彘鱼为鮧鱼。

鮧鱼是什么鱼呢?

《名医别录》云:"鮧鱼,味甘,无毒。主百病。"陶弘景注:"鮧鱼,此是鳀(音题)也,即是鲇。"《唐本草》注:"鮧鱼,一名鲇鱼,一名鳀鱼。"《本草纲目》云:"鮧鱼,古曰鳀,今曰鲇;北人曰鳀,南人曰鲇。鱼额平夷低偃,其涎黏滑。"

鲇,即鱼纲鲇科的鲇。体延长,前部平扁,后部侧扁。灰黑色。无鳞,皮肤富黏液腺。口宽大,有 2 对须。眼小。背鳍 1 个,很小;臀鳍长,与尾鳍相连;胸鳍具 1 硬刺。分布于我国各地淡水中。肉味美。如果鮧鱼是鱼纲鲇科的鲇鱼,则《病方》中的彘鱼亦是鲇科的鲇鱼。

另外从字义相近的角度考虑,疑彘鱼为豚鱼。《说文》云:"彘,豕也。"《广韵》谓豕子曰豚。《方言》云:"猪,其子或谓之豚。"根据以上文献记载可知,彘、豚是猪的异名,彘即豚,疑彘鱼即豚鱼。

文献中无豚鱼之名。具有豚鱼含义的动物有河豚、江豚、海豚。此 3 种动物自古就有,但它们的名称因时代不同而各异。现就这 3 个名称讨论如下。

(1) 河豚。五代后蜀时期成书的《蜀本草》和五代吴越时期成书的《日华子本草》分别载有河豚。

《蜀本草》所记载的河豚不一定是今日有毒的河豚,可能是鮠鱼的别名。《证类本草》卷 20 "鮧鱼"条引《蜀本草·图经》云:"鮧鱼有三种:口腹具大者名鳠;背青而口小者名鲇;口小背黄腹白者名鮠,一名河豚。三鱼并堪为臛,美而且补。"此文中提到"鮠,一名河豚"。按:河豚有毒,而鮠鱼无毒,二者不可能是同一物。鮠(音为),《集韵》:"鮠,鱼名,鳡之小者。"《本草纲目》卷 44 "鮠鱼"条云:"北人呼鳠,南人呼鮠。"《本草拾遗》云:"鮠鱼,味甘平,无毒,不腥。作鲊白如雪。隋朝吴都进鮠鱼干鲙。生海中,大如石首。"据《本草拾遗》所载,鮠是无毒的。

今日的鮠鱼是鱼纲鲿科(鮠属)的鮠鱼(*Leiocassis longirostris* Gunther),体延长,前部平扁,右部侧扁,浅灰色,吻圆突,口腹位,具 4 对须。眼小,体无鳞。

《证类本草》卷20"鮧鱼"条所绘鮠鱼图与今日的鮠鱼形态相同。由此可见,《证类本草》"鮧鱼"条下所讲的鮠鱼绝非今日的河豚。

根据《本草拾遗》《本草纲目》所载,鮠鱼无毒。《证类本草》卷20中所绘鮠鱼图和今日鮠科鮠鱼形态相同,故推测鮠鱼和河豚不是同一物。《蜀本草·图经》说"鮠鱼一名河豚",此处的河豚可能是鮠鱼的别名,并非是指真正有毒的河豚。

《日华子本草》所讲的河豚即是指今日有毒的河豚。《日华子本草》云:"河豚有毒。"又云:"胡夷鱼,凉,有毒。煮和秃菜食,良。毒以芦根及橄榄等解之;肝有大毒。又名鮂鱼、鯢鱼、吹肚鱼也。"《开宝本草》云:"河豚,味甘,无毒。主补虚,去湿气,理腰脚,去痔疾,杀虫。江、河、淮皆有。"

《开宝本草》说河豚无毒。《本草衍义》曾批评道:"河豚,《经》言无毒,此鱼实有大毒,味虽珍,然修治不如法,食之杀人,不可不慎也……然此物多怒,触之则怒气满腹,翻浮水上,渔人就以物撩之,遂为人获,橄榄及芦根汁解其毒。"

《日华子本草》和《本草衍义》所讲的河豚乃是真正鲀科动物的河豚。

但是在五代吴越时期以前,河豚不称河豚,而称侯鮧或鮧鲐(音怡),或称鮭(音圭),或称鯢(音圭),这可从古代文献对河豚的描述了解之。

唐代孟诜的《食疗本草》对河豚的描述较详细,该书收载的鮧鮧即是河豚。《食疗本草》云:"鮧鮧鱼,有毒。不可食之。其肝毒杀人。若中此毒及鲈鱼毒者,便剉芦根煮汁饮解。又此鱼行水之次,或自触着物,即怒气胀,浮于水上,为鸱雏所食。"按《食疗本草》的描述,鮧鮧即是河豚。

鮧鮧的名称最早载于《金匮要略》。《金匮要略》云:"食鮧鮧鱼中毒方:芦根煮汁服之,即解。"《孙真人食忌》亦云:"鮧鮧鱼,勿食肝,杀人。"鮧鮧又名侯鲐。《文选·吴都赋》云:"王鲔侯鲐。"《说文》云:"鲐,海鱼也。"段玉裁注:"鲐,亦名侯鲐,即今之河豚也。"据此可知,《吴都赋》所讲的侯鲐亦是河豚。

《山海经·北山经》:"敦薨之水,其中多赤鲑。"郭璞注:"赤鲑,今名鮧鲐为鲑(音圭)鱼。"可见《山海经》中所说的赤鲑亦是河豚。

《论衡》:"万物含太阳火气而生者,皆有毒。在鱼则鲑与鲅鲰,故鲑肝死人,鲅鲰螫人。"该文中的"鲑肝死人"与《食疗本草》"鮧鮧鱼"条中的"其肝杀人"的意思相同,故《论衡》中所讲的鲑当指河豚。《本草拾遗》云:"鯢鱼肝及子有大毒。一名鹕夷鱼。以物触之即嗔(怒也),腹如气球。亦名嗔鱼。腹白,背有赤道。江海中并有之,海中者大毒,江中者次之。人欲收其肝子毒人,则当反被其噬，用芦根汁解之。此物毒疾，非药所及。"

《本草拾遗》中的鳈鱼和《食疗本草》中的鲦鮧都有河豚的特点，如肝有毒、杀人、芦根汁能解其毒、触物嗔怒、腹部气胀等。河豚内脏及血液有剧毒，遇敌时腹部即膨胀如球。

综上所述，在古代河豚有很多异名，《山海经》称其为赤鲑，《论衡》称其为鲑，《金匮要略》称其为鲦鮧，《文选·吴都赋》称其为侯鲐，《日华子本草》始称其为河豚。河豚是鲀科鱼类的俗称。体圆筒状，牙呈板状，背鳍1个，无腹鳍，无鳞或有刺鳞，有气囊，吸气能膨胀。河豚的种类很多，常见的有虫纹东方鲀（*Takifugu vermicularis*）、弓斑东方鲀（*Takifugu ocellatus*）和暗色东方鲀（*Fugu obscurus*）等。

（2）江豚。古代文献称江豚为鱴、鲮鮆、溥浮、鯆鱼、鲆鱼。兹将有关文献摘录如下。

《山海经·北山经》："少咸之山，敦水出焉，其中多鲆鲆之鱼。"郭璞注："鲆音沛，或作鱴。"《本草纲目》根据《山海经》中所载"鲆鲆鱼，食之杀人"的内容，认为鲆鲆鱼即是河豚。《中药大辞典》从《本草纲目》，亦视鲆鲆鱼为河豚。

《埤仓》："鲮鮆，鯆鱼也，一名江豚，多膏多肉。"《说文》："鯆，鱼也，有两乳，一曰溥乳。"《广雅》："鱴浮，鯆也。"《酉阳杂俎》："奔鮆，有两乳在腹下。"《玉篇》："鱴鮆鱼，一名江豚，欲风则踊。"《本草拾遗》云："江豚，状如豚，鼻中为声，出没水上。"（见《证类本草》卷20"海豚鱼"条）《太平御览》卷939引《魏武四时食制》："鮆，鲆鱼，黑色，大如百斤猪，黄肥不可食。"清代毕沅注《山海经》云："鲆，即鯆鱼也，一名江豚。"

将上述各文献所载内容联系起来看，鲆鱼、鯆、鲮鮆、溥浮都是江豚的异名。从《说文》《玉篇》《本草拾遗》《太平御览》所载江豚的形态来看，江豚是哺乳纲鼠海豚科江豚属（*Neophocaena*）动物，体形似鱼，长1m左右，全身灰黑色。江豚生活在长江口一带，有时溯江至洞庭湖。

（3）海豚。《证类本草》卷20引"陈藏器余"云："海豚鱼，味咸，无毒。主飞尸、蛊毒、瘴疟。作脯食之，一如水牛肉，味小腥耳。皮中肪，摩恶疮，疥癣，痔瘘，犬马痾疥，杀虫。生大海中，候风潮出，形如豚，鼻中声，脑上有孔，喷水直上，百数为群。人先取得其子，系著水中，母自来，就而取之。其子如蠡鱼子，数万为群。常随母而行。"

按：海豚，即哺乳纲海豚科（Delphinidae）的海豚，其体形似鱼，有背鳍，嘴尖，上、下颌各有 94～100 枚尖细的齿，常群游海面。

在河豚、江豚、海豚 3 种豚中，究竟哪一种豚是《病方》中所说的羕鱼（豚鱼）？这 3 种豚的体形都似鱼，都生活在海中，唯河豚、江豚有时溯长江而上，游入洞庭湖。《病方》出于湖南，则《病方》中所说的羕鱼（豚鱼）很可能是河豚或江豚。河豚的名称最早见于五代吴越时期成书的《日华子本草》。而江豚的名称最早见于三国魏张揖所著的《埤仓》。各文献所载的江豚都因其具有猪的形态而命名。而江豚常溯江而上，游入洞庭湖，故古代楚国人见到江豚生于水中，其形似鱼又似猪，故以"羕鱼"名之。《孟子》《山海经》称猪为"羕"，而《病方》中所载名物与《山海经》又相近，故疑《病方》中所说的羕鱼即豚鱼，也就是今日的江豚。

第十二类　虫类药（16种）

178 嬴牛

【《病方》】 182 行："瘅，取嬴牛二七，薤一扸，并以酒煮而饮之。"

【文献摘要】 《说文》："蜗，嬴也；嬴，蜾蝓也。"《玉篇》云："蜾蝓，蜗牛也。"

《尔雅·释鱼》："蚹嬴，蜾蝓。"郭璞注："即蜗牛也。"《广雅》云："蠡嬴，蜗牛，蜾蝓也。"

《周礼·醢人》："共蠯嬴蚳，以授醢人。"郑注云："嬴，蜾蝓也。"

《尚书大传》："钜定嬴。"郑注云："嬴，蜗牛也。"

《山海经·西山经》："丘时之水，其中多嬴母。"郭璞注云："即蠑螺也。"郝懿行疏云："案蠑螺，即仆累。"

《山海经·中次三经》："青要之山，南望墠渚，是多仆累。"郭璞注云："仆累，蜗牛也。"

按郭璞所注，嬴牛当是蜗牛。

《庄子》云："战于蜗角。"

《名医别录》云："蜗牛，味咸，寒。主贼风㖞僻，踠跌，大肠下，脱肛，筋急，及惊痫。"

《本草经集注》云："蜗牛，俗呼为瓜牛，生山中及人家，头形如蜾蝓，但背负壳尔。"

《药性论》云："蜗牛有小毒，能治大肠脱肛，生研取服，止消渴。"

《日华子本草》云："蜗牛，冷，有毒。治惊痫等。"

《本草图经》："蜗牛涎主消渴。"

《本草纲目》："蜗牛，治小儿脐风撮口，利小便。"

《简易方》："小便不通，蜗牛捣贴脐下，以手摩之，加麝香少许更妙。"

【按语】 蠃音螺。古人将蜗牛、蛞蝓（延游、鼻涕虫）统称为蠃。郭璞注《尔雅》和《山海经》谓蠃即蜗牛。按，蠃、蜗2字古书通用，如《周礼·仪礼》载有蠃醢（音海，肉酱也），《礼记·内则》载有蜗醢，故蠃牛即蜗牛。

《病方》谓蠃牛治瘻，后世方书谓蜗牛治小便不通，书中所言功效相同。

179 蚕卵、冥蚕种

【《病方》】 203行："治颓，炙蚕卵，令篓篓黄，冶之，三指撮至节，入半杯酒中饮之，三四日。"216行："治颓，以冥（幎）蚕种方尺，食衣白鱼一七，长足二七，熬蚕种令黄，靡取蚕种冶……"

【文献摘要】 《说文》："蚕，吐丝虫也。"

《尔雅》："蟓，桑茧也。"郭璞注："食桑叶作茧者，即今蚕。"

《尚书·禹贡》："桑土既蚕。"

《淮南子》："原蚕一岁再登，非不利也。然王法禁之者，为其残桑是也。"

冥蚕种的冥即幎。《说文》云："幎，幔也。"段玉裁注："幎，谓蒙其上也。《周礼》注曰：'以巾覆物曰幎。'"幎蚕种，即蚕蛾产卵于布上，又名蚕子布。《千金翼方》卷5治妇人断产方中用"蚕子布一尺"。后世以纸代布，称其为蚕纸，亦名蚕连。

《日华子本草》云："蚕布纸，平。治吐血，鼻洪，肠风泻血，崩中，带下，赤白痢，傅丁肿疮。入药炒用。"

《嘉祐本草》云："蚕退，主血风病，益妇人，一名马鸣退。近世医家多用蚕退纸。"

《本草衍义》云："蚕退纸，谓之蚕连，亦烧灰用之，治妇人血露。"

《百一方》："凡狂发欲走，或自高贵称……或悲泣呻吟者，以蚕纸作灰，酒水任下，差。疗风癫也。"

《集验方》："治缠喉风，及喉痹，牙宣，牙痛，口疮，并小儿走马疳。蚕退纸不计多少，烧成灰存性，右炼蜜和，丸如鸡头大含化咽津。牙宣，牙痛，揩龈上。口疮干傅患处。小儿走马疳，入麝香少许，贴患处佳。"

【按语】《病方》谓蚕卵治颓，后世方书、本草未见类似记载。《武威汉代医简》第56简中载有蚕矢，但未载蚕卵。

180　蜂卵

【《病方》】　212 行："治癫，阴干之旁逢卵，以布裹□□。"

【文献摘要】　《说文》："蜂，飞虫螫人者。"

《尔雅》："土蜂，木蜂。"郭璞注："今江东呼大蜂在地中作房者为土蜂，啖其子，即马蜂，荆、巴间呼为蟺。"郭又注云："木蜂似土蜂而小，在木上作房，江东人呼为木蜂，人食其子。"

《方言》："蜂，燕、赵之间谓之蠓螉，其小者谓之蠮螉。"

《广雅》："蠓螉，蜂也。"

《礼记·内则》："庶羞雀鷃蜩范。"郑注云："范，蜂也。"

《礼记·檀弓》："范则冠。"郑注云："范，蜂也。"

《楚辞》："玄蜂若壶。"

《山海经·海内北经》："昆仑东北有大蜂，其状如螽。"

《神农本草经》："蜂子，味甘，平。主风头，除蛊毒，补虚羸，伤中。大黄蜂子主心腹胀满痛，轻身益气。土蜂子，主痈肿，一名蜚零。"

《名医别录》："蜂子，微寒，无毒。主心腹痛，大人小儿腹中五虫口吐者，面目黄。大黄蜂子，主干呕。土蜂子，主嗌痛。"

《本草经集注》云："蜂子，即应是蜜蜂子也，取其未成头足时，炒食之。"

陈藏器："蜂子，主丹毒风疹，腹内留热，大小便涩，去浮血，妇人带下，下乳汁。此即蜜房中白如蛹者。"

【按语】　《病方》谓蜂卵治癫，后世本草无类似记载。

【附】　丰卵

【《病方》】　236 行：颓（癫），夕毋食，旦取丰卵一，渍美醯一杯，以饮之。

【文献摘要】

对于丰卵的解释有两种。

（1）释为蜂子。《病方》236 行注①："蜂卵，应即蜂子。"此释可疑。《病方》203 行载以蚕卵治癫，取量为"三指撮至节"，所取卵数至少有数百枚，而《病方》236 行所取"丰卵一"，蜂卵极小，仅用一枚难以奏效。

（2）释为丰满的大卵。丰有丰满、肥大的意思。

《广雅·释诂》："丰，满也。"

《诗经·郑风·丰》："子之丰兮。"《毛传》曰："丰，丰满也。"

《方言》：“凡物之大貌曰丰”。

《文选·宋玉赋》：“貌丰盈以庄姝兮。”释文：“丰盈，肥满也。”

《病方》236 行言取“丰卵一”，是指取大的卵一个。此条与《病方》202 行治癫“破卵音（杯）醯中，饮之”所用的卵疑是同一种卵。

【按语】 对于丰卵的解释有两种：一释为蜂子，二释为丰满的大卵。蜂子太小，仅取一枚不能奏效。《病方》236 行所用的丰卵当是大的鸟卵，与《病方》202 行治癫所用的卵相同。

181 食衣白鱼

【《病方》】 216 行：“治癫，以冥蚕种方尺，食衣百鱼一七，长足二七。熬蚕种令黄，靡取蚕种，冶，亦靡白鱼……”

【文献摘要】 《说文》：“蟫，白鱼也。”段玉裁注：“今衣书中白虫，有粉如银者是也，一名蛃鱼。”

《尔雅》：“蟫，白鱼。”郭璞注：“衣书中虫，一名蛃鱼。”

《尔雅翼》：“蟫，衣书中虫，始则黄色，既老而身有粉，视之如银，故名曰白鱼，今俗呼蠹鱼。”

《广雅》：“白鱼，蛃鱼也。”

《周礼》：“翦氏掌除蠹物。”郑注：“物，穿入器物者，蠹鱼亦是也。”

《玉篇》：“蟫，白鱼也。”

陆玑云：“芷兰藏衣著书中，辟白鱼也。”

《诗义疏》：“兰草藏衣著书中，辟白鱼也。”

《通志略》：“衣鱼，亦谓之蠹鱼，以能蠹衣尝书帙，亦谓之蛃鱼，亦谓之蟫。”

《神农本草经》：“衣鱼，味咸，温。主妇人疝瘕，小便不利，小儿中风项强背起，摩之，一名白鱼。”

《名医别录》：“衣鱼，疗淋，堕胎，涂疮灭瘢，一名蟫。”

《本草经集注》云：“衣鱼，衣中乃有，而不可常得，多在书中，亦可用于小儿淋闭，以摩脐及小腹，即溺通也。”

《药性论》：“衣中白鱼，使，有毒。利小便。”

孙真人：“卒患偏风，口喎语涩，取白鱼摩耳下，喎向左摩右，向右摩左，正即止。”

《子母秘录》：“治妇人无故遗血溺，衣中白鱼卅个，内阴中。”

【按语】 食衣白鱼，即蛀书的蠹鱼虫，银白色，其异名有衣鱼、白鱼、蠹鱼、蛃鱼、蟫。《病方》以白鱼治癫，《神农本草经》以白鱼主疝瘕，两书用法相同。

182 长足

【《病方》】 215 行："治癫，以冥蚕种方尺，食衣白鱼一七，长足二七，熬蚕种令黄，靡取蚕种冶，亦靡白鱼、长足……"

【文献摘要】 《尔雅·释虫》："蟏蛸，长踦。"郭璞注："小蜘蛛长脚者，俗呼为喜子，东山云蟏蛸在户是也。"

《诗经·东山》："蟏蛸在户。"陆玑疏："蟏蛸，长踦，一名长脚。荆州河内人谓之喜母。"《毛诗陆疏广要》："蟏蛸名长踦，小如蜘蛛而足长，喜结网当户，人触之，则伸前后足如草，使人不疑为虫，故名长踦。"

《古今注》："长蚑，蟏蛸也，身小足长，故谓长蚑。"

《淮南子·齐俗训》："男女切踦，肩摩于道。"高诱注云："踦，足也。"

按蟏蛸即蜘蛛，长踦即长足。所以长足即是蜘蛛。

《名医别录》："蜘蛛，微寒。主大人小儿㿉。七月七日取其网，疗喜忘。"

《唐本草》注云："《别录》云：'蜘蛛疗小儿大腹丁奚三年不能行者。'又主蛇毒，温疟，霍乱，止呕逆。"

《日华子本草》："蜘蛛，冷，无毒。治疟疾，丁肿。"

《本草图经》："蛇啮者，破蜘蛛涂其汁。小儿腹疳者，蜘蛛烧熟啖之。"

《金匮要略》："阴狐疝气者，偏有大小，时时上下，蜘蛛、桂枝为散，取八分一七，饮和服。"

《肘后方》："若口㖞僻者，取蜘蛛子摩其偏急颊车上，候视正则止，亦可向火摩之""若疮多而孔小，是为蚁瘘，烧蜘蛛二七枚，傅，良"。

《外台秘要》："崔氏治瘊目，以蜘蛛网丝绕缠之自落。"

【按语】 长足即长脚小蜘蛛。《名医别录》以蜘蛛主大人、小儿㿉，《金匮要略》用蜘蛛治阴狐疝气，以上用法皆与《病方》用蜘蛛治癫相似。

183 地胆虫

【《病方》】 246 行："治痔，龟脑与地胆虫相半和，以傅之。"

【文献摘要】 《广雅》："地胆、虻要、青蘦、青蟊。"

《神农本草经》：“地胆，味辛，寒。主鬼疰，寒热，鼠瘘，恶疮，死肌，破癥瘕，堕胎。一名蚖青。”

《吴普本草》：“地胆，一名元青，一名杜龙，一名青虹。”

《名医别录》：“地胆，有毒。蚀疮中恶肉，鼻中息肉，散结气石淋，去子，服一刀圭即下。一名青蛙。”

《本草经集注》云：“地胆，状如大马蚁，有翼。伪者即斑猫所化，状如大豆。”

《唐本草》注：“地胆，形如大马蚁者、今见出邠州者是也。”

《蜀本草·图经》云：“地胆，二月、三月、八月、九月草菜上取之，形倍黑色。”

《药性论》：“地胆，能宣出瘰疬根，从小便出。上亦吐之，治鼻衄。”

《武威汉代医简》第 44～45 简：“治心腹大积上下行如虫状大蕙方：班蝥十枚，地胆一枚，桂一寸，凡三物皆并治，合和，使病者宿毋食，旦饮药一刀圭，以肥美丳亏，十日壹饮药，如有徵当出，从。”

【按语】《神农本草经》谓地胆主鼠瘘、恶疮、死肌，《名医别录》谓地胆能腐蚀疮中恶肉，此与《病方》谓地胆治痔的说法相似。

184 赤蝎

【《病方》】 340 行：“治痂，刑赤蝎，以血涂之。”

【文献摘要】《说文》：“赤，南方火也。”段氏注：“郑注《易》曰：‘朱深于赤。’按赤色至明，引申之，凡洞然昭著皆曰赤。如赤体谓不衣也，赤地谓不毛也。”《说文》又云：“蝎，蜥蜴，蝘蜓，守宫也。在草曰蜥蜴，在壁曰蝘蜓。”

《尔雅》：“蝾螈，蜥蜴；蜥蜴，蝘蜓；蝘蜓，守宫也。”

《广雅》：“蛤解、蚗蝇、蚵蚕、蜥蜴也。”

《方言》：“守宫，秦晋西夏谓之守宫，或谓之刺易。南楚谓之蛇医，戒谓之蝾螈。东齐海岱谓之螔蝓，北燕谓之祝蜓。”

《诗经·小雅》：“胡为虺蜴。”《传》云：“蜴，螈也。”

《古今注》：“蝘蜓，一名龙子，一曰守宫，善上树捕蝉食之。其长细五色者，名为蜥蜴。”

《神农本草经》云：“石龙子，味咸，寒。主五癃邪结气，破石淋，下血，利小便水道，一名蜥蜴。”

《名医别录》："石龙子，一名山龙子，一名守宫，一名石蜴。"

《本草经集注》云："其类有四种……小形而五色尾青碧可爱，名断蜴。"

《唐本草》注："其名龙子及五色者并名蜥蜴。"

《本草衍义》："石龙子，蜥蜴也。今人但呼为蜥蜴，大者长七八寸，身有金碧色。"

【按语】 赤蝎，按《注文》注，洞然昭著曰赤，赤蝎当是颜色鲜明的蜥蜴，即《本草衍义》所云身有金碧色的蜥蜴。《病方》谓赤蝎血治痂，后世本草无类似记载。

185 庆良（蜣螂）

【《病方》】 346 行："治痂，寿（捣）庆（蜣）良（螂），膳以醯，封而炙之，虫环出。"347 行："治痂，取庆（蜣）良（螂）一斗，去其甲足，以乌喙五颗，擘大如李，并以截□斗煮之，汔，以傅之。"

【文献摘要】 《说文》："螂，渠螂，一曰天社。"《广雅》："天社，蜣螂也。"《玉篇》："蜣螂，啖粪虫也。"

《尔雅》："蛣蜣，蜣螂。"

《庄子》："蛣蜣之智，在于转丸。"《尔雅翼》："蜣螂以足拨取粪，顷之成丸，相与迁之。其一前行，以后两足曳之。其一自后而推致焉。"

《神农本草经》："蜣螂，味咸，寒。主小儿惊痫，瘈疭，腹胀寒热，大人癫疾狂易。一名蛣蜣，火熬之良。"

《名医别录》："羌螂，有毒。手足端寒，肢满贲豚。"

《唐本草》注引《名医别录》云："捣为丸，寒下部，引痔虫出尽，永差。"

《药性论》："蜣螂，主小儿疳虫蚀。"

陈藏器云："治蜂瘘，烧蜣螂，末，和醋傅之。"

《柳州救三死方》云："唐元和十一年，得丁疮，凡十四日，日益笃，善药傅之，皆莫能知，长乐贾方伯教用蜣螂心，一夕而百苦皆已。其法一味，贴疮半日许，可再易，血尽根出，遂愈。"

《肘后方》："若大赫疮已炙之，以羌螂干者末之，和盐水傅疮四畔周围如韭叶阔狭。"

《外台秘要》："治病疡风，取涂中死蜣螂杵烂之，当揩令热封之一宿差。"

【按语】 《病方》以蜣螂治痂，后世方书载有类似用法，如用蜣螂治虫蚀、蜂瘘、丁肿、大赫疮、疬疡风等。

186　丘引矢

【《病方》】　62 行：“犬噬人伤者，取丘引矢二升，以井上瓮鏖处土与等，并熬之，而以美［醢］□□□□之，稍垸，以熨其伤。犬毛尽，傅伤而已。”

【文献摘要】　蚯蚓的蚓或作螾。

《说文》：“螾，侧行者。”郑注《考工记》云：“郤行，螾属。侧行，蟹属。”

《尔雅》：“螼螾，蜸蚕。”郭璞注：“即蜿（蜿）蟺也。江东呼寒蚓。”

《广雅》：“蚯蚓，蜿蟺，引无也。”

《淮南子·说山训》：“螾，无筋骨之强。”高诱注：“螾，一名蜷蟺也。”

《古今注》：“蚯蚓，一名蜿蟺，一名曲蟺。”

《神农本草经》：“白颈蚯蚓，味咸寒。主蛇瘕，去三虫，伏尸，鬼疰，蛊毒，杀长虫，仍自化作水。”

《名医别录》：“白颈蚯蚓，疗伤寒伏热，狂谬，大腹黄胆，一名土龙。”

《本草经集注》云：“蚯蚓屎呼为蚓蝼。干蚯蚓熬作屑，去蛔虫甚有验也。”

《唐本草》注云：“蚯蚓屎，封狂犬伤毒，出犬毛，神效。”

《日华子本草》云：“蚯蚓屎，治蛇、犬咬并热疮。并盐研傅小儿阴囊忽虚热肿痛。”

《千金方》：“治齿断宣泄，蚯蚓屎，水和为泥，火烧令极赤，研之如粉，腊月猪脂和傅上。”

【按语】　《病方》以蚯蚓矢治犬噬人伤者。后世本草载有类似用法。

187　蝙蝠

【《病方》】　435 行：“□蛊者，燔蝙蝠以荆薪，即以食邪者。”

【文献摘要】《说文》：“蝙，蝙蝠，服翼也。”

《尔雅》：“蝙蝠，服翼。”

《方言》：“蝙蝠，自关而东谓之服翼，或谓之飞鼠，或谓之老鼠，或谓之仙鼠。自关而西，秦、陇之间谓之蝙蝠。北燕谓之蟙䘃。”

《神农本草经》：“伏翼，一名蝙蝠，味咸，平。主目瞑，明目，夜视有精光。久服令人喜乐媚好无忧。”

《名医别录》："伏翼，主痒痛，疗淋，利水道。"

《本草经集注》云："伏翼目及胆，术家用为洞视法。"

《唐本草》注云："伏翼，以其昼伏有翼尔。《李氏本草》云：'即天鼠也。'"

《药性论》："伏翼，微热有毒。服用治五淋。"

陈藏器云："伏翼，取倒悬者晒干，和桂、薰陆香为末，烧之，蚊子去，取其血滴目，令人不睡，夜中见物。"

《日华子本草》："蝙蝠，久服解愁。"

《鬼遗方》："治金疮出血内瘘，蝙蝠二枚，烧烟尽，末，以水调服方寸匕，令一日服尽，当下如水血消也。"

《百一方》："治久咳嗽上气。蝙蝠除翅足，烧令燋，末，饮服之。"

【按语】 《病方》谓蝙蝠能治蛊，方书、本草无类似记载。

188　牡蛎

【《病方》】　162～164 行："痒，牡厉、毒堇冶三……冶厉……"

【文献摘要】 《说文》："蛤，蜃属，有三，皆生于海。厉，千岁雀所化，秦人谓之牡厉。"

《神农本草经》："牡蛎，味咸，平。主伤寒寒热，温疟洒洒惊恚，怒气，除拘缓，鼠瘘，女子带下赤白。久服强骨节，杀邪鬼，延年。一名蛎蛤。"

《名医别录》："除留热在关节荣卫，虚热去来不定，烦满，止汗，心痛，气结，止渴，除老血，涩大小肠，止大小便，疗泄精，喉痹，咳嗽，心胁下痞热。一名牡蛤。"

《本草经集注》云："道家方以左顾者是雄，故名牡蛎。"

《药性论》："牡蛎，主女子崩中，止盗汗，除风热，止痛。"

孟诜云："牡蛎，火上炙令沸，去壳食之甚美，令人细肌肤，美颜色。"

陈藏器云："牡蛎捣为粉，粉身，主大人小儿盗汗。"

《海药》云："牡蛎，主男子遗精虚劳乏损，补肾正气，止盗汗，去烦热。"

《肘后方》："治疽疮骨出，黄连、牡蛎各二分为末，先盐洒洗后，傅。"

《初虞世方》："治水癫偏大、上下不定疼痛，牡蛎煅二两，干姜一两炮，为细末，冷水调，稀稠得所，涂病处，小便大利，即愈。"

【按语】 《初虞世方》谓牡蛎治水癫，当小便大利即愈。此与《病方》以牡蛎治痒，其义相近。

189　全虫蜕

【《病方》】　223 行："治颓（癫）初发，伛挛而末大者［方：取］全虫蜕一，□□□，皆燔……酒饮财足以醉。"

【文献摘要】　《说文》："虫，一名蝮。"又云："它，虫也，从虫而长，象冤曲垂尾形。"

《尔雅·释鱼》："蝮，虫。"郭璞注："此自一种蛇。"

《说文》："蜕，蛇、蝉所解皮也。"

全虫蜕，即完整的蛇蜕皮。

《山海经·中山经》："来山多空夺。"郭璞注云："蛇皮脱也。"

《神农本草经》云："蛇蜕，味咸，平。主小儿百廿种惊痫瘛疭，癫疾寒热肠痔虫毒蛇痫，火熬之良。一名龙子衣，一名蛇符，一名龙子单衣，一名弓皮。"

《名医别录》云："蛇蜕，主弄舌摇头，大人五邪，言语僻越，恶疮，呕咳，明目，一名龙子皮""蛇蜕，烧之，疗诸恶疮"。

《唐本草》注："蝮蛇蜕皮，主身痒痛疥癣等。"

《药性论》云："蛇蜕有毒，主百鬼魅，兼治喉痹。"

《食疗本草》："蛇皮主去邪，明目，治小儿一百廿种惊痫，寒热肠痔蛊毒，诸蜃恶疮，安胎熬用。"

陈藏器："蛇蜕主疟。"

《日华子本草》："蛇蜕治病疡白癜风，煎汁傅。"

《肘后方》："小儿初生月蚀疮及恶疮，烧末和猪脂傅上。"

《千金方》："治恶疮十年不差似癞者，烧全蛇蜕一条为末，猪脂和傅上。"

【按语】　全虫蜕即全蛇蜕。《病方》以全虫蜕治癫，后世方书、本草无类似记载。

190　蛇

【《病方》】　439 行："病蛊者，以乌雄鸡一、蛇一，并直（置）瓦赤铺（鬴）中，即盖以□，□东乡（向）灶饮之，令鸡、蛇尽焦，即出而治之。令病者每旦以三指三撮药入一杯酒，若鬵（粥）中而饮之，日壹饮。"

【文献摘要】　《说文》："它，虫也，从虫而长，象冤曲垂尾形，上古草居患它，故相问无它乎。"

《庄子·达生》："养鸟者宜栖之深林，食之以委蛇。"

《楚辞·招魂》："蝮蛇蓁蓁。"王逸注云："蝮，大蛇也。"

《山海经·中山经》："宣余之水，其中多蛇。"又云："海内西经，开明南有蝮蛇。"

《诗经·小雅·斯干》："为虺为蛇。"《毛诗正义》引舍人《尔雅注》："蝮，一名虺，江淮以南曰蝮，江淮以北曰虺。"

《吴语》："为虺弗摧，为蛇将若何。"韦昭注："虺小，蛇大也，蝮者毒螫伤人之名。"

《汉书·田儋传》："蝮蠚手则断手，蠚足则斩足，何者？为害于身也。"

《论衡·言毒篇》："蝮有利牙，龙有逆鳞。"又云："阴物柔伸，故蝮蛇以口啮。"

陶弘景云："蝮蛇黄黑色，黄颔尖口，毒最烈。虺（音悔）形短而扁，毒不异于蚖，中人不即疗多死。"又云："蝮蛇肉酿作酒，疗癞疾诸瘘，心腹痛，下结气，除蛊毒。"

《食疗本草》："蝮蛇主诸蜃，肉疗癞诸瘘，下结气，除蛊毒。"

《本草拾遗》："蝮蛇，形短，鼻反，锦文，亦与地同色。著足断足，着手断手，不尔合身糜溃。"又云："蝮蛇酒主大风及诸恶风恶疮，瘰疬，皮肤顽痹，半身枯死。"

【按语】 《病方》以蛇治蛊毒，但未言明蛇的种类。古代文献中所言蛇多指蝮蛇。《名医别录》《食疗本草》皆用"蝮蛇除蛊毒"，此与《病方》所载内容相同。

191 龟齟

【《病方》】 246 行："牡痔，□龟齟（脑）与地胆虫相半，和，以傅之。"

【文献摘要】 《说文》："龟，旧也。外骨内肉者也。"

《广雅》："介，龟也。"高诱注《淮南子》云："龟壳，龟甲也。"

《病方》247 行注②云："齟，即脑字，类似写法见《考工记》、《墨子》及《睡虎地秦墓竹简》中的《封诊式》。"按，《说文》脑作𦜆。

龟齟即龟脑。

《神农本草经》："龟甲，味咸，平。主漏下，赤白，破癥瘕痎疟，五痔，阴蚀，湿痹，四肢重弱，小儿囟不合，一名神屋。"

《名医别录》："龟甲，头疮难燥，女子阴疮及惊恚气，心腹，不可久立，骨中寒热，伤寒劳复，或肌体寒热欲死，以作汤良。"

《唐本草》注："龟，取以酿酒，主大风缓急，四肢拘挛，或久瘫缓不收摄，皆差。"

《食疗本草》："龟甲，疗五痔，阴蚀，湿痹，女子阴隐疮。"

《日华子本草》："败龟治血麻痹，入药酥炙用，又名败将。"

刘涓子鼠瘘方："以龟壳，甘草炙，桂心、雄黄、干姜、狸骨炙，捣，蜜丸，内疮中。"

《肘后方》："治久咳上气，生龟去肠，水五升，煮取三升，以渍曲酿，秫米四升，如常法熟，饮二升。"

【按语】 龟齿即龟脑，《病方》以龟脑治痔，《神农本草经》和《食疗本草》以龟甲治五痔。

192 蠸

【《病方》】 137 行："［□蠸者］，□□以蠸一入卵中□□□□之。"

【文献摘要】 《说文》："蠸，虫也。一曰大螫也。"段玉裁注云："螫者，行毒也。大螫者，大行毒也。"

《尔雅》："蠸，与父，守瓜。"郭璞注："今瓜中黄甲小虫，喜食瓜叶，故曰守瓜。"

《庄子·至乐》释文引司马云："蠸，亦虫名也。《尔雅》云：'一名守瓜。'"

《集韵》释蠸为大螫，《病方》以蠸一入卵中，一个大螫怎能塞入卵中？

【按语】 按郭璞所注，蠸是黄甲小虫。按《说文》云："蠸，一曰大螫也。"段玉裁注："大螫，即虫大行毒也。"疑蠸者是指被毒虫螫伤者。

193 蜕

【《病方》】 86 行："蛭食（蚀）人胻股，釜（鬵）蜕，傅之。"

【文献摘要】 《说文》："蜕，蟹也。"又云："蟹有二螯八足，旁行，非蛇鲜之穴无所庇。"《大戴礼记·劝学》："蟹，二螯八足，非虵蚓之穴，无所寄也。"

《尔雅》："蜪泽，小者蟧。"郭璞注："或曰即蝥蜪也，似蟹而小。"

《广雅》："蜅蟹，蜕也。"

《集韵》："蛫，蟹六足者。"

《山海经》："即公之山有兽焉，其状如龟而白身赤首，名曰蛫，可以御火。"

《玉篇》："蛫曾似龟白身赤首。"

《神农本草经》："蟹，味咸，寒。主胸中邪气，热结痛，㖞僻，面肿，败漆烧之致鼠。"

《名医别录》："蟹，有毒。解结，散血，愈漆疮，养筋益气。"

《本草拾遗》云："蟹脚中髓及脑并壳中黄，并能续断绝筋骨，取碎之，微熬内疮中，筋即连也。石蟹形段不同，其黄傅久疽疮，无不差者。"

《本草图经》："蟹之类甚多，六足者名蛫，四足者名北，皆有大毒，不可食。"

《百一方》："疥疮，杵蟹，傅之亦效。"

【按语】 蛫，《说文》释为蟹，《山海经》释为兽。《病方》中的蛫当指蟹而言。后世方书、本草无蟹能治蛭蚀的记载。

第十三类 器物、物品类药（30种）

194 襦颈

【《病方》】 172 行："瘅，以酒一音（杯），渍襦颈及头垢中，令佛而饮之。"

【文献摘要】《说文》："襦，短衣也，一曰曅衣。"段氏注："按，襦若今之袄短者。"

《方言》："襦，西南蜀汉之间谓之曲领。"

《急就篇》："袍襦表里曲领裙。"颜师古注："短衣曰襦，自膝以上。"

《广雅》："领、颈，项也。"段玉裁注《说文》云："《硕人》《桑扈传》曰：'领，颈也。'《释名》《国语》注同。"《庄子·马蹄》释文："颈，领也。"

【按语】 襦颈，即短衣领。《病方》谓襦颈治瘅，后世方书、本草无类似记载。

195 女子布

【《病方》】 253 行："牝痔，取女子布，燔，置器中，以熏痔。"201 行："癫，渍女子布，以汁亨（烹）肉，食之，歙（歠）其汁。"314 行："阑（烂）者，渍女子布，以汁傅之。"436 行："蛊者，燔女子布，以饮。"232 行："癫，□［取］女子月事布，渍，炙之令温……"

【文献摘要】《博物志》："取妇人月水布裹虾蟆于厕前一尺，入地五寸埋之，令妇不妒。"

《本草拾遗》云："经衣，主惊疮血涌出，取经衣炙熨之。又烧末傅疮狼伤疮。烧末酒服方寸匕，日三，主箭镞入腹。"

孙真人云："治聚血兼箭镞在胸喉，烧妇人月经衣，酒服。"

《证类本草》引扁鹊云："治阴阳易伤寒，烧妇人月经衣，熟水服方寸匕。"

《千金方》："治一切肿毒，用胡燕窠土、鼠垄土、榆白皮、栝楼根，等分为末，以女人月经衣，水洗取汁和傅肿上，干即易之。"

《梅师方》："治丈夫热病差后交接复发，忽卵缩入腹，腹中绞痛欲死，烧女人月经衣赤衣为灰，熟水调方寸匕服。"

【按语】 女子布、女子月事布，方书、本草称 2 者为月经衣，或简称为经衣。《病方》谓女子布治牝痔、癫、蛊、烂者，后世方书、本草所载经衣主治与此略异。

196 女子初有布

【《病方》】 441 行："蛊，渍女子未尝丈夫者［布］□□音（杯），冶桂入中，令毋臭，而以□饮之。"

【文献摘要】 孙真人云："治霍乱困笃，取童女月经衣和血烧灰，和酒服方寸匕。"

【按语】 女子初有布，方书名童女月经衣。《病方》用以治蛊，方书无此记载。

197 死者叕

【《病方》】 211 行："稹（癫）及瘿，取死者叕烝（蒸）之，而新布裹……"

【文献摘要】《病方》211 行注②："叕，疑读为餟、腏、祭饭。"《说文》："叕，缀联也。"段玉裁注："联者，连也。"

《说文》："餟，祭酹也。"《集韵》："酹，祭酒也。"

《说文》："腏，挑取骨间肉也。"

【按语】 叕疑读为餟或腏。若按《说文》释餟为"祭酒"，则无法解释《病方》211 行内容。《病方》211 行云："取死者叕蒸之，而新布裹。"酒无法用布裹。若按《说文》释腏为"骨间肉"，则死者腏即为死者骨间肉，肉蒸后可以用布裹。受封建观念影响，中国人一般不将死人的部分组织用作药，不过这种观念是尊孔以后才形成的，在未尊孔前，有将死人的部分组织用作药的记载，如《病方》240 行治牡痔时用燔死人头，《病方》357 行治痂时用燔死人胻骨。《病方》211 行所言取死者腏疑是取死者骨间肉之义。对于这种用法，后世方书、本草皆未记载。

198　敝褐

【《病方》】　313 行："阑者，燔敝褐，冶，布以傅之。"

【文献摘要】　《说文》："褐，编枲（麻）袜，一曰粗衣。"又云："袜，足衣也。"

《诗经》云："无衣无褐。"

《孟子》云："许子衣褐。"注云："褐，毛布贱者之服。"

《荀子》："竖褐不完。"注云："童竖之褐。"

《急就篇》："印角褐袜巾。"颜师古注："褐，织毛为衣，或曰粗衣也。"又云："袜，足衣也，一曰褐，谓编枲（麻）为袜也。"

【按语】　褐的含义有三：一指麻袜，一指粗衣，一指织毛为衣。《病方》所用敝褐可能是破旧的毛织衣服。盖毛燔烧后可变成类似血余炭的药物，有收敛止血之功。《孟子》注和颜师古注皆云褐为毛织的衣服，故敝褐当为破旧的毛织衣服。后世方书、本草均无敝褐的记载。

199　敝蒲席

【《病方》】　102 行："尤（疣），取敝蒲席若藉之弱（蒻），绳之，即燔其末，以久（灸）尤（疣）末，热，即拔尤（疣）去之。"

【文献摘要】　《说文》："蒲，水草也，或以作席。"段氏注："《周礼》祭祀，席有蒲筵。"

《诗经·大雅》："维笋及蒲。"

《山海经·东山经》："孟于之山，其草多蒲。"

《东方朔传》："孝文皇帝莞蒲为席。"

《格物总论》："蒲草丛生，多种于田间，茎长者可六七尺，三脊无叶如薤，二、三月生苗，八、九月收，可为席。"

按，敝蒲席即本草的败蒲席。

《名医别录》："败蒲席，平。主筋溢，恶疮。"

《本草经集注》云："烧之蒲席，惟魟家用，状如蒲帆尔。人家所用，皆是莞草，而荐多是蒲。"

《唐本草》注："席、荐一也，皆人卧之，以得人气为佳。青齐间人谓蒲荐为蒲席，亦曰蒲盖，谓藁作为荐尔。山南、江左机上织者为席，席上重厚者为荐。"

《药性论》："败蒲席，亦可单用，主破血，从高坠下损瘀在腹刺痛，此蒲合卧破败者良。"

陈藏器云："编荐索，主霍乱转筋，烧作黑灰，服二指撮，酒服佳。"

《千金方》："五色丹，俗名遊肿，蒲席烧灰，和鸡子白涂之。"

《外台方》："治坠下瘀血在腹，取蒲灰二钱酒服。"

【按语】 敝蒲席即败蒲席。《病方》以敝蒲席制为绳以灸疣，后世方书、本草无此记载。

200　藉之翡

【《病方》】 102 行："尤（疣），取敝蒲席若藉之弱（翡），绳之，即燔其末，以久（灸）尤（疣）末，热，即拔尤（疣）去之。"

【文献摘要】 《字汇》："藉，荐也。"《唐本草》注："席、荐一也，皆人卧之，以得人气为佳。青齐间人谓蒲荐为蒲席，亦曰蒲盖，谓藁作为荐尔。山南江左机上织者为席，席下重厚者为荐。"

《说文》："翡，蒲子，可以为平席，世谓之蒲翡。"段玉裁注："蒲子者，蒲之少者也。凡物之少小者谓之子。此用蒲之少者为翡。"

《考工记》注："今人谓蒲本在水中者为弱，弱即翡，翡必婑，故蒲子谓之翡。"

《说文解字系传·通释》："锴以为翡即根上初生萌叶时壳也。"

【按语】 藉之翡，藉是荐，翡是蒲子，即蒲之少者为翡。藉之翡，即是蒲荐上柔弱的蒲翡，可将其搓成绳，燃其一端，以灸疣。

后世方书《范汪方》云："作艾炷著疣目上灸之，三炷即除。"该书所用方法与《病方》用蒲翡为绳以灸疣的方法相同。

201　荆箕

【《病方》】 359 行，痂方："取三岁织（职）猪膏，傅之。燔胏（腐）荆箕，取其灰□□三□□[巳]。令。"

【文献摘要】 《说文》："箕，所以簸者也。"又云："簸，扬米去糠也。"《篇海》："箕，簸箕，扬米去糠之具。"

《诗经》："维南有箕，不可以簸扬。"

《礼记·曲礼》："凡为长者粪之礼，必加帚于箕上，弟子取曰执箕。"

《急就篇》："筳箄箕帚筐箧篓。"颜师古注云："箕，可以簸扬及去粪。"

《方言》："箕，陈、魏、宋、楚之间谓之籮。"又云："少康初作箕帚。"《广韵》引《世本》云："箕帚，少康作。"

【按语】 箕原是用竹或柳编成，今用荆制成，故名荆箕。本草未载荆箕可作药。

202　枲絮、枲垢

【《病方》】 37行："诸伤，风入伤，伤痏痛，治以枲絮为独□□□伤，渍□□□□□桡膏煎汁□□□沃，数□注，下膏勿绝，以欧（驱）寒气。"209行："取枲垢，以艾裹，以久（灸）颓（癀）者中颠，令阑（烂）而已。"

【文献摘要】 各文献对枲的解释如下。

（1）释为麻的通称。《尚书·禹贡》："青州厥贡，岱畎丝枲。"《尔雅·释草》："枲、麻。"《氾胜之书》："种枲太早，则刚坚厚皮多节。"

（2）释为粗麻。《急就篇》云："绤纻枲缊裹约缠。"颜师古注云："枲，粗麻也。"

（3）释为麻的加工过程。《周官》："典枲，职掌布缌缕纻麻草之物。"《礼记·内则》："女子执麻枲。"

（4）指无实麻。《尔雅翼》云："麻之属总名麻，别而言之，有实者名苴，无实者名枲。"《急就篇》："稻黍秫稷粟麻秔。"王应麟补注云："麻有苴、枲二种，苴麻有蕡者。蕡，实也。"《仪礼·丧服传》："牡（雄）麻，枲麻也。"

（5）枲实指麻子。《尔雅》："蕡，枲实。"《说文》："葩，枲实，或作蕡。"《神农本草经》："麻蕡，味辛，平。主五劳七伤，利五脏，下血寒气。多食令见鬼狂走，久服通明轻身，一名麻勃。"又云："麻子，味甘，平。主补中益气，肥健不老。"

《名医别录》："麻蕡有毒，破积，止痹，散脓。此麻花上勃勃者，七月七日采良。"又云："麻子，无毒，主中风汗出，逐水，利小便，破积血，复血脉，乳妇产后余疾，长发，可为沐药。久服神仙，九月采，入土者损人，生泰山川谷。"

【按语】 絮原以乱丝为之，装入衣被以御寒。后来用乱绒状麻代替乱丝为絮，称为枲絮，作为衣被的填充物，以供防寒之用。

《病方》将枲絮沾上热油膏注入患处，以驱寒气。这里的枲絮仅作为工具使用，与《神农本草经》《名医别录》将麻蕡作为药使用完全不同。

《病方》中所用的枲垢应为麻秸。麻秸即收割的麻全茎，将它放在水中沤，待麻全茎外皮沤烂，剥去外皮（即沤成熟的麻纤维），剩下的光杆茎名麻秸。麻秸晒干后，因其质地疏松，故极易燃烧。将艾裹在麻秸上，可做成类似今日艾条的东西，点燃后可以灸用。

203 陈槀

【《病方》】 178 行：“瘅，坎方尺有半，深至肘，即烧陈膏其中，令其灰不盈半尺，薄洒以美酒……以隧下。”428 行：“涿（瘃）；先以黍潘孰洒涿（瘃），即燔数年［陈］槀，［取］其灰，冶□□□傅涿（瘃）。”

【文献摘要】 《说文》：“槀，秆也。”又云：“秆，禾茎也。”

《众经音义》引《仓颉篇》云：“槀，禾秆也。”

《集韵》：“槀，枯禾也。”《正字通》：“槀，禾枯也。”

杜预注《左传》云：“秆，槀也。”

《广雅》云：“秆、稇、秸，槀也。”又云：“稻穰谓之秆。”

《广雅疏证》云：“楚于职方属荆州，其谷宜稻，所谓秆者，稻穰也。今江淮间谓稻秆为穰草，以炊饭，亦以饲马牛。”

【按语】 按《说文》槀即秆，秆即禾茎，《广雅》亦谓秆即槀，稻穰亦谓之秆，故槀的含义有二：广义的槀指禾茎，狭义的槀指稻穰，即稻草。

王念孙认为楚属荆州，荆州产稻，稻穰名秆，槀是秆的别名。《病方》出于长沙，长沙为古楚国，则《病方》中的陈槀当指陈旧的稻草而言。《病方》言将陈槀点燃以热熏。《本草拾遗》谓稻草能治黄病。

204 藙之茱萸

【《病方》】 89 行：“虺，以产豚豪（藙）麻（磨）之。”179 行：“瘅，茜荚一、枣十四、豪（藙）之茱臾、椒，合而一区……”

【文献摘要】 《说文》：“藙（音毅），煎茱萸。汉律会稽献藙一斗。”

《玉篇》《集韵》谓藗即藙，二者同义异字。

《说文通训定声》：“藙，即本草之吴茱萸，其实名藙，煎之，亦即称藙耳。”

《神农本草经》云："吴茱萸，一名藙。"

《义疏》："煎茱萸，今蜀郡作之，九月九日取茱萸，折其枝，连其实，广长四五寸，一升实，可和十升膏，名之藙也。"

205 蠯（蜜）、蜂

【《病方》】 174 行："瘅，取枣种粗屑二升，葵种一升，合挠，三分之……浚取其汁，以蠯（蜜）和，令才甘，寒温适，［以］饮之。"362 行："加（痂）方，财冶犁（藜）卢，以蜂骀（蜂骀）弁和之，即孰□□□□加（痂）□而已。"

【文献摘要】 《说文》："蠯，蜂甘饴也。"段玉裁注云："饴者，米糵煎也。蜂作食，甘如之。凡蜂皆有蠯。"据《说文》所云蜜为甘饴，则蜂蜜即蜂饴（骀），故推测饴、骀古通用。《淮南子·地形训》："淄出目饴。"《左传·襄公四年》："冬十月，邾人、莒人伐鄫，臧纥救鄫侵邾，败于狐骀。"杜预注云："鲁国蕃县东南有目饴亭。"清代洪亮吉云："狐骀即目饴。"此即饴、骀通用的例证。

《山海经·中次六经》："平逢之山，有骄虫，是为螫虫，实为蜂蜜之庐。"郭璞注云："言群蜂之所舍集。"

《方言》："蜂大而蜜者，谓之壶蜂。"郭璞注云："今黑蜂穿竹木作孔，亦有有蜜者。"

《神农本草经》云："石蜜，味甘，平。主心腹邪气，诸惊痫痓，安五脏，诸不足，益气补中，止痛解毒，除众病，和百药，一名石饴。"又云："蜜蜡，味甘，微温。主下痢脓血，补中，续绝伤，金疮。"

《名医别录》云："石蜜，无毒，微温。养脾气，除心烦，食饮不下，止肠澼，肌中疼痛，口疮，明耳目。"又云："白蜡疗久泄澼后重，见白脓，补绝伤，利小儿，久服轻身不饥。"

陶弘景云："石蜜即崖蜜，高山岩石间作之；又木蜜呼为食蜜，悬树枝作之；又有土蜜于土中作之。"《文选》陆机赋："朱蓝崖蜜。"

《唐本草》注云："今京下白蜜如凝酥甘美；又有以水牛乳煎沙糖作者，亦名石蜜，此即蜂作，宜去石字。"

陈藏器云："蜜主牙齿疳蠯，唇口疮，目肤赤障，杀虫。"

《武威汉代医简》第 3～4 简："治久咳上气，喉中如百虫鸣状卌岁以上方：柴胡、桔梗、蜀椒各二分，桂、乌喙、姜各一分，凡六物治，合和，丸以白蜜，大如樱桃，昼夜含三丸，消咽其汁，甚良。"第 29 简："石钟乳二分，巴豆二分，二者二分，凡三物，皆冶，合，丸以蜜，大如吾实。宿毋食，旦吞三丸。"第 80 简："治久咳逆上气汤方：紫菀七束，门冬一升，款东一升，橐吾一升，石膏半升，白□一束，桂一尺，蜜半升，枣卅枚，半夏十枚，凡十物，皆父且。"第 83 简："公孙君方：樊石二分半，牡曲三分，禹余粮四分，黄芩七分，蘖米三分，厚朴三分，凡六物皆冶，合和，丸以白蜜，丸大如吾实，旦吞七丸，餔吞九丸，暮吞十一丸。服药十日知，小便数多，廿日愈。"

《葛氏方》："男子阴疮损烂，白蜜涂之。"又云："治杂物鲠方，好蜜以匕抄，稍稍咽，令下。"又云："治卒食噎不下，取蜜含之，即立下。"

《姚氏方》："疗黗，白蜜和茯苓涂上，满七日愈。"

《肘后方》："比岁有病时行，仍发疮，头面及身，须臾周匝，状如火疮，皆戴白浆。取好蜜通身上摩，亦可以蜜煎升麻，并数数食。"

《千金方》卷 2 中载有治妊娠腹中痛方：顿服一升蜜良。

【按语】 蠠或作蜜。《病方》以蜜治癃，后世方书、本草均未载此用法。《名医别录》《本草拾遗》并谓蜜治口疮，《肘后方》谓蜜治男子阴疮损烂及天花疮，此与《病方》谓蜜治痂的说法相似。

206　醯、醋、苦酒

【《病方》】　378 行："颐痈者，冶半夏一，牛煎脂二，醯六……以傅。"274 行："雎（疽）始起，取商牢渍醯中，以熨其肿处。"280 行："雎未□□□□乌喙十四颗，以美醯半升……"316 行："闌（烂）者，浴汤热者熬蘪矢，渍以醯封之。"127 行："白处方，以美醯□之于瓦𬪩中，渍之……"338 行："加（痂），冶雄黄，以彘膏修，少骰以醯，令其寒温适，以傅之。"346 行："加（痂），捝庆良（蜣螂），膳以醯，封而灸之。"247 行："牡痔，燔小隋（椭）石，淬醯中，以熨。"202 行："颓，破卵音（杯）醯中，饮之。"216 行："颓，以冥蚕种方尺……并以醯二升和，以先食饮之。"236 行："颓，夕毋食，旦取丰（蜂）卵一，渍美醯一杯，以饮之。"161～163 行："瘗，黑叔三升，以美醯三□者……醯寒温适，入中□饮。"189 行："以醯、酒、三汋煮黍稷而饮其汁。"361 行："痂，以水银、谷汁和而傅之，先以潸（醋）修□□□傅。"

【文献摘要】 《说文》："醯，酸也。"又云："酸，酢也。"

《礼记·内则》："和用醯。"注云："醯，酢也。"

《急就篇》："芜荑盐豉醯酢酱。"颜师古注云："醯酢亦一物二名也。"

《左传》："晏子曰醯醢盐梅以烹鱼肉。"

《正字通》："醋，醯别名也。"

《释名》："醋，措也，能措置食毒也。"又云："苦酒淳毒甚者，酢且苦也。"

《名医别录》："醋，味酸、温，无毒。主消痈肿，散水气，杀邪毒。"

《本草经集注》云："醋，亦谓之醯，以有苦味，俗呼为苦酒。"

陈藏器云："醋，破血运，除癥块坚积，消食，杀恶毒，破结气。"

孟诜云："妇人产后血运，取美清醋，热煎，稍稍含之，即愈。"又云："人口有疮，以黄檗皮醋渍含之即愈。"

《日华子本草》云："醋，助诸药力，杀一切鱼肉菜毒。"

《武威汉代医简》第57~58简："千金膏药方：蜀椒四升，芎䓖一升，白芷一升，附子卅颗，凡四物皆冶，父且，置铜器中，用淳醯三升，渍之卒时，取獂猪肪三斤先煎之。治创痈、喉痹、嗌痛。"第70~71简："鼻不利：药用利庐一本，亭磨二分，附子一分，皂荚一分，皆并父且，合和，以醇醯渍卒时，去滓，以汁灌其鼻中。"

《肘后方》云："治痈已有脓当坏，以苦酒和雀屎傅痈头上，如小豆大即穿。"又云："齿痛漱方，大醋一升，煮枸杞白皮一升，取半升含之即差。"

《千金方》："治痈，以醋和豉研如膏，傅痈上，燥则易之。"

【按语】 醯是醋的别名。《病方》中用醋的方子很多，后世方书、本草对醋也有诸多记载。

【附】 醷（酸浆）

【《病方》】 368行："痈首，取茈半斗，细剡（剸），而以善醷六斗……"347行："痂，取庆良（蜣螂）……以醷□斗煮，汔，以傅之。"349行："痂，燔牡鼠矢，冶，以善醷饍而封之。"415行："干瘙，取阑（兰）根、白附，小刌一升，舂之，以醷、沐相半泊之……以傅疥而炙之。"

【文献摘要】 《说文》："醷，酢浆也。"又云："浆，酢浆也。"

郑玄注《礼记·礼运》："酪酢，醷也。"又注《礼记·内则》云："浆酢，醷也。"

《广雅》："酪、醷、酨，浆也。"

《广韵》："醷，酢也。"

《汉书·食货志》："醴醷灰炭。"注云："醷，酢浆也。"《玉篇》："浆，饮也。"

《周礼》："酒正四饮，浆人掌共王之六饮皆有浆。"注云："浆，今之截浆也。"

【按语】 截音代。《说文》谓截即酢浆，又云："酸，酢也。关东谓酢为酸。"酢浆即酸浆。酸浆是一种含醋的东西。醋中所含醋酸的浓度高，故可用来调味。酸浆中所含醋酸的浓度低，故酸浆可作酸味饮料饮用。截是酸浆的别名，醯是醋的别名。

207 酒、醇酒、清酒

【《病方》】 9 行："诸伤，燔白鸡毛及人发……温酒一杯中，饮之。"149 行："人病马不痫者，饮以布⊠酒中饮。"172 行："瘅，以酒一音（杯），渍濡颈及头垢中，令沸而饮之。"182 行："瘅，取蠃二七，薤一拤，并以酒煮而饮之。"185 行："石瘅，三温煮石韦若酒而饮之。"203 行："颓，炙蚕卵……入半音（杯）酒中饮之。"272 行："睢（疽）病，冶白蔹（蔹）……并以三指大最（撮）一入杯酒中，日五六饮之。"341 行："加（痂），冶亭（葶）磿（苈）……以酒洒，燔朴炙之，乃傅。"417 行："干瘙，煮桃，三汋，以为汤……入汤中，又饮热酒其中。"439 行："病蛊者，以乌雄鸡一……每旦以三指三撮药入一杯酒若粥中而饮之。"5 行："诸伤，冶齐□，□淳酒渍而饼之……入三指撮半音（杯）温酒……"26 行："令金伤毋痛，取荠熟干实……醇酒盈一中杯，入药中，挠饮。"43 行："伤胫者，择薤一把，以敦（淳）酒半煮沸，饮之。"141 行："蘚者，以淳酒⊠。"158 行："人病马不痫，以醇酒入□，煮胶……"176 行："瘅，取景天长尺……以淳酒半斗，三汋煮之。"178 行："瘅……薄酒之以美酒。"259 行："冶蘑芜本……渍以淳酒而坑之，大如黑叔而吞之。"286 行："诸疽物初发者，取大叔一斗，熬孰……醇酒一斗淳之，取其汁尽饮之。"299 行："睢（疽），姜、桂、椒……淳酒半斗，煮……"133 行："大带者，以清煮胶，以涂之。"

【文献摘要】《说文》："酒，就也，少康初作秫酒。"

《吕氏春秋》："仪狄作酒。"

《战国策》："帝女仪狄作酒，进之于禹。"

《急就篇》："酤酒酿醪稃秫极程。"颜师古注："古者仪狄作酒。"

《尚书》："若作酒醴，尔为曲糵。"注云："酒则须用曲，醴故用糵。盖酒与醴，其气味甚相远。"《说文》云："醴酒一宿熟也。"《释名》云："醴，酿之一宿而成，有酒味而已。"

《释名》："酒，酉也。酿之米曲酉泽，久而味美也。"

《诗经》曰："有酒湑我。"《素问》云："以妄为常，以酒为浆。"

《名医别录》云："酒，味苦、甘、辛，大热，有毒。主行药势，杀百邪恶毒气。"

陶弘景云："酒，人饮之，使体蔽神昏，是其有毒故也。"

《唐本草》注云："饮葡萄酒，能消痰破癖。"

陈藏器云："酒，杀百邪，去恶气，通血脉，厚肠胃，润皮肤，散冷气，消忧愁，宣言畅意。又酒不可合乳饮之，令人气结。"

《本草衍义》云："古方用酒，有醇酒、清酒、好酒、美酒。"

《武威汉代医简》第12简："治久瘀方：干当归二分，芎䓖二分，牡丹二分，漏芦二分，桂二分，蜀椒一分，虻一分，凡七物皆冶，合，以淳酒和，饮一方寸匕，日三饮。倍痛者卧药中，当出血久瘀。"第13简："治金创止痛令创中温方：曾青一分，长石二分，凡二物皆冶，合和，温酒饮一刀，日三，创立不痏。"第18简："治百病膏药方：蜀椒一升，附子廿果，皆父且，猪肪三斤，煎之五沸，浚去滓。有病者，取大如羊矢，温酒饮之，日三四。"第47简："治伏梁裹脓在胃肠之外方：大黄、黄芩、芍药各一两，消石二两，桂一尺，桑螵蛸14枚，䗪虫三枚，凡七物，皆父且，渍以淳酒五升，卒时煮之三。"

《肘后方》云："治卒肿满方，大鲤一头，醇酒三升，煮食之。"又云："鬼击之病，以淳酒吹两鼻内。"又云："中风体角弓反张，四肢不随，烦乱欲死，清酒合鸡矢白煮饮之。"

【按语】 《病方》中有20余方用到酒，从应用方式来看，多数情况下是将酒用作溶剂，用来煎煮药，或用来送服药物。本草谓酒有毒，能行药势，故《病方》中以酒送服药物。淳酒中含酒精的浓度较高，吹鼻有催醒作用。

208 菽酱之宰（滓）

【《病方》】 242行："痔多孔者，亨（烹）肥豭……菽酱之宰（滓）半，并春，以傅痔空（孔）。"258行："痔者，以酱灌黄雌鸡，令自死，以营裹，涂土炮之。食鸡。"

【文献摘要】 《论语》："不得其酱不食。"

《急就篇》："芜荑盐豉醯酢酱。"颜师古注："酱，以豆合面而为之。以肉曰醢（音海），以骨曰臡（音泥）。"

《广雅》："醯、酬、𩐏、醯、醢、醹、醶，酱也。"

《说文》："酱醢，榆酱也。"又云："醢，肉酱也。"又云："醯，酱也。"

《玉篇》："醯醢，酱也。"

《名医别录》云："酱，味咸、酸，冷利。主除热，止烦满，杀百药热汤及火毒。"

《本草经集注》云："酱，多以豆作，纯麦者少……又有肉酱、鱼酱，皆呼为醢。"

《唐本草》注："又有榆仁酱亦辛美，利大小便，芜荑酱大美，杀三虫。"

《日华子本草》云："酱，无毒。杀一切鱼肉、菜蔬、蕈毒，并治蛇、虫、蜂蚕等毒。"

《食疗本草》云："芜荑酱功力强于榆仁酱，多食落发。"

《肘后方》云："汤火烧灼未成疮，豆酱汁傅之。"

《千金方》云："治指掣痛，以酱清和蜜任多少，温傅之愈。"

【按语】　酱的种类很多，肉酱名醢，一名醯。蚌酱名醢。榆仁酱名酱，一名醢，一名醯。豆酱名酱。《病方》中所说的菽酱之滓当指豆酱。《病方》以酱治痔，后世方书、本草皆未记载此用法。

209　胶

【《病方》】　128 行："白处，煮胶，即置其镉于椒火上，令药已成而发之。"133 行："大带者，以清煮胶，以涂之。"158 行："瘅，以醇酒入口，煮胶……"181 行："瘅，以水一斗，煮胶一升、米一升，孰而啜之。"307 行："阑者，爵蘖米，足取汁而煎，令类胶，即治厚朴和傅。"

【文献摘要】　胶的繁体字作膠。胶有黏合之义。《史记·廉颇蔺相如列传·赵奢》："胶柱鼓瑟。"

《说文》："胶，昵也，以皮作之。"段玉裁注云："弓人说胶曰：'凡昵之类，不能方。'注：'故昵或作樴。'杜子春云：'昵，或为韧，韧亦粘也。'郑玄谓樴为脂膏胝败之胝，胝亦粘也。"

《礼记·考工记》："鹿胶青白，马胶赤白，牛胶火赤，鼠胶黑，鱼胶饵，犀胶黄。"注云："皆谓用其皮，或用角。"

《神农本草经》云："阿胶，味甘，平。主心腹内崩劳极洒洒如疟状，腰腹痛，四肢酸疼，女子下血，安胎。一名傅致胶。"又云："白胶，味甘，平。主伤中劳绝腰痛，羸瘦，补中益气，妇人血闭无子，止痛安胎。一名鹿角胶。"

《名医别录》云："阿胶，微温，无毒。主丈夫小腹痛，虚劳羸瘦，阴气不足，脚酸不能久立，养肝气。"又云："白胶，温，无毒，疗吐血，下血，崩中不止，四肢酸疼，多汗，淋漏，折跌伤损。生云中，煮鹿角作之。"

《本草拾遗》云："凡胶俱能疗风，止泄，补虚。驴皮胶主风为最。"

《药性论》云："阿胶，君。主坚筋骨，益气，止痢。"又云："白胶一名黄明胶，能主男子肾藏气衰虚劳损，妇人服之令有子，能安胎，去冷，治漏下赤白，主吐血。"

《食疗本草》云："黄明胶傅肿四边，中心留一孔，其肿即头自开也。"

《肘后方》云："妊娠卒下血，以酒煮胶二两，消尽，服。"

《千金方》云："治耳中有物不可出，以麻绳剪令头散傅好胶著耳中物上粘之，令相著，徐徐引之令出。"

【按语】 胶的种类很多，《考工记》中载有鹿胶、马胶、牛胶、鼠胶、鱼胶，《神农本草经》中载有阿胶（驴皮胶）。

《病方》单言胶，不知何所指。按《病方》出于长沙，长沙处在中国南方，古称楚国。马、鹿出于中国北方，则《病方》所言胶当非马胶、鹿胶。南方出牛、鱼、犀，则《病方》所言胶可能是牛胶、鱼胶、犀胶，其中以牛胶最为常见，故《病方》所用胶可能是牛胶。

《病方》以胶外用治白处、大带，内服治癃。后世方书也载有类似用法，如《金匮要略》载猪苓汤治渴欲饮水、小便不利等，而猪苓汤由猪苓、茯苓、阿胶、滑石、泽泻等药组成。

210 谷汁

【《病方》】 361 行："痂，以水银、谷汁和而傅之。先以潏 修□□□傅。"

【文献摘要】 谷汁，《病方》361 行注①释为米汤之类。米汤并无治痂的作用，但谷树汁能治癣，治癣与治痂功用相近，故疑《病方》的谷汁或是谷树汁。

《广雅》："谷，楮也。"《诗经·小雅·鹤鸣》："其下维谷。"《毛诗草木疏》云："谷，幽州人谓之谷桑，或曰楮桑。荆、扬、交广谓之谷，中州人谓之楮。"

《名医别录》："楮树皮间白汁，疗癣。"

《日华子本草》："楮树皮斑者是楮，皮白者是谷。"又云："谷树汁傅蛇、虫、蜂、犬咬。"《千金方·痔漏》："凡诸疮癣初生时，或始痛痒，即以种种单方救之，或嚼盐涂之，又以谷汁傅之。"

【按语】 谷是榖的简体字。谷汁，疑是榖树皮间白汁，谷汁能治癣，治癣、治痂功用相近。

211 泽泔 212 黍潘

【《病方》】 365 行："痈自发者，取桐本节所，以泽泔煮▯。"428 行："涿（瘃），先以黍潘孰洒涿（瘃），即燔数〔陈〕藁，取其灰，冶，傅涿（瘃）。"

【文献摘要】 《广雅》："泔、潘，澜也。"

《说文》："澜，潘也。"又云："潘，淅米汁也。"

《一切经音义》："江北名泔，江南名潘。"

《左传·哀十四年》："遗之潘沐。"杜注云："潘，米汁，可以沐头。"

《礼记·内则》："燂潘请靧。"郑注云："潘，米澜也。"

《肘后方》："疗人须发秃落方，麻子仁三升，秦椒二合，置泔汁中一宿，去滓，日一沐，一月长也。"又云："麻子仁三升，白桐叶一把，米泔煮五六沸，去滓，以洗之，数之，则长。"又云："疗人面黧黑……捣羚羊胫骨，鸡子白和傅面干，以白粱米泔汁洗之。"

【按语】 泔、潘是同义异形字。《一切经音义》记载，江北名泔，江南名潘，潘、泔都指米汁。《病方》以泽泔、黍潘治痈、瘃，《肘后方》中亦载有类似用法。

213 饭焦

【《病方》】 424 行："露疕，燔饭焦，冶，以久膏和傅。"

【文献摘要】 《说文》："饭，食也。"段玉裁注云："古只有饭字，后乃分别作飰，俗又作餔，正如浻水，俗作汴也。"

《洪武正韵》："炊谷熟曰饭。"

《急就篇》："饼饵麦饭甘豆羹。"

《释名》："干饭，饭而暴干之也。"

《本草拾遗》云："寒食饭，主灭瘢痕，有旧瘢及杂疮，并细研傅之。饭灰，主病后食劳。"

《食疗本草》："陈廪米，蒸作饭，和酢封肿上立差。"

《食医心镜》："以粱米炊饭食之，主胃脾热中，除渴止痢，利小便，利大肠，治漆疮。秫米饭食之良。"

《肘后方》："治时气病起诸劳复方，烧饭，筛末，服方寸匕，良。"

《葛氏方》："疗身体及腑下狐臭方，炊饭及热丸，以拭腋下臭，七日一如此，即差。"

【按语】 《病方》以饭烤焦，治露疬。陈藏器谓寒食饭主灭瘢痕，将饭烧灰可治病后食劳，《食疗本草》谓米饭和醋能封肿，《食医心镜》谓饭能治漆疮。这些用法和《病方》所载的用法大体相同。

214 黍腏

【《病方》】 240 行："牡痔，取内户旁祠空中黍腏、燔死人头皆冶，以腻膏濡，而入之其空（孔）中。"211 行："瘨（癫）及瘿，取死者叕烝（蒸）之，而新布裹。"

【文献摘要】 《集韵》："腏，祭酹也。"《说文》："酹，餟祭也。"《广韵》："酹，以酒沃地。"

《说文》："餟，祭酹也。"段玉裁注云："西部曰酹，餟祭也。《史记·孝武帝纪》：'其下四方地为餟食。'《史记·封禅书》：'其下四方地为餟食，群神从者。'《汉书·郊祀志》作腏。《方言》：'餟，馈也。'"《说文》："馈，吴人谓祭曰馈。"

【按语】 腏、餟、餟，同馈，音愧，意为祭神鬼。黍腏即用以祭神鬼的食物，又称祭饭。

《病方》以腏（祭饭）治痔、积，后世方书、本草皆未记载此用法。在古代长沙属于楚国。楚国迷信风气盛行，这些迷信思想当然也会渗入医药中，故当时人们用祭祀的食物来治病。

215 腻膏、久膏

【《病方》】 240 行："牡痔，取内户旁祠空中黍腏，燔死人头皆冶，以腻膏濡，而入之其空（孔）中。"357 行："濡痂，死人胻骨，燔而冶之，以识（职）膏☒。"21 行："久伤者，荠杏核中人，以职膏弁，封痏，虫即出。"132 行："大带者，燔熠，与久膏而□傅之。"

【文献摘要】 腻膏、识膏均可释为腪膏，腪即黏的意思。

《礼记·考工记》："弓人相胶。"注云："脂膏腪败。"腪，黏也。

《礼记·考工记》注云："脂者牛羊属，膏豕属。"

《大戴礼记·易本命》："角者无上齿，无角曰膏。"

《尔雅翼》云："古礼脂用葱，膏用薤。脂，羊、牛、麋、鹿之属；膏，犬、豕之属。"

【按语】 有角动物脂肪为脂，无角动物脂肪为膏。臟可释为腪，黏也。臟膏当是陈久、有黏性的无角动物脂肪，如猪膏、豹膏等。

216 久脂

【《病方》】 342 行："加（痂），冶牛膝，燔髦灰等……炙牛肉，以久脂涂其上。"

【文献摘要】 《礼记·内则》："脂膏以膏之。"疏云："凝者为脂，释者为膏。"

《考工记·梓人》注云："脂者牛羊属，膏豕属。"

《大戴礼记·易本命》云："角者无上齿，无角曰膏。"

【按语】 有角动物的脂肪名脂，无角动物的脂肪名膏。脂当是有角动物的脂肪。有角动物脂肪中常见的为羊脂和牛脂。久脂即陈久的有角动物的脂肪，故久脂当是指陈久的牛、羊等的脂肪。久膏即陈久的无角动物的脂肪，如猪脂肪等。关于牛脂、羊脂的功用，详见"牛脂""殺脂"条。

217 猪膏、豕膏、彘膏

【《病方》】

（1）猪膏。328 行："胻膫，取雄式……皆燔冶，取灰，以猪膏和傅。"398 行："虫蚀，燔漏芦，冶之，以牡猪膏☐。"415 行："干瘙，取兰根、白附……而入猪膏……以傅疥而炙之。"

（2）猪煎膏。48 行："婴儿病痫，取雷尾（矢）三颗，冶，以猪煎膏和之。"

（3）织猪膏。织拟释腪。《礼记·考工记》："弓人相胶。"注云："脂膏腪败。"腪，黏也。359 行："痂，取三岁织（腪）猪膏，傅之。"454 行："疕，冶以丹……以猪织膏和，傅之。"

（4）彘膏。38 行："诸伤，治友枭絮……彘膏煎汁。"44 行："伤胫，冶黄黔（芩），甘草相半，即以彘膏财足以煎之。"338 行："加（痂），冶雄黄，以彘膏修……以傅之。"452 行："疕，以彘膏已煎者膏之。"284 行："烂疽，以彘膏未煎者炙消以和□傅之。"

（5）虇职膏。352 行："加（痂），冶蒁夷、苦瓠瓣，并以虇职膏弁，傅之。"355 行："加（痂），取陈葵茎，燔冶之，以虇职膏靸弁，以傅痏。"

（6）豕膏。418 行："干瘙，煮溺二斗，令二升；豕膏一升，冶藜卢二升，同傅之。"412 行："身疕，藜卢二，礜一，豕膏和，而膝以熨疕。"

（7）貒膏。327 行："胕腜，取无夷中核，冶，貒膏以糒，热膏沃冶中，和，以傅。"

【文献摘要】 猪、豕、彘是不同地方的称呼。

《说文》："猪，豕而三毛丛尻者。"段玉裁注："三毛丛尻，谓一孔生三毛也。"

《说文》："猪，羠豕也。"段玉裁注："羠，騬羊也；騬，犗马也；犗，騬牛也。皆去势之谓也。"（去势：指将雄性的睾丸割掉，将雌性的卵巢割掉）

《方言》："猪，关东、西谓之彘，吴、扬谓之猪。"

《礼记·内则》："脂膏以膏之。"疏云："凝者为脂，释者为膏。"

《大戴礼记·易本命》："角者无上齿，无角曰膏。"

郑玄注《考工记·梓人》云："脂者牛羊属，膏豕属。"

《名医别录》："肪膏，主煎诸膏药，解斑猫、芫青毒。"又云："髻膏生发。"

《本草经集注》云："猪脂能悦皮肤，作手膏，不皲裂。"又云："肪膏煎药，无不用之，勿令中水，腊月者历年不坏。"又云："猪膏忌乌梅。"

《唐本草》注云："十二月取猪肪脂，纳新瓦器中，埋地百日，主痈疽。"

《日华子本草》："猪脂治皮肤风，杀虫，傅恶疮。"

《本草图经》："肪膏，主诸恶疮，利血脉，解风热，润肺。"又云："肪膏入膏药，宜腊月取之。"

《武威汉代医简》第 17 简："治百病膏药方，蜀椒一升，附子廿果皆父，猪肪三斤煎之五沸，浚去滓……"第 57～58 简："千金膏药方：蜀椒四升，芎䓖一升，白芷一升，附子卅果，凡四物皆冶，父且，置铜器中，用淳醯三升，渍之卒时，取貒猪肪三斤先煎之。治创痈、喉痹、心腹痛、嗌痛。"

《金匮要略》云："猪脂不可合梅子食之。"

《范汪方》："疗鼠瘘瘰疬病，取腊月猪膏涂之。"

《葛氏方》："治疥疮，猪膏煎芫花涂。"

《肘后方》："治伤寒及时气温病，取猪膏温服。"

【按语】 古代因地区不同，猪的名称各异，吴、扬（长江流域）称其为猪，关东、关西（黄河流域）称其为彘。豕为猪的通名。豮是去势（阉割内生殖器一部分）的猪。

在《病方》创作时期，有角动物的脂肪称脂，无角动物的脂肪称膏。猪是无角动物，故猪的脂肪称膏。但后世方书未按此进行区分，故猪的脂肪或称膏，或称脂，或称肪，或称肪膏，或称肪脂。

《病方》将猪膏或作为配药基质，或作为药物溶剂，或用来洗浴，或用来外敷，这些方法为后世方书、本草所沿用。

218　牛脂、牛煎脂

【《病方》】　372 行："痈，白茝、白衡、菌桂、枯姜、薪萑……已冶五物……取牛脂……"378 行："颐痈，冶半夏一，牛煎脂二，醯六……以傅。"

【文献摘要】　《食疗本草》云："和地黄汁、白蜜作煎服之，治瘦病恐是牛脂也。"

《肘后方》："姚方，取牛脂、胡粉合椒，以涂腋下，一宿即愈，可三两度作之，则永差。"

《外台秘要》："食物入鼻，痛不出，用牛脂一枣大，纳鼻中吸入，脂消，则物随出也。"

【按语】　《病方》以牛脂治痈，颐痈。后世本草未载此用法。

219　羖（羖音古，雄也）脂

【《病方》】　354 行："加（痂），冶乌喙（喙），炙羖脂弁，热傅之。"

【文献摘要】　《礼记·内则》注："凝者为脂，释者为膏。"

《考工记》郑注："脂者牛羊属，膏者豕属。"

《大戴礼记·易本命》："角者无上齿，无角曰膏。"

《山海经·西山经》："钱来之山……有兽焉，其状如羊而马尾，名曰羬羊，其脂可以已腊。"

《唐本草》注："羊肾合脂为羹，疗劳痢甚效。"

《丹房镜源》："羊脂柔银软铜。"

《肘后方》："误吞钉等物，多食肥羊脂、诸般肥肉等，自裹之，必得出。"又云："令面白如玉色方，羊脂、狗脂、甘草、半夏、乌喙等合煎，以白器成涂面。"

《千金方》："治牙齿疳蛋，黑殺羊脂，莨菪子等分，入盆中烧烟，张口薰之。"

《外台秘要》："发背初起，羊脂、猪脂切片，冷水浸贴，热则易之。"

【按语】 殺脂即雄羊脂。古代称有角动物的脂肪为脂。《肘后方》以羊脂合乌喙等煎，涂面令白，此与《病方》以殺脂合乌喙治痂的用法相近。

220　豹膏

【《病方》】 344 行："加（痂）以□脂若（或）豹膏□而炙之。"

【文献摘要】 《说文》："豹，似虎，圜文。"段氏注："豹，文圜。《易》曰，君子豹变，其文蔚也。"《诗经》云："赤豹黄罴。"

《大戴礼记·易本命》："无角者膏。"郑注《礼记·内则》："脂者牛羊属，膏豕属。"可见古代称无角动物如猪、豹等的脂肪为膏，后世并无此称呼。

《名医别录》云："豹肉，味酸、平，无毒。主安五脏，补绝伤，轻身益气，久服利人。"

《食疗本草》云："豹肉久食，令人耐寒暑，脂可合生发膏，朝涂暮生。"

【按语】 《病方》以豹膏治痂，后世方书、本草用豹脂配制生发膏，其用法略相似，均以豹的脂肪外用。

221　蛇膏

【《病方》】 358 行："产痂，先善以水洒，而炙蛇膏令消，傅。"

【文献摘要】 《山海经·中山经》："宣余之水，其中多蛇。"

《说文》：它，虫也，上古草居患它，故相问无它乎？

《名医别录》："蚺蛇膏，平，有小毒。主皮肤风毒，妇人产后腹痛余疾。"

《本草经集注》："蚺蛇膏累累如梨豆子相著，他蛇膏皆大如梅李子。"

《食疗本草》："蚺蛇膏，主皮肉间毒气。"

【按语】 《名医别录》谓蚺蛇主皮肤风毒，《食疗本草》谓蚺蛇膏主皮肉间毒气，此 2 种说法与《病方》谓蛇膏治产痂的说法相似。

222　车故脂

【《病方》】 413 行："干瘙，取犁（藜）卢二齐，乌豪（喙）一齐，礜一齐，屈居□齐，芫华（花）一齐，并和以车故脂……以靡（磨）其騒（瘙）。"

【文献摘要】《本草拾遗》:"车脂,味辛,无毒。主鬼气,温酒烊令热服。"

《开宝本草》:"车脂,主卒心痛,中恶气,以温酒调及热搅服之。又主妇人妒乳、乳痈,取脂熬令热涂之,亦和热酒服。"

《肘后方》:"治聤耳,车辖脂塞耳中,脓血出尽愈。"按,辖即缸也,乃裹轴头之铁,频涂以油,则滑润不涩。《史记·孟子荀卿列传》:"齐人嘲淳于髡为炙毂过(輠)。"注云:"刘向《别录》曰:过字作輠。輠者,车之盛膏器也,炙之,虽尽犹有余流者,言淳于髡智不尽如炙輠也。"

《千金方》:"治小儿惊啼,车辖脂如小豆许,内口中又脐中,差。"

【按语】车故脂,本草作车脂。《病方》以车故脂治干瘙,后世本草未载此用法。

223 薛(蘖,或蠥)

【《病方》】41 行:"伤而颈者,小剸一犬,渳与薛(蘖)半斗,毋去其足……饮之。"

【文献摘要】《说文》:"薛,草也。"段玉裁注:"《子虚赋》:'高燥生薛。'张揖曰:'薛,赖蒿也。'"

《子虚赋》:"其高燥则生薛莎青薠。"注云:"薛,蒿也。"

若释薛为草或赖蒿,则与《病方》中"薛半斗"的说法不符。草或赖蒿以束计,不以斗计,《病方》用斗量薛,则薛当是颗粒状物品。释薛为蘖。

蘖的含义有二,一是蘖米,二是曲。

(1)蘖米。《说文》:"蘖,牙米也。"段玉裁注:"牙同芽,芽米者,生芽之米也。凡黍、稷、稻、粱米已出于穅者不芽,麦豆亦得云米,本无穅,故能芽,芽米谓之蘖。"

《名医别录》:"蘖米,味苦,无毒。主寒中,下气,除热。"又云:"穬麦……以作蘖温,消食和中。"

《本草经集注》云:"此是以米为蘖尔。"

《唐本草》注云:"陶称以米为蘖,其米岂更能生乎?止当取蘖中之米尔。按《食经》称用稻蘖。稻即穬谷之名,明非米作。"

《日华子本草》云:"蘖米,温,能除烦,消宿食,开胃,又名黄子,可作米醋。"

(2)曲。《玉篇》:"蘖,曲也。"

《名医别录》："小麦……以作曲，温，消谷止痢。"

《唐本草》注："小麦曲，止痢平胃，主小儿痫，消食痔。"

《本草拾遗》："曲，味甘，大暖，疗脏腑中风气，调中，下气，开胃，消宿食，主霍乱，心膈气，痰逆，除烦，破癥结，及补虚去冷气，除肠胃中塞，不下食，令人有颜色。六月作者良。陈久者入药，用之当妙令香。"

《蜀本草》云："曲，温，消谷，止痢，平胃。主小儿痫，消食痔。"

此外，"薛"字亦可释为"蠥"。

《说文解字注》："蠥，禽兽虫蝗之怪谓之蠥。"段氏注："怪者，异也。《汉书·五行志》：'虫豸之妖谓之孽。'孽则牙孽。禽兽虫蝗之字皆得从虫，故蠥从虫，诸书多用孽。"

《左传·昭公十年》："蕴利生孽。"注云："孽，妖害也。"

《白虎通·灾变》："孽者何谓也，曰介虫生为非常凡。"

《汉书·五行传》曰："介虫之孽者，谓小虫有甲，飞扬之类，阳气所生，于春秋为螽。"《说文》云："螽，蝗也。"又云："蝗，螽也。"

据以上所说，蠥通孽，广义为"禽兽虫蝗之怪"，狭义为有灾害的蝗虫。颜师古注《汉书·文帝纪》云："蝗即螽也，食苗为灾。"

《病方》云："溯与薛。"薛似可释为跳跃的蝗虫。溯，《说文》云："溯，无舟渡河也。"溯可释为蹦跃而过。"与"，繁体字为與。"溯与"可释为跳跃，则"溯与薛"可释为蹦跃的蝗虫。《诗经·召南》云："趯趯阜螽。"《传》云："趯趯，跃也。""溯与薛"指蝗虫蹦举跳跃状。

《病方》："溯与薛半斗，毋去其足。"这句话可释为："蹦跃的蝗虫半斗，无去其足。"

【按语】　将《病方》中的"薛"释为"蠥"（蝗虫）比释为"糵"（牙米、曲）更为合理，但后世方书、本草未记载蝗虫。

邪药应轻上药
气为君药为养
以君以养命以
破主不命以天
积治老延天无
聚疾年年无毒
主病以者毒主
愈者应应本
疾本地本上
病下多欲经
者经欲遏
毒多
不病中
可补药
久赢
服者
饮为
臣

第十四类　泛称类药（10种）

224　百草末

【《病方》】　8 行："诸伤，燔白鸡毛及人发，冶［各］等，百草末八灰，冶而……饮之。"

【文献摘要】　陈藏器云："百草灰，主腋臭及金创，五月五日采露取之一百种，阴干，烧作灰，以井华水为团，重烧令白，以酽醋和为饼，腋下挟之，干即易，当抽一身痛闷，疮出即止，以水小便洗之，不过两三度。又主金创，止血生肌，取灰和石灰为团，烧令白，刮傅疮上。"

《本草图经》："灶额上墨名百草霜，并主消化积滞，今人下食药中多用之。"

《本草纲目》云："百草霜，止上下诸血，妇人崩中带上，胎前产后诸病……"

【按语】　《病方》将百草末同动物毛烧成炭治诸伤出血，此与后世本草记载以百草霜止血的方法很相似。

225　屋荣蔡

【《病方》】　51 行："婴儿瘛，取屋荣蔡薪燔之而□匕焉。"120 行："白处方，治之［以］鸟卵勿毁半斗……□□蔡。已涂之。"330 行："胻伤：取久溺中泥，善择去其蔡、砂石。"233 行："颓，取女子月事布，渍，炙之令温☑四荣□。"

【文献摘要】　屋荣蔡即屋檐两端的草。

屋荣，按《说文》所释，屋梠之两头起者为荣。梠，楣也，楣，屋边联也。齐谓之檐，楚谓梠，秦谓之楣。所以屋荣即屋檐两头起始处。

《礼记·丧大记》："升自东荣，降自西北荣。"注云："荣，屋翼也。"

《考工记》注云："周制卿大夫以下，但为夏两下，两下则为南北有霤，而东西有荣，然则檐东西起者曰荣。"据此注，即屋檐东西两端为荣。

蔡是杂草。注文云："蔡，草芥。"《玉篇》云："蔡，草芥也。"那么屋荣蔡当是屋檐两端的草。

【按语】 从《病方》51 行的文字来看，屋荣蔡是供取热以温匕用的，并非用来作药。把屋荣蔡当作一味药物来看似乎欠妥。

226 五谷

【《病方》】 94 行："蛕，享（烹）三宿雄鸡二，泊水二斗，孰（熟）而出，及汁更泊，以食□逆甗下。炊五勃（穀）、兔□肉陀（他）甗中……饮汁。"

【文献摘要】 五谷，谷为穀的简写，指五种谷物，对此说法不一。

《周礼·天官·疾医》："以五味五谷五药养其病。"《庄子·逍遥遊》："不食五谷。"疏云："五谷指麻、菽、麦、稷、黍。"

《周礼·夏官·职方氏》："其谷宜五种。"注指黍、稷、菽、麦、稻。但《逸周书·取方》注、《荀子·儒效》注、《汉书·食货志上》注皆指黍、稷、菽、麦、麻五种。

《素问·金匮真言论》："东方青色，其谷麦。"王冰注云："五谷之长曰麦。"

《名医别录》云："大麦为五谷之长。"

【按语】 五谷原指五种谷物。各书注文所言五种谷物内容互不一致。多数注文认为五谷指黍、稷、菽、麦、麻，少数注文认为五谷指黍、稷、菽、麦、稻。《病方》出土于长沙，长沙地处古代楚国南方，南方产稻，则《病方》中所言五谷或指黍、稷、菽、麦、稻。

后世方书、本草所用药物多指具体药，很少用泛称的名字。五谷是谷类的泛称。

227 禾

【《病方》】 103 行："尤（疣），令尤（疣）者抱禾，令人呼曰：'若胡为是?'应曰：'吾尤（疣）。'置去禾，勿顾。"114 行："颠（癫）疾，取尤尾及禾在圈垣上［者］，段冶，湮汲以饮之。"

【文献摘要】《说文》："禾，嘉谷也，以二月始生，八月而熟，得时之中和，故谓之和。"段玉裁注："民食莫重于禾，故谓之嘉谷，嘉谷之连稿者曰禾。实曰粟，粟之仁曰米，米曰粱，今俗云小米是也。"

《山海经·中山经》："牛者之山，有草焉，其秀如禾。"

《淮南子·缪称训》："夫子见禾之三变也。"高诱注云："三变始于粟，生于苗，成于穗也。"

《广雅》："粢、黍、稻，其采（采即穗）谓之禾。"

《说文》："禾之秀实为稼，茎节为禾。"段玉裁注："全体为禾，浑言之也；茎节为禾，别于采而言，析言之也。"

【按语】 禾指谷类禾苗全体。狭义的禾指禾苗中茎节部分。《病方》令患疣抱禾，该禾是什么谷呢？文献中记载的禾有粟、粢、黍、稻。《病方》出土于长沙，长沙为古代楚国，是产稻的地方，故《病方》中的禾可能是稻禾，即稻草。《病方》将禾作为祝由的工具，而非直接作药用，这与《本草拾遗》以稻禾治黄病的药用目的是不同的。

228 米

【《病方》】 386 行："鬃，□□以木薪炊五斗米，孰（熟），傅之。"

【文献摘要】 《说文》："米，粟实也。"段玉裁注云："粟，嘉谷实也。嘉谷者，禾黍也，实当作仁。粟连秠（稃）者言之。米则秠中之仁。其去秠布仁曰米。因以为凡谷仁之名，是故禾黍曰米。稻、稷、麦、苽亦曰米。舍人注所谓六米也，即膳夫、食医之食用六谷也。"

《六书故》："谷去糠为米。"

【按语】 五谷的种仁去掉壳名米。稻去壳名大米，粟去壳名小米，黍去壳名黍米。《病方》所言的米可能是稻米。

229 鸟卵

【《病方》】 117 行："白处，治之［以］鸟卵勿毁半斗。"125 行："白处，二三月十五日到十七日取鸟卵，已□即用之。"

【文献摘要】 《名医别录》云："雀卵，味酸，温，无毒。主下气，男子阴痿不起，强之，令热多精，有子。"

《本草经集注》云："雀性利阴阳，故卵亦然。术云：'雀卵和天雄丸服之，令茎大不衰。'"

《食疗本草》云："卵白和天雄末、菟丝子末为丸，空心酒下五丸，主男子阴痿不起。"

【按语】 鸟卵泛指各种鸟的卵。本草记载的有雀卵。雀卵主治男子阴痿，但其他文献未记载其能治白处。

230　鲜产鱼

【《病方》】 135 行：冥病方，治之以鲜产鱼，□而以盐财和之，以傅虫所啮。

【文献摘要】 "鲜产鱼"的"鲜"和"产"的意思是什么？

1. 鲜，即新鲜的，生的。《礼记·内则》："冬宜鲜羽。"《淮南子·太族训》："以奉宗庙鲜犒之具。"《子虚赋》云："割鲜染轮。"鲜，指动物的生肉。

2. 产，即产生。《说文》："产，生也。"《左传·僖二年》："屈产之乘。"注云："产，生也。"《周礼·大宗伯》："以礼乐合天地之化，百物之产。"注云："能生非类曰化，生其种曰产。"《周礼·大宗伯》："以天产作阴德，以中礼防之。以地产作阴德，以和乐防之。"注云："天产者动物，谓六牲之属。地产者植物，谓九谷之属。"

鲜产鱼当是生的小鱼苗子，即由鱼子产生出的活鲜鲜的小鱼。

231　野兽肉食者五物之毛

【《病方》】 237 行："脉者，取野兽肉食者五物之毛等，燔冶，合挠□，每（每）旦［先］食，取三指大撮三，以温酒一杯和，饮之。"

【文献摘要】《神农本草经》云："六畜毛蹄甲，味咸、平。主鬼疰蛊毒，寒热惊痫，癫痓，狂走，骆驼毛尤良。"

陶弘景云："六畜谓马牛羊猪狗鸡也，骡驴亦其类，骆驼方家并少用。"

《唐本草》注云："骆驼毛蹄甲，主妇人赤白带下，最善。"

【按语】 此条与前面"发"条、"鸡毛"条相似，均是燔烧后作药用，亦与后世血余炭相仿，多用作止血。本方取毛燔之治脉者（是一种脉痔），亦取其止血之功。

232　瓣（瓜子）

【《病方》】 320 行："去故殷（瘀），善削瓜壮者，而其瓣材其瓜。其□如两指，以靡（磨）令□□之，以□□傅之。"

【文献摘要】《说文》："瓣，瓜中实也。"段玉裁注："瓜中之实曰瓣。实中可食者，当曰仁。如桃杏之仁。"

《荆楚岁月时记》："七月采瓠犀，以为面脂，即瓣也。"《尔雅》云："瓠犀，瓣。"郭璞注云："瓠中瓣也。"诗云："齿如瓠棲。"犀，棲的假借字。棲，齐的意思。"齿如瓠棲"的意思是说牙齿像瓠子的种子一样白而整齐。

《神农本草经》曰："白瓜子，味甘、平。主令人悦泽，好颜色，益气，不饥……一名水芝。"《吴普本》云："瓜子一名瓣，七月七日采，可作面脂。"

《名医别录》："白瓜子，主除烦满不乐。"

《日华子本草》："冬瓜，冷，无毒。除烦。治胸膈热，消热毒痈肿，切磨痱子甚良。"

《隐居效方》："治疱疮方，用瓜瓣、茯苓等为散服之。"

《肘后方》："治发背欲死方，取冬瓜截去头，合疮上，瓜当烂，截去更合之，瓜未尽，疮已欲小矣，即用膏养之。"

【按语】按《说文》所释，瓣即瓜子。《病方》仅言用瓣，未言明是什么瓜的瓣。《本草》以瓜子供药的有白瓜子，能令人悦泽好颜色。陶隐居谓瓣合茯苓治疱疮，此与《病方》用瓜瓣治瘕亦相近。

233　凷（块，音坠）

【《病方》】107行："尤（疣），以月晦日，日下餔时，取凷大如鸡卵者，男子七，女子二七。先［以］凷置室后，令南北［列］，以晦往之凷所……凷一靡（磨）□。已靡（磨），置凷其处，去勿顾。"

【文献摘要】《说文》："凷，墣也。"又云："墣，块也。"

《尔雅·释文》："块，俗凷字。"

《礼记·礼运》："蒉桴而土鼓。"注曰："蒉，读为凷，凷，堛也，读搏土为桴也。"《说文》："堛，凷也。"段玉裁注云："堛即墣之异文。"

《辞源》："凷，泥土，同块。《汉书·律历志下》引《左传》：'壄（野）人举凷而与之。'今《左传》僖二三年作'野人与之块'。"

【按语】按《辞源》所释，凷即泥土块。《病方》以凷为祝由的用具以治疣，后世方书、本草均未载此用法。

第十五类　待考药名（14种）

234 □衍

【《病方》】 14 行："令伤毋殷（瘢），取彘膏、□衍并冶，傅之。"

【按语】 □衍为何物不详。

235 产齐赤

【《病方》】 71 行："毒乌豙（喙）者，炙□□，饮小童弱（溺）若产齐赤，而以水饮☒。"

【文献摘要】 产，即产生。《说文》："产，生也。"《周礼·大宗伯》云："以礼乐合天地之化，百物之产。"注云："能生非类曰化，生其种曰产。"产齐赤疑是初生小儿脐带中血，本草称之为新生小儿脐中屎。

《本草拾遗》云："新生小儿脐中屎，主恶疮，食息肉，除面印字尽。候初生取胎中屎也。初生脐，主疟，烧为灰，饮下之。"

《本草从新》："初生脐带，止疟，解胎毒，烧末饮服，敷脐疮。"

【按语】 产齐赤疑是初生小儿脐带中血，陈藏器称之为新生小儿脐中屎，主治恶疮，食息肉，除疟。《病方》以产齐赤治乌喙毒。"毒乌喙者，饮小童溺若产齐赤"，从行文上看，产齐赤与小童溺都在"饮"字下面，小童溺（小便）是液体，则产齐赤当是液体，不然怎会用"饮"字冠在文句前面呢？说产齐赤是初生儿脐带中血，血是液体，与文义符合。

236 □荠

【《病方》】 76 行："毒乌喙者，取藶芜本若□荠一☒傅宥。"

【文献摘要】 单言荠，或指蒺藜，或指荠菜。（详见"荠"条）在"荠"字前面加个字，当非蒺藜或荠菜了。

《尔雅·释草》："菥蓂，大荠。"郭璞注云："似荠细叶，俗呼曰老荠。"

《说文》："蓂，析蓂，大荠也。"

【按语】 《病方》76 行中的"□荠"，可能是指大荠，大荠是菥蓂的别名。菥蓂，《病方》作荚蓂。《病方》153 行谓荚蓂治癃。

237 塯

【《病方》】 132 行："大带者，燔塯，与久膏而□傅之。"

【文献摘要】 《病方》132 行注②云："塯，或以为坶字。"墙简写为坶。《文物》（1975 年第 9 期第 7 页）载："曲尺形双眼灶，前有火门，后有坶板，坶板上有附加泥条的烟道。"疑坶为古代锅灶上的附件。

【按语】 坶，或为古代灶上烟道的坶板。《病方》谓取燔烧以治大带病，后世方书、本草无此记载。

238 㯉（桦木）

【《病方》】 144 行："疻，炙㯉□疻。"

【文献摘要】《说文》："㯉，㯉木也，以其皮裹松脂。"段玉裁注云："释木：㯉落。郭云：'可以为杯器素。'按《小雅》：薪是㯉薪。《笺》云：㯉落，木名也。陆云：依郑则字宜木旁。㯉、㯉古今字也。司马《上林赋》字作华。师古曰：华即今之桦，皮贴弓者。《庄子》华冠，亦谓桦皮为冠也。桦者俗字也。"按段玉裁所注，㯉木即桦木。

《汉书·司马相如传》："华枫枰栌。"颜师古注曰："华即今桦皮，贴弓者。"

《开宝本草》："桦木皮，味苦，平，无毒。主诸黄疸，浓煮汁饮之，良，堪为烛者，木似山桃，取脂烧辟鬼。"

《本草拾遗》："晋中书令王珉《伤寒身验方》中作㯉字，浓煮汁冷饮，主伤寒时行热毒疮特良，今之豌豆疮也。"

《本草衍义》："桦木皮烧为黑灰，合他药，治肺风毒。及取皮上有紫黑花匀者，裹鞍弓镫。"

【按语】《说文》谓㯉即㯉木。段玉裁谓㯉木即桦木。《本草纲目》云："桦木生辽东及临洮河州西北诸地，其木色黄，有小斑点，红色，能收肥腻，其皮厚而轻虚软柔，皮匠家用衬靴裹及为靶之类。以皮卷蜡，可作烛照。"

239 阳□

【《病方》】 188 行："女子瘅，煮隐夫木，饮之。居一日，盩阳□，羹之。" 192 行："膏溺，以水与溺煮陈葵种而饮之，又盩阳□而羹之。"

【按语】 从《病方》条文看，阳□能利水，并可作食品。本草记载阳桃（羊桃）能利水，如《神农本草经》载"羊桃主风水"，《名医别录》载"羊桃去五脏五水，大腹，利小便"。

240 量簧

【《病方》】 233 行："颓，［取］女子月事布，渍，炙之令温□四荣□，燔量簧，冶桂五寸。"

【文献摘要】 量簧是什么东西？簧字含义有二：一指笙中簧；一指妇人首饰，名步摇。

（1）笙中簧。《说文》云："簧，笙中簧也，古者女娲作簧。"《诗经·小雅》："吹笙鼓簧。"《传》曰："簧，笙簧也，吹笙则簧鼓矣。"应劭《风俗通义》："谨按世本，女娲作簧。簧，笙中簧也。"

（2）簧即步摇。《急就篇》云："冠帻簪簧结发纽。"颜师古注云："簧即步摇也。"《晋书·与服志》："皇后首饰则假髻步摇。"

《说文》："量，称轻重也。"则"量"字有秤的意义。秤在称轻重时有重物悬挂一端，其状态和步摇极相似。疑量簧是妇人首饰步摇一类物品。

从字形来看，量与姜的繁体字相近，量簧或是姜黄。

【按语】 量簧的簧同笙中簧无相似之处，与步摇倒有相似之处。步摇是妇人头上装饰物的簧，簧端有易摇摆物，此与秤称物轻重相似。疑量簧即是步摇一类饰物。或释量簧为姜黄。

241 罢合

【《病方》】 283 行："益（嗌）雎（疽）者，白蔹三，罢合一，并冶，□饮之。"

【按语】 罢合为何物不详。

242 □居

□居：疑即菹居。详见 48 "菹居"条

243 攻□（釭脂）

【《病方》】 339 行："治加方，治仆累，以攻（釭）脂膳而傅。"

【文献摘要】 古代车轮中心有个圆孔，该圆孔名车毂，又名车釭，一般是用铁制成的。加在车釭里作润滑用的油，《千金方》称为"车釭脂"。附在车轴头处的车釭脂，《千金方》称为"车轴脂"。《开宝本草》称车釭脂为"釭中膏"，称车轴脂为"车脂"，故车脂、车轴脂是车轴头上的润滑用的油脂。车釭脂、釭中膏是指车轮中心圆孔处车毂里润滑用的油脂。车釭脂、车轴脂等都是润滑用的油脂，因所在的位置不同，故名称各异。

《开宝本草》："釭中膏，主逆产，以膏画儿脚底即正。又主中风发狂，取膏如鸡子大，以热醋搅令消，服之。"

《千金要方》卷 2："治妊娠腹中痛方：烧车釭脂，内（纳）酒中服，亦治妊娠咳嗽，并难产三日不出。"

《梅师方》："治诸虫入耳，取釭脂涂耳孔中虫自出。"

《子母秘录》："治产后阴脱，烧车釭脂，内（纳）酒中，分温三服，亦治咳嗽。"

【按语】 攻□即攻脂、釭脂，《千金方》称"车釭脂"，《开宝本草》称"釭中膏"。攻脂和前面 222 条中的车故脂、车脂是同物异名。车脂，《千金方》称"车轴脂"。《病方》以攻脂（釭脂）治痂，但后世方书、本草未记载此用法。

244 白□

【《病方》】 407 行："蚘蚀齿，以榆皮、白□、美桂，而并□□□□傅空（孔）▨。"

【按语】 白□，疑为白蔹或白衡。

245 牡□

【《病方》】 376 行："身有体痛种（肿）者方，取牡□一，夸就▨炊之，候其洎不尽一斗，抒脏之，稍取以涂身腜（体）种（肿）者而炙之……痛种（肿）尽去。"

【按语】 牡□，不详。

246 夹□

【《病方》】 449 行："去人马疣，取夹□、白柎□，绳之以坚絜□□手结□□□□疣去矣。"

【按语】 夹□，不详。

247 灌青（灌曾）

【《病方》】 115 行："白处方，取灌青，其一名灌曾，取如□□盐廿分斗一，灶黄土十分升一，皆冶，而□□指，而先食饮之。"

【文献摘要】 本草中载有曾青之名，但无灌青、灌曾之名。从"取如□□盐廿分斗一"条文内容来看，灌青类似盐，且用斗计量，据此推测灌青属于矿物。本草中记载的曾青亦属矿物，疑灌青或即曾青。

《神农本草经》云："曾青，味酸，小寒。主目痛，止泪出，风痹，利关节，通九窍，破癥坚积聚。久服轻身不老，能化金铜。"

《名医别录》云："曾青，无毒。养肝胆，除寒热，杀白虫，疗头风脑中寒，止烦渴，补不足，盛阴气，生蜀中山谷，及越巂山，采无时。"

《本草经集注》云："曾青所出，与空青同山，疗体亦相似，今铜官更无曾青，惟出始兴，形累累如黄连相缀，色理小类空青。"

《艺文类聚》卷 81 引《范子计然》曰："空青出巴郡，白青、曾青出弘农、豫章，白青出新淦。"

刘逵注《蜀都赋》云："牂牁有白曹出丹青、曾青、空青也。"

【按语】《病方》中载有灌青而未载曾青，《神农本草经》中载有曾青而未载灌青，疑灌青或即曾青。《武威汉代医简》第 13 简："治金创止痛令创中温方：曾青一分，长石二分，凡二物皆冶，合和，温酒饮一刀，日三，创立不痛。" 第 16 简："治目痛方：以春三月上旬治，药用曾青四两，戎盐三两，皆冶，合以乳汁和，盛以铜器，以傅目良。" 第 50～51 简："治金创内漏血不出方：药用，大黄月（肉）二分，曾青二分，消石二分，䗪虫三分，虻头二分，凡五物皆冶，合和，以方寸匕一，饮酒，不过再饮，血立出，不，即从大便出。" 从《武威汉代医简》所载内容来看，曾青是汉代的常用药。

附篇 尚志钧撰写的与《五十二病方》有关的书籍及论文

附一 《五十二病方》药物研究资料

该油印本《〈五十二病方〉药物研究资料》于1985年4月由皖南医学院科研科出版。该书在当时国内的学术界有较大影响，被许多同道所喜爱和参考。例如1989年《中华医史杂志》第2期第75页刊登刘均正的《〈五十二病方〉"庶"考》一文，其文在内容及文句上与此油印本中第88~89页《释"庶"为地鳖虫》一节文字全同，这说明该同志参考过此书，否则文章内容及词句不会如此相同。此书出版时间比刘氏文章发表早4年。

该油印本中的很多内容曾单独在国内医药杂志上发表过。兹将曾发表的论文列举如下。

《〈五十二病方〉药物考释》[中成药研究 1985，（1）：31－32]

《〈五十二病方〉"攻□、榑、产齐赤"考释》[中药材 1985，（3）：42－43]

《〈五十二病方〉"冥蚕种、食衣白鱼、长足"考释》[中药材 1985，（4）：48－49]

《〈五十二病方〉"蚭、蛇、全虫蜕"考释》[中药材 1985，（5）：45－46]

《〈五十二病方〉鳣鱼血、鲋鱼、蠸考释》[中药材 1986，（3）：52－53]

《〈五十二病方〉"鼄鱼"考释》[中药材 1986，（4）：54－55]

《〈五十二病方〉瓣、卣、坶和量簧考释》[中药材 1986，（5）：48]

《〈五十二病方〉"菫葵""毒菫""苦""仆累"考释》[中药材 1986，（6）：45－47]

《〈五十二病方〉厚柎、朴、白柎考释》［中药材　1987，（2）：49－50］

《〈五十二病方〉百草末、屋荣蔡、禾、陈稿、荆箕考释》［中药材　1987，（3）：45＋32］

《〈五十二病方〉灶灰土、灶黄土、甑䰝处土、囷土、井中泥、冻土考释》［中药材　1987，（4）：49－50］

《〈五十二病方〉药物丹、水银、青考释》［中药材　1987，（5）：48］

《〈五十二病方〉消石、澡石、恒石、封殖土考释》［中药材　1988，11（1）：42－43］

《〈五十二病方〉剪根、茭蓂、菳蓂考释》［中药材　1988，11（4）：43－44］

《〈五十二病方〉药物"蒿、青蒿、白蒿"考释》［中药材　1988，11（6）：42］

《〈五十二病方〉"五谷、米、谷斗、泽泔、黍潘"考释》［中药材　1989，12（5）：45－46］

附二　《五十二病方》简介

1973 年年底，长沙马王堆三号汉墓出土大量帛书，其中古医书有 11 种。1979 年 11 月文物出版社从 11 种古医书中选择前 5 种出版了单行本。在这 5 种古医书中，以《五十二病方》（以下简称《病方》）字数最多，故以它为 5 种医书的总名。

《病方》中 5 种医书曾分别在 1975 年《文物》第 6 期、第 9 期刊登过，这次印成单行本时又做了不少修订，使释文、注文更趋于完善。

全书分两大部分：第一部分自第 1 页到第 130 页，为 5 种医书释文及简注；第二部分自第 131 页到第 208 页，是 3 篇论文，分别是《马王堆帛书四种古医学佚书简介》《从三种古经脉文献看经络学说的形成和发展》《我国现已发现的最古医方——帛书〈五十二病方〉》。

第一部分包括 5 种医书，即：①《足臂十一脉灸经》；②《阴阳十一脉灸经甲本》；③《脉法》；④《阴阳脉死候》；⑤《五十二病方》。这 5 种医书原本没有书名，为了称引方便，马王堆汉墓帛书整理小组根据内容为其试加了书名。

这 5 种医书在出土的帛书上是竖排，此次出版成单行本时改成横排。为便于检查，原来帛书中竖排的行次，在横排文中加中文数字的行号。前 4 种医书一套行号，计 88 行，《五十二病方》另起一套行号，计 462 行。

原书的字体是秦汉时通行的小篆字体，这次排印时，大都改用普通字体。至于异体字、假借字，在释文时均随文注出，并加"（ ）"。原有错字亦随文注明正字，外加"〈 〉"。原已涂去的废字，释文用"○"代之。原有脱漏的字亦随文补出，外加"〔 〕"。原有残缺字，释文中用"□"表示，缺字数目根据旁行位置推定。残缺字数无法确定的，用"⊠"表示。

这 5 种医书原来是抄录在一幅长帛上的。第一种《足臂十一脉灸经》及第二种《阴阳十一脉灸经》，均是论述人体内十一脉的循环、主病、灸法的，和《灵枢·经脉》比较一下发现，帛书两种灸经内容简单，经脉数目只有 11 条，也无阴阳、五行、脏腑、络脉的联系，而且在治法上只有灸法，并无针法，这都说明这两种灸经的成书年代早于《黄帝内经》。

第三种《脉法》和第四种《阴阳脉死候》都是古代论述脉法的诊断学著作。这两种诊断学的帛书，也无阴阳、五行、脏腑学说。估计这两种医书的著述年代也是早于《黄帝内经》的。

第五种医书即《五十二病方》，是我国现已发现的最古医方。医方的开头有 52 个病名目录，目录中有内、外、妇、儿、五官等各科的病名，其中以外科病名为最多。每个病名下记有若干个方子，全书共有 283 方。书中的方子在当时都是常用的方子，有不少方子后面注有"尝试""已验""令"（义子善），说明这些方子都是经过劳动人民实践验证过的。

从方子的内容来看，其涉及面很广，有各科疾病的介绍，有各种治法的介绍，还有用药方法、服药时间、服药宜忌、药物采制、制剂、配伍与制法等介绍。

《病方》中所记的病名属内科病的有热病，如疟，有神经系统病，如癫疾、伤痉，有消化系统病，如诸食病，有泌尿系统病，如癃、癥、膏溺，有寄生虫病，如胸痒、蛊。属外科病的有外伤，如诸伤、出血、冻疮，有疮疡，如痈、疽、疡、久疕，有痔疾，有瘿瘤，有虫兽伤，如犬噬人，狂犬噬人，蛇啮，蚖、蛎、蛭等伤。属皮肤科病的有白处、白癜，属妇产科病的有婴儿、索痉，属儿科病的有婴儿瘈，属五官科病的有疕。

在治疗方法上，以药治为主，但也兼有迷信治法，如祝由（念咒逐鬼邪）。有些药物治疗方法也反映出祖国医学最早的辨证施治思想。例如疽病方云："冶白敛、黄蓍、芍药、桂、姜、椒、茱萸，凡七物。骨疽倍白敛，肉疽倍黄蓍，肾疽倍芍药，其余并以三指大撮一入杯酒中，日五六饮之。"从这个疽病方中可以看出，由于疽病所发部位不同，相应药物的用量成倍地增加。这种治法体现了我国古代医学早期朴素的辨证施治思想。

除药治外，还有手术割治的角法。角法是用以治疗血栓外痔的手术，这种角法为目前所知世界上最早关于手术的记载，是极其珍贵的文献。

此外还有一些物理疗法，如浴、熨法、灸法、冷却法等。例如《病方》92页云："人州（肛门）出不可入者，以膏膏出者，而倒悬其人，以寒水溅其心腹，入矣。"此方系用冷却法令脱肛收缩。

用药的方法有内服、外敷、洗浴、烟熏等。

用药并注意时间，如"旦饮药""以旦未食傅药""以朝末食时傅""暮又先食饮如前数""夕毋食""夕毋（无）食饮药"等。

用药并有宜忌，如"服药毋食鱼""服药时禁食彘肉、马肉、龟""熨时毋见风"等。

对于毒药用量，已知用试探方法试之。例如《病方》91页治痔痛方中有毒药乌头，用药时将其制成黑豆大的丸药，并云："始食一，不知益一，□为极。"

《病方》所用药物有247种，大部分药物皆见录于《神农本草经》和《名医别录》，也有少数药物如灌曾、量簧、骆阮等为历代文献所无。其中有些药物还有形态的记载，如《病方》68页云："毒堇……堇叶异小，赤茎，叶纵纚者（有纵贯的筋脉），□叶、实，味苦。"这种对于植物形态的记载是植物史上极珍贵的文献。

此外，《五十二病方》还具有江南的地方性特点，如书中记有漆、蚖、水蛭、竹筒等，这些东西都是江南的产物。

附三　《五十二病方》与《山海经》

1973年马王堆汉墓出土的帛书医方，在1979年11月由文物出版社出版，为单行本，名《五十二病方》（以下简称《病方》）。把《病方》同《山海经》比较一下，发现两书所用词汇和物名极相同或相似。据其相同点考察，《山海经》与《病方》在成书年代方面似有相联的关系，兹将两书相同之处比较如下。

（一）两书语言都比较晓畅

两书皆不像春秋以前的典籍那样古奥，很显然，两书都是运用战国以后的新文学语言写成的。

（二）两书所载名物古名较多

兹举数例如下。

1. 两书称猪为彘

《山海经》云："北山经，其祠用一彘""中山经，有兽焉，其状如彘"。

《病方》也有彘肉、彘膏、彘屎的记载。

2. 两书称野鸡为雉

《山海经》云："西山经，有鸟状如雉。"

《病方》104 页："取雉弍。"

3. 两书称紫草为茈

《山海经》云："中山经，隅阳之山，其草多茈""北山经，咸山多茈草""西山经，劳山多茈草"。

《病方》113 页："痈者，取茈半斗，细劀。"

4. 两书称白芷为茝

《山海经》云："北山经，其祠皆一茝。"

《病方》113 页："治痈方，白茝、白衡……凡五物。"

5. 两书称茅草为菅

《山海经》云："南山经，白菅为席""西山经，天帝之山，其下多菅"。

《病方》91 页："以酱灌黄雌鸡，令自死，以菅裹，涂土，炮之。"

6. 两书称豆为菽

《山海经》："中山经，阴山多雕棠，其实如赤菽""海内经，都广之野，爰有膏菽"。

《病方》107 页："熬菽。"128 页："煮菽。"67 页："黑菽三升。"97 页："取大菽一斗。"

7. 两书称花为华

《山海经》云："中次七经，半石之山，其上有草焉，赤叶赤华，华而不实。"

《病方》121 页："芫华一齐。"

8. 两书称根曰本

《山海经》云："中山经，青要之山，有草焉，其本如藁本；甘枣之山，有草焉，葵本而杏叶；兔狨之山，其草多鸡谷，其木如鸡卵。"

《病方》47 页："取杞本长尺。"48 页："取蘪芜本。"121 页："取茹卢本。"104 页："夏日取堇叶，冬日取其本。"

9. 两书皆记有柎

《山海经》："中次九经，高粱之山，有草焉，状如葵而赤华，荚实白柎。"

《病方》121 页："取兰根、白付（柎）。"128 页："取夹□白柎。"

10. 两书皆记有桃枝

《山海经》云："西山经，嶓冢之山，其上多桃枝""中次八经，纶山，其木多桃枝。骄山，其木多桃枝"。

《病方》83 页："取桃枝东向者。"126 页："取东桃枝。"

11. 两书皆记有仆累

《山海经》云："中次三经，青要之山，是多仆累。"

《病方》107 页："冶仆累。"

12. 两书都有杞的记载

《山海经》云："南次二经，虖勺之山，其下多杞""西山经，小华之山，其木多杞""中山经，历石之山，其木多杞"。

《病方》47 页："毒乌喙者，取杞本长尺，大如指，削，舂木臼中，煮以酒。"

13. 两书都有蘪芜的记载

《山海经》云："中次十二经，洞庭之山，其草多蘪芜""东次四经，泚水，其中多茈鱼，其臭如蘪芜"。

《病方》48 页："遇人毒者，取蘪芜本。"91 页："冶蘪芜本。"

（三）两书所载名物泛称名较多

两书所载名物有葵、术、荆、兰、榆等，它们都各有若干同类的品种，但两书皆不分其品类之异，均以泛称名简称之。兹举数例如下。

1. 两书对术不分苍术、白术，皆简称为术

《山海经》云："中次五经，首山多术""中次九经，女几之山，其草多术""中次十二经，尧山，其草多术"。

《病方》34 页："林（术）根去皮，冶二。"35 页："冶术，暴若有所燥。"105 页："凡三物，郁、术皆冶。"

2. 两书对葵不分冬葵、蜀葵、防葵，皆简称葵

《山海经》云："北山经，边春之山多葵""中次七经，堵山，有木焉，方茎而葵状"。

《病方》122 页："釐葵，渍以水。"110 页："取陈葵茎，燔，冶之。"

3. 两书对兰不分兰草、泽兰、木兰，皆简称兰

《山海经》云："中次七经，苦山有木焉，其实如兰。"

《病方》121 页："取兰根、白付、小刌一升，舂之。"

4. 两书对荆不分牡荆、蔓荆，皆简称荆

《山海经》云："南次二经、虖勺之山、其下多荆""东次二经，余峨之山，其木多荆"。

《病方》72 页："血瘙，煮荆，三温之而饮之。"111 页："痂方，燔胕荆箕。"

5. 两书对榆不分白榆、枌榆、刺榆，皆简称榆

《山海经》云："中山经、阴山有木焉，其叶如榆""中次七经，大苦之山，有木焉，其状如榆"。

《病方》119 页："𧏚（螙）蚀齿，以榆皮，白□，美桂而并……傅空（孔）。"

（四）两书对植物形态都有描述

《山海经》云："东次四经，北号之山，有木焉，其状如杨，赤华，其实如枣而无核，其味酸甘，食之不疟。"

《病方》68 页："毒堇，叶异小，赤茎，叶从（纵）纈者（叶脉），口叶，实味苦，前日至可六七日秀……生泽旁。"

（五）两书所记动物种类相同

1. 牛

《山海经》："中山经，有罬焉，其状如牛。"

《病方》108 页："炙牛肉。"113 页："取牛脂。"115 页："牛煎脂二。"

2. 马

《山海经》："北山经，隄山多马，北鲜之山多马，罴差之山多马。"

《病方》35 页："治病时，毋食马肉。"75 页："取马矢粗者三斗。"

3. 羊

《山海经》："北次三经，太戏之山，有兽焉，其状如羊""西山经，钱来之山，有兽焉，其状如羊"。

《病方》54 页："煮羊肉。"125 页："蒸羊尼（臀）。"29 页："燔羊矢。"

4. 鹿

《山海经》："东次三经，孟子之山，其兽多鹿。"

《病方》54 页："煮鹿肉。"

5. 豹

《山海经》："西次二经，底阳之山，其兽多豹。"

《病方》108 页："若豹膏□而炙之。"

6. 豚：以豚祭神

《山海经》云："中次十二经，其祠用一牝豚。"

《病方》84 页："敬以豚。"

7. 犬

《山海经》云："西山经，玉山有兽焉，其状如犬。"

《病方》38 页："小剸一犬。"103 页："治腗脀……以犬胆和，以傅。"

8. 狸

《山海经》云："中山经，历石之山，有兽焉，其状如狸。"

《病方》54 页："燔狸皮，冶灰，入酒中，饮之。"

9. 兔

《山海经》云："东山经，余莪之山，有兽焉，其状如兔。"

《病方》53 页："炊五谷、兔肉。"64 页："入兔皮。"101 页："以鸡卵弁兔毛，傅之。"

10. 鼠（以鼠形容名物形状）

《山海经》："东三经，枸状之山有鸟焉，其状如鸡而鼠毛""北山经，虢山，其鸟多寓，状如鼠而鸟翼"。

《病方》86 页："牡痔，有羸肉出，或如鼠乳状。"

11. 鸡

《山海经》："南山经，基山有鸟焉，其状如鸡。"

《病方》56 页："取块大如鸡卵者。"

12. 龟

《山海经》："西山经，崦嵫之山，其阳多龟。"

《病方》35 页："治病时，毋食龟。"

13. 蛇

《山海经》："中山经，宣余之水，其中多蛇。"

《病方》126 页："病蛊者：以乌雄鸡一，蛇一。"

14. 鱼

《山海经》："东次三经，深泽之水，其中有鱼焉。"

《病方》35 页："治病时，毋食鱼。"

15. 鳢

《山海经》云："东次三经，碧阳之水，其中多鳢。"

《病方》61 页："取丹沙与鳢鱼血。"107 页："以鳢血膳。"

16. 鲋鱼

《山海经》："南次三经，黑水，其中有鳣鱼，其状如鲋""东山经，泚水，其中多𩽾鱼，其状如鲋"。

《病方》88 页："取鲋鱼如手者七。"

17. 蠃

《山海经》："西次三经，丘时之水，其中多蠃母""东山经，激水，其中多茈蠃"。

《病方》72 页："取蠃牛二七。"86 页："牡痔，有蠃肉出。"

18. 蜂

《山海经》："海内北经，昆仑东北有大蜂""中山经，放皋之山，有兽焉，其状如蜂"。

《病方》85 页："夕毋食，旦取蜂卵。"

（六）两书所记矿物相同

1. 两书都有铁的记载

《山海经》："西山经，太冒之山多铁，符禺之山，其阴多铁。"

《病方》48 页："煮铁饮之。"

2. 两书都有雄黄的记载

《山海经》："西次二经，高山其下多雄黄。"

《病方》106 页："冶雄黄，以彘膏修。"120 页："干瘙方，以雄黄二两，水银两小半。"

3. 两书都有盐的记载

《山海经》："北次三经，南望盐贩之泽。"

《病方》49 页："瘙，濡，以盐傅之，令牛舐之。"

4. 两书都有礜石的记载

《山海经》："西山经，皋涂之山，有白石焉，其名曰礜，可以毒鼠。"

《病方》44 页："狂犬伤人，冶礜与橐芮，酨半杯饮之。"109 页："礜大如李，并以截煮之，汔，以傅之。"

（七）两书所记病名、药名及治疗术语、方法相同

（1）在病名方面，两书皆记有痈、疽、肿、嗌痛、痔、疣、疥、蛊、疟等病名。

（2）在药名方面，两书皆记有丹沙、雄黄、甘草、黄耆、葵、蒿、术、椒、芍药、桂、茈、白蔹等。

（3）两书治病术语相同，如：治好病为已。

《山海经》："植楮，可以已癙""莙荔，食已心痛""薰草，佩之已疠"。

《病方》122页："以傅之，百疮尽已。"103页："取秋竹煮之，而以气熏其痔，已。"121页："取藜卢……以磨其瘙，瘙即已。"

（4）两书治病方法相同，如浴法、涂法。

①浴法。《山海经》云："黄灌，浴之已疥。"《病方》122页："居二日乃浴，疥已。"

②涂法。《山海经》："流赭涂牛马无病。"《病方》69页："赣戎盐……以涂隋（脽）""蛇啮，以桑汁涂之"。

（5）两书都没有针刺治法。但《黄帝内经》有针刺疗法，《淮南子·说山训》亦有针刺治法的记载："医之用针石，巫之用糈藉。"

（八）两书在医学理论和医疗应用方面都有原始、古朴的特点

两书都没有阴阳五行、脏腑的概念。对有关类似阴阳的事物，多以牝、牡名之。举例如下。

《山海经》："北山经，鸫鹈，是自为牝牡""南山经，有兽焉，其状如狸而有髦，其名曰类，自为牝牡"。

《病方》128页："瘑者有牝牡，牡高肤，牝有空（孔）。"90页："牝痔有空（孔）而栾（弯曲）……牝痔有数窍。"

（九）两书都有巫的记载

《山海经》："海外西经，丰沮玉门，日月所入。有灵山、巫咸、巫即、巫盼、巫彭、巫姑、巫真、巫礼、巫抵、巫谢、巫罗十巫，从此升降，百药爰在。"《病方》127页有"巫妇"等记载。

（十）两书都具有江南地方性色彩

1. 两书都提到荆楚之荆

《山海经》："中次八经，荆山多橘柚""东次二经，余峩之山，其不多荆""中次七经，敏山有木，其状如荆"。

《病方》89 页："青蒿者，荆名曰［菣］，菣者，荆名曰卢茹。"72 页："血瘅，煮荆，三温而饮之。"125 页："燔蝙蝠以荆薪。"

2. 两书都提到南方的竹、漆、桂

（1）竹。《山海经》："中次八经，大尧之山，其草多竹""中次十一经，从山，其下多竹""西山经，瀗次之山，其下多竹"。

《病方》103 页："取秋竹煮之，而以气熏其痔。"84 页："盛竹筒中，盈筒。"

（2）漆。《山海经》："东山经，姑儿之山、其上多漆""西次四经，刚山多漆木"。

《病方》115 页："歙，漆……以漆弓矢。"116 页："若不能漆甲兵。"

（3）桂。《山海经》："南山经，招摇之山，其上多桂""西山经，皋涂之山，其上多桂木"。

《病方》84 页："冶桂五寸。"88 页："冶桂六寸。"91 页："冶乌喙、桂皆等。"

3. 两书都提到江南地方病，如蛊（类似血吸虫病）

《山海经》："中次七经，浮戏之山，有木焉，名曰亢木，食之不蛊""西山经，天帝之山，有兽焉，名曰溪边，席其皮者不蛊""中山经，从水，多三足鳖，食之无蛊疫"。

《病方》126 页："病蛊者……每旦以三指撮药入一杯酒中而饮之。"125 页："蛊者，燔好布，以饮。"

4. 两书都记载有南方的毒蛇

《山海经》："海内西经，开明南有蝮蛇。"

《病方》51 页："蚖（蝮蛇类）、蛭、兰，以酒沃，饮其汁。"

从上述大量事实来看，《山海经》和《病方》存在很多相同的特点，如两书语言晓畅，所用词汇古老。像仆累、白柎、蓝等，都是后世医书不常见的名称。有些名物都用泛称类名称，如葵、兰、术、椒、榆、桂等。在动物、植物、矿物、药名、病名、治疗术语、治疗方法等方面，两书所记大体相同。两书在医学理论和医疗实际方面比《黄帝内经》更原始，所以两书都没有阴阳、五行的概念，没有用针法，无脏腑联系，这些事实都提示两书是同时代的作品。

这里值得注意的是：《山海经》记有大量神话，尤以《海经》与《大荒经》记载神话最多，而《山经》各篇末亦有祠神、巫师之语。鲁迅先生在《中国小说史略》第二篇"神话与传说"中说："《山海经》……盖古之巫书也。"而《病方》同样有很多巫神的咒语，并用这些咒语作为治病的方法。《病方》载方283首，而念咒治病的方子有29首，占全方的10%。这也是《山海经》和《病方》相同的地方。另外，《病方》第126页有这样的记载："魅：禹步三，取桃东枝，中别为□□□之倡而筓门户上各一。"这种巫术治病的方法显然是出于"桃能辟鬼"的神话。

关于"桃能辟鬼"的神话，亦见于《庄子》和《战国策》。

《庄子》逸文云："插桃枝于户，连灰其下，童子入不畏，而鬼畏之。"（《艺文类聚》卷86引）

齐湣王时，齐国孟尝君将入秦，苏秦以"桃梗"鬼事寓言劝阻之。桃梗即刻削桃树为人，立于门户以御凶魅。苏秦言鬼事的"桃梗"与《病方》所记"桃枝筓门户上"，其义正合。苏秦活动于齐湣王（前323—前284）统治时期，则"桃枝辟鬼"的神话亦当流行于此时。由于"桃枝辟鬼"神话流行，所以《病方》当然会受影响。

再看《山海经》中"桃枝辟鬼"的神话，今本《山海经》无此记载，但诸书皆见引。汉代王充《论衡·订鬼篇》引《山海经》云："沧海之中，有度溯之山，上有大桃木，其屈蟠三千里，其枝间东北曰鬼门，万鬼所出入也。上有二神人，一曰神荼，一曰郁垒，主阅领万鬼，恶害之鬼，执以苇索，而以食虎，于是黄帝乃作礼，以时驱之，立大桃人门户，画神荼，郁垒与虎，悬苇索，以御凶魅。"《艺文类聚》卷86、《初学记》卷28所引《山海经》文亦同，但较简略，足证《论衡·订鬼篇》引文不谬。若王充所引《山海经》文确为今本《山海经》所脱漏，则王充所引《山海经》文亦可视为今本《山海经》内容的一部分。

把《山海经》"桃枝辟鬼"的神话与《病方》"桃枝筓门户"、《庄子》"桃枝插门户上"、《战国策》苏秦言"桃梗鬼事"等相勘比，则可看出他们所记内容都是相同的。

由于《山海经》与《病方》所记医药在内容和形式上极为相似，所言名物相同，所言"桃能辟鬼"的神话也相同，所以《山海经》与《病方》成书时代很可能是相近的。

附四 《五十二病方》与《神农本草经》

1979 年文物出版社出版的《五十二病方》所存药物（不包括《五十二病方》残片中的个别药名）有 247 种。一部分药名见于《神农本草经》，一部分药名见于《名医别录》，也有若干药名不见于历代文献中，如隐夫木、罢合、灌青等，历代方书、本草皆未记载过。

《五十二病方》（以下简称《病方》）和《神农本草经》（以下简称《本经》）不仅有相同的药名，而且很多药物的主治功用亦是相同的，这就提示《病方》和《本经》存在着历史渊源关系。

兹将《病方》和《本经》中具有相同主治功用的药物列举如下。

礜：《病方》350 行以礜治痂，421 行以礜熨疣；《本经》谓礜治鼠瘘、蚀疮。

雄黄：《病方》338 行以雄黄治痂，408 行以雄黄治干瘙；《本经》谓雄黄治鼠瘘，恶疮痔，死肌。

水银：《病方》408 行以水银治干瘙，361 行以水银治痂；《本经》谓水银主疥瘘、痂疡、杀皮肤中虱。

续断：《病方》17 行以续断治伤者；《本经》谓续断治金疮痈伤、折跌、续筋骨。

黄芩：《病方》44 行以黄芩治伤胫者，17 行以黄芩治伤者，290 行以黄芩治血疽；《本经》谓黄芩主恶疮、疽蚀、火疡。

青蒿：《病方》248 行、251 行以青蒿治痔疮；《本经》谓青蒿主疥瘙痂痒恶疮。二者同属外用。

葵种：《病方》171 行、168 行以葵种治癃，192 以葵种治膏溺；《本经》以葵子主五癃，利小便。

龙须：《病方》154 行以龙须治癃，《本经》谓龙须主小便不利、淋闭，此与病方治癃义合。

石韦：《病方》185 行以石韦治石癃；《神农本草经》以石韦主五癃闭不通，利小便水道。

白蔹：《病方》271 行以白蔹治疽病，若治骨疽加倍用白蔹；《本经》谓白蔹主痈肿疽疮，散结气，止痛。

黄芪：《病方》271 以黄芪治疽病，若治肉疽加倍用黄芪；《本经》谓黄芪主痈疽久败疮，排脓止痛，大风癞疾，五痔鼠瘘。

藜芦：《病方》413、418 行以藜芦治瘙，350、362 行以藜芦治痂，421 行以藜芦治疕（疕指头疡）；《本经》谓藜芦治头疡、疥瘙、恶疮。

蛇床子：《病方》360 行以蛇床子治干痂；《本经》以蛇床子治恶疮、湿痒。

郁：《病方》332 行以郁治胕久伤者痈、痈溃；《本经》谓郁李根主齿龂肿。

漏芦：《病方》398 行以漏芦治虫蚀；《本经》谓漏芦主恶疮疽痔。

商陆：《病方》274 行以商陆治痂；《本经》谓商陆熨除痈肿。

蜀椒：《病方》1 行以蜀椒治诸伤；《本经》谓蜀椒逐骨节皮肤死肌。

桐：《病方》348 行以大皮桐治痂，365 行以桐治痈；《本经》谓桐叶主恶蚀疮。

梓叶：《病方》305 行以梓叶治痘；《本经》谓梓叶捣傅诸疮。

杏核：《病方》21 行以杏核治久伤者；《本经》谓杏核主金疮。

赤荅（赤小豆）：《病方》3 行以赤荅治诸伤痛；《本经》谓赤小豆排痈肿脓血。

菽（大豆）：《病方》456 以菽治痈而溃；《本经》谓生大豆涂痈肿。

薤：《病方》43 行以薤治伤痉者；《本经》谓薤主金疮、疮败。

食衣白鱼：《病方》216 行以食衣白鱼治癫；《本经》谓衣鱼主妇人疝瘕。

地胆虫：《病方》246 行以地胆治痔；《本经》谓地胆治鼠瘘，恶疮死肌，此与《病方》治痔义近，同属外用。

白鸡毛：《病方》258 行治痔者……以羽熏；《本经》谓鸡翮主下血闭。

从上述各药主治功能来看，《病方》所言某药的主治功能在《本经》中亦有同样的记载。这就提示，《本经》中药物的主治功能是从临床治疗中总结出来的。可是古代文献皆说《本经》是神农尝百草而产生的。西汉·陆贾《新语》卷上道基篇说："民人食肉饮血，衣皮毛，至于神农，以为行虫走兽，难以养民，乃求可食之物，尝百草之实，察酸苦之味，教民食五谷。"（《四部备要·子部》，中华书局版）西汉·刘安《淮南子》卷 19 修务训中亦有类似的记载："神农尝百草之滋味，一日而遇七十毒。"（《四部备要·子部》，中华书局版）从此以后，历代文献讲到《本经》时都离不开"神农尝百草"的说法。比较来看，《本经》中的药物主治功能和《病方》中的药物主治功用在很多方面都是相似的，或者是相同的。这就说明，《本经》中的药物主治功用来自临床实践，它是劳动人民同疾病做斗争的产物，并不是什么大天才家神农创造出来的。从汉武帝罢黜百家、独尊儒家后，孔子的思想就成了人们的统治思想。孔子是法先王的，认为先王一切都是正确的，所以人们也都随之尊古而卑今。《淮南子·修务训》云："世俗之人，多尊古而贱今，故为道者，必托之神农、黄帝，而后始能入说。"撰述本草的人为取信于人，不得不托神农为本草的作者。

总之，《病方》成书是早于《本经》的，其内容比《本经》的内容显得更古朴。《病方》中对于事物性别的区分多用"牝、牡"，没有阴阳、五行、脏腑、十二经等概念，而《本经》有阴阳、脏腑、十二经等概念，这提示《病方》的产生是早于《本经》的。

《病方》中的药物在主治功能上多与《本经》相同，所以《病方》和古代本草——《本经》存在着历史渊源的关系。

附五　《五十二病方》药物制备工艺考察

1979 年 11 月文物出版社出版了马王堆汉墓出土的帛书《五十二病方》单行本。《五十二病方》载有 52 个病，每个病记有若干个方子，共有 283 方。

在这 283 方中，有丸、散、汤、酒、油膏等各种剂型，对这些剂型制备的记述亦透露了我国古代中成药制备工艺的一般特点。

古代生产设备简单，主要靠人工。在《五十二病方》剂型制造过程中没有用什么机械设备，只有一些极其简单的工具，如粉碎用的有木臼、柏杵，煮沸用的有铺（䰞，即釜）、镂、金铫，装药用的有杯盘、盂、甗、编、瓯、罋、筒。

我们祖先用这样简陋的工具，靠着智慧和勤劳的双手，制造出各式各样的剂型。从这些剂型的制备过种中可以推测古代中成药制备工艺的概况。兹将书中制药的各种操作按各方所记列举如下。

（一）药物的采集

1. 药物采集，注意时令

104 页(指《五十二病方》页次，下仿此)，夏日取堇叶，冬日取其本。

68 页，以夏日至到□（取）毒堇。

60 页，二、三月十五日到十七日取鸟卵。

2. 采药或制药后干燥，有阴干、曝干

68 页，毒堇不暴（曝）。以夏日至到□（取）毒堇阴干。

129 页，取莓茎，曝干之。

35 页，冶术，曝若有所燥。

39 页，小剸（断）一犬，溯（满）与虋半斗，毋去其足。以□并盛，渍井底□□□出之，阴干百日。

83 页，其药曰阴干黄牛胆。

61 页，煮胶，即置其鯾于稬火上，今药已成而发之……悬之阴燥所（处）。

3. 采集药物后择拣，去其不需要的部分

109 页，取庆（蛸）良（螂）一斗，去其甲足。

34 页，取林（术）根去皮。

46 页，合卢大如□□豆卅，去皮而并冶。

（二）药物的切碎及粉碎

1. 剸

38 页，小剸一犬。

113 页，痈者，取芷半斗，细剸（切成小段）。

2. 削

47 页，取杞本长尺，大如指，削。

3. 屑（意同碎）

70 页，取枣种粗屑二升。

47 页，屑勺（芍）药。

4. 舂

47 页，取杞本长尺……舂木臼中。

120 页，以服零（茯苓）……以舂。

86 页，取羕（铅）末，菽酱之宰（滓）半，并舂。

5. 捣

120 页，以般服零（茯苓），最（撮）取大者一枚，寿（捣）。

46 页，以黄枔（芩）……捣而煮之。

109 页，寿（捣）庆（蛸）良（螂）。

129 页，用良叔（菽）、雷矢……而捣之。

6. 析

75 页，取马矢粗者三斗，孰析。

7. 冶（指研碎）

115 页，冶半夏。

126 页，冶桂。

32 页，冶黄芩。

119 页，冶陈葵。

118 页，燔扁（漏）籚（芦）冶之。

54 页，燔狸皮，冶灰。

22 页，用菱芰，熬，冶之。

8. 咀

125 页，咀鲞（薤），以封之。

104 页，夏日取堇叶，冬日取其本，皆以口咀而封之。

100 页，爵（嚼）蘖米。

9. 磨

80 页，熬蚕种令黄，靡（磨）取蚕种冶，亦靡（磨）白鱼，长足。

43 页，取恒石两，以相靡（磨）殹（也），取其靡（磨）如糜（糜）者，以傅犬所啮者。

（三）混合

1. 混和

34 页，取荠孰（熟）干实，爝（熬）令焦黑，冶一；林（术）根去皮，冶二。凡二物并和。

102 页，以水银二，男子恶四，丹一，并和。

80 页，以冥蚕种方尺，食衣白鱼一七，长足二七，熬蚕种令黄，靡（磨）取蚕种冶，亦靡（磨）白鱼，长足、节三并以酸二升和。

2. 挠

34 页，取鼢鼠干而冶，取彘鱼燔而冶，辛夷、甘草各与［鼢］鼠等。皆合挠。

85 页，取野兽肉食者五物之毛等，燔冶，合挠。

128 页，丹□□□……为一合挠之。

70 页，取枣种粗屑二升，葵一升，合挠，三分之。

3. 拌

39 页，冶黄芩、甘草相半（拌）。

88 页，取龟脑与地胆虫相半（拌）和，以傅之。

（四）浸渍

1. 渍（指浸渍药汁）

85 页，旦取蜂卵一，渍美醯，一杯以饮之。

86 页，取其汁渍美黍米三斗。

121 页，取茹卢本韰之，以酒渍之。

122 页，韰葵，渍以水，夏日勿渍。

123 页，干夸（刳）灶，渍以傅之。

2. 淬（指将矿物加热，乘热投入冷的液体中）

36 页，燔（熬）盐令黄，取一斗，裹以布，卒（淬）醇酒中，入即出，蔽以布，以熨斗，热则举，适下。

67 页，燔叚（煅）□□□□火而焠酒中，沸尽而去之。

88 页，燔小隋（椭）石，淬醯中，以熨。

3. 敦

125 页，蒸羊尼（臀部），以下汤敦符灰。

4. 淳

97 页，取大叔（菽）一斗，熬熟，即急抒置甑……醇酒一斗淳之。

5. 蒸发

99 页，□□半斗，煮成三升饮之。

按：由半斗煮成三升，就是加热煮沸，使水液蒸发掉。

109 页，取蛲螂一斗，去其甲足，以乌喙五颗，礜大如李，并以截（醋）□斗煮之，汽，以傅之。

按：汔，《说文》载“水涸也”，此处指把药汁煮沸蒸发干。

（五）加热

1. 煮

72 页，以水一斗，煮胶一参。

68 页，以水一斗，煮陈葵种一升，75 页，煮陈葵种而饮之。

72 页，血癃，煮荆三温之而饮之。

74 页，女子癃，煮隐夫木饮之。

74 页，以醯、酉（酒）三乃（汛）煮黍稷而饮其汁。

72 页，取蠃牛二七，薤一扐，并以酒煮而饮之。

2. 蒸

73 页，取三岁陈藋，蒸而取其汁，□而饮之。

125 页，蒸羊尼（臀部）。

124 页，蒸冻土以熨之。

40 页，取封殖土冶之，□□二，盐一，合挠而蒸之。

3. 烹

69 页，烹葵而饮其汁。

89 页，苣者，荆名曰卢茹，其叶可烹而酸。

77 页，渍女子布，以汁烹肉，食之。

53 页，烹三宿雄鸡二，洎水三斗，熟而出。

86 页，烹肥豭（黑雌羊），取其汁，渍美黍米三斗。

4. 煎

39 页，冶黄芩，甘草相半，即以颤膏财足以煎之。

31 页，伤者，以续断根一把，独□长枝者二梃，黄芩二梃，甘草□梃，秋乌喙二□□□□二瓯，即煎□熟。

100 页，烂者，嚼蘖米，捉取汁而煎，令类胶。

31 页，金伤者，以肪膏，乌喙□□皆相□煎。

5. 炊（以武火加热，亦有煮的意思）

105 页，郁、术皆冶入汤中，即炊汤。汤温适……入足汤中……汤寒则炊之。

50 页，并黍、菽（豆）、秫三，炊之。

117 页，以木薪炊五斗米，熟。

53 页，炊五谷，兔□肉。

86 页，烹肥豭，取其汁，渍美黍米三斗，炊之。

67 页，黑菽（豆）三升，以美醯（醋）三□者，疾炊，沸，止火；沸下，复炊，三沸止。

6. 煏（亦是加热的方式，类似炊、煮）

113 页，白茝、白衡、菌桂、枯姜、薪雉，凡五物……并以金铫煏桑炭，才沸，发歙（打开铫盖，散发热气），又复煏沸。

7. 爙（有炒的意思，即不加水干炒）

36 页，爙盐令黄。

34 页，取荠熟干实，爙令焦黑。

按：此方有炒炭的意思。

8. 熬

《说文》云："干煎为熬。"熬亦有炒的意思，即炒熟、炒干、炒黄、炒炭。

97 页，取大菽（豆）一斗，熬（炒）熟。

122 页，用菱芰熬，冶之，以犬胆和，以傅之。

120 页，熬菱芰一参令黄。

80 页，熬蚕种令黄。

101 页，煮秣米期足，才熟，浚而熬之，令为灰。

按：熬之令为灰，有炒成炭的意思。

9. 炮

91 页，以酱灌黄雌鸡，令自死，以菅裹，涂土，炮之。

10. 煅

127 页，取煅铁者灰三。

90 页，煅骆阮少小半斗。

11. 燔（即烧的意思）

55 页，取敝蒲席，若藉之蒻，绳之，即燔其末。

30 页，止血出者，燔发，以按其痏（创伤）。

按：此方和今日血余炭止血义同。

54 页，燔狸皮，冶灰，入酒中，饮之。

29 页，燔白鸡毛及人发，冶各等。

94 页，取石大如拳二七，熟燔之。

12. 烧

71 页，烧陈槀（乾禾草）。

（六）其他操作

1. 抒（即泄的意思）

97 页，取大菽一斗，熬熟，即急抒置甄。

88 页，冶桂六寸，干姜二颗，十沸，抒置瓮中。

37 页，以水财煮李实，疾沸而抒，浚取其汁。

114 页，取牡□……炊之，候其洎不尽一斗，抒藏之。

2. 蒸馏

73 页，女子瘅，取三岁陈藿（豆叶），蒸而取其汁，□而饮之。

按：此方"蒸而取其汁"似有蒸馏的含义。

另外，《五十二病方》中已用水银。如 108 页，以水银敷；102 页，以水银二；111 页，以水银、谷汁和而敷之；114 页，取水银磨掌中。书中既然用水银，说明当时一定有制造水银的工艺。水银易挥发，就需要用蒸馏的办法才能制取，从水银的生产可推知当时有蒸馏的装置。

附六　《五十二病方》药物炮制概况

《五十二病方》是 1973—1974 年长沙马王堆汉墓中出土的重要古代方药资料，该书除收载医方外，还对中药炮制有详细的记载，方中不仅有炮、熬、煮、炙、煅等术语的应用，而且还有操作过程的记录。本文根据 1979 年 11 月文物出版社出版的《五十二病方》单行本上的 283 方（不包括未拼合的残片）中有关中药炮制资料，按治削、水制、火制、水火共制加以分类归纳。后世《雷公炮炙论》序文中也用"炮熬煮炙"作为中药制药技术的通称。本文为研究我国炮制发展史提供参考。兹按炮制分类，将有关药物炮制资料列举如下。

一、治削

书中记载有关药物治削的资料，可归纳为如下几点。

（一）挑拣

挑拣是除去非药用部分，保留药用部分。

1. 去杂质

104 页（指《五十二病方》页次，下同），取久溺中泥，善择去其蔡、沙石。

2. 去甲足

109 页，取庆（蜣）良（螂）一斗，去其甲足。

3. 去皮

34 页，取枺（术）根，去皮。

46 页，合卢大如□□豆卅，去皮。

按：如果皮是可供药用的，也不一定去。例如 129 页，□□根，干之，剡取皮。

（二）干燥

关于干燥，《神农本草经》序论虽然记载"药有阴干、暴干"，但无具体内容。而《五十二病方》虽无此等概括性的话，但有阴干、暴干事实的记载。

1. 阴干

68 页，随毒堇不暴，以夏日至到□□（取）毒堇，阴干。

83 页，其药曰阴干黄牛胆。

38 页，小剸（断）一犬，溮（满）与麋米半斗，毋去其足，以□并盛，渍井底□□□并出之，阴干百日。

61 页，煮胶，即置其……冥以布，盖以䈽，县（悬）之阴燥所。十岁以前药乃干。

80 页，阴干之旁逢卵。

2. 暴干

129 页，取莓茎，暴干之。

35 页，冶术，暴若有所燥。

（三）切制

1. 切

99 页，□□三扴，细切。

2. 削

102 页，善削瓜状者。

47 页，取杞本（根）长尺，大如指，削。

3. 剡（意同斩削）

129 页，□□根，干之，剡取皮。

110 页，冶菳黄半参，以肥满剡猴膏。

4. 刌（意同切断）

121 页，取兰根、白付，小刌一升。

5. 劗

38 页，小劗一犬，溮与麋米半斗，毋去足。

6. 劋（同劋）

113 页，痛首，取蓝半斗，细劋。

7. 刑

107 页，刑赤蝎，以血涂之。

（四） **粉碎**

1. 口咀（意同嚼或咀）

125 页，咀釜（薤），以封之。

104 页，夏日取堇叶，冬日取其本（根），皆以口咀而封之。

100 页，爵（嚼）藄米。

2. 屑（意同碎）

70 页，取枣种，粗屑二升。

47 页，屑勺（芍）药。

3. 舂

47 页，取杞本（根）长尺……舂木臼中。

120 页，以服零（茯苓）……以舂。

86 页，取䤸（铅）末，菽酱之宰（滓）半，并舂。

4. 捣

120 页，以服零（茯苓），撮取大者一枚，寿（捣）。

46 页，以黄芩……捣而煮之。

109 页，寿（捣）庆（蜣）良（螂）。

129 页，用良叔（菽），雷矢……而捣之。

5. 筑

《说文》云："捣也。"

51 页，以堇一阳筑（筑），封之。

6. 伐（意同舂捣）

94 页，善伐米大半升。

7. 釐/鉴（意同捣烂）

122 页，釐，葵，渍以水。

121 页，取茹卢本（根）釐之。

50 页，鉴蜕，傅之。

795

51 页，蚤兰，以洒沃，饮其汁。

33 页，久伤者，荠蚤杏核中人，以职膏弁。

8. 析

75 页，取马矢粗者三斗，孰析。

9. 毁/破

27 页，毁一垸音（杯）酒中。

59 页，冶之，以鸟卵勿毁半斗。

77 页，破卵音（杯）醯中，饮之。

10. 冶（意同研碎）

89 页，取蒀茎干冶二升。

91 页，冶蘼芜本、防风、乌喙、桂皆等。

35 页，冶术。

108 页，冶牛膝。

32 页，冶黄芩。

119 页，冶陈葵。

115 页，冶半夏。

107 页，冶仆累。

107 页，冶葶苈、莁荑。

109 页，冶乌喙、黎芦、蜀椒。

28 页，冶齐□……熘之如□，即冶……百冶……冶精。

122 页，用菱芰熬，冶之。

118 页，燔漏芦，冶之。

54 页，燔狸皮，冶灰。

109 页，燔牡鼠矢，冶。

123 页，燔饮焦，冶。

11. 磨

43 页，取恒石两，以相靡（磨）殹（也），取其靡（磨）如麋（糜）者，以傅犬所啮者。

80 页，熬蚕种令黄，靡（磨）。亦靡（磨）白鱼、长足。

二、水制

（一）渍（意同浸泡）

1. 水渍

122 页，鳌葵，渍以水，夏日勿渍。

77 页，渍女子布。

123 页，干刭灶，渍以傅之。

2. 酒渍

121 页，取茹卢本（根）鳌之，以酒渍之。

70 页，以酒一杯，渍襦颈及头垢。

91 页，渍以淳酒而垸之。

3. 醯渍

85 页，旦取蜂卵一，渍美醯一杯，以饮之。

95 页，取商牢渍醯中，以熨其肿处。

4. 汁渍

89 页，取署蓣汁二斗以渍之。

86 页，取其汁渍美黍米三斗。

5. 溺渍

109 页，以小童溺渍菱芰。

106 页，以小婴儿溺渍殺羊矢，卒其时，以傅之。

（二）淳（《广雅·释诂》云："淳，渍也。"）

97 页，取大菽一斗，熬熟，即急抒置甗……醇洒一斗淳之。

（三）敦（意同淳）

125 页，蒸羊尼（羊臀部），以下汤敦符灰。

三、火制

（一）烧

71 页，烧陈槀（干禾草）。

燔，意同烧。

燔为灰，类似后世烧成炭的意思。30 页，止血出者，燔发，以按其疮（创伤）。按：此条和今日血余炭止血义同。29 页，治诸伤，燔白鸡毛及人发，冶，各等。29 页，刃伤，燔羊矢，傅之。109 页，燔牡鼠矢，冶，以善戴膳而封之。54 页，燔狸皮，冶灰。110 页，死人胻骨，燔而冶之。取陈葵茎，燔冶之。111 页，燔胕荆箕，取其灰。

燔烧药物，使发生烟，取烟熏治病。93 页，燔其艾、蕈……令烟熏。

燔烧药物，取其燃火，作温灸治病。55 页，取蔽蒲席，若藉之薚，绳之，即燔其末，以灸疣。

燔烧矿物药，有类似后世煅的意思。109 页，燔礜。94 页，取石大如拳二七，熟燔之。

（二）炮

91 页，以酱灌黄雌鸡，令自死，以菅裹，涂上土，炮之。

（三）煅

直火煅：90 页，段（煅）骆阮少半斗；127 页，取段（煅）铁者灰。

闷火煅：126 页，以乌雄鸡一、蛇一，并置瓦赤铺（釜）中，即盖以□，□东向灶炊之，令鸡、蛇尽燋，即出而冶之。

煅淬：将矿物药加热，乘热投入冷的液体中。36 页，爤（炒）盐令黄，取一斗，裹以布，淬醇酒中，入即出，蔽以布，以熨头。67 页，燔煅□□□□火而淬酒中，沸尽而去之。88 页，燔小楠石，淬醯中，以熨。

（四）爤（有炒的意思）

爤令黄：36 页，爤盐令黄。

爤令黑：34 页，取荠熟干实，爤令焦黑。按：此方有炒炭的意思。

（五）熬

《说文》云："干煎为熬。"王好古云："方言熬即今之炒也。"（《汤液本草》）

熬熟：97 页，取大菽（豆）一斗，熬（炒）熟。

熬干：122 页，用菱芰熬，冶之，以犬胆和，以傅之。按：此条"熬，冶之"，即熬干后，研之。

熬黄：120 页，熬菱芰一参令黄；80 页，熬蚕种令黄。

熬为灰：101 页，煮秫米期足，才熟，浚而熬之，令为灰。按：熬之令为灰，有炒成炭的意思。

（六）炙

110 页，冶乌喙，炙殺脂弁，热傅之。111 页，炙蛇膏令消，傅。78 页，炙蚕卵，令篓篓黄，冶之。107 页，燔朴炙之，乃傅。

（七）熇（意同焙烤）

28 页，冶齐□，□淳酒渍而饼之，熇瓦鸎炭。113 页，白莒、白衡、菌桂、枯姜、薪雉，凡五物……并以金铫熇桑炭。

四、水火制

（一）蒸

125 页，蒸羊尼（臀部）。124 页，蒸冻土以熨之。40 页，取封殖土（蚁土）冶之，□□二，盐一，合挠而蒸。73 页，取三岁陈藿，蒸而取其汁。

（二）煮

煮是制药过程中常用的方法之一。104 页，取雉式，熟煮……皆燔冶，取灰，以猪膏和敷。61 页，煮胶，即置其牖于椄火上，令药已成而发之。从应用目的来看，有煮药内服的，如：74 页，女子瘕，煮隐夫木，饮之；72 页，血瘕，煮荆，三温之而饮之。有煮药外用的，如：99 页，煮麦，麦熟，以汁洒之。有煮热，取其热气，以熏患处的，如：88 页，取溺五斗，以煮青蒿大把二……以熏痔，药寒而休，日三熏。另外，书中所记煮法因溶剂不同，又有下列多种。

以水煮：72 页，以水一斗煮胶一参；37 页，以水财煮李实；68 页，以水一斗煮陈葵种一斗。

以酒（酉）、醋（截、醯）煮：72 页，取蠃牛二七，薤一拼，并以酒煮而饮之；67 页，以醇酒入□，煮胶；109 页，取蜈螂一斗，去其甲足，以乌喙五颗，夆大如李，并以拼□斗煮之；74 页，以醯、酉（酒）三乃（汋）煮黍稷而饮其汁。

以泽泔煮：112 页，痛自发者，取桐本（根）一节所，以泽泔煮。

以湮汲水煮：66 页，湮汲水三斗，以龙须一束并煮。

以溺者：88 页，取溺五斗，以煮青蒿大把二；110 页，冶乌喙四颗，菱芰一升半，以男童溺一斗半并□，煮熟。

以水与溺共煮：75 页，以水与溺煮陈葵种而饮之。

（三）炊

炊五谷：53 页，炊五谷兔□肉；117 页，以木薪炊五斗米，熟；50 页，并黍、菽（豆）、秫三，炊之；86 页，烹肥㹕，取其汁渍美黍米三斗，炊之；67 页，黑菽（豆）三升，以美醯（醋）三□煮，疾炊，沸，止火，沸下，复炊，三沸止；127 页，以鍑（炊器，似釜而大口）煮，安炊之，勿令疾沸。

炊药物：37 页，节（即）毋李实时，□□□□□煮炊，饮其汁。

炊汤：105 页，即炊汤，汤温适，可入足，即置小木汤中……汤寒则炊之，热即止火。

（四）烹

69 页，烹葵而饮其汁。89 页，菡者，荆名曰卢茹，其叶可烹而熟。77 页，渍女子布，以汁烹肉，食之。53 页，烹三宿雄鸡二，洎水三斗，熟而出。86 页，烹肥㹕（黑雌羊），取其汁。

（五）煎

以煎制药：39 页，冶黄芩，甘草相半，即以蘦膏财足以煎之。按：此条以煎法制油膏。31 页，伤者，以续断根一把，独□长枝者二梃，黄芩二梃，甘草□梃，秋乌喙二□□□□者二瓯，即并煎□熟。

煎浓稠，令类胶：100 页，烂者，嚼蘽米，捉取汁而煎，令类胶。

以肪膏煎：31 页，金伤者，以肪膏，乌喙□□皆相□煎。

总之，过去认为最早记载中药炮制的是《黄帝内经》，《黄帝内经》载有半夏的炮制品，但无具体的操作方法。至《神农本草经》，虽有"阴干暴干，采造时月，生熟土地所出，真伪新陈，并各有法"等记载，但无具体内容。而《五十二病方》不仅记载了炮制名称，还有炮制内容，并有操作过程，所记有关炮制的资料，如炮、熬、煮、炙、煅等名称和《雷公炮炙论》序文所称"炮熬煮炙"等名称相同。书中所记"爋"与后世"炒"的含义相同。书中所记的"渍"与后世"泡"的意义相近。但有些名称，如筑、伐、整、析、煏等，后世皆已不用，变成历史名称。所以《五十二病方》中列举的有关药物炮制的工艺内容，是我国现存医学文献中对药物炮制工艺的最早记载。

附七 《五十二病方》制剂概况

1979 年 11 月文物出版社出版了《五十二病方》单行本，此单行本包括 5 种内容，计灸经 2 种、诊断 2 种、医方 1 种。

医方中有 52 个病名，所以就用"五十二病方"作为全书的名称。每个病名下记有若干个方子。全书有 283 个方子（不包括未拼合的残片）。在这 283 个方子中，虽未以膏、丹、丸、散等剂型定名，但确有散剂、丸剂、汤剂等剂型存在。

《五十二病方》中所记载的剂型有固体制剂、液体制剂，也有半固体制剂。各种制剂有内服的，也有作为外用的。固体制剂有灰剂、丸剂，液体制剂有汤剂、药汁、药浆、药酒等，半固体制剂有外用油膏。兹就书中所记各种剂型举例说明如下。

（一）灰剂

灰剂是将药加热成炭或炒、研成粉灰状，类似散剂。

内服灰剂：如"燔狸皮，冶（研）灰，入酒中饮之"（见《病方》54 页）。

外用灰剂：如"煮秫米期足，才熟，浚而熬之，令为灰，傅之数日"（见《病方》101 页）。

（二）丸剂

书中很多方子中都提到丸剂的制备，有酒制丸、醋制丸、油脂制丸，亦有成丸后，再粉碎入酒服之，如"冶（研）糜芜本（根）、防风、乌喙、桂皆等，渍以淳酒而丸之，大如黑叔（菽）而吞之。始食一，不知益一"（见《病方》91 页）。

（三）汤剂

书中的汤剂多数系指洗涤、洗浴用的汤，如"煮桃叶、三汈，以为汤，之温内（到温室内），饮热酒，已，即入汤中"（见《病方》122 页）。

（四）药汁

书中所记的药汁和后世医书中的汤剂很相似，药汁有内服的，也有外用的。

内服药汁：如"烹葵，而饮其汁"（见《病方》69 页）。又如"以醋、酒、三汇煮黍、稷，而饮其汁"（见《病方》74 页）。

外用药汁：如"煮茎，以汁洒（洗涤）之"（见《病方》45 页）。

（五）药浆

药浆比药汁稠些，如"为药浆方：取茝茎干冶（研）二升，取署蓣汁二斗以渍之，以为浆，饮之"（见《病方》89 页）。

（六）药酒

将药以酒煮，或用酒渍制之，如"取杞本（根）长尺，大如指，削，舂木臼中，煮以酒"（见《病方》47 页）。又如"取茹卢本（根），擎之，以酒渍之，后（等候）日一夜，而以涂之"（见《病方》121 页）。

（七）胶剂

帛书中记载胶的方子很多，说明当时胶的应用很普遍，如"以水一斗，煮胶一参（1/3 斗）、米一升，熟而啜之"（见《病方》72 页）。

（八）外用油膏

外用油膏多用动物油调药粉而成，如"冶（研）莁荑、苦瓠瓣，并以彘肪膏弁（调），傅之"（见《病方》110 页）。

上述各种剂型在《五十二病方》中皆无具体剂型名称，不像后世医书标有剂型具体名称，例如：汤剂，《黄帝内经》中有半夏汤；酒剂，《黄帝内经》中有鸡矢醴；《金匮要略》中有红花酒；丸剂，《伤寒论》中有乌梅丸，《金匮要略》中有肾气丸；散剂，《伤寒论》中有五苓散等。可见《五十二病方》中所见的方子都是当时制药疗病的实录，还没有发展到有制剂名称的阶段。这也证明了《五十二病方》的成书年代要早于《黄帝内经》，因此《五十二病方》中的各种制剂可以说是我国中成药最早的剂型。

附八　从《五十二病方》应用水银来看
我国古代制药化学的成就

1979 年 11 月文物出版社出版了《五十二病方》单行本，此单行本包括 5 种古佚医书，其中有我国现存最古的医方《五十二病方》。

《五十二病方》有 52 个病，每个病记有若干个方子，总计 283 方，在这 283 方中，所用药物有 247 种，其中有丹砂、水银等药。

书中应用水银的方子有 4 个。

102 页，治般（瘕）者方："以水银二，男子恶四，丹一，并和，置突（上）二三月，盛（成），即□□□囊而傅之。"

108 页，治痂方："善洒，靡（磨）之血，以水银傅，［又］以金銹冶（研）末皆等，以彘膏［膳而］傅［之］。"

111 页，治干痂方："以水银，谷汁和而傅之。"

114 页，治身有痈方："即取水银靡（磨）掌中，以和药傅。"

上述 4 个方子皆用水银。按，水银在自然界中单独产出的很少，一般多从硫化汞（丹砂）的矿石提炼取得。

那么《五十二病方》中所用的水银可能不是从自然界单独取得的，而是从丹砂中制取出的，其理由如下。

自古以来，水银都是从丹砂中制取出的。古代湖南辰州（今沅陵）出丹砂。《五十二病方》亦是湖南长沙出土的，而且《五十二病方》第 61 页治白疕方中即用丹砂，这提示《五十二病方》中的水银是从丹砂中提炼取得的。

水银虽是金属，但不能用炼铜、铁的方法来提炼，如果用炼铜或炼铁的方法来炼丹砂，肯定是不行的，因水银极易挥发，热到 350℃时，会全部飞散掉，必须用特殊的方法，使用蒸馏一类的装置才行，没有这样的装置，是得不到水银的。

《五十二病方》中虽无提制水银的记载，但从书中应用水银的事实来看，当时必有类似蒸馏工艺的装置存在，否则如何能够提炼取得水银呢？

这一点似可说明我们祖先在当时已能从丹砂中制取水银，这对制药化学是一个很大的贡献。

用丹砂制水银是从什么时候开始的呢？

过去都认为我国后汉时代（公元 2 世纪）的药学著作《神农本草经》是最早记载药用水银的书。《神农本草经》载："水银，味辛，寒。主治疥瘙、痂疡白秃，杀皮肤虫虱，堕胎，除热。杀金、银、铜、锡毒，熔化还复为丹。"但从《五十二病方》已用水银入药来看，《神农本草经》不能算是最早记载水银药用的书，《五十二病方》才是。《五十二病方》是什么时候的书呢？按马继兴、李学勤的考证，《五十二病方》成书的时间不晚于秦汉之际，即应为公元前 3 世纪末。同时二人又指出，《五十二病方》的成书年代是早于《黄帝内经》的。如果从《黄帝内经》成于战国时期来推定，那么《五十二病方》成书年代至少可以上溯到春秋战国之际，甚至更早，水银制备成功的年代也应在春秋战国之际之前了。

附九　《五十二病方》残缺字试补

《五十二病方》（以下简称《病方》），已于 1979 年 11 月由文物出版社出版成单行本。《病方》是我国现已发现的最古医书，由于帛书已经破碎残损，不可辨识的残缺字很多，马王堆帛书整理小组的同志们花了不少的精力和时间，把许多残缺字都补出了，这对《病方》的整理是一大贡献。

但是《病方》中有些残缺字由于破损部分太多、目前尚无法补出者也还不少。笔者拟将其中某些个别的残缺字试图补掇之，兹按《病方》中行号举例如下。

117 行"治之□鸟卵勿毁半斗"。

按：残缺"□"字，参照 135 行、266 行、454 行，拟补"〔以〕"字。

161 行"痛甚，弱（溺）□痛益甚"。

按：此方是讲尿路感染，排尿时痛加重。所缺"□"字，参照文义，拟补"〔时〕"字。

161～162 行"以美醯三□煮"。

按：残缺"□"字，拟补〔汎〕字。这是参照 189 行"以醯，酉（酒）三乃（汎）煮黍稷而饮其汁"。

164～165 行"以夏日至到□□毒堇阴干"。

按：从采药季节来看，毒堇宜在夏天生长茂盛时采，所缺"□□"2 字，拟补"〔时取〕"2 字。

170 行"亨（烹）葵而饮其汁；冬□□本"。

按：所缺"□□"2 字，参照 329 行"夏日取堇叶，冬日取其本"，拟补"〔亨（烹）其〕"2 字。

170 行"亨（烹）葵而饮其汁……沃以□□"。

按：所缺"□□"2 字，参照 87 行"銎（斎）兰，以酒沃，饮其汁"，拟补"〔醇酒〕"2 字。

213 行"□中指蚤（搔）二〔七〕必瘳"。

按：残缺"□"字，参照 380 行、391 行拟补"〔以〕"字。

221 行"挠以醇□"。

按：残缺"□"字，参见 5 行、26 行、30 行、141 行、259 行、287 行、300 行、410 行，拟补"〔酒〕"字。

238 行"虽久病必□"。

按：残缺"□"字，参照 28 行、136 行、164 行、287 行、288 行，结合文义，拟补"〔已〕"字。

239 行"□之，疾久（灸）热"。

按：残缺"□"字，根据文义，拟补"〔久（灸）〕"字。

246 行"□龟啮（脑）与地胆虫相半"。

按：残缺"□"字，参照 56 行、61 行、67 行、102 行、115 行等拟补"〔取〕"字。

255 行"〔燔〕□炭其中"。

按：缺字"□"，参照 373 行，拟补"〔桑〕"字。

255 行"取肥□肉置火中。"

按：缺字"□"，参照 241 行，拟补"〔豻〕"字。

301 行"◿□□三折（蘖）"。

按：残缺"□"字，参照 182 行"薤一折"，拟补"〔薤〕"字。

302 行"即浚而□之"。

按：残缺"□"字疑为"饮"字，此句可写成"即湷（浚）而〔饮〕之"。

302 行"温衣□◿"。

按：缺字"□"，参照 295 行，拟补"〔卧〕"字。

332～333 行"□汤中。"

按：残缺"□"字，参照 417 行，拟补"〔入〕"字。

338 行"令其□温适"。

按：残缺"□"字，参照 163 行、174 行，拟补"〔寒〕"字。

341 行"熬叔（菽）□□"。

按：残缺"□□"2 字，参照 25 行，拟补〔令焦〕2 字。

341 行"以牡□膏"。

按：残缺"□"字，参照 398 行，拟补"〔猪〕"字。

344 行"以□脂"。

按：残缺"□"字，参照 339，拟补"〔攻（釭）〕"字。

344 行"若豹膏□而灸之"。

按：残缺"□"字，参照 339 行，拟补"〔傅〕"字。

353 行"以南（男）潼（童）弱（溺）一斗半并□，煮熟"。

按：残缺"□"字，参照文义，拟补"〔煮〕"字。

353 行"□米，一升入中，挠"。

按：残字"□"，参照 307 行、311 行，结合本文义，拟补"〔蘗〕"字。

364 行"取□□羽"。

按：本文是祝由辞，参照 8 行、112 行，残缺"□□"字拟补"〔白鸡〕"2 字。

364 行"禹步三，□□一音（杯）"。

按：本方是祝由辞，参照 97 行，残缺"□□"2 字拟补"〔湮汲〕"2 字。

371 行"朝日未□□乡（向）涶（唾）之"。

按：本方是祝由辞，参照 206 行"以日出时，令……东乡（向）"，则残缺"□□"字拟补"〔出东〕"2 字。

372 行"已冶五物□□□"。

按：残缺"□□□"3 字，参照 246 行，拟补"〔相半和〕"。

372 行"取牛脂□□"。

按：残缺"□□"2 字，参照 237 行"合挠□"，拟补"〔合挠〕"2 字。

372 行"□细布□□"。

按：本句中残缺字，参照 119 行、228 行，拟补为"〔以〕细布〔冥（幂）□〕。"

373 行"如此□□□"。

按：本句参照文义，可补为"如此〔煏弟（沸）参（三）〕"。

390 行"□□霰（核），毁而取□□而□□"。

按：参照 21 行，本行可补为"〔以杏〕霰（核），毁而取〔其仁〕而〔煮之〕"。

391 行"以□洒之"。

按：残字"□"字，参照 392 行，结合文义，可补为"〔汤〕"字。

401 行"取禹灶□□塞伤痏"。

按：参照 57 行，可补为"取禹灶〔末灰〕塞伤痏"。

402 行"冶颧（菫）葵□□□"。

按：参照 406 行，结合文义，可补为"冶颧（菫）葵〔若陈葵〕"。

404 "□食（蚀）"。

按：参照 402 行、407 行，可补为"〔戴（蜮）〕食（蚀）"。

407 行"以榆皮，白□美桂"。

按：残缺"□"字参照 372 行，可补为〔苴〕"字。

407 行"而并□□□□傅空（孔）"。

按：参照 37 行，可补为"而并〔冶〕，〔虒膏弁〕傅空（孔）"。

330~331 行"傅□□之"。

按：残缺"□□" 2 字，参照 416 行、339 行，拟补"〔而炙〕" 2 字。

428 行"□其灰"。

按：残缺"□"字，参照 359 行，可补"〔取〕"字。

434 行"即□葱封之"。

按：参照 433 行，可补为"即〔咀〕葱封之"。

451 行"痏居右，□马右颊〔骨〕；左，□〔马〕左颊骨，燔"。

按：参照文义，两个残缺"□"字皆可补为"〔取〕"字。

454 "治以丹□"。

按：残缺"□"字，参照 130 行，可补"〔沙〕"字。

附十　《五十二病方》释文的管见（一）

1973 年年底，长沙马王堆三号汉墓出土大量帛书，其中有古医书医方。马王堆汉墓帛书整理小组定医方名为《五十二病方》，并加释文，先于 1975 年《文物》9 期刊出，后对释文重加审订，于 1979 年 11 月通过文物出版社出版成单行本《五十二病方》（以下简称《病方》）。

《病方》释文是十分精确而完善的，笔者并无疑异。唯《病方》中极个别的释文笔者不甚理解，故提出一点粗浅的看法。兹按《病方》行号的次序举例如下。

24 行："至不痏而止。"

按："痏"，参照文义，似应释为"痏（痛）"。

85 行："并黍、叔（菽）、秫（术）三。"

按："秫（术）"的"秫"，不知原底本是"秫"还是"林"。若是"林"字，可释为"林（术）"。如：25 行"林（术）根去皮"，29 行"冶林（术）"。若原底本是"秫"字，恐是秫米的简称，如：309 行"煮秫米期足"。秫米古已有，《灵枢·邪客》有半夏秫米汤可证之。

154 行："以龙须（须）一束并者（煮）。"

按："须（须）"字同，不知所释（须）何意？

176 行："以淳酒半斗，三〔汲〕煮之。"

按："三〔汲〕煮之"的"汲"字，参照 185 行"石瘅，三温煮石韦"，似可释为"温"字。

180 行："两人为靡（磨）其尻。"

按："（磨）"字，参照 292 行"如□状，抵（抚）靡（摩）"，似可释为"（摩）"字。

185 行："石瘅，三温煮石韦若酒而饮之。"

按："若"字，参照 330 行"且以苦酒"，似可释为"若（苦）"。"若"在古方中多作"或"字讲，此处作"或"字不好解释，疑是"苦"字之误。

206 行："今颓（癫）者屋霤下东乡（向）。"

按："今"字，参照 12 行、14 行、103 行、198 行、210 行，似可释为"令"。

217 行："今其空（孔）。"

按："今"字，参照 12 行、14 行、103 行、198 行、210 行，似应释为"今（令）"。

217 行："即今颓（癫）者烦夸（瓠）。"

按："今"字，参照 210 行"令颓（癫）者"，似可释为"今（令）"。

251 行："青蒿者，荆名曰〔萩〕。"

按："〔萩〕"，参照《重修政和经史证类备用本草》卷 10 "草蒿"条，似可释为〔菣〕。"草蒿"条引掌禹锡注云："《尔雅》云：'蒿，菣。'释曰：'蒿，一名菣。'《诗·小雅》云：'食野之蒿。'陆玑云：'青蒿也，荆、豫之间，汝南、汝阴皆云菣。'孙炎云：'荆、楚之间，谓蒿为菣。'郭云：'今人呼青蒿，香中炙啖者为菣是也。'"

251 行："菖者，荆名卢茹。"

按："卢"字，似是"蘆"字之误，《本草》有"蘆茹"，而无"卢茹"。《本草纲目》卷 17 上草部"菖茹"条的"集解"栏有"〔时珍曰〕范子计然云：蘆茹出武都"。

302 行："即潑而□之。"

按："潑"字，参照 34 行、176 行、162 行、293 行，似可释为"潑（浚）"。

373 行："布〔抒〕取汁。"

按："〔抒〕"，参照 18 行、19 行，似宜用"〔捉〕"字。

412 行："取茹卢（芦）本。"

按："（芦）"字，参照《重修政和经史证类备用本草》卷 7 "茜根"条，应作"（藘）"字。《名医别录》云："茜根，一名茹藘。"《诗经》云："茹藘在坂。"《尔雅·释草》云："茹藘，茅蒐。"陆玑《毛诗草木疏》云："茹藘，茅蒐，蒨草也。"诸书皆作"茹藘"，而不作"茹蘆"。"蘆"字简体字为"芦"。而"藘"字简体字为"蒠"。若用简体字书写，本条应写成："取茹卢（蒠）本。"

413 行："芫华（花）。"注③云："芫花，见《神农本草经》。"

按："芫华（花）"的"芫"字和注文中"芫花"的"芫"字，似为"芫"字之误。《重修政和经史证类备用本草》卷 14 有"芫花"，而无"芫花"。《本草纲目》卷 17 下草部有"芫花"，而无"芫花"。

附十一 《五十二病方》释文的管见（二）

马王堆汉墓帛书《五十二病方》（以下简称《病方》）已于 1979 年 11 月由文物出版社出版成单行本。《病方》是我国现已发现的最古医方。马王堆帛书整理小组的同志们对《病方》中难懂的字都加了注释，这给学习《病方》的同志带来了极大的方便。

古代文字本就难懂，《病方》中的注文虽然经过反复研究，但其中仍有个别的注文难以理解，笔者对个别难懂的注文提出一点粗浅的看法，以供读者参考。兹按《病方》行号举例如下。

21 行："以职（职）膏弁。"注②云："职，古书或写作胭，《考工记·弓人》注：'亦黏也。'职膏，即黏的油脂。"

按：注文中说："职膏，即黏的油脂。"参照 352 行、355 行有"彘职膏"，"彘"即"猪"，"猪职膏"并不黏。笔者认为"职""脂"音同，"职膏"即"脂膏"。本方中"职"似应从音考虑，不能从字义考虑。而注文引《考工记·弓人》注"亦黏也"是从字义考虑。如果从字义考虑，那么 454 行"以猪织（职）膏"的"织"字就不好解释了。

34 行："疾沸而抒。"注②云："抒，将水汲出。"

按：这样注并不错。《说文》段玉裁注："抒，凡挹彼注兹曰抒。"抒本是移注液体的意思，但也借用于移注固体物，如 286 行"取大叔（菽）一斗，熬孰

（熟），即急抒置甑"，此行中"抒"字，是指移注固体物，若被注成"抒，将水汲出"就不好解释了。

114 行："取犬尾及禾在圈垣上〔者〕，段冶。"注②云："段，《说文》：'椎物也。'段冶，椎碎。"

按：注②段释为椎碎，似不合实际情况。从方子内容看，此方是指狗尾草与禾，要制成细粉，加湮汲饮的。但狗尾草与禾是植物，不管怎样椎，总有纤维存在的，难以制成细面，既制不成细面，又如何饮呢？参照 255 行"段（煅）骆元"的"叚（煅）"字，则本方"段"字亦可释为"煅"。因为狗尾草与禾经过煅，再冶为细末，即可加入湮汲饮。

133 行："以清煮胶。"注①云："一说，煮胶是熬煮使水分蒸发而变稠的意思。"

按：此说似难成立。盖本方是把胶加清酒煮成稠液的，并非将清酒熬煮变稠的意思。事实上，清的酒是难以熬成稠液的。如果原方真是要把清的酒熬成稠液，则原文应为："以清煮令类胶。"例如 307 行："足（捉）取汁而煎，令类胶。"这个"令类胶"，就有蒸煮变稠的意思。单言"煮胶"，就是把"胶"加水或酒煮之，例如 181 行"以水一斗煮胶一参"即是。

176 行："以淳酒半斗，三〔氿〕煮之。"注②云："三氿，氿疑应读为蒸，其义当与三沸相近。"

按：注②释氿为蒸，义与三沸相近，可商。参照 417 行"煮桃叶、三氿以为汤"，三氿似是一种液体物质，若不是液体物质，单纯桃叶怎么能煮出汤来。

193 行："泊以酸浆□斗。"注⑤云："酸浆，见《神农本草经》。《名医别录》云：'生荆楚川泽及人家田园中。'此处以斗计量，当指酸浆汁。"

按：注⑤把"酸浆"释为《神农本草经》中的植物酸浆，可商。此方中所用酸浆汁既以斗计量，用量当然很大，大量酸浆汁要用更大量的酸浆草才能榨出汁来。酸浆草在夏季新鲜时能榨出汁，到了冬季干枯了，就榨不出汁了。如果冬季生病，要用此方，从何处弄得大量酸浆汁？笔者认为"酸浆"不是植物酸浆草，而是制醋的浆液。《外台秘要》所引范汪方中的醋浆即酸浆。《外台秘要》卷 14（1955 年人民卫生出版社，380 页）范汪疗中风发热，大戟洗汤方云："大戟、苦参等分，捣筛，药半升，用醋浆一斗，煮之三沸，适寒温洗之。"按此方中"醋浆一斗"，即"酸浆一斗"。又葛洪《肘后方》（1963 年人民卫生出版社，201 页）染发须白令黑方，醋浆煮豆漆之，黑如漆色。方中的醋浆即酸浆。酸、醋是同义异文之词。

196 行："赣戎盐若美盐。"注①云："戎盐，又名胡盐，见《神农本草经》。"

按：注①"戎盐，又名胡盐，见《神农本草经》"，言外之意，即《神农本草经》的戎盐又名胡盐。查《证类本草》卷5"戎盐"条，胡盐作黑字《名医别录》文。应改注文"《神农本草经》"为"《名医别录》"。

251 行："藺者，荆名曰卢茹。"注⑦云："卢茹，疑系茹卢之倒……即茜草之别名。"

按：注⑦谓卢茹，疑系茹卢之倒，并释为茜草的别名，可商。"卢茹"的"卢"似应释为"藘"字。《本草纲目》卷17"蔄茹"条引《范子计然》云："蔄茹出武都。"又引《素问》治妇人血枯痛，用乌鲗骨、藘茹二物丸服。王冰言藘茹取其散恶血。又《齐书》云："王子隆年二十，身体过充，徐嗣伯合藘茹丸服之自消。"是藘茹古已有之，并非茹藘之倒。但事实确有藘茹2字颠倒，即成茜草的别名。《诗经》云："茹藘在坂。"《尔雅·释草》："茹藘，茅蒐。"陆玑《毛诗草木疏》云："茹藘，茅蒐，蒨草也。"茜草别名，诸书皆作"茹藘"，而不作"茹卢"。

198 行："以筒赾之二七。"注②云："筒，疑指中空如筒的针。"

按：此注②释筒疑为中空如筒的针，可商。《病方》只有灸法、[石已]法，并无针法。所云如筒的空针，那时是否有这种技术制出来，倒是一个疑问。笔者认为"筒"即"竹筒"，和227行"竹甬（筒）"义同。因本方治癫是用祝由法，《病方》中祝由法治癫使用的农具很多，如奎蠡（225行）、瓠壶（217行）、铁椎（200行）、柏杵（195行）等。这些农具的应用和198行所用的"筒"，方义皆相同。

244 行："絜以小绳。"注云："絜，捆束。"

按：注文中，释絜为捆束并不错。从习惯上讲，结合文义，释絜为"结扎"较好。在医疗外科手术上，类似本方中手术的操作多用"结扎"，而不用"捆束"。

254 行："牝痔之有数窍，蛲白徒道出者方。"注①云："徒，众。这里是说蛲虫色白而众多，由孔窍而出。"

按：注文中释徒为众，亦可讲得通。笔者怀疑"徒"是"從"字之误，即蛲虫色白从孔道出。

254 行："先道（导）以滑夏铤，令血出。"注②云："夏，楸木。滑夏铤，应为润滑的楸木棒。"

按：注文中释滑夏铤为楸木棒，可商。既然是楸木做的棒，为何要用"金"字旁铤？铤，原指金属块而言。把滑夏铤释为金属块，当然讲不通。笔者疑"铤"为"鋋"假借字，"鋋"即刺的意思。《文选》司马相如《上林赋》云："铤猛氏。"意即刺猛氏之兽。那么本方"滑夏铤"可释为"滑夏铤（鋋）"，意即以滑夏（楸木棒）刺之。

306 行："□阑（烂）者方，以人泥涂之。"注②云："人泥，即人身汗垢。"

按：注文中谓人泥即人身汗垢，可商。本方是以人泥涂烧伤。人泥既是汗垢，汗垢夏天才有。如冬季发生烧伤，如何取得汗垢？笔者参照 330 行，疑人泥即《名医别录》的溺白垽，《名医别录》云："疗鼻衄，汤火灼疮。"

308 行："热者。"注①云："热，《释名》：'燕也。'即烧灼。"

按：注文中释"热"为"烧的"并不错，参看 316 行"浴场热者"、317 行"以汤大热者"，则"热者"除指烧灼外，亦包括烫伤，所以"热"字释为"烫火伤"比较全面。

326 行："胻膫。"注云："胻膫，即小腿部烧伤。"

按：注文中释"胻膫"为"小腿部烧伤"并不错，但从生活经验中可知，小腿部直接被火烧伤的机会非常少，因为人是活的，遇到火会自然而然的躲开。小腿部火伤都是被意外烧红的金属碰落到小腿部烫伤，或被烧红的火石飞落到小腿部烫伤，所以注文中"烧伤"2 字改为"烧灼烫伤"比较全面。

330 行："取久溺中泥。"注②云："久溺中泥，应即《新修本草》的溺白垽……《新修本草》云……"

按：溺白垽，原是《名医别录》药，《本草纲目》误注为《唐本草》药，释者是承袭《本草纲目》之误。检卷子本《新修本草》卷 15"溺白垽"条的注文末尾无"新附"2 字标记，说明"溺白垽"不是《新修本草》药。再检《证类本草》卷 15"溺白垽"条的注文中亦无"唐本先附"，证明"溺白垽"不是《唐本草》药。笔者在三十年前整复《唐本草》时，同样犯了这个毛病，把《本草纲目》中误注为《唐本草》的资料统统收入辑本中，造成后来的反工。

350 行："蜀叔（菽）、庶。"注①云："蜀菽，药名，不详。庶，疑为蔗（甘蔗）。"

按：注文中"蜀菽"，笔者疑为"巴豆"。又注文中"庶"，释为蔗（甘蔗），可商。同为方中开头即说"冶"，即研碎。甘蔗含大量糖汁，纤维又多，是研不碎的，所以释庶为甘蔗是不符合实际情况的。笔者疑庶为"䗪"字，即土鳖虫。土鳖虫干燥时是可以研碎的。

361 行："先以湝修（潃）。"注②云："湝，应读为酢。酢潃，变酸了的米泔。"

按：注文中酢潃释为变酸了的米泔，可商。参照 338 行"经鼃膏修（潃）"，则"修"字似有调制的意思。据此，"先以湝修"的意思是"先以酢调制"，而不是"先以变酸了的米泔"。

362 行："以蜂驵弁和之。"注①云："蜂驵……疑即蜂子。"

按：注文中蜂驵疑即蜂子。笔者疑驵为"饴"假借字。蜂驵，疑是"蜂饴"，即蜂蜜。

368 行："痈首，取茈半斗。"注①云："茈，即柴胡。"

按：释茈为柴胡，可商。《说文》："茈，茈草也。"《尔雅·释草》："藐，茈草。"郭璞注："茈草，可以染绛，一名茈萯。"《山海经·西山经》："劳山多茈草。"郭璞注："茈草，一名茈萯，中染紫也。"郝懿行《山海经笺疏》："茈草即紫草。"是"茈"即为"紫草"的专有名词。但"茈"亦见于其他名词中，如：《急就篇》云："黄芩茯苓礜茈胡。"颜师古注："茈胡，即柴胡。"《上林赋》云："茈姜。"司马彪注："紫色之姜。"《山海经·南山经》："洵水，其中多茈蠃。"郭璞注："紫色螺也。"根据《说文》等文献资料，"茈"只能释为"茈草（紫草），而不能释为"茈胡""茈姜""茈蠃"。《名医别录》云："紫草，以合膏疗小儿疮及面皶。"《药性论》云："紫草，治恶疮、瘑癣。"《仁斋直指方》云："紫草，治痈疽。"此皆与本方茈治痈首义合。

附十二 读《五十二病方》随笔——"释蒿"

1979 年 11 月文物出版社出版的《五十二病方》89 页："青蒿者，荆名曰〔萩〕。"注云："青蒿，见《神农本草经》。《尔雅·释草》：'萧，萩。'郭璞注：'即蒿。'这里说荆楚地方称青蒿为萩。"

对比释文和注文后，笔者持有不同的看法。按，青蒿是《神农本草经》草蒿的别名。《证类本草》卷 10 "草蒿"条引陶隐居注："草蒿，即今青蒿。"又引《蜀本草·图经》云："草蒿，北人呼为青蒿。"《诗经·小雅》云："食野之蒿。"陆玑《毛诗草木疏》云："草蒿，青蒿也。荆、豫之间，汝南、汝阴皆云薂。"《尔雅·释草》云："蒿，薂。"孙炎注："荆、楚之间，谓蒿为薂。"郭璞注：

"今人呼青蒿，香中炙啖者为菣，是也。"《说文解字注》云："菣，香蒿也。按陆德明曰：'菣，《字林》作莖。'"

按陆玑所疏，青蒿，荆、豫之间曰菣。则《五十二病方》89 页"青蒿者，荆名曰〔萩〕"的"萩"字应改为"菣"字。至于注文所引《尔雅·释草》"萧，萩"，释作青蒿是错误的。

"萧"，最早见于《诗经》。《毛诗》云："取萧祭脂。"陆玑《毛诗草木疏》云："萧，荻。今人谓荻蒿者是也，或牛尾蒿，似白蒿，白叶茎粗，科生，多者数十茎。"《尔雅》云："萧，荻（一本作萩）。"郭璞注："即蒿。"

按：郭璞所注的"蒿"是一个泛称的名称，没有指明何种蒿。《尔雅》释蒿有数种，如：蘩，皤蒿；蒿，菣；蔚，牡菣；蘩之丑，秋为蒿。郭璞在注《尔雅》"蒿、菣"时，言明"今人呼青蒿，香中炙啖者为菣"。据此可知，郭璞释"萧，萩。即蒿"当非青蒿。

再据陆玑所疏"萧似白蒿，白叶茎粗"，全不像青蒿，则萧、萩，非青蒿明矣，所以《五十二病方》注文中引《尔雅·释草》释"萧，萩"为青蒿是错误的。

附十三　读《五十二病方》随笔——"释茈"

《五十二病方》（1979 年文物出版社出版）113 页："痈首，取茈半斗，细剉（剉）。"注云："茈，即柴胡。"

笔者对此注文持有不同的看法。

《说文解字注》："茈，茈草也。"《尔雅·释草》："藐，茈草。"郭璞注："茈草，可以染绛，一名茈䓞。"《说文系传》："䓞草，可以染留黄。"

《山海经》："西山经，劳山多茈草""北山经，咸山，敦薨之山多茈草""中山经，隅阳之山，其草多茈"。郭璞注："茈草，一名茈䓞，中染紫也。"郝懿行《山海经笺疏》："茈草即紫草。《尔雅》：'藐，茈草。'《广雅》：'茈䓞，茈草。'是郭所本。"

按郭璞、郝懿行所注，茈、茈草、藐、茈䓞、紫草，皆同物异名，可以染紫色，即今日的紫草，是单字"茈"指紫草而言。

"茈"除作"紫草"专有名词外，亦见于其他名词，如：《山海经·南山经》："洵水，其中多茈蠃。"郭璞注："紫色螺也。"《上林赋》："茈姜。"司马彪注："紫色之姜。"《急就篇》："黄芩茯苓礜茈胡。"颜师古注："茈胡即柴胡。"

从以上资料来看，单字"茈"是紫草专有名词，不能释为柴胡。如果"茈"字后有"胡"学，像《急就篇》"茈胡"，则可释为柴胡。假如单"茈"字可释为柴胡，则茈蠃、茈姜亦可用"茈"字来训释了。

从《五十二病方》"痈首"病症来看，方中"茈"释为"紫草"与医疗实际义合。《名医别录》云："紫草，以合膏疗小儿疮及面皶。"《药性论》云："紫草，亦可单用，能治恶疮、癣癣。"《仁斋直指方》云："紫草合栝蒌治痈疽。"这就说明紫草药效与《五十二病方》"痈首"单用"茈"治之，其义吻合。

附十四　"茱萸、椴本、产豚藾、藾之茱萸"考释

1979 年文物出版社出版的《五十二病方》（以下简称《病方》）第 196～207 页有个《五十二病方》现存药名表（以下简称"药名表"）。在这个药名表中有茱萸、椴本、产豚藾、藾之茱萸等几个药名，它们彼此是有联系的。兹将其相连关系考释如下。

（一）释茱萸

茱萸，药名表中释作吴茱萸或山茱萸。笔者参考文献资料，初步认为《病方》中的茱萸是指吴茱萸而言，不是指山茱萸。

按，单言"茱萸"2 字，是指吴茱萸。古人以吴茱萸为香料，简称茱萸。山茱萸是不香的。

司马相如《上林赋》云："众香发越，茱萸之名越椒。"史游《急就篇》云："芸蒜荠芥茱萸香。"颜师古注云："茱萸似椴而大，食者贵其馨烈，故云茱萸香也。"《上林赋》和《急就篇》两文中都提到茱萸有香气，则两文所讲的茱萸都是吴茱萸。汉代周处《风土记》云："俗尚九月九日谓为上九，茱萸到此日气烈，熟则色赤，可折其房以插头，云辟恶气。"此文亦讲茱萸气烈，则《风土记》所讲茱萸亦指吴茱萸。张仲景《金匮要略》云："呕而胸满者，茱萸汤主之。吴茱萸一升，人参三两，生姜六两，大枣十二枚。"又云："干呕，吐涎沫，头痛者，茱萸汤主之。"张仲景的茱萸汤，其方中用的茱萸是吴茱萸，故吴茱萸能止呕，而山茱萸不能止呕，足证吴茱萸可简称为茱萸。

又如孙思邈《备急千金要方》治赤痢脐下痛，茱萸一合，黑豆汤吞之效。此方中所用茱萸亦是吴茱萸，因吴茱萸能止脐痛，所以古代文献单言"茱萸"2 字时

多指吴茱萸。

《武威汉代医简》第91甲简既有"朱臾"之名，又有"山朱臾"之名。同一方中用两个药名，当非一物，其中"朱臾"当指"吴朱萸"而言。这就证明古代所讲的"茱萸"是指吴茱萸，而不是指山茱萸。

（二）释藙

《汉律》云："会稽献藙一斗。"

《礼记·内则》云："三牲用藙。"郑玄注云："藙，煎茱萸也。《汉律》会稽献焉。《尔雅》谓之樧。"又贺氏《疏》云："煎茱萸，今蜀郡作之，九月九日取茱萸，折其枝，连其实，广长四五寸，一升实，可知十升膏，名之藙也。"

《说文》云："藙，煎茱萸也。"

《病方》71页治瘰方："坎方尺有半，深至肘，即烧陈橐其中，令其灰不盈半尺，薄洒之以美酒，〔取〕茜荚一、枣十四、豪（藙）之朱萸、椒，合而一区，燔之饮中，以隧下。"

此方中所用的朱臾即是吴茱萸，吴茱萸和椒性质相近，有芳香气。

后来《肘后备急方》也有类似的用法，治肠痔下部痒痛，如："虫咬者方：掘地作坑，烧令赤，酒沃中，捣茱萸二升，内中乘热开小孔，以下部拓上，冷乃下，不过三四度即差（愈）。"此方中所用的茱萸，亦指吴茱萸而言，因吴茱萸气烈（山茱萸无气味），借以熏下部止痒痛。

（三）释樧

《尔雅·释木》云："茱（椒）、樧、丑菜。"郭璞注云："樧似茱萸而小，赤色。"

《说文》云："樧似茱萸，出淮南。"

《诗经·唐风·椒聊》引李巡注云："樧，茱萸也。椒、茱萸皆有房，故曰菜（株），菜（株）实也。"

郑玄注《礼记·内则》云："藙，煎茱萸也。《汉律》会稽献焉。《尔雅》谓之樧。"

按郑玄注，樧、藙、茱萸三者为同物异名。

《楚辞·离骚》云："椒专佞以慢慆兮，樧又欲充夫佩帏。"王逸注云："樧，茱萸也，似椒而非也，樧子皆房生。"

按：王逸为汉代人，他所注亦以樧为茱萸。

《神农本草经》云："吴茱萸，一名藙。"陶隐居注云："《礼记》名藙，而俗中呼为椒。"按陶注，椒亦为吴茱萸的异名。

由于吴茱萸有香气，可作调味品用，所以吴茱萸异名"藙"，多与椒、姜并称，如《南都赋》云："苏、藙、紫、姜，拂撤膻腥。"

茱萸的异名很多，除"藙""椒"（樧）等异名外，还有"越椒""榝子""艾子""椒"等异名。

《上林赋》云："众香发越，茱萸之名越椒。"

《广雅》云："椒（音考）、樧、榝、越椒，茱萸也。"

《玉篇》云："榝，茱萸类也。"

《风土记》云："三香，椒、榝、姜也。"

《太平御览》引宋《春秋》云："义熙八年（412），太社榝树生于坛侧。"

陈藏器《本草拾遗》云："榝子，味辛辣如椒，木高大，茎有刺。（见《证类本草》卷 14）

苏颂《本草图经》云："莍子，出闽中江东，其木似樗，茎间有刺，子辛辣如椒，南人淹藏以作果品，或以寄远。"（见《证类本草》卷 14）

但是明代李时珍《本草纲目》说"榝子"是食茱萸，和吴茱萸是一类二种。

《本草纲目》卷 32"食茱萸"条下云："吴茱、食茱，乃一类二种，茱萸取吴地者入药，故名吴茱萸；榝子则形味似茱萸，惟可食用，故名食茱萸也。陈藏器不知食茱萸即榝子，重出榝子一条，正自误矣。"

按食茱萸是《唐本草》新增的药物。苏敬说食茱萸功同吴茱萸，少为劣尔，皮薄，开口者是。

孟诜《食疗本草》云："茱萸闭目者名榝子，不堪食。"

陈藏器《本草拾遗》云："茱萸南北总有，以吴地为好，所以有吴之名……《本经》云吴茱萸，又云生宛朐，宛朐既非吴地，以此（指食茱萸）为食者耳。苏（指苏敬《唐本草》）重出一条。"照陈藏器所说，《唐本草》新增的食茱萸即是吴茱萸。

宋代《开宝本草》云："颗粒大，经久色黄黑，乃是食茱萸；颗粒紧小，久色青绿，即是吴茱萸。"

苏颂《本草图经》云："食茱萸……或云即吴茱萸，中颗粒大经久色黄黑，堪啖（能吃）者是……其木亦甚高大，有长乃百尺者，枝茎青黄，上有小白点，叶正类油麻，花黄。蜀人呼其子为艾子。盖《礼记》所谓藙者。"

郑樵《通志草木略》云："榝子，一名食茱萸，以别吴茱萸，《礼记》三牲用藙，是食茱萸也。"

明代李时珍根据唐、宋诸家本草所注，把藙、菽（椒）、越椒、艾子、榝子，皆作为食茱萸的别名，以别于"吴茱萸"。所以从《本草纲目》以后，就否定《广雅》"梫、椒、榝、越、椒，茱萸也"的说法。

根据这一历史的变化，我们可判定，在唐以前，吴茱萸、食茱萸是不分的，统以"茱萸"名之。由于它们有香味，古人多用以作香料，辟恶气，除冷痰，止呕吐涎沫。那么《病方》所用的茱萸、藙、椒等名称，其具体药物包括吴茱萸、食茱萸两种东西，由于那时没有食茱萸名称（唐代才有此名），所讲的茱萸均以吴茱萸之名概之。换句话说，唐以前所讲的吴茱萸包括吴茱萸和食茱萸两种东西。所以汉代文献对椒、藙注释不一，或云椒、藙，茱萸也，或云椒、藙，似茱萸。这就是因为食茱萸、吴茱萸在汉以前是不分的，统以"茱萸"名之。

附十五　关于《五十二病方》药物数字的讨论

《五十二病方》（1979 年文物版，以下简称《病方》）第 196～205 页，是《五十二病方》现存药名表（以下简称药名表）。兹将药名表中药物数字讨论如下。

为研究方便，把药名表中每个药物标以自然序码，从 1 号硝石标到 247 号灌曾（灌青）。

药名表载药 247 种（不包括《病方》残片中的个别药名）。这个数字是从《病方》中的药名统计得来的，由于计算方法不同，所得药物总数也不相同。

因为中药，大多数是天然的动物、植物和矿物，少数是人工制作的。对天然的动物药或植物药，在计数时，多以个体为单元计算，不以个体内各部分来计算。

兹以唐慎微《重修政和经史证类备用本草》（以下简称《证类本草》，1957 年人民卫生出版社影印本）和李时珍《本草纲目》（1955 年人民卫生出版社版影印本）两书计算药名方法为依据，统计《病方》中药物数字如下。

1. 116 桑实，117 桑汁，118 桑炭

按：《证类本草》卷 13（见 315 页）"桑根白皮"条下有桑叶、桑汁、桑耳、五木耳 4 个部分的名称，这 4 个部分的名称并不作 4 味药计算，而是附在"桑根白

皮"条下，当作 1 味药计算。

《本草纲目》卷 36（见 1429 页）"桑"条下有桑根白皮、皮中白汁、桑葚（桑实）、桑叶、桑枝、桑柴炭 6 个部分的名称，这 6 个部分的名称并不作 6 味药计算，而是并在"桑"条下，当作 1 味药计算。

据此，116 桑实（桑葚）、117 桑汁、118 桑炭应并在一起，当作 1 味药计算。不必分作 3 条，当作 3 味药计算。

2. 162 牛肉，163 黄牛胆，218 牛脂、牛煎脂

按：《证类本草》卷 17（见 377 页）"牛角䚡"条下有水牛的角、牛髓、牛胆、牛心、牛肝、牛齿、牛肉、牛屎、牛溺 9 个部分的名称，这 9 个部分的名称并不作 9 味药计算，而是并在"牛角䚡"条下，当作 1 条计算。《本草纲目》卷 50 同此。

据此，则 162 牛肉、163 黄牛胆、218 牛脂、牛煎脂亦可并为 1 条，不必分作 3 条，当作 3 味药计算。

3. 152 羊肉，153 羊矢、羖羊矢，154 肥㹠，155 羊毛，156 羊尼，219 羖脂

按：《证类本草》卷 17（见 379 页）"羖羊角"条下有羊髓、羊肺、羊心、羊肾、羊齿、羊肉、羊头脑、羊骨、羊屎 9 个部分的名称，这 9 个部分的名称并不作 9 味药计算，而是归并在"羖羊角"条下，当作 1 条计算。《本草纲目》卷 50 同此。

据此，则 152 羊肉，153 羊矢、羖羊矢，154 肥㹠，155 羊毛，156 羊尼，219 羖脂也可并为 1 条，不必分为 6 条。

4. 169 猪，170 彘矢，171 野彘肉，217 彘膏、猪膏、豕膏

按：《证类本草》卷 18（见 388 页）"豚卵"条有悬蹄、猪四足、猪心、猪肾、猪胆、猪肚、猪齿、猪鬐、猪肪膏、豭猪肉、猪屎 11 个部分的名称，这 11 个部分的名称不作 11 味药计算，而是附在"豚卵"条下，当作 1 条计算。《本草纲目》卷 50 同此。

据此，则 169 猪，170 彘矢，171 野彘肉，217 彘膏、猪膏、豕膏亦可并作 1 条计算，不必分为 4 条，当作 4 味药计算。

5. 157 犬胆，158 犬毛，159 犬矢，160 犬□

按：《证类本草》卷 17（见 381 页）"牡狗阴茎"条下有狗胆、狗心、狗脑、狗齿、狗头骨、狗四脚蹄、白狗血、狗肉、狗屎 9 个部分的名称，这 9 个部分的名称不作 9 味药计算，而是附在"牡狗阴茎"条下，当作 1 味药计算。《本草纲目》卷 50 同此。

据此，则 157 犬胆、158 犬毛、159 犬矢、160 犬□也可归并为 1 条，不必分为

4 条。

6. 164 兔皮，165 兔毛，166 兔产脑

按：《证类本草》卷 17（见 385 页）"兔头骨"条下有兔骨、兔脑、兔肝、兔肉 4 个部分的名称，这 4 个部分的名称并不作 4 味药计算，而是附在"兔头骨"条下，当作 1 条计算。

《本草纲目》卷 51 下（见 1793 页）"兔"条下有肉、血、脑、骨、头骨、肝、皮毛、屎 8 个部分的名称，这 8 个部分的名称并不作 8 味药计算，而是附在"兔"条下，当作 1 条计算。

据此，则 164 兔皮、165 兔毛、166 兔产脑也可并为 1 条，不必分为 3 条。

7. 173 牡鼠，174 牡鼠矢

按：《证类本草》卷 22（见 440 页）"牡鼠"条下有牡鼠四足、牡鼠尾、牡鼠肉、牡鼠粪 4 个部分的名称，这 4 个部分的名称，并不作 4 味药计算，而是并在"牡鼠"条下，当作 1 条计算。《本草纲目》卷 51 下同此。

据此，则 173 牡鼠、174 牡鼠矢也可并为 1 条，不必分为 2 条。

8. 145 雄鸡、白鸡、黄雌鸡，146 乌雄鸡，147 白鸡毛，148 鸡血，149 鸡卵，150 雄鸡矢

按：《证类本草》卷 19（见 392 页）"丹雄鸡"条下有鸡头、白雄鸡肉、乌雄鸡肉、鸡肪、鸡肠、鸡屎白、黑雌鸡、鸡血、鸡翮羽、黄雌鸡、鸡肋骨、鸡子、卵白、卵中白皮、鸡白蠹肥脂 15 个部分的名称，这 15 个部分的名称并不作 15 味药计算，而是附在"丹雄鸡"条下，当作 1 味药计算。

《本草纲目》卷 48（见 1667 页）"鸡"条下有丹雄鸡肉、白雄鸡肉、乌雄鸡肉、黑雌鸡肉、黄雌鸡肉、乌骨鸡、反毛鸡、太和老鸡、鸡头、鸡冠血、鸡血、鸡肪、鸡脑、鸡心、鸡肝、鸡胆、鸡肾、鸡嗉、鸡肫胵、鸡肠、鸡胁骨、鸡距、鸡翮翎、鸡尾毛、鸡屎白、鸡子、鸡卵白、鸡卵黄、抱出卵壳、卵壳中白皮、鸡窠中草、煮鸡汤 32 个名称，这 32 个名称并不作 32 味药计算，而是并在"鸡"条下，当作 1 味药计算。

据此，则 145 雄鸡、白鸡、黄雌鸡，146 乌雄鸡，147 白鸡毛，148 鸡血，149 鸡卵，150 雄鸡矢应并在一起当作 1 味药来计算，不必分为 6 条，当作 6 味药计算。

以上是按《证类本草》和《本草纲目》计算药名方法归并的。

药名表中某些性质相同的一些药名亦可归并在一起。兹将其中可以归并的药列举如下。

1. 37 兰，38 兰根

此两条按照药名表中 26 茉、茉根的例子，也可归并为 1 条。

2. 4 封殖土，6 井上罋甃处土，7 囷土，10 冻土

这 4 种土实质上都是土，可以并为 1 条。

3. 77 大菽，78 黑菽

按：黑菽、大菽同为一物。《证类本草》卷 25 "生大豆"条引日华子云："黑豆调中下气。"

苏颂《本草图经》云："大豆有黑、白二种，黑者入药，白者不用。"

寇宗奭《本草衍义》云："生大豆有绿、褐、黑三种。亦有大小两等，其大者出江浙、湖南、北，黑小者生他处"。

据此，黑菽、大菽似可并为 1 条。

4. 76 菽本，87 藿

按：菽本是豆根，藿是豆叶。仿药名表中第 26 茉、茉根条，则 76 菽本与 87 藿亦可并为 1 条。

5. 98 桂，100 美桂

按：《病方》69 页有"美盐"，但药名表中未列"美盐"的药名仅列第 11 盐。仿此，则 100 美桂似可不列，因有 98 桂即可。据此，美桂似可附在"桂"条下，不必分为 2 条。

6. 83 蘗米，223 薛

按：223 薛，《病方》208 页注⑳释"薛"为"蘗"。"蘗"与"蘗米"是相同物质，似可并为 1 条。

7. 102 椒、椒汁，103 良椒

按：药名表中第 75 菽、菽汁、良菽是当作 1 条计算的。仿此则 102 椒、椒汁和 103 良椒亦可并为 1 条。

8. 106 荆，201 荆箕

按：荆箕由荆条编制而成，二者本质上是一种东西，似可并为 1 条。

9. 108 茱萸，126 椴本，204 产豚薮、薮之茱萸

此 3 条可并为 1 条，因为此三者在隋唐以前为吴茱萸的同物异名者。

10. 113 大皮桐，114 桐本

此 2 条仿药名表中第 121 槐东向本枝叶的例子，可并为 1 条。

11. 122 干莓，123 莓茎，109 蓬蘽

此 3 条亦可并为 1 条，因为《神农本草经》"蓬蘽"条有陶弘景引李当之注云："蓬蘽，即是人所食莓尔。"（见《证类本草》卷 23，页 464）。按：蓬蘽与莓都是蔷薇科植物，品种极多，尤以莓的种属更多，古人分的并不像今日那么详细，仅就其形态相近而名之。蓬蘽与莓的形态相近，所以李当之说："蓬蘽即人所食之莓尔。"

12. 130 枣，131 枣种

按《病方》70 页云："枣种粗屑二升。"注①云："枣种，即大枣。"

据此，则 136 枣、131 枣种为同物异名者，故可并为 1 条。

13. 224 百草末，225 屋荣蔡

按《病方》104 页："朐伤：取久溺中泥，善择去其蔡。"注③云："蔡，草芥。"

《病方》42 页："婴儿瘛：取屋荣蔡薪燔之。"

百草末与屋荣蔡都是草，似可并为 1 条。

14. 140 头脂、头垢，143 人泥

按《病方》100 页："烂者方，以人泥涂之。"注②云："人泥，《金匮要略》卷下治马肝毒中人未死方作'人垢'，即人身汗垢。"

"人泥"释为"人垢"，似可与"头垢"条合并为 1 条。

15. 194 襦颈，198 敝褐

此二者同为衣服的一部分，似可并为 1 条。

16. 195 女子布，196 女子初有布

按：此二者即陈藏器《本草拾遗》所说的"经衣"。孙真人云："治霍乱困笃，取童女月经衣（相当于《病方》女子初有布）和血烧灰和酒服方寸匕。"又云："治聚血兼箭镞在胸喉，烧妇人月经衣（相当于《病方》女子布），酒服。"女子初有布，《病方》120 页作"女子未尝丈夫者〔布〕"。"未尝丈夫者〔布〕"与"初有布"其意不完全相同，最好释作"处女布"。不论"女子布"或"处女布"，均属"经衣"，似可并为 1 条。

17. 197 死者襊，213 饭焦、焦

死者襊，《病方》79 页作"死者褽"，注②云："疑读为餕、腏，祭饭。"按，祭饭、饭焦，同为一物，似可并为 1 条。

18. 199 故蒲席、敝蒲席，200 藉之蒻

按：故蒲席或敝蒲席，由蒲编制而成。

蒻，《说文》："蒲子，可以为平席。"《说文解字注》云："蒲子者，蒲之少者也。凡物之少小者，谓之子。"《考工记》注云："今人谓蒲本在水中者为弱，弱即蒻，蒻必嫩，故蒲子谓之蒻。"

据此，蒲与蒻是同一物，仅老幼之分，则敝蒲席与藉之蒻似可并为1条。

19. 203 陈稾，227 禾

按：《病方》71页："瘅……即烧陈稾其中。"注②云："陈稾，干禾草。"二者同为禾，似可并为1条。

20. 81 黍、美黍米，陈黍，212 黍潘，214 禾搋

按：禾搋，《病方》86页作"黍搋"，注⑥云："黍搋，用黍做成的祭饭。"

此三条同属一物黍，似可并为1条。

21. 210 谷汁，226 五谷

这两条均属谷类，似可并为1条。

22. 215 肪膏、脂膏，216 久膏、久脂

这两条都是脂肪，亦可并为1条。

23. 211 泽泔，228 米

按：泽泔是米汁，和米是一类东西，二者似可并为1条。《说文》："周谓潘曰泔。"《广雅·释器》："泔，澜也。"《礼记·内则》："燂潘请靧。"郑玄注云："潘，米澜也。"《一切经音义》云："江北名泔，江南名潘。"

按照上述归并，药名表中可以归并的药名有51个，从247个药名中剔除被归并的51个药名，实存数应为196个。如不这样计算，则第二栏《神农本草经》药名和第三栏《名医别录》药名各占多少就不好统计了。例如在药名表中，第一栏药名共计247个，在第二栏中标《神农本草经》药名91个，在第三栏中标《名医别录》药名34个。若依第一栏247个药名计算，有关《神农本草经》药物的数字不是91个，而是111个。同样，《名医别录》药物的数字不是34个，而是37个。这样一来，药名表中的247个药名，属于《神农本草经》和《名医别录》的究竟是多少个，就讲不清楚了。如把药名表中的247个药名，按照《证类本草》和《本草纲目》的办法，把同种药物归并在一起，使实数成为196个，那么在这196个药名中，属《神农本草经》药的是91个，属《名医别录》药的是34个。

但这里要补充说明一点，在药名表中属《神农本草经》药的不止91个，而是94个，其中有3个药名漏列了：186 蚯蚓，在第二栏中没有标注"参见白颈蚯蚓条"；184 赤蝎，在第二栏中没有标注"参见石龙子条"；231 野兽肉食者五物之

毛，在第二栏中没有标注“参见六畜毛蹄甲”。

同样情况，药名表中第三栏漏列《名医别录》药名有3个：140头垢属《名医别录》药（见《证类本草》卷15，页364），173牡鼠及174牡鼠矢也属《名医别录》药（见《证类本草》卷22，页440）。此外208菽酱之滓的后面还可加个同类药“酱”，因《病方》91页1行有“痔者，以‘酱’灌黄雌鸡”，说明《病方》中有“酱”的记载。“酱”是《名医别录》药（见《证类本草》卷26，页497），则药名表“菽酱之滓”的第三栏可列1条“酱”。

附十六　《五十二病方》用药方法概况

1979年文物版《五十二病方》（以下简称《病方》）所记的用药方法有内服和外用两种。内服有食、饮、歠、吞、粲等法；外用有熏、浴、洒、沃、涅、傅、涂、膏、封、安、印、鉇等用法。兹将其各种用法举例如下。

（一）内服用药

1. 食

治蚖，煮鹿肉，若野彘肉，食之（见54页）。

2. 饮

《病方》中所记的有水煮药饮之，有酒煮药饮之，亦有把药丸、药粉放在液体中饮之。治膏弱（溺）方，以水与弱（溺）煮陈葵种而饮之（见75页）；治瘙方，取赢牛二七，薤一拼，并以酒煮而饮之（见72页）；治石瘙方，三温煮石韦苦酒而饮之（见73页）；治牝痔方，饮药浆（见89页）；治瘙方，破卵音（杯）醯中，饮之（见77页）；治诸伤方，毁一垸（丸），音（杯）酒中饮之（见27页）；毒乌喙者方，屑芍药，以□半杯，以三指大撮饮之（见47页）；治蚖方，燔狸皮，冶（研）灰，入酒中，饮之（见54页）。

3. 歠或啜

歠或啜即喝的意思（清代文士称喝茶为啜茶）。治瘙方，亨（烹）葵，热歠其汁（见69页）；治瘙，以水一斗，煮胶一参、米一升，孰（熟）而啜之（见72页）。

4. 吞

痔者方，冶（研）蘼芜本、防风、乌喙、桂皆等，渍以淳酒而垸（丸）之，大如黑叔（豆）而吞之（见91页）。

5. 粲

《说文》："吞也。"毒乌喙者方，以□汁粲菽若苦，已（见 48 页）。

6. 服药时禁忌

服药时忌食鱼、肉，禁房事等。治白处方，服药时毋食鱼（见 60 页）；治脉者方，服药时禁毋食彘肉、鲜肉（见 85 页）；令金伤毋痛方，治病时，毋食鱼、彘肉、马肉、龟、虫（蛇）、荤、麻洙菜（见 35 页）。

（二）外治用药

1. 熏

（1）燃烧药物以药气熏。治牡痔方，取女子布，燔，置器中，以熏痔（见 90 页）。

（2）燃烧药物以烟熏。治胸痒方，燔其艾、蕈……令烟熏直（93 页）；治牝痔方，煆骆阮少半斗，布炭上，以布周盖，坐以熏下窍，烟灭，取肥羭肉置火中（见 90 页）。

（3）水煮药物以气熏。治烂者方，取秋竹煮之，而以气熏其痏（见 103 页）；治牝痔方，煮青蒿……以熏痔（见 88 页）。

（4）熏以发汗。伤痉者方，择薤一把，以淳酒半斗煮沸，〔饮〕之，即温衣夹坐四旁，汗出到足，乃□（见 39 页）。

2. 浴

治干瘙方，居二日乃浴，疥已（见 122 页）；婴儿病痫方：取雷矢三颗，冶（研），以猪煎膏和之，置水中，挠，以浴之（见 41 页）。

3. 洒

洒有润泽、清洁疮面的意思。

（1）以水洒。产痂方，先善以水洒，而炙蛇膏令消，傅（见 111 页）；濡痂方，善以水洒痂，干而傅之（见 110 页）。

（2）以汤洒。干瘙方，先孰洒瘙以汤（见 120 页）；治痈，消石置温汤中，以洒痈（见 33 页）。

（3）煮药汁洒。煮茎汁洒，治犬噬人伤者，煮茎，以汁洒之（见 45 页）；煮蓬藟汁洒，治疽，煮蓬藟，取汁四斗，以洒疽痈（见 95 页）；煮麦汁洒，治疽，煮麦，麦熟，以汁洒之（见 99 页）；煮菽汁洒，治疠，煮菽，取汁洒（见 128 页）。

（4）以黍潘洒。治瘃（冻疮）方。先以黍潘孰洒瘃（见 124 页）。

（5）以酒洒。治痂方，以酒洒，燔朴炙之，乃傅（见 107 页）。

4. 沃

沃有冲洗的意思。

（1）以汤沃。治蠚者方，以汤沃（见64页）。

（2）以酒沃。犬所啮方，令人以酒财沃其伤（见45页）。

5. 浘

浘，即以药液冲洗伤处。伤者方，冶（研）黄芩……即以布捉〔取〕……浘之（见32页）。

6. 傅

《病方》用的傅法最多，在283方中有70余方提到傅法，用傅法的方子占全书总方数的1/4。兹将傅药及其注意事项举例如下。

（1）以膏傅（古代以无角动物脂肪为膏）。傅蛇膏，治产痂方，炙蛇膏令消，傅（见111页）；傅猪膏，治痂方，取三岁织（职）猪膏，傅之（见111页）。

（2）以脂傅（古代以有角动物脂肪为脂）。治痂方，冶乌象（喙），炙殽脂弁，热傅之（见110页）。

（3）以鸡卵和傅。烂者方，以鸡卵弁兔毛傅之（见101页）。

（4）以犬胆和傅。治胕腂方，取陈黍、菽，冶（研），以犬胆和，以傅（见103页）。

（5）以男子洎傅。治伤者方，以男子洎傅之，皆不瘢（见31页）。

（6）以药汁傅。治般（瘢）者方，以汁傅产肤（见103页）；治阑（烂）者：渍女子布，以汁傅之（见101页）。

（7）以药汁和药傅。治干痂方，以水银、谷汁和而傅之（见111页）。治烂者方，冶蘖米，以乳汁和，傅之（见101页）。

（8）以汔傅，把药汁煮干傅。治痂方，取蜻蜋一斗……以截□斗煮之，汔（药汁煮干），以傅之（见109页）。

（9）以灶土傅。治身疕方，久疕不已，干剡灶，渍以傅之（见123页）。

（10）以药灰傅。治烂者方，燔鱼衣，以其灰傅之（见101页）；治烂者方，燔敝褐，冶，布以傅之（见101页）；又方，煮秫米期足，才熟，浚而熬之，令为灰，傅之数日（见101页）。

（11）以盐傅。治癰伤方，濡，以盐傅之，令牛舐之（见49页）。

（12）傅时注意事项。①宜早晨傅。治白处方，以旦未食傅药（见60页）；治漆疮方，以朝未食时傅（见116页）。②傅前宜先洒（清洗）。治痂方，傅〔药〕，必先洒之（见 129 页）；治痂方〔先〕孰洒痂以汤，乃傅（见 106 页）。③傅时不要用手直接敷药。治白处方及毋手傅之（见 60 页）。④傅后再炙。干瘙方，以傅疥而炙之，干而复傅（见 121 页）。⑤傅药时禁忌。治瘃（冻疮）方，傅药时禁□□□□（见 124 页）；治瘕方傅之，居室塞窗闭户，毋出，私内中（在室内便溺），毋见星月一月（见 102 页）；治痈方，傅药毋食□彘肉、鱼及女子（房事）（见 114 页）。

7. 涂

涂即以液体或半固体药剂涂患处。

（1）以液体药剂涂。治蛇啮方，以桑汁涂之（见 112 页）；治大带者方，以清煮胶，以涂之（见 62 页）；治痂方，荆赤蝎，以血涂之（见 107 页）。

（2）以半固体药剂涂治瘃（冻疮）方，以兔产（生）出（脑）涂之（见 124 页）；治烂者方，以人泥涂之（见 100 页）。

8. 膏

治痔者方，人州出（脱肛）不可入者，以膏，膏出者（见 92 页）；治疠方，以彘已湔（煎）者膏之（见 128 页）。

9. 封

《广雅·释宝》："涂也。"治蚖方，取井中泥，以还（环）封其伤（见 54 页）；治蚖方，釜兰，以酒沃，饮其汁，以宰（滓）封其痏（见 51 页）；治涿（瘃）方，咀蘜（蔄），以封之（见 125 页）；治痂方，燔牡鼠矢，冶，以善截膳而封之（见 109 页）；治瘅方，以疾（蒺）黎（藜）、白蒿封之（见 49 页）；治久伤者方，荠（荎）杏核中人，以取膏弁，封痏（见 33 页）。

10. 安

把药用于局部，并加压力按之。止血出者，燔发，以安（按）其痏（创伤）（见 30 页）。

11. 印（即薄贴）

治蚖方，以葪印其中颠（见 51 页）。

12. 鈚/施

治金伤者方，以方（肪）膏、乌豙（喙）□□皆相□煎，鈚（施）之（见 31 页）；治白处方，厚薮肉，扁（遍）施所而止（见 60 页）。

13. 以药物加热熨患处

（1）以土加热熨。犬噬人伤者方，取丘引矢二升，以井上甕断处土与等，并

827

熬之……稍垸，以熨其伤（见44页）；治婴儿索痉方，取封殖土……蒸，以遍熨……挛筋（见40页）；治瘃（瘕）方，蒸冻土，以熨之（见124页）。

（2）以药物加热熨。治雎（疽）病方，取商牢渍醯中，以熨其种（肿）处（见95页）。

（3）熨时注意事项。治痉者方，熬盐以熨，熨勿绝。熨时及已熨四日内……毋见风（见36页）。

14. 以药物燃之，灸患处

（1）以艾灸。治颓（癫）方，取枲垢，以艾裹，以久（灸）颓（癫）者中颠（见79页）。

（2）以蒲灸。治尤（疣）方，取敝蒲席若（或也）藉之弱（蒻），绳之，即燔其末，以久（灸）尤（疣）末，热，即拔尤（疣）去之（见55页）。

（3）灸时注意事项。治颓（癫）方，灸其宥，勿令风及。易瘳（见82页）。

15. 以药物置患处加热炙或燃烧炙

治人病马不间（痫）者方，盐隋（脽）炙尻（见65页）；治瘅方，燔陈刍若（或也）陈薪，令病者北（背）火炙之（见72页）。

16. 以药物摩、搔患处

治蚖方，以产豚蘱摩之（见51页）；治疣方，以朔日葵茎摩疣二七（见57页）。

总之，《病方》药物使用方法大致可分口服、外用两大类。

口服用药时由于使用剂型不同，或食，或饮，或歠，或吞，而且在内服时还要注意禁忌，如忌食彘肉、鲜鱼、马肉、蛇、龟等食物，并要禁止房事。这些禁忌在中医学上至今依然还是要注意的。

在外治用药方法中，适用于体表用药的有熏法、浴法，适用于疮口清洗用药的有洒、沃、浞等法，适用于疮面外敷药的有傅、涂、封、安等法，以药物辅助物理疗法有印、炙、灸、熨等法。

在外治法中，以熏、浴、洒、傅、熨等法用的较多，其中以傅法用的次数最多，《病方》共有283方，而记有傅法的方子有70多方，用傅法的方子约占全书总方数的1/4。在应用傅法时记有一些注意事项，如在傅前要用洒法清洗疮口，有时还要洒酒，这不仅能清除脓血坏死组织，并且有灭菌作用，有些方子还记载不要用手直接傅，这些用法都是合乎科学的。

此外用艾、盐灸炙患处，至今依然在使用。

由此可见，艾灸的历史非常悠久。

附十七　从《五十二病方》药物产地来看《五十二病方》产生时代

《五十二病方》（以下简称《病方》）药物涉及产地名称有二：一是荆，二是蜀。

（一）荆

《病方》251 行："青蒿者，荆名曰〔菣〕。蔄者，荆名曰卢茹。"

此方中，青蒿、蔄两味药在古代荆的地方分别称为〔菣〕（菣应作菣）[1]、卢茹。

"荆是什么地方？《尚书·夏书·禹贡》："荆及衡阳，惟荆州。"[2]《尔雅·释地》："汉南曰荆州。"郭璞注云："自汉南至衡山之阳。"[3] 汉南到衡山之阳，相当今日湖南、湖北等地，则古代的荆，即指湖南、湖北地区。《尚书》是春秋以前的书，则荆的地名在春秋以前就有了。那么青蒿和蔄（卢茹）在春秋以前即为人们所药用了。

（二）蜀椒

《病方》275 行："雎，以白菣、黄耆、芍药、甘草四物煮，□、姜、蜀椒、茱萸四物而当一物……"

《病方》中蜀椒的"蜀"是西周时蜀国，即今日成都[4]，则椒自古产于蜀，故名蜀椒。"椒"之名最早见于《诗经》。《诗经·周颂》："有椒其馨。"《诗经》云："贻我握椒。"《传》云："椒，芬香也。"《诗经》云："椒聊之实。"《传》云："椒聊，椒也。"陆玑疏云："椒树似茱萸，有针刺，叶坚而滑泽，蜀人作茶。"按《诗经》是西周初期到春秋末期作品[5]。据此可知，蜀椒之名至少在春秋以前就有了。

战国时楚国三闾大夫屈原《楚辞》对椒的记载很多。《楚辞·离骚》："杂申椒与菌桂兮"[6] "苏粪壤以充帏兮，谓申椒其不芳"[7] "椒专佞以慢慆兮"[8]。《楚辞·九歌》："奠桂酒兮椒浆"[9] "菊（一本作播）芳椒兮成堂"[10]。《楚辞·九章·橘颂》："折芳椒以自处。"[11]

古代《山海经》对椒亦有记载。《山海经·中次八经》："琴鼓之山，其木多穀柞椒柘。"郭璞注："椒为树小而丛生，下有草木则蠹死。"[12]《山海经·中次十经》："虎尾之山，其木多椒据。"[13]

《艺文类聚》卷89引《范子计然》曰："蜀椒出武都（今甘肃武都），赤色者善。"[14]《名医别录》云："蜀椒，一名巴椒，一名蓎藙，生武都川谷及巴郡。"[15]按，巴郡是战国地名（今重庆）。据此可知，蜀椒在战国时已是常用药了。《山海经》《楚辞》都是战国时楚地作品，这些书中记载椒的文字很多，说明《病方》中的蜀椒应用不会迟于战国时期。

（三）蜀叔

《病方》350行："痂……燔礜，冶乌喙、黎卢、蜀叔、庶、蜀椒、桂各一合，并和，以头脂……炙以熨。"

《病方》中既有蜀椒又有蜀叔。蜀叔，后世称之为巴豆[16]。蜀是古代蜀国，即今成都；巴是古代巴国，即今重庆。左思《蜀都赋》云："其中有巴菽、巴戟。"蜀都即成都，蜀都产巴菽，即成都产巴菽。《淮南子·说林训》："鱼食巴菽而死，鼠之而肥。"《华阳国志》云："江阳郡有巴菽。"《广雅》云："巴菽，巴豆也。"按《淮南子》《蜀都赋》是汉代作品，汉代称巴豆为巴菽，则蜀叔当是汉以前的名称。疑蜀叔是蜀国时代的药名。

根据以上《病方》中有"青蒿者，荆名曰〔菣〕。茵者，荆名曰卢茹""蜀菽""蜀叔"等先秦时的名称，则《病方》的方子应是春秋战国时产生的方子。

【注及参考文献】

[1]《病方》251行："青蒿者，荆名曰〔菣〕。"《病方》89页注⑥云："青蒿，见《神农本草经》。《尔雅·释草》：'萧，菣。'郭璞注：'即蒿。'这里是说荆楚地方称青蒿为菣。"《病方》注⑥可疑。《说文》云："蒿，菣也。"《尔雅》云："蒿，菣。"孙炎注云："荆楚之间谓蒿为菣。"陆玑《毛诗草木疏》云："青蒿，荆、豫之间，汝南、汝阴皆云菣。"按文献所载，荆、楚地方称青蒿为菣，所以《病方》251行"青蒿者，荆名曰〔菣〕"应改为"青蒿者，荆名曰〔菣〕"。

[2] 黄侃校点《黄侃手批白文十三经·尚书·夏书·禹贡》，10页，上海古籍出版社，1983。

[3] 清·郝懿行《尔雅义疏中之五·释地》第2页，上海古籍出版社，1983。

[4] 谭其骧主编《中国历史地图集》第一册，56页，中国地图出版社，1982。

[5] 中国科学院哲学研究所中国哲学史组编《中国哲学史资料选辑》先秦之部上，41页，中华书局，1984。

[6] 宋·朱熹《楚辞集注》卷一，5页，上海古籍出版社，1979。

[7] 同[6]，页20。

[8] 同 [6]，页 23。

[9] 同 [6]，页 30。

[10] 同 [6]，页 36。

[11] 同 [6]，页 100。

[12] 郝懿行《山海经笺疏》卷五，页 27 下，上海中华书局聚珍仿宋版印，四部备要本。

[13] 同 [12]，页 32 上。

[14] 唐·欧阳询撰，汪绍楹校《艺文类聚》下，卷八十九木部下，1535 页，中华书局，1965。

[15] 宋·唐慎微《重修政和经史证类备用本草》卷十四，340 页，人民卫生出版社影印，1957。

[16] 尚志钧《五十二病方药物考释》。《中成药研究》第 1 期，32 页，1985。

附十八 《五十二病方》与现存古代方书的渊源

把《五十二病方》（以下简称《病方》）所载 280 个方子及 247 味药物同古代方书比较一下，可以发现古代方书中很多药物及其主治病症与《病方》是相同或相似的。从中看出，古代方书与《病方》存在着渊源的关系。

为探索《病方》与哪些古代方书关系最为密切，必须作出详细的勘比，才能找出它们之间的关系。

笔者曾把《病方》247 味药的主治症与《武威汉代医简》（以下简称《医简》)、《金匮要略》、《肘后备急方》（以下简称《肘后方》)、《千金方》、《外台秘要》等主要方书逐条进行勘比，发现它们之间有渊源。兹对《病方》与上述古代方书依次进行勘比并列表如下。

一、《病方》与《医简》的渊源

药物	《病方》主治症	《医简》主治症
消石	22 行治久伤，消石置温汤中以洒外痈	第 46 简有消石外用，以消石治伏梁裹脓在胃肠之外。又第 50 简以消石治金创内漏血不出
雄黄	338 行治痂，408 行治干瘙	第 86 甲简以雄黄治大风方
续断	17 行治伤者	第 84 乙简有建威耿将军方，皆用续断治内伤
黄芩	17 行治伤者，44 行治伤胫，290 行治血疽	第 15 简以黄芩治金创
芍药	271 行治疽病	第 55～56 简以芍药治□溃，医不能治

药物	《病方》主治症	《医简》主治症
亭苈	341 行以亭苈治痂	第 70~71 简以亭苈治鼻诸息肉
半夏	378 行以半夏治颐痈	第 55 简以半夏治□□溃
赤苔 （赤小豆）	3 行以赤苔治诸伤痛	第 55 简~56 简，以赤小豆治□□溃
蜀叔 （巴豆）	350 行以蜀叔治痂	第 69~71 简，以巴豆治鼻中腐血出
桂	271 行治疽，1 行以桂治诸伤	第 52 简以桂治金疮痛，此与《病方》以桂治诸伤义同
蜀椒	1 行治诸伤，179 行治瘙，275 行、303 行治疽	第 57 简以蜀椒治创痛，第 87 简以蜀椒治痂及创
鸡卵	310 行以鸡卵治烂者	第 57~67 简以鸡子合千金膏，薄以涂其痈
醋	378 行以醋治颐痈，274 行、280 行治疽	第 57~58 简以醋配千金膏药治创痛，嗌痛
酒	26 行令金伤毋痛，以酒送服药。43 行伤胫者，以酒服药	第 12~13 简治金疮止痛方，以酒送服药
猪膏	421 行以猪膏治身疣，284 行以猪膏治烂疽	第 17 简以猪膏和百病膏药，第 57 简~58 简以猪膏合千金膏药治创痛、嗌痛

二、《病方》与《金匮要略》的渊源

药物	《病方》主治症	《金匮要略》主治症
狼牙根	389 行以狼牙根治鬃（漆疮瘙痒）	有狼牙汤，以绵缠如茧，治妇人阴疮
骆阮 （苦参）	257 行以苦参熏痔疮	有苦参汤，熏洗狐惑蚀于下部
长足 （蜘蛛）	215 行以蜘蛛治癫（疝病）	以蜘蛛治阴狐疝气者
枣	173 行以枣治瘙，溺不利	有十枣汤泻利水肿，以大枣扶脾制水，此与《病方》治瘙义合
胶	181 行以胶治瘙，158 行治瘙	猪苓汤加胶治小便不利

三、《病方》与《肘后方》的渊源

药物	《病方》主治症	《肘后方》主治症
盐	169 行盐盈脽曝治癃。 151 行盐脽灸尻治癃	148 页热盐熨少腹，治小便不通。 148 页盐填脐中，灸，治小腹满不得小便
葵种 （葵子）	171 行、173 行、168 行治癃。 192 行治膏溺	148 页以葵子治关格，大小便不通
黑菽 （豉）	161 行以黑菽治癃	146 页以豉治淋
石韦	185 行以石韦治石癃	146 页以石韦治石淋
澡石 （滑石）	186 行以澡石治膏癃	146 页以滑石治热淋。 147 页治小便不利。 148 页治小便不通
襦颈 （包括衽缋、 故瓻蔽）	172 行以襦颈治癃。 190 行以衽缋治癃	146 页以故瓻蔽治石淋
菌桂	227 行、233 行以菌桂治癲	207 页以桂治癲偏大气胀
酸浆	193 行以酸浆治肿橐	204 页以酸浆治阴囊下湿痒
茱萸	271 行、275 行以茱萸治疽病	166 页、171 页以茱萸治痈肿、痛疽发背
桂	271 行、303 行以桂治痈疽病	164 页以桂治毒肿多痛
椒	271 行、275 行、303 行以椒治疽病	164 页以椒治毒肿
乌喙	280 行以乌喙治疽	169 页以乌喙治痈疽乳痈
芍药	271 行、275 行以芍经治疽病	170 页以芍药治乳痈肿
甘草	275 行以甘草治疽	166 页以甘草治痈肿
梓叶	305 行以梓叶治疽	165 页、167 页以梓叶敷痈肿
桐本	365 行以桐本治痈	171 页以桐本敷发背痈肿
灶黄土	422 行以灶黄土敷久疕疮	171 页以灶黄土敷痈疽疮
半夏	378 行以半夏治颐痈	171 页以半夏治痈疽

药物	《病方》主治症	《肘后方》主治症
雄黄	338 行以雄黄治痂疡	187 页以雄黄治恶疮痂
牛膝	342 行以牛膝治痂疡	278 页以牛膝治竹木刺疮
燔耳聍灰	342 行以燔耳聍灰治痂	186 页以乱发灰治一切疮痂
干姜	248 行以干姜治牝痔。 249 行治痔溃出血	246 页以姜治痔瘘
乌喙	259 行以乌喙治痔	58 页以乌喙治下部疮䘌。 247 页以附子等治肠痔下血
大枣	261 行以大枣治痔未有巢者，使虫出（未成痔管）	247 页以大枣治痔下部痒痛，使虫出
鲋鱼 （鲫鱼）	249 行以鲋鱼治痔	247 页以鲫鱼治痔
艾	265 行以艾熏胸痒	《纲目》卷 15 艾条引《肘后方》，用艾熏虫蚀其肛痛痒
白蔹	271 行、275 行、283 行、289 行以白蔹治疽病	164 ~ 167 页、170 页以白蔹治痈肿
黄芩	289 行以黄芩治血疽病	160、170 ~ 171 页以黄芩治疽疮、痈肿、乳痈、发背
庆良 （蜣螂）	346 行以庆良治痂，使虫出	247 页以蜣螂治下部疮痒痛
蜀菽 （巴豆）	350 行以巴豆治痂	199 页以巴豆治鼠瘘诸疮
蛇床子	360 行以蛇床子治痂（刮痂溃用）	186 页以蛇床子治恶疮
雄黄	408 行以雄黄治干瘙痒	193 页以雄黄治瘑疥瘙痒
水银	345 行、408 行以水银治干瘙痒	193 页以水银治瘑疥瘙痒
屈居 （蔄茹）	413 行以屈居治干瘙痒	187 页以蔄茹治恶疮蚀肉
桃叶	417 行以桃叶治久瘙	192 页杵桃叶治瘑疮痒。 247 页捣熏下部痒痛如虫啮
蛇床子	360 行以蛇床子治痂痒	193 页以蛇床子治瘑疥癣痒

药物	《病方》主治症	《肘后方》主治症
苦瓠	352 行以苦瓠治痂痒	193 页以苦瓠治疮癞癣痒
秫米	388 行以秫米治漆疮痒	195 页以秫米治漆疮痒
鸡	112 行以白鸡治癫	81 页以鸡冠血治癫
羊	437 行蒸羊尻以治蛊	317 页以羖羊等治蛊毒
溺	71 行以小童溺治毒乌喙	332 页以小便解诸毒。 337 页以人溺解合口椒毒
豉	74 行以豉治毒乌喙	333 页以豉解众毒
菽（大豆）	74 行以大豆治毒乌喙	332 页以大豆汁解乌头毒
干姜	2 行以干姜治诸伤	281 页以干姜治箭伤
姜、桂、甘草	2 行以姜、桂、甘草治诸伤	284 页以姜、桂、甘草治金疮伤
蜀椒	2 行以蜀椒治诸伤	286 页以蜀椒治金疮中风
礜	40 行以礜治诸伤，风入伤	95 页以礜治风毒脚弱
杏仁	21 行以杏仁治久伤	281 页以杏仁治诸刀刃伤。 285 页以杏仁治刀刃伤
黄芩	17 行、19 行以黄芩治金疮伤。 44 行治伤痉	284 页以黄芩治金疮伤
故蒲席 （败蒲席）	12 行以故蒲席灰令伤毋痛，毋出血	288 页以败蒲席灰治跌伤血出
鼠	23 行捣鼠敷金伤令毋痛	281 页捣鼠敷刀刃伤。 280 页捣鼠涂竹木刺伤。 289 页治跌仆伤
赤小豆	3 行以赤小豆治诸伤	288 页以赤小豆治跌仆伤
肪膏	16 行以肪膏治金疮伤	290 页猪肥肉炙搨伤处
续断	17 行以续断治伤者	284 页以续断治金疮伤
熬盐	30 行以熬盐治伤痉	285 页以熬盐治金疮伤。 286 页以盐液沥金疮中风
蘸	43 行以蘸治伤痉	285 页以蘸治金创中风
秫米	309 行煮秫米治灼伤	292 页以米粉涂火灼成疮

本草古籍辑注丛书·第二辑

药物	《病方》主治症	《肘后方》主治症
尗 （大豆）	326 行以大豆治胈臊（小腿灼伤）	293 页煮大豆治火灼疮
陈黍	326 行以陈黍治胈臊（小腿灼伤）	293 页以陈黍治火灼疮
水银	318 行以水银治瘢	211 页以水银治妇人颊上疮。 213 页治头面疬疡（类似白癜风）。 212 页治鼻病酒齄
丹沙	130 行以丹沙治白毋奏，318 行治瘢	212 页以光明砂（丹砂最上者）治化面
瓜瓣 （瓜子）	320 行以瓜瓣去故瘢	212 页以冬瓜子治化面
蘽米	301 行以蘽米和乳敷灼伤不瘢	216 页以蘽米治面疮馯黑瘢
男子泊	15 行以男子泊治瘢痕	292 页以人精和鹰矢白敷瘢痕
兔毛	310 行以兔毛治灼伤	293 页以兔毛治火烂疮
彘膏	14 行以彘膏治瘢痕	292 页以猪膏敷火灼或疮
蒮（小蒜）	78 行以蒮治瘒螫伤	315 页以蒮治蝎螫人
盐	80 行以盐令牛舐，治瘒伤	312 页蜘蛛、蜈蚣咬伤用盐渍之
白蒿	81 行以蒿封瘒伤	314 页蜂螫嚼青蒿敷
秫米	85 行以秫米治蛭蚀人胈膝伤	322 页秫米治下部虫蚀疮
桑汁	363 行以桑汁涂蛇啮伤	314 页以桑汁涂蜂螫
燔鸡屎	399 行以燔鸡屎治虫蚀	325 页以鸡屎治射工水弩毒
灶末灰	57 行以灶末灰治狂犬啮人	299 页以灶中热灰粉治犬咬伤
礜石 （矾石）	60 行以礜石治狂犬伤	298 页以矾石治狂犬伤
用灸法	102 行，用藉之蓟灸疣	209 页用艾柱灸疣
祝由法治疣	103 行、104 行、105 行、106 行、107 行、108 行、109 行、110 行、111 行皆用祝由法治疣	209 页用祝由法治疣
祝由法治蚖 （蝮蛇类）	91 行、96 行、97 行用祝由法治蚖	303 页用祝由法治蝮蛇螫人

药物	《病方》主治症	《肘后方》主治症
祝由法治漆疮	380 行、381 行、382 行用祝由法治漆疮	195 页用祝由法治漆疮
用熏法熏痔疮	255 行用熏烟熏痔疮	247 页用熏法熏痔疮

四、《病方》与《千金方》的渊源

药物	《病方》主治症	《千金方》主治症
灶黄土	422 行久疕不已，干刌灶土，渍以敷之，已	治久疮痈肿急痛，取灶中黄土，水煮令热，淋之即良
空青	96 行治蚝，以青（空青）敷之	卷 25 治众蛇毒，用铜青敷疮上
屈居（蔄茹）	413 行以屈居治干瘙	卷 23 有蔄茹膏治疥瘙
蛇床子	360 行以蛇床子治干痂	谓蛇床子治小儿癣疮
狼牙根	389 行以狼牙牙根治鬈（漆疮瘙痒）	以狼牙草煮洗小儿阴疮
商陆	274 行以商陆治疽	《孙真人食忌》谓商陆主一切热毒肿
黑菽（黑大豆）	161 行以黑菽治瘙，痛于脬	以乌豆治身肿浮。此方与《病方》治瘙义合
蜀叔（巴豆）	350 行以蜀叔治痂	以巴豆治疥疮瘙痒
荆	184 行以荆治瘙	以荆叶治九窍出血（包括小便出血）
杏核	21 行以杏核治久伤者	谓杏核治破伤风肿
男人泔（人精）	15 行以男子泔敷不瘢	人精和鹰矢白敷，去面上魘
溺	90 行以溺治蚝	以童便敷诸蛇毒人
鸡卵	310 行以鸡卵治烂者	以鸡卵治鼠瘘
牡鼠矢	349 行治痂，燔牡鼠矢封之	以新鼠矢敷鼠瘘
女子布	314 行以女子布治烂者	以女子布治一切肿毒
雄黄	408 行以雄黄治瘙痒，338 行以雄黄治痂	以雄黄治风痒如虫（《纲目》卷 9 雄黄附方）

五、《病方》与《外台秘要》的渊源

药物	《病方》主治症	《外台秘要》主治症
消石	22 行治久伤，消石置温汤中以洒痈	以消石溶液作疮肿外敷（发背恶寒嗇嗇）
盐	151 行治癃病，盐隋灸尻	治小便涩，熬盐熨脐下
陈葵	407 行治蜃蚀口鼻。	治口吻疮，掘经年葵根，烧灰敷之
葱	150 行以干葱治癃	捣葱白，治大小肠不通
蜀椒	275 行、303 行以蜀椒治疽	以蜀椒治疮肿
茱萸	271 行以茱萸治疽	以茱萸治痈疽发背及发乳房
牡鼠（雄黄）	264 行牡鼠治血痔	以鼠头烧灰，治鼻中外查瘤，脓血出者
鲋鱼（鲫鱼）	249 行以鲋鱼治痔	治蛊肠痔，煮食鲫鱼
庆良（蜣螂）	346、347 行以庆良治痂	用蜣螂治痂疡风疮
羖脂	354 行以羖脂治痂	以羊脂治发背

　　从上述各表勘比来看，《病方》和《肘后方》所用相同的药物治疗相同或相近的病症有 70 多条，占《病方》药物的 33%。在其他古代方书，如《武威汉代医简》《金匮要略》《千金方》《外台秘要》中，药物和主治病症与《病方》相同者也可见。这个事实提示上述古代方书中的许多方子是与《五十二病方》同时代的方子，否则不会有这么多药物主治症是相同或相似的。

　　特别提出，在《病方》与《肘后方》所载某些药物主治相同的方子中，多数无方名只言某病用某药治之。例如：《病方》360 行治干痂，冶蛇床实，以牡巋膏馠，先刮痂溃，即敷；《肘后方》卷 5 第 38 [1955 年商务印书馆本（以下简称"1955 年商务本"）156 页] 治卒得恶疮，取蛇床子合黄连二两，末，粉疮上用者，猪膏和涂之。又如：《病方》338 行治痂，冶雄黄，以巋膏（猪膏）修……以敷之；《肘后方》卷 5 第 38 治病疽疥，取腊月猪膏……内雄黄……绞令凝，以敷诸疮。这些例子说明，《肘后方》中一些无方名的方子可能与《病方》中的方子是同时代的产物。

　　在用药禁忌方面，《肘后方》中某些方子的用药禁忌和《病方》亦十分相似。例如，《病方》27 行治金伤痛方云："忌食鱼、巋肉。"《肘后方》289 页治伤中风方云："禁冷饮食及酒。"又如《病方》375 行治痈方，在敷药后云："毋食彘肉（猪肉）、鱼。"《肘后方》213 页治热风头面痒风疹用药后云："忌猪肉、鲤鱼。"

上述例子反映出《肘后方》中某些方子仍保留着《病方》中的禁忌习惯。

从方子文句语气来看，《肘后方》中有些方子的书写语气和《病方》极相似，文句简练古朴。例如，《病方》288 行将治病的疗效说成"病已，尝试。令"。《病方》136 行云："病已，尝试。"《肘后方》292 页讲治汤火灼方的疗效，云："已，试有效。"《病方》133 行治大带者方云："以清煮胶，以涂之。"《肘后方》292 页治汤火灼方云："破鸡子取白涂之。"《病方》314 行治烂者方云："溃女子布，以汁傅之。"《肘后方》292 页治汤火灼方云："煮大豆，煎其汁，以傅之。"

两书中的文字都很简练，文句结构极相似，一些述语亦相似。这都表明，《肘后方》中的某些文字仍然保留着《病方》文字的风格。

按，《病方》与《肘后方》都是现存最早的方书。《病方》是先秦的产物，《肘后方》是晋代的产物。前者产生在《黄帝内经》及《神农本草经》以前，而后者产生在 4 世纪，两者相隔时间那么久，为什么两书会有那么多的相同点？且同其他古方书比较起来，二者的相同点要多得多。按理，《武威汉代医简》和张仲景方书比《肘后方》要早，距《病方》更近，其相同点应该比《肘后方》要多，但是事实上恰恰相反。探求其间的原因，只有从《肘后方》的历史来研究。

《肘后方》成书的时间虽很晚，但书中某些方子的来源并不晚。葛洪著《肘后方》时，除部分方子是出于民间外，大部分方子都是从古代医药文献中转录而来的。葛洪《肘后方》序云："余既穷览坟索，以著述余暇，兼综术数，省仲景、元化、刘戴、秘要、金匮、绿秩、黄素方，近将千卷……选而集之，便种类殊……凡为百卷，名曰《玉函》……余今采其要约，以为《肘后救卒》三卷。"（1955 年商务本《肘后备急方》）

从葛洪序中可以看出，葛洪从上千卷医方中分类摘录了大量的方子，编成 100 卷《玉函方》，又从 100 卷《玉函方》内摘录最适用的方子，编成了 3 卷《肘后方》，所以《肘后方》也包含有古代流传下来的方子。

按，葛洪所参考的上千卷方书当然也包括班固《汉书艺文志》中所著录的方书。《汉书艺文志》所录的方书可以视为中国较古方书。《汉书艺文志·方技略》（1955 年商务本 69~70 页）收载有《五藏六府痹十二病方》30 卷、《五藏六府疝十六病方》40 卷、《五藏六府瘅（胆）十二病方》40 卷、《风寒热十六病方》26 卷、《五藏伤中十一病方》31 卷、《客疾五藏狂癫方》17 卷、《金创瘲疭方》30 卷、《妇人婴儿方》19 卷等，总计经方 11 家，274 卷。

《汉书艺文志》所载 274 卷方书可能是葛洪所参考千卷方书中的一部分。这些方书虽然亡佚了，但是其中部分方子也可能被葛洪编入《肘后方》3 卷中，所以现存《肘后方》包含了葛洪所参看千卷方书中的重要内容。这些方书当然也包括

《汉书艺文志》所载 274 卷方书中的内容。

《汉书艺文志》所载 274 卷方，共 11 家，其中有两家书名冠有"五脏" 2 字，三家书名冠有"五脏六腑" 4 字。《病方》未提到"五脏六腑"概念，据此可知，《汉书艺文志》所载方书是晚于《病方》的。这也提示，《汉书艺文志》所载 11 家 274 卷方书除出于当时的方子外，还有些方子也可能是出于《病方》同时代方书。由此可知，《汉书艺文志》所录的部分方书，其产生时间和《病方》所产生的时间是相同的。

由于《汉书艺文志》收录的方书保存有《病方》同时代的方子，这些方子随方书流传到了晋代为葛洪所选集，转录在《肘后方》中，所以现存《肘后方》中有大量药物及主治病症与《病方》是相同的。

在治疗方法上，《肘后方》还保留着《病方》中的祝由方法，如对于疣、癫、漆疮等治疗，两书都罗列了很多祝由方法。这些方法反映出《病方》的出土地长沙（战国时的楚国地方）民间信奉鬼神的风俗。

根据上述众多事实可知现存古代方书中部分方子的历史悠久，可能为《病方》时代或更早时代所产生的方子。

附十九　《五十二病方》与《肘后方》勘比分析

把《五十二病方》（以下简称《病方》）所载 280 个方子及 247 味药物同古代方书、本草比较一下，发现这些书中有很多药物及其主治的病症与《病方》是相同或相似的。例如：《病方》以甘草治诸外伤及痈疽等症，与《淮南子》所言"甘草主生肌肉"义合，也与《神农本草经》所言"长肌肉、倍力、金疮肿"义同。又如：赤小豆，《神农本草经》谓赤小豆主排痈肿脓血，《药性论》谓赤小豆消热毒痈肿，《小品方》谓赤小豆治诸肿毒、欲作痈疽者，此与《病方》以赤小豆治诸伤解痛义合。鲋鱼就是鲫鱼。《外台》谓鲫鱼治肠痔，陈藏器《本草拾遗》谓鲫鱼主野鸡病（痔的异名），此与《病方》以鲋鱼治痔义同。长足即长脚小蜘蛛。《名医别录》谓蜘蛛主大人、小儿溃，《金匮要略》用蜘蛛治阴狐疝气，此与《病方》用蜘蛛治癫义合。类似此例很多。

为探索《病方》与哪些古代方书、本草关系最密切，必须作详细的勘比，才能找出它们之间的关系。

笔者曾花很长时间把《病方》 247 味药及其主治病症和《武威汉代医简》《金匮要略》《伤寒论》《肘后备急方》（以下简称《肘后方》）《千金方》《外台秘要》《神农本草经》《名医别录》《唐本草》等书逐条进行勘比，发现古代方书、本草所载的药物及其主治症均有不同程度的相似，其中唯以《肘后方》所载药物及其主治症与《病方》相同最多。兹将两书同一药所主相同的病症分类列表如下。

表中所列的《病方》指 1979 年文物出版社出版的《五十二病方》，简称《病方》，栏下所标的××行指该病在《五十二病方》中占的行次。

表中所列的《肘后方》指 1983 年安徽科技出版社出版的《补辑肘后方》。《肘后方》栏下所标××页指该病在《肘后方》中所占的页次。

（一）两书同用盐、葵子、黑菽、石韦、滑石、襦颈等治癃症，用桂等治痈肿

	《病方》主治症	《肘后方》主治症
盐	169 行盐盈隋曝治癃。 151 行盐隋炙尻治癃	148 页热盐熨少腹，治小便不通。 148 页盐填脐中，炙，治小腹满不得小便
葵种 （葵子）	171 行、173 行、168 行治癃。 192 行治膏溺	148 页以葵子治关格，大小便不通
黑菽 （豉）	161 行以黑菽治癃	146 页以豉治淋
石韦	185 行石韦治石癃	146 页以石韦治石淋
澡石 （滑石）	186 行以澡石治膏癃	146 页以滑石治热淋。 147 页以滑石治小便不利。 148 页以滑石治小便不利
襦颈（包括衽 缋、故甑蔽）	172 行以襦颈治癃。 190 行以衽缋治癃	146 页以故甑蔽治石淋
菌桂	227 行、233 行以菌桂治癃	207 页以桂治癃偏大气胀
酸浆	193 行以酸浆治肿囊	204 页以酸浆治阴囊下湿痒
茱萸	271 行、275 行以茱萸治疽病	166 页、171 页以茱萸治痈肿，痈疽发背
桂	271 行、303 行以桂治疽病	164 页以桂治毒肿多痛
椒	271 行、275 行、303 行以椒治疽病	164 页以椒治毒肿
乌喙	280 行以乌喙治疽	169 页以乌喙治痈疽乳痈
芍药	271 行、275 行以芍药治疽病	170 页以芍药治乳痈肿
甘草	275 行以甘草治疽	166 页以甘草治痈肿
梓叶	305 行以梓叶治疽	165 页、167 页以梓叶敷痈肿
桐本	305 行以桐本治痈	171 页以桐本敷发背痈肿
灶黄土	422 行以灶黄土敷久疕疮	171 页以灶黄土敷痈疽疮
半夏	378 行以半夏治颐痈	171 页以半夏治痈疽

（二）两书同用雄黄、牛膝、乱发、蜣螂、巴豆、蛇床子等治痂疮

	《病方》主治症	《肘后方》主治症
雄黄	338 行以雄黄治痂疮	187 页以雄黄治恶疮痂
牛膝	342 行以牛膝治痂疮	278 页以牛膝治竹木刺疮
燔耳聑灰	342 行以燔聑耳灰治痂	186 页以乱发灰治一切诸疮
庆良 （蜣螂）	346 行以庆良治痂，使虫出	247 页以蜣螂治下部疮痒痛
蜀叔 （巴豆）	350 行以巴豆治痂	199 页以巴豆治鼠瘘诸疮
蛇床子	360 行以蛇床子治痂（刮痂溃用）	186 页以蛇床子治恶疮

（三）两书同用干姜、乌喙、大枣、鲋鱼、艾等治痔疮

	《病方》主治症	《肘后方》主治症
干姜	248 行干姜治牝痔。 249 行治痔溃出血	246 页以姜治痔瘘
乌喙	259 行以干姜以乌喙治痔	58 页以乌喙治下部疮匿虫 247 页以附子等治肠痔下血
大枣	261 行以大枣治痔未有巢者，使虫出 （未成痔瘘管）	247 页以大枣治痔下部痒痛，使虫出
鲋鱼 （鲫鱼）	249 行以鲋鱼治痔	247 页以鲫鱼治痔
艾	265 行以艾熏胸痒	《本草纲目》卷 15 "艾"条引《肘后方》，用艾熏虫蚀其肛痛痒

（四）两书同用白蔹、黄芩、茱萸、桂、椒、乌喙、芍药等治痈疽

	《病方》主治症	《肘后方》主治症
白蔹	271 页、275 行、283 行、289 行以白蔹治疽病	164 页、165 页、166 页、167 页、170 页以白蔹治痈肿
黄芩	289 行以黄芩治血疽病	160 页、170 页、171 页以黄芩治疽疮、痈肿、乳痈、发背

（五）两书同用雄黄、水银、藺茹、桃叶、蛇床子、苦瓠、秫米治瘙痒

	《病方》主治症	《肘后方》主治症
雄黄	408 行以雄黄治干瘙痒	193 页以雄黄治瘑疥瘙痒
水银	345 行、408 行以水银治干瘙痒	193 页以水银治瘑疥瘙痒
屈居（藺茹）	413 行以屈居治干瘙痒	187 页以藺茹治恶疮蚀肉
桃叶	417 行以桃叶治久瘙	192 页杵桃叶治瘑疮痒。 247 页捣熏下部痒痛如虫啮
蛇床子	360 行以蛇床子治痂痒	193 页以蛇床子治瘑疥癣痒
苦瓠	352 行以苦瓠治痂痒	193 页以苦瓠治疮癞癣痒
秫米	388 行以秫米治漆疮痒	195 页以秫米治漆疮痒

（六）两书同用鸡、羊、溺、豉、菽等治癫、蛊、乌喙毒

	《病方》主治症	《肘后方》主治症
鸡	112 行以白鸡治癫	81 页以鸡冠血治癫
羊	437 行蒸羊尼以治蛊	317 页以杀羊等治蛊毒
溺	71 行以小童溺治乌喙毒	332 页以小便解诸毒。 337 页以人溺解合口椒毒
豉	74 行以豉治乌喙毒	333 页以豉解众毒
菽（大豆）	74 行以大豆治乌喙毒	332 页以大豆汁解乌头毒

（七）两书同用姜、桂、甘草、椒、杏核、黄芩、故蒲席、鼠等治诸伤

	《病方》主治症	《肘后方》主治症
干姜	2 行以干姜治诸伤	281 页以干姜治箭伤
姜、桂、甘草	2 行以姜、桂、甘草治诸伤	284 页以姜、桂、甘草治金疮伤
蜀椒	2 行以蜀椒治诸伤	286 页以蜀椒治金疮中风
矾	40 行以矾治诸伤，风入伤	95 页以矾治风毒脚弱
杏仁	21 行以杏仁治久伤	281 页以杏仁治诸刀刃伤。 285 页以杏仁治刀刃伤
黄芩	17 行、19 行以黄芩治金伤。 44 行治伤痉	284 页以黄芩治金疮伤

	《病方》主治症	《肘后方》主治症
故蒲席（败蒲席）	12 行以故蒲席灰令伤毋痛，毋出血	288 页以败蒲席灰治跌伤血出
鼠	23 行捣鼠敷金伤令毋痛	281 页捣鼠敷诸刀刃伤。280 页捣鼠涂竹木刺伤。289 页治跌仆伤
赤小豆	3 行以赤小豆治诸伤	288 页以赤小豆治跌仆伤
肪膏	16 行以肪膏治金疮伤	290 页猪肥肉炙搨伤处
续断	17 行以续断治伤者	284 页以续断治金疮伤
熬盐	30 行以熬盐治伤痉	285 页以熬盐治金疮伤。286 页以盐液沥金疮中风
蓳	43 行以蓳治伤痉	285 页以蓳治金创中风

（八）两书同用秫米、菽、陈黍、兔毛、彘膏、水银、丹沙、瓜瓣等治灼伤瘢痕

	《病方》主治症	《肘后方》主治症
秫米	309 行煮秫米治灼伤	292 页以米粉涂火灼成疮
菽（大豆）	326 行以大豆治胻膫（小腿灼伤）	293 页煮大豆汁涂火烂疮
陈黍	326 行以陈黍治胻膫（小腿灼伤）	292 页以陈黍治火灼疮
水银	318 行以水银治瘢	211 页以水银治妇人颊上疮。213 页以水银治头面疠疡（类似白癜风）。212 页治鼻病酒齄
丹沙	130 行以丹沙治白毋奏，318 行治瘢	212 页以光明砂（丹砂最上者）治䵟面
瓜瓣（瓜子）	320 行以瓜瓣去故瘢	212 页以冬瓜子治䵟面
蘘米	301 行以蘘米和乳敷灼伤不瘢	216 页以蘘米治面疱黯黑瘢
男子泪	15 行以男子泪治瘢痕	292 页以人精和鹰矢白敷瘢痕
兔毛	310 行以兔毛治灼伤	293 页以兔毛治火烂疮
彘膏	14 行以彘膏治瘢痕	292 页以猪膏敷火灼成疮

（九）两书同用薤、盐、白蒿、秫米、桑汁、鸡矢、灶末灰、矾石等同治虫兽伤

	《病方》主治症	《肘后方》主治症
薤（小蒜）	78 行以薤治瘭螫伤	315 页以薤治蝎螫人
盐	80 行以盐令牛舐，治瘭伤	312 页蜘蛛蜈蚣咬伤用盐渍之
白蒿	81 行以蒿封瘭伤	314 页蜂螫嚼青蒿敷
秫米	85 行以秫米治蛭蚀人腑膝伤	322 页秫米治下部虫蚀疮
桑汁	363 行以桑汁涂蛇啮伤	314 页以桑汁涂蜂螫
燔鸡屎	399 行以燔鸡屎治虫蚀	325 页以鸡屎治射工水弩毒
灶末灰	57 行以灶末灰治狂犬啮人	299 页以灶中热灰粉治犬咬伤
矾石（礜石）	60 行以礜石治狂犬伤	298 页以矾石治狂犬伤

（十）两书同用灸法、祝由法、熏法治疣、漆疮痔等治病

	《病方》主治症	《肘后方》主治症
用灸法治疣	102 行，用藋之萌灸疣	209 页用艾柱灸疣
祝由法治疣	103 行、104 行、105 行、106 行、107 行、108 行、109 行、110 行、111 行皆用祝由法治疣	209 页用祝由法治疣
祝由法治蚖（蝮蛇类）	91 行、96 行、97 行用祝由法治蚖	303 页用祝由法治蝮蛇螫人
祝由法治漆疮	380 行、381 行、382 行用祝由法治漆疮	195 页用祝由法治漆疮
用熏法熏痔疮	255 行用烟熏法熏痔疮	247 页用熏法熏痔疮

从上述各表来看，《病方》和《肘后方》用相同的药物治疗相同或相近病症的有 70 多条，占《病方》药物的 33%。在其他古代方书、本草，如《武威汉代医简》《金匮要略》《伤寒论》《千金方》《外台秘要》《神农本草经》《名医别录》《唐本草》等中，药物和主治病症与《病方》相同者较少。这个事实提示，《肘后方》中有很多方子是来自与《病方》同时代的方子，否则不会有这么多药物的主治症是相同的。

在两书所载某些药物主治相同的方子中，多数为无方名，只言某病用某药治之。例如，《病方》360 行治干瘕，冶蛇床实，以牡螷膏膳，先刮瘕溃，即敷。《肘后方》卷 5 第 38（1955 年商务本 156 页）治卒得恶疮，取蛇床子合黄连二两，末，粉疮上用者，猪膏和涂之。又如《病方》338 行治瘕，冶雄黄，以螷膏（猪膏）修……以敷。《肘后方》卷 5 第 38 治瘑疽疥，取腊月猪膏……内雄黄……绞令凝，以敷诸疮。这些例子说明，《肘后方》中无方名的一些方子可能与《五十二病方》是同时代的产物。

在两书相同药物主治相同病症的方子中均未提到五脏六腑的概念。

在用药禁忌方面，《肘后方》中某些方子所讲的用药禁忌法和《五十二病方》亦十分相似。例如，《病方》27 行治金伤痛方云："忌食鱼、螷肉。"《肘后方》289 页治伤中风方云："禁冷饮食及酒。"又如《病方》375 行治痛方，在敷药后云："毋食螷肉（猪肉）、鱼。"《肘后方》213 页治热风面痒风疹用药后云："忌猪肉、鲤鱼。"

两书所讲的禁忌是很相似的，这也反映出《肘后方》中保留着《五十二病方》中的禁忌习惯。

从文句语气来看，《肘后方》中有些书写语气和《五十二病方》的语气极相似，文句简练古朴。例如，《病方》288 行将治病的疗效说成"病已，尝试。令"。《病方》136 行云："病已，尝试。"《肘后方》292 页讲治汤火灼方的疗效，云："已，试有效。"《病方》133 行治大带者方云："以清煮胶，以涂之。"《肘后方》292 页治汤火灼云："破鸡子取白涂之。"《病方》314 行治烂者方云："溃女子布，以汁傅之。"《肘后方》292 页治汤火灼方云："煮大豆，煎其汁，以傅之。"

两书中的文字都很简练，其文句结构亦极相似，所用一些述语亦相似。这都表明，《肘后方》中的某些文字仍保留着《病方》文字的风格。

按，《病方》与《肘后方》都是现存最早的方书，前者是出土的方书，后者是现存文献的方书，二者都记载了我们祖先遗留下来的方子。这两本方书中所用的药物及方子所主治的病症有很多是相同或相似的。由此可以看出，《肘后方》与《病方》存在渊源的关系。

《病方》是先秦的产物，《肘后方》是晋代的产物。前者产生在《黄帝内经》及《神农本草经》以前，而后者产生在 4 世纪，两者相隔时间那么长，为什么两书会有那么多的相同点？且同其他古书比较起来，二者的相同点要多得多。按理，《武威汉代医简》和张仲景方书比《肘后方》要早，距《病方》更近，其相同点应该比《肘后方》要多，但是事实上恰恰相反。探求其间的原因，只有从《肘后方》的历史来研究。

《肘后方》成书的时间虽然很晚，但书中某些方子的来源并不晚。葛洪著《肘后方》时，除部分方子是出于民间外，大部分方子都是从古代医药文献中转录而来的。葛洪《肘后方》序云："余既穷览坟索，以著述余暇；兼综术数，省仲景、元化、刘戴、秘要、金匮、绿秩、黄素方，近将千卷……选而集之，便种类殊……凡为百卷，名曰《玉函》……余今采其要约，以为《肘后救卒》三卷。"（1955 年商务本《肘后备急方》）

从葛洪序中可以看出，葛洪从上千卷医方中分类摘录了大量的方子，编成 100 卷《玉函方》，又从 100 卷《玉函方》内摘录最适用的方子，编成 3 卷《肘后方》，所以《肘后方》也包含有古代流传下来的方子。

按，葛洪所参考的上千卷方书当然包括班固《汉书艺文志》中所著录的方书。《汉书艺文志》所录的方书可以视为中国较古方书。《汉书艺文志·方技略》（1955 年商务版 69~70）页收载有《五藏六府痹十二病方》30 卷、《五藏六府疝十六病方》40 卷、《五藏六府瘅（胆）十二病方》40 卷、《风寒热十六病方》26 卷、《五藏伤中十一病方》31 卷、《客疾五藏狂癫方》17 卷、《金创瘛疭方》30 卷、《妇人婴儿方》19 卷等，总计经方 11 家，274 卷。

《汉书艺文志》所载 274 卷方书可能是葛洪所参考千卷方书中的一部分。这些方书虽然都亡佚了，但是其中部分方子也可能被葛洪编入《肘后方》3 卷中，所以现存《肘后方》包含了葛洪所参看千卷方书中的重要内容。这些方书当然也包括《汉书艺文志》所载 274 卷方书中的内容。

《汉书艺文志》所载 274 卷方，共有 11 家，其中两家书名冠有"五脏" 2 字，三家书名冠有"五脏六腑" 4 字。《病方》未提到"五脏六腑"概念，据此可知，《汉书艺文志》所载方书是晚于《病方》的。这也提示，《汉书艺文志》所载 11 家 274 卷方书除出于当时的方子外，还有些方子也可能是出于《病方》同时代方书。由此可知，《汉书艺文志》所录的部分方书，其产生时间和《病方》所产生的时间是相同的。

由于《汉书艺文志》收录的方书保存有《病方》同时代的方子，这些方子随方书流传到了晋代为葛洪所选集，转录在《肘后方》中，所以现存《肘后方》中有大量药物及其主治的病症与《病方》相同或暗合。在上述各表列举的七十多味药物中，其主治症大体是相同的。在《肘后方》中，所载此等药物的方子均无方名，也无"五脏六腑"概念，这些方子都保持着《五十二病方》的特色。

在治疗方法上，《肘后方》还保留着《病方》中的祝由方法，如疣、癞、漆疮等治疗，两书都罗列了很多祝由法。这些方法反映出《病方》的出土地长沙（战国时的楚国地方）民间信奉鬼神的风俗。

根据这些事实可知，现今《肘后方》中部分方子的历史悠久，可能为《病方》时代或更早时代所产生的方子。

附二十 从《五十二病方》探讨我国古代本草历史的渊源

1979 年文物出版社出版的《五十二病方》中所存的药物（不包括《五十二病方》残片中的个别药名）有 247 种，其中一部分药名见于《神农本草经》，一部分药名见于《名医别录》，也有若干药名不见于历代文献中，如隐夫木、罢合、灌青等，历代方书、本草皆未记载过。把《五十二病方》中药物同古本草相比较发现，部分药物不仅名称相同，而且在主治功能上亦有相同或相似之处。现在将《五十二病方》（以下简称《病方》）中药物和《证类本草》（1957 年人民卫生出版社影印《重修政和经史证类备用本草》，以下简称《证类》）中白字《神农本草经》药（以下简称《本经》）、墨字《名医别录》药（以下简称《别录》）作如下比较。

一、《病方》中药物主治功能和《本经》相比较

（雄黄、水银、续断、黄芩、青蒿、葵种、龙须、石韦、白蔹、黄芪、藜芦、蛇床子、漏芦等的主治功能因限篇幅故从略）

从上述各药主治功能来看，《病方》所言某药主治症在《本经》中亦有同样的记载。这就提示，《本经》中药物的主治功能是从临床治疗中总结出来的。可是古代文献中都说《神农本草经》是神农尝百草而产生的。西汉·陆贾《新语》卷上道基篇说："民人食肉饮血，衣皮毛，至于神农，以为行虫走兽，难以养民，乃求可食之物，尝百草之实，察酸苦之味，教民食五谷。"（《四部备要·子部》，中华书局版）西汉刘安《淮南子》卷 19 修务训中亦有类似的记载："神农尝百草之滋味，一日而遇七十毒。"（《四部备要·子部》，中华书局版）从此以后，历代文献讲到《神农本草经》时都离不开神农尝百草的说法。比较来看，《本经》中的药物主治功能和《病方》中的药物主治功用在很多方面都是相似的或相同的。这就说

明，《本经》中的药物主治功用来自临床实践，它是劳动人民同疾病做斗争的产物，并不是什么神农创造出来的。从汉武帝罢黜百家、独尊儒家后，孔子的思想就成了人们的统治思想。孔子是法先王的，认为先王一切都是正确的，所以人们也都随之尊古而贱今。《淮南子·修务训》云："世俗之人，多尊古而贱今，故为道者，必托之神农、黄帝，而后始能入说。"撰述本草的人为取信于人，不得不托神农为本草的作者。

另外从其他内容来比较，《病方》的内容显得更古朴，对于事物性别的区分多用"牝、牡"，没有阴阳、五行、脏腑、十二经等概念，而《本经》有阴阳、脏腑、十二经等概念，例如，《本经》的"大枣"条就有"养脾，助十二经"的说法。这些都提示《本经》的产生是晚于《病方》的。

从具体药物来讲，《本经》中某些药物的主治功用与《病方》相同，据此推测这些药的产生应是很早的，而这些药和《病方》时代的方书同样存在历史渊源关系。

二、《病方》中药物主治功能和《别录》相比较

（以下比较了灶黄土、丹砂、雄黄、乌喙、续断、芍药、辛夷、葵种、石韦、艾、半夏、漏芦、藜芦、茈、蜀叔、蜀椒、荆、榆枝、芫花、谷汁、槐枝、桃叶、发、头垢、犬胆、兔脑、蛇膏、长足、地胆虫、蜜、醋、酒、菽、薤、葱等药的主治功用，此处从略）

从以上《病方》《别录》比较来看，两书有很多药物的主治功用都是相同的，这就提示《别录》的药物和《本经》的药物一样，都是从临床治疗中总结出来的。《病方》产生的时代很早，则《别录》中某些药物的产生时代也可能是很早的，而且有些药物也可能和《本经》中药物是同时代的产物，不然，为什么在《本经》《别录》中有那么多的药物，其主治功用和《病方》中药物的主治功用都相同呢？

按习惯的想法，《本经》产生很早，《别录》出现较晚。其实《本经》药、《别录》药是陶弘景作《本草经集注》（以下简称《集注》）时才有的。在《集注》中，《本经》药365种，《别录》药365种，合共730种。这730种是《集注》书中收载的药数。其实在陶弘景以前，各种方书中所载的药物有很多都是《集注》未收载的药。例如，《病方》中载有247种药，其《本经》药只有94种，《别录》药有36种，余下117种就是《集注》未收载的药。《集注》未收载的药物如何分呢？说它是《本经》药不行，说是《别录》药也不行，所以《本经》药、《别录》

药仅仅是《集注》中药物的概念，它们只能代表《集注》中药物的情况，而不能代表《集注》未收载的药物的情况。

《别录》中收载的药物，其中有很多药名及其主治功用和《病方》相同，所以《别录》中某些药物产生的时代是很早的，它和《病方》同样存在渊源的关系。

附二十一　《五十二病方》与《诗经》

1979 年文物出版社出版了《五十二病方》（以下简称《病方》）。《五十二病方》原书于公元前 168 年入墓，该书保持了公元前 168 年以前的文字、名物风貌。它不像现存先秦古籍，经过汉代刘向、刘歆父子校勘以及历代传抄翻刻，已难以保持公元前 168 年以前的原始风貌。但在现存先秦古籍中，有少数的先秦古籍，其名物和用字和《病方》相同的亦很多。从它们名物及用字相同的程度，可以看出《病方》与哪些先秦古籍相接近。

本文即以先秦古籍《诗经》中名物和用字同《病方》相勘比，以考察《病方》与《诗经》之间的历史关系。

本文所用的《诗经》版本是 1979 年中华书局影印《十三经注疏》259 ~ 628 页《毛诗正义》本。

本文把《病方》和《诗经》两书中相同的名物和字全部搜罗在一起，按草、木、人兽、禽、虫鱼、果、菜、米及其他列举如下。

一、草类

蔹

《病方》271 行（指《病方》中所标注的行次，下同）："睢病，冶白蔹……"

《诗经·唐风·葛生》："蔹蔓于野。"

郁

《病方》332 行："胪久伤者痈……郁一参……"

《诗经·豳风·七月》："六月食郁及薁。"

芍药

《病方》271 行："睢病，冶芍乐（药）。"72 行："毒乌喙者，屑勺（芍）药。"

《诗经·郑风·溱洧》："赠之以芍药"。

蒿

《病方》81 行："瘊，以疾藜、白蒿封之。"248～251 行："牝痔，以煮青蒿。"

《诗经·小雅·蓼莪》："食野之蒿。"（《诗经·小雅·鹿鸣》同）

堇

《病方》90 行："蚖，以堇一阳筑封之。"

《诗经·大雅·绵》："堇荼如饴。"

苇

《病方》370 行："身有痈者……而割若苇……"

《诗经·豳风·七月》："八月萑苇"。

《诗经·小雅·小弁》："萑苇淠淠"。

《诗经·大雅·行苇》："敦彼行苇"。

菅

《病方》258 行："痔者……以菅裹……"

《诗经·小雅·白华》："白华菅兮""露彼菅茅"。

《诗经·陈风·东门之池》："可以沤菅。"

二、木类

椒

《病方》1 行："诸伤……椒……"179 行："治瘅……椒……燔之坎中。"271
行："疽病，冶……椒、朱臾，凡七物……"

《诗经·周颂·载芟》："有椒其馨。"

《诗经·陈风·东门之枌》："贻我握椒。"

《诗经·唐风·椒聊》："椒聊之实。"

朴

《病方》341 行："治痂……燔朴炙之。"

《诗经·大雅·棫朴》："芃芃棫朴。"《毛传》云："朴，抱木也。"

桐

《病方》348 行："治痂，大皮桐……"365 行："痈自发者，取桐本……"

《诗经·鄘风·定之方中》："树之榛栗，椅桐梓漆。"

《诗经·小雅·湛露》："其桐其椅。"

《诗经·大雅》："梧桐生矣，于彼朝阳。"

梓

《病方》305 行："治疽，炙梓叶，温之。"

《诗经·鄘风·定之方中》："树之榛栗，椅桐梓漆。"

桑

《病方》363 行："蛇啮，以桑汁涂之。"

《诗经·豳风·七月》："爰求柔桑""蚕月条桑"。

《诗经·魏风·汾沮洳》："言采其桑""十亩之间，桑者闲闲兮"。

《诗经·郑风·将仲子》："无折我树桑。"

柳

《病方》267 行："胸养（痒），治之以柳蕈一捼……"

《诗经·小雅·小弁》："菀彼柳斯"。

《诗经·小雅·菀柳》："有菀者柳"。

《诗经·齐风·东方未明》："折柳樊圃，狂夫瞿瞿。"

柞

《病方》370 行："身有痈者……以柞槍……"

《诗经·小雅·采菽》："维柞之枝。"

《诗经·小雅·车牵》："析其柞薪。"

《诗经·大雅·皇矣》："帝省其山，柞棫斯拔。"

杞

《病方》73 行："毒乌豙（喙）者，取杞本长尺……"

《诗经·小雅·南山有台》："南山有杞。"

《诗经·秦风·终南》："终南何有，有杞有堂。"

《诗经·小雅·湛露》："在彼杞棘。"

《诗经·小雅·四牡》："载飞载止，集于苞杞。"

《诗经·小雅·四月》："隰有杞桋。"

《诗经·郑风·将仲子》："无析我树杞。"

棠

《病方》191 行："弱（溺）□沦者方……先取鹊棠下蒿也。"

《诗经·周南·甘棠》："蔽芾甘棠。"

榆

《病方》407 行："戚食齿，以榆皮。"

榆在《诗经》中名枌。

《诗经·陈风》："东门之枌。"《传》云："枌，白榆也。"

《尔雅》云："榆，白枌。"

谷

《病方》361 行："干加（痂）……以水银、谷汁和而傅之。"

《诗经·小雅·鹤鸣》："其下维谷。"《毛传》："谷，恶木也。"

陆玑《毛诗草木疏》："谷，幽州人谓之谷桑，或楮桑。荆、扬、交广谓之谷，中州人谓之楮。"按，谷汁有治癣之功，合水银治干痂。

竹

《病方》325 行："瘿，取秋竹者（煮）之，而以气熏其痏。"

《诗经·小雅·斯干》："如竹苞矣。"

三、人兽禽类

发

《病方》8 行："诸伤，燔白鸡毛及人发……"

《诗经·鄘风·君子偕老》："鬒发如云。"

《诗经·小雅·都人士》："绸直如发。"

《诗经·小雅·采绿》："予发曲局。"

《诗经·鲁颂·闷宫》："黄发台背，黄发儿齿。"

马

《病方》193 行："肿囊……取马矢粗者……"

《诗经·鄘风·干旄》："良马四之。"

《诗经·鲁颂·泮水》："其马蹻蹻。"

《诗经·小雅·角弓》："老马反为驹。"

牛

《病方》340 行："治痂……炙牛肉……"

《诗经·王风·君子于役》："羊牛下来。"

《诗经·小雅·无羊》："谁谓尔无牛。"

《诗经·周颂·我将》："维羊维牛。"

羊

《病方》306 行："烂者……以犬毛若羊毛封之。"

《诗经·周颂·丝衣》："自羊徂牛。"

《诗经·周颂·我将》："维羊维牛。"

《诗经·小雅·无羊》："谁谓尔无羊。"

《诗经·召南·羔羊》："羔羊之皮。"

《诗经·小雅·苕之华》："牂羊坟首。"

犬

《病方》41 行："伤而颈（痉）者，小剸一犬……" 64 行："犬所啮……"
419 行："身疕……以犬胆和傅之。" 61 行："犬筮（噬）人伤者……犬毛尽……"

《诗经·小雅·巧言》："躍躍毚兔，遇犬获之。"

豕

《病方》380 行："鬈，唾曰，涂若以豕矢。"

《诗经·小雅·渐渐之石》："有豕白蹢。"

《诗经·大雅·公刘》："执豕于牢。"

鹿

《病方》90 行："蚘……燔鹿角以溺饮之。"

《诗经·小雅·鹿鸣》："呦呦鹿鸣。"

《诗经·小雅·小弁》："鹿斯之奔。"

《诗经·大雅·桑柔》："瞻彼中林，甡甡其鹿。"

《诗经·召南·野有死麕》："野有死鹿。"

《诗经·豳风·东山》："町畽鹿场。"

《诗经·小雅·吉日》："麀鹿麌麌。"

狸

《病方》100 行："治蚘，燔狸皮……"

《诗经·豳风·七月》："取彼狐狸。"

狐

《病方》210 行："令颓（癫）者……狐麃……某病狐……"

《诗经·卫风·有狐》："有狐绥绥。"

《诗经·邶风·北风》："莫赤匪狐。"

《诗经·邶风·旄丘》："狐裘蒙戎。"

《诗经·小雅·何草不黄》："有芃者狐。"

《诗经·小雅·都人士》："彼都人士，狐裘黄黄。"

《诗经·桧风·羔裘》："狐裘以朝。"

兔

《病方》94 行："治蚖，亨（烹）……兔……" 139 行："蠚者，入……兔皮……" 310 行："阑者方，以鸡卵弁兔毛……" 432 行："治瘕，以兔产脑……"

《诗经·王风·兔爰》："有兔爰爰。"

《诗经·小雅·瓠叶》："有兔斯首。"

《诗经·小雅·小弁》："相彼投兔。"

《诗经·小雅·巧言》："跃跃毚兔。"

《诗经·周南·兔罝》："肃肃兔罝。"

兔肉

《病方》94 行："治蚖，亨（烹）……兔……"

《诗经·王风》："有兔爰爰。"

鼠

《病方》264 行："血痔，以溺熟煮一牡鼠，以气熨。"

《诗经·召南·行露》："谁谓鼠无牙，何以穿我墉。"

《诗经·豳风·七月》："穹窒熏鼠。"

《诗经·鄘风·相鼠》："相鼠有皮，人而无仪。"

鸡

《病方》95 行："治蚖，亨（烹）三宿雄鸡……" 258 行："痔者，以酱灌黄雌鸡，令自死……"

《诗经·王风·君子于役》："鸡栖于桀（木桩）。"

《诗经·郑风·风雨》："鸡鸣喈喈。"

《诗经·齐风·鸡鸣》："鸡既鸣矣。"

《诗经·郑风·女曰鸡鸣》："女曰鸡鸣。"

雉

《病方》328 行："胏腺，取雉式……"

《诗经·邶风·雄雉》："雄雉于飞。"

《诗经·邶风·匏有苦叶》："雉鸣求其牡。"

《诗经·王风·兔爰》："雉离于罿（捕鸟网）。"

《诗经·小雅·小弁》："雉之朝雊。"

鹊

《病方》191 行："溺□沦者方……先取鹊棠下蒿。"

《诗经·召南·鹊巢》："维鹊有巢。"

《诗经·鄘风·鹑之奔奔》："鹊之强强。"

《诗经·陈风·防有鹊巢》："防有鹊巢。"

鸟

《病方》117 行："白处，治之以鸟卵……" 125 行："白处……取鸟卵……"

《诗经·秦风·黄鸟》："交交黄鸟。"

《诗经·周南·葛覃》："黄鸟于飞。"

《诗经·小雅·绵蛮》："绵蛮黄鸟。"

四、虫鱼类

蝎

《病方》340 行："治痂，刑赤蝎，以血涂之。"

《诗经·小雅·正月》："胡为虺蝎"。

蛇

《病方》363 行："蛇啮，以桑汁涂之。" 439 行："病蛊者……蛇一……"

《诗经·小雅·斯干》："为虺为蛇"。

龟

《病方》246 行："牡痔……龟啮（脑）……"

《诗经·小雅·小旻》："我龟既厌。"

《诗经·大雅·绵》："爰契我龟。"

《诗经·大雅·文王有声》："维龟正之。"

《诗经·鲁颂·泮水》："元龟象齿。"

鱼

《病方》135 行："冥病方，治之以鲜产鱼……"

《诗经·大雅·韩奕》："炰鳖鲜鱼。"

鳣鱼

《病方》130 行："白疕，取丹沙与鳣鱼血……"

《诗经·卫风·硕人》："鳣鲔发发。"《毛传》云："鳣，鲤也。"

《尔雅》："鲤，鳣。"《病方》用鳣鱼而不言鲤，则此方当在《诗经》时代即有。

蚕

《病方》203 行："治颓，炙蚕卵……"

《诗经·大雅·瞻卬》："妇无公事，休其蚕织。"

蜂

《病方》212 行："治癫，阴干之旁逢卵……"236 行："夕毋食，旦取丰（蜂）卵一……"

《诗经·周颂·小毖》："莫予荓蜂，自求辛螫。"

冥

《病方》134 行："冥（螟）者，虫所啮穿者……"

《诗经·小雅·大田》："去其螟（螣）螣。"《毛传》："食苗心曰螟。"

五、果类

桃

《病方》417 行："干瘙方……煮桃叶……"

《诗经·魏风·园有桃》："园有桃，其实之殽。"

《诗经·大雅·抑》："投我以桃，报之以李。"

《诗经·周南·桃夭》："桃之夭夭。"

《诗经·召南·何彼襛矣》："华如桃李。"

李

《病方》34 行："伤而颈（痉）者，以水财煮李实……"347 行："取磐大如李。"

《诗经·大雅·抑》:"投我以桃，报之以李。"

《诗经·小雅·南山有台》:"北山有李。"

《诗经·召南·何彼秾矣》:"华如桃李。"

枣

《病方》261 行:"痔未有巢者，煮一斗枣……"

《诗经·豳风·七月》:"八月剥枣，十月获稻。"

六、菜类

苦

《病方》74 行:"毒乌喙，以□汁粲叔（菽）若（或也）苦。"

《诗经·唐风·采苓》:"采苦采苦。"《毛传》云:"苦，苦菜也"。

葵

《病方》170 行:"治瘅，亨（烹）葵而饮其汁。"

《诗经·豳风·七月》:"七月亨（烹）葵及菽。"

茹藘

《病方》412 行:"治干骚，取茹藘本……"

《诗经·郑风·东门之墠》:"茹藘在坂。"

《诗经·郑风·出其东门》:"缟衣茹藘。"

藿

《病方》187 行:"女子瘅，取三岁陈藿……"

《诗经·小雅·白驹》:"食我场苗……食我场藿。"

荠

《病方》21 行:"久伤者，荠，杏核中人……"

《诗经·邶风·谷风》:"谁谓荼苦，其甘如荠。"

苦瓠

《病方》352 行:"治痂，冶茝夷、苦瓠瓣……"

《诗经·卫风》:"齿如瓠樨。"

《诗经·小雅·瓠叶》:"幡幡瓠叶。"

《诗经·小雅·南有嘉鱼》："甘瓠累之。"

七、米谷类

麦

《病方》304 行："雎（疽）发，煮麦……"

《诗经·豳风·七月》："禾麻菽麦。"

《诗经·鄘风·桑中》："爰采麦矣。"

《诗经·鄘风·载驰》："芃芃其麦。"

《诗经·王风·丘中有麻》："丘中有麦。"

《诗经·魏风·硕鼠》："无食我麦。"

《诗经·大雅·生民》："麻麦幪幪。"

《诗经·鲁颂·閟宫》："稙稚菽麦"。

禾

《病方》："令尤（疣）者抱禾……置去禾……"

《诗经·豳风·七月》："禾麻菽麦。"

《诗经·大雅·生民》："禾役穟穟。"

叔（菽）

《病方》85 行："蛭食（蚀），并黍、叔（菽）炊之。"

《诗经·小雅·小宛》："中原有菽，庶民采之。"

《诗经·豳风》："七月亨（烹）葵及菽。"

《诗经·小雅·小明》："采萧获菽。"

《诗经·小雅·采菽》："采菽采菽，筐之筥之。"

《诗经·小雅》："艺之荏菽"。

《诗经·鲁颂·閟宫》："稙稚菽麦。"

稷

《病方》189 行："女子瘃……煮黍稷而饮其汁。"

《诗经·唐风》："不能艺稷黍。"

《诗经·小雅·甫田》："黍稷稻粱，农夫之庆。"

《诗经·周颂·良耜》："黍稷茂止。"

《诗经·王风·黍离》："彼稷之苗。"

《诗经·鲁颂·闷宫》："有稷有黍。"

《诗经·小雅·楚茨》："我稷翼翼""我艺黍稷"。

《诗经·小雅·出车》："黍稷方华。"

《诗经·小雅·仗南山》："黍稷或或。"

黍

《病方》85 行："蛭食（蚀）人胻股……并黍……"

《诗经·豳风·七月》："黍稷重穋，禾麻菽麦。"

《诗经·魏风·硕鼠》："无食我黍。"

《诗经·小雅·黄鸟》："无啄我黍。"

《诗经·小雅·楚茨》："我黍与与。"

《诗经·小雅·黍离》："彼黍离离。"

《诗经·曹风·下泉》："芃芃黍苗。"

《诗经·周颂·良耜》："黍稷茂止。"

酒

《病方》203 行："炙蚕卵……入半音（杯）酒中饮之……"185 行："石瘩……煮石韦若酒而饮之……"

《诗经·小雅·楚茨》："以为酒食，以享以祀。"

《诗经·豳风·七月》："为此春酒，以介眉寿。"

《诗经·小雅·瓠叶》："君子有酒。"

《诗经·小雅·鹿鸣》："我有旨酒。"

《诗经·小雅·楚茨》："以为酒食。"

《诗经·郑风·叔于田》："岂无饮酒。"

《诗经·周颂·丰年》："为酒为醴。"

八、服器类

褐

《病方》313 行："阑者……燔敝褐……"

《诗经》："无衣无褐。"（贱者之服，枲麻织品）

蒲

《病方》102 行："尤（疣）方，取敝蒲席……"

《诗经·大雅·韩奕》："维笋及蒲。"

《诗经·小雅·鱼藻》："依于其蒲。"

《诗经·陈风·泽陂》："有蒲与荷。"

弓

《病方》214 行："㿉（癫）……以秆为弓……旦而射，莫（暮）而□小。"

《诗经·秦风·驷骥》："交韔二弓。"

《诗经·小雅·角弓》："骍骍角弓。"

《诗经·小雅·采绿》："言韔其弓。"

《诗经·周颂·时迈》："载櫜弓矢。"

《诗经·大雅·公刘》："弓矢斯张。"

箕

《病方》359 行："痂方……燔附（腐）荆箕……"

《诗经》："维南有箕，不可以簸扬。"

金

《病方》23 行："令金伤毋痛方……"25 行："令金伤毋痛……"345 行："治加（痂）方……以金铫冶……"

《诗经·大雅·棫朴》："金玉其相。"

《诗经·大雅·韩奕》："鞗革金厄。"

《诗经·鲁颂·泮水》："大赂南金。"

石

《病方》200 行："瘙……操荙（锻）石毇（击）而母……"

《诗经·唐风·扬之水》："白石皓皓。"

九、其他类

燔

《病方》179 行："瘙……枣十四……合而一区，燔之坎中。"8 行："诸伤，燔白鸡毛及人发……"11 行："止血出者，燔发，以安其痏。"342 行："治痂，冶牛膝，燔毚灰……"240 行；"牡痔……燔死人头皆冶。"

《诗经·小雅·楚茨》："或燔或炙。"

《诗经·小雅·瓠叶》："燔之炙之。"

《诗经·大雅·凫鹥》："燔炙芬芬。"

炮

《病方》258 行："痔者……炮之。"

《诗经·小雅·瓠叶》："燔之炮之。"

炙

《病方》203 行："颓（癪），炙蚕卵……"344 行："加（痂），以……豹膏……而炙之。"354 行："加（痂），冶乌豖（喙）……炙羧脂弁热傅之。"

《诗经·小雅·瓠叶》："燔之炙之"。

《诗经·大雅·凫鹥》："燔炙芬芬"。

烝

《病方》211 行："颓（癪）及瘿，取死者叕烝（蒸）之……"437 行："蛊者，燔北乡（向）并符，而烝（蒸）羊尼……"《病方》219 行："颓（癪）及瘿，取死人者叕烝（蒸）之……"

《诗经·小雅·楚茨》："以往烝（蒸）尝，或剥或亨（烹）。"

亨

《病方》252 行："【牝】痔……其叶可亨（烹）而酸……"241 行："【牝】痔……多空（孔）者，亨（烹）肥豭……"170 行："瘙……亨（烹）葵而饮其汁……"171 行："瘙……亨（烹）葵，热歊其汁……"210 行："瘙，渍女子布，以汁亨（烹）肉，食之……"94 行："蚖……亨（烹）三宿雄鸡二，泊水二斗……"

《诗经·小雅·瓠叶》："幡幡瓠叶，采之亨（烹）之。"

《诗经·小雅·楚茨》："以往烝尝，或剥或亨（烹）。"

《诗经·桧风·匪风》："谁能亨（烹）鱼。"

《诗经·豳风·七月》："七月亨（烹）葵及菽。"

濡

《病方》49 行："婴儿病间（痫）方……四支毋濡。"356 行："濡加（痂）……"80 行："濡，以盐傅之，令牛呲（舐）。"

《诗经·邶风·匏有苦叶》："济盈不濡轨。"

《诗经·邶风·羔裘》："羔裘如濡。"

涊

《病方》20 行：“伤者……涊之。”

《中华大字典》998 页涊字条注云：“涊通浼。《诗新台》：‘河水浼浼。’《释文》：‘韩诗作涊涊，盛貌。’”

粲

《病方》74 行：“毒乌豪（喙）者，以□汁粲飧叔（菽）……”

《诗经·小雅·大东》：“有饛簋飧。”

支

《病方》225 行：“颓（癞）……取桃支（枝）……”17 行：“伤者……独□长支（枝）……”

《诗经·大雅·文王》：“本支（枝）百世。”

《诗经·卫风·芄兰》：“芄兰之支（枝）。”

《病方》中支有时亦作肢。

《病方》49 行：“婴儿病间(痫)方……四支（肢）毋濡……”

叶

《病方》329 行：“胻膫，夏日取菫叶……”

《诗经·周南·桃矢》：“其叶蓁蓁。”

《诗经·邶风·匏有苦叶》：“匏有苦叶。”

华

《病方》152 行“逸华，以封隋（膡）……”

《诗经·召南·何彼秾矣》：“华如桃李。”

《诗经·周南·桃夭》：“灼灼其华。”

本

《病方》73 行：“毒乌豪（喙）者……取杞本长尺……”76 行：“禺（遇）人毒者，取蘪（蘼）芜本（根）……”251 行：“痔者，冶蘪（蘼）芜本（根）……”365 行：“痈自发者，取桐本……”

《诗经·大雅·荡》：“枝叶未有害，本（根）实先拨。”

《礼记·少仪》：“君子择葱，绝其本（根）末。”

《周礼·醢（音海）人》：“醢人掌……醓醢、昌本、麋臡……”

郑玄注云："昌本，昌蒲根切之四寸为菹。"

有

《病方》192 行："膏弱（溺）……有（又）釜阳□而羹之。"174 行："痤……有（又）煮一分……"

《诗经·邶风·终风》："不日有（又）曀。"

《诗经·王风·君子于役》："曷其有（又）佸。"

有作有无之有。

《病方》178 行："痤，坎方尺有半……"254 行："牝痔有数窍……"

莫

《病方》214 行："颓（癞）……以秆为弓……旦而射，莫（暮）而□小。"177 行："痤……先莫（暮）毋食，旦饮药。"238 行："【脉】者……到莫（暮）有（又）先食饮，如前数……"

《诗经·小雅·采薇》："岁亦莫（暮）止"。

《诗经·唐风·蟋蟀》："岁聿其莫（暮）。"

《诗经·齐风·东方未明》："不夙则莫（暮）"。

又莫莫作恭敬解。《诗经·小雅·楚茨》："君妇莫莫，为豆孔庶。"此句中"莫莫"，其意为恭敬谨慎的样子。不作日暮的"暮"字解。

烕

《病方》255 行："牝痔……坐以熏下窍。烟烕（灭）……火烕（灭）……"

《诗经·小雅·正月》："赫赫宗周，褒姒烕（灭）之。"

《传》曰："烕，灭也。"《说文》云："烕，灭也。"

匕

《病方》52～53 行："婴儿瘛者……取屋荣蔡薪，燔之而□匕焉……因唾匕……因以匕周揗婴儿瘛所……"

《诗经·小雅·大东》："有捄棘匕。"（匕指羹匙）

通过上述两书的勘比，发现其相同实物名称达 78 种之多，很多古字亦相同，这就提示两书存在时代相联的关系。

按，《诗经》是中国古代第一部诗歌总集，它收集自西周初年（公元前 11 世纪）到春秋中叶（公元前 6 世纪）约 500 年的诗歌。书中记载了很多黄河流域的动、植物，因为西周、东周主要活动区域在黄河流域中下游，包括今天的陕西、山西、河北、河南、山东及湖北的北部。而《五十二病方》有南方的特色。但从上述两书比较来看，两书在草、木、兽、禽、虫、鱼、果、菜、米、服器及单字、词等各方面存在大量相同的名称，这说明《病方》在漫长的岁月里沿用了《诗经》中的名物称呼。

《五十二病方》有三处记载"铁"。一是《病方》48 页："毒乌豪（喙）者，煮铁，饮之。"二是《病方》77 页："痿……即以铁椎改段之二七……"三是《病方》127 页："去人马疣方：取段（锻）铁者灰三……"可是《诗经》中没有铁的记载。从这一点来讲，《病方》的成书时间远比《诗经》晚。

附二十二　从《诗经》名物及通假字探索《五十二病方》成书年代

《五十二病方》（以下简称《病方》）是公元前 168 年入墓的，它具有公元前 168 年以前的风貌。先秦古籍因历代传抄翻刻，难以像《病方》一样保持先秦时的原始风貌。把先秦古籍同《病方》相勘比，仍可看出它们之间的关系，其中以《诗经》关系最为密切，因为《诗经》《病方》在名物和通假字上相同的极多。今将两书相同名物勘比如下。

一、两书草、木、兽禽、虫鱼、果菜、米等名称相同

1. 蔜：《病方》271 行（指《病方》所注的行次，下同）："冶白蔜。"《诗经·唐风·葛生》："蔹蔓于野。"

2. 郁：《病方》332 行："郁一参。"《诗经·豳风·七月》："六月食郁。"

3. 芍药：《病方》72 行："屑勺（芍）药。"《诗经·郑风·溱洧》："赠之以芍药。"

4. 蒿：《病方》251："煮青蒿。"《诗经·小雅·蓼莪》："食野之蒿。"

5. 堇：《病方》90 行："以堇一。"《诗经·大雅·绵》："堇荼如饴。"

6. 苇：《病方》370 行："割若苇。"《诗经·豳风·七月》："八月萑苇。"

7. 菅：《病方》258 行："以菅裹。"《诗经·小雅·白华》："白华菅兮。"

8. 茅：《病方》231 行："县（悬）茅。"《诗经·小雅·白华》："露彼菅茅。"

9. 药：《病方》177 行："且饮药。"《诗经·大雅·板》："不可救药。"

10. 茹藘：《病方》412 行："取茹藘本。"《诗经·郑风·东门之墠》："茹藘在坂。"

11. 艾：《病方》209 行："以艾裹。"《诗经·王风·采葛》："彼采艾兮。"

12. 蒲：《病方》102 行："敝蒲席。"《诗经·陈风·泽陂》："有蒲与荷。"

13. 芩：《病方》289 行："以黄芩。"《诗经·小雅·鹿鸣》："食野之芩。"

14. 薪：《病方》51 行："葵薪燔之。"《诗经·唐风·绸缪》："绸缪束薪。"

15. 椒：《病方》："诸伤，椒""椒一"。《诗经·周颂·载芟》："有椒其馨。"

16. 朴：《病方》341 行："燔朴。"《诗经·大雅·棫朴》："芃芃棫朴。"

17. 桐：《病方》365 行："取桐本。"《诗经·小雅·湛露》："其桐其椅。"

18. 梓：《病方》305 行："炙梓叶。"《诗经·鄘风·定之方中》："椅桐梓漆。"

19. 桼（漆）：《病方》382 行："涂桼（漆）。"《诗经·秦风·车邻》："阪有漆。"

20. 桑：《病方》363 行："桑汁涂。"《诗经·豳风·七月》："爰求柔桑。"

21. 柳：《病方》267 行："柳蕈。"《诗经·小雅·小弁》："菀彼柳斯。"

22. 柞：《病方》370 行："以柞檊。"《诗经·小雅·采菽》："维柞之枝。"

23. 杞：《病方》13 行："取杞本。"《诗经·小雅·南山有台》："南山有杞。"

24. 棠：《病方》191 行："棠下蒿。"《诗经·周南·甘棠》："蔽芾甘棠。"

25. 柏：《病方》195 行："操柏杵。"《诗经·鲁颂·閟宫》："新甫之柏。"

26. 榆：《病方》407 行："以榆皮。"《诗经·唐风·山有枢》："隰有榆。"

27. 谷：《病方》361 行："以谷汁。"《诗经·小雅·鹤鸣》："其下维谷。"《毛传》："谷，恶木也。"

28. 竹：《病方》325 行："竹者（煮）之。"《诗经·卫风·淇奥》："绿竹青青。"

29. 华：《病方》413 行："芫华一。"《诗经·召南·何彼秾矣》："华如桃李。"

30. 叶：《病方》329 行："取堇叶。"《诗经·卫风·氓》："其叶沃若。"

31. 发：《病方》8 行："燔人发。"《诗经·小雅·采绿》："予发曲局。"

32. 马：《病方》193 行："取马矢。"《诗经·鄘风·干旄》："良马四之。"

33. 牛：《病方》340 行："炙牛肉。"《诗经·周颂·我将》："维羊维牛。"

34. 羊：《病方》306 行："羊毛封。"《诗经·周颂·丝衣》："自羊徂牛。"

35. 犬：《病方》64 行："犬所啮。"《诗经·小雅·巧言》："遇犬获之。"

36. 虎：《病方》369 行："若以虎。"《诗经·小雅·巷伯》："投畀豺虎。"

37. 豹：《病方》344 行："以豹膏。"《诗经·郑风·羔裘》："羔裘豹饰。"

38. 豕：《病方》380 行："以豕矢。"《诗经·大雅·公刘》："执豕于牢。"

39. 鹿：《病方》90 行："燔鹿角。"《诗经·小雅·鹿鸣》："呦呦鹿鸣。"

40. 狸：《病方》100 行："燔狸皮。"《诗经·豳风·七月》："取彼狐狸。"

41. 狐：《病方》210 行："某病狐。"《诗经·卫风·有狐》："有狐绥绥。"

42. 兔：《病方》139 行："入兔皮。"《诗经·王风·兔爰》："有兔爰爰。"

43. 鼠：《病方》264 行："牡鼠。"《诗经·豳风·七月》："穿室熏鼠。"

44. 鸡：《病方》258 行："雌鸡。"《诗经·齐风·鸡鸣》："鸡既鸣矣。"

45. 雉：《病方》328 行："取雉矢。"《诗经·邶风·雄雉》："雄雉于飞。"

46. 鹊：《病方》191 行："先取鹊。"《诗经·召南·鹊巢》："维鹊有巢。"

47. 鸟：《病方》117 行："以鸟卵。"《诗经·秦风·黄鸟》："交交黄鸟。"

48. 皮：《病方》221 行："其皮。"《诗经·鄘风·相鼠》："相鼠有皮。"

49. 毛：《病方》306 行："以犬毛。"《诗经·小雅·仪南山》："以启其毛。"

50. 体：《病方》443 行："若四体。"《诗经·鄘风·相鼠》："相鼠有体。"

51. 股：《病方》85 行："胻股。"《诗经·豳风·七月》："五月斯螽动股。"

52. 手：《病方》249 行："如手者。"《诗经·邶风·北风》："携手同归。"

53. 指：《病方》320 行："如两指。"《诗经·鄘风·蝃蛛》："莫之敢指。"

54. 齿：《病方》134 行："或在齿。"《诗经·卫风·硕人》："齿如瓠犀。"

55. 血：《病方》11 行："止血。"《诗经·小雅·信南山》："取其血膋。"

56. 蜴：《病方》340："刑赤蜴。"《诗经·小雅·正月》："胡为虺蜴。"

57. 蛇：《病方》363 行："蛇啮。"《诗经·小雅·斯干》："为虺为蛇。"

58. 龟：《病方》246 行："龟脑（脑）。"《诗经·大雅·绵》："爰契我龟。"

59. 鱼：《病方》135："以鲜产鱼。"《诗经·大雅·韩奕》："炰鳖鲜鱼。"

60. 鳣鱼：《病方》130 行："鳣鱼血。"《诗经·卫风·硕人》："鳣鲔发发。"

61. 蚕：《病方》203 行："炙蚕卵。"《诗经·大雅·瞻卬》："休其蚕织。"

62. 蜂：《病方》212 行："逢（蜂）卵。"《诗经·周颂·小毖》："莫予荓蜂。"

63. 冥：《病方》134 行："冥（螟）者。"《诗经·大雅·大田》："去其冥（螟）。"

64. 虫：《病方》134 行："虫，所啮。"《诗经·齐风·鸡鸣》："虫飞薨薨。"

65. 蛋：《病方》78 行："蛋（蚕）以。"《诗经·小雅·都人士》："卷发如蚕。"

66. 桃：《病方》417 行："煮桃叶。"《诗经·大雅·抑》："投我以桃。"

67. 李：《病方》34 行："煮李实。"《诗经·大雅·抑》："报之以李。"

68. 枣：《病方》261 行："一斗枣。"《诗经·豳风·七月》："八月剥枣。"

69. 苦：《病方》74 行："粲叔若苦。"《诗经·唐风·采苓》："采苦采苦。"

70. 葵：《病方》170 行："亨（烹）葵。"《诗经·豳风·七月》："七月亨（烹）葵。"

71. 藿：《病方》187 行："陈藿。"《诗经·小雅·白驹》："食我场藿。"

72. 韭：《病方》242 行："如韭叶。"《诗经·豳风·七月》："献羔祭韭。"

73. 荠：《病方》21 行："伤者，荠。"《诗经·邶风·谷风》："其甘如荠。"

74. 苦瓠：《病方》352 行："苦瓠瓣。"《诗经·小雅·瓠叶》："幡幡瓠叶。"

75. 瓜：《病方》320 行："削瓜。"《诗经·豳风·七月》："七月食瓜。"

76. 麦：《病方》304 行："煮麦。"《诗经·鄘风·桑中》："爰采麦矣。"

77. 禾：《病方》103 行："置去禾。"《诗经·豳风·七月》："禾麻菽麦。"

78. 叔（菽）：《病方》85 行："叔（菽）炊。"《诗经·小雅·小宛》："中原有菽。"

79. 稷：《病方》189 行："煮禾稷。"《诗经·小雅·甫田》："禾稷稻粱。"

80. 黍：《病方》85 行："并黍。"《诗经·魏风·硕鼠》："无食我黍。"

81. 酒：《病方》203 行："酒中饮。"《诗经·小雅·楚茨》："以为酒食。"

82. 清：《病方》133 行："以清煮。"《诗经·小雅·信南山》："祭以清酒。"

83. 膏：《病方》132 行："与久膏。"《诗经·桧风·羔裘》："羔裘如膏。"

84. 膏：《病方》263 行："以膏膏出者。"《诗经·曹风·下泉》："阴雨膏之。"

85. 脂：《病方》413 行："车故脂。"《诗经·邶风·泉水》："载脂载辖。"

以上各个名物在两书中是多次出现的，由于篇幅所限，不能全部列出，仅各举一例作为代表。

二、两书器物及其字相同

1. 金：《病方》345 行："以金铫。"《诗经·大雅·棫朴》："金玉其相。"

2. 石：《病方》200 行："操茛（锻）石。"《诗经·唐风·扬之水》："白石皓皓。"

3. 刀：《病方》262 行："以刀去其巢。"《诗经·小雅·信南山》："执其鸾刀。"

4. 匕：《病方》55 行："因唾匕。"《诗经·小雅·大东》："有捄棘匕。"

5. 弓：《病方》214 行："以秆为弓。"《诗经·大雅·公刘》："弓矢斯张。"

6. 矢：《病方》214 行："以葛为矢。"《诗经·周颂·时迈》："载櫜弓矢。"

7. 射：《病方》214 行："旦而射。"《诗经·齐风·猗嗟》："射则贯兮。"

8. 车：《病方》413 行："车故脂。"《诗经·召南·何彼秾矣》："王姬之车。"

9. 巢：《病方》262 行："去其巢。"《诗经·召南·鹊巢》："维鹊有巢。"

10. 褐：《病方》313 行："燔敝褐。"《诗经》："无衣无褐。"

11. 服：《病方》411 行："以般服零。"《诗经·魏风·葛履》："好人服之。"

12. 升：《病方》216 行："醯二升。"《诗经·唐风·椒聊》"蕃衍盈升。"

13. 箕：《病方》359 行："燔荆箕。"《诗经》："维南有箕。"

14. 角：《病方》244 行："以小角角之。"《诗经·小雅·角弓》："骍骍角弓。"

15. 籥：《病方》262 行："以穿籥。"《诗经·邶风·简兮》："左手执籥。"

16. 簧：《病方》233 行："燔量簧。"《诗经·秦风·车邻》："并坐鼓簧。"

17. 燔：《病方》11 行："燔发。"《诗经·小雅·瓠叶》："燔之炙之。"

18. 炙：《病方》203 行："炙蚕卵。"《诗经·小雅·楚茨》："或燔或炙。"

19. 火：《病方》161 行："止火。"《诗经·郑风·大叔于田》："火烈具举。"

20. 炮：《病方》258 行："炮之。"《诗经·小雅·瓠叶》："燔之炮之。"

21. 熏：《病方》249 行："以熏痔。"《诗经·豳风·七月》："穹室熏鼠。"

22. 食：《病方》238 行："先饮食。"《诗经·魏风·硕鼠》："无食我黍。"

23. 饮：《病方》87 行："饮其汁。"《诗经·邶风·泉水》："饮饯于祢。"

24. 洒：《病方》22 行："以洒痈。"《诗经·唐风·山有枢》："弗洒弗扫。"

25. 湅：《病方》20 行："伤者湅之。"《韩诗·新台》："河水湅湅。"

26. 濡：《病方》356 行："濡加（痂）。"《诗经·唐风·羔裘》："羔裘如濡。"

27. 屑：《病方》72 行："屑勺（芍）药。"《诗经·邶风·谷风》："不我屑以。"

28. 弁：《病方》411 行："脂弁之。"《诗经·卫风·淇奥》："会弁如星。"

29. 塞：《病方》319 行："塞窗闭户。"《诗经·豳风·七月》："塞向墐户。"

30. 穿：《病方》254 行："穿地深尺半。"《诗经·召南·行露》："何以穿我墉。"

31. 坎：《病方》178 行："坎方尺有半。"《诗经·陈风·宛丘》："坎其击缶。"

32. 筑：《病方》207 行："筑之颠。"《诗经·豳风·七月》："九月筑场圃。"

33. 垣：《病方》114 行："在圈垣上。"《诗经·卫风·氓》："乘彼垝垣。"

34. 屋：《病方》51 行："屋荣蔡薪。"《诗经·秦风·小戎》："在其坂屋。"

35. 室：《病方》318 行："居室。"《诗经·王风·大车》："谷则异室。"

36. 户：《病方》319 行："闭户。"《诗经·豳风·东山》："蟏蛸在户。"

37. 颓：《病方》196 行："抱颓者。"《诗经·周南·卷耳》："我马虺颓。"

38. 休：《病方》334 行："铺时出休。"《诗经·唐风·蟋蟀》："役车其休。"

39. 瘳：《病方》222 行："及易瘳。"《诗经·郑风·风雨》："云胡不瘳。"

40. 死：《病方》258 行："今自死。"《诗经·王风·大车》："死则同穴。"

41. 野：《病方》237 行："野兽肉。"《诗经·豳风·七月》："七月在野。"

42. 丘：《病方》104 行："丘井。"《诗经·王风》："丘中有麻。"

43. 旦：《病方》214 行："旦而射。"《诗经·邶风·匏有苦叶》："旭日始旦。"

44. 夕：《病方》410 行："夕毋食。"《诗经·唐风·绸缪》："今夕何夕。"

45. 朝：《病方》386 行："朝未食。"《诗经·小雅·采绿》："终朝采蓝。"

46. 牡：《病方》244 行："牡痔。"《诗经·邶风·匏有苦叶》："雉鸣求其牡。"

47. 胡为：《病方》103 行："胡为是。"《诗经·陈风·株林》："胡为乎株林。"

48. 甸：《病方》66 行："候天甸。"《诗经·小雅·信南山》："维禹甸之。"

49. 零：《病方》411 行："以酨服零。"《诗经·郑风·野有蔓草》："零露溥兮。"

50. 处：《病方》115 行："白处。"《诗经·小雅·四牡》："不遑其处。"

上述同一个字在两书出现的次数亦很多，上面仅各举一例作为代表。类似这样相同的字还有，因篇幅所限，从略。

三、两书通假字相同

古代字少，多用通假字。《病方》和《诗经》用通假字极多。由于篇幅所限，兹举数例如下。

1. "烝"借作"久"。《诗经·豳风·东山》："烝（久）在桑野。"

"烝"，借作"蒸"。《病方》347 行："烝（蒸）羊尼。"《诗经·小雅·楚茨》："以往烝（蒸）尝。"

2. "亨"，《病方》《诗经》皆借作"烹"。《病方》251 行："其叶可亨（烹）。"《诗经·桧风·匪风》："谁能亨（烹）鱼。"

3. "粲"借作"新"。《诗经·郑风·缁衣》："还，予授予之粲兮。"《毛传》：

"粲，鲜盛貌。"《诗经·唐风·葛生》："角枕粲兮。""粲"同燦。《诗经·唐风·绸缪》："见此粲者，如此粲者何。""粲"释为新美人。

"粲"借作"餐"。《病方》74 行："粲叔（菽）。"《诗经·郑风·狡童》："使我不能餐。"《诗经·魏风·伐檀》："不素餐兮。"

4. 支，《病方》作"肢""枝"。《病方》49 行："四支（肢）毋濡。"《病方》225 行："取桃支（枝）。"《诗经·大雅·文王》："本支（枝）百世。"《诗经·卫风·芄兰》："芄兰之支（枝）。"

5. "本"借作"根"。《病方》73 行："取杞本。"《诗经·大雅·荡》："本（根）实先拨。"

6. "有"，原是有无之有。《病方》254 行："牝痔有数窍。"但《病方》多处"有"字借作"又"。《病方》174 行："有（又）煮一分。"《诗经·邶风·终风》："不日有（又）曀。"《诗经·王风·君子于役》："曷其有（又）佸。"

7. "莫"在《诗经》中有 3 种解释。

① "莫"释为"不"。《诗经·邶风·北门》："莫（不）知我艰。"

② "莫"释植物名：《诗经·魏风·汾沮洳》："言采其莫。"

③ "莫"借作"暮"。《病方》238 行："到莫（暮）有（又）先食饮。"《诗经·唐风·蟋蟀》："岁聿其莫（暮）。"

8. "威"借作"灭"。《病方》255 行："火威灭。"《诗经·小雅·正月》："赫赫宗周，褒姒威（灭）之。"《毛传》云："威，灭也。"

9. "北""背"通用。《病方》180 行："令病者北（背）火炙之。"《诗经·卫风·伯兮》："焉得谖草，言树之背。"《毛传》云："背，北堂也。"谓在北堂种植谖（萱）草。

按，两书中的物品名称有些因时代不同而各异，但多数名称相同或相近。上述《病方》与《诗经》的名物及通假字相同的极多，这就提示《病方》在漫长岁月里沿用了《诗经》名物的称呼。但《病方》有醯和铁的记载，而《诗经》没有。《病方》用醯的地方有十多处，《诗经》没有。晚于《诗经》的《左传》《论语》有醯的记载。《左传》："晏子曰：醯醢盐梅。"晏子是春秋末齐景公（前 547—前490）时人。孔子《论语》云："或乞醯焉。"孔子是春秋末鲁国人（前 551—前479）。

铁见于《左传·昭公二十九年》："赋晋一鼓铁。"昭公 29 年相当于公元前513 年。

铁的出现虽然早，但普遍应用很晚。《诗经》中没有铁的记载，而《病方》中已应用铁，说明《病方》产生的时代远晚于《诗经》。

附二十三 《五十二病方》产生年代的讨论

从《五十二病方》中涉及春秋以前的地名，斩足刑法，燔死人头，食蛇、食野菜中乌喙毒等方子考察《病方》产生的时代。

从药物产地可以看出《病方》的方子似是春秋时期产生的。《病方》251 行"青蒿者，荆名曰【萩】，蒚者，荆名曰卢茹"。《尔雅·释草》："蒿，蔽。"孙炎注："荆楚之间，谓蒿为蔽。"《尚书·夏书·禹贡》："荆及衡阳，惟荆州。"《尚书》是春秋以前的书，说明荆在春秋以前即已有。

《病方》275 行有"蜀椒"。《诗经》中记载椒的内容很多，如"有椒其馨""贻我握椒""椒聊之实"，说明椒在周朝已常用了。蜀是西周时蜀国，椒产于蜀，故称蜀椒。是蜀椒的药名，在周朝就有了，即在春秋以前就有了。

楚国古有斩足刑法。《病方》198 行有"令斩足者"。春秋时楚人下和发现一块玉璞，先后献给楚厉王、武王（前 740—前 690），都被认为欺诈，被截去双脚，说明春秋时楚国就有斩足刑的存在。从《病方》有斩足的记载即可看出《病方》是产于春秋时代的方书。

《病方》记有燔死人作药用，反映《病方》时代伴有奴隶社会制度现象。《病方》240 行有"燔死人头"，357 行有"死人胻骨燔"。

按，燔死人头、燔死人胻骨可能是奴隶主对死奴隶的头或胻骨进行燔烧以作药用。这种做法显示《病方》时代似乎伴有奴隶制度的迹象。这也可提示《病方》中有的方子在奴隶社会就有了。

由于奴隶社会生产力极低，人们住的、吃的都十分差。在《病方》时代，人们住的是茅屋。《病方》51 行有"取屋荣蔡（草）薪燔"。《诗经》中亦有关于茅屋的诗句，《诗经·豳风·七月》："昼尔于茅，宵其乘屋。"

在《病方》时代，人们吃的有蛇和野菜。

《病方》时代的人吃蛇，这可从《病方》中用蛇膏推测得知。例如，《病方》358 行有"炙蛇膏令消"的记载。《诗经》也有蛇的诗句，《诗经·小雅·斯干》："为虺为蛇。"

《病方》时代的人常因采野菜吃而误食乌喙，以致中毒。《病方》中记有解乌喙的方子。《病方》71 行、72 行、73 行、74 行、75 行、76 行、77 行记载解乌喙中毒方子有 7 个，说明当时人们因采食野菜而误中乌喙毒是常见的事，否则不会记载这么多解乌喙的方子。

由于乌喙有麻醉性（因误食乌喙使口舌发麻），从而利用乌喙的麻醉性而止痛、止痒。《病方》16 行："金伤者，以方（肪）膏、乌喙相煎施之。"此方用乌喙止痛。《病方》413 行："干瘙，取乌喙一齐……以磨其瘙。"此方用乌喙止痒。

在《病方》时代，由于人们在野外采野菜及蛇鱼作补充食物，因而常为虫、蛇、金石所伤，这从《病方》中所记各种外伤方可知。

《病方》时代的人因在水中活动，故常被蛭咬蚀。《病方》85 行："蛭食（蚀）人腈股。"

《病方》时代的人在野外活动时常为蛇所噬。《病方》363 行："蛇啮，以桑汁涂之。"《病方》87 行"蚖"下记载治蚖咬 12 方。

《病方》时代的人因在野外活动，故受外伤较多。《病方》16 行有"金伤"，17 行有"伤者"，10 行有"刃伤"。

伤出血：《病方》13 行有"伤者血出"，11 行有"止出血者"。

伤感染：《病方》37 行有"诸伤，风入伤，伤痏痛"。

伤感染不愈：《病方》21 行有"久伤者"。

伤感染破伤风：《病方》30 行有"伤痉：痉者，伤，风入伤，身信（伸）而不能诎（屈）"，这是破伤风最早的记载。

《病方》中所记荆、蜀椒、斩足者、燔死人头、燔死人腈骨、解乌喙诸方等例子与春秋时代人们的生活情况有暗合之处。这些暗合的例子似可视为《病方》产生于春秋时代的佐证。

另外，《病方》中的药物名称和《诗经》中鸟、兽、虫、鱼、草、木的名称大部分是相同的，《病方》中所用的通假字亦和《诗经》相同，说明《病方》沿用了《诗经》的名物称呼。但《病方》有醯（醋）、铁的记载，而《诗经》没有。醯见于《礼记·醯人》："醯人共醯物。"又《论语》云："或乞醯焉。"铁见于《左传·昭公二十九年》："赋晋国一鼓铁。"昭公 29 年即公元前 513 年。

铁出现的时间虽早，但普遍应用很晚，而《病方》已记载了铁的应用，说明《病方》产生的时代远晚于《诗经》。

附二十四 马王堆医书中的药物填补了我国早期本草史上的空白

马王堆医书《五十二病方》（以下简称《病方》）有280个方子，按目录和正文对比，正文中部分因残损，其中5个病方是有目无文的，所以原书实有的方数应多于280个。在现存280个方子中，所存药物247味，但其原书实有药数应多于247味。

这247种药物从来源看，有矿物药、植物药、动物药及器物和加工品，其中矿物药有21种，占9%，植物药有121种，占49%，动物药有60种，占24%，器物品和加工品有31种，占12%，待考药品有14种，占6%。

在这247种药物中，大部分药物都见于古代文献中，只有少数待考药物不见于古代文献。

由于《病方》是现存方书中最早的方书，故方书中所用的药物也是现存药物中最早使用的，这些药物的相关记载填补了我国早期本草史上的空白，是研究我国古代药物的起源与发展极其宝贵的资料。

把《病方》中的药物同中国最早的本草书《神农本草经》中的药物比较后发现，《病方》中不见录于《神农本草经》的药约有一百多种。兹将这一百多种药摘录如下。

（一）不见于《神农本草经》的药

（1）矿物药：封殖土、井上甕鹽处土、囷土、久溺中泥、冻土、金銛、銛末。

（2）草类及谷物类药：橐莫、合卢、蒿、兰、堇（堇叶）、葵、葵干、葵茎、陈葵、白衡、郁、鱼衣、犬尾、苦、蓝蕡、菽（菽汁、良菽）、黑叔、蜀叔、□豆、藿（小豆叶）。

（3）菜类药：颠（堇）葵、兔肉。

（4）木类药：美桂、椒、椒汁、荆、朴、大皮桐、干莓、莓茎、椴（杀）。

（5）果类药：枣种。

（6）待考类药：独□、逸华、隐夫木、骆阮（白苦、苦浸）、采根。

（7）人部药：头垢、燔死人头、人泥。

（8）鱼类药：鳣鱼血、鬿鱼。

（9）虫类药：赤蝎、丘引矢、蠸、蜕。

（10）器物、物品类药：襦颈、女子布、女子初有布、死者裹、敝褐、藉之蒻、荆箕、枲絮、陈橐、产豚蕀、蘱之英萸、菽酱之宰（滓）、谷汁、泽泔、黍潘、饭焦、黍掇、肪膏、臧膏、久膏、久脂、车故脂、薜。

（11）泛称类药：百草末、屋荣蔡、五谷、禾、米、鲜产鱼、野兽肉食者五物之毛、瓣、凷（块）。

（12）待考药名：□衍、产齐赤、□莱、垙、樑、阳□、量簧、罢合、□居、攻□、白□、灶□、夹□、灌曾、灌青。

（二）不见于《神农本草经》，但见于《名医别录》的药

灶末灰、灶黄土（伏龙肝）、井中泥（井中沙）、盐（食盐）、湮汲水（地浆）、艾、白柎、麦（大麦或小麦）、大菽（生大豆）、稷、黍（美黍、陈黍）、蘖米、青粱米、庶（蔗、甘蔗）、芥（芥蒩荚）、荠熟干实（荠）、陵芰（芰实）、桂、柳蕈（参见"柳华"条）、小童溺、婴溺（溺）、头垢、乳汁、雉（雉肉）、兔皮、兔毛、兔产脑（兔头骨）、狸皮（狸骨）、鼢鼠（鼹鼠）、牡鼠、牡鼠矢、鲋鱼（鲫鱼）、蠃牛（蜗牛）、长足（蜘蛛）、蛇（参见"蚖蛇胆"条）、故蒲席、敝蒲席（败蒲席）、醢、戠、苦酒（醋）、酒、清（酒）、豹膏（参见"豹肉"条）、蛇膏（参见"蚖蛇胆"条）、鸟卵（雀卵）。

上述一百多种药都是《神农本草经》未收载的药，但这些药在《病方》中是经常用的药。

现在要问，这一百多种药是出现在《神农本草经》以前，还是出现在《神农本草经》以后？要弄清这个问题，先要搞清《病方》和《神农本草经》是哪个先成书的。

关于两书成书的先后，可从两书的某些内容来比较考察。

（一）从药物名称上来比较

《神农本草经》对入药的植物根部称为某某根，如茅根、翘根、葛根。

《病方》对入药的根部称为某某本，如杞本（《病方》73 行）、桐本（《病方》365 行）、槐本（《病方》426 行）、杀本（《病方》109 行）、茹卢本（《病方》412 行），此与《山海经》称"根"为"本"是相同的。这也说明《病方》成书时间早于《神农本草经》。

又如《神农本草经》中有些药名都是后来用的名称，如大豆、赤小豆、雷丸、蜣螂、芎䓖等名称，他们最古老的名称叫大菽、赤荅、雷矢、庆良、靡芜本，这些名称都散见于先秦古籍中。如《管子·地员》有"五谷之状……其种大菽"。大菽即大豆，赤荅即赤小豆，雷矢即雷丸，庆良即蜣螂，靡芜本即芎䓖，龙须即石龙刍。这些古老的名称在《神农本草经》中都不作正名用，或作别名，或者不用。例如，《病方》的龙须，《神农本草经》作"石龙刍"的别名，《病方》的雷矢在《神农本草经》中作雷丸的别名。至于《病方》中的庆良、赤荅、靡芜本等，在《神农本草经》中都不用了。《神农本草经》在"芎䓖"条中说："其叶名靡芜……三月、四月采根。"从文义上看，"靡芜本"即《神农本草经》的芎䓖。很显然，"靡芜本"是芎䓖最原始的自然称呼。由此可见，《病方》中的某些药名都是最古老的原始命名。

《病方》中所用的药名是《病方》时代流行的用名，到《神农本草经》时代，这些古老的名字不用了，所以《神农本草经》书中无此等名称。从这个事实来看，《病方》成书时间是早于《神农本草经》的。

（二）从药物内容上来比较

《神农本草经》中常提到五脏六腑及十二经脉的概念。例如，《神农本草经》"玉泉"条："主治五脏百病。"《神农本草经》"朴消"条："朴消……逐六腑积聚。"《神农本草经》"大枣"条："主心腹邪气，安中养脾，助十二经，平胃气。"

《病方》无脏腑概念。所言经脉，在《足臂十一经脉灸经》和《阴阳十一脉灸经甲本》两帛书中仅提到十一经，没有十二经的记载。而在《神农本草经》中，"玉泉"条提到"五脏"，"朴消"条提到"六腑"，"大枣"条提到"十二经"。从这一点来看，《病方》成书时间是早于《神农本草经》的。

根据以上资料来看，《病方》成书时间是早于《神农本草经》的。由于《病方》成书在《神农本草经》以前，则《病方》中所多出的百余种药物，其产生时代当在《神农本草经》以前，所以《病方》的出土增加了《神农本草经》以前时代的大量药物史料，换句话说，它填补了我国先秦时代药物史的空白。